S0-AKM-296

ВСЕВОЛОД КРЕСТОВСКИЙ

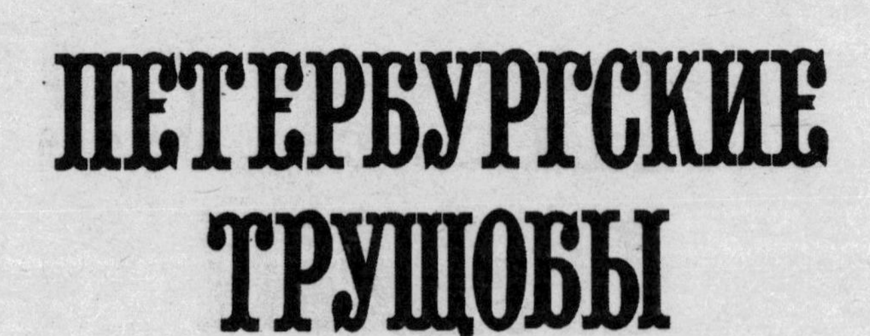

Москва
«ЭКСМО-ПРЕСС»
2002

ВСЕВОЛОД КРЕСТОВСКИЙ

ПЕТЕРБУРГСКИЕ ТРУЩОБЫ

ТОМ ВТОРОЙ

Москва
«ЭКСМО-ПРЕСС»
2002

УДК 882
ББК 84(2Рос-Рус)6-4
К 80

Крестовский В. В.
К 80 Петербургские трущобы: Роман. В двух томах. Т. 2.– М.: Изд-во ЭКСМО-Пресс, 2002. – 608 с.

ISBN 5-04-001008-7

Величественный Петербург — город белых ночей и серых туманов, роскошных дворцов и мрачных трущоб, город тайн и загадок. Блестящая жизнь светского общества и ужасающий быт городского дна. Но они не так уж и далеки друг от друга. Красавица княжна, еще вчера блиставшая на балах, сегодня вынуждена идти на панель, чтобы выжить. А юноша, погибавший от голода, неожиданно становится обладателем огромного состояния. Аристократы и воры, авантюристы и содержатели притонов, нищие и богачи — все они участники грандиозной жизненной драмы, где преступление граничит с подлинным благородством, низменная страсть с чистой любовью, а на смену бедам и горестям приходят дни, исполненные надежды и счастья.

УДК 882
ББК 84(2Рос-Рус)6-4

ISBN 5-04-001008-7

ЧАСТЬ ЧЕТВЕРТАЯ

ЗАКЛЮЧЕННИКИ

(продолжение)

LXV

ФАБРИКА ТЕМНЫХ БУМАЖЕК

В сенях Устиньи Самсоновны находилась, от полу до потолка, сплошная перегородка, имевшая вид дощатой стены. Четыре доски этой перегородки задвигались за остальные четыре, по той же самой системе, как в иных магазинах стеклянные рамы у витрин. Отодвижные доски служили потайной дверью в темный тайничок, где, собственно, и крылась важнейшая суть хлыстовского приюта. Пол этого тайничка подымался на скрытых петлях, в виде люка, и открывал под собою деревянную лестницу, которая вела в подызбище, где постоянно господствовала непроницаемая темнота. Однажды в сутки Устинья Самсоновна зажигала восковую свечу и спускалась в это подполье. Там таилась хлыстовская молельня. Помещение было довольно просторное, земляной пол весьма плотно утрамбован; стены, служившие фундаментом самой избы, сложены из плитняка известкового и имели с лишком сажень вышины. По стенам стояли скамьи, а в переднем углу была прилажена большая полка, и на ней, между двумя канделябрами, помещались четыре намалеванных образа хлыстовской секты: посередине, в виде Саваофа, изображен был вышний гость Данило Филиппович, вправо от него — стародубский богочеловек спаситель Иван Тимофеевич, а по левой стороне — лик «богородицы», матери Ивана Тимофеевича — Ирины Нестеровой. Этот последний образ представлял древнюю старуху, написанную в виде известного православного Знамения пресвятой богородицы. Далее виднелся еще один женский лик, называемый «богиней» или «дочерью бога».

Устинья Самсоновна зажигала канделябры, вздувала уголек в ручной медной кадильнице и начинала свое «моление»: «Дай к нам Господи, дай Исуса Христа!»

Это подызбище было перегорожено на две половины: большую, где, собственно, и находилась молельня, и малую, представлявшую комнатку сажени в две длиною и около сажени в ширину. В этой последней совершались «переоболоченья» братий, то есть переодеванья перед началом общих «радений», с которыми впоследствии познакомится читатель. Тут же к одному боку была прилажена небольшая железная печь, доставлявшая в зимнюю пору достаточное количество тепла на целое подызбище. И вот в этом-то малом отделении хлыстовской молельни в одно утро появилась, обок с железною печкой, еще одна, тоже железная, небольшая химическая печь, которую с помощью Фомки-блаженного приладили здесь Herr Катцель и граф Каллаш. Все необходимые материалы переправлялись сюда посредством Фомушки и самих членов, день за день, почти незаметно, в разную пору дня и ночи, и притом разными путями, и проносились порознь, то разобранные по составным своим частям, то упакованные в какой-нибудь ящик, дорожный саквояж и тому подобное. Эта переноска заняла более двух недель времени, и таким образом исподволь и мало-помалу все увеличивалось тут количество весьма разнообразных предметов, которые обратили наконец подземную комнату в маленькую химическую лабораторию. Тут стал рабочий стол с химическими весами посредине, заставленный разными фарфоровыми ступками, пробирными трубочками, лампой Берцелиуса и тому подобными предметами; на полках поместились реторты да колбы и ящик с анилиновыми красками; другой угол заняли пресс, вальки для накатывания этих красок и литографские камни, а за ними — изящная прочная шкатулка с секретом хранила в себе металлические плитки с выгравированными на них изображениями русских кредитных билетов, начиная с трех- и кончая сторублевым достоинством. От одной стены до другой протянулись тонкие шнурочки, на которых должны были просушиваться приуготовленные бумажки, и посреди всех этих предметов, как некий маг и волшебник, предстоял доктор Катцель в серой блузе и красной феске, то вычисляя на грифельной доске эквиваленты, то с глубоким, сосредоточенным вниманием следя за реактивом какого-нибудь состава; наблюдал осадки или растирал в ступке необходимую ему краску. Доктор не решался сразу приступить к выделке ассигнаций — он все выискивал и добивался таких результатов, которые устраняли бы всякое подозрение в фальши его произведений, и потому долгое время занимался одними только исследованиями красок и составов, стараясь в то же время довести бумагу до того вида и свойства, каким отличаются неподдельные русские кредитки. Часто даже по целым суткам и более он безвыходно оставался в своей лаборатории, упорно преследуя свою цель, забывал и сон, и пищу, терял даже потребность в свежем воздухе, пока наконец в голову не начинал ударять страшный прилив крови и организм изнемогал от столь долгого напряжения. Тогда Катцель переодевался в обычное платье и, послав предварительно либо Устинью Самсоновну, либо Паисия Логиныча оглядеть местность — нет ли там лишнего прохожего народу, — выходил на свежий воздух и пробирался к своей городской квартире, стараясь избирать по возможности различные пути для того, чтобы не примелькалась кому-нибудь его физиономия, что могло бы, пожалуй, случиться при путешествии постоянно одной и той же дорогой. Три-четыре дня отдыха придавали доктору новые силы, с запасом которых он снова спускался в свою подземную лабораторию. Остальные члены, то порознь, то вместе, посещали его раз в неделю и приносили с собою добрый запасец красного вина, которым обер-фабрикант в минуты усталости подкреплял свои силы.

Обитатели огородной избы благодаря Фомушке познакомились и даже сблизились настолько с членами будущего темного банка, насколько являлось это необходимостью при деле, которое производилось с их ведома и притом в их собственном доме. Устинья Самсоновна при встрече своих гостей каждый раз не переставала сердобольно обращаться к ним с вопросами: «Что же, батюшки-братцы, скоро ль гонение-то на нас будет? Поскорей бы хотелося!» Или осведомлялась, когда именно думают они семя антихристово рассеять по лицу земли. Старец Паисий в этих случаях больше все помалчивал, только улыбался им с великим благодушием да отвешивал поклон, исполненный большого достоинства.

Между тем одно время Фомушка совсем исчез куда-то и очень долго не показывался ни у графа Каллаша, ни в избе Устиньи Самсоновны. Обстоятельство это немало-таки озаботило графа, ибо Фомушка был для него весьма нужным подспорьем в затеянном деле, как известно уже читателю. И только впоследствии было узнано, что раб Божий Фома обретается в тюремном замке, по подозрению в краже. Время этого отсутствия совпадало с его арестом. Каким образом мог приключиться с Фомушкой такой неладный фокус, граф Каллаш не мог себе в точности представить, потому что Фомушка, в ожидании будущих благ, получал от него по мелочам весьма изрядное количество денег, которых вполне хватило бы для него, чтобы жить не нуждаючись и даже с некоторой, возможной для него, роскошью.

— Мой милый граф, — рассудительно возразил ему однажды Катцель, когда тот развил перед ним подобные соображения свои касательно Фомушки, — мы с вами имеем, конечно, средства, чтобы жить не нуждаючись и даже с невозможной для нас роскошью, и однако ж... однако ж мы продолжаем мошенничать, из желания иметь как можно больше, чтобы жить еще роскошнее. То же самое и ваш милый Фомушка, которого я вполне уважаю.

— Такова уже натура, и против натуры не пойдешь! — заключил Herr Катцель.

И он был прав. Действительно, такова уже была у Фомушки натура, что отказаться от одного мошенничества ради другого он чувствовал себя не в состоянии. Ему бы хотелось обоим разом предаваться. Видит он, что дело с бумажками еще только подготовляется, что заработки от него принадлежат пока будущему, и думает: «Что же я стану задаром время-то золотое терять?» И поэтому отнюдь не терял его даром. Хотя он и точно получал от графа порядочные деньжишки, однако подобного рода получения как-то мало удовлетворяли блаженного. «Это что за деньги! — размышлял он порою. — Это все равно что ты их на улице нашел: сами собою, задаром в твой карман приплывают. Это, по-настоящему, не деньги, а вот деньги, которые ты сам своей сметкой, своими мозгами да своими руками добудешь себе — ну, тут уж выйдет статья иная!» Старые привычки брали-таки свою силу над Фомушкой-блаженным. Бесшабашная, пройдошная натура его не могла помириться с тем относительно спокойным и довольственным существованием, какое доставляли ему подачки графа Каллаша. Эти старые привычки тянули его на свою сторону, заставляли по-прежнему простаивать, купно с Макридой и Касьянчиком, на паперти Сенного Спаса, корчить из себя юродивого, таскаться по перекусочным да по разным трущобам, сговариваться с Гречкой об убийстве ростовщика Морденки и, наконец, ни с того ни с сего, ради одной только привычки, украсть при выходе от всенощной бумажник купца Толстопятого — обстоятельство, как известно, доведшее его до «дядина дома», из коего освободился он благодаря лишь ходатайству великосветской сердобольницы. Тут уж именно действовала одна только «натура», одни лишь привычные инстинкты, и больше ничего.

По выходе из тюрьмы, живя в богадельне, он наведывался к графу Каллашу, но — увы! — банк темных бумажек не приносил еще никаких положительных результатов. Доктор Катцель все еще делал опыты, достигая разных усовершенствований, изготовлял пробные ассигнации, но... эти ассигнации все еще не подходили к искомому идеалу. Хотя каждая новая проба значительно приближалась к нему, однако до тех пор, пока этот заветный идеал не удовлетворен в совершенстве, доктор Катцель не решался выпустить ни одного экземпляра из своей лаборатории. Он упорно боролся с нетерпением своих сотоварищей, особенно же с Каллашем; дело доходило до крупных и горячих разговоров, и все-таки в конце концов настаивал на своем, и те ему уступали.

— Если уж делать, то делать так, чтобы это было достойно порядочного человека! — убеждал он их в минуты подобных споров. — Иначе возьмите вашего Фомку, и пускай он, а не я, занимается в этой лаборатории! Грубых подделок и без того довольно гуляет по свету, а я хочу сделать так, чтобы потом, в случае печального исхода, мне, ученому-химику, не пришлось бы краснеть за свое изделие и за свое знание. Для вас же будет лучше, — говорил он, — если потом вы сами не отличите их от настоящих: тогда мы будем свободно и смело являться с ними хотя бы в государственный банк, для размена!

Этот энергический жар и уверенность, с которыми приводил доктор свои доказательства, и это совершенствование, замечавшееся в кредитках после каждого нового опыта, убеждали членов в справедливости его слов и доводов, так что они единодушно решались ждать того времени, когда наконец труды и усилия обер-фабриканта увенчаются полным успехом.

Приходилось ждать и Фомушке, хотя он и не был посвящен в эти споры и успехи доктора. Но столь долгое ожидание погоды, сидя у моря, начинало уже немножко надоедать ему. «Видно, дело непутевое, и надо так полагать, что ничего из него не вытрясется! Ничего клевого не выйдет!» — стал иногда подумывать Фомушка с кислой улыбкой сомнения, близкого к полному разочарованью.

LXVI

ПОСЛЕДНЯЯ ПРОСЬБА — ПОСЛЕДНЯЯ МЫСЛЬ

Когда в обыкновенной тюремной «мышеловке» арестантку привезли с Конной площади обратно в тюрьму, она была уже очень слаба и едва-едва лишь на ногах держалась.

Минуты, пережитые ею в последнее утро, казалось, совокупили в себе все те страдания, которые перенесла она со времени первой катастрофы до того мгновенья, пока дверца фургона не скрыла ее наконец от тысячи глаз любопытной толпы. Но ко всему, что в течение долгого времени накопилось в груди этой женщины, путешествие на Конную площадь надбавило теперь последнюю гирю, которую уже не в состоянии был выдержать организм ее. Нервическое потрясение оказалось столь велико, что из тюремной конторы Бероеву прямо отправили в лазарет, который для женщин помещается в верхнем этаже их «дядиной дачи».

Вскоре у нее начался значительный упадок сил и с каждым часом все шел прогрессивнее. Сознание, впрочем, ни на минуту не покидало больную — рассудок ее был совершенно ясен.

Пришел доктор, пощупал пульс и весьма сомнительно покачал головою.

— Ну что?.. Как? — спросила его тут же у постели лазаретная надзирательница.

— Да что... Очень плохо.

Бероева открыла глаза и жадно старалась ловить полушепот этих людей.

— Но все-таки есть надежда? — спросила надзирательница.

— Мм... нда, пожалуй... однако очень мало.

— Вы полагаете, стало быть, что умрет?

— Нда... мне кажется, не вынесет... Упадок сил чересчур уж велик.

— Да и как быстро наступил-то он!.. И все сильнее, все сильнее ведь!

— Это-то и скверно.

— Что ж тут делать теперь?

— Ну, пропишем что-нибудь... посмотрим... может быть... только едва ли...

Бероева слышала кое-что из этого разговора — об остальном она догадалась, и сердце ее сжалось тоской и холодом. Смерть... она не думала, чтобы смерть была так близка... она не чувствовала и не ждала ее. Смерть! — и эта мысль испугала больную.

Мысли ее стали мешаться, путаться, в ушах зазвенел какой-то смутный шум, глаза смыкаются невольно, как бы под обаянием неодолимой дремоты, и наконец наступает какое-то сладкое, дурманящее забытье.

Сын Эскулапа, для успокоения совести, прописал какое-то снадобье, с которым часа полтора спустя сиделка подошла к постели Бероевой и растолкала спящую.

Та с усилием открыла глаза. Пробуждение от этого сна показалось ей тяжким и сопровождалось тем нудящим ощущением тошноты, которое подымается в груди перед обмороком, а иногда в первые мгновенья после него.

— Лекарство прими, — предложила сиделка-арестантка.

— Не надо... — слабо проговорила больная, которую от этого чувства дурноты еще более клонило ко сну: организм просил полного успокоения.

— Да все ж таки прими, моя милая, ведь дохтур приказал, — убеждала сиделка, продолжая тревожить ее расталкиванием.

— После... — чуть слышно ответила Бероева.

— Да как же так?.. Я, право, не знаю... я надзирательницу кликну — пущай она сама, как знает.

— Оставь, Христа ради... дайте мне покой.

— Да ведь приказано!

Встретя столь настойчивое сопротивление, Бероева нервно, хотя весьма слабо, заметалась на своей койке. Это требование только сильнее раздражало ее, произведя конвульсивно-лихорадочные содрогания во всем теле.

— Бога в тебе нет, что ли! — укоризненно накинулись на сиделку несколько больных арестанток. — Не видишь разве! Все равно помрет... Оставь ты ее, не мучь напоследок — уж и без того ей вдосталь пришлось сегодня... совсем помирает ведь.

Общая укоризна подействовала: сиделка, поставив склянку на стол, отошла от постели.

Но зловеще в ушах Бероевой раздались слова арестанток:

— Все равно помрет... совсем помирает.

Ужасная мысль о близости смерти снова мелькнула в ее уме пугающим призраком, и на этот раз больная решилась собрать все скудные силы, какими владела в эту минуту.

— Мавру Кузьминишну... голубушка, Мавру Кузьминишну, — слабо пролепетала она, обратив молящий взор к своей лазаретной соседке, лежавшей на рядом стоящей койке, — Бога ради, Мавру Кузьминишну! — умоляющим стоном повторила она.

И через несколько минут надзирательница уже держала ее холодеющие руки.

— Мавра Кузьминишна... тут у меня в ладанке, на шее... вы знаете... вместе с крестом старинный рубль зашит... старинный рубль... от дочери... Снимите с меня...

Старушка исполнила ее желание, и Бероева слабою рукою поднесла к губам свою заветную память. На глазах ее появились слезы.

— Бедные мои дети! — горько прошептала она, продолжительно прильнув к этой ладанке. — Не увижу больше...

Мавра Кузьминишна и больная соседка поддерживали слегка ее голову. Остальные внимательно и в каком-то благоговейном молчании следили со своих кроватей за этою грустною сценою.

— Я умру, говорят они... Нет... Боже мой, нет!.. Неужели... Смерть... Но... если я умру, — продолжала больная, в борьбе с этой мыслью, тихо взяв руку надзирательницы, — напишите к родным — вы знаете куда... Жив ли он, и что с ним... Если он жив — муж мой — пускай ему скажут, что я и в последнюю минуту о нем да о детях несчастных поминала... Он любит нас. А тем, врагам нашим... Бог с ними! Я прощаю им... Пусть и он простит...

И новые слезы полились из глаз умирающей.

— Теперь моя последняя просьба... последнее желание... Бога ради, сделайте это... Для умирающего человека можно, — продолжала она, подняв на старушку молящие взоры. — Это каприз, но... в нем теперь все, что осталось мне дорого от прошлого... Этот рубль — подарок дочери моей, — я не хочу с ним расстаться. Умоляю вас! Не откажите моей последней воле!.. Положите его со мною в гроб... Вы сделаете это. Дайте мне слово!..

Мавра Кузьминишна пообещалась, и на лице умирающей, словно тихая тень весеннего облака, легла светлая, довольная улыбка.

— Благодарю вас... — прошептала она, — благодарю... Теперь я умру спокойнее... Не отходите от меня... Будьте хоть вы со мною — все же легче как-то: не одна хоть буду в последнюю минуту... Сядьте здесь... поближе...

Старушка села подле нее и все держала ее руки так нежно и любовно, как могла бы разве одна только мать держать своего умирающего ребенка.

Но зато, после стольких усилий, после минутного напряжения стольких нравственных и физических способностей, которыми сопровождалась эта сцена, организм Бероевой совсем уже истощился, и начался окончательный упадок сил...

Она слабо дышала, лежа навзничь на своей постели. Глаза были закрыты, пульс едва уже бился, и рука, сжимавшая у груди заветную ладанку, холодела все более. Через полчаса это состояние почти незаметно перешло в какой-то окоченелый сон, так что ни пульса, ни дыханья уже не было слышно.

LXVII

МЕЖДУ ЖИЗНЬЮ И СМЕРТЬЮ

Слабее, слабее становится тело — с каждой секундой силы угасают все больше. За минуту Бероева могла еще двинуть по своей воле рукой или пальцем, теперь ей уже трудно сделать это: она не может даже шелохнуть ни единым суставом, да ей и не хочется, она чувствует, что ей было бы болезненно-трудно шевельнуть чем-нибудь. Как хорошо лежать ей теперь неподвижно в этом расслабляющем оцепенении! Словно бы великая лень разлилась по всему телу, по всем суставам и жилам и держит ее под своим обаянием. «Ах, кабы не будили! Ах, кабы они оставили меня!» — смутно промелькнуло в голове Бероевой, так смутно, как иногда в ярко-солнечный день мелькнет на прибрежном чистом песке тень от крыла пролетевшей птицы. Но ее не будят, она как будто чувствует, что руку ее держит чья-то другая, дружелюбная рука — это была рука Мавры Кузьминишны, — ее не будят, и она довольна, она рада этому: ей так хорошо лежать в этом забытьи, сковывающем тело.

Глаза смыкаются все больше и больше, и, пока они совсем еще не сомкнулись, Бероева, будто сквозь голубоватый туман, почти бессознательно и бледно различает около себя какие-то фигуры — не то это люди, не то деревья. Фигуры эти мелькают и рябят перед ее глазами, как рябят иногда печатные строчки у человека, засыпающего над книгой.

Но вот голубоватый свет тумана перешел в какой-то мглисто-серый, и фигуры исчезли...

Вместо них появляются новые ощущения.

Тяжко-сладкая дремота долит и долит все сильнее, и уже нет того сознания, которое за минуту еще мелькало в ее уме, выражаясь желанием, чтобы ее оставили в этом покое и не будили больше. Теперь уже нет никакого сознания окружающей действительности, потому что на месте его появилось сознание каких-то призрачных грез и ощущений.

В ушах раздается неопределенный шум. Какой это шум? Не то тысячи колоколов гудят во тьме... Кремль и московские соборы в полночь, во время Христовой заутрени... гудят и звонят все сильнее, все ближе — гул и звон со всех сторон охватывают Бероеву. Боже мой, какой это ужасный, какой нестерпимый звон!.. А в глазах, в глазах-то — что за дивный свет ударяет в них сверху! Это яркое солнце ослепительно, нестерпимо режет глаза своим колючим блеском. Целые снопы золотых, бриллиантовых лучей отовсюду, мириадами кидаются в глаза и жгут, и слепят их собою.

Не то звуки плохого, расстроенного фортепиано раздаются в ушах — словно по клавишам без толку и смыслу ударяет чья-то неверная, детская рука, не то грохот барабанов раздается, шум и крики толпы; а в глазах колесами ходят и сплетаются между собою, будто в дивной фантасмагории, какие-то огненные круги, играющие всеми цветами радуги, и эти круги являются в разных размерах — большие и малые, а между ними, на темном фоне, дождем падают, сыплются, и скачут, и прыгают, и вьются, и кружатся мириады светлых точек, бриллиантовых искорок, снежинок. Радуги налетают на нее со всех сторон, с непостижимой быстротою сливаются вокруг ее тела, опоясывают ее сверкающим обручем — и она лежит вся в огне, вся в блеске и треске, под нескончаемым дождем светлых искорок, в нескончаемом шуме и звоне каких-то странных голосов, каких-то диких инструментов.

Но вот стихают этот блеск и шум, становясь все глуше и глуше... Теперь уже будто не барабаны, не колокола и не голоса толпы, а словно бы шум и кипение бесконечного моря. И это не море, а целый океан шипит, волнуется и клубится. Холодно. Плеск волн все тише и слабее — будто она, заснувшая, медленно и плавно опускается на дно морское. Тусклый свет едва-едва проникает своими слабыми, преломляющимися лучами сквозь холодные массы воды — и это именно подводный свет, с зеленоватым отливом... Большие, безобразные рыбы медленно двигаются в безднах океана, тихо раскрывая и смыкая свои страшные пасти, машут плавательными перьями и смотрят на утонувшую своими холодно-стеклянными, неподвижными глазами. Она опускается все глубже и глубже, и чем глубже, тем все холоднее становится ей. И вот этот водяной холод равномерно разливается по всем членам ее тела. Наконец она совсем уже опустилась на дно морское — навзничь лежит недвижимо и не чувствует больше холода; здесь уже нет ей ни холода, ни теплоты, а есть только одно оцепенение. Рыбы тоже исчезли, и тусклый зеленовато-подводный свет улетучился кверху.

Наступили мрак и тишина — полнейшая тишина и мертвенное спокойствие. Прошло несколько долгих минут среди такого ничем не возмущенного состояния.

— Кажись, умерла, — вдруг послышался оцепеневшей Бероевой шепотливый голос Мавры Кузьминишны, и показалось ей, будто в этом голосе был легкий оттенок испуга.

— Надо быть, умерла, — шепотом же ответил голос больной соседки.

Несколько арестанток тихо, осторожною походкою, в своих серых халатах, подошли к Бероевой и долго, с чувством немого благоговения, которое всегда бывает инстинктивно присуще человеку перед одром только что отошедшего брата, глядели в строго спокойное синевато-бледное лицо умершей.

— Умерла... — невольно промолвили некоторые из них, и это слово точно так же, как и полушепот Мавры Кузьминишны, достигло до слуха Бероевой.

«Умерла?.. Как умерла? Что это они говорят?» — мелькнуло в

ее слабом сознании, которое, вместе с наступившей тишиной и мраком, мало-помалу начало снова возвращаться к ней. Но с возвратом внутреннего сознания к ней не воротилась способность проявить его внешними признаками: звуком, взглядом, движением. Физические силы совсем оставили это мертвенно-неподвижное тело.

«Что это вы говорите?! Я жива! Жива! Поглядите — вот!»

Бероевой в ее исключительном положении показалось, будто она не только произнесла, но даже громко выкрикнула эти слова, и ей хотелось, всеми силами своего слабого сознания хотелось выкрикнуть их громче, чтобы разуверить окружающих в своей мнимой смерти. Но странно: окружающие как будто и не слыхали ее слов — они продолжали относиться к ней, как к мертвой.

— Надо бы позвать надзирательницу да доктора — пущай поглядят, — вполголоса предложила сиделка и на цыпочках вышла из комнаты.

«Ну вот! Слава Богу! Доктор придет... Он увидит, он разуверит их», — прокрался у Бероевой луч надежды.

Пришел доктор, взглянул на застывшую женщину, приподнял ей большим пальцем веко и в тусклый глаз заглянул, затем пощупал пульс и кивнул головой: готово, мол!

— Умерла? — спросила его Мавра Кузьминишна.

— Конечно. Разве вы не видите?

«Да нет же! Нет!.. Я жива!.. Я слышу!..» — силилась закричать Бероева, и снова показалось ей, будто она действительно крикнула. Но нет, не слышат... Хочет она хоть чем-нибудь подать знак им о присутствии в ней жизни, хочет приподнять опущенные веки — и не может поднять их; силится шевельнуть пальцем — безжизненные мускулы не поддаются невероятно-упорным усилиям ее воли, а между тем она все ясней начинает слышать движение окружающей ее жизни, даже отдельные людские голоса различает, сознавая, когда и что говорит доктор и когда Мавра Кузьминишна.

При этом в ней поднялось то смутное невыносимо-тяжкое чувство, которое наплывает на грудь и голову человека во время сонного кошмара.

«Да это сон, это кошмар, — думает Бероева, — он сейчас кончится, только сразу никак не могу проснуться... этого ничего нет, это все только снится мне».

Но кошмар не проходит, и, несмотря на все усилия воли, проснуться она не может.

— Накройте ее и уберите койку, да в контору дайте знать о смерти, — распорядился доктор, удаляясь из комнаты, ибо засим ему уже нечего было делать в лазарете.

— Как быть-то? Ведь по закону, кажись, нельзя класть к покойнику в гроб драгоценные вещи? — с озабоченной сомнительностью обратилась старушка к бывшей соседке Бероевой.

Мнимоумершая расслышала и эти последние слова. «Неужели она не положит? Неужели не исполнит моей просьбы?»

— Так то ж, это ведь не бральянт какой, а просто-напросто старая деньга — чай, сами слышали! — подумавши, возразила арестантка. — Опять же последняя воля — просила-то ведь как!.. Слезно просила!.. Ведь грех не сделать-то!

— То-то, что грех, — со вздохом согласилась Мавра Кузьминишна. — Это на совести будет... Боюсь только, от начальства чего бы не вышло, если узнают... Ну, да уж что об этом думать, коли по христианству должно исполнить! — махнула она рукою. — Последняя воля — великое дело.

Бероева во внутреннем сознании своем просветлела от последних слов старушки.

Если бы воля ее повиновалась ей, то на лице ее отразилась бы улыбка самой искренней, самой теплой благодарности, но теперь лицо осталось мертво и безвыразительно.

И вскоре после этого Бероева, хотя и чересчур слабо, однако ощутила-таки, как ее всю — от головы до ног — покрыли чистою простынею и как два солдата подняли ее вместе с койкой и понесли из больничной палаты.

Арестантка Катя Балыкова, та самая, которой Бероева иногда писала письма к ее Осипу Гречке, проведав теперь о смерти Юлии Николаевны, слезно обратилась к Мавре Кузьминишне допустить ее обмыть покойницу. «Хоть этим-то отблагодарить за душевность ее!» — прибавила она в пояснение своего желания. Надзирательница согласилась и вместе с Катей сама обмыла, сама одела Бероеву и, разжав ее пальцы, вынула из руки ладанку и надела ей на шею, под смертную арестантскую рубаху.

После того тело, до следующего дня, вынесли в мертвецкую.

Близится ночь. Покойница лежит на столе в тюремной мертвецкой, покрытая все тою же чистою простынею. Перед образом мерцает лампада, в головах у нее восковая свечка теплится и кидает на стену поперечную тень от лежащей женщины. Эта тень рисует неправильный профиль головы, бугорок, в том месте, где на груди сложены руки, и острый, выдающийся угол пальцев ног под простынею.

Тихо. Только сверчок уныло и робко цвирикает под половицей, да изредка треснет нагорелая светильня восковой свечки — и монотонно-глухо раздается внятный голос читальщика Китаренко, который «ради спасения души» выпросился почитать псалтырь над покойницей.

«Святый Боже, святый крепкий, святый бессмертный, помилуй нас», — смутно звучится в ушах Бероевой, и в мозгу ее копошится новая тень мысли:

«Над кем это читают?.. Надо мной читают?.. Да, надо мной читают!»

«Со святыми упокой, Христе, душу новопреставившейся рабы твоея Юлии, — продолжает меж тем монотонно тягучий голос псаломщика, — иде же несть болезнь, ни печаль, ни воздыхание, но жизнь бесконечная».

«...Но жизнь бесконечная... Я умерла, — шевельнулась новая мысль в сознании Бероевой. — Смерть... А, так вот она — смерть!.. Я не вижу, не двигаюсь, но я слышу... Умерло тело, душа жива... «Но жизнь бесконечная...» Сознание, значит, останется: оно — жизнь бесконечная. Страшно. Но это теперь, пока я на земле, пока меня люди окружают, а дальше-то что же?»

«Земнии убо от земли создахомся, и в землю туюжде пойдем, якоже повелел еси создавый мя и рекий ми: яко земля еси и в землю отыдеши, аможе вси человецы пойдем, надгробное рыдание творяще: песнь аллилуия».

«Но дальше, что же дальше-то будет? — неотвязно замелькала перед мнимоумершей все та же пытливая, ужасающая мысль. — Теперь я слышу жизнь, а когда закопают в могилу — там уже нечего будет слышать... Какие звуки там, под землею?.. Сознание осталось.... А когда тело сгниет и кости истлеют? Тогда же что?»

«Чудны дела твои, и душа моя знает зело. Не утаися кость моя от тебе, юже сотворил еси в тайне», — звучит голос читальщика; а ночь меж тем растет и расстилается над неугомонным городом.

Порою будто туман непроницаемо заложит голову Бероевой и одолевает ее какое-то обморочное, мертвенное состояние, слух притупится, и мысль застынет; но потом опять начинают раздаваться в ушах какие-то неясные звуки, которых нельзя еще различить; однако из этих самых звуков через несколько времени начинают выделяться слова, из слов целые фразы читаемой псалтыри, и смутное сознание снова пробуждается, и ясно вырастает в нем роковой вопрос: «Что же дальше будет?» — пока и мысль, и слух опять не погаснут в новом наплыве каких-то призрачных грез, тающих под конец в этом обморочном, всепоглощающем тумане.

LXVIII

ТЮРЕМНЫЕ ВЕСТИ И НОВОСТИ

Тюремные новости разносятся необыкновенно быстро. Это своего рода телеграф, в котором, впрочем, электрическая проволока и все другие аппараты весьма успешно заменяются одним только языком. В тюрьме, среди одуряющего однообразия жизни, каждое приключение — вроде того, что две арестантки за что-нибудь подрались или один арестант стащил у другого рубаху — считается уже новостью, которая тотчас передается на другие этажи и отделения. Оно и понятно: хотя драка или местное воровство — явление самое обыкновенное в подобной среде, но все же и они в тюрьме отчасти выдаются из скучно-монотонного уровня скучнейшей жизни, где один день ни на йоту не отличается от другого, где завтра тянется, как вчера, а вчера — как сегодня, и так целые недели, месяцы и даже годы. При этих условиях — понятное дело — такое обстоятельство, на которое в иной обстановке никто из заключенных и малейшего внимания не обратил бы — «не плюнул бы», как говорят они, здесь уже приобретает своего рода важность, значение новости или приключения и, как новость, разносится по всем камерам с достодолжною быстротою.

Утром этого дня новость заключалась в отправке Бероевой на площадь: «К Смольному затылком на фортунке покатили марушку[1] одну с дядиной дачи», — передавали арестанты друг другу; а к вечеру всеобщею новостью для тюрьмы стала внезапная смерть этой самой марушки, и рассказ о том, как умирала и что говорила, что делала при этом арестантка, быстро перелетал из уст в уста, с вариациями, дополнениями и изменениями. Каждый присовокуплял к нему, что хотел, по своему личному вкусу и соображению: лазаретная сиделка передала придвернице, придверница стряпухам и прачкам, те разнесли по женским камерам, а женщины, в свою очередь, передали мужчинам.

Есть в тюрьме один пункт, в котором деревянная стена отгораживает мужское отделение от женского. Этот пункт и служит главной станцией устных депеш от мужчин к женщинам и обратно. У всех почти заключенных, которые имеют свои тюремные платонические романы, условлены известные часы для свиданий с дамами сердца. Лица не видно, зато голос можно хорошо слышать, стало быть, есть возможность разговаривать. Точно такой же условный час свидания существует и у Гречки с арестанткой Катей Балыковой.

— Что у вас, помер кто-то, слышно? — спросил голос Гречки.

— Ах, уж и не говори!.. Такое это у меня горе!.. Ведь самая душевная моя, любимая моя померла-то! —встосковалась Катя Балыкова. — Сколько раз, бывало, попросишь письмо к тебе написать — никогда отказу не было.

И арестантка со всеми подробностями, насколько сама знала, передала ему рассказ о последних минутах Бероевой.

— Ты говоришь, деньги приказала положить с собою? — очень серьезно и тихо спросил Гречка видимо изменившимся голосом.

— Ах, уж так-то просила... Со слезами, говорят... Это, мол, самая заветная вещица моя, приказывала им, ни за что, мол, расстаться с нею не желаю.

— Гм... И ты не врешь, что сама видела, как оно в ладанке зашито?

— Зачем врать, своими глазами видела. Потому, что я очинно

---

[1] *Маруха* — женщина. *Марушка* — уменьшительное и отчасти ласкательное изменение того же слова, что-то вроде молодки или бабенки.

любила покойницу, — объясняла Балыкова, — так я выпросилась у Марии Кузьминишны, чтобы взяла меня вместе с собою обмывать да убирать ее, — тут вот и видела, как она, значит, на шею надела ей.

— Гм... А деньга-то самая, рубль старинный, что ли?

— Старинный, точно старинный — тяжельше нонешних.

— Да это верно?

— Что сама видела да слышала, то и говорю, — подтвердила Катя. — Мавра Кузьминишна и допреж того знала про этот самый рубль, — продолжала она, — потому, сказывала она, что покойница ей не раз говорила про него: они со старушкой-то нашей словно дочка с матерью жили. Так вот это она и сказывала, что рубль-то петровский какой-то... верно, особенный... в семье у них издавна хранился.

Если б Катя Балыкова могла видеть Гречкино лицо, то она увидела бы, как изменилось, как просияло оно в ту минуту.

— Ну, прощай, душа, спасибо за новость! — торопливо промолвил Гречка.

— Да куда ж ты, лиходей мой!.. И слова еще по душе не сказали! — укорила Катя.

— Некогда... Ужо поговорим, а теперь не время. Да слышь ты, — внезапно он прибавил, — не знаешь, когда ее хоронить будут?

— А сказывали, будто завтра хотят.

— Завтра?.. Гм... Эка штука... — раздумчиво процедил озабоченный Гречка. — Ну да ладно, завтра так завтра! Прощай!

И Катя слышала, как удалился он поспешными шагами.

В голове Осипа Гречки горячо кипело множество мыслей, так что он, видимо, находился в лихорадочном состоянии.

«Старинный рубль... петровский — значит, этта, ампператора Пётры Первого, как сказывал Жиган, — размышлял он сам с собой. — Издавна в семействе хранился и в ладанке зашит... Да еще слезно приказывала в могилу положить с собою... Это фармазонские деньги — они! Беспременно они! Беспременно фармазонские! — решил арестант и еще жутче погрузился в свои думы. — Надо во что б то ни стало добыть эти деньги!.. Во что б то ни стало!.. В часовню забраться, нешто?.. Не заберешься: укараулят... Одна штука — бежать, да бежать как можно скорее!.. А как раздобудешься заветным рублем неразменным — Господи, что за жизнь-то пойдет счастливая! — упоительно предался он мечтаньям. — Живи, ни о чем не тужи, ни о чем не заботься, одет, обут и пищия тебе тут всякая, и напиток хороший! Любо! Уж как любо!.. Ажно дух захватывает!.. Фатеру хорошую найму, сударушка своя собственная будет — барином жить стану... И воровать уж не буду — незачем... Ни за что не буду, ни-ни, и детям закажу — этого богачества по весь век за глаза ведь хватит... На покое да на волюшке заживем тогда! Одно только скверно, черт побери, очинно уж скверно! —

приостановился он в дальнейшем порыве. — Чтобы добыть-то их, эти фармазонские денежки, надо будет над мертвецом надругательство сделать... Иначе не достанутся, сказывал Жиган, то ись никак не достанутся... Эх, доля наша, доля горемычная! Каково-то оно есть, это счастье людское, — и за что нашему брату приходится черту запродать свою душу навеки, а даром и не добудешь этого счастья... Ну да что ж такое? Запродать так запродать! — решил он после минуты раздумья. — Мне что теперь, что после, по писанию, — все едино пропадать ведь надо... За наши добрые дела, сказывают, будто на том свете в рай ко святым не пущают, а прямо в огненную реку волокут — так, значит, это для нас все равно что ничего, потому и без того сволокли бы, потому хоть и убегу, хоть и на воле буду — а хлеб жевать надо, — ну и, значит, беспременно воровать надо: без того уже нашему брату невозможно как-то, с волчьим видом ни в какую иную работу не примут. Тут уж лучше, коли пропадать, пропаду, по крайности, за счастье свое; по крайности, узнаешь, каково таково это самое счастье на свете бывает!»

И Гречка окончательно уже решился.

LXIX

ПОБЕГ АРЕСТАНТОВ

«Жил-был на свете добрый молодец, а прозвание молодцу было Хмелинушка-бездельный», — рассказывал Кузьма Облако собравшейся вокруг него, по обычаю, кучке арестантов, когда Гречка вошел в эту камеру непосредственно после своего решения о скором побеге. Он пришел сюда с целью окончательно сговорить себе подходящего товарища, которого он наметил уже гораздо раньше и недели за три до описанных происшествий успел даже раза два намекнуть ему о возможности побега. Гречка знал, что это человек решительный и предприимчивый, со стороны которого едва ли встретится отказ. Вошел он в камеру в начале седьмого, спустя около двух часов после смерти Бероевой.

«Задумал Хмелинушка жениться, крестьянским хлебом кормиться, — продолжал Облако. — Оженился Хмелинушка — жонка вышла неудачливая: где бы печь истопить да варева наварить, а она в гречку скакать, в конопли хорониться да с чужими парнями возиться. Задумал Хмелинушка нову тесову избу поставить — жить хозяином да Господа славить. Поставил — пришел огонь, повыгнал Хмелинушку вон: погорела изба. Пошел Хмелинушка в поле — полоску боронить, на зиму хлебушки накопить.

Уродило яровок, да пришел град небесный, повыбил Хмелинушкину ржицу. Видит Хмелинушка: во всем ему незадача. Пошел Хмелинушка куда глаза глядят, а навстречу ему Горе идет, на клюку опираючись, над Хмелиною насмехаючись. Само Горе лыком подпоясано, а ноги мочалами изопутаны. Испужался Хмелина Горя безобразного да в темны леса от него поскорей! Глядит — а Горе прежде его в темный лес зашло, навстречу идет да поклон отдает. Пуще того испужался Хмелинушка, бежать ударился да и прибег в почестный пир христианский: нет места во пиру Хмелинушке, потому — Горе раньше зашло да на его место уселось. Тут Хмелинушка от Горя — во царев кабак, а Горе встречает, уж и водку-пиво тащит да востер булатный нож подает. Подружился Хмелинушка с Горем, брательски с ним побратался, и говорит ему Горе великое: «Дам тебе я, доброму молодцу, путь пространный, дорогу широкую, дам тебе я хоромину крепкую да теплую, дам тебе я хлеб да одежду богатую. Дорога моя — Володимирка, хоромина — сибирский острог, а хлеб да одежина — казенныи, не просто казенныи, а клейменныи, арестантскии».

— Это ровно как в нашей тетради списано, — заметил на это один арестантик из грамотных, — там тоже эдак про горе говорится:

Горе плачет и смеется,
Горе вьется вертеном,
Как осина, горе гнется,
Горе ходит с топором[1].

— Что, брат, хороша песня? — подмигнул Гречка одному арестанту, который третий месяц содержался в тюрьме по делу, грозящему неминучей каторгой.

— Одно слово — арестантская, — пробурчал вопрошаемый.

— А сказка? Тоже, поди-ко, недурна?..

— Ништо себе, живет...

— Точно, брат, живет. Это твое верное слово. Только ты постой, ты сначала почувствуй, брат! — распространялся перед ним Гречка. — Это еще не сказка, а только малая присказка, а сказка-то самая будет нам с тобой впереди, как вот в Конном трактире даром порцию миног отпустят да клеймовой тройцой благословят, чтобы не потерялся и чтобы мать родная признала, значит, да вот как с железной музыкой, в браслетиках, прогуляться пошлют — ну, это тогда точно что уж сказка будет!

Тот, с невкусным выражением в лице, почесал у себя за ухом.

— А вот я тебе сказку скажу — моя получше выйдет! — как-то двусмысленно предложил ему Гречка. — Пока что и моя авось пригодится... Хочешь послушать, что ли?

— Болтай, пожалуй.

— Постой, кума, в Саксонии не бывала! — отшутился Гречка и совсем спокойно уселся подле избранного субъекта, по-видимому, намереваясь только праздное время убить в приятной компании да послушать, о чем тут люди гуторят.

---

[1] «Дом позора». Глава под названием «Распрегорькая жизнь».

Арестанты меж тем песню запели. Начал Фалинов, а несколько голосов подтянули:

Вот как муж жену любил... —

выводил он веселые переливы, избоченясь и изображая разными ужимками и всею фигурою, как именно муж любил жену свою.

Уж он так ее любил —
Щепетненько водил,
По морозу нагишом,
По крапиве босиком.
А жена его любила —
Щепетней того водила,
Щепетней того водила,
В тюрьме место откупила,
Откупила, снарядила —
Пятьдесят рублев дала.
Вот тебе, мол, муженек,
Вековечный уголок!
Не толки, не мели —
Только руку протяни,
Только руку протяни,
Да... вспомяни,
Ты... вспомяни
И готовое прими!

Под шумок этой песни Гречка незаметно толкнул в бок избранного товарища и пересел с ним подале.

— Верный ты человек? — многозначительно спросил он его вполголоса.

— Это от случаю: каков, значит, случай, а впродчим, для товарищей — верный.

— И голова твоя забубенная?

— Семи смертям не бывать, одной не миновать, в жизни да в смерти — один Господь волен да повинен.

— Так-то так! Да дело твое, слышно, очинно уж скипидарцем попахивает, и скоро, значит, решат.

— Сказывают, будто так.

— Нда... Я вот и сам решенья жду себе. Тоже, поди, чай, не помилуют... Ежели бы удрать-то можно отселева!

— Кабы-то удрать!.. Не удерешь.

— А нешто хотел бы?

— Кабы не хотеть-то!.. Да ничего не поделаешь.

— Один не поделаешь, а вдвоем — выгорит!

Арестант поглядел на Гречку недоумелым и недоверчивым взглядом.

— Хочешь в товарищи? — предложил ему Гречка. — Я удеру беспременно.

— Да ты уж мне болтал об этом, только пока еще все ничем ничего! Удрать... Да как удрать-то? Кабы знал, так и сам бы давно уж ухнул!

— А уж про то — мое дело!.. Ты мне скажи только: хочешь аль нет?.. Человек-то ты, сдается мне, подходящий; с тобой эту штуку можно обварганить.

— А подходящий, так работи: согласен! Только когда же?

— Да сейчас! Чего ждать-то?

— Ну, полно врать!

— Как перед Истинным!.. Деньги есть у тебя?

— Семь рублев припрятаны, с собою.

— Да у меня двадцать: онамедни на картах взял — значит, хватит про обоих. Теперь ступай к Мишке Разломаю да водки два полштофа купи... И вот еще что... Как бы самдурнинского добыть?

— У него есть, да не отпустит, шельмец, дешево, а я знаю, что есть... Ему тут один благоприятель с воли протаскивает.

— Вымоли хоть Христа ради, что ли... Ведь он на тот случай, ежели кому в лазарет идти вздумается, затем только и держит.

— Известно, а то зачем же больше? Так сказать ему нешто, что мы с тобой на белых хлебах с недельку проваляться задумали, ну и вот, мол, болезнь перед дохтуром оказать надо.

— Верно, голова, верно! Так и звони ему, только торгуйся, а то сразу заломит цену, собака. Больше двух рублей не давай.

— Ладно!

И подговоренный отправился исполнять поручение.

Прозывался этот арестант Китаем... Фамилия или кличка у него была такая — неизвестно, только кличка в этом случае совсем пришлась по шерсти. Китай был сухощавый, сутуловатый и долговязый детина, а узкие глаза да широкие скулы действительно придавали его физиономии нечто среднеазиатское, дикое и отважное. На сей раз Гречка не ошибся в выборе товарища: он держал расчет на то, что плети и путешествие за бугры для этого человека дело еще новое, непривычное, от которого он весьма не прочь бы увильнуть — лишь бы представился случай, а эта дикая отвага и служила для него некоторой надеждой, что Китай не призадумается над исполнением предложенного предприятия. Так и случилось, Мишка Разломай отпустил ему за пять рублей требуемое количество водки и под величайшим секретом добрую щепоть дурмана. В уединенном месте Гречка поставил на караул Китая, а сам тем часом высыпал порошок в один из полуштофов, взболтал его хорошенько и, запихав свою фабрикацию в правый карман шаровар, а нефабрикованную водку в левый, отправился вместе с Китаем исполнять задуманное дело.

— Ты уж только помалчивай — гляди да смекай, что я стану творить, а сам не рассуждай — неравно еще напортишь, — заметил он, отправляясь в коридор, где помещались арестантские карцеры татебного отделения.

В некоторые из этих карцеров вольные слесаря замки починяли. Всех их было три человека.

— Куда вы? Чего вам тут надо? — крикнул один из них, заметив, как Гречка с Китаем проскользнули в один из затворенных карцеров. Гречка чуть-чуть выставил голову из-за притворенной двери и, сделав подмастерью предупредительный знак к молчанию, стал осторожно манить его рукою.

— Чего те надобно? — спросил его слесарь, подойдя к двери.

— Тихо!.. Тихо ты!.. — шепнул ему Гречка. — Чего горланишь-то?

— Да ты зачем, говорю?!

— А вот с приятелем... два полштофа распить желательно бы... Я ноне именинник.

— Проваливай! Вам тут пить, а с нас взыскивать станут; скажут, зачем, мол, дозволили да не довели... Уходи, что ли, пока добром те просят!

— Эх, приятель, хорошо тебе так-то рассуждать, а мы — люди подневольные. Ты, чай, именины-то не день, а три справлять себе будешь, а нашему брату-заключеннику уж и рюмчонку украдучись хватить невозможно!.. Душа твоя христианская, ведь и мы человеки есть тоже!

— Да коли нéльзя!.. Ну, ступай в другое место!

— Эх, милый человек! Нет у нас другого места. А ты вот что: хочешь — вместе с нами хватить, да заодно и товарищев кликни. Уж мы, так и быть — куда ни шло! — один полштоф на троих пожертвуем; только не горланьте да не гоните, братцы, а мы эдак потиху-посладку, чтобы, значит, никому не обидно было.

Подмастерье крикнул двух остальных работников, и все впятером заперлись в темном карцере. Гречка запустил руку в правый карман и, отдавая подмастерью посудину, еще раз потряс ее в воздухе:

— Эвона какая! Гляди, ребята: помаранчик горестный!.. А это нам, брат, с тобою, — прибавил он, вынув второй полштоф.

— За здоровье именинника!.. С ангелом!.. Чтобы недолго коптеть, поскорей улететь! — поклонился Китай и стал медленно всласть тянуть через горлышко.

Слесаря не заставили просить себя вторично и, обрадовавшись нежданному и притом даровому полуштофу, с жадностью последовали примеру Китая.

Порция дурману была весьма достаточна для того, чтобы всех троих ошеломило почти сразу. Через пять минут один из них повалился без чувств, другой начинал уже засыпать в углу, а третий, без языка и движения, столбом стоял на месте, в состоянии мухи, опившейся табачным настоем. Повалить его на пол, раздеть двоих и всем троим завязать рты платками, а руки да ноги крепко перепутать снятым с себя арестантским платьем было дело каких-нибудь шести-семи минут для двух арестантов. Сполна облекшись в костюм опоенных слесарей и захватив с собою весь их инструмент, Гречка с Китаем как ни в чем не бывало бойко и бодро пошли по коридору татебного отделения. Одну только жилетку свою, приобретенную как-то в тюрьме, не скинул с себя Гречка, потому что в подкладке ее были зашиты его деньги да в боковом кармане оставлены про запас, на всякий случай, две рублевые ассигнации.

На дворе начинало уже темнеть, а под тюремными сводами и подавно господствовал вожделенный для беглецов сумрак.

— Там подмастерье наш остался еще: кончает... Он и расчет в конторе должен получить, — мимоходом отнесся Гречка к коридорному подчаску, проходя мимо его двери и нарочно изменив свой голос.

— А вы-то куда же, не дождамшись? — полюбопытствовал тот, пропуская обоих.

— А мы зашабашили... в баню нонче хотим, — отозвался Гречка, не обертываясь и прехладнокровнейшим образом спускаясь с лестницы.

Точно так же неторопливо и по видимому беззаботно вступили они на большой тюремный двор. Но что перечувствовали оба, и особенно Гречка, для которого в эту минуту осуществлялись долгие, заветные и самые страстные мечты его! Сердце билось до того, что дух захватывало, колени дрожали и подкашивались от тревожного страха и опасений, что вот сейчас накроют, и от жгучей радости перед вольною волею, которая ожидает впереди — и всего-то через несколько шагов за воротами! Гречка сосредоточил теперь весь свой ум, характер, всю твердость и силу воли, чтобы вполне хорошо разыграть принятую роль и не выдать себя тюремщикам. В этот решительный и сильно страстный момент сдержанно-скрытых, но самых разносторонних ощущений Гречка усиленно чувствовал жизнь, усиленно переживал ее всем существом своим.

Вдруг на дворе повстречался один долгосиделый арестант, проходивший из конторы на свое отделение. Арестант знал в лицо Осипа Гречку, и Гречка точно так же знал арестанта.

Не дойдя два шага до беглецов, последний остановился и, пропуская их мимо себя, изумленно и взглядчиво всматривался в физиономию Гречки.

Этот почувствовал, как по спине побежали холодные мурашки.

— Кажись, как быдто Гречка! — пробурчал арестант сквозь зубы, но настолько внятно, что беглецы могли расслышать его слова.

Они прошли мимо, будто не заметя встречного и не относя на свой счет его замечания.

— Эй!.. Приятель!.. Гречка! — окликнул их вдогонку знакомый.

Те продолжали идти, но в ту же минуту услыхали за собою быстро приближающиеся шаги.

— Стой! Не то закричу тревогу! — в обыкновенный голос сказал арестант, нагоняя.

Хочешь не хочешь — пришлось остановиться.

— Ты что это, приятель?.. Пошто наряд обменил? Аль лататы задаете?

— Бога в тебе нет!.. Иди, знай, своею дорогою! Не замай нас! — с укоризной и мольбой прошептал ему Гречка.

— Нет, брат, сам не замай! Дай прежде слам сорвать. Ты ведь мне не друг, не закадыка — так мне что за расчет жалеть тебя! Деньги есть?

— Самая малость...

— Давай половину! И за себя, и за барина[1], да скорее!

— На, грабитель! — с ненавистью сказал Гречка, поспешно сунув ему в руку рублевую ассигнацию из запасных.

— Ладно! Сам таков же! — нагло усмехнулся арестант. — С паршивой овцы хоть шерсти клок. Ну, теперь махайте себе с Богом! Мое дело сторона.

Вся эта сцена разыгралась менее чем в одну минуту. Гречка с Китаем пошли было далее, но, едва отмерив с десяток шагов, опять услышали за собою повелительное: «Стойте!»

Они продолжали идти, не оборачиваясь, а в это время один из тюремных солдат, видевший издали всю предыдущую сцену, бежал навстречу арестанту, сорвавшему слам, захватил его на пути и кричал теперь: «Стойте!» — махая рукой часовому, чтобы тот остановил идущих. Но так как все это происходило у них за спиной, то они слышали только крик, не зная его причины и делая вид, будто он вовсе не к ним относится, продолжали идти, стараясь придать своей походке спокойствие и твердость, как вдруг выступивший из-за будки часовой быстро взял ружье на руку и штыком перегородил им дорогу.

Опять поневоле пришлось остановиться и даже изумленным видом замаскировать свое положенье.

А время, удобное для побега, меж тем уходит и уходит, тогда как до главных ворот остается каких-нибудь шестьдесят шагов.

— Вы что за народ? — накинулся на них догнавший тюремный солдат, приведя с собою за рукав и арестанта, получившего деньги.

— Народ мы Божий, господин служба, по слесарской части, — собрав все присутствие духа, ответил Гречка.

— А зачем с арестантом останавливались? Что у вас с ним за дела?

— Да мы это так, мы, собственно, ничего, — проговорил беглец, не зная, что отвечать на заданный вопрос.

— Вы ничего?.. А что вы ему в руку сунули?

Гречка вмиг сообразил, что, быть может, этот самый вопрос

[1] *Барин* — товарищ.

был уже раньше сделан им попавшемуся арестанту, который, весьма вероятно, что-нибудь уж и нашелся ответить ему, а что ответил — про то пока Бог святый ведает! И скажи теперь Гречка что-нибудь другое, да скажи невпопад с прежним ответом — дело его испорчено вконец — и прости-прощай самая мысль о побеге, а главное, о заветной цели его! Сообразив это положение, он поневоле замялся и медлил отвечать на прямой и настойчивый вопрос солдата.

— Что ж ты бельмы-то выпучил, аль язык застрял в глотке? Говори, что ты ему в руку сунул?

Положение с каждым мгновением становилось все более критическим, если бы в ту минуту захваченный арестант не догадался выручить, впрочем, из совершенно своекорыстной цели: скажи, что содрал с них рубль, так и рубля бы лишился и в ответчики по делу о побеге попал бы — потому, знал, мол, и не остановил и тотчас не донес по начальству.

— Я, ваша милость, Христа ради попросил у них, — ответил он, скорчив смиренно-жалкую рожу, — они мне — спасибо! — семитку подали.

— Семитку?.. А вот я погляжу, какая такая семитка! Может, заместо семитки, да ножик аль другое что. Вы ведь народ-то дошлый!.. Выворачивай карманы!..

— Ваша милость! Мы люди служащие... нам время — отпустите нас! — обратился к солдату Гречка, и в ту самую минуту, пока солдат, слушая эти слова, глядел на говорившего, арестант незаметно и ловко сунул себе в рот рублевую бумажку, а на ладонь выложил действительно медную семитку, составлявшую, вероятно, его прежнюю собственность.

Тем не менее солдат ощупал его платье, осмотрел его вывороченные карманы и, удостоверясь, что, кроме семитки, у арестанта ничего больше не имеется, отпустил его.

— А вы, дружки, марш в контору! — прибавил он, относясь к беглецам. — И вас ведь тоже осмотреть надобно.

— Да за что же нас? Нешто мы воры какие? Мы не знали, что здесь нельзя милостыню подавать, он ведь Христа ради просил.

— Нечего толковать! Ступай!

Со стороны тюремного солдата это, без всякого сомнения, была одна только придирка, на которую, быть может, и он имел какие-нибудь свои расчеты, хотя и нимало не сомневался, что две стоящие перед ним личности — действительно слесаря.

— Да нам что ж, мы, пожалуй, пойдем, — нехотя согласился Гречка, — а только это совсем понапрасну. Обыскивайте здесь, коли угодно, при нас ничего здесь нет.

— Ну, мы там это увидим.

— Эх, беда наша горе! И милостыню-то грех подать!.. Нам

время-то дорого: мы вот тут дела свои справили, а теперь бы нам своей вольной работой призаняться.

— В конторе, чай, ждать заставят, пока начальство, пока что, — ввернул слово Китай.

— И подождешь — не беда!

— Ну, вечер, стало быть, и упустишь! — с досадливым сожалением цмокнул Гречка, почесав затылок. — Слышите, кавалеры? Уж не держите вы нас! Ей-Богу, недосуг — мы бы теперь-то на себя кое-что поработали, а эдак-то запрасно и время уйдет, а деньгу не зашибешь.

— Уж мы вас поблагодарим, — ублажал Китай в свою очередь, — только, значит, нельзя ли отпустить!

— Какая с вас благодарность! — усомнился тюремный солдат, однако не без некоторой надежды на ее осуществление.

— Да вот все, что есть с собою, — две гривенки — примите, не побрезгуйте, — сказал Китай, вынимая из кармана два медяка. — Мы, значит, на благодарности не стоим, потому нынче, ежели только время не упустить, так мы свое наверстаем.

Солдат на ходу принял из руки в руку благопредложенную благодарность и отвязался.

«Господи! Сколько времени-то ушло из-за этого дьявола!» — с досадой и замиранием сердца думал Гречка, приближаясь к тюремным воротам.

— Стой!.. Вы куда? — остановил их подворотня уже у самого выхода.

— Чего «стой»?! — смело встретился с ним глазами Гречка. Потеря времени, и страх, и досада на все эти препятствия придали ему еще более дерзкой решимости. — Чего «стой»! Ты, брат, служба почтенная, *стойка-то* этак на своих, на арестантов, а мы люди вольные.

— Какие такие люди-то? Что вы за люди? Эдак-то, пожалуй, часом и беглого пропустишь.

— Какие люди... Не видишь разве? Майстровые... слесаря... Пусти же, что ли, черт!.. В баню пора.

— Ты, любезный, не чертыхайся. Надо наперво узнать да дело толком сделать. Кто там с вами растабарывал? Седюков, кажись... Эй, Седюков! Поди-ко сюда! Дело есть! — махнул подворотня, крикнул через двор тому самому солдату, который только что получил благодарность.

Опять пришлось дожидаться, пока Седюков, неторопливым шагом, с того конца двора направляется к подворотне.

А время все идет да идет, и каждая минута становится все более опасной для беглецов — могут хватиться их, могут наткнуться в карцере на опоенных слесарей, тотчас же тревога, погоня — и все пропало от одной какой-нибудь минуты, когда чувствуешь уже, так сказать, запах этой желанной воли, когда ясно уже различаешь движение и гул и уличный грохот городской вольной жизни.

Это были для Гречки жуткие, кручинные, сокрушительные мгновенья.

— Вот, ваша милость, не хотят пропущать, — поторопился Гречка обратиться к подошедшему Седюкову, желая предупредить излишние вопросы подворотни и разные дальнейшие объяснения, которые только оттянули бы время.

— Пропусти их, это слесаря, — как бы мимоходом вступился Седюков таким уверенным тоном, который не допускал сомнений.

Подворотня удовольствовался его заявлением — и тюремная калитка в воротах беспрепятственно отворилась перед беглецами.

Половина тяжкого груза свалилась с Гречки. «Слава-те, Господи! Двое дураков поверили, да один выручил», — помыслил он с невольной улыбкой великого удовольствия, почувствовав, что калитка захлопнулась за ними.

— Вы слесаря? — остановил их внезапный вопрос, едва лишь они успели сделать каких-нибудь два шага по тротуару.

Беглецы, нежданно-негаданно, у самых ворот столкнулись к носу с одним из тюремных начальников, возвращавшихся домой в тюремное здание.

— Вы из тюрьмы, с работы, что ли?

— С работы, ваше высокоблагородие, замки у карциев поправляли.

— Знаю, знаю. Вы где же работали, на каком отделении?

— На татебном, ваше высокоблагородие.

— А на первом частном кончили?

Гречка немного замялся от неожиданного вопроса и хватил наудалую:

— Кончили, ваше высокоблагородие.

— Ну хорошо, ступайте себе...

Те сделали еще два-три шага.

— А впрочем, нет!.. Постойте-ка минуту. Там у меня в квартире на окошке одном больно уже задвижки ослабли, нисколько не действуют: не запираются даже, а по ночам дует. Вернитесь-ка, поправьте заодно уж. Я заплачу.

— Позвольте, ваше высокоблагородие, уж мы бы завтра пораньше... в лучшем виде справим, — отбояривался Гречка.

— Ну, вот вздор! Это такие пустяки — на десять минут работы, не больше. Ступайте-ка, ступайте!

Нечего делать — пришлось снова обратно переступить за порог тюремной калитки.

У Гречки уже мучительно стало ныть сердце вместе с гложущей болью под ложечкой.

Но лишь пошли они по коридору, как к офицеру подошел

фельдфебель тюремной команды с донесением о каких-то хозяйственных надобностях.

— А кстати, на первом частном уже справлены замки, завтра надо оглядеть по всем остальным отделениям, — отнесся к нему офицер, между прочим подходящим разговором.

— Никак нет, ваше высокоблагородие, нынче еще не справлены, — возразил фельдфебель.

— Как так? А ты же мне сказал, что уже кончил? — обернулся тот непосредственно к Гречке.

— Помилуйте-с, там самая малость осталась, — ответил этот, стараясь стать в тени, чтобы фельдфебелю не так удобно было разглядеть его физиономию.

— Расчет вы получали? — спросил начальник.

— Нет, не получали еще...

— Так зайдем в контору — заодно уж, чтобы после не возвращаться. Да постойте, однако, — снова обернулся он к двум сотоварищам, — ведь вас, кажется, трое было? Третий-то где же?

— Позвольте, ваше высокоблагородие, — вмешался фельдфебель, с некоторой подозрительностью оглядывая беглецов, — сдается мне, как будто это не те, что утром были, а какие-то другие...

Для Гречки и Китая наступила самая опасная минута: возбуждено уже два сомнения, из которых последнее того и гляди в состоянии разрушить весь маневр и выдать их с головою. Надо было снова собрать все огромное присутствие духа, измученного уже тем рядом тревожных впечатлений, которые только что были перечувствованы, надо было сильное умение владеть собою, чтобы не потеряться в первый момент сомнения, чтобы умно и ловко извернуться и отпарировать удар, столь опасно направленный.

— Те двое ушли еще с-после обеда, — спокойным голосом объяснил Гречка, — а нас хозяин на смену прислал: те у него хорошие подмастерья, так он их к князю Юсупову в дом на работу справил: требовали нонче. А третий товарищ кончает еще на татебном, он и расчет должон получить.

— Да как же это вы проходите в тюрьму, когда никто и не знает об этом? — несколько строго спросил начальник.

— Никак нет-с, ваше высокоблагородие, — поспешил возразить ему Гречка, — нас давеча под воротами пропустили, как следует: и опрашивали, и осмотрели всех... Мы объявились там...

— Ваше высокоблагородие, — запыхавшись, вбежал в коридор один из приставников, — двое арестантов убежали.

Гречка с Китаем со страху чуть было на землю не присели и вмиг сделались белее полотна.

— Как убежали?! — встревожился начальник.

— Убежали с подсудимого отделения в пекарню и там в кровь изодрались.

У беглецов немножко отлегло от сердца.

— Что ж ты, дурак, пугаешь только понапрасну!.. Я думал, и невесть что случилось... Запереть обоих в карцер! Или нет: я сам пойду туда, а вы обождите здесь! — промолвил офицер, обращаясь к Гречке и Китаю, за исключением которых все трое поспешно удалились из коридора.

Гречка выждал с минуту и решительно мигнул своему товарищу: идем!

— Ну что, закончили? — безучастно, ради одного только чесанья языка, окликнул их перед калиткой подворотня.

— Слава-те, Господи, наконец-то отделались! — махнул рукою беглец, вторично переступая порог Литовского замка.

Тюрьма и неволя остались позади. Но пока виднелось это неуклюжее здание со своими плотными, приземистыми башнями, Гречка не смел предаться радости; он ощущал только *волю*, и радоваться было еще рано: погоня могла последовать каждую минуту. Хотелось бы скорей и скорей бежать ему — мчаться прытче лошади, лететь быстрее птицы, а между тем нужно было идти спокойно, ровной походкой, чтобы не навлечь на себя каких-либо случайных подозрений.

У Никольского рынка Гречка остановился.

— Ну, брат Китай, теперича мне налево, тебе направо, либо тебе направо, а мне налево, понял? — обратился он решительным тоном к своему спутнику. — Может, доведет Господь, где-нибудь и повстречаемся... Денег-то у тебя маловато, так на тебе слесарский инструмент в придачу: продашь, авось пустяковину какую выручишь, а теперь — спасибо за компанию!.. Прощай, брат!

И он, круто повернувшись от своего товарища, быстро зашагал по направлению к Сенной площади.

LXX

ГРЕЧКА ВСТРЕЧАЕТ СТАРЫХ ЗНАКОМЫХ

Очутившись на этой площади, беглец остановился в раздумье. Куда теперь направиться и что предпринять? Прежде всего есть, как некормленой собаке, хотелось, поэтому Гречку обуял великий соблазн полакомиться пищей вольной, выбранной по собственному вкусу и прихоти, после стольких месяцев скудной арестантской еды, и он направился в «Утешительную». «По крайности, пожрешь в самую сласть и песельников с музыкой послушаешь в придачу».

Как-то странно и дико почувствовал он себя на первый раз после долгого заключения среди «вольных» людей и в «вольном» месте; опять же и опасался несколько, как бы его не признал кто-нибудь, как бы молва не пошла промеж темного люда о его внезапном появлении: первое время беглый всех и всего опасается, пока не привыкнет к своему положению.

Скромно усевшись в один из темных углов, он принялся уже за соображения, чего бы лучше съесть: поросенка ли заливного или яичницу с ветчиной, как вдруг к столу подошел посторонний человек и пристально стал против него.

— Да нешто это ты, Осюшка? — спросил он тихо и удивленно. — Какими ветрами занесло?!

Перед Гречкой стоял сановитый, седобородый старец с благочестивым и добродушно-строгим выражением лица. Это был патриарх мазов.

— Пров Викулыч!.. Батюшка!.. — воскликнул Гречка, простирая к нему обе руки. — Присядь, благодетель! Да только не кричи: я ведь здесь пока еще под секретом.

— Как под секретом? — сдвинул старик свои седые брови. — Али ты лататы от дяди задал?

Гречка утвердительно кивнул головой.

— Юрок, брат, юрок! — не без удовольствия закачал головой Викулыч. — Как же теперича жить-то? Бирка[1] нужна!

— Точно, нужна. Липовый глазок[2] надобно добыть...

— Да это тебе не штука, а покамест-то как, до картинки?[3] Не гопать же, чтобы влопаться[4].

— Да я уж к твоей милости! — просительски поклонился Гречка. — Уж так-то радешенек, что встренулись!..

— Чего ж те надоть? — спросил Викулыч.

— Затынь[5] ты меня, отец, хоть до завтрева! Оглядеться на воле надо бы спервоначалу... Оболочься — тоже накидалище[6] какое ни есть, опять же и голубей да шифтан[7], а в этом наряде — того и гляди — признают!

— Это могу, — охотно согласился патриарх мазов. — Так нечего тебе тут ухлить задаром, а хряй-то скорей на мою домовуху: там не мокро[8], по крайности! — предложил он.

— Похрястать хочу, — заметил Гречка.

---

[1] *Бирка* — вид, паспорт.

[2] *Липовый глаз* — поддельный паспорт.

[3] *Картинка*, равно как и бирка, — письменный вид вообще.

[4] *Гопать* — шататься бесприютно по улицам, где ни попало; *влопаться* — попасться.

[5] *Затынить* — спрятать, скрыть, заслонить.

[6] *Накидалище* — верхняя одежда, шинель, плащ и т. п., *голуби* — белье.

[7] *Шифтан* — кафтан, сибирка или что-нибудь вроде пальтишка.

[8] *Ухлить* — глазеть; *хрять* — уходить, удирать; *домовуха* — дом, квартира; *мокро* — опасно.

— Туда и хрястанья, и кановки закажу принести, а здесь, говорю, нечего тебе скипидариться: зенек-то чужих тут не занимать стать[1].

И едва старые знакомцы успели выйти из комнаты, направляясь ко внутренним закоулкам «Утешительной», чтобы оттуда «невоскресным» ходом проюркнуть на квартиру патриарха, как вдруг им перегородил дорогу еще один старый знакомец.

— Аль мерещится мне? — воскликнул Фомушка-блаженный, растопырив свои лапищи навстречу Гречке. — Друже мой! Се ты ли еси? Тебя ли зрю очесами своими?

— Брысь ты, окаянный! — строго притопнул на него старец.

— Иерарх! — шутовски воскликнул Фомушка, приложив руку ко лбу и вытягиваясь во фронт, по-солдатски. — Тебе убо и честь, по чину патриаршему, дондеже подобает, а подобает сия вовеки! — промолвил он, отвешивая низкий поклон Викулычу.

— Начнет звонить, пожалуй... Нешто и его пристегнуть с собой? Суше дело будет, — тихо посоветовался Викулыч с Гречкой и кивнул Фомушке — идти вместе с ними.

— Ты мелево-то подвяжи, нечего болтать промеж народу, — обратился к нему патриарх, — дело ведь тайное!

— Э-э-э!.. Стал быть, кума от ткача задала стрекача!.. Ладно! Смекаем!

— А ты, любезный, как живешь-можешь? — осведомился Гречка у блаженного.

— Мы-то?.. Э, мы живем припеваючи! — разудало вздернул свою голову Фомка. — Спасибо тюремной сердоболице! В богадельню поместила — там и проживаем, да кажинную неделю к родным и знакомым отпрашиваюсь у начальства. Ну и ничего: отпущают. Я, первым делом, родных себе подыскал да прикупил, а заместо родных по-прежнему валандаешься промеж теплых людишек. Ино и день, ино и два, и три проживешь.

— А не взыскивают за отлучку? — спросил его беглый.

— Чего там взыскивать?! Им же лучше: по крайности, порция моя остается в кармане. Мне что? Мне теперь ничего, одно слово — благоденствую!

Пришли в квартиру Викулыча, в которой слегка припахивало ладаном, а перед яркими образами неугасаемая лампадка теплилась, и во всем кидались в глаза чистота и порядок с чисто русским характером. Патриарх прежде всего переодел Гречку в иное платье, потом заставил его сходить к цирюльнику, чтобы радикально изменить свою физиономию, и затем уже, снова придя к Викулычу,

---

[1] *Хрястать* — есть; *хрястанье* — еда, пища, кушанье; *кановка* или *канка* — водка; *скипидариться* — быть в подозрении, рисковать, попасться, находиться в опасности; *зеньки* — глаза.

Гречка застал у него на столе и пиво с водкой, и поросенка с яичницей.

Викулыч, покалякав некоторое время о Гречкиных делах да о том, какими судьбами удалось ему удрать из тюрьмы, откланялся и снова ушел в «Утешительную». «Вы, мол, хоронитесь тут, а я пойду на людей поглазеть да всякую новость послушать». Хитрый Викулыч, между прочим, про себя сообразил и то обстоятельство, что ежели бы, какими ни на есть судьбами, двоих благоприятелей накрыли у него на квартире или же если бы как-нибудь потом оказалось, что у него тотчас же после побега привитал приятель Гречка, так я, Викулыч, ничего, мол, не знаю и не ведаю, меня, мол, и дома тогда не было, а был я в это самое время в «Утешительной», и все, мол, сие произошло в мое отсутствие, помимо моей воли и ведома. Таким образом, беглец очутился с глазу на глаз с блаженным, в уединенной квартире, где можно было о чем угодно говорить, не стесняясь...

В голове Осипа Гречки тотчас же вспыхнули новые мысли и предположения.

«Одному идти на кладбище... страшно, да и несподручно работать-то будет, — размышлял он сам с собою. — Захороводить[1], нешто, Фомку? Вдвоем все же вольготнее как-то, и дело скорей да спорее пойдет.

А ежели навеки навяжешь себе на шею этого дьявола? — мыслил он далее насчет блаженного. — Век с сим не развяжешься даром! Кому тогда владеть фармазонскими деньгами? Ведь он, пожалуй, захочет? Да и наверняка захочет, так что и не открестишься от него: коли работали вместе — значит, и слам дели на двух!.. Это правильно.

А из-за каких великих благ и милостей стану я делиться, да и как тут поделишься, коли это, значит, рубль неразменный — *один* только рубль?.. Даром не пойдет — посулить придется, потому ежели одному идти... боязно как-то, ведь не на живого человека пойдешь, а на мертвого.

Сказать ему нешто так вон: один месяц — я пользуюсь, другой — ты, а там опять-таки я. Этак-то согласится.

Ну а затем-то как у нас будет дело? Не отдавать же ему и в самом деле!.. Что ж!.. Затем... затем, коли больно уж станет приставать, — затемню[2] его, да и баста! И нечего будет ждать, чтобы стал приставать, а просто в ту ночь либо на другой день и покончу его».

Все это было соображено в голове Гречки, конечно, неизмеримо быстрее, чем мы успели передать. И, приняв такое решение, он весьма таинственно сообщил Фомушке свои намерения касательно добычи фармазонских денег. Блаженный выслушал его очень вни-

---

[1] *Захороводить* — подговорить, принять в сообщество.

[2] *Затемнить* — лишить жизни, убить.

мательно, вспомнил рассказы Дрожина — бывалого и дошлого человека в подобных делах, и немедленно, с великой радостью, дал свое полное согласие. Он уже гораздо раньше подумывал, что дело с фальшивыми бумажками графа Каллаша, должно быть, совсем не удастся, что больших барышей тут, верно, не жди, а потому не отказался от предложения Гречки, которое показалось ему гораздо привлекательнее. «Стоит только раздобыться этими фармазонскими денежками, — сообразил он сам с собою, — а там уже мне никаких бумажек не надо!»

LXXI

МИТРОФАНИЕВСКОЕ КЛАДБИЩЕ

Было время, когда Петербург боялся холеры. То были дни всеобщего уныния и скорби. По всем улицам города то и дело тянулись черные погребальные дроги, дымились факелы, мелькали траурные ризы духовенства при «богатых» похоронах, при бедных же ничего не мелькало и не дымилось, потому что из всех городских больниц два раза в день, рано утром и перед вечером, отправлялись ломовые телеги, нагруженные, словно перевозной мебелью, простыми тесовыми гробами. Народ в ужасе метался по улицам, подозревал измену, громко говорил об отравах, останавливал экипажи докторов, в которых, без исключения, подозревал «жидов» и немцев, с яростью кидался на злосчастных сынов Эскулапа, так что «блюстительница общественного спокойствия» ровно ничего не могла поделать, и все это разразилось наконец волнением, известным под именем «бунта на Сенной», где перед церковью Спаса раздалось тогда знаменитое «На колени!» императора Николая. Холера была новой гостьей, которую народ считал почти что чумою, если еще не хуже. Боялись хоронить холерных на общих городских кладбищах, и потому за городской чертой, в уединенной и пустынной местности, между двух триумфальных арок — Московской и Нарвской, — назвали новое кладбище «холерным».

Это было в 1830 году.

Ровная низменная местность, с петербургски болотистой почвой, и без того представляла вид, наводящий скуку и уныние, а с тех пор, как по ней замелькали низенькие белые кресты, стала еще угрюмее. «Нива смерти» приумножалась с каждым днем и с тех пор все растет непрестанно, утучняемая петербургскими тифами, чахотками, возвратной горячкой и тысячью иных эпидемий, которые составляют существенное свойство климата.

В 1830 году на месте холерного кладбища не было ни церкви, ни даже часовни, а просто стоял высокий деревянный крест. Перед этим крестом ставили на землю длинные ряды гробов, священник наскоро отпевал заупокойную литию, и вслед за тем носильщики торопливо разносили своих вечных гостей по глубоким мокрым ямам, зарывая их чаще всего в одну общую пространную могилу.

Жила в то время в Петербурге одна женщина по имени Хаврония, крепостная шереметевская крестьянка села Павлова. Этой женщине пустынная местность обязана существованием самого кладбища и постройкой при нем бедной деревянной церкви. С неутомимой деятельностью и энергиею ходила она по разным присутственным местам, кланялась, просила, подавала бумаги и наконец выхлопотала дозволение причислить отверженное холерное к числу прочих городских кладбищ и право построить там церковь, которая сооружалась на счет доброхотных подаяний, собранных ею по городу. Хаврония похоронена на этом же кладбище, но где — с точностью неизвестно: кладбищенские старожилы говорят — не то около церкви где-то, а не то и в самой церкви, кажися; но нигде не видать надписи с именем основательницы, которая говорила бы о ее посильной услуге кладбищу, да и самая-то память о ней с каждым годом утрачивается все больше.

Теперь уже кладбище называется не холерным, а Митрофаниевским; недалеко от убогой, желтой деревянной церкви возвышается новая — каменная, златоверхая, где обыкновенно отпевают «парадных» покойников, а вокруг нее возвышаются мавзолеи, которые гласят мимоходящим любителям эпитафий о рангах, доблестях и заслугах отечеству разных здесь лежащих богатых мертвецов. О тех же, кои не отличались ни рангами, ни достатком, мавзолеи ничего не говорят, по той простой причине, что мавзолеев над ними не полагается: даже не всегда и желтый либо белый крест указывает убогую могилу, большая часть которых тесно стелется по земле, друг подле друга, чуть приметными бугорочками. И все ж таки Митрофаниевское кладбище представляет довольно оригинальный вид, особенно в ясный солнечный день. Если вам случалось проноситься мимо него с той или с другой стороны в вагоне варшавской либо петергофской железной дороги, вы не могли не заметить, что это плоское обширное поле кажется каким-то пестрым, необыкновенным лугом: белый, желтый, красный, синий, зеленый цвета во всевозможных сочетаниях так и мелькают вам в глаза своей рябящей пестротой — до такой степени усеяно поле это надгробными крестами. Вдали виднеется роща, над рощей — золоченые купола; но здесь, на этой пестрой плоскости, — хоть бы одно свежее тенистое деревцо приютилось! Зато самое кладбище тем более выигрывает во внешнем сходстве своем с весенним клеверным лугом. Каждый год почти к весне отрезывают новое пространство земли под могилы, и каждый год почти, к следующей весне, оно уже является обильно засеянным буграми и крестиками.

Митрофаниевское кладбище — по преимуществу кладбище демократическое: тут хоронится петербургский пролетарий, тут же указано место и преступнику, и тюремному арестанту.

На другой день после побега двух арестантов, часу в первом дня, по дороге, ведущей к Митрофаниевскому кладбищу, плелась ленивым шагом ломовая кляча в телеге с тремя седоками. Первый седок, конечно, был ломовой извозчик, который лениво потягивал махорку из носогрейки и еще ленивее постегивал изредка свою лошаденку; второй седок не составлял собственно седока, а только поклажу: это был простой сосновый гроб, слегка мазнутый водяной охрой и привязанный веревкою к телеге; в гробу лежало тело Бероевой, а на крышке его помещался третий седок — тюрёмный инвалид с казенной книгой под мышкой.

— Они! — шепнул Гречка, осторожно толкнув под бок Фомушку, когда ломовик поравнялся с первым питейным заведением, что стоит на кладбищенской дороге. Неторопливо расплатясь у стойки, приятели направились к кладбищу, издали следя за этим нехитрым погребальным поездом.

— Ты, брат Фома, как привезут ее, войди в притвор да гляди, куда поставят, — распорядился Гречка, — а мне оно не тово... неравно, признает селитра[1], так уж для меня посуше будет меж могилками побродить пока.

— Что поздно приволокли? — отнесся к приехавшим могильщик, который калякал со сторожем, закусывая печенкой, у съестной лавочки, обвешанной мховыми венками и крестиками.

— Чего поздно? Как, значитца, отпустили, так и приволокли. Не рысью же скакать к вам! — отгрызнулся инвалид, слезая с гроба.

— Все же ко времени надо, чтобы покойник за обедню поспевал.

— И опосля вечерень похороните, ништо!

— Знаем сами, что опосля, да все же это непорядок: теперь, поди-кася, надо для его отдельную яму копать, денег-то нам за таких покойников не платят.

— Врешь, пес! От казны тридцать копеек полагается.

— Тридцать копеек... Велики деньги! Да еще лается!.. Тащи его, что ли, в притвор-то — пущай погреется.

— И здесь не холодно.

— А не холодно, так там в тени постоит, у нас чего хочешь, того и просишь — ихнему брату всяко удовлетворение есть. А кто покойник-то, мужик аль баба?

— Арестантка.

— Это, впрочем, что мужик, что баба — все одно покойник... А когда померла-то?

— Вчерася днем.

---

[1] *Селитра* — солдат, и преимущественно так называются солдаты этапных команд, конвоирующие преступников.

— Ну, вот опять-таки не по времени! Больно уж рано привезли! Трех суток еще нет ей.

— Пущай у вас постоит, а нам не держать же у себя-то.

— А нам нешто держать стать?! Их тут и без того иной раз не знаешь, куда и поставить — как куличей об Христовой заутрене...

— Ну, да что ж толковать! Мертвый — все равно, не живой ведь! — порешил инвалид. — Коли помер, значит, не встанет, днем ли раньше аль позже — все едино, в ту же землю закопать придется.

И гроб внесли в притвор деревянной церкви, который примыкает к ней стеклянной галереей. Поставили на скамейку и заперли до вечерней. Инвалид получил из кладбищенской конторы расписку в приеме тела арестантки Юлии Николаевой Бероевой и поскакал с ломовиком в попутное «заведение».

В шестом часу, после вечерен, священник отчитал литию, и двое могильщиков понесли на плечах гроб Бероевой на самый конец кладбища, в последний «разряд», где обыкновенно хоронится в общих могилах тот люд, за который не полагается особенной платы. В этом последнем разряде реже, чем в прочих, торчат намогильные кресты, зато ряды бугорков несравненно чаще. Тут лежат бобыли, умершие в больницах, нищие, арестанты и люди неизвестного имени и звания, подобранные полицией на улице, после скоропостижной смерти. «Больше все потрошеный народ, — говорят про них могильщики, намекая этим на медицинское вскрытие. — Дружный народ: вместе их заодно отпевают, вместе в одну яму и кладут, — помяни, мол, Господи, рабов твоих, имя же их сам веси!»

Недалеко от кладбищенского забора была вырыта свежая и весьма неглубокая яма, на дно которой успела уже просочиться болотная вода. Когда гроб опустили и на крышку глухо и грузно бухнулась первая глыба сырой земли, за которой в раздробь посыпались и застучали об дерево комья, мозг Бероевой пронизался подобием того ощущения, которое у живого человека называется страхом. Ей снова захотелось крикнуть, чтобы не зарывали ее, чтобы вечно оставили ее на земле, а не под нею, чтобы открыли крышку гроба; но глинистые глыбы и комья быстро валят один за другими, удары их слышатся все глуше, потому что земля рухает уже на землю, а не на дерево гробовой крышки; но пока был слышен хоть кое-какой звук ее падения, Бероева все еще напрягала свой слух, жадно силясь доловить эти последние намеки надземной, живой жизни, сознавая, что каждая новая глыба могильной насыпи все больше и больше отделяет ее от этого покинутого мира. И когда земля перестала наконец падать в яму, зарытую женщину обуял наплыв новых грез и ощущений, вызванных, быть может, все тем же роковым вопросом: ну что же, мол, теперь-то будет, когда все уже кончено?

И грезится ей, будто она давно уже лежит в этой могиле, будто несколько дней, несколько недель, несколько месяцев прошло с тех пор, как ее зарыли, и лежит она себе, и слышит, как могильный червь непрестанно точит гробовые доски; как земляная мышь прогрызла в крышке маленькую норку и побежала по ее телу да в кожаный башмак засела и грызет подошву, желая полакомиться гнилою юфтою; как пауки по ее лицу — от бровей к губам и от губ к волосам густые нити паутины заткали; как, наконец, корни каких-то трав и растений поросли сквозь щели гроба и мало-помалу опутывают ее своими усцами, впиваются в тело, заползают в уши, в ноздри, в рот... наконец врастают во все это тело и втягивают в себя его питательные соки.

Но снова миновался кошмар, и снова наступает проблеск самого ужасного сознания. В щели гроба стала просачиваться понемногу болотная вода, которою было покрыто дно могилы, и охватила уже своею холодною сыростью спину мнимоумершей. Это уже были не грезы, а действительность. Когда же наконец сознание погребенной получило большую степень ясности, какую только может допустить это исключительное физическое состояние, Бероевой явилась самая ужасная мысль: «А что, если это не смерть, если я заживо похоронена?» На земле она считала себя мертвою, но под землею, когда слух ее не возмущали уже никакие звуки жизни, а сознание меж тем все-таки проявлялось, ей пришла в голову почти полная уверенность, что она жива, что это не более как летаргия. Бероева почувствовала весь ужас трагической мысли, что, быть может, ее скоро ждет пробуждение здесь, под землею, что она проснется, станет кричать о помощи, колотиться головой, руками и ногами в тесную крышку гроба — и на земле никто, никто не услышит и никогда не узнает про это. А быть может, ей суждено будет прожить таким образом не несколько мгновений, но несколько минут, прежде чем задохнуться от недостатка воздуха. О, если б можно было не просыпаться более, если б летаргия прямо перешла в настоящую смерть! А если уже суждено проснуться, то — Господи! — пусть это пробуждение придет как можно позднее, пусть дольше и дольше длится летаргический сон! Инстинкт жизни под землею преобладал более даже, чем на земле. И от этой нечеловечески ужасной мысли для погребенной снова наступил переход в обморочную бессознательность.

Могильщики опускали и закапывали гроб, а в это самое время издали незаметно следили за ними два человека, которые, будто прогуливаясь, разбирали намогильные надписи.

Когда же, окончив свою работу, могильщики удалились, два человека, не изменяя своего фланерского вида, подошли к только что засыпанной могиле и в головах воткнули высохший сук, на одной ветви которого моталась привязанная тряпочка.

— Место хорошее, удобное... — тихо проговорил Гречка, вглядываясь в соседние кресты, чтобы получше заметить, где именно находится свежая могила, и внимательно озирая всю окружающую местность.

— Хорошо-то оно хорошо: тихо, далеко, сторожа, поди, чай и не заглядывают сюда, — отозвался блаженный, — да одно только неладно: забор этот больно высок... Откуда перебираться станем? Подумай-ко!

— Погоди, погляжу получше — может, и отыщем подходящее...

Невдалеке от этого места перерезывала кладбище неглубокая канавка, вдоль по которой, в направлении к забору, тихо направились теперь двое товарищей.

— Эге-ге! Вот оно самое и есть! — самодовольно воскликнул Гречка, дойдя до самого забора, под которым канавка уходила за черту кладбища, в соседние огороды. В этом месте, между нижней линией забора и дном канавки, пространство, аршина в два ширины и около полутора высотою, было весьма слабо загорожено кое-как прилаженными досками.

— Тебя-то нам и надо! — ухмыльнулся Гречка. — Давнуть легонько плечом — оно и подастся. И в канаве-то сухо — лужицы совсем, брат, нету, — продолжал он, делая дальнейшую рекогносцировку.

— Это значит, что из воды сух выйдешь, знамение так показует, ты это так и понимай! — шутливо сообразил блаженный.

— По крайности, не запачкаешься, — заметил Гречка.

— А мне это все единственно, что чисто, что нет — была бы душа моя чиста, а в теле чистоты не люблю.

— Стой-ка, ты, чистота! — перебил его сотоварищ. — Гляди сюда, ведь по ту сторону забора Сладкоедушкины огороды выходят!

— Ой ли?.. Да и в самом деле, так! Вот любо-то! — ударил Фомушка об полы своей хламиды. — Вот удача-то!.. И возрадовался дух мой — значит, сила вышнего споспешествует!

— Ну, уж ты от божества-то оставь — тут дело от луканьки пойдет, а ты с божеством некстати! — заметил ему Гречка.

— Главная причина в том, — продолжал Фомушка, — что ходить далеко не надо: прямо от Сладкоедушки и перелезем — чужие зеньки не заухлят[1].

— Да к ней теперича и пошагаем, — порешил Гречка, выходя на дорожку, ведущую извилинами через все кладбище до самой церкви. — Баба знакомая, и в приюте отказу не будет, а там у нее, значит, и схоронимся до урочной поры.

И Гречка с Фомушкой удалились от кладбища.

---

[1] Чужие глаза не увидят, не заметят.

LXXII

В ОЖИДАНИИ ПОЛНОЧИ

Оба приятеля вскоре пришли на пустынные огороды, к избе хлыстовской «матушки» Устиньи Самсоновны.

В маленьких сенцах над входною дверью виднелся небольшой медный восьмиугольный крест, а под ним на верхнем косяке была начертана мелом затершаяся надпись: «Христос уставися с нами».

— Господи Исусе Христе, сыне Божий, помилуй нас! — проговорил Фомушка, постучавшись в дверь.

— А кто-ся там? — послышался изнутри разбитый старческий голос.

— Все мы же — богомолы-братья, люди Божии, свой народ.

— Аминь! — ответил тот же голос. И Фомушка с Гречкой вошли в чистую и просторную горницу, с одной стороны которой стояла большая русская печь, с другой — помещалась кровать старика за ситцевой занавеской, потом — широкий дубовый стол и широкие скамьи по стенам, а в переднем углу — образная полка с выглядывающими оттуда темными, древнего письма ликами, на которые прежде всего трижды перекрестились вошедшие и затем уже отдали по поклону хозяевам.

— Устинье Самсоновне!.. Паисию Логинычу! — проговорили оба и получили точно такой же почетливый поклон от хозяев.

Паисий Логиныч подсыпал тлеющих угольев в медную кадильницу с деревянной ручкой и заходил с нею по всем углам комнаты. Воздух наполнился тонкими струйками синеватого дыма и запахом ладана.

— Отче! Да это никак для нас, худородных, росной ладан изводишь? — заметил ему Фомушка.

— Дому Израилеву фимиам благочестия подобает, — ответствовал старец докторально-богословским тоном, ни на кого не глядя и продолжая тихо колебать в руке свою кадильницу.

— С чем Бог принес, братцы мои? Что скажете? — обратилась к ним хозяйка, оставляя шитье какого-то длинного белого плата.

— Да что вот... под твой, матушка, покров притекли, —со вздохом ответил блаженный. — Вы христолюбцы у нас именитые, а мы люди малые... от аггелов антихристовых из Вавилона треклятого спасаемся... В темнице ведь тоже за веру правую гонение принимали, во юзех заключенны были. Укрой нас пока что, до странствия нашего — в Верховную страну[1], на время пока переправляю новообращенного — чай, человек-то знакомый тебе? — добавил он, указывая на Гречку. — Ко столпам нашим усылаю: пущай поживет там да в вере укрепится. А ты прими пока!

---

[1] Верховною страною своей хлысты называют город Кострому.

— Охота — моя, а дом — Божий, — ответила на это Устинья Самсоновна. — Для брата нет отказу, хоронитесь себе, сколько нужды вашей будет. Милости просим!

— Спасибо, матушка!.. «Голодного напитай, гонимого приюти» — по закону, значит, поступаешь.

— Па́ужинать, может, хотите? — предложила хозяйка.

— Нету, матушка! До еды ли нам теперь!.. Опосля поедим, чего Бог пошлет, а пока отведи ты нам келейку уединенную — целу ночь не спали, сон сморил совсем.

Устинья Самсоновна не заставила просить себя вторично и с охотою провела обоих пришлецов чрез сени под лестницу, ведущую на чердак.

Здесь отодвинула она дощатый щит, который был устроен по той самой системе, как потайная дверь, ведущая в подызбище, и снаружи совершенно казался стеною, так что постороннему человеку невозможно бы было и догадаться о его существовании. Фомушка с Гречкой очутились в тесном и темном тайнике, в котором они могли, впрочем, весьма удобно разлечься на больших мешках, вроде перин, набитых сеном.

— Ну, почивайте себе с Богом, а проснетесь — потрапезуем все вкупе, — сказала им Устинья Самсоновна и снова задвинула вплотную потаенный щиток.

— Дело на лады пошло, кажись, клей будет, — шепотом сказал Гречка, потирая руки.

— А что, бойко хлыстом прикинулся? — также шепотом вопросил блаженный, ощущая внутреннюю потребность в товарищеском одобрении.

— Уж что и говорить!.. Я только дивлюсь, откуда ты насобачился?

— Э, брат! Главная причина — премудрость произойти, а тогда уж всякая штука перед тобою сама раскупорится, — с сознанием своего достоинства похвалился блаженный. — Я ведь тоже и сам хлыстом-то был и по сей день у них в согласии числюсь, даже перекрещен был в Сибири-матушке — потому дела у них важнецкие можно обварганивать.

— Это точно, — согласился Гречка, — и сам вот я, не думал не гадал, как свел было знакомство с Устиньей, а вот оно и пригодилося!

— Тебя-то они сманивали? — спросил Фомушка.

— Было дело!.. Да и как им не сманивать? Человек я тоже на все руки горящий! Только в те поры я ни да ни нет не сказал, а все приглядывался.

— Э, брат, дурень же был! — заключил Фома с укоризной. — А ты бы по-моему, коли ты есть ловкий жорж да человек разумный. Я вот даже архиерейские, братец ты мой, службы правил! И деньга же перепадала — ух какая деньга-то обильная!.. Было, друг любезный, пожито... было! — со вздохом предался он воспоминаниям. — Да одна беда: зарвался! Проведали добрые людишки, что я у поповщины за архиерея правлю и у бегунов наставником состою, оповестили, собаки, окружным посланием, что вор-де и самозванец нехиротанный; потому и веры имать не стали в архиерейство мое. С тех пор вот и пошел по мирскому уж православию во блаженных юродствовать!

— Это статья особая, — перебил его Гречка, — а ты мне теперича лучше вот что скажи: ты знаешь ли, где у Сладкоедушки струмент захоронен? Без лопаты ведь тут не обойдешься.

— Знаю! — махнул рукою блаженный и, перевернувшись на другой бок, через минуту захрапел безмятежным сном праведника.

Но Гречке не спалось. Его жгуче как-то донимала теперь обычная и столь долго лелеянная дума о деле, которое предстоит ему через несколько часов. Долго оно для него было страстной, но недосягаемой мечтой, и вдруг теперь, столь неожиданно, является возможность осуществить его.

«Храпи, Фома, храпи себе всласть, голубчик! — подумал он, нервно улыбаясь на собственную мысль. — Спать-то ты у меня, может, и завтра будешь, да только уж храпеть тебе вовеки не придется!»

Приятели выспались и поужинали вместе с двумя хлыстами.

— У тебя, мать, будут нынче наши ясные соколы в подызбище работать? — тихо спросил Фома Устинью, отозвав ее в сторону.

— Хотели, братец, быть, точно хотели. А что тебе?

— Осип-то у меня ничего, а про то не знает, — мигнул он на Гречку, — так ты уж, матка, от греха-то прихорони нас лучше в сарае у себя. Мы бы, значит, еще с часик передохнули там.

Хлыстовка провела их в надворный сарай, где у нее были сложены разные овощи и между прочим железные лопаты для огородной работы.

— Надо будет перегодить тут часа с два еще, пока полночь не станет, — заметил Гречка.

— Благо, лопаты под рукою! — откликнулся Фомушка. — А ждать-то можно, для чего не ждать? Я ведь лишь из-за лопат и ублажил Устинью, чтоб в этот сарай нас упрятала.

— Мозги! — не без внутреннего удовольствия, хлопнув слегка по затылку, похвалил его Гречка.

— Эх, кабы водки теперя!.. Жаль, недомекнулись утресь прихватить с собою! — спохватился блаженный.

— Нда, хорошо бы хлобыстнуть перед работой-то. Нешто, смахать?

— Далече. Ничего не поделаешь, и так уж обойдется дело!

Гречка прилег на груду капустяных кочней, подостлав под бок валявшуюся рогожу, а Фомушка все время похаживал себе по сараю, мечтая о том, каких «вертунов» он настроит, раздобывшись фармазонским рублем, и, в темноте наступившего вечера, видел, как, с некоторыми промежутками времени и притом с разных сторон, в избу хлыстовки осторожно прошли четыре человека. Все четверо, более или менее, были знакомы ему.

LXXIII

ГРОБОКОПАТЕЛИ

С дальней колокольни медленно потянулся в ночном воздухе тихий гул, по временам глухо относимый ветром в сторону, и эти удары колокола возвестили полночь.

Между грядками, украдучись, пробирались две человеческие тени, перерезывая огород в направлении к кладбищенскому забору.

— Забирай к канавке!.. К канавке норови!.. — шепотом говорил задний, указывая из-за плеча передовому, в какую сторону держать ему путь.

Перешагнув через несколько грядок, два спутника спустились на дно неглубокого рва и пошли вдоль его, стараясь как можно менее шлепать подошвами по вязковатой почве и не шурстеть в густой и высокой сорной траве. Этот путь привел их к забору, который пересекал канавку, уходившую из-под него на кладбище. Оба остановились. Фомушка хотел было уже сразу принапереть плечом, чтобы выдавить слабо прилаженную подзаборную загородку, но Гречка поспешно остановил его.

— Тс... куды-то лешего? — с шепотом сдвинул он брови. — Погоди... сперва послушать надо, не чуть ли там человека...

И, выйдя из канавы, он лег ничком на землю и, в глубоком молчании приложив ухо к почве, стал слушать.

Прошло минуты три.

— Ничего не чуть, кажися... шагов ничьих нету, — промолвил он, поднявшись на ноги, и снова, спустясь в ров, приставил ухо к одной из широких щелей дощатой загородки. — Дай-кось эдак прислушаюсь... по земле не отдает, авось по ветру потянет.

— Да коего дьявола слушать еще?! — с неудовольствием шепнул нетерпеливый Фомушка.

— Голосу да шагов, значит... Ведь тут тоже могильщики чередуются — караулят: обход бывает, — пояснил Гречка, который в эту решительную минуту, в совершенную противоположность Фомушке, сделался вдруг необыкновенно сдержан, осмотрителен и осторожен, как будто вопреки своей старой и страстной мечте; но именно не что иное, как только страстная жажда осуществить вполне счастливо и без посторонней опасной помехи эту самую мечту заставила его теперь вести себя подобным образом: так игрок, ставя на последнюю карту последний рубль азартно проигранного состояния, осторожно ждет и выслеживает удачную талию.

— И по ветру не тянет... никого нет! — удостоверился наконец

Гречка и осторожно, почти без звука стал медленно разбирать, одна за другою, дощечки канавочной загородки.

Вскоре проход, во всю ширину канавки и в полтора аршина вышины, был готов совершенно. Тихо, с лопатами в руках, переползли на кладбище двое сотоварищей и еще тише, еще осторожнее, почти ползком, пошли по дну, круто согнувшись корпусом вперед, из предосторожности, чтобы на поверхности земли сторожевой глаз не мог случайно подметить движение двух человеческих фигур.

Но это была почти излишняя предосторожность: сторожам нечего караулить последнего разряда — их бдительность сосредотачивается далеко от этих мест, направляясь к ближайшим окрестностям кладбищенской церкви, где действительно может найтись существенная нажива для мошенников, которые имеют иногда обыкновение сбивать и спиливать с монументов бронзовые кресты и доски — товар, принимаемый от них на фунты в иных железных и медно-котельных лавках.

В воздухе стояла одна из тех сыровато-теплых и совершенно черных ночей, которыми иногда отличается петербургский август, когда луна почти совсем не показывается на горизонте. Небо было заволокнуто сплошными облаками, и эти облака еще усиливали ту мглистую темноту, которая разливалась над землею. Понемногу теплый дождик начинал накрапывать медленными и редкими каплями. Все, по-видимому, благоприятствовало делу, задуманному Гречкой.

— Здесь... около энтого места надо искать, — промолвил он, вылезая из канавы. — Тут вот, налево... девять шагов в эту сторону... Кажись, кругом точно те самые кресты видать... ну, так: вот этот высокенький — он, почитай, около самой могилы должон стоять, — шептал Гречка, стараясь острым и зорким взглядом различить замеченные ранее признаки местности, окружающей могилу Бероевой.

— Оно самое и есть, — подтвердил Фомушка, наткнувшись на предмет, служивший для них уже ближайшей приметой. Это была старая могила, на которой, вместо земляной насыпи, стоял, вместе с крестом, покрашенный когда-то желтой краской деревянный ящик аршина в два с половиной длины и в полтора шириною. Подобного рода убогие мавзолеи, долженствующие, по-видимому, изображать собою высокие каменные гробницы с барельефами (кои суть принадлежность более богатых разрядов), встречаются довольно часто на петербургских кладбищах и особенно в последних разрядах Митрофаниевского. Время сбросило погнившие доски, служившие крышкой тому скромному мавзолею, на который наткнулся теперь Фомушка, так что он и в самом деле представлялся открытым ящиком в аршин глубины, что, между прочим, при давишнем осмотре тоже не было упущено из виду обоими товарищами.

— Оно самое и есть! — повторил блаженный. — Теперича, значит, четыре шага влево, и готово!

— Нашел!.. — откликнулся Гречка. — Вот она, здесь!.. И хворостинка наша в головах не тронута... Постой-ка, брат, приметинку пощупаю... Ну, так — и приметинка вона мотается.

— Значит, верно! — заключил Фомушка. — Слава те, Господи!

— Молчи, анафема! Ведь сказано: в эком деле не поминать его! — давнул его за руку суеверный Гречка. — Черти скорей лопатой круг около могилы: зачураться надо.

В шепоте, которым произносил он эти слова, было необыкновенно много той всепреклоняющей, повелительной энергии, которая вызывает безусловную покорность, и потому Фомушка, без рассуждений, тотчас же исполнил приказание Гречки.

— Чур меня!.. Чур меня! — шептал меж тем этот последний, оборачиваясь на все четыре стороны.

— Страшно, брат... — с легким содроганием сорвалось с языка Фомушки.

Тот покосился на него со злобою и только презрительно хикнул.

— Копай вот тут, рядом со мною!

Железные лопаты разом врезались в землю — и сырой глинистый ком глухо бухнулся и откатился в сторону.

При этом первом звуке Гречка невольно вздрогнул и еще усерднее прилег на лопату. Оба приятеля переживали не совсем обыкновенные мгновения. Суеверный, свинцово-давящий страх помимо их воли закрадывался в душу, в груди захватывало дух, и кровь напирала в височные жилы, а сердце то замирало, то вдруг начинало колотиться усиленными биениями. Осторожная, бесшумная работа шла среди глубокой тишины — ни слова не было уронено больше, только оба трудно и перерывчато дышали.

Вдруг вдалеке послышалось что-то неясное, как будто похожее на шаги человека.

Оба сильно вздрогнули, инстинктивно остановились и, напрягая ухо, пристально взглянули друг на друга.

Тишина. Где-то вдали цепная собака хрипит и заливается. Ветер на минуту слегка потянул по верхушкам кладбищенской рощи, обвеяв чем-то страшливым и холодненьким обоих гробокопателей. Прислушиваются — ничего не слыхать; только редкие капли неровно перепадают, шлепаясь на пыльные листья лопушника.

Снова стали копать, копать и слушать — чутко, напряженно, чтобы не проронить ни вблизи, ни вдали ни единого звука.

— Ах, ты степь моя, степь моздокская! — неожиданно послышалось позади их, словно бы из кладбищенской рощи.

— Обход!.. Хоронись живее! — чуть слышно вымолвил Гречка, перестав работать. — С лопатой хоронись!

— Да куда же?.. Наземь, что ли, ничком?

— За мною!.. Да тише ты!.. Полезай в ящик, да ложись боком, чтобы обоим хватило...

И осторожно, без малейшего шума опустились они с лопатами и легли на дно соседнего деревянного намогилья.

Голос, тянувший «Моздокскую степь», меж тем раздавался все ближе. Вот и шаги уже слышны — шаги смешанные, как будто два человека идут. Ближе и ближе — через минуту, гляди, поравняются с укрывшимися гробокопателями.

Вдруг, шагах в пяти от ящика, послышалось сдержанное рычание большого пса.

— Полкашка! — обозвал голос, напевавший песню.

Пес продолжал озабоченно рыскать меж могилами и глухо рычать.

— Чего брешешь, ну, чего брешешь-то?.. Эка дурень-собака! Брешет себе зря. Совсем дурень... Ну что ты там слышишь?.. Полкашка!..

— Нет, брат, ты его не обидь, — послышался в ответ другой голос, — он у нас справедливый пес. Это он, верно, хорька слышит — хорек тут завелся где-то: намедни-с у отца дьякона цыпленка утащил. Я третьева дня, как могилу копал, видел его, как он, это, по траве побег. А Полкашку не обидь: он свою правилу собачью знает — он, это верно.

— Может, мазурики где забрамшись?..

— Какие тут мазурики, чего им тут взять?

— Однако ж пошарить бы.

— Пожалуй... для че не пошарить?

И могильщики, разойдясь один с другим, свернули с тропинки, побродили между крестами. Один даже мимо ящика прошел, мурлыча себе под нос все ту же песню.

— Ничего нету!.. Да и Полкаша побег себе! — крикнул издали другой, и через минуту оба удалились.

У Гречки отлегло от сердца: будь немножко почутче нюх у Полкашки да караульщики посмышленее и поретивее — и вся заветная мечта его развеялась бы дымом. Правда, он бы не дешево расстался с нею: он уже решил, что в случае накрытия — сразу бить насмерть обоих; но... как знать чужую неизвестную силу? Пожалуй что и его бы скрутили, и тогда — прости-прощай навеки фармазонский рубль!

«Степь моздокская» меж тем совсем уже затерялась вдали за деревьями; но не прежде, как только вполне убедившись, что опасность миновала совершенно, решился Гречка выползти из намогилья.

Снова лопаты вонзились в землю — работа закипела теперь

еще решительней, еще энергичнее прежнего, и вскоре железо ударило о крышку гроба, а минут через пять она вся обнажилась.

На гробокопателей при виде вырытого гроба повеяло легким холодком нервного трепета.

— Вскрой крышку-то, запусти маленько лопату под нее, — шепотом пролепетал блаженный.

Деревянные заклепки заскрипели под напором железа, и крышка соскочила.

Перед глазами Гречки и Фомушки вверх неподвижным лицом, обрамленная белым холщевым саваном, лежала мертвая женщина в арестантском капоте. У обоих крупными каплями проступил холодный пот на лбу.

— Где же деньги-то?.. Не слыхать что-то, — чуть слышно бормотал Фомушка, шаря по трупу своей трепещущей рукой.

— Больно прыток, — с худо скрытою злостью прошипел Гречка, отстраняя прочь от тела руку блаженного из боязни, чтобы тот первый не нашел как-нибудь заветного рубля, — больно прыток!.. Забыл, что дядя Жиган сказывал? Исперва надо надругательство какое над нею сотворить, а потом уже деньги-то сами объявятся.

— Ну, какого там еще надругательства? — шепотом огрызнулся Фомушка. — Дал ей тумака доброго — и вся недолга! Вот-те и надругательство будет.

— Приподыми-ка ее! — приказал Гречка тоном, не допускавшим прекословья.

Фомушка взял покойницу за плечи и, придерживая рукою, посадил в гробу. При этом движении руки ее тихо опустились на колени.

— Братец ты мой, — с некоторым ужасом изумился блаженный, — да она мягкая, не закоченевшая совсем!

— Толкуй, баба! Мерещится! — отозвался Гречка, хотя сам очень хорошо заметил то же.

В эту минуту невольный ужас мешался в нем с чувством, которое говорило: минута еще — и ты достиг, и ты счастливый человек! — и потому он силился подавить в себе этот суеверный страх, но нервы плохо покорялись усилиям воли и ходенем ходили, тряся его, как в лихорадке.

Наконец почувствовал он, что настала решительная, роковая минута. Глаза его налились кровью, грудь высоко и тяжело вздымалась, а лицо было бледно почти так же, как лицо покойницы. Закусив губу и задержав дыхание, он сквозь зубы тихо простонал блаженному: «Держи!» — и, сильно развернувшись, с ругательством, наотмашь ударил ее в грудь ладонью. В эту минуту раздался короткий и слабый крик женщины.

Гробокопатели шарахнулись в сторону — и труп упал навзничь, но в ту же минуту с усилием и очень слабым стоном в гробу поднялась и села в прежнее положение живая женщина.

Фомушка с Гречкой, не слыша ног под собой от великого ужаса, инстинктивно упали на корячки и поползли, не смея обернуться на раскрытую могилу и не в силах будучи закричать, потому что от леденящего страха мгновенно потерялся голос, как теряется он иногда в тяжелом сонном кошмаре.

Проползя несколько саженей, Гречка поднялся на ноги, а вслед за ним стал и Фомушка: в эту минуту, после первого поражающего потрясения, у них едва-едва мелькнули слабые проблески сознанья, и потому оба, под неодолимым обаянием дико-суеверного страха, без оглядки пустились бежать с кладбища. Инстинкт самосохранения и этот бледный луч сознания вели их к той же самой лазейке, с помощью которой удалось им, за час перед этим, пробраться сюда; и теперь, спотыкаясь о кресты и могилы и падая на каждом шагу, дотащились они кое-как до разобранной канавочной загородки и прытко пустились наперекоски, через огородные грядки к избе Устиньи Самсоновны.

LXXIV

СПАСЕНА

— Надо, государи мои милостивые, исперва от духа уразуметь, — сидя за пряжей, наставительно калякала хлыстовка с двумя своими гостьми — Ковровым и Каллашем, тогда как Бодлевский с Катцелем работали в подызбище, а эти — между делом — вышли наверх поглотать воздуха, не пропитанного лабораторными запахами. Устинья Самсоновна каждый раз норовила не упустить малейшего случая и повода потолковать о вере с кем-либо из этих гостей, в надежде, что авось кто-нибудь из них, убежденный ее речами, обратится в веру правую, за что она паки и паки сподобится благодати Вышнего.

— Надо от духа поучаться и ходить по духу, и веровать токмо по духу: как тебя дух Божий в откровении вразумит, так ты и ходи, так и верь, — говорила хлыстовка. — Вот когда наша вера истинная стала шириться по земле, тогда на Москве сидел царь Алексей со своим антихристом Никоном, и повелел он христа нашего батюшку Ивана Тимофеича изымать с сорока учениками, для того чтобы они веру правую не ширили. Пытали их много, а батюшке Иван Тимофеевичу дали столько батожья, сколько всем ученикам его вкупе, однако ж не выпытали от них, какая такая наша вера есть. Исперва на Москве сам антихрист допросы чинил им, а потом сдали их, наших батюшек-страстотерпцев, на житный двор к гонителю египетскому, князю Одоевскому, и тот гонитель очинно ревнив был пытать Ивана Тимофеевича: жег его малым огнем, на железный прут повесимши, потом палил и на больших кострищах, и на лобном месте пытал, и затем уже ро́спяли его на стене у Спасских ворот. В Москве-то бывали вы, государи мои? — спросила обоих Устинья Самсоновна.

— Случалось, — подтвердил ей Ковров.

— И Спасские ворота знаете?

— Как не знать!

— Ну, так вот, как идти-то в Кремль, по левой стороне, где ныне часовня-то поставлена, тут его и распинали. Я к тому это и говорю, — продолжала хлыстовка, — что значит дух-то! Чего-чего не перенесешь, коли дух Божий крепок в тебе, потому и завет у нас такой: аще победити и спастися хочешь, имай первее всего дух Божий и веру в духа.

— Ну и что же с ним потом-то было? — спросил Каллаш.

— Ой, много с ним всякого было! — махнула хлыстовка. — Когда испустил-то он дух, то от стражи было ему с креста снятие, а в пятницу похоронили его на лобном месте, в могиле с каменными сводами, а с субботы на воскресение он, наш батюшка, при свидетелях воскрес и явился ученикам своим в Похре. И тут снова был взят, и пытку чинили ему жестокую и вторительно ро́спяли на тыем самом месте у Спасских ворот. И содрали с него кожу вживе, но едина от учениц его покрыла, батюшка, простынею белою, и простыня та дала ему новую кожу. Поэтому мужики наши хлыстовские, в воспоминание его, и носят белые рубахи, а на раденьях «знамена» мы имеем — полотенца али бо платы такие полотняные. И потом снова воскрес наш батюшка и начал проповедовать, а учеников ему, с этого второго воскресения, прибавилось видимо-невидимо. И когда в третий раз изыскали и обрекли на мучения — в те поры царица брюхата была и родами мучилась: никак не могла разродиться. И было ей тут пророчество, что тогда только разродится она благополучно сыном царевичем Петром, когда ослобонят Ивана Тимофеевича. Тут его и слобонили, и стал он явно жить в Москве на покое, проповедуя веру правую тридцать лет; а дом, где жил, доселе цел и нерушен стоит и промеж Божьих людей «Новым Юрусалимом» нарицается.

В эту минуту рассказ ее был прерван топотом неровных, торопливых шагов, который послышался на крылечке, словно бы туда прытко вбежали два человека. Раздался нетерпеливый, тревожный стук в наружную дверь.

Ковров и Каллаш в недоумении вскочили с места, причем первый опустил свою руку в карман, где у него имелся наготове маленький карманный револьвер, который он постоянно брал с собою, отправляясь в загородную лабораторию.

— Господи Исусе!.. Кого там? — встала из-за пряжи хозяйка, встревоженная этим шумом в такую позднюю пору.

Старец Паисий взял свечу и пошел в сени.

— Кто там? — окликнул он.

— Мы... я... пустите, — отвечал перепуганный, задыхающийся голос Фомушки.

— Чего тебе?

— Христа ради, впустите скорее... Беда! — с отчаянием воскликнул он, стучась в дверь.

Старик отомкнул защелку — и в комнату влетели ошалелые гробокопатели. Лица их были в кровь исцарапаны, одежда перервана и перепачкана землею, а сами они до того дрожали и казались перепуганными, что Ковров с Каллашем поневоле отступили назад, изумленные этим неожиданным появлением.

Фомушка и Гречка, с трудом переводя дух, стояли посередине комнаты и все еще не могли прийти в себя.

— Ты как здесь? — подошел Каллаш к блаженному. — Что случилось? С чем вы? Откуда?

— Ба... а... батюшка, страшно... — с усилием выговорил дрожащий Фомушка.

— Полиция здесь? Накрыли вас или гнался за вами кто, что ли?

— По... покойник гнался... на кладбище... из гроба... — говорил блаженный, почти бессознательно давая свои ответы.

— Да они пьяны, — заметил Ковров, переухмыльнувшись с графом.

— Были бы пьяны — не были бы так перепуганы.

— А зачем носило вас на кладбище? — снова приступил последний к Фомушке.

— Фармазонские деньги... на ей зашиты... могилу раскопали... — пробормотал Фомушка, озираясь во все стороны.

— Могилу раскопали?.. — озабоченно сдвинув брови, повторил вслед за ним Каллаш. — Э-э!.. Шутки-то выходят плохие!..

— Послушай, — отозвал он в сторону Коврова, — этот дурак мелет чепуху какую-то, но очевидно одно: оба страшно перепуганы и один обмолвился, что могилу раскопали. Это-то и есть причина паники.

— Ну так что ж? — спросил Ковров.

— Очень скверно. Разрытую могилу завтра же могут найти, — принялся Каллаш развивать свою мысль, — поднимется следствие, розыски, обыски, «как да что», а до хлыстовской избы полиции не трудно будет добраться: ведь по соседству стоит. Понимаешь?

Ковров кивнул головой и озабоченно закрутил свой великолепный ус.

— Вы разрывали могилу? Зачем? Для чего это? — наступили оба на Фомушку.

Гречка меж тем успел уже прийти в себя, а с возвратом полного сознания ему тотчас же явилась в голову суеверная мысль, что это, должно быть, вражья сила подшутила над ними, и потому, желая предупредить Фомушку, чтобы тот не давал ответа, он толкнул его в локоть. Но это движение не скрылось от Коврова.

— Эге, да это, кажись, мой старый знакомый!.. — протянул он, пристально вглядываясь в физиономию Гречки. — Помнится, будто встречал когда-то. Ты зачем толкнул его?

— Я?! Мерещится, что ли? — дерзко ответил Гречка. — Вольно ему сдуру молоть ерундищу!

— Где вы были? Отвечай мне! — начальнически и в упор приступил к нему Сергей Антонович.

— Да вам-то что, где бы мы ни были? Чего лезете?

В ответ на это последовал истинно командирский удар по уху.

Гречка отшатнулся в сторону и упал на лавку, но в ту ж минуту, поднявшись на ноги, хотел было броситься на Коврова, как вдруг, в ответ на это движение, увидел его ловко приставленный к своей груди револьвер.

Его попятило назад: он живо вспомнил былые времена и лихого капитана золотой роты.

Ковров меж тем не отставал от него со своим пистолетом.

— Отвечай, мерзавец, где вы были и что вы делали, или сейчас же, как собаку, положу на месте!

— Виноват, ваше... ваше сиятельство!.. Простите, Христа ради! — пробормотал оробелый Гречка, ибо вспомнил по старым опытам и слухам, что с этим барином вообще шутки плохие, особенно когда в переносицу зловеще смотрит пистолетное дуло.

— Я не спрашиваю, виноват ли ты, а мне нужно знать, где вы были и что делали — понимаешь? — с расстановками над каждым словом возразил Сергей Антонович, нещадно теребя его за ухо, словно мальчишку-школьника.

— Виноват, ваше сиятельство... на кладбище были, — пролепетал Гречка, окончательно потерявшись от столь неожиданного и столь бесцеремонного отношения к своей особе.

— Зачем вы были на кладбище? — настойчиво наступал на него Ковров.

— Фармазонских денег искали...

— Где вы их искали?

— На покойнице... на арестантке одной тут...

— И разрыли для этого могилу?

— Виноваты, ваше сиятельство.

— Ну, так пойдемте зарывать ее, — сказал Ковров тем спокойно-сознательным тоном, который не допускает возражений.

Для подпольной компании было необходимо нужно, чтобы могила была зарыта, потому что иначе и в самом деле мог бы произойти весьма невыгодный оборот для их предприятия вследствие непременных обысков полиции. Надо было немедленно же уничтожить все следы преступления двух гробокопателей.

— Ваше сиятельство... слобоните! Христа ради!.. Не могим вернуться на кладбище! — взмолился Фомушка. — Покойница ведь живая... стонала... сидела в гробу... сам видел своими глазами.

Это было еще одно новое открытие для Каллаша и Коврова; теперь, стало быть, необходимо нужно было пришибить насмерть либо спасти мнимую покойницу.

Ковров мигом накинул свой плед, захватил маленький потайной фонарик и вышел из горницы вместе с Фомушкой и Гречкой.

Он беспрекословно заставил их идти с помощью того же самого убедительного аргумента, который за минуту перед сим развязал язык гробокопателей.

В глубокой тишине, не нарушаемой ни единым словом, осторожно пробрались они прежним путем на кладбище, и Гречка, весь дрожа от волнения и страха, снова нашел, в темноте, разрытую могилу.

Однако странно: гроб раскрыт, но никого в нем нет — один только саван лежит, брошенный в двух шагах от крышки.

Ковров еще круче закусил свой ус и озабоченно сдвинул брови. Что тут делать теперь? Ясно, что мнимоумершая выползла из гроба, но где искать ее по кладбищу, в какую сторону направиться? Да и когда тут искать, если каждая минута дорога, если для собственной безопасности нужно было как можно скорее уничтожить все признаки раскопанной могилы. Поиски, во всяком случае, отняли бы время. Из двух зол надо выбирать меньшее, а если мнимоумершую найдут завтра где-нибудь на кладбище живою или мертвою, это все-таки менее опасно, чем разрытая могила: там еще вопрос темный, там еще могут быть какие-нибудь сомнения, недоразумения, а здесь — эта разрытая могила, и в ней — свидетель преступления.

Ковров прислушался, пригляделся в темноту — напрасно: не различишь никакого признака, да и не слыхать ни шороха, ни стона — мешкать было нечего.

— Бери, ребята, крышку — и снова на гроб ее, — шепотом распорядился он, не выпуская из руки револьвера, который держал все время наготове, так что те поневоле повиновались.

— Готово, ваше сиятельство.

— Теперь закапывай гроб хорошенько! Где лопаты у вас?

— А туточки бросили вот...

— Ну, бери дружнее! Да живо у меня, мерзавцы!

— Ой, страшно, ваше сиятельство... руки словно в лихорадке... приняться страшно...

— Закапывай!

И, без дальних разговоров, он весьма убедительно приставил дуло ко лбу Фомушки.

Такой решительный маневр, в особенности после стольких потрясающих ощущений, которые немного обессилили в обоих гробокопателях твердость и способность самостоятельно действовать своей силой и соображать своим рассудком, — такой маневр, говорим мы, произвел свое решительное действие: они опустили накрытый гроб в могилу и проворно стали закапывать.

— Вали землю живее! Живее, канальи! — энергическим шепотом поощрял Сергей Антонович. — За работу по пятирублевке получите.

И минут в пять могила быстро была засыпана в присутствии Коврова, лично наблюдавшего за работой.

Они уже возвращались прежним путем, вдоль канавки, как вдруг, шагах в пяти, послышался слабый, болезненный стон.

Фомушка с Гречкой так и обмерли в ужасе.

— Дальше ни с места! — громко приказал им Ковров и осторожно выполз из канавы, по тому направлению, откуда послышался стон. Действительно, пройдя пять-шесть шагов, он наткнулся на что-то живое. Это была женщина, почти в беспамятстве, и по ее полулежачему положению можно было предположить, что она перед тем ползла по земле.

Ковров на мгновение отодвинул щиток потайного фонаря, и первое, что бросилось ему в глаза, — это арестантский капот. Лица он не успел разглядеть, потому что оставить свет еще на несколько секунд было бы не совсем безопасно. Что ж теперь делать с нею? Пришибить? Поздно: могила уже зарыта. Оставить на кладбище? Нельзя: этот арестантский капот мешает. Он, при следствии, пожалуй, все дело выдаст и, быть может, поведет к черт знает какой кутерьме! Что же делать, однако, с этой женщиной? Время не терпит: надо самим как можно скорее уходить с кладбища. Остается одно только средство: была не была — взять ее с собою! Если она за ночь умрет — можно будет снять с нее этот предательский капот, переодеть в другую одежину и тайно вывезти да бросить за чертой города, в стане, на каком-нибудь пустыре, а если поправится, если выздоровеет, то — сама арестантка, стало быть, не выдаст никого и ничего, а будет рада, что из гроба вынули да от тюрьмы спасли.

Ковров торопливо спустился в канавку и приказал Фомушке с Гречкой идти за собою. Он постлал на земле свой плед, завернул с головой найденную женщину и велел им нести.

Те дрожали как осиновые листья и не решались взяться за страшную для них ношу.

— Трусы! — презрительно отнесся к ним Сергей Антонович. — Не видите разве, это живая женщина? Ее в обмороке схоронили! Ты неси лопаты и фонарь, — приказал он Фомушке, — и ступай вперед, а ты бери ее за ноги!

И, вместе с этим, осторожно поднял за плечи завернутую женщину, и вдвоем понесли ее с кладбища, к подзаборной лазейке. Хотя обоих гробокопателей все еще мучило чувство суеверного страха, однако, видя такое хладнокровие и энергию со стороны Коврова, они приободрились несколько, предполагая, что, верно, и в самом деле это живая женщина, потому нечистая сила с мертвечиной не так бы проявили себя.

Все благополучно возвратились в избу Устиньи Самсоновны.

Ковров приказал внести в горницу найденную женщину, а сам, не теряя минуты, прямо спустился в подызбище и позвал Катцеля.

Доктор развернул плед, наклонился, чтобы рассмотреть ее лицо, и вдруг быстро отшатнулся в сторону, очевидно, под влиянием какого-то невольно поразившего его чувства.

— Боже мой! Да это она!.. — прошептал он в смущении.

— Кто она?

— Она... Бероева...

— Бероева?! — изумленно повторили Ковров и Каллаш, в свою очередь нагибаясь к ее лицу, чтобы удостовериться, точно ли это правда.

Для Сергея Антоновича не осталось более сомнения в этом: он еще прежде знавал Бероеву, она как-то необыкновенно нравилась ему как красивая женщина, а он боготворил красивых женщин. Он знал и ее, и ее мужа, встречавшись с ними у Шиншеева, и, вдобавок, ему очень хорошо была известна настоящая история ее с Шадурским и судьба, постигшая эту женщину, и теперь, заглянув в это истомленное страданием лицо, он окончательно удостоверился, что перед ним действительно лежит Бероева.

— Ее надо спасти, непременно спасти! Слышите, Катцель, непре-менно! — с одушевлением и решительно проговорил он.

— Но куда же мы с нею денемся? — возразил Бодлевский.

— Оставим здесь.

— Здесь... Она нам будет мешать, она может выдать нас.

Ковров оглядел его с нескрываемым презрением и тихо, отчетливо промолвил ему:

— Не выдайте *вы* нас, любезный друг! А она — женщина, обязанная нам спасением жизни, арестантка, приговоренная в Сибирь, — она нас не выдаст, лишь бы вы не проболтались в нежную минуту вашей княгине Шадурской...

Бодлевский вспыхнул от негодования, однако молчал и ушел в подызбище, не принимая более никакого участия в происходящем.

Бероева лежала на лавке, по-прежнему закутанная в плед Коврова.

— Эх, брат, как же ты так плошаешь! — с укором заметил он Катцелю и обратился к хлыстовке: — Матушка Устинья! В Бога ты веруешь?

— Штой-то, мой батюшка, еще не верить-то! Верую! Хрестьяне ведь!..

— Ой ли?.. Ну, коли «хрестьяне», так и поступай по-христиански! Постель-то у тебя мягкая?

— Мягкая, батюшка, пуховичок ништо, хороший.

— Пуховичок хороший, а больного человека на голой лавке допускаешь лежать! Эх ты, «верую»! Уступи, что ли, Христа ради, постель свою.

— Бери, мой батюшко, бери, Христос с тобой! Я рада: болящего, сказано, посети.

— То-то же! Так вот и походи за нею, пока выздоровеет.

Ослабевшую Бероеву перенесли в другую горенку на постель Устиньи Самсоновны. Старуха раздела и укутала ее в теплое одеяло.

Ковров меж тем озабоченно ходил по смежной горнице.

— Ее третьего дня на Конную вывозили — я случайно прочел в «Полицейских», — шепотом заметил граф Каллаш.

— Да? — отозвался доктор. — О, теперь я понимаю: это была летаргия от нервного потрясения. Субъект для меня весьма интересный — поштудирую, — заключил он, потирая от удовольствия руки.

— Мерзавцы... негодяи... барчонок... — шептал меж тем про себя Сергей Антонович, хмуро сжимая брови от какой-то неприятной мысли, и вдруг круто подошел к Катцелю.

— Слушай, — начал он ему совершенно серьезно и строго. — Эта женщина всеми своими несчастиями главнейшим образом обязана тебе. Ты ее убил, ты же и воскресишь ее. Ступай к ней!

Но Катцель и без того уже засуетился над изысканием первых пособий: приказал Устинье нагреть самовар, спустился в подызбище и вытащил оттуда баночку спирту да бутылку лафиту.

— Ну а вам, ребята, спасибо за то, что вырыли! — неожиданно обратился Ковров к Фомушке и Гречке, которые почтительно стояли у дверей. Бывший капитан золотой роты нагнал-таки на них порядочного страху.

— Вот вам обещанная водка! — продолжал он, кидая им два империала. — А теперь скажите-ка мне, каких это фармазонских денег искали вы?

— Неразменного рубля, ваше сиятельство, — поведал Фомушка-блаженный.

— Дурни! — покачав головою, улыбнулся Сергей Антонович. — Тебе бы, собачий сын, о разменных рублях следовало думать, а ты черт знает о какой чепухе!

— Грешен человек, ваше сиятельство, и плоть моя немощная, — с покаянным сокрушением вздохнул блаженный.

— А ты, кажись, будешь человек годящий, — обратился Ковров к Фомкину товарищу. — Хочешь на меня работать? В накладе не останешься, лучше всяких фармазонских денег будет. Согласен, что ли?

— Рады стараться, ваше сиятельство! — охотно согласился Гречка, который, впрочем, в глубине души своей подумал:

«А все же, черт возьми, надо раздобыться фармазонским рублишкой».

В душе его смутно и больно щемило от неудачи.

— Ну, теперича с глаз долой! Ступайте дрыхнуть себе, — отпустил обоих Сергей Антонович и осторожно, на цыпочках, отправился в комнату, где лежала Бероева.

— В искусство ваше я верю, — шепотом обратился он к Катцелю, горячо сжимая его руку, — и... если вы — *человек*, умоляю вас, спасите ее: у нее дети ведь!.. А нас она, поверьте, не выдаст. За это уж я берусь.

Доктор улыбнулся, кивнул головой и, ответно пожав руку Коврова, опять наклонился над больною, принявшись за свои скудные наличные средства помощи: для него она, больше чем прежде, представляла теперь любопытный в научном отношении субъект, и поэтому он с великой охотой готов был упорно истощать над нею все усилия и все свое искусство.

— Ну что? — опять войдя через час времени, спросил его Сергей Антонович.

Доктор Катцель самодовольно вытянулся и, вскинув на него торжествующий взгляд, промолвил тихо и внятно:

— Спасена!

ЧАСТЬ ПЯТАЯ

ГОЛОДНЫЕ И ХОЛОДНЫЕ

I

ПЕТЕРБУРГСКАЯ ТРИХИНА

— Благослови Господи на новую жизнь да на добрую дорогу! — перекрестилась Маша Поветина, выходя под вечер с узелком в руках за ворота богатого дома, где оставляла столько любви, воспоминаний и столько тяжелого разочарования — после того, как была брошена молодым Шадурским (читатель знает уже, что это совпало со временем маскарадного приключения его с Бероевой), и после продажи с молотка ее мебели и всего имущества.

Ванька-извозчик шажком довез скудные Машины вещи до Сухарного моста, где ее бывшая горничная Дуня поутру сговорила ей место за четыре рубля в месяц «с горячим от хозяев» и теперь провожала Машу на это место, чтобы окончательно там устроить ее.

Новая жизнь открылась перед Машей, и эту новую жизнь предстояло ей начать в семье особого свойства, цвета и запаха.

Эта петербургско-немецкая семья составляет совершенно особый, замкнутый в самом себе и настолько своехарактерный элемент, что о нем стоит немножко побеседовать.

Карл Иванович Шиммельпфениг был санкт-петербургский немец. Его достопочтенный покойный папенька, Иван Карлович Шиммельпфениг, был немцем лифляндским из города Риги и добродетельно содержал аптеку. Когда возлюбленный сын его Карл получил диплом, удостоверявший всех и каждого, что он добропорядочно окончил курс учения, при поведении отлично-благонравном, папенька его, Иван Карлович Шиммельпфениг, написал в Петербург умилительное письмо к старому своему товарищу, действительному статскому советнику Адаму Адамовичу Хундскейзеру, прося пристроить к местечку своего сына, который и был отправлен в Петербург при этом самом письме.

Адам Адамович Хундскейзер с радостью определил под свое ведомство юного Карла, и юный Карл сразу же понял, что он крепок и силен высоким покровительством Адама Адамовича, и немедленно поспешил составить себе кодекс необходимых житейских правил, чтобы следовать им неизменно до конца своей жизни. Юный Карл сказал себе: «Умеренность и аккуратность суть первые добродетели, и если к ним присоединить еще строгую исполнительность, то это будут три грации древних». Сказав себе такой максим, он сделался умерен, аккуратен и пунктуально-исполнителен до тошноты, до омерзительности и тем самым обрел фортуну своей жизни, ибо неизменно пользовался покровительством и высоким мнением о себе своих немцев-начальников.

Впрочем, покровительством Адама Адамовича Хундскейзера он пользовался отчасти и по иной, посторонней причине. Хотя Herr Хундскейзер был женат и имел семейство — как подобает всякому чиновнику-немцу в качестве насадителя немецкого элемента на русской земле, — однако это не мешало ему иметь на стороне некоторую слабость. Адам Адамович был немножко эпикуреец. Эта слабость достаточно уже устарела для Адама Адамовича, ибо известно, что чем старее становится эпикуреец-смертный, тем более начинает он питать алчность к юности, к молодой свежанине. Но Адам Адамович был немец, и потому содержать одновременно две слабости казалось ему превышающим его экономию. Поэтому надлежало, как ни на есть, разделаться со старой слабостью. Думал-думал Адам Адамович, как бы все это устроить ему, — и ничего лучше не придумал, как выдать эту слабость замуж. За кого ее выдать? Естественно, за человека, который, происходя из немецкой же расы, был бы по службе благоугоден ему как немец и как отлично-исполнительный чиновник. Женитьбу на своей слабости Адам Адамович Хундскейзер считал для подобного немецкого смертного в некотором роде наградою — наградою не в счет крестов, чинов, денег и всяческих отличий, ибо этой наградой тем паче приобреталось его высокое покровительство. Для этой цели он избрал сына своего старого товарища — и, таким образом, в один прекрасный вечер имел случай от души поздравить юного Карла Шиммельпфенига со вступлением в законный брак со своей слабостью, на которую, между прочим, в глубине своего сердца питал надежды такого рода, что она при случае не откажется продолжать с ним прежние отношения и по выходе замуж, ради больших удобств своего супруга и своих собственных, при дальнейшей супружеской жизни. Таким образом, слабость переменила свое прежнее звание на имя титулярной советницы Луизы Андреевны Шиммельпфениг и, повидимому, была совершенно довольна и счастлива, равно как и юный Карл тоже был доволен и счастлив, ибо понимал, что вступление в супружество со слабостью его превосходительства, патрона и благодетеля доставляет ему новую силу и крепость.

Нужды нет, что Луиза была старее его тринадцатью годами, — он все-таки был доволен и счастлив и с первых шагов своих на супружеском поприще попал под башмак этой немецки-прелестной особы.

Пока немецки-прелестная особа была еще «в поре», превосходительный ловелас и покровитель оказывал ей время от времени знаки своего сердечного благоволения — в силу старой привычки. Для его экономии это не составляло теперь расчета, ибо за благосклонность госпожи Шиммельпфениг он платил благосклонностью же господину Шиммельпфенигу, и супруги не оставались в накладе, так как благосклонность Адама Адамовича Хундскейзера выражалась в прибавках жалованья, в экстренных выдачах, в наградах, в повышении чинами, в орденке и, наконец, в личном дружелюбном расположении самого патрона и покровителя.

Карл Иванович Шиммельпфениг шел в гору, ибо его, что называется, тянул за волосы, всеми легкими и нелегкими, все тот же неизменный патрон и покровитель. Но нельзя сказать, чтобы Адам Адамович Хундскейзер поступал таким образом исключительно ради отношений своих к супруге своего подчиненного, — нет. Адам Адамович кроме этого был добрый немецкий патриот и потому тянул в гору Карла Ивановича по высшему принципу, как немец немца — из чувства нравственного родства и национальности.

И Карл Иванович отменно хорошо умел чувствовать это: он знал, куда идет; он ведал, что дойти до цели можно ему только этим путем; он понимал, что в путешествии по русской иерархической лестнице младший немецкий человек должен крепко и всеми зависящими средствами держаться за вицмундирные фалды старшего немецкого человека, дабы и за его собственные фалды могли потом держаться другие младшие немецкие люди, когда он, Карл Иванович, в свою очередь, сам сделается большим немецким человеком. Карл Иванович, как доброкачественный подчиненный, радушно и разумно снисходил к отношениям патрона и своей Луизы Андреевны, ибо знал, что все это он сам наверстает, что впоследствии он сам будет находиться в точно таких же отношениях к какой-нибудь Минне Федоровне или Маргарите Францевне и тянуть за волосы в гору ее супруга. Такова сила вещей, и, стало быть, уразумев ее однажды, ему не о чем уже было печалиться. Карлы Ивановичи вообще тем и счастливы в жизни, что у них крепкие, выносливые лбы и затылки, хотя эта крепость отнюдь не препятствует развитию задорно-щепетильного самообожательного немецкого гонора и кичливости в отношении русского человека.

Карл Иванович Шиммельпфениг — санкт-петербургско-русский чиновник и немецкий патриот, в самом кристальном значении этого слова. Он, так сказать, один из пионеров германской народности в России. Посмотрите вы на него в разных фазах общественной деятельности: на службе, в клубе, в семействе, в домашнем обиходе — везде и во всем он прежде всего истинный немец — и в больших вещах и в самых последних мелочах, он все тот же, неизменно верный самому себе Карл Иванович.

Не будем говорить о великом; возьмем одни мелочи, ибо из мелочей слагается обыденная жизнь человеческая, и по преимуществу жизнь Карлов Ивановичей.

Карл Иванович — непременно член клуба; но какого клуба? — санкт-петербургского национального собрания, именуемого порусски шустерклубом. И ни в каком ином клубе он не захотел бы быть членом. Тут у него издавна уже существуют свои интимные нравственные связи и симпатии. Карл Иванович, несмотря на все блага земные, изливаемые на него щедрой рукой фортуны, очень аккуратен и расчетлив. Это качество не покидает его нигде, ибо оно присуще ему по натуре. Карл Иванович соображает, что ему нужно, например, белье, сапоги, платье и тому подобное. Как поступает в этом случае Карл Иванович? Он знает, что в числе его клубных сочленов, с коими он садится по вечерам за преферанс, находятся: немецкий сапожный мастер Herr Мюллер, немецкий портной Herr Иогансон, немецкий магазинщик белья Гроссман, — и Карл Иванович в отношении этих господ пользуется своими интимными связями и симпатиями, зная, что тут он приобретет все необходимое, что называется, и дешево, и сердито, а в то же время поддержкой своей национальности является. Поэтому платье он заказывает не иначе как немцу-портному, сапоги — немцу-сапожнику, белье — немецкому магазину, в полном убеждении, что способствует развитию национальной немецкой промышленности. Он даже — мелочь из мелочей — стричься и бриться ходит не иначе как к «немецкому парикмахеру» на Большой Мещанской.

Нельзя сказать, чтобы Карл Иванович был чужд эстетических наслаждений: изредка он посещает немецкий театр (но только немецкий) и объясняет супруге своей достоинства некоторых актеров и пьес, из которых особенно нравятся ему те, которые хоть немножко, хоть самую чуточку проявляют в себе немецки-патриотическую закваску. Но если что сделалось в последнее время предметом живейшей ненависти Карла Ивановича, то это русская журналистика, с тех пор как она стала заниматься ост-зейдским «вопросом». Имени Каткова он равнодушно слышать не может — зато боготворит императорско-российского надворного советника и германского пионера г-на фон Мейера, будучи всегда усердным читателем его академически-российских немецких «Санкт-Петербургских ведомостей».

— Что они пишут! Боже мой, что пишут эти вандалы! — восклицает он, диспутируя по поводу нападок русской журналистики. — Немцы!.. А что они будут делать без немцев? Кто дал России просвещение, администрацию и цивилизацию? Кто взял преимущество интеллигенции в высшем ученом собрании русском? Немецкие ученые мужи! Кто в России лучший чиновник? Немец! Кто лучший командир? Тот же немец! Кто педагог? Опять-таки немец! Кто капиталист, банкир, негоциант, агроном и врач, и механик? Немец! Кто, наконец, лучший, честный ремесленник, сапожник, булочник? Немец! Все немец, немец и немец! Все — мы! — заключает он с гордым достоинством и, вслед за тем не без горечи присовокупляет: — А они кричат! Они, они-то кричат еще! Какая неблагодарная нация!

В маленьких чинах Карл Иванович был довольно скромен относительно своих русских антипатий; но с постепенным повышением в оных он постепенно высказывался — так что, достигнув до статского советника, *почти* уже не скрывает своего презрения, а когда достигнет до *действительного* статского, то тогда, можно надеяться, совсем уже проявит всю глубину его.

Кто-то заметил ему однажды, что как же, мол, это — и презираете, и служите в одно и то же время? Это, мол, маленькая несообразность выходит. Карл Иванович смерил дерзновенного своим пятиклассным, статско-советничьим глазом и, вероятно, чувствуя, что чин «действительного» весьма уже недалек от него, с великим достоинством отчетливо возразил:

— Я служу не отечеству, но моему императору! Я люблю русское правительство, но я презираю русскую свинью.

Вообще названия варваров, вандалов и скифов суть обыкновенные клички, которыми удостоивает нас, грешных, Карл Иванович в своем интимном немецком обществе; но, как высшая степень в порядке этих кличек, у него является энергическое выражение «русская свинья», коим он остается беспримерно доволен.

— Наша служба — это есть наша высшая миссия, — заметил он тому же дерзновенному, который осмелился выразить мысль о несообразности презрения и службы. — Мы, немцы, мы желаем приобщить вашу Россию к циклу цивилизованных государств Европы. Это наша миссия!

Так понимает Карл Иванович задачу своего служебного поприща.

Но не одною только службою ограничивается цикл цивилизаторской миссии Карла Ивановича — нет! Он во все отрасли жизни своей бросает семена этой миссии. Известно, что соберутся два или три немца, там тотчас же созидается у них Bund и Verein[1] — непременно Verein, без Verein'a тут никак не обойдется; только этот Verein, при всей своей торжественности, бывает у них всегда безобиднейшего, буколического свойства, и чем невиннее, тем торжественнее. По свойству и качеству этих ферейнов, все немцы подразделяются на немцев поющих, немцев танцующих, немцев гимнастирующих и немцев стреляющих, или, лучше сказать, воинствующих. Поэтому уже само собой разумеется, что и петербургский немец никак не мог обойтись без ферейна: «Немец бо есть, и ничто же немецкое не чуждо ему». В Петербурге прежде всего образовался ферейн из немцев танцующих, затем уже пошли немцы поющие, которые образовали новый ферейн, известный под именем Парголовского Liedertafel[2]. Впрочем, между этими двумя категориями нет ни малейшего антагонизма: те же самые немцы, которые поют, те же и танцуют, и наоборот. Воинствующий немец в Петербурге недавно еще начал вырабатываться; но по тем задаткам, которые он предъявляет в последнем отношении, можно

---

[1] Союз и общество *(нем.)*.

[2] Певческое общество *(нем.)*.

предсказать, что это будет наимилейший немец. Дабы изобразить сии задатки, необходимо наперед изобразить, как он селится на лето по невским болотам, что называется, «на даче». Хотя у него и не сформулирован собственно дачный ферейн, тем не менее он чуется, он сам собою рождается, будучи присущ петербургско-немецкой натуре; одним словом, не существуя de jure[1], он существует de facto[2]. Немец занятой, немец деловой выезжает на дачу по преимуществу в Новую и Старую Деревни, кои давно уже приняли характер чисто немецкой колонии; немец же сибаритствующий, почиющий на буколических лаврах своего благосостояния, перебирается не иначе как в Парголово. Первое Парголово — это в некотором роде немецкое Эльдорадо, земля обетованная, и тут-то — Боже мой! — что за раздолье для буколических наклонностей, что за благодатная почва для поющих и пляшущих ферейнов! Тут-то вот и проявляется в великолепном зародыше будущий фрукт воинствующего ферейна. Представьте себе немецких людей, светлооких юношей, солидных мужей и даже седовласых старцев, которые под вечер, часов около шести, сбираются все вкупе на какой-нибудь близлежащий луг, строятся во фронт по ранжиру и, справа по отделениям, начинают маршировать самым усердным, добросовестным и серьезнейшим образом, до того серьезным, как может быть серьезен только немец. И сколько тут почтенных отцов семейства, сколько солиднейших надворных и коллежских советников! Один отец семейства прицепляет на палку фуляровый носовой платок и гордо марширует впереди — это знаменосец. Два титулярных советника, один коллежский асессор, три булочника и два провизора идут впереди знаменщика и, приставив кулаки к губам, стараются подражать звукам валторны и тромбона, а с ними человек восемь делают преуморительные эволюции руками перед своим животом и трещат языком своим: «бром! бром! тррр-бром!» Эти играют роль барабанщиков. И вот таким образом происходит немецкий парад, после которого парголовские воины церемониальным маршем расходятся в недра семейств своих, и все при этом необыкновенно серьезны, довольны и счастливы.

Обращаюсь преимущественно к тебе, мой иногородний читатель; мне так и кажется, что, прочтя это место, ты недоверчиво улыбаешься и произносишь: «Эка сочиняет!» Ей-Богу, нет! Клянусь тебе, не сочиняю, клянусь тебе — правда, воочию виденная мною при посторонних свидетелях!

Карл Иванович Шиммельпфениг — как вообще всякий петербургский немец его категории, — когда находился в меньших чинах и принужден был ежедневно пребывать в месте служения своего, то жил летом в Новой Деревне; когда же ранги его возвыси-

---

[1] По закону *(лат.)*.

[2] Фактически *(лат.)*.

лись, а служебный пост дозволил сибаритствовать, он стал нанимать дачу в Парголове. Карл Иванович — необходимый член Парголовского лидертафеля, хотя голос его, в сущности, напоминает только овечье блеянье; Карл Иванович точно так же, невзирая на свой ранг, постоянно принимает участие и в буколическо-спартанском игрище, где обыкновенно марширует — палка на плечо — в качестве офицера. Вы думаете, Карл Иванович играет в солдаты просто потому, что поиграть ему хочется? Нет, ошибаетесь! Карл Иванович слишком торжественно и серьезно относится к делу вечерних парголовских парадов: он прозревает в них высший принцип; сколь ни кажется это наивно и даже невероятно для такого серьезного, практического по службе человека, он способствует в этих парадах великой идее немецко-национального единства. Он во имя этой идеи и поет, и пляшет, и марширует, купно с немецкими собратами в Парголове летом обитает. Таким образом, относительно буколики и всяческих ферейнов, петербургского немца вообще можно определить так: петербургский немец есть немец дачно-поюще-вопиюще-танцующе-воинствующий. И это определение будет вполне верное, с коим согласится всякий, хоть немножко знающий петербургского немца.

Карл Иванович необыкновенно любит буколику и торжественную представительность; в весьма недавнее время, ради этой торжественной представительности, он даже нарочно брал отпуск и ездил в Германию, дабы принять личное участие в каком-то празднестве гимнастов или певцов, причем своей особой изображал представителя нашей deutsche Russland[1], и даже в торжественной процессии этого празднества перед ним, в числе представителей прочих национальностей, несли знамя, на коем большими буквами была изображена та же самая Russland. Карл Иванович при этом случае с огромным патриотическим пафосом красноречиво ораторствовал высокопочтенному собранию о великом значении российско-пионерской миссии русских немцев относительно великой идеи общегерманского единства, чем и возбудил величайший восторг высокопочтенного собрания: в честь его было выпито 1874 кружки баварского пива, двадцать восемь раз кричали ему «виват» и даже торжественно пропечатали в газетах.

С этого благодатного и великого дня Карл Иванович вполне уже чувствует себя героем.

Но это только одна сторона его характера, которая, касаясь сфер общественных или умозрительных, рисует в Карле Ивановиче, так сказать, человека публичного. Есть у Карла Ивановича и другая сторона, которая прячется от посторонних взоров, которая доступна только самому Карлу Ивановичу, его супруге и его кухарке — это сторона халатная, домашняя, семейная, и с этой-то пос-

---

[1] Немецкая Россия *(нем.)*.

ледней стороны характер Карла Ивановича проявляет весьма скаредные свойства, так что определить, в домашнем отношении, можно так: Карл Иванович есть немец халатно-сентиментально-пивопьюще-скаредный.

Непрестанно памятуя, что умеренность и аккуратность суть две первые добродетели немца-бюрократа (он не любил называть себя «чиновником», а всегда говорил: «мы, бюрократия»), Карл Иванович и в домашний свой обиход вносит те же самые две добродетели. Каждая домашняя надобность, каждая физическая потребность была у него строго расчислена и строго разграничена, для каждой определялся особый бюджет, свыше которого не могла быть передержана ни единая копейка. Все было под счетом, всему велся особенный реестр, ежемесячно поверяемый; и в этом отношении Карл Иванович Шиммельпфениг нашел себе ревностно-усердную и верную помощницу в супруге своей Луизе Андреевне, которая аккуратною скаредностью далеко превосходила Карла Ивановича. В этом отношении Луиза Андреевна была истая немка. Будь на ее месте француженка, в то время, когда Луиза Андреевна была еще молода и состояла под непосредственным покровительством «штатского генерала» Хундскейзера, — француженка с прожорливою жадностью глотала бы деньги, тряпки, яства и пития, обирала бы трех-четырех Хундскейзеров разом и, не задумываясь над будущим, сорила бы своим легко приобретаемым благосостоянием на все четыре стороны, пока суровая старость вместе с суровой бедностью не подстерегли бы ее из-за угла. Луиза же Андреевна, как истая немка, была во время оно воздушно-задумчиво-сентиментальна и обирала одного только Хундскейзера — настолько, насколько вообще возможно обирать расчетливого немца, но и то обирала она его с чувством, с толком, с расстановкой — понемножку да исподволь, откладывая и прикапливая для будущего, что называется, на черный денек. И драгоценные качества ее молодости не покидают Луизу Андреевну и на склоне дней ее: как тогда, так и теперь Луиза Андреевна очень сентиментальна и очень скаредна.

Нельзя сказать, чтобы в обоих супругах не было наклонности к житейскому комфорту; но эти наклонности они более чем строго соразмеряют со служебным положением Карла Ивановича. Когда Карл Иванович был еще в небольших чинах, супруги довольствовались тремя комнатами, двумя немецки вкусными блюдами за обедом и одною немецкою прислугой, в образе кухарки; они довольствовались этим, умеряя свои желания; зато, пользуясь покровительством Herr Хундскейзера, непрестанно откладывали излишек достатков своих на будущее время. Когда Карл Иванович получил более самостоятельное и выгодное место да чин статского советника, он переселился к Сухарному мосту (где квартиры дешевле), нанял пять комнат, за столом ест уже четыре блюда и восчувствовал надобность в двух служанках: в кухарке и горничной. Когда же Карл Иванович получит еще более выгодное место, купно с чином действительного статского (а он его получит неизбежно!), то будет жить в семи комнатах, есть пять блюд и кроме двух служанок держать еще немца-лакея. Таким образом, можно сказать, что с возвышением на бюрократическом поприще служебной карьеры возвышается и жизненный комфорт Карла Ивановича.

Но для кого же копят Карл Иванович и его супруга? Детей им Бог не уделил, значит, некому оставить по непосредственно-преемственному наследству. Родственников близких, которых бы они сердечно любили, у них тоже нет. Стало быть, для кого и для чего же они откладывают? Для того, что уж у них натура такая, для того, что это сидит во плоти, в крови и в костях обоих супругов. Иного ответа нет, да, очевидно, и быть не может.

Хотя Карлу Ивановичу и его супруге предназначено сыграть слишком кратковременную и ничтожную роль в настоящем повествовании, тем не менее автор никак не мог удержаться, чтобы не побеседовать с читателем о Карле Ивановиче в этом кратком и беглом очерке. Ибо, говоря о Петербурге, нельзя не сказать и о местной трихине, творящей вечное, непрерывное нашествие на наши веси и дебри из своей специальной Trichinenland[1], ибо наша санкт-петербургская трихина не такого рода мелкое явление, которое можно бы было пройти без внимания.

Этими-то причинами автор и намерен извинить перед читателем отступление от прямого рассказа.

II

В ЧУЖИХ ЛЮДЯХ

Маша, вместе с Дуней, явилась к Карлу Ивановичу Шиммельпфенигу. Прежде чем соблаговолить лично объясниться с нанимаемой девушкой, почтенные господа Шиммельпфениги заставили ждать ее на кухне с добрых полчаса: Карл Иванович вообще необыкновенно любил заставлять кого бы то ни было (исключая друзей и начальников) дожидать себя — ибо Карл Иванович, по примеру своих же начальников, убежден, что подобное ожидание придает ему в посторонних глазах много весу и значения. Когда ему докладывали, что такой-то или такая-то явилась с просьбой по делу, он с большим самодовольствием отчетливо и громко произносил: «Пусть обождет» — хотя бы сам в это самое время просто-напросто считал воробьев на соседней крыше. И, как педантически-строгий формалист, Карл Иванович, соображаясь с рангом и

---

[1] Страна трихин *(нем.)*.

положением просителя, градировал свои фразы насчет ожиданья в следующем порядке: а) проси обождать, b) может обождать, с) пусть обождет и, наконец, d) просто-напросто употреблял в неопределенном виде повелительное «ждать!». С этим последним отнесся он и к своей немке-кухарке, когда та заявила ему о прибытии Маши Поветиной.

— Ждать! — воскликнул Карл Иванович из-за широкого листа санкт-петербургских академических немецких ведомостей — и только через полчаса соблаговолил призвать к себе Машу.

— Ты русская? — был первый вопрос, обращенный обоими супругами к нанимаемой девушке.

— Русская.

— А ты не лентяйка?

— Кажется, нет.

— То-то, «кажется»! Надо тебе знать, что мы леності вашей не терпим, и за каждый час, употребленный на леность, я строго буду взыскивать: вычитать из жалованья.

— То есть как это на леность? — застенчиво спросила Маша, не поняв, что именно следует разуметь под часами, употребленными на леность.

— Это значит, — пояснил господин Шиммельпфениг, — что если тебе дадут какую-нибудь работу или пошлют куда-нибудь и при этом скажут, что ты обязана исполнить к такому-то сроку, а ты не исполнишь, проспишь, позабудешь — за все это вычет.

— Но, позвольте... — попыталась Маша перебить его.

— Вычет... За все вычет! — не слушая возражения, продолжал Карл Иванович. — Потому что я тебя нанимаю служить мне и притом требую, чтобы мне аккуратно служили — потому за все то время, которое против нашего желания или позволения ты самовольно употребишь на праздность, я буду вычитать.

— Но ведь мне надобно же и отдохнуть когда-нибудь, — возразила девушка.

— Для отдыха мы тебе дадим весьма достаточно времени, но вычитать я буду за нерадивость и неаккуратность. Например: тебя отпустят со двора на два часа, ты пробудешь три — за час я сделаю вычет. Не вычистишь ты мне к утру платье или сапоги, не подметешь и не уберешь аккуратно все комнаты — опять-таки сделаю вычет. Понимаешь?

— Понимаю вполне.

— Ну, теперь насчет обязанностей, — продолжал пунктуальный Карл Иванович. — Штопать, чинить, иногда сшить что-нибудь для барыни, иногда выстирать, выгладить ей воротнички или мне манишки или что-нибудь такое, платье чистить, барыню одевать, голову чесать ей; ну, затем, полы подметать, а иногда, по очереди с кухаркой, и вымыть их, ну... и прочее. Одним словом, понимаешь ты — вся домашняя работа. Кроме того — у нас бывают порядочные люди, поэтому я требую, чтобы ты была всегда опрятно и прилично одета. Вот мои условия. Согласна ты? — вопросил наконец господин Шиммельпфениг.

Маше, конечно, больше ничего и не оставалось, как только согласиться на все условия господ Шиммельпфенигов.

— Лизхен, — обратился Карл Иванович к своей супруге, — сдай ей счетом, по записке, все вещи, которые должны находиться у нее на руках, да прибавь, что за каждую утраченную, разбитую или испорченную вещь мы вычитать будем из ее жалованья.

Но Лизхен прибавила бы это сама по себе, без напоминаний своего супруга. Она сдала своей вновь определившейся горничной ваксу, сапожные щетки и метелку — для «барина»; сдала блюдечки, чашки, стаканы и чайные полотенца, сдала свои юбки, манишки и платья, указала ключи от шкафов, где вся эта рухлядь хранилась, и Маша собственноручно должна была отметить в реестре — в каком количестве и какие именно вещи приняты ею.

— Ну уж скареды иродские, прости, Господи! — говорила Маше ее бывшая горничная Дуня, когда та вышла проводить ее в сени. — Знала бы — ни за что не посоветовала бы вам идти к ним.

— Да что ж, они по-своему правы: каждому свое добро дорого, — возразила Маша.

— Эх, да уж больно по-жидовски как-то выходит у них все это! — презрительно скривила Дуня свои губы и прибавила в виде утешенья: — Уж вы, Марья Петровна, поживите у них, голубушка, так только, самую малость, пока что... А я вам авось другое место добуду!.. Постараюсь!

— Нет, Дуня, спасибо. К чему другое? — отклонилась Маша от ее предложения. — Все равно, где ни служить. Я ведь не боюсь работы — сама же захотела ее, ну и буду работать. Честно буду работать, так и здесь будет сносно... Проживу как-нибудь — Бог не оставит! Прощай, Дуня!

И две девушки тепло простились между собою братским поцелуем и горячей слезкой, в которой у каждой из них, быть может, скрывалась своя доля подавляемой горечи и боли душевной. Что-то это за новая жизнь? Как-то все это будет да чем-то все это кончится?..

Маша хотела работы — она ретиво принялась за нее, не смущаясь многими трудностями непривычного для нее дела, и однако все-таки дико и странно как-то показалось ей это новое положение в чужом доме, с чужими людьми, где все, положительно все было ей чужое, и это *чужое* с полным правом распоряжалось, по своему произволу, ее временем, ее волей, ее работой. Она должна была беспрекословно подчиняться любой прихоти и каждому капризу этих чужих, совсем посторонних ей людей, которые так или иначе, но часто на ней самой изливали свое неудовольствие, и эти изъявления надо было принимать молча, сносить терпеливо, потому что от каприза этих людей, более или менее, зависело самое существование молодой девушки: откажи они ей сегодня от места — она сегодня же не будет знать, куда ей деться, как быть, где приютиться, что начать делать? Потому что она не знала той жизни и не приобрела еще того опыта, которым научают долгая нужда да горе с голодом и холодом. То есть, пожалуй, она и знала, что есть на свете жизнь вроде той, которую она, не ведая еще, что творит, вела одно время с молодым Шадурским, но... там у нее была любовь, для которой она все забывала, все прощала и все переносила безропотно, а для новой, подобной жизни у нее нет да и не могло уже быть любви — натура Маши была слишком чиста и непорочна еще, и потому эта жизнь, полная горького разгула и в то же время горькой беспомощности, также пугала ее своим ужасом и развратом: пока еще она чувствовала к ней только одно отвращение и презрение.

«Нет!.. Лучше я не знаю что, лучше камни ворочать, лучше в каторгу идти, только не это!.. Только не это!» — с ужасом повторяла она самой себе, закрыв глаза рукою, словно бы защищалась от тех ужасов, какие рисовали в ее воображении смутные признаки этой безнадежной жизни.

Прежняя любовь — прежнее чувство было еще не изжито: оно, непрошеное и незваное, то и дело врывалось порою в душу девушки, отравляя все существо ее горечью самых светлых воспоминаний и тяжестью темного разочарования. Маша не могла еще совладать сама с собою, она еще не в состоянии была преодолеть в себе остатки своего чувства к молодому князю, хотя и старалась всеми силами достичь этого: она думала переделать себя, хотела заставить себя разлюбить и позабыть его — и не могла заставить.

«Пустое! Все это дурь во мне бродит, все это блажь одна, блажь, и только! — твердила она себе порою. — Я должна бросить все это! Буду работать — как можно больше и усерднее работать, чтобы некогда было даже думать о прошлом, работать целые дни так, чтобы к ночи до того устать, измориться, чтобы только спать и спать. А там — опять за работу и опять измориться: усталость отобьет охоту думать, работа, как ни хитри, а возьмет свое!»

И Маша работала — работала так, что даже господа Шиммельпфениги не могли сказать дурного слова.

Чем больше порою подступала ей к сердцу горечь неугомонных воспоминаний и оскорбленной любви, тем пуще принималась она за работу. Она работала упорно, сосредоточенно, даже с каким-то тайным суровым озлоблением, и в эти минуты нарочно сама выбирала какое-нибудь дело потяжелее. Не в очередь мыла полы, чему немка-кухарка была необыкновенно рада, штопала чулки господина Шиммельпфенига, чинила юбки и воротнички госпожи Шиммельпфениг до того, что на всех пальцах заусеницы накалывала себе иголкой, печи топила, бегала по двадцать раз в день в мелочную лавку, в булочную, в колбасную, в пивную, и когда, несмотря на все это, у нее в течение дня оставалось еще довольно свободного времени, Маша выискивала себе новую работу.

— Сударыня, у вас нынче три сорочки и пять юбок грязных лежат — позвольте, я их выстираю, — говорила она иногда в этих случаях госпоже Шиммельпфениг, и Луиза Андреевна немедленно соглашалась, даже была рада этому из экономических видов: по крайней мере домашними средствами обойдется дело — прачке платить не надо, Маша даром выстирает, накрахмалит и выгладит. И вскоре таковой образ действия со стороны Маши дошел до того, что госпожа Шиммельпфениг совсем почти перестала пользоваться вольнонаемной прачкой и, как бы чувствуя за собой полное и законное право, свалила почти всю стирку на одни Машины руки.

И молодая девушка исполняла все это беспрекословно, как будто оно и в самом деле должно быть так, а не иначе. Она спускалась в подвал, в темную, холодную прачечную, разводила с помощью дворников большой огонь, кипятила воду в чугунке и в быстро нагретой, сырой, прелой атмосфере, в которой густой пар ходил клубами и туманом, принималась над большим деревянным чаном за тяжелую стирку хозяйского белья. В оконные щели холод идет, дверь кто-нибудь входя или уходя растворит, и в низкосводный, закопченный подвал так и пахнет со двора пронизающим ветром, так и обдает им все тело — что за нужда! Приналяжет Маша на свою работу, и опять станет жарко. Две-три прачки стирают тут же. Обычно желтые, заморенные лица их раскраснелись от упорной работы, растрепанные волосы выбиваются из-под головного платка и космами липнут к мокрому лбу, на котором крупными каплями уже четвертый пот проступает. У одной из них тут же грудной ребенок в платяной корзинке пищит; мать поставила его неподалеку от печи, чтобы потеплее было, потому дома у нее в квартире холод: сама на работе, стало быть, и печка понапрасну не топлена. Слышит мать жалобный, голодный писк своего ребенка и, вся мокрая, усталая, разбитая, бежит от дымящегося чана к платяной корзинке и, склонившись над нею на колени, наскоро кормит грудью младенца. Другая, молоденькая, быстроглазая, в это же самое время, визгливым тоненьким голосом песню поет — поет и стирает, а досужий дворник, который только что притащил сюда и с громом свалил у печи новую вязанку обледенелых поленьев, облапливает ее сзади всею пятернею и балагурливо заигрывает. Быстроглазая прачка лукаво ухмыляется — и вдруг ему прямо в рожу летит целая пригорсть мыльной воды и обдает всего брызгами. Дворник ругательски ругается, быстроглазая звонко хохочет, ребенок пищит и плачет, а Маша все стирает да моет, словно бы не видит и не слышит ничего — упорно, сосредоточенно склонилась в три погибели над своим чаном, мускулы рук ее то и дело напрягаются. И движутся эти руки непрерывно, словно два поршня или рычага в паровой машине; всю спину и поясницу ей уже давным-давно разломило; ладони и пальцы разбухли до опухоли от движения в горячей воде — к завтрашнему утру они потрескаются на морозе, как пойдет она полоскать белье на реку, к завтрашнему утру на них волдыри накипят и мозоли позаскорузнут — нужды нет! Маша стирает себе, не обращая ни на что внимания, потому ведь по своей, по вольной охоте взялась она за эту работу — никто ее, кроме собственного сердца, не нудил на эту каторгу. Пойдет она завтра на плот полоскать в холодной воде свою стирку, простоит на резком ветру часа два, простоит под дождем или снегом; потом возьмет все эти обледенелые рубахи, юбки да кофты и на чердаке развесит их сушиться на протянутых веревках. К этой всей работе Маша еще с детства пригляделась, как жила в Колтовской, у своих стариков: у них тогда во дворе, в маленьком флигелечке, тоже прачка одна квартирушку снимала и все этак-то стирала да мыла. В те поры Маша иногда, от нечего делать, приглядывалась к ее работе, а теперь нежданно-негаданно пришлось ей и к делу применить свою приглядку. Сноровки только большой у нее не было — занятие не совсем привычное, — зато ретивости много.

Работает так-то Маша и думает в этом суровом труде утолить свое неугомонное сердце, позабыть свою кручину. А сердце меж тем неустанно работает над этой самой кручиной и тихо щемит, занывает оно, и в угрюмо сдвинутых бровях молодой девушки сказывается печаль далеко не веселой мысли.

В чужих людях, на месте, где она теперь жила, ей все казалось противным, сухим, на всем у этих людей лежал оттенок какого-то черствого бессердечия. Маша, более чем когда-либо, чувствовала себя одинокою — совсем, бесконечно, безгранично одинокою: ни вблизи, ни вдали не было у нее человека, которому бы можно было раскрыть свою душу, слово перемолвить, ласковым взглядом перекинуться, и она как-то вся ушла в себя, как улитка в свою раковину, герметически закупорилась и преобразилась в какую-то рабочую машину, тем упорнее принимаясь за свой труд, чем больнее начинало подступать к ее сердцу ее молодое горе.

Это была непосредственная, совсем простая, неизломанная натура. Полюбила она Шадурского безотчетно; сама не зная и не понимая, как и за что, а просто потому, что полюбилось. Поэтому-то ее чувство было в высшей степени искренно и глубоко. Она сама даже и не подозревала всей глубины его. Это было светлое, беззаботное, беззаветное и свежее чувство девочки. Последний удар самого тяжкого разочарования сделал из девочки женщину. И это была женщина любящая и оскорбленная. Тот же самый удар, который произвел в ней этот переворот, осмыслил и ее характер: он придал ему именно ту замкнутую внутри себя сосредоточенность, которая отличала Машу среди ее новой жизни у господ Шиммельпфенигов.

Эта чета и жизнь в их доме были ей положительно противны. Луиза Андреевна уже несколько лет назад утратила последние поблеклые цветы своей третьей молодости и привлекательности. Для супруга, который был на тринадцать лет юнее своей драгоценной половины, тоже уже наступил период почтенной зрелости, о чем свидетельствовали и самый чин его, и известная крупность занимаемого им места. Карл Иванович начинал уже делаться большим немецким человеком. В лице и во всей фигуре его, по этому случаю, необходимо появилась приятная округлость, и экспрессия этого лица постоянно носила характер гордого и блаженного самодовольства. Карл Иванович вступал в тот возраст, когда, по неизбежному почти закону, он должен был, в ущерб законной супруге, восчувствовать беззаконную слабость к какой-нибудь Минне Францевне и, по примеру своего патрона Хундскейзера, тянуть в гору ее немецкого супруга. Луиза Андреевна очень хорошо понимала и чувствовала неизбежность такого пассажа со стороны своего благоверного. Но — увы! — в настоящей Луизе Андреевне не осталось и тени от прежней, которая была когда-то слабостью штатского генерала Хундскейзера. Насколько округлялся супруг ее, настолько же сама она худела и дурнела. Луиза Андреевна чувствовала, что фонды ее давным-давно уже упали, а между тем желание быть молодою осталось, и — странное дело! — на склоне дней своих она страстно, ревниво, ожесточенно привязалась к своему супругу — грех, в оные годы с ней не случавшийся. И эта страстная привязанность служила источником множества неприятностей, отравлявших мирный покой их супружеской жизни.

Зачастую, когда супруг находился на службе или вообще вне дома, Луизу Андреевну начинали мучить разные подозрения; она была вне себя: то принималась сентиментально вздыхать и плакать, воображая в себе покинутую жертву и мученицу, то вдруг ни с того ни с сего придерется к прислуге и давай на ней всю свою желчь вымещать. Пилит-пилит, бывало, по целым часам из-за каких-нибудь грошовых расчетов, хотя бы из-за того, что говядина на четверть копейки вздорожала, или что воротничок ее шемизетки дурно выглажен, или пыль в одном уголке зала нехорошо подметена, или просто, наконец, так себе, безо всякой достаточной причины и очевидного повода. Но чем более подходило время к обеденному часу, тем сильнее становилась ажитация отставной Лурлеи. С нервическим подергиванием губ беспрестанно взглядывала она на стенные часы, тревожно шмыгала по всем комнатам, подлетала ко всем окнам — не видать ли возвращающегося Карла Ивановича? И если свыше обычно обеденного срока проходило как-нибудь десять-пятнадцать минут, а в прихожей не раздавался мужнин звонок, Луиза Андреевна начинала неистовствовать, потрошить свои тощие косицы, порыжевшие и вылезшие от времени, и вскоре дело доходило до полного истерического припадка. Лурлея желала быть молодою и экономною: она ревниво мучилась от воображаемых измен Карла Ивановича и мучительно злилась при мысли, что эти измены, быть может, сопряжены даже с тратою денег — потому что ведь тратился же и на нее самое когда-то штатский генерал Хундскейзер. Но как ослепляла ее ревность! Как ошибалась на этот последний счет она в своем расчетливом и экономном супруге! Карл Иванович действительно начинал подумывать о заведении слабости, но рассчитывал, как бы получше основать эту слабость на строго экономическом принципе. И вот среди подобных-то беснований появлялся супруг, а с его появлением возрождалась буря. Луиза Андреевна укоряла его в неверности, в черной неблагодарности к ней — к ней, которая составила все счастье и значение его жизни, которая отдает ему все свое сердце, которая, наконец, так экономна, что до последней тряпки заботится о его благосостоянии, а он, как какой-нибудь шпицбубе[1], бесчестно тратит трудовые деньги на какую-нибудь подлую тварь. Супруг хмурился и молчал, молчал и слушал: его отчасти лимфатическая, благоразумная kaltblütigkeit[2] не изменяла ему ни в каких пассажах его жизни, исключая случаев национально-немецкого негодования по поводу Katkoff und alle diese russische Schweine[3]. Вслед за этой бурей следовала перемена декорации: супруга сентиментально бросилась к нему с объятиями, просила прощения у своего pürliches Püppe[4], объявила, что она сама все прощает ему и забывает, с тем только, чтобы он забыл свою незаконную слабость, не тратил на нее денег и аккуратно являлся бы к обеду; заставляла его клясться в вечной любви и верности, сентиментально и со слезами рисовала картину того буколического счастья, если бы он вечно оставался в ее хозяйственных объятиях, в лоне своего дома, и в заключении принималась лобзать его отвратительно-страстными поцелуями, сама повторяла клятвы вечной Himmels Liebe[5] и наконец увлекла за стол, на котором давным-давно уже стыл поданный кухаркою Milchsuppe[6] или габерсуп[7] mit репа. Старая красавица сумасшествовала: она страстно любила и страстно скаредничала. Но зато сколь вкусен казался ей после таковой бури этот немецкий габерсуп с репой! Бури отнюдь не препятствовали ее доброму аппетиту, если даже не поощряли его еще более.

---

[1] Озорник, плут *(нем.)*.

[2] Хладнокровие *(нем.)*.

[3] Каткова и всех этих русских свиней *(нем.)*.

[4] У своей дорогой куколки *(нем.)*.

[5] Небесной любви *(нем.)*.

[6] Молочный суп *(нем.)*.

[7] Овсяный суп *(нем.)*.

Однако с некоторого времени стала замечать Луиза Андреевна, что ее благоверный как будто поглядывает на Машу масляно-сладкими взорами. Карл Иванович действительно начал поглядывать на нее этим самым образом, и таковое обстоятельство немедленно же послужило обильным источником новых бурь и огорчений. Чуть, бывало, выйдет тот за чем-нибудь на кухню — глядь, супруга уж тут как тут, и стоит в дверях, и сверкает на обоих своим кошачьим взглядом.

— Was wollen sie hier, Karl Iwanitz?[1] — раздраженно-резкой и подозрительной нотой раздается ее ревнивый голос.

Карл Иванович конфузится и не знает, что ему ответить на столь неожиданный вопрос, при столь неожиданном появлении.

Супруга повелительно увлекает его в комнаты, и начинается трагедия.

Почти с первого же появления Маши в этом милом семействе Луиза Андреевна стала уже косо и подозрительно посматривать на нее: она предчувствовала масляно-сладкие взоры своего супруга, и когда ее предчувствия стали оправдываться, то вся эта старческая злость и ревность окапо́шилась на голову Маши вместе с Карлом Ивановичем. Старая немка выискивала всевозможные предлоги, чтобы только придраться к Маше и излить свое негодование. Ревность нашептывала ей, что надо бы вымести вон из дому этот опасный соблазн, надо бы поскорее отказать Маше от места, прогнать ее со скандалом, а экономическая скаредность в то же самое время громко предъявляла свои особые расчеты и резоны: Маша такая хорошая горничная, такая усердная работница. Маша, наконец, добровольно и безвозмездно взяла на себя почти всю домашнюю стирку, поэтому прачке платить не надо — одна статья необходимого расхода уничтожается, пять-шесть лишних рублей ежемесячно в кармане остаются. Как тут прогнать такую благодать? И Луиза Андреевна мучилась, терзаемая ревностью и скаредностью, из которых одна не могла пересилить другую.

Маша очень хорошо все это видела и понимала, так что, всмотревшись да вдумавшись во все это, жить у господ Шиммельпфенигов стало уж вконец ей отвратительно; но... она никого и ничего почти не знала в этом городе; не знала почти той мутной жизни, которая кипит в этом лабиринте, но, и не зная, меж тем пугалась ее призрака: она боялась темного, неопределенного существования. Отойти, оставить это место — хорошо. Но потом-то что же станешь делать? Куда пойдешь, к кому обратишься? Чем существовать-то будешь? Тут, у этих Шиммельпфенигов, как ни гнусно, как ни противно, да все же есть хоть какое-нибудь определенное положение, есть обеспеченный угол и кусок хлеба, заработанный хоть тяжелым, да честным трудом, а там-то что ждет тебя? «Нет, уж

---

[1] Что вам здесь нужно, Карл Иванович? *(нем.)*

лучше терпеть да жить как ни на есть, пока терпится, да пока счастливый случай не пошлет какого-нибудь исхода!» — решила с собою молодая девушка и безропотно покорилась своей незавидной доле.

III
МАЛЕНЬКОЕ ОБСТОЯТЕЛЬСТВО, ИМЕВШЕЕ БОЛЬШИЕ ПОСЛЕДСТВИЯ

Прошло около месяца с тех пор, как Маша определилась на место, и в это время случилось одно вовсе ничтожное само по себе обстоятельство, которое, однако ж, подобно многим ничтожным обстоятельствам, имело свои большие последствия.

Госпоже Шиммельпфениг вздумалось однажды отправить Машу к своей портнихе с каким-то шелковым платьем, подлежавшим различным переделкам.

Отправилась Маша. А накануне перед этим она долго полоскала белье на плоту, и продуло ее порядком, так что с вечера еще она почувствовала легкий озноб, и было ей все время не по себе как-то. Путь предстоял немалый — к Симеоновскому мосту. Надо было, между прочим, идти несколько времени и по Невскому, и по Караванной, где жила Маша в счастливые дни своей любви к Шадурскому. Ей в первый раз еще после житья на месте приходилось теперь побывать на Невском. Людная улица навела ее на многие воспоминания, которые усилились еще тем, что на самом почти повороте на Караванную она столкнулась с белогубым юношей-офицериком, который в качестве приятеля Шадурского часто бывал у нее во время óно и даже сильно ухаживал за нею. Белогубый офицерик изумленно приостановился на минутку и тотчас же прошел мимо. Очевидно, он узнал Машу, но как же ему признаться в этом теперь, когда он встречает ее в убогом бурнусишке, с белым узлом в голых руках? Маша сильно смешалась при этой встрече и быстро пошагала далее; однако была рада, что все это прошло таким образом. Но встреча с белогубым и потом путешествие мимо подъезда и ворот того самого дома, где она жила, вдруг навеяли на нее столько щемящих воспоминаний, пахнули на сердце таким горьким чувством, и затем мгновенное воспоминание о Колтовской да о своих стариках опять встало перед ней таким колючим и тяжелым упреком, что на глаза бедняги проступали на морозе самые жгучие слезы. Она шла и плакала, а самое нервная лихорадка трясла. И встречные люди с удивлением оглядывались, что, вот-то, идет хорошенькая девушка в каком-то жалком костюмишке, а слезы по щекам так и катятся, а она меж тем идет себе и не думает вытирать свои глаза, и словно бы этих слез своих совсем даже не чувствует.

Пришла Маша к портнихе с заплаканными, но, впрочем, уже сухими глазами. На лестнице оправилась и вытерла свои слезы. Толкует она портнихе, что госпожа Шиммельпфениг прислала ее с работой, рассказывает, как и что нужно переделать в принесенном платье, а в это самое время выходит из-за драпри гостья, которая сидела у портнихи в смежной комнате, и с изумленным недоумением уставилась глазами на Машу.

Эта последняя мельком взглянула на вошедшую и прямо, глаз в глаз, поймала ее удивленный взгляд. Она сразу узнала в ней одну из мастериц того магазина, где во время óно шила себе наряды, и вспомнила, что эта самая мастерица даже к ней на квартиру не однажды приходила примерять ей платья. Узнавши ее, Маша на минуту снова смутилась и вспыхнула.

«Экая я глупая! — внутренно упрекнула она себя в тот же самый миг. — Чего же я краснею? Или мне стыдно своего положения? Какой вздор!» И она смело взглянула опять в глаза вошедшей женщине.

Та нерешительно улыбнулась и еще нерешительнее поклонилась ей. Маша ответила открытой, приветливой улыбкой и отдала поклон уже без малейшей застенчивости.

— А вы узнали меня? — совершенно просто и прямо спросила она.

— Да... да... узнала... — немножко смущенно заикнулась мастерица, — только... вы... такая перемена...

— Что делать! В жизни всякое бывает, — усмехнулась Маша.

— Нда... — продолжала в том же роде старая знакомка. — Я вот с месяц назад была как-то у мадам Арман — помните, она тоже одно время шила на вас?..

— Как же, помню. И вот именно с месяц назад я даже работы у нее просила.

— Да, она мне передавала это.

— А передавала, каким наглым образом она отказала мне в этой работе и как издевалась в глаза над переменою моего положения? — с горечью возразила Маша.

— Бог с ней! — вздохнула модистка. — Мадам Арман не совсем-то хорошая женщина.

— Впрочем, я и без ее помощи нашла себе работу: я нынче в горничных живу, — сообщила Маша со свойственной ей простотою.

Модистка опять вскинула на нее изумленные взоры.

— Вас это удивляет? — снисходительно улыбнулась молодая девушка.

— Очень... тем более что князь Шадурский... Как же это он так допустил!.. Это ведь уж бессовестно!

Во время их разговора хозяйку вызвали зачем-то в мастерскую. Маша осталась с глазу на глаз с мастерицей.

— Бог с ним, он нехорошо поступил со мной, — махнула она рукой.

— А я слышала, что его приятели *вас* обвиняют.

— Меня?! — изумилась Маша. — Меня?! Да за что же?

— Конечно, не всякому слуху верь, говорит пословица, и мало ли что люди болтают, — продолжала мастерица, которую так и тянуло за язычок сообщить при сем удобном случае, что именно болтают, а в то же время, по доброте сердечной, хотелось и несколько полегче отнестись к своему сообщению. — Говорят, будто тут причиною один молодой человек, чиновник, что ли, какой-то.

— Какой чиновник?

— Не знаю... болтают ведь они только, и больше ничего... будто князь узнал, что вы обманывали его...

Маша в негодовании только плечами передернула.

— Какая низость!.. Какие мерзавцы! — с презрением прошептала она через минуту.

— Но все же князь, хоть бы из самолюбия, не должен был поступить с вами таким образом, — заметила мастерица. — Что бы ему стоило хоть как-нибудь обеспечить вас!

— Обеспечить?! Да разве я-то взяла бы от него какое-нибудь обеспечение, после того как он меня бросил?

— А вы слыхали, какая с ним история случилась?

— Когда?

— Да тоже вот с месяц тому назад.

— Ничего не слыхала.

— Как же!.. Помилуйте! Многие говорят про это... Я тоже слышала — у мадам Арман, баронесса Дункельт рассказывала. Ужас какая история!

Маше больно было слышать дурное слово про того, кого она так много любила; ей бы не хотелось ровно ничего слышать про него — ни дурного, ни хорошего; она старалась уверять себя, что он не существует для нее, что он навсегда выброшен из ее сердца, а между тем это сердце дрожало теперь при одном звуке заветного имени, и, несмотря на кажущееся нехотение слушать про него что-либо, она не могла преодолеть в себе другого, тайного и более искреннего желания: ее невольно так и подмывало узнать еще одну новую весть, услыхать хоть что-нибудь про любимого человека — только пусть бы это «что-нибудь» было хорошее и благородное!

Маша молчала и выжидательно смотрела на собеседницу: она не решалась спросить ее, в чем заключается эта история, потому что старалась обмануть даже самое себя, боясь себе же признаться в затаенном и настоящем своем желании.

— Как же, как же! Ужас какая страшная история! — продолжала словоохотливая мастерица. — Представьте себе, ведь его, говорят, чуть было не зарезали!

— Как?! — с испуганным стоном невольно вырвалось из груди Маши.

— Да, говорят. Вот баронесса Дункельт говорила, а мне сама мадам Арман рассказывала. Говорят таким образом, будто у него были длинные амуры с одной барыней... Замужняя дама, сказывают. Это-то он, мой голубчик, значит, в то самое время, как с вами жил, и с этою, с замужнею, тоже интригу вел. Связь у них, говорят, была. Обманывал, стало быть, двух разом: и вас, и ее. Ну, да, впрочем, они ведь и все такие, эти господа мужчинки!

При этих словах Маша белее полотна побледнела: обманывал... он все время обманывал... он не любил ее. Вся кровь как будто застыла в ней. Она до сих пор думала, что он только *разлюбил* ее, но *обманывать*... обманывать с самого начала, имея другую любовницу... Стало быть, он только пошутил себе с нею, стало быть, он никогда и не любил ее... он только бездушно шутил и бездушно обманывал, притворялся, что любит... Это было сверх ожиданий Маши, этого она не могла ни допустить в нем, ни даже представить себе. Разлюбить он мог — что же делать: любви насильно не удержишь, коли она прошла! Но с самого начала притворяться и вести обман — это уже подло. Последние остатки прежнего кумира в сердце Маши с этой минуты были уже в прах разбиты. И эта неожиданная мысль так ее поразила, что она, не давая себе отчета, не взвешивая рассудком сообщения своей собеседницы, чутким сердцем почувствовала только весь страшный смысл и уничтожающий холод слов ее.

— Представьте себе, — продолжала меж тем модистка, — встретился он с нею в маскараде и поехали вместе ужинать в ресторан, в отдельную комнату, а там она его очень опасно ранила. Говорят, будто из ревности — почем знать, может быть, даже к вам приревновала.

Мастерица передавала Маше один из многочисленных вариантов происшествия с Бероевой, которые в разноречивых слухах ходили тогда по городу.

— Но он-то, он-то хорош гусь, нечего сказать! — попыталась было она прогуляться насчет Шадурского, как вдруг Маша остановила ее решительным движением руки.

— Довольно... не говорите мне больше о нем... — через силу промолвила она надрывающимся голосом: видно было, что рыдания начинают душить ее, и быстрыми шагами она тотчас же удалилась из магазина.

«Обманывал... он только обманывал меня», — смутно мелькало облачко какого-то сознания в голове Маши, а меж тем сама она шла, почти безотчетно, по направлению к набережной Невы, туда, где красовался аристократический дом князей Шадурских.

И вот она уже у самого дома, она заносит ногу на гранитную ступеньку бокового подъезда, который вел в отдельную квартиру молодого князя, она с решительным трепетом, с боязнью ожидания берется за ручку звонка. «Он ранен, — проходит в голове Маши другое смутное облачко, навеянное голосом все еще неостывшей живучей любви к разбитому кумиру, — опасно ранен... быть может, умрет, и не увидишь его больше. Я пойду к нему... я увижу его... в последний раз хоть взгляну на него!»

Но рука бедняги бессильно и тихо опускается от ручки дверного звонка:

«Нет, зачем же!.. Не надо... не надо... ведь он не любил, *никогда* не любил меня, ведь он только *обманывал...»*

И Маша идет далее.

Идет она далее, вдоль гранитной набережной белой застывшей Невы, идет без цели, без мысли, сама не ведая куда, не ведая зачем и почему, идет потому, что нельзя не идти, потому что ноги несут ее, все дальше и дальше. Лицо ее пылает — ей жарко, ей душно; у нее горло судорожно сжимается внутри от рыданий, которые не могут вырваться наружу и разрешиться спасительными слезами. Ветер со всех сторон поддувает ее плохой бурнусишко — пусть его дует! Пусть охлаждает это пылающее лицо, эту горячую голову, ведь ей, бедняге, так жарко, так душно, так тесно среди этого простора широкой ледяной равнины, которая открывается справа, среди этого морозного дня и холодного северного ветра... А что-то теперь госпожа Шиммельпфениг поделывает?

IV

ПЕРВОЕ НАЧАЛО БОЛЬШИХ ПОСЛЕДСТВИЙ

Госпожа Шиммельпфениг негодовала. Она отправила в должность своего Карла Ивановича в двенадцатом часу; она отправила Машу к модистке в первом; теперь уже половина пятого — ровно полчаса прошло сверх обычно обеденного срока, — и нет ни того, ни другой. Что это значит? Почему их нет? Уж не встретились ли они вместе где-нибудь? Уж не заранее ли это условлено между ними? Тем более что нынче Карл Иванович должен получить месячное жалованье.

Госпожа Шиммельпфениг бегала по комнатам, вздыхала и плакала, плакала и грызла носовой платок; но, вдруг опомнившись, что последнее вовсе не экономно, принялась потрошить свои косицы. Время уходит. Кухарка ропщет и жалуется, что картофельный суп совсем уже перекипел и переварился. Луиза Андреевна негодует, что приходится, в ожидании мужа, лишние дрова палить, и уже рассчитывает, сколько нужно будет вычесть из жалованья Маши за просроченное время, и по этому случаю злобственно радуется, что хоть чем-нибудь отомстит ей за свои подозрения, как вдруг раздается звонок и появляется Карл Иванович, и от Карла Ивановича — о, ужас! — отдает винным букетом шампанского. Луиза Андреевна с визгом падает в обморок; Карл Иванович бросается помогать ей, он в отчаянии, но сентиментальный обморок проходит очень скоро, и начинается трагедия. Карл Иванович не смущается ею. Он выдержал первый шквал с обычным равнодушием, вынул из кармана полновесную пачку ассигнаций — жалованье было в наличности сполна, и это обстоятельство несколько утешило сердечную бурю Луизы Андреевны. Но букет? Отчего от Карла Ивановича непозволительно отдает букетом шампанского? Отчего он сам в несколько ненормальном состоянии? Положим, хотя это и прилично-ненормальное состояние, как подобает его солидным летам и солидному рангу, но все оно ненормальное! Карл Иванович трогательно объясняет, что сегодня он был неожиданно приглашен на завтрак к своему старому сотоварищу, человеку равного с ним чина и положения в обществе, и влюбленная Луиза Андреевна успокаивается, кидаясь к нему с объятиями, с мольбами о прощении, с заботами о том, не нужно ли ему гофманских или мятных капель. Но Карл Иванович на сей раз солгал перед своей супругой. Он действительно был на завтраке, только не у товарища равного с ним ранга и положения, а у одного из своих подчиненных, у Herr фон Биттервассера, обладателя очень хорошенькой и очень пухленькой Минны Францевны, который, прозрев тайные чувства начальника к своей законной половине, сам позаботился, в виду будущих благополучий, о счастливом их соединении и поэтому пригласил патрона на завтрак. Счастливое соединение сердец Карла Ивановича с Минной Францевной покамест предстояло еще в будущем, и — увы! — влюбленная Луиза Андреевна на сей раз была жестоко обманута, поверив словам вероломного супруга! Тем не менее она поверила, она с большим аппетитом кушала Kartoffel-Suppe и Rippenspeer mit Rosinen und Mandeln[1] и сладостные Pfannkuchen[2], а часовая стрелка показывала уже половину седьмого.

Маша до сих пор не являлася.

Госпожа Шиммельпфениг решительно терялась и негодовала от столь дерзко продолжительного отсутствия своей прислуги; господин же Шиммельпфениг, сообразив, что для исполнения возложенного на нее поручения было более чем достаточно двух с половиной часов, очень хладнокровно сказал, что надо будет сделать ей вычет из жалованья, и принялся рассчитывать, сколько именно грошей, со всей строгою справедливостью, необходимо будет ему вычесть, как вдруг немка-кухарка объявила, что Маша возвратилась, только какая-то странная — на себя не похожа.

Господа Шиммельпфениги приказали позвать ее.

---

[1] Картофельный суп и жаркое из телячьих ребер с изюмом и миндалем *(нем.)*.

[2] Блинчики *(нем.)*.

Через силу двигая ноги, вошла к ним молодая девушка — бледная, истомленная, с ярким, лихорадочным взором, и остановилась в дверях, придерживаясь слабою рукою за притолоку.

— Это что значит?.. Где это изволила быть? — сдержанно-строго спросил Карл Иванович, меряя ее тем взором, которым иногда в нужных случаях имел обыкновение мерить своих маленьких подчиненных. Карл Иванович в высшей степени обладал уменьем напускать на себя эту немецки-начальственную ледяную строгость и никак не мог удержаться, чтобы внутренне не любоваться на самого себя в эти минуты, особливо же когда замечал, что этот взгляд и манера производят свое достодолжно-внушительное впечатление.

Но Маша, казалось, будто и не заметила того холода, которым предполагал обдать ее Карл Иванович; по крайней мере, ни его тон, ни его взоры не произвели на нее никакого видимого эффекта.

— Где ты была? — возвысив голос на несколько строгих нот, воскликнули разом обое господ Шиммельпфенигов.

— Я... я больна совсем... извините меня... — с усилием проговорила девушка.

— Снесла ты платье?

— Снесла...

— Так где же ты шаталась столько времени?

Она и сама хорошенько не знала, что с ней делалось и где, в самом деле, прошаталась столько часов. Немая кручина, обуявшая ее душу, бессознательно вела ее куда-то — без цели, без мысли: организм ее просто требовал движения, ему нужно было уходиться, умаяться, чтобы сбросить с себя то возбужденное состояние, в каком находился он с той самой минуты, как, подавляемая тяжестью глухих рыданий, выбежала Маша из магазина. Угомонилась и опомнилась она на одной из тех гранитных полукруглых скамеечек, которые помещаются позади высоких фонарей на Николаевском мосту.

Смутным тяжелым взором огляделась она вокруг. Мимо снуют пешеходы, ваньки, экипажи, омнибусы; в конце моста красновато-яркий свет заливает сверху, из купола, мозаичный огромный образ в черной мраморной часовне; а прямо — и перед нею, и позади нее — темно-серая равнина застывшей Невы представляется каким-то непроницаемо-мутным, безразличным пространством, которое далеко по краям замыкается бесконечными рядами зажженного газа, и эти ряды светлых, мигающих точек, цепью охвативших темную равнину, только увеличивали собою контраст мрака и света и казались какими-то фантастическими, одушевленными существами.

Маша с трудом поднялась с гранитной скамейки; слабые и усталые ноги ее тряслись, поясницу ломило, во всех мускулах ощущалась глухая боль, словно бы они палками были избиты, голову разломило, и была вся она в огне, тогда как тело внутренний озноб пронимал. Совершенно больная, с усилием доплелась она кое-как до дому, где встретило ее справедливое негодование господ Шиммельпфенигов.

— Так где же ты шаталась, спрашиваю тебя? — настойчиво повторил Карл Иванович, озадаченный тем, что ни тон его голоса, ни взгляд его глаз не производят своего впечатления.

— Я больна... позвольте мне лечь... я едва на ногах стою, — тихо проговорила Маша.

Супруги переглянулись, как бы вопрошая друг друга, что им предпринять в настоящем случае.

— Она пьяна! — домекнулась госпожа Шиммельпфениг.

Господин Шиммельпфениг потянул вверх носом и издал такое мычание, которое обозначало, что он только теперь догадался, в чем настоящее дело.

— Хорошо, голубушка!.. Теперь ступай, а завтра мы поговорим с тобою, — сказал он угрозливым тоном. — За все ответит твое жалованье. Ступай!

Маша удалилась, шатаясь от слабости; но вдруг Карл Иванович с ужасом увидел, что физиономия Луизы Андреевны снова вытянулась и изображает крайнюю степень душевного потрясения.

— А!.. Теперь я понимаю!.. — задыхалась она шипящим голосом. — Эта тварь пьяна, вы пьяны... Теперь я все понимаю!.. Да, это был завтрак у товарища!.. Да, это был завтрак, презренный человек!..

И Карл Иванович снова должен был выдержать самый величественный шторм.

Луиза Андреевна требовала немедленно удаления развратной твари, оскорблявшей одним своим присутствием ее честный и высоконравственный дом.

— Пусть идет, куда хочет! Пусть ночует хоть на улице, только не здесь! — неистовствовала она, хлопая дверьми и бегая по всем комнатам. — Вон! Вон сию же минуту! Я в моем доме разврата не потерплю! Дворника сюда! Дворника! Пусть вышвырнут эту мерзкую тварь!

Кухарка позвала дворника.

Не обращая внимания на неистовства госпожи Шиммельпфениг, Маша попросила нанять ей извозчика и свезти в больницу.

Карл Иванович, по давней привычке своей к подобным демонстрациям любящей супруги, сидел у себя в кабинете и с примерным хладнокровием, для виду, держал перед собою лист санкт-петербургской немецкой газеты доктора Мейера, тогда как фантазия его обреталась далече от этих печатных строчек и соблазнительно рисовала пухленькие привлекательности Минны Францевны Биттервассер.

Дворник нанял извозчика и привел соседнего свободного подчаска, который должен был отвезти и сдать больную по назначению.

Маша наскоро собралась, крепко закуталась в платок, накинула бурнусишко и захватила с собою свой вид да три рубля — единственные деньги, оставшиеся у нее, за кой-какими расходами, еще от прежней жизни, после распродажи с аукциона всего ее имущества. Полицейский под руку свел ее с лестницы и уселся рядом в извозчичьи сани. А госпожа Шиммельпфениг в это самое время уже металась на своей постели в раздирательном припадке истерики.

V

В БОЛЬНИЦЕ

Извозчик дотащился до подъезда одной из ближайших больниц. Подчасок пошел известить о привезенной больной, но в ту же минуту вернулся вместе со швейцаром, который решительно объявил, что мест у них в больнице нету.

— Да как же это, почтенный? — возразил ему солдат. — Так-таки ни одной кровати?

— Так-таки и ни одной.

— Да ведь запасные, чай, должны же быть?

— Мало ли что должны! Сказано: нету, ну и нету!

— Эко дьявольское дело! Это, стало быть, мне теперь снова придется тащить ее в другую больницу!..

— Ну и тащи!

— Да, тащи! Черта ли мне возиться с нею... Я брошу, делайте, как знаете! Мне что!

— Да ведь уж не примем, то ись ни-ни, Боже избави!

— Слышь ты, везти тебя, что ли, в другую куда али тутотки бросить? А? — отнесся подчасок к Маше.

— В другую, — простонала та.

— В другую... Да мне что же, говорю, валандаться-то с тобою! Время только терять, право, так! Уж ты лучше сама, как знаешь... Чай, я не родня тебе, чтобы дарма хлопоты приймать.

— Я заплачу, — слабо ответила Маша.

— Ну, ин разве так! Эй, почтенный! Вы уж коли не хотите взять ее, так выдайте нам по крайности отказной лист.

— Какие там тебе еще листы! Писать лист, так надо и освидетельствовать, а у нас дежурный только что започивал да не приказывал будить. Ладно, и без отказного уедете!

И швейцар, ежась от холоду, скрылся за стеклянною дверью.

— Ы, штоб вас!.. — проворчал подчасок и приказал ехать в другую больницу.

В другой — та же самая история.

— Кроватей не имеется. Поезжайте в N-скую.

— Да мы сейчас только оттуда.

— Покажи отказной!

— Да не дали нам отказного. Дайте хоть вы-то!

— А нам что! Вези ее хоть в полицию.

— Ну что ты, и в самом деле! Не пьяная ведь, а как есть хворый человек. Да дайте же, что ли, прости вы экие, отказной-то, а нет, я точно в полицию отвезу, да там всю штуку и брякну. Ведайтесь тогда!..

— Нашел, дурень, страх какой! За это бы тебя взашей отседова! Ну да ин ладно уж: тащи в приемный — там освидетельствуют и пропишут.

Маша должна была сойти с извозчика. Дежурный доктор осмотрел ее в приемном покое и подписал отказной лист, с которым надо было ехать в третью больницу.

В третьей оказались свободные кровати, но... надо было ждать на улице: швейцар не пускал в приемную.

— Пошто не впустить! Не на морозе же нам тут зябнуть! — протестовал подчасок.

— Нельзя, потому — не порядок! — величественно возразил ливрейный швейцар.

— Да поколева же дожидаться?

— Дежурного нету: без дежурного нельзя.

— Так хоть фершала кликни, пущай хоть он ее примет.

— Обожди маленько — сейчас придет, на фатеру побежал к себе чуточку: сейчас вернется.

Швейцар ушел, словно бы его долг был уже исполнен. Маша забилась с головой под дырявую полость, чтобы ветер не так поддувал, и сидела, скорчившись да съежась, на дне санок, и слышала оттуда, как энергически чертыхался полицейский подчасок, топчась на одном месте, да как ныл недовольный извозчик, что лошаденка у него, почитай, совсем заморилась, а ты еще стой тут занапрасну — скольких седоков упустил-то. И каждый из них был прав по-своему.

Прошло около получаса, пока наконец явился фельдшер и милостиво соизволил допустить больную до приемного покоя.

— Жди, пока доктор придет, — отнесся к ней фельдшер и указал на деревянную скамью, на которой уже находились в полулежачем положении две больные: старуха, вся обмотанная каким-то грязным и ветхим тряпьем и сидевшая без движения, приникнув к стене головою, да лет пятнадцати девочка, которая стонала и металась в горячечной тоске. Обе были чрезвычайно трудны, обеим требовалась настоятельная и скорая помощь — и обе меж тем уже около часу дожидались на жесткой скамье приемного покоя.

Маша в изнеможении опустилась между ними.

— Дай же, что ль, извозчику заплатить — не даром же катал тебя, — обратился к ней вошедший подчасок.

Та порылась у себя в кармане и подала ему единственную свою трехрублевку.

— Э, надо будет пойти разменять, — сообщил солдат, раздумчиво глядя на ассигнацию, — сдачу получишь, я отдам там, кому следствует.

Но отдал ли он кому, получил ли кто от него — неизвестно, потому что Маша не добилась потом на этот счет никакого толку — так и канули куда-то ее последние деньги.

Приемный покой глядел как-то мрачно и неприветливо. Маятник на стене монотонно тукал, да скрипело гусиное перо под рукою фельдшера, строчившего что-то в углу за черным столом. Одинокая свеча, горевшая перед ним, весьма тускло освещала эту комнату, а хриплое дыхание старухи да надрывающие душу стоны горячечной девочки сообщали этой комнате уныние невыносимое. Но фельдшер, давным-давно уже закаленный и окаменелый среди явлений подобного рода, казалось, будто и не слыхал ни этих стонов, ни хрипоты. Он продолжал себе строчить самым равнодушным и спокойным образом, словно бы здесь не было ни одного живого существа. Пописал-пописал малую толику и вышел из комнаты. Трое больных остались одни, предоставленные самим себе и всеблагому провидению. Прошло более получаса, пока возвратился фельдшер, к которому через силу обратилась Маша, прося позвать доктора.

— Ну, подождешь, невелика беда! Какое важное кушанье! И почище тебя ждут, случается! — возразил на это фельдшер и бесцеремонно, громким голосом крикнул в открытую дверь: — Севрюгин! Ходил ты, черт, за дежурным?

— Ходил! — лениво махнув рукою, ответил служитель.

— Что же он?

— Да все там, *у главного* в карты дуется. Сказал: пущай ожидают.

— Сходи, что ль, еще раз.

— Чего там сходи! Ругаться ведь будет... Бегать-то только попусту двадцать раз — чего им и в сам-деле! И обождут! Невелика беда!

Девочка пуще принялась стонать и метаться.

Фельдшер, заложив руки в карманы и посвистывая что-то себе под нос, подошел к ней фланерской походкой, постоял, поглядел и, не без писарской грации, круто повернувшись на каблуках, пошел себе похаживать из угла в угол по комнате.

— Ишь, тоже дьяволы!.. Христа ради, как нищих каких, принимаешь их в больницу, — поваркивал он сквозь зубы, на ходу, с неудовольствием косясь на трех женщин, — а они еще претензии свои заявляют! Где бы начальство за милость благодарить, а они еще — на-кося! — претензии!.. — И через пять минут снова удалился куда-то из приемного покоя.

Прошло еще добрых полчаса, в течение которых глухая тишина

нарушалась только туканьем тяжелого маятника и стонами девочки. Старушечьего хрипенья уже не было слышно. Сперва еще, время от времени, старуха эта конвульсивно слабо подергивалась плечами, а теперь сидела уже совсем без малейшего движения, только голова от стены отделилась и на грудь повисла.

— Доктора!.. Бога ради, доктора, — простонала Маша, едва фельдшер снова показался в дверях.

— Эко зелье какое! Чего пищишь-то, — огрызся он на нее, проходя к своему столу, — будь и за то благодарна, что в приемный покой впустил, а то бы и до сих пор у подъезда на дворе дожидалась. Молчи, знай! Придет тебе доктор, когда время будет.

И через несколько времени дежурный доктор действительно появился в комнате, весьма аппетитно зевая перед сном грядущим.

Прежде всего подошел он к старухе, которая помещалась ближе всех от двери.

— Ну, ти что? — спросил он с сильным немецким акцентом.

Та не отвечала и не двигалась.

— Ну, атфичай, что ти? — повторил он, толкнув ее рукою.

Старуха от этого движения покачнулась и тихо навалилась на Машу. Эта быстро отодвинулась в каком-то инстинктивном испуге. Вслед за тем старуха и совсем уже брякнулась головой об скамейку.

— Дай свеча! — приказал доктор и при свете приподнял пальцем закрытое веко ее.

— Зашем мертви принималь? Зашем? — с неудовольствием накинулся он на фельдшера.

— Да она еще живая была, ваше благородие, — оправдывался этот, — она, должно полагать, недавно еще. Я и то не хотел принять ее, потому, говорю, все равно помирающий человек, а он — мужчина какой-то — выбросил ее из саней, а сам ускакал... Я не виноват-с.

Доктор ограничился тем, что сказал ему дурака и распорядился отнести труп в мертвецкую да на завтра вскрытие назначить, и подошел к девочке, которая металась в полнейшем беспамятстве. Заглянув ей в синее лицо и пощупав пульс, он только весьма лаконически проговорил: «Тиф», — и обратился к Маше. Та кое-как передала ему, что чувствовала.

— Туда же! — распорядился доктор и направился в свою дежурную комнату, где его ждали сладкие объятия Морфея.

Одна из прислужниц, в тиковом платье, повела наверх Машу, поддерживая ее под руку, а другая, вместе с фельдшером, поволокла туда же тифозную девочку. Они именно волокли ее, немножко в том роде, как обыкновенно полицейские волокут пьяных. Девочка металась и стонала, а бессильные ноги ее колотились о ступени каменной лестницы.

В палате, где предназначено было лежать двум вновь поступившим больным, стояли две свободные койки. Одна из них опросталась потому, что утром выписалась из больницы выздоровевшая пациентка, другая — потому, что часа четыре тому назад на ней умерла женщина, страдавшая сильными обжогами по всему телу, полученными ею во время ночного пожара в своей квартире. Гной и пасока из ее ран текли на постельное белье и просачивались сквозь него на скудный тюфяк, несмотря на клеенчатые подстилки, которые до того были ветхи, что почти совсем пооблупливались и попрорывались. Белье после покойницы еще не было снято. И эту самую кровать предстояло теперь занять Маше, которая пришла в немалый ужас, когда прислужница отвернула до половины вытершееся от времени байковое одеяло.

— Как!.. На это лечь?! — невольно воскликнула Маша.

— А что ж такое? — хладнокровно возразила сиделка. — Почему не лечь?

— Да ведь тут гной!..

— Ах да, гной-то! Ну так что ж? Белье сейчас переменим. Это не беда!

— Да вы хоть бы тюфяк переменили, — вступилась одна из больных с соседней койки. — Как же, после мертвого человека так прямо и ложиться на то же место! Господи помилуй, что это вы делаете?

— Ты чего там? Лежи, знай, коли Бог убил! — огрызнулась на нее служанка.

— Нет, уж как хочешь, мать моя, а этого нельзя! — продолжала больная. — Эдак-то у вас и без смерти смерть. Запасные, чай, есть тюфяки-то?

— Да, стану я еще бегать по ночам к черту на кулички! Потом переменят.

Некоторые из больных подняли довольно громкий ропот, услышав который, прибежала надзирательница, поспешившая устроить себе начальственно-грозную физиономию.

— Што за шум? Это што такой? Тиши! — распорядилась она, притопнув ногою. Надзирательница тоже была немка. А немецкий элемент, сколько известно, есть элемент преобладающий как в администрации петербургских больниц, так и между петербургскими врачами.

Служанка пожаловалась ей на больную, осмелившуюся протестовать против тюфяка.

— А!.. Бунт!.. Карашо!.. Вот я будийт завтра главни доктор жаловаться!.. Я вам дам бунт!.. Карашо!.. Карашо же! — грозилась немка, мотая головой и расхаживая по комнате.

Пока все были заняты этой сценой, служанка, раздевавшая почти бесчувственную девочку, обшарила ее карманы и, нащупав на носовом платке маленький узелок, в котором были завязаны две-три серебряные монетки, поспешно сунула его к себе в карман, озираючись, чтобы кто-либо не подметил ее ловкой эволюции.

Несколько больных между тем продолжали свои громкие жалобы, стараясь обратить внимание надзирательницы на зараженный тюфяк из-под покойницы.

— Что нас *главным* стращать! — говорили они. — Мы сами будем жаловаться, как попечители приедут, сами все им расскажем.

Немка походила-походила, подумала-подумала и сообразила, что в самом деле лучше будет приказать, чтобы принесли Маше свежий тюфяк.

— О, штоб вас!.. Дьяволы! — со злобой ворча про себя, отправилась служанка исправлять ее приказание, ибо ей лень было идти в больничный цейхгауз и тащить наверх свежие вещи.

С невольно неприятным чувством легла Маша в постель, зная, что на этом самом месте, на этой самой кровати, за четыре часа до нее, умерла в страшных мучениях женщина. «А завтра еще кто-нибудь умрет, — думалось ей в лихорадочном жару, — а там, может быть, и я... Да, и я!.. И я!..» — пронимала ее дрожь при этой мрачной мысли, потому что и самая обстановка больничной палаты как нельзя более способствовала усилению подобного настроения.

Теплый и тяжелый воздух, насыщенный больными испарениями и запахом разных мазей, в разных углах — то удушливый кашель, то глухие, страдальческие стоны труднобольных; брезжущий слабый свет от единственной сальной свечи, вставленной в воду, которою наполнен длинный цилиндр жестяного подсвечника, стоящего на полу у печки и весьма напоминающего собою те подсвечники, что обыкновенно ставят над покойниками; длинные халаты словно саваны, болтающиеся на тощих фигурах, тихо бродящих по комнате вроде каких-то теней; шепотливый говор выздоравливающих и громкая перебранка двух пьяноватых служительниц, которую из соседнего коридора гулкое эхо разносит по смежным комнатам, — вот какою с первого раза представилась эта больничная палата грустным глазам заболевшей Маши. Нельзя сказать, чтобы впечатление, навеянное такой обстановкой, заключало в себе что-либо светлое и успокоительное.

Никто не почел нужным осведомиться у Маши, ела ли она что сегодня, не надобно ли ей чего; никто и первого медицинского пособия не дал ей в первые часы поступления ее под филантропическую кровлю общественной больницы. Да и кому было думать об этом? Дежурный врач, заигравшийся в карты у своего начальника, слишком хотел спать, для того чтобы ломать голову над изысканием каких-либо пособий, дежурному фельдшеру с надзирательницей что за дело без доктора думать о таких вещах, тем более когда он объявил, что хочет спать, и просил не беспокоить себя, — желание, которое необходимо надо исполнить, потому что он состоит в слишком приятельских, дружелюбных отношениях с *главным* доктором. Да зачем эти первые пособия, если — все равно — завтра утром вновь прибывших больных осмотрит палатный ординатор? Кому предназначено умереть, тот умрет и с медицинскими пособиями точно так же, как и без оных, а кому предназначено выздороветь — тому обождать до утра вовсе неважное дело. Так рассуждают относительно этого дела некоторые господа, заинтересованные в нем непосредственным образом, и нельзя не согласиться, что подобное рассуждение имеет на своей стороне много фаталистической основательности. Ночь провела Маша неспокойно — и от болезни, и с непривычки спать в людной комнате, под аккомпанемент кашля, хрипенья и стонов. Под утро, только что забылась она несколько более спокойным сном, как вдруг в восьмом часу утра была разбужена топаньем разных шмыгавших ног, стуком половых щеток, громким говором прислужниц и некоторых больных, но более всего неприятно подействовал на нее холод, резкий, сырой, почти уличный холод, который проникал к ней под плохенькую байку.

Маша раскрыла глаза и огляделась. Две служанки размашисто мели пол и подняли целый столб пыли; мимо дверей два служителя пронесли на носилках длинный, таинственно-черный ящик по коридору, где по-вчерашнему же была слышна перебранка — верно, спорщицы и до сих пор еще не успели покончить свои счеты, а в раскрытую форточку клубами залил сырой воздух, отчего многие больные тщетно кутались в байку, забиваясь под нее с головою, и тряслись, щелкая зубами.

Маша чувствовала, что ей сильно ломит голову, с трудом поднялась она, чтобы от холоду прикрыть себя поверх одеяла своим больничным халатом, как вдруг подошла к ней сиделка и, выдернув халат, положила его на прежнее место.

— Мне холодно, — с недоумением отнеслась к ней Маша.

— Все равно, только этого нельзя, — решительно возразила сиделка.

— Да мне холодно... я покрыться хочу...

— Не велено халатами покрываться: доктора запрещают. Это не порядок, на это одеяло есть...

— Ах, Боже мой! Ну, так хоть форточку заприте!

— Как можно запереть, когда только что открыли? Пусть хоть с десять минут побудет. Вы думаете, с вами легко тут дышать-то? С нас тоже начальство требует, чтобы воздух свежий был, — очищать да проветривать приказано.

И — хочешь не хочешь, а пришлось дрогнуть под байкой.

В девять часов пришел ординатор, осмотрел Машу и нашел, что у нее сильная простуда. Осмотрел он и девочку, причем сообщил фельдшеру, чтобы на ее доске поместил: «Typhus»[1].

---

[1] «Тиф» *(лат.)*.

— Господин ординатор, — вступилась при этих словах ее соседка, старуха-чиновница, которая лежала тут по недостатку места на «благородном» отделении, — как же это... извините-с... ведь тут у нас не тифозная палата-с.

Ординатор смерил ее удивленным взглядом:

— Ну так что ж, что не тифозная?

— А как же это тифозную положили?

— А зачем ее, в самом деле, положили сюда?..

— Мест больше нет, ваше благородие! Тут свободная койка была.

— Могли бы койку в тифозную перенести, — снова вмешалась старушка.

— Это не ваше дело, — холодно и строго заметил ей ординатор.

— Извините-с, мой батюшка, — продолжала чиновница, — только что же это будет, коли от нее да мы заразимся?

— Ну, заразитесь, так будут лечить, а не в свое дело прошу не мешаться, — радикально порешил ординатор и пошел по порядку осматривать остальных женщин своей палаты.

К десяти часам ждали обычного визита со стороны главного доктора, который имел обыкновение, в виде служебного долга, прогуляться по всем палатам и затем торопился уехать к своим пятирублевым пациентам. По случаю этой предстоящей прогулки по всему больничному зданию ради парада и приличия обильно надили ароматической смолкой, от дыма которой больные, одержимые удушливым кашлем, закашляли еще сильнее.

Немка-надзирательница торопилась придать комнатам отменно лоснящийся, парадный вид. Если случались пустые кровати, то она самолично взбивала подушки и покрывала их чистыми тканьевыми одеялами, дабы постели имели пышный и мягкий вид, на случай, если бы вдруг пожаловал кто-нибудь из почетных посетителей, что, однако же, отнюдь не препятствовало нижним наволочкам и простыням оставаться грязными, байкам — вытертыми, а тюфякам — слежалыми до крайнего отощения. Так точно и посуда оловянная сияла наружной чистотой, которая не распространялась на ее внутренность, причем любопытный мог бы заметить на дне этих сияющих кружек целый слой застарелого густого бурого осадка от различных питий и лекарств, потребляемых больными. Кружки только терлись и чистились снаружи, а мыть их внутри было бы слишком много труда для прислуги и для внимания надзирательницы, которая смотрела на это дело с философской точки зрения: больные, мол, больше все из простого звания, к чистоте не приобыкли, им-де все равно, потому все это в одну и ту же утробу идет. Зато относительно наружной стороны больницы и немецкий доктор, и немецкая надзирательница постоянно удостоивались великих похвал и благоволений со стороны важных почетных посетителей.

Опасения старушки-чиновницы сбылись: некоторые действительно заразились тифом, а некоторые, заразившись, благополучно успели и к праотцам отправиться. Но судьбе почему-то угодно было уберечь Машу от этой спокойной доли. Простуду ее, соединенную с легкой горячкой, успели все-таки захватить вовремя, не дав развиться болезни до полного совершенства. Молодая и здоровая натура ее взяла все-таки свое, так что через полторы недели Маша стала уже поправляться.

Но тяжки порою бывали для нее дни и ночи во время ее болезни — тяжки именно тем, что она поневоле должна была быть свидетельницею самых безотрадных, самых трагических сцен в этой грустной больничной жизни.

Нечего уж говорить о том, как иные голодные выздоравливающие женщины жадно, вперебой друг дружке, накидывались на обеденные порции овсянки и мутной и жидкой безмасленной кашицы, как плутовали с этими порциями, утаскивая и пряча под кровать лишнюю тарелку бурды, отчего всегда кто-нибудь должен был оставаться без обеда, или как воровались эти порции у труднобольных да у тех, кто имел маленькую оплошность соснуть в обеденный час. Нечего долго рассказывать и о том, как заболтавшаяся или отлучившаяся прислужница, позабыв и просрочив время, когда больной нужно было дать лекарство, преспокойно выливала в песочницу оставшуюся ложку, чтобы на глаз лекарства оставалось в нужную меру, или как иная сострадательная сестра милосердия из молоденьких смотрит порою гораздо более на красивого фельдшера, чем на больных, подлежащих ее бдительному милосердию. Все это — обстоятельства слишком обыденные и слишком мелочные в больничной жизни. Есть в этой жизни обстоятельства, положим, хотя и столь же обыденные, но зато несколько более крупного свойства.

Без ужаса и содрогания не могла Маша вспомнить двух сцен, разыгравшихся в течение одних суток.

Больничная формалистика разрешает родным и знакомым свидания с больными только в определенные часы дня: по окончании обеда до пяти часов пополудни.

Однажды в палату вбежала бледная, очень бедно одетая женщина, с крупными слезами на испуганном лице, и тревожными взорами спешно стала искать по койкам ту, о которой болело ее сердце, и вдруг с тихим воплем стремительно кинулась к тифозной девочке. Это была ее мать. Только сегодня узнала она про болезнь своей дочери, которая была отдана ею в учение к содержательнице белошвейного магазина, тогда как сама она жила на месте в кухарках, только сегодня сказали ей, что девочка отправлена в больницу, когда она, ничего не зная, случайно зашла в магазин проведать ее. Мать тотчас же кинулась в больницу — не впускают, потому — определенное время посещений еще не настало. Она плакала, умоляла, совала швейцару в руку свои последние гроши, а все-таки должна была больше часу ждать у подъезда, мучимая тоской сомнения и ожидания. С рыданием приникла она к голове своей дочери и долго-долго не могла от нее оторваться, нежно нашептывая ей добрые, ласковые материнские слова; но девочка ничего не слышала: она, как пласт, лежала в полном беспамятстве, и только грудь ее медленно и высоко вздымалась под трудным дыханием. В эти минуты мать инстинктивно почуяла, что ее детище домучивается свои последние часы. Она и не заметила, как пролетел срок, определенный для свиданий, и с испуганным недоумением покосилась на сиделку, когда та подошла к ней с извещением, что пора кончить. Она, казалось, даже не разобрала, не поняла этих слов и продолжала шептать нежные слова над головкой умирающей девочки.

Сиделка меж тем, видя, что слова ее не имели успеха, позвала надзирательницу. Эта строго приказала матери удалиться.

— Уйти?.. Как?.. Зачем?.. От Машутки уйти? Да она помирает... Куда ж я пойду?.. — бормотала растерявшаяся женщина, не зная, на кого ей глядеть — на немку ли, которая ей приказывала, или на дочь, к которой рвалось ее сердце, ее мысль, а вслед за ними и взоры невольно тянулись.

— Эти беспорядок! Эти нельзя! Пfive часов уже биль! — настаивала немка.

— Милые мои!.. Да ведь я никому не мешаю... я ведь тихо... Позвольте остаться: помирает ведь, совсем помирает... Господь вам за меня пошлет!.. Позвольте, милые! — шепотом умоляла мать.

Но надзирательница настаивала на том, что никак не можно допустить такого беспорядка и что если она не уйдет сама, то ее выведут. Женщина не слушала этих резонов и с тихими слезами любовно целовала синеватый лоб умирающей.

Две сильные служанки подхватили убитую горем мать и оттащили ее от постели.

Та было вырвалась от них и с воплем кинулась к дочери, но ее успели подхватить вовремя и повлекли из комнаты. Силясь обернуться, чтобы впоследнее взглянуть на своего ребенка, эта женщина громко рыдала и посылала торопливою рукою благословения умирающей девочке. Ее свели с лестницы, но под сводами все еще раздавались рыдания и вопли, а так как это вполне уже нарушало всякий порядок, то ее, за таковую предерзость, кажется, отправили в полицию.

Больные возмущались и роптали; но что значит ропот какой-нибудь горсти больных и нищих женщин, кому он нужен и кто его услышит! И вправе ли, наконец, были они, призренные общественным филантропическим учреждением, вправе ли они были роптать и возмущаться там, где в подобном поступке проявилось торжество установленного порядка?

К ночи страдания тифозной девочки усилились: она пуще стала

метаться по постели, потому что уже начиналась последняя борьба жизни со смертью — подступал период агонии, и вместе с тем из уст ее вырывались жалобные хриплые крики:

— Ой, жжет!.. Ой, горит!.. Ой, душно мне!.. Ах, дайте воды!.. Воды напиться!.. Христа ради, воды... печет меня, печет! — стонала и металась больная, но на ее предсмертные мольбы ни надзирательница, ни прислужницы не нашли нужным обратить хоть какое-нибудь внимание.

Между тем эти крики надрывали душу и драли слух больных женщин, одна из которых поднялась с постели, чтобы напоить умирающую.

— Ты куда! — окликнула ее служанка, преспокойно сидевшая в углу, сложа руки: — Не тронь ее!

— Да ведь слушать — смерть! Просит-то как! Аль не слышишь?

— Мало ли чего просит!.. Ты думаешь, она и в самом деле хочет пить? Это так только, бред один. Помирает, вишь, так вот и бредит от этого, — пояснила служанка и, как ни в чем не бывало, стала подстилать себе на полу у печки ночное ложе, составленное из больничных халатов.

Давно уже пробило двенадцать часов, а хриплые стоны девочки все еще продолжались. В палате давно уже наступила ночная тишина, но некоторые из больных не спали: лежа по своим койкам, они поневоле должны были слышать эти беспомощные мольбы и тщетные вопли, которые, между прочим, мешали сладко уснуть служанке, явившейся на свой пост немножко под хмельком.

— О, штоб тебе, лешему, околеть скорей! — проворчала она, сердито поднявшись с полу, и, подойдя к постели умирающей, выдернула у нее из-под головы подушку, которую преспокойно положила на свое собственное место.

— Бога в тебе нет!.. Зачем подушку выдернула?.. От умирающего-то человека!.. Каинское вы семя, что вы делаете? — в ужасе возмутилась соседка тифозной девочки.

— А зачем ей подушка? — огрызнулась служанка. — Все равно помирать-то, что на одной, что на двух! Может, так-то еще поскорей отойдет. Эка пискунья! Покою целую ночь нету от проклятой! Ну да! Как же, как же! Пищи, пищи! — бормотала она про себя, снова укладываясь на свое ложе. — Пищи! Так вот я и встала сейчас для тебя! Дожидайся!

— Ой, жжет!.. Ой, горит!.. Матушка, родная моя, горит, горит нутро мое... Водицы!.. — раздавались меж тем стоны несчастной девочки, и раздавались непрерывно до четвертого часа ночи, пока наконец не порвался этот голос, заменясь последним гортанным хрипением, но и то вскоре смолкло — и конвульсивные движения прекратились: девочка лежала спокойно, неподвижно, и широко раскрытые глаза тускло, безжизненно глядели теперь на спящую соседку. Под утро, с первым брезжущим рассветом, соседка проснулась, случайно взглянула на раскрытые глаза покойницы и, повинуясь безотчетному движению, сперва было вдрогнула и отшатнулась, но тотчас же перекрестилась набожно и покрыла простынею лицо мертвой девочки.

Прислужница меж тем спала пьяно-безмятежным сном.

В семь часов утра явились двое рабочих, из солдат, и принесли с собою черный, обитый клеенкою ящик, вроде тех длинных картонок, куда кладут дамские платья. Маша видела, как сняли они покойницу с кровати, и слышала, как брякнулись ее пятки, и как стукнулся затылок об дно деревянного ящика, и как захлопнулась на нем крышка.

Одной свободной койкой стало больше в больнице и одной страдалицей меньше на земле, койка ждала новой кандидатки на тот свет, — но зрелище смерти, столь обычное в больницах, даже и из больных-то мало на кого сделало впечатление. Одна только Маша долго не могла забыть его, и долго возмущалась душа ее при воспоминании о том бессердечии, с каким относится больничная администрация и больничная филантропия к этим жалким существам, которые имели несчастие попасть под ее благое попечение.

Да, эта бессердечность обращения становится поистине изумительною. Все те больничные сцены, которые вкратце набросаны нами, вся процедура приема в больницу и прочие милые вещи — все это можно было бы отнести к области смелой фантазии, мало того: все это можно было бы счесть за дерзкую клевету, если бы не существовало на свете слишком много свидетелей, которым, по собственному опыту, приходилось видеть вещи еще более горького свойства и которые своим голосом могут подтвердить справедливость рассказанного. Этот немецки-татарский педантизм и эта отвратительно грубая прислуга, в которую нанимаются за ничтожную плату весьма сомнительные личности — более добросовестные за столь скудную плату не берут на себя такую ответственность и весьма тяжелый труд больничного ухода, — все это в совокупности составляет разгадку тех причин, по которым народ наш избегает лечения в больницах, предпочитая валяться и умирать в своих гнилых, промозглых от сырости, голодных и холодных трущобах. Это факт слишком общеизвестный и слишком печальный. Зато сколь благоденственно и тепло живется на свете разным больничным начальствам! Зато какая внешняя чистота, лоск и порядок господствуют в наших больницах! Зато с каким идиллическим, бараньим самодовольствием бьются сердца почетных филантропов-посетителей, видящих только этот наружный лоск и официальный порядок! Зато, наконец, эти прекрасные, обширные здания с громкими надписями на своих фронтонах — какая великолепная для глаза вывеска нашей гуманности и общественной филантропии, над которою, впрочем, обществу не дано ни малейшего контроля, но на которую тем не менее с беднейшего рабочего населения нашей сто-

4 Зак № 270 Крестовский

лицы взимается особенный налог в виде больничного сбора — налог за право издыхать, подобно паршивой собаке, от равнодушия и бессердечия, скрытно гнездящихся под этими громкими филантропическими вывесками.

VI

ПОСЛЕДНИЙ РАСЧЕТ С ГОСПОДАМИ ШИММЕЛЬПФЕНИГАМИ

Машу выпустили из больницы. Куда идти? Конечно, на старое место, к Шиммельпфенигам, где оставались кое-какие вещички ее да жалованье за прожитое время.

«Оставаться у них или нет? — думала про себя Маша, у которой, кроме Шиммельпфенигов, не предвиделось впереди никакого приюта. — Ну конечно, оставаться, если... если... оставят!»

Ей было горько и оскорбительно на самое себя, принявши такое решение: самолюбие и гордость человеческого достоинства, столь много и неправо оскорбляемого в этом доме, предъявляли свой протест против ее решения; голод же и холод с перспективой темной неизвестности в будущем заставляли ее рассудок и физическую природу поневоле подчиняться пока избранному решению. Она явилась к Шиммельпфенигам.

Там уже, на ее месте, вертелась новая горничная, далеко не привлекательная собою, о чем весьма тщательно и преимущественно позаботилась Луиза Андреевна при выборе — во избежание, на будущее время, каких-либо соблазнов с этой стороны для Карла Ивановича. Ее взяли на место во время болезни Маши.

— А, явилась, голубушка! — встретила последнюю госпожа Шиммельпфениг, когда та предстала пред ее кошачьи очи. — Что надобно?

— Я хотела бы знать... как насчет места? — смущенно выговорила Маша, досадуя на самое себя за необходимость этого объяснения. — На время ли взяли новую служанку или совсем?

— От места прочь! — коротко и сухо порешила Луиза Андреевна.

— Но у меня за вами еще жалованье есть.

— Надо вычет... без вычет не можни. Вот Карл Иванович придет, он сделайт.

Пришлось подождать Карла Ивановича, который часа через полтора явился — самодовольный и розовый: дела его по службе были отменно хороши, дела по части сердца тоже устроились — он уже мог назвать себя счастливым обладателем пухленькой Минны Францевны, причем бумажник его не терпел ни малейшего экономического отощания.

Снова призвали к себе Машу господа Шиммельпфениги. Они приуготовились упорно рассчитываться с нею, упорно отстаивать каждую копейку, если бы только оттянуть ее представилась хоть какая-нибудь возможность. Карл Иванович держал в руках записную тетрадку и реестры вещей, принятых Машей при поступлении.

— Тебе было сдано все по счету — ты это, конечно, помнишь? — отнесся к ней господин Шиммельпфениг.

Маша сделала утвердительный знак головою.

— При сдаче вещей новой горничной некоторых налицо не оказалось. Где они?

Маша вспыхнула и закусила губы от негодования. Неужели же ее еще и в воровстве подозревают? Этого только недоставало!

— Я, кажется, ушла от вас в больницу не тайком, а при людях, — отвечала она, сдерживая свое чувство, — унести с собою мне было нечего, да и некуда.

— Я этого не знаю и потому об этом не говорю, — уклончиво возразил Карл Иванович. — Я знаю только то, что по этому реестру ты приняла вещи, а теперь некоторых нет. Где они?

— Какие же это вещи? — спросила Маша.

— Нет одного чайного полотенца, одного блюдечка и одного стакана. Одну пару моих носков тоже нигде отыскать не могли.

— Кухонни полотенци одно тоже нет, — поспешила ввернуть словечко Луиза Андреевна.

— Это до меня не касается, кухонных вещей я не принимала, спрашивайте с кухарки.

— Эти все равно! Эти все равно! — заспорила хозяйка, которой, во что бы то ни стало, хотелось заодно наверстать на Маше все свои потери. Но строго-справедливый хозяин остановил ее излишне экономический порыв.

— Так ты не знаешь, где эти вещи? — спросил он бывшую служанку.

— При мне, сколько помнится, все было цело, а что пропало без меня, за то я не могу отвечать.

— Ты должна была сдать по реестру при удалении в больницу, — возразил Карл Иванович, — ты этого не сделала тогда, а мы, при сдаче новой горничной, не нашли этих вещей. Значит, кто же отвечает за них? Я, что ли? или Луиза Андреевна? или Господь Бог, наконец? Ты принимала, ты и ответить должна!

Маше становились противны все эти доводы, вся эта казуистика, и потому, лишь бы поскорее избавиться от объяснений, она коротко и презрительно ответила:

— Я не знаю. Вычитайте с меня, делайте что хотите — мне все равно.

— Нельзя ли почтительнее! — строго возвысил голос щекотливо обидчивый Шиммельпфениг и, с карандашом в руках, принялся за вычет:

— Чайное полотенце — тридцать копеек, блюдечко и стакан — тоже тридцать — по пятиалтынному штука, носки мои — пятьдесят копеек; итого — рубль десять. Да ты помнишь, матушка, в последний день ты прогуляла без позволенья с часу до половины осьмого — итого шесть с половиною часов. В месяц тебе приходится четыре рубля, значит, в день около четырнадцати копеек; за шесть с половиной часов я вычитаю с тебя даже несколько менее, чем бы следовало: я вычитаю только пять копеек. Да кроме того в нашей квартире стояли твои собственные вещи, в то время как ты лежала в больнице. Согласись сама, что даром держать и беречь их у себя, когда ты не служишь нам, мы ведь не обязаны. Твои вещи все-таки стесняли нас: новой горничной некуда было поставить своих — мы должны были отвести им особое место, а этого мы также не обязаны делать. Поэтому за сбережение и за постой твоих вещей мы вычитаем с тебя полтинник — итого, в общей сложности, рубль шестьдесят пять копеек серебром. Остальные два рубля тридцать пять можешь получить вместе с паспортом, и убирайся себе с Богом.

Эта наглая копеечная скаредность, которая с видом полной законности запускает руку в дырявый карман нищего, до того поразила Машу, что несколько времени она ни слова не могла вымолвить и только с чувством презрительного удивления глядела прямо в глаза господам Шиммельпфенигам.

«И это люди! И это христиане, которые так благочестиво ходят каждое воскресенье в свою церковь!»— думалось ей в ту минуту.

— Ну, что ж ты стоишь еще! — возвысил голос Карл Иванович, вручив ей остальные деньги. — Расчет получила сполна и ступай!

Маша собралась с духом.

— Спасибо вам! — проговорила она со странной улыбкой. — Не знаю, как вы мной, а я вами совершенно довольна. Так это мое жалованье?.. Оно все тут? Ну хорошо... А остальное уж пусть вам на гроб остается! Пригодится, как умирать станете... Пусть уж это от меня вам будет на последний час!.. Прощайте!

— Вон, дерзкая! Вон, тварь! В полицию тебя! — вскочили с места оба Шиммельпфениги разом. — Чтоб и духу твоего сейчас же не было в нашем доме! Вон!

Маша улыбнулась в последний раз и неторопливо вышла из комнаты.

Придя в кухню, она не сдержала себя и разразилась слезами.

— Вышвырнуть ее вещи на двор! Чтобы ни минуты здесь не оставались! — шумели в комнатах раздраженные возгласы Шиммельпфенигов.

Надо было уходить из этой квартиры — но куда же уходить, куда и как тащить за собою вещи, хоть и скудные: всего-то один узел да тюфяк с подушкой, но все же и их не взвалишь себе на спину, не зная куда идти и где приютиться?

Кухарка и новая горничная господ Шиммельпфенигов сжалились над Машей и ее слезами: они предложили ей — потихоньку от хозяев — вынести ее вещи, пока до времени, на чердак господский. Маша и за то была благодарна.

Надо было расплатиться ей с приказчиком из мелочной лавочки, где она, живя у Шиммельпфенигов, время от времени забирала себе в долг кой-какие мелочи на разные житейские необходимости. Предстояло отдать ему ни много ни мало — всего рубль восемь гривен, и, расквитавшись с этим долгом, Маша вышла на улицу с пятьюдесятью пятью копейками в кармане.

На эти пятьдесят пять копеек ей предстояло кормиться, укрывать от влияний стихий в каком-нибудь углу свое бренное тело, предстояло, одним словом, *жить*. А сколько времени жить, и долго ли проживешь на эту сумму, и как все это кончится? — темно и одному только Богу известно.

Но все же у нее была кой-какая надежда. Она прямо отправилась на Васильевский остров, где жила на месте у полковницы ее бывшая горничная Дуня. К счастию, Маша знала адрес. Дуня не оставит ее, приютит, посоветует что-нибудь, поможет, придумает, приищет какое ни на есть занятие — словом, не вся еще надежда на честную жизнь потеряна для нее и не все же одни Шиммельпфениги обитают на свете!

Поплелась пешком на Васильевский остров. Отыскала дом. Спрашивает у дворника, где тут полковница Иванова живет?

— Полковница Иванова? Да она уже ден восемь как во Псков уехала.

— А девушка, что в горничных у ней жила, Дуня?

— Дуняша-то? А с нею же, она, значит, и Дуняшку с собой увезла.

— Надолго уехали?

— А Христос их знает! Фатеру, как есть, совсем сдали и уехали.

«Вот тебе, бабушка, и Юрьев день!»— подумала Маша с какою-то трагически злобной иронией над собою.

Поблагодарила дворника за сообщение и пошла вдоль по панели.

Куда пошла — и сама не знала.

Все равно, куда бы ни идти, везде — одно и то же. Лучше не будет.

На дворе уже вечерело. Целый день с крыш обильная вода лилась. По улицам гнилая оттепель мутную кашицу по жидким лужам наквасила, а с неба какая-то неопределенная скверность сеялась. Но к вечеру стало все больше и больше подмораживать. Гнило, холодно и сыро. Кабы снова в больницу теперь! Жаль, что не дольше длилась болезнь, жаль, что там не издохла — теперь все равно, на улице дохнуть придется. Это хуже, потому там тюфяк есть и печка топится. И нужно же быть этой молодости, нужно же было, чтобы судьба наделила здоровым организмом! Живуч и вынослив, проклятый! Экая злоба бессильная, бесплодная закипается в груди!

Что это за злоба? на кого она? на себя, на людей, на судьбу, на жизнь, на весь мир Божий? Бог весть, на кого — это все равно: ни людям, ни жизни, ни судьбе нет до нее никакого дела. Они — сами по себе, ты — сама по себе. Чего ж тебе еще надо?

Но злоба эта вспыхнула на одно только мгновенье и затихла, затерялась как-то: Маша не способна была злиться. Ее бессознательно-злобная вспышка тотчас же и исчезла, без следа, без результата, потому что Маша была слишком доброе и кроткое существо, способное только *терпеть* и страдать почти одним лишь пассивным страданием. Минутная злоба вспыхнула в ней не настолько, насколько могла она вспыхнуть в этом слабом, кротком и терпящем существе. Она сама себе не дала в ней отчета, не знала, как эта злоба пришла к ней и как отлетела, а на место того чувства появилась удручающая, тихая скорбь — скорбь без просвета, без исхода и без малейшей надежды.

Идет Маша по длинному-длинному проспекту. У колод и извозчики с саешником балагурят, градской страж благодушествует. По прутьям деревьев в бесконечно тянущихся палисадниках ветер бесплатный концерт в пользу бедных задает; впрочем, проезжающие кареты, громыхая по камням с ухаба на ухаб, заглушают порой своим самодовольным дребезгом певучие ноты и рулады этого сердобольного ветра: «Ты вот, мол, братец, вой себе сколько хочешь, а нам плевать! За нашими стеклами тепло и удобно: ты — стихия несмысленная, а мы изящное произведение комфорта, искусства и цивилизации, и, стало быть, между нами нет ничего общего, и, стало быть, мы и слушать твоих концертов не желаем!» Так громыхают кареты, а ветер знай себе напевает свою песню да качает в такт головы деревьев: «Слушайте, мол, меня и наслаждайтеся! Я, мол, теперь потешаю вас, как потешал было ваших отцов, и дедов, и прадедов! Слушайте и наслаждайтеся!»

Маша идет и старается крепче закутаться в свой платок, и запахивает полы бурнусишка, потому в самом деле очень уж неприятно пронизывает холодная сырость.

А навстречу ей парадные похороны тянутся — богатого покойника везут. Впереди едут жандармы; нанятые люди в траурных костюмах несут размалеванные гербы и в фонарях свечи возженные; чиновники какого-то ведомства на малиновых бархатных подушках различные регалии напоказ выставляют и с примерно похвальным самоотвержением месят ногами жидкую кашицу посередине улицы — собственно только ради этого обстоятельства; а за ними, на высоких дрогах, под пышным балдахином, сам покойник изволит следовать; за покойником — длинный-предлинный ряд карет и экипажей. Зрелище величественно-трогательное и умиляющее душу.

«Ведь вот умирают же люди, умирают же! — думает Маша, провожая глазами колесницу. — Зачем же *ты*, а не я! Зачем, зачем не я?! Ты, может, жить хотел и умер, а я и хотела бы умереть, да живу!.. Вот и все-то этак на свете!..»

И Маша отчаянно-тоскливыми глазами провожает этот кортеж и идет себе дальше, дальше... Через Николаевский мост перешла и мимо Пушкинских бань идет... К баням три кареты подъехали; у кучеров на шапках спереди красный розан торчит, а у лошадей в гривы малиновые банты вплетены — это, значит, купеческую невесту привезли в баню париться. Пьяно-красная толстуха сваха пространно расселась квашнею в первой карете и, хлопая перед носом невесты в свои жирные ладоши, визгливо-сиплым голосом величанье какое-то голосит, а из окон двух остальных карет невестины подруги выглядывают.

Экие глупые контрасты, словно перегородки, ставит жизнь на каждом шагу прохожему человеку! Когда ты весел и доволен жизнью, ты проходишь мимо, даже не замечая их, но когда тебя, как муху на лету, сожмет лапа жизни, каждое такое случайное явление начинает получать в твоих глазах какой-то особенный смысл и как будто роковое значение.

Маше почему-то еще кручиннее сделалось, и все на свете стало ей так темно и холодно в эту минуту, что она с невольным ужасом закрыла глаза, стараясь ничего не видеть, не слышать, и зашагала дальше.

— Господи! Да неужто же нет мне честного исхода! — с ужасом воскликнула она после долгих дум и размышлений и в отчаянии заломала свои беспомощные руки.

Вот когда только почувствовала она себя вполне одинокой. Она одна — совершенно одна, среди сотен тысяч людей громадного города, и, быть может, ни один человек из этой массы даже и не догадывается про ее положение, и ни одному из них нет до нее никакого дела.

VII

ГОЛОДНЫЙ ЧЕЛОВЕК

Среди этой массы людей, в центре этого же самого города, был и еще один человек, который чувствовал себя таким же одиноким, бессильным и беспомощным.

Это был человек голодный.

Он был голоден уже вторые сутки.

Вчера его выпустили из тюрьмы. Вчера он не успел поесть, потому что его слишком рано — за два часа до тюремного обеда — вытребовали к следственному приставу, отпустившему его на поруки. Вчера ему от радости и есть не хотелось: он не подумал, он и совсем даже позабыл о пище, потому что всем существом своим отдался одному великому, всепоглощающему, всезабывающему и всепрощающему чувству человеческой свободы. Вчера он радовался и горячо любил всех, и даже самой тюрьме простил все вытерпенные в ней свои невзгоды, все то зло и кручину, которые она ежедневно приносила ему в течение более чем целого месяца. Он благословлял свою волю, пока не почувствовал усталости и голода. Усталость и голод заставили его тотчас же ощутить свое полное одиночество, бессилие, бесприютность. Мы оставили его перед окнами блестящего бакалейного магазина, когда голод сжимал его скулы и судорожно поводил мускулы щек. Но тут он вспомнил, что не вся еще надежда пропала: он вспомнил про того самого товарища своего по рисовальной школе, у которого, месяца два назад, взял на подержание альбом фотографий, в тот же день заложенный Морденке вместе с жилеткою Гречки и столь неожиданно послуживший одною из улик в небывалом покушении на отцовскую жизнь.

Вересов надеялся, по-старому, найти у этого товарища временный приют и скудный кусок хлеба. Но квартирная хозяйка встретила его недовольною рожею и объявила, что она таких шаромыжников, которые за квартиру не платят, держать у себя не намерена, и потому давно уже согнала этого товарища, а куда переехал он — про то неизвестно, справьтесь, мол, у дворника. Но дворник, словно на беду, оказался пьян, и на все расспросы Вересова только глазами похлопывал, отбояриваясь тем, что мы-де не знаем, да мы-де не помним, да какой такой это жилец был, да тут-де мало ли жильцов-то с тех пор перебывало; дом не маленький — про всех не упомнишь, а домовые книги у управляющего в конторе заперты, а сам управляющий на Сергиевской живет и сюда только временем на два, на три часа в день заезжает.

Так и не добился Вересов никакого толку. Плюнул с досадой и, озлобленный, пошел прочь от громадного дома.

«Что же ты, друг сердечный, будешь делать теперь?» — задал он самому себе трудно разрешимый вопрос — и не дал никакого ответа.

Целую ночь прошатался он по улицам, и во все это время часа на три только присел на одной из гранитных скамеек, выдающихся полукругом в Неву, которые попадаются вдоль Гагаринской, Дворцовой и Английской набережных.

Он не знал, что делать с собою, не подумал даже, на что ему следует теперь решиться — он, словно самою жизнью, дорожил одним только чувством — своею свободой. Хотя минутно и пожалел, голодный, о тюремных щах-серяках, о тюремной жесткой койке, но эта вспышка горького сожаления была одним лишь минутным следствием отчаяния. Голодному человеку все-таки в высшей степени дорога была его свобода.

Прошла тяжелая ночь, прошли утро и полдень — и снова наступил холодный вечер.

И вот опять, как вчера, стоит он на ветру, перед окнами роскошного бакалейного магазина, жадно любуясь на заморские и отечественные вкусности, а голод еще пуще сжимает его скулы и судорожно поводит личные мускулы. Аппетит у Вересова действительно мог назваться волчьим, который природа как будто нарочно посылает человеку тогда именно, когда нет ни средств, ни даже надежды утолить его.

«Украсть бы, что ли, — думал Вересов, заглядывая сквозь зеркальное стекло вовнутрь магазина. — Ведь стоит только взойти туда и спросить чего-нибудь... А пока они станут отрезывать да отвешивать — тут и украсть... Или нет, лучше подождать, когда народу там больше наберется — покупателей этих: тут приказчики в суете будут...»

«Экая гадость лезет в голову! — сплюнул Вересов густую, голодную слюну. — Что это я, однако!.. Мысли-то какие подлые... Украсть!.. А что же станешь делать — не околевать же с голоду!»

«Нет, лучше попытать другое! — решил он через минуту. — Да что ж другое-то? Христа ради просить, что ли?.. Одно только это и осталось!..»

Подумал-подумал, переминаясь с ноги на ногу в крайней нерешительности, и — хочешь не хочешь — пришел к последнему заключению, что если не воровать, то действительно одно только и остается — милостыню просить, и к первому же прохожему робко протянул за подаянием свою зазяблую руку.

Закутанный в шубу прохожий даже и не взглянул на просящего.

Тот быстро отдернул протянутую ладонь и вспыхнул от стыда за самую мысль просить милостыню и от негодования на свою неудачу, на это холодное невнимание прохожего в шубе.

— Сыт, каналья! Лень распахнуться на холоду да руку в карман опустить! — с ненавистью проворчал он, скрипя голодными зубами, и медленно отошел шагов десять в сторону.

Но неугомонный желудок сжимался и настойчиво предъявлял свои требования. Под влиянием этого физиологического позыва Вересов опять решился протянуть свою руку.

«Ну, это неудача, это один какой-нибудь попался! — утешал он себя мысленно. — Первый не в счет. Не все же такие, не может быть, чтобы и все такие были, ведь подаст же хоть кто-нибудь, ведь есть же человеческая душа, ведь был же и сам кто-нибудь из них голоден».

Прошел второй — и ничего, третий — и ничего, четвертый, пятый, шестой — и все-таки ничего!

Вересов готов был зарыдать от злости и голода.

Идет какая-то старушенция в капоре.

— Христа ради!.. — простонал голодный, протянув к ней руку.

Старушенция сперва как будто испугалась и отскочила в сторону, увидев перед собой внезапно подошедшего и обратившегося к ней человека, но потом торопливо порылась в кармане и еще торопливее подала ему денежку.

Вересов с горькой, иронической усмешкой поглядел на свою развернутую ладонь и на медную монетку.

«Денежка... — подумал он, — денежка... даже менее гроша... На это в самой жалкой лавчонке даже ржаного кусочка не отрежут».

«А может, еще кто-нибудь подаст денежку — вот и грош будет», — продолжал он думать, с надеждой на кусок хлеба, и снова начал просить подаяния.

И снова прошел прохожий — и ничего; прошел другой, третий, целый десяток мимо и мимо.

«Нет, украсть лучше!.. Украсть вернее будет! — решил он наконец и опять подошел к окну бакалейного магазина. Сквозь стекло видно — стоят три-четыре покупателя.

«Вас-то мне только и нужно!.. Теперь самое время!» — и он смело переступил порог магазина.

Приличные ярославские бородки, в чистых полотняных фартуках, суетились около покупателей, и, по-видимому, все были заняты. Вересов стоял в недоумении, не зная, как и к кому обратиться и что спросить. Он почувствовал величайшее смущение, а глаза между тем разбегались на тысячу предметов, но как нарочно попадались все неподходящие вещи: банки с какими-то соями, сиропы, консервы с фруктами, а он искал какой-нибудь колбасы или сыру.

«Где же они, где же? Ведь, кажись, тут им где-нибудь надо быть! — думал он, растерянный и смущенный, тщетно перебегал глазами от одного предмета к другому. — И как это я давеча проглядел!.. Надо было раньше хорошенько высмотреть место! О, проклятые!»

— Вам что надо? — громко и без особенной церемонии подошел к нему приказчик, подозрительно оглядывая его жалкую фигуру и плохое пальтишко.

— Мне... мне...

Вересов чувствовал, что голос у него застрял как-то в горле, сдавленный мокротой и сухостью во рту, так что трудно было издавать звуки и выговаривать слова.

— Мне... фунт сыру отрежьте, — проговорил он наконец.

— Голландского али швейцарского?

— Швейцарского, пожалуй.

— Сейчас будет готово.

И приказчик побежал в другое отделение за сыром.

«О, черт возьми! Я не туда попал!.. Надо было в то отделение пройти!» — с досадой подумал Вересов, и вдруг — золотая надежда! — он увидел в двух шагах от себя кольцо колбасы, тщательно завернутой в тончайший лист серебрившейся фольги.

«Ее... ее-то и тащить! — мелькнуло в его голове. — Скорее тащить, пока не замечают!»

Он пытливо и тревожно посмотрел во все стороны, быстро обернулся на приказчиков и покупателей: «Хорошо!.. Не видят!» — и робко протянул к заветному куску свою дрожащую руку.

Но... страшное дело!.. Кровь прихлынула к голове, и в глазах замутило. «Вор!» — с презрительным укором и даже насмешливо шепнул ему какой-то внутренний, тайный голос, и он торопливо отдернул свою руку.

А голод не дремлет. Напротив, при виде колбасы еще сильнее разыгрывается.

«Да, вор! Голодный вор! — поперечил он в ответ этому насмешливому и укоряющему голосу. — Что же это я? Чего я испугался? Минута — и все кончено! Упустил минуту — и пропало... Скорей, скорей!..»

И снова рука протянута к колбасе, а глаза, не глядя на нее, следят за малейшим движением остальных людей, находящихся в лавке. Вот уже пальцы до нее коснулись, а сердце стукает и колотится и во рту что-то горькое, липкое... Проклятая рука! дрожит, трясется!.. Чувствуешь его концами пальцев, а поймать не можешь, словно бы этот кусок зачарован, словно бы он ускользает из-под руки. Что за дьявольщина!.. А!.. Наконец-то!.. Вот он!.. Вот он уже в руке!.. Скорей его прятать! Скорее! Да где же этот карман?!

«Где же он, в самом деле? Затерялся или черт шутит надо мною?!» — думает Вересов, шаря у себя по пальтишку и от волнения да от дрожи никак не успевая нащупать карман свой. Вот, кажись, как будто и чувствуешь его, а рука не попадает: не может, положительно не может попасть в него.

Тяжела бывает человеку *первая кража!*

А между тем показывается приказчик с куском сыру на листе бумаги.

«Попался! — с отчаянием думает голодный. — Всему конец! Попался!.. Скрутят руки... полиция... тюрьма... Вор... мазурик... А срам-то, позор-то какой!.. Господи!..»

Приказчик подошел к нему в эту самую минуту — и колбаса, как была, так и осталась в руке.

— Что, вам, может, эту колбасу желательно? — с ухмылкой обращается он к Вересову, еще подозрительней прежнего оглядывая его наружность.

«А!.. Есть спасение!» — мелькнуло в сознании неудачного вора, который за миг перед этим почти был готов лишиться чувств или во всем признаться.

— Да... я хотел бы... — пробормотал он в смущении. — А что цена ей?

— Цена рупь двадцать пять копеек, — равнодушно отвечал приказчик, не спуская с него глаз.

— Ох, нет, это больно дорого! — еще смущеннее пробормотал Вересов и положил колбасу на прежнее место. Он был необыкновенно рад в эту минуту, что наконец-то успел положить ее — рад потому, что нравственное чувство, шептавшее ему «вор!», хоть немножко успокоилось, затихло.

— Нда-с, этта точно, что дорого, — всякой вещии своя цена-с! — усмехнулся ярославец. — А вот-с за фунтик сыру прикажите получить сорок пять кипеечек серебрицом-с!

Вересова, как обухом, по лбу ошарашило. Он забыл и не сообразил, что ему предстоит еще это милое положение. Окончательно растерявшись, стоял он перед приказчиком и бессмысленно хлопал на него глазами. Тот повторил свое требование: «Сорок пять-с кипеек!»

Вересов вздрогнул и как бы очнулся.

— Деньги... Ах да, деньги! — пробормотал он и полез шарить по своим карманам. — Деньги... сейчас-сейчас!.. Сорок пять, вы говорите?.. Сию минуту-с... Ах, Боже мой, да где же это они?! Что же это значит?..

Он перекладывал руку из одного кармана в другой, а из этого в прежний — перекладывал, шарил и бормотал себе под нос, и с каждым мигом, с каждым словом смущение его все росло и росло, потому что ярославец, словно бы грозный призрак, неотступно стоял перед ним с куском сыру и неотводно следил за малейшим его движением, с самой ехидной, насмешливой улыбкой. Остальные приказчики и несколько покупателей тоже обратили на них свое внимание и с праздным любопытством наблюдали за этой интересной сценой. Вересов не видел, но чувствовал на себе их взоры.

— У вас кармашки-то, видно, с дырой — с изъянцем? — заметил ярославец, не скрывая самой наглой, самой обидной иронии.

— А?.. Что вы говорите?.. С дырой?.. Нет, но представьте себе!.. Что же это значит?.. Вот положение-то!.. Ах, батюшки! — бормотал Вересов, не зная, куда деваться от стыда и не смея глаз поднять. — Ну так и есть — верно, дома... Извините, пожалуйста...

— То-то, что дома!.. А еще колбасу торгуешь... Ах ты, мазура-мазура оголтелая! Стащить хотел! В полицию бы тебя, каналью!.. Проваливай-ка вон! Проваливай! Много вас тут таких-то шатается! Взашей вашего брата!

И он, без церемонии, толкая в шею и в плечи, перевернул его раза два и вышвырнул за дверь магазина.

Снова очутился Вересов на улице. Минут пять он не мог опомниться и прийти в себя. Жгучее чувство стыда, сознание позора, перенесенного при посторонних людях, сознание людского бессердечия, досада и злость, и голодная тоска — все это наплыло на него разом и душило, душило под собою.

«Оскорбили, надругались и вытолкали в шею — за что? За то, что думал украсть? Да разве я украл? Нет, за то, что я голоден, за то, что мне жрать нечего, а они сыты... за то, что я хотел украсть без права, а они обкрадывают с правом... Честная торговля... по праву сытого... По праву подлости... О, подлость — это великое право! Самое сильное право!.. Нет сильнее его!» — думал Вересов, словно пьяный, шагая по улице, с сжатыми кулаками и скулами.

Но как ни горько и больно было у него на душе, а голод пересиливал всякое нравственное чувство. Видит он, на углу саечник стоит, и около его лотка два извозчика печеными яйцами лакомятся.

С великою завистью и даже ненавистью как-то оглядел их Вересов и в раздумье остановился неподалеку. Он нацеливался — нельзя ли как-нибудь стащить с лотка сайку. «Уж теперь-то я буду смелее! Не таким дураком, как сейчас...» — думает он и косит на лоток: то поближе к нему подойдет, то остановится — но нет!.. Все еще не выпадает ему удобная минута!

— Поглядь-ко, паря, что это малый все туточки вертится, часом, гляди, може и стащить что горазд, — заметил саечнику один из извозчиков, указывая пальцем на Вересова, подходцы и взгляды которого действительно заключали в себе нечто подозрительное.

— Намеднись, вечером, у меня тоже девчонка одна — махонькая совсем — калач было стащила, — отозвался саечник, — только отвернулся, а она и стащила, тоже вот так-то все вокруг да около шнырила. Ну, вот этта, стащила и бежать! Я за ней! Нагнал да сгребал под себя и ну — колушматить: «Знай, мол, напредки, как чужое добро воровать! Воруй, мол, свое, коли охота есть!» Ну и наклал же я ей по загривку! Так что же бы ты думал, паря? Сама кричит, а сама калач шамкает, так изо рту и не выпущает его! Беда, какой ноне народ мазурник стал! А ведь махонькая — от земли, почитай, не видно.

Вересов, который стоял не более как в трех-четырех шагах, слышал весь разговор этот.

«Эх, брат, Иван Осипыч, плохо тебе приходится! — покачал он головой с какою-то грустной иронией над самим собою. — Вот и дождался! Еще и украсть не успел, а уж люди добрые за мазурика считают!.. Голодного-то — за мазурика!.. А все потому — зачем голоден! Не надо голодным быть — нехорошо!.. За мазурика!.. Видно, и в самом деле, что голодный, что вор — одна собака. Вор — стало быть, человек голодный...»

В эту минуту размышления его были прерваны вечерним звоном колоколов. Назавтра люди праздника какого-то ждут, поэтому сегодня по церквам всенощные служат.

— А!.. Вот она в чем штука! — воскликнул Вересов, озаренный новою мыслью, и направился к церкви. Он стал на паперти, где уже находились два ряда привилегированных нищих, придверных завсегдатаев этого храма.

— Подвинься, бабушка, — просительски обратился он к одной старушонке, стоявшей между другими, недалеко от входа.

— Куды те двигаться, батюшко? Это мое место, я на своем

месте стою, — возразила старушонка с сознанием всей законности собственного права.

Вересов не стал распространяться и поместился подле нее, у колонны. Для этого он должен был потеснить несколько двух соседок.

Старушонки сильно возроптали.

— Штой-то, матушки мои! — затараторили они. — Мало места в церкви, что ли? Проходи в церковь, батюшко! Здесь те негоже стоять — здесь ведь нищенские стойла!

— Мне и здесь хорошо! — возразил Вересов. — Ведь я тебя не трогаю — так чего же тебе? Все равно, где ни стать!

Старушонки долго еще поваркивали себе под нос, но пока, до времени, не подымали новых протестов против пришлеца.

Из церкви между тем вышли две женщины и стали оделять кой-кого из нищей братии.

«Может, еще полушка будет... а может, копейка! — ободрился Вересов и, вместе с другими, протянул свою руку, в которую, однако, ничего не попало. Зато едва сердобольные прихожанки сошли с паперти, как на него накинулись и старушонки, и старичье, и весь почти кагал придверных завсегдатаев.

— Да ты милостыню просить? Да ты звонить тоже вздумал? Да ты кто такой? Да откудова народился? Платил ты за свое место? Платил ты, что ли, что лапу-то протягиваешь? Кто тебя ставил сюда? Кому ты платил за стойло?

— Как, кому, зачем платить? Чего вы прете на меня? — огрызался Вересов, отпихиваясь от наступавших калек и старушонок.

— Э, брат! Это не панель: здесь места зарученные, здесь, брат, каждое стойло оплачено!.. Да чего тут толковать?! В шею его, в шею!.. Балбень экой — парень, а туды же, звонить пришел! Староста, да ты чего же ждешь? Своех забижать позволяешь? Тури его, тури с паперти!

И местный нищенский староста, повинуясь голосу артели, тычком спустил Вересова с гранитных ступеней.

— Господи! И на милостыню откуп!.. И на милосердие продажа! — воскликнул он с горечью и отчаянием. — Да и чего ж тебе ждать?.. Как будто ты не знал этого! — И он вспомнил, что, сидючи в тюрьме, слыхал от арестанта, будто в некоторых церквах причт и прислуга отдают нищим на откуп и как бы с торгов все места на паперти, причем стойло, ближайшее к двери, ценится дороже, а дальнейшее — дешевле, и будто цена за лучшее доходит даже до полутораста рублей в год. Но, во всяком случае, это воспоминание было для него теперь вполне бесплодно и разве только подбавило желчи к его отчаянному положению. Голод становился все сильнее и сильнее.

«Господи! Зачем я вышел из тюрьмы! К чему было рваться-то на эту волю проклятую! Что мне в ней! Зачем она мне? Чтоб околеть от голоду да холоду! Воля хороша сытому, а голодному воля — смерть!»

И ему уже вспало на мысль — кинуться на первого встречного, избить его, изгрызть зубами, исцарапать когтями — в кровь, изуродовать, чтобы сорвать на ком-нибудь свое зло, но — главное — чтобы его за это схватили и отвели в тюрьму.

«В тюрьму... Нет, брат, в тюрьму не отведут, а вот в часть — ну, это точно, в часть-то посадят, в сибирку швырнут, и есть... есть-то все-таки не дадут до завтрашнего дня!.. До полудня все-таки ни крохи во рту не будет... И никто не даст!.. Никто!»

Вот идет прохожий какой-то.

«Кинуться на него, что ли? Ограбить — тогда и тюрьма будет! Тюрьма... сидеть в тюрьме?.. Нет! Это скверная штука!»

И Вересов остановился в ту самую минуту, как уж готовился было диким зверем броситься на человека.

Как там ни рассуждай, а в тюрьме даже для голодной парии есть что-то скверное, смрадное, удушающее, словом, есть все эти свойства и атрибуты неволи. Оно только на вид, и то лишь в минуту ропота и озлобления, может показаться, будто и ничего, будто тюрьма лучше воли, но, видно, уж так человек устроен, что нет того каторжника, который не предпочел бы душному острогу всех ужасов голодной, да зато вольной смерти в бурятской степи да в лесах бугров Яблоновых.

И Вересов почти инстинктивно остановился в своем намерении перед мыслью о новой неволе, перед повторением всего того, что уже было изведано им в Тюремном замке.

«Можно украсть и не попасться, и много раз не попасться — ведь не все же попадаются, — думал он, продолжая шагать по тротуару. — А уж если суждено околевать — так лучше же околеть, где сам захочешь и как захочешь!»

И он идет, а сам как-то вглядчиво всматривается во все стороны тротуара, словно бы ищет чего и не находит.

Действительно, Вересов искал.

Он искал и думал нелепые думы и строил нелепые надежды:

«Ведь вот, может, судьба пошлет на мою долю! Чем по сторонам глазеть — лучше гляди себе под ноги. Вдруг я найду что-нибудь!.. Хоть гривенник какой-нибудь, хоть пятак!.. Ведь случается, что и находят же люди! На пятак ведь отпустят из лавочки хлеба, два фунта отпустят — два фунта!.. Глазел бы по сторонам — и, может быть, прошел бы мимо, а теперь... может, найдется что-нибудь. А что, если... Господи!.. Что, если я вдруг целый бумажник найду? Что, если я вдруг тысячу, три тысячи, десять тысяч найду?! Ведь возможно! Ведь бывают же и такие случаи!.. Надо только искать, искать! Повнимательнее, позорче!»

И Вересов ищет. Вересов пристально, во все концы, разглядывает плиты тротуара и окраины мостовой, но... ничего на находит.

Вот виднеется стоптанная бумажка — он со стремительной жадностью кидается на нее, как кот на добычу, кидается с ужасной боязнью, чтобы кто-нибудь другой одним мгновением не предупредил его, не выхватил бы из-под руки. О, если бы выхватил, он тут же, может быть, задушил бы его!

И вот бумажка уже в его руке. Дрожащими пальцами развертывает он ее самым тщательным, самым осторожным образом, вглядывается при свете фонаря. «Может быть, ассигнация, может быть, рублевая или синяя... или красная?» — екает и шепчет ему сердце. Нет! Это просто грязная бумажка! И Вересов с остервенением швыряет ее в сторону и нарочно еще пуще затаптывает в грязь своим каблуком — словно бы эта бумажка лично виновата в его разочаровании, словно бы не сам он создал себе свою мечтательную надежду, а она, именно *она* подстроила нарочно всю эту насмешливую скверную штуку.

«Туда же! Денег, глупец, захотел! — бормотал он сквозь зубы, судорожно сжатые от голода и злости. — Как будто они нарочно для тебя так и валяются по улицам!.. Как будто у тебя нет денег! Ведь есть! Есть! Есть! Вот, целая денежка! Христианская добродетель дала тебе ее... милосердие подало... шутка ли сказать: денежка... денежка!»

И он еще остервененней прежнего и с отвращением далеко отшвырнул от себя медную монетку, словно бы не она, а какая-нибудь скользкая, холодная гадина нечаянно попала ему в руку.

Швырнул и пошел далее.

Но черт знает как есть хочется!

Все те ощущения, которые пережил он в течение этих двух дней, в общей сумме своей слились в одно какое-то озлобленно-тягостное чувство, и это чувство еще усиливалось суровым голодом. Оно подымало в груди рыдания — и Вересов не сдержался: от голоду стал он плакать; но это были не женственные и не ребячьи слезы — это был какой-то невыносимо надсаживающий душу, тихий, сдержанный и в то же время отчаянный вой голодного пса. Именно вой — другого названия нет этому глухому, хриплому звуку. Он шел, шатаючись от сильной усталости, а слезы ручьем текли по щекам, и из глотки вырывались эти сиплые, собачьи вопли.

Прохожие оглядывались на него и принимали за пьяного.

Но он шел, ни на кого и ни на что не обращая внимания, не видя, не слыша, не чувствуя ничего — кроме тяжести в груди, мало-помалу разрешавшейся рыданиями, кроме лихорадочного озноба и до тошноты мутящего голода.

Когда эти слезы облегчили его несколько, он опомнился и огляделся; оглядевшись же, увидел, что стоит на гранитной набережной Фонтанки, близ Обуховского проспекта, что ведет к ней от Сенной площади. Тут только почувствовал он сильную усталость: от продолжительной ходьбы разломило поясницу и размаяло ноги, так что показалось ему, будто дальше он уже не в состоянии двигаться. Пока его злоба и отчаяние не разрешились слезами, они придавали ему какие-то напряженные силы, они помогали не замечать этой тяжелой усталости, но вылились накипевшие слезы, облегчилась грудь, утолилась на время злоба — и Вересов вдруг ослабел, изнемог, и ему сильно-сильно захотелось спать — где бы то ни было и как ни попало, но лишь бы прилечь и успокоиться. Голодный сон так и морил его.

«Где же я опять ночь проведу, однако?.. Ведь никуда не пустят!..» — предстала перед ним беспокойная, ужасающая мысль, и он с тоскою стал озираться во все стороны — но нигде нет угла, чтобы хоть как-нибудь приютиться: все открыто, все на свету, на юру, на проходе.

Нечего делать, еле передвигая ноги, пришлось идти далее, вдоль по набережной.

А! Вот наконец спасенье!

VIII

НОЧЛЕЖНИКИ В ПУСТОЙ БАРКЕ

Гранитными ступеньками ведет к реке обледенелый спуск. Почти у самого этого спуска зазимовала пустая, брошенная и полуразвалившаяся барка. С носу она была почти уже разобрана, так что из-подо льда торчали вверх одни только ребра, а обшивочные доски кто-то поотдирал уже на своз, к дровяному двору: там из них приготовят убогое топливо, на скудную потребу петербургского «черного» люда.

Но корма этой барки была еще совершенно цела, и каюта под нею сохранилась в полной неприкосновенности. Спасибо судьбе! — она посылает какой ни на есть приют, где можно по крайней мере если не от морозу, то хоть от ветру несколько укрыться; да все же за четырьмя дощатыми стенами и мороз не так-то донимать будет.

Вересов осторожно сошел по скользким ступеням и очутился внутри покинутой барки.

Маленькая дверца, ведущая в каюту, полуоткрыта и слегка поскрипывает на ветру. Он робко взялся за нее рукою и ступил за порог барочной конурки.

Но едва успел сделать шаг, как изнутри раздалось сердитое рычанье.

Испуганный Вересов отшатнулся назад и осторожно стал прислушиваться: рычанье замолкло, но через минуту послышался тихий и жалобный щенячий визг.

«Это собака ощенилась... такая же бездомная, как и я», — подумал он и, успокоенный, снова переступил порог каюты.

Рычанье в темноте раздалось еще сердитее, но он не смутился и остался на месте.

«Нет, уж теперь-то не выйду! — твердо решил он сам с собою. — Коли тебе есть место, так и мне будет!»

Собака не унималась.

— Цыц, проклятая!.. Цыц! — зарычал на нее Вересов, топнув ногою, — и собака стихла, не то бы от страху, не то бы от собачьего недоумения.

Бездомный ощупью пробрался в противоположный угол, чтобы не обеспокоить ощенившейся суки, и сел в углу.

По усталому лицу его тихо прошла улыбка наслаждения: слава тебе, Господи! наконец-то присесть удалось, после стольких часов ходьбы и утомления! Он чувствовал, как по одеревенелым членам разливается тихое ощущение спокойствия. Глаза невольно смыкаются, долит дремота, но сквозь ее тонкий туман слышит он в противоположном углу шорох, сопровождаемый щенячьим визгом. Сука поднялась со своего места и, осторожно подойдя к затихшему соседу, пытливо стала обнюхивать его.

«Что, если ее приласкать? — подумал он. — Может, добрее станет? Авось тогда можно будет подле нее улечься — рядом, — все же теплее будет».

И он, зацмокав губами, как обыкновенно это делается, когда хотят принимать собаку, ласково стал гладить рукою ее кудластую голову. Инстинкт ли подсказал животному, что подле него находится не злое существо, или другая тому была причина, только собака не изъявила более неудовольствия и беспрепятственно позволила гладить свою голову. Снова послышался слабый визг щенят, и сука поспешно удалилась к своим детенышам. Вересов, осторожно ощупывая перед собою барочную настилку, пополз вслед за нею: он хотел улечься рядом. И вдруг рука его набрела на старую, брошенную рогожу. Это была находка, которая его очень обрадовала. Уж он совсем было подползал к логовищу собаки, но та выказала самое решительное намерение сопротивляться. Она встретила его злым и грозным рычаньем, не подпуская к своим щенятам, так что Вересову поневоле пришлось вернуться и лечь на прежнее место. Он покрылся найденной рогожей, только лег не совсем-то ловко, потому — под бок что-то жесткое кололо. Ощупавши, Вересов убедился, что это была обглоданная кость.

«Попытать бы, не осталось ли на ней чего-нибудь? — пришла ему в голову мысль, вызванная голодом, но вслед за ней взяло верх чувство брезгливого отвращения: — Фуй, гадость!.. Глодать собачью кость!» Но голод был слишком силен и с каждым часом становился все больше. Для человека сытого, здорового и в тепле живущего, да обладающего кой-каким запасом крови и жиру, пожалуй что и немногого стоит перетерпеть двухсуточный голод: особенного ущерба здоровью в этом случае может и не оказаться. Но совсем другое дело человек хилый, худосочный, каким всегда был Вересов, человек, просидевший месяц в тюрьме, на скудной, не питательной арестантской похлебке, человек, наконец, со вчерашнего утра промаявшийся, ходючи без цели по городу, на сыром ветру да на вечернем морозе, усталый, измученный и не имевший во рту ни единой крошки. Тут уж нет ничего мудреного, если такому голодному человеку, при окончательной невозможности хоть чем-нибудь насытить себя, придет вдруг в голову странная мысль позаимствоваться у собаки ее обглоданной костью.

Вересов понюхал свою находку — сырым мясом попахивает: верно, как-нибудь собака ее на Сенной с мясного ларя стащила и унесла в свое логовище, в то время как торговка затараторила с соседками. По Сенной — известно дело — шнырит очень много голодных собак, охотящихся таким способом.

«Попробовать или нет?»— колебался Вересов между волчьим голодом и человеческим чувством брезгливости. Эта мысль, возбуждаемая сильным аппетитом, на время даже дремоту его совсем разогнала. «А почему же нет? — мыслил он далее. — Чем я теперь лучше собаки? Какая разница между этою сукою и мною? Ей даже, может быть, лучше моего, потому что она, верно, меньше меня голодна... Такая же бесприютница, как и я, — свела же вот судьба вместе!.. А может быть, и ее когда-нибудь у конуры на цепи держали, может, и щец хозяйских давали каждое утро... А потом спустили почему-либо и со двора согнали... Вот и мается собака, и бродит себе... А может быть, и с самого дня рождения бродит по улицам бесприютницей, пока фурманщики не пришибут. И то может быть. Так какая же разница между мной и ею? Чем я лучше?.. Почему мне не стать глодать ее кости? С голоду и человечину жрут!.. О, черт возьми! Тут нечего думать, когда голод давит! Авось как погложешь, так меньше донимать станет».

И он, преодолевая последний, уже слабый остаток отвращения, вгрызся в нее зубами. Но едва лишь почуяли эти голодные зубы ничтожный намек животной пищи, как настала для них самая жадная и яростная работа. Брезгливость и отвращение тут же сразу исчезли.

С остервенением грыз и глодал он эту кость, скоблил ее зубами, стараясь высосать из нее хоть какие-нибудь питательные частицы; раза два замерзлый и твердый хрящ на зубах его хрустнул — и Вересов поторопился проглотить его с величайшею жадностью; но вслед за тем все остальные усилия его выгрызть и высосать что-либо еще из этой кости остались вполне безуспешны. Собака на этот счет уже давно предупредила его.

С отчаянием и глухою злобою застонал он, сильно швырнувши в угол собачий огрызок. Десны его ныли и свербели и были в кровь изодраны от этих тщетных усилий.

Но едва успел попасть в желудок кусок замерзлого хряща, как

голод вдруг начал мучить с невыносимой, ужасающей силой. До этой минуты еще кое-как можно было терпеть его; теперь же мученья мгновенно превзошли всякую меру. Окровавленные и надсаженные десны сжимались, зубы скрипели и ожесточенно требовали своей естественной работы, густая и как будто горьковатая слюна сочилась во рту. И Вересов в забытьи, ухватив в зубы край рогожки, которою был покрыт, вырывал из нее мочалки, сосал их, грыз и пережевывал, но проглотить не мог: они жестко и сухо останавливались в горле и дальше не шли, а только кололи и щекотали там. С усилием откашлянул Вересов пережеванный комок мочалки и выбежал, как одурелый, из своей каюты. Он бросился в снег и жадно стал глотать его, горсть за горстью. Он отламывал от барочных ребер только что настывшие ледяные сосульки — и они быстро хрустели в его голодных зубах. Снег и лед обманчиво утолили несколько его голод — по крайней мере он был не до такой уж страшной степени невыносим и болезнен: работа желудку, хоть какая ни на есть, все-таки задана. Вересов с трудом вернулся в каюту, изнеможенный, повалился на свое место и сразу заснул тяжелым, крепким, почти до обморока бесчувственным сном. Да это и в самом деле скорее был обморок, нежели усыпление.

Положение Маши почти совершенно походило на положение Вересова. Один был выпущен из тюрьмы, другая — из больницы. Оба вполне бесприютны, беспомощны и беззащитны. Оба скитались Бог весть где и как, Бог весть по каким улицам, без цели и назначения, потому что надо идти, потому что негде — решительно негде отдохнуть и успокоиться. Только один сначала встретил свою вольную волю широкой, светлой и радостной улыбкой, полный счастия и братской любви ко всему миру, с которым жаждал поделиться этим счастьем и этой волей, пока не одолели усталость да голод; другая же, после больницы, вышла на свет с горьким раздумьем, а потом скиталась с чувством бессильной и отчаянной тоски.

Судьба или случай привели ее к Фонтанке, неподалеку от Обуховского моста, и точно так же, как и Вересов, она в тяжелом раздумье, усталая, остановилась на набережной и, лицом к реке, облокотилась на гранитную решетку.

«Нет, так жить нельзя... невозможно, — шептала она, глядя на застывшую воду. — Чем так-то маяться, лучше сразу покончить... Минута — и конец! И конец, всему конец!.. Да вот и искать-то долго нечего: вода под рукою! Сойти вниз и в первую же прорубь...»

И с этой мыслью она на минуту забылась, как бы уставши думать и рассуждать о чем-либо.

«Так что же? Так иль не так? — очнулась Маша через несколько времени, быстро подняв свою голову. — Так иль не так?.. Э, да что тут думать! Благослови, Господи!»

И, спешно перекрестившись, она решительным шагом пошла к

ближайшему спуску. Огляделась и видит: по той стороне реки полуразрушенная барка зимует, а по этой, шагах в двадцати, к середине замерзлого протока, две елочки над прорубью покосились.

Маша тихо и осторожно подошла к этим елочкам, словно бы к чему-то неизвестному и таинственному. Минутная решимость начала понемногу оставлять ее, хотя она сама еще не замечала этого, совершенно бессознательно уступая инстинкту жизни и самосохранения.

Остановилась на краю и даже за колючую ветку слегка рукою ухватилась. У ног ее чернелась прорубь, и Маша, с серьезным, почти строгим выражением лица, стала смотреть в эту темную воду. Она как будто хотела разгадать, что там делается, в глубине под водою, расслушать какие-то подводные звуки и голоса, проникнуть острым взором в самую глубь, чтобы разглядеть, какая там есть эта жизнь подводная.

«Какая черная!.. Темнота-то какая! — прошептала она, почти невольно отклоняясь немного назад и потянув в себя дух от какого-то захолаживающего в груди ощущения. — Утопиться... Стоит только скинуть с себя лишнюю одежду и ступить вперед ногою... Нет, соскочить лучше... Да! Если прямо соскочить, это лучше будет: скорее ко дну пойдешь... Ко дну... А если не сразу? Если не удастся сразу-то потонуть, тогда как?.. Охватит тебя всю водою — так и окует!.. А ведь она теперь холодная... Ух какая холодная!.. Черная... Темно — ничего разглядеть нельзя... Холодно в воде-то, я думаю... особенно как захлебываться станешь... Холодно...»

И Маша еще больше отклонилась в сторону, тогда как всю ее внезапно передернуло нервическим трепетом при одной мысли о речном холоде. В ту минуту этот холод не то что представился, а именно как бы почувствовался, ощутился ею с такой поразительной, отчетливой ясностью, как будто не в воображении только, а на самом деле испытала она всю живую ощутительность холодной воды.

«Нет, страшно, страшно!..» — слабо закачала головой, под обаянием туманящего ужаса.

Но прошла минута — прошел и ужас. Маша опять стала мыслить:

«А жить? Разве жить лучше? И разве теперь вот не холодно мне?.. Там одну минуту будет холод: минута — и кончено! А тут всю жизнь! Всю-то, всю-то жизнь, как есть, только холод, холод! Ой, страшно!.. Нет, уж лучше решаться сразу!»

И Маша снова, решительно и смело, ступила на самый край проруби. Опять зачернелся у ног ее темный кружок воды, отороченный ледяной корой, — и опять, при виде его, замедлилась Маша. В эту минуту она стояла совсем уже не размышляя, как бы утратив даже самую способность думать; но за нее и в ней самой снова стал действовать бессознательный инстинкт жизни. Маше казалось, будто она так себе, без всякой причины замедлилась и безучастно глядела рассеянным взором по ту сторону канавы.

Вдруг в это самое время заметила она, что с противоположных сходок на лед какой-то человек спустился.

«Помешают! — мелькнула искорка в сознании девушки. — Лучше переждать, чтоб уж не успели вытащить».

Но она обманывала самое себя, едва ли даже сознавая это. Ей казалось, что не что иное, как только одно желание получше и поудобнее исполнить свое намерение заставило ее пережидать, пока пройдет через канаву посторонний человек, тогда как именно один только инстинкт жизни и вызвал в ней мысль об этом пережидании — инстинкт жизни, хватающийся с самым затаенным, незаметным лукавством за первый подходящий случай в свою пользу.

Но смотрит Маша, посторонний человек, вместо того чтобы переходить на ее сторону, вступил на барку и направился вдоль нее к каюте: вошел в дверцу и тотчас же назад подался, переждал немного и опять скрылся туда же.

«Что же это значит?.. Он, верно, сейчас выйдет опять, назад вернется», — думает Маша и ждет, скоро ли это случится. Обернулась назад и видит — на набережной изредка прохожие показываются.

«Что же это я стою тут? Пожалуй, заметят еще, догадаются да наблюдать станут, — домекнулась она. — Лучше уж отойти к набережной да обождать под ней, пока тот выйдет».

И, отойдя к берегу, она прислонилась к гранитной стене так, что сверху было бы трудно разглядеть ее. Прошло около десяти минут, а человек из барки не возвращается.

«Что же это значит?!» — с удивлением задает себе Маша вопрос, и вдруг ей пришло на память, что у них в Колтовской и на Петербургской стороне неоднократно, бывало, рассказывали, как разные мошенники, около мытнинского и крестовского перевоза, держат по зимам ночлеги в пустых барках, выходя оттуда на грабеж и даже, случается, людей иногда убивают.

«Верно, и здесь мошенники», — подумала она; но при этой мысли не ощутила ни малейшего страха: рассудок, с сознанием своего отчаянья и горя, говорил ей, что надо покончить с собою, и покончить сегодня же, так статочное ли дело, при таком намерении, пугаться ей каких-нибудь мошенников?

Ноги ее меж тем начинало сильно знобить от продолжительного стояния на льду на одном и том же месте, а порывы ветра пронизывали ее холодом.

«Однако чего же я жду, в самом деле?.. Только время даром уходит!» — встрепенулась Маша, стряхнув с себя все эти посторонние и почему-то преимущественно ползущие в голову мысли, которые как-то сами собою, непрошеные появляются у человека именно в подобные и, по-видимому, самые решительные мгновенья его жизни, когда, казалось бы, вовсе не должно быть места в голове посторонним мелочам, а эти мелочи меж тем так и плывут одна за другою, словно прихотливые клочки облаков по небу.

И снова подошла она к елочкам — и вдруг снова встают те же самые мысли, и ясно воображаемое ощущение холодной воды, и невольный ужас при взгляде на темный кружок проруби.

«Нет!.. Я не могу утопиться... *сама* — не могу: сил не хватает! — прошептала она в отчаянии. — Господи!.. Ведь это... это — самоубийство!.. Страшно... ужас берет!.. Не могу я!»

И вдруг увидела Маша, что человек выбежал из барки, бросился тут же на снег и стал копошиться в нем. Что именно делал он — она понять не могла и только пристально следила за его движениями. Мысль о своем безысходном положении и о необходимости умереть заволоклась в ее голове каким-то туманом. Она как будто потеряла нить этих мыслей, как будто они исчезли куда-то, испарились, подобно туманному облачку; от Маши вдруг ушло куда-то и ее настоящее, и ее прошлое, а сама она безучастно и безотносительно глядела по ту сторону, на неизвестного человека, словно бы ей и делать больше нечего. Случается, что именно *такие* бездумные, бесчувственные, рассеянные минуты откуда-то вдруг слетают на человека среди самого беспредельного отчаяния и горя. Душа человеческая, словно бы от сильной усталости, возбужденной этим отчаянием, возьмет вдруг да и закоченеет, замрет, застынет совсем на несколько минут в таком рассеянном и ко всему безучастном положении. Нет в ней ни намека мысли и намека чувства, нет даже во всем организме ощущения какого-либо. Стоит Маша и смотрит на человека, а для чего стоит и зачем смотрит — про то и сама не ведает. Но вот он снова поволок ноги в свою барочную конуру. «Верно, больной, — подумала Маша, и с этой мыслью словно очнулась. — Что же теперь остается?.. Умереть — духу не хватило... жить — тоже не хватает решимости...»

Она тихо побрела вдоль по замерзлой реке — туда, где чернелась, как темный зев, арка Обуховского моста. Вошла в эту арку и остановилась, осматривается — темно, сверху дробный топот копыт раздается глухо, и невольно кажется, будто от этого топота и гула сейчас обрушится арка — но арка крепка и стоит нерушимо уже многие десятки годов. В темноте ничего не видно под мостом.

«Остаться разве здесь? — подумала Маша. — Здесь все же спо-койнее... отсюда не выгонят, не увидят... Говорят, что иные ночую под мостами».

И она уже думала было, где бы поудобнее приютиться у гр нитной стенки, а ветер, с двух сторон врываясь в узкое простран во арки, свистел и выл под сводом с какой-то дикой, словно б с шевленной силой и невольно наводил страх на молодую девушк

Опустилась Маша на лед, подле кучи свезенных сюда улич сколков мерзлой грязи и снегу, и вдруг рука ее уперлась в каку шерсть. Маша быстро вскочила на ноги и с отвращением выбежала вон из-под арки. Сердце ее быстро екало, и колени дрожали от ужаса. Это была какая-то дохлая падаль, но девушке почудилось, будто она ухватилась за волосы человеческого трупа. Ей сделалось страшно — страшно *быть одной*, и потому она торопилась убежать из этого места, и снова очутилась недалеко от полуразрушенной барки.

«Там, верно, люди есть, — подумала она, глядя на притворенную дверь каюты, — там можно приютиться. Пойду к ним! Может, не выгонят... упрошу Христа ради».

Эта мысль, давшая слабую надежду на приют и спокойствие, немного ободрила девушку, которая несмело переступила порог каюты, но вместо человеческого голоса услыхала одно только глухое ворчанье.

Все тихо, а людей как будто совсем незаметно. «Что же это такое?! — И Маша в недоумении остановилась у порога. — Где же человек-то? Ушел он, что ли?.. Одна собака только... Господи! Все же это легче: не одна хоть буду... все же есть живое существо...»

Прислушалась — чу! — кроме рычанья собаки еще чье-то дыханье слышно — ровное, сонное дыханье.

«Это, верно, такой же несчастный бездомник, как я! — подумала девушка, все еще прислушиваясь к дыханию. — Верно, и ему нет иного места на свете, кроме заброшенной барки...

Стало быть, не одна я на свете... стало быть, и еще есть такие же... Может, и много их так-то шатаются, да живут же ведь и в голоде, и в холоде, а не думают о смерти».

Так думала Маша, и эта мысль, нежданно-негаданно, произве-
...а на нее совсем особенное впечатление: она как будто несколько
...вольна и эгоистически рада была, что не *одна она* такая на свете,
... есть кроме нее и другие, которые, может быть, столько же, а
...ет, еще и больше терпят да мучатся — и ей как будто несколько
...йнее стало вдруг на душе от этого далеко не веселого созна-

...т спит же себе человек, стало быть, если уж больше негде,
...но и здесь приютиться», — подумала вслед за тем Маша.
...ь она несколько времени и чувствует, что в каюте не так
...ак на улице и, особенно, как среди Фонтанки, да и ветер
...т, и как будто спокойнее, чем невесть где по городу ша-
...почти до изнеможения, чувствовала страшную уста-
...торой, после полного сознания о недостатке реши-
...бийство, ее пугала мысль бесприютного шатания по
...о рассвета, где ни сесть, ни простоять, сколько бы
...а одном и том же месте нет никакой возможнос-
...ут, а не то люди вокруг соберутся, станут удив-
...ебя, да допытывать, зачем стоишь, мол, так
...му, да отчего именно с места не двигаешься?

«Чем там шататься, так лучше здесь отдохнуть, — решила Маша, выискивая себе место в противоположном углу от Вересова. — Не выгонит же он меня отсюда... А и выгонит, так все-таки хоть сколько-нибудь отдохнуть успею... Да зачем ему гнать! Ведь барка столько же и моя, сколько и его: барка общая».

И, успокоенная таким решением, девушка плотнее закутала голову и грудь своим широким платком, покрепче запахнула бурнусишко и села, прижавшись к стене, в темный угол.

Вскоре и ее охватил не то что сон, а какое-то легкое, тонкое забытье — скорее даже оцепенение, при котором как будто и спишь и в то же время смутно окружающую действительность слышишь.

Был первый час в начале, когда проснулся Вересов от холода, который начал пробирать его члены. Спал он около трех часов, и этот сон, не подкрепляя, только хуже еще разломил ему все тело. Открывши глаза, он заметил в каюте какой-то зеленоватый полусвет, допускающий различать, хотя и смутно, окружающие предметы. По небу носились клочками беловатые тучки, разорванные ветром из одной сплошной массы, покрывавшей горизонт уже несколько суток. В вышине стояла полная луна, и несколько зеленовато-серебристых лучей ее пробились в два барочных оконца и двумя туманными полосами косвенно пронизывали темноту каютки. Одна из этих полос западала в противоположный угол и неровными пятнами ложилась на лицо и местами на скорчившуюся фигурку Маши.

Вересов начал вглядываться и с полуиспугом, с полуизумлением заметил сперва чье-то лицо, тускло озаренное луною, а потом и всю эту фигурку. Подумал было он, будто это во сне ему грезится, но тут же убедился, что не спит и что в действительности в том углу есть кто-то.

— Кто тут? — громко окликнул Вересов.

Девушка вздрогнула, раскрыла глаза и пристально стала глядеть на своего сосночлежника, но с места не двигалась.

— Кто тут? — еще громче и с некоторым беспокойством повторил последний, подымаясь на ноги.

Маша робко встала и торопливо направилась к дверке, как вдруг тот ухватил ее за рукав и пристально стал всматриваться в лицо.

— Я уйду... я сейчас уйду... — прошептала Маша, испуганная его неожиданным прикосновением.

— Да я не гоню... Разве я гоню тебя? — возразил Вересов. — Я только спросил, кто ты.

Девушка без ответа опустила голову: она не знала, уйти ли ей или остаться, — и пока в нерешительности стояла на одном месте.

— Ты одна была здесь? — спросил Вересов, который боялся, чтобы какой-нибудь новый обитатель покинутой барки не выжил его из этого логовища.

— Одна, — прошептала смущенная девушка.

— Зачем ты здесь была?

Ответа не последовало.

— Что тебе здесь надо было? Зачем ты была здесь? — повторил все еще опасавшийся бездомник, которому не хотелось расставаться с последним своим убежищем.

— Да когда деваться больше некуда... Надо же куда-нибудь! — возразила девушка.

Вересов успокоился.

— Так ты... все равно как и я... Обоим нам некуда, — проговорил он кротко, отпуская ее рукав. — Оставайся... Куда ж идти-то?.. Зла я тебе никакого не сделаю... Оставайся себе — места хватит...

Маша еще с минуту постояла раздумчиво и вернулась на прежнее место. Вересов тоже улегся подле собаки и долго, из своей темноты, смотрел на девушку пристальными глазами. Она по-прежнему свернулась в комочек, скорчилась, закутавшись в бурнусишко, и сидела в углу, плотнее прижавшись к промерзлой стенке.

Оба молчали, и это молчание длилось довольно долго. Слышно было только их дыхание да порою слабые щенячьи взвизгивания. А Вересов все еще не спускал с нее взоров. Холод пробирал Машу, забирался в ноги и в локти, а оттуда вдоль спины, по лопаткам. Она нервически вздрогнула и, встрепенувшись, зябко потянула в себя воздух, сквозь сжатые зубы.

— Тебе холодно? — спросил вдруг Вересов, глядевший на нее в эту минуту.

— Холодно... — ответила дрожащая Маша.

— Хм... Что станешь делать!.. Вот подожди до утра: к заутрене зазвонят — пойдем, пожалуй, в церковь, там печки к тому времени истопятся: можно согреться.

И он опять замолк, продолжая глядеть на озябшую девушку. Он раздумывал что-то, борясь между состраданием к такой же, как и сам, несчастной, и эгоистическим поползновением не уступать ей жалкие выгоды своего положения. Наконец первое превозмогло:

— Ступай, пожалуй, сюда: здесь теплее — у меня рогожка есть, — предложил он. — Ляг вот тут, прикройся.

— А ты-то как же? — отозвалась Маша, в нерешительности принять его предложение.

— Я уж вдосталь лежал... мне ничего!.. А мы попеременке будем... Холод-то какой, проклятый!

— Н-нет, ничего... я и здесь буду — у меня платок есть, — отозвалась она.

— Ну, как знаешь! — поспешил закончить Вересов, будучи рад, что можно по-старому остаться под рогожей.

Прошло еще минут с десять, в течение которых он уж снова было начал слегка забываться дремотой, как вдруг услыхал, что зубы соседки бьют лихорадочную дробь от холода. Его и самого порядком-таки знобило.

— Эк ведь ты какая! — начал он с досадливым укором. — Зовешь тебя, а ты не хочешь!.. А сама вон — зубами щелкает!.. Ступай, говорю, ко мне! Ложись подле! Так-то вместе теплее будет... Мне ведь тоже холодно! Ведь вон собака — греет же щенят под собою... Этак больше тепла будет идти.

Девушка подумала с минутку; но холод преодолел. Она поднялась из угла и перешла к соседу.

И легли они рядом, покрывшись дырявой рогожей.

Холод сблизил этих двух человек, которые совсем не знали друг друга, даже о физиономиях один другого не умели составить себе понятия, потому что едва-едва лишь могли различать их при слабом свете двух тусклых полосок лунных лучей, проникавших порой сквозь оконца в их темное и холодное логовище. Они походили скорее на два каких-то животных существа, в сознании которых лежал теперь один только инстинкт — защитить себя от холода.

И они крепко-крепко прижались друг к дружке, обнялись руками, обхватили ногами один другого, забившись с головой под тощую рогожку, и старались в общем дыхании отогреть свои лица, свою грудь и шею. Тут уже было позабыто всякое различие полов; им и в голову не пришло совсем, что один — мужчина, другая — женщина. До того ли им теперь было? Эти крепкие объятия являлись у них невольным, как бы инстинктивным следствием того, что холод чересчур уже пронимал, что являлось чисто эгоистическое желание предохранить себя от мороза, а достичь этого удобнее можно было лишь только прижавшись, как можно крепче, один к другому и дышать, дышать, дышать, чтобы хоть сколько-нибудь согреть холодный воздух под рогожею. Тут было одно только обоюдное ощущение — ощущение холода и одно только обоюдное животное желание — желание согреться.

Между тем голод, который во время сна несколько поутих было, проснулся теперь снова и стал еще мучительнее, чем прежде.

Вересов чувствовал в желудке какую-то сжимающую, судорожную боль, от которой подымалась в груди тошнота, а во рту — густая голодная слюна накипала. Он не выдержал этих страданий и начал стонать, и в злобном отчаянии до крови кусал свои руки и ногти.

Маша тревожно подняла голову.

— Что ты?.. Что с тобой? — беспокойно спросила она шепотом.

— Я есть хочу!.. Я голоден! — с истерическим, рыдающим воплем простонал Вересов, судорожно корчась и ворочаясь на своем месте.

— Нет!.. Это невыносимо!.. Я голову размозжу себе! — внезапно и стремительно вскочил он, вне себя от отчаяния и злобной тоски.

Маша в испуге поднялась тоже.

— Пусти!.. — оттолкнул ее Вересов. — Пусти, или я задушу тебя!

Та отшатнулась и глядела на него из угла в недоумении и страхе.

Голодный человек, скрежеща зубами, ударился затылком о стену. И вслед за тем она слышала, как несколько раз повторился глухо-сухой и короткий звук, который издавала стена от ударов об нее человеческого затылка — только и было слышно, что этот странный стук да скрежет зубовный.

Маша бросилась было к нему, но в это самое время, с рыданиями и стоном, изнеможденный, он рухнул на пол, катаясь по нем от судорожных сжатий желудка.

Вересов был человек нервный, слабый, не умевший владеть собою и легко поддающийся высшей степени отчаяния, ибо подобные натуры вообще способны больше, сильнее чувствовать каждое ощущение и даже сильно преувеличивать его в своем сознании. А в эту минуту отчаяние и боль от голода, соединенные с мыслью о полной безысходности, о том, что и завтра, и послезавтра предстоит все то же самое, вывели его из последнего терпения.

— О чем ты? Что с тобой? — повторила Маша, приблизясь к нему и опустясь над ним на колени.

Первое движение ее, при виде этого неистовства, было — бежать отсюда, но в ту же минуту человеческое сострадание, сочувствие и понимание подобного отчаяния остановили ее. Несмотря на собственный страх и горе, она осталась и даже поспешила к нему на помощь.

— Ты голоден — Боже мой! Так ведь можно же купить хлеба! — убеждала она.

— Купить?!

Вересов приподнялся на локте.

— Купить?!. Купить?!. А!.. Так ты еще смеяться надо мною!!

Он сильно схватил ее за руку.

— Да нет же, у меня деньги есть! — воскликнула Маша, не зная, что ей делать и куда деваться и как вырваться от этого бешеного, и в то же время болея о нем и желая помочь ему.

— Деньги?.. Ты не лжешь?.. У тебя деньги есть? Давай их сюда! Давай!..

И он быстро поднялся с полу. Неожиданная надежда утолить свой нестерпимый голод мгновенно придала ему новые силы.

Маша торопливо опустила руку в карман, достала оттуда несколько медяков — насколько горсть захватила — и сунула их в ладонь дрожащего Вересова, который в ту же минуту опрометью бросился вон из баржи.

Девушка вздохнула несколько свободней.

«Уйти бы скорей отсюда!» — было первое движение Маши, как только она осталась одна, перестав прислушиваться к удаляющимся шагам Вересова, которые наконец затихли, когда он поднялся на набережную.

И она вышла из своей берлоги, но чуть показалась только за дверку, как вдруг ее охватило холодным порывом ветра и снова всю проняло до самых костей. На набережной тускло мигали фонари, и до рассвета было еще не близко.

«Куда ж идти?.. Где там шататься?.. Уж лучше здесь до утра переждать... Теперь — одна ведь», — подумала она и снова спряталась в каюту, забившись, как прежде, под рогожу.

Она думала об этом несчастном, голодном человеке, вспоминала последние мгновения его отчаянного неистовства и с ужасом представляла себе, что не сегодня-завтра и ей предстояло то же самое. Только теперь она вспомнила, что с самого утра тоже ничего в рот не брала, и при этой мысли как-то вдруг почувствовала некоторый позыв на пищу. Она была голодна, только голод ее до этой минуты не давал себя чувствовать, задавленный множеством других тяжелых ощущений. И лишь тогда, когда живой пример соночлежника представил ей это чувство со страшными его последствиями, она вспомнила про голод свой собственный, и ей захотелось есть, захотелось согреться чем-нибудь теплым — выпить чаю стакан. Но — удовлетворить этому позыву не было никакой возможности.

Маша вздумала удостовериться, сколько у нее денег осталось, и рука ее в кармане ощутила одну только медную пятикопеечную монету. «Стало быть, полтинник ему дала, — сообразила она, и ей стало досадно и жалко, зачем так много. — О себе не подумала, Бог весть кому отдала последние деньги, а теперь сама-то что станешь делать?»

Прошло около получасу времени, с тех пор как ушел Вересов из барки.

Маша, в тупом оцепенении, решилась терпеливо дожидаться рассвета, как вдруг скрипнула дверка и раздался его голос:

— Ты здесь еще?

— Здесь, — испуганно ответила девушка.

— Спасибо за хлеб!.. Я есть тебе принес, хочешь есть?

И он вынул из-за пазухи три пеклеванных хлеба, разрезанных наполовину, и в каждом из них торчало по куску заржавой ветчины.

Маша хотела уж было приняться за эту закуску, как снова Вересов остановил ее:

— Ты постой, ты выпей прежде, я и водки с собою принес, — сказал он, вынимая из кармана косушку.

— Я не могу... не пью я, — возразила было девушка.

— А ты выпей, говорю тебе! — настойчиво перебил ее Вересов. — Ведь зазябла совсем! Как выпьешь, отогреешься.

Он сколупнул пробку и подал ей посудину.

Маше и есть хотелось, и в то же время жажда томила ее, так что она сразу хватила три-четыре крупных глотка и закашлялась. Ей еще впервые приходилось пить водку, как воду, доселе же она имела о вкусе ее самое смутное понятие. Почувствовала, как зажгло внутри в озяблой груди и желудке, как легкое и приятное тепло внезапно пошло переливаться по всем суставам — и с жадностью принялась за свой пеклеванник.

Вересов проглотил остатки и тоже принялся за жеванье. Ни разу еще в жизни своей не жевал он с такой волчьей жадностью и не глотал куска с таким наслаждением, как в эту минуту, работая над сухой и ржавой ветчиной, в своей темной и холодной берлоге.

Получивши от Маши полтину, он не пошел, а побежал, превозмогая боль и тяжесть в ногах, по Обуховскому проспекту, к Сенной площади. Тюрьма послужила-таки ему к приобретению кой-какой опытности. В тюрьме узнал он, что на Сенной существуют кой-какие заведения, где неофициальным образом производится торговля и в ночную пору: в окнах горят огни, а входная дверь вплотную приперта, но стоит лишь постучаться, и она гостеприимно отворится. В тюрьме же узнал он, что на Сенной, позади гауптвахты, близ Спасского переулка существует одно из подобных заведений, называемое «Малинником». Оно было наиболее знакомо ему по многочисленным рассказам; отыскать же хорошо известные по тем же тюремным рассказам приметы его было вовсе не трудно, особенно когда проводником человеку служит нестерпимый двухсуточный голод. Он постучал в дверь, но тут же заметил, что она не затворена, а только приперта для виду, дернул ее со всей энергией и взбежал по лестнице в буфетную комнату. Пока ему доставали спрошенный шкалик водки, не разбирая, накинулся он на первый попавшийся кусок, выставленный за буфетной стойкой, и остервенело стал жамкать краюху черствого пирога, чем вызвал даже удивление со стороны буфетчика, привыкшего вообще ничему почти не удивляться, вследствие непрестанного пребывания своего в этом заведении.

— Эк тебя, как хрястаешь! Видно, голод не тетка! — заметил он, выливая в стаканчик водку.

Вересов, ничего не отвечая, залпом проглотил ее и снова накинулся на следующий кусок пирога, как вдруг буфетчик схватил его за руку:

— Буде, малец! Не шали! Ты прежде деньги вынь да положь на стойку! — предложил он. — А то, может, в кармане-то у тебя шишка еловая, а ты на ширмака налопаться норовишь? Это не модель — дело!

Вересов высыпал на стол все захваченные с собою медяки и распорядился, чтобы ему приготовили косушку водки да четыре пеклеванника с ветчиною.

— Ну, вот в обрез, как есть, полтина и будет, а деньги-то есть еще аль все? — вопросил буфетчик.

— Все тут! — прожевал голодный, снова протягивая к пирогу свою руку.

— Все, так не трошь чиненого аль уж одного пеклеванника не бери, а то не хватит: не отпущу! — предупредил буфетчик. И Вересов с жадною быстротою сообразил, что пеклеванный хлеб будет побольше и поувесистей, чем кусок пирога, и потому, сколь ни хотелось есть, решился переждать минутку.

Но каким небесным благодеянием показалась ему прелотеплая и пропитанная всякою мерзостью атмосфера этого отвратительного приюта! Пока ему готовили закуску, он топтался на месте, размахивал руками, тер ладони и в то же время дожевывал свой пирог, стараясь поскорее отогреться в комнатном тепле; и не успел еще буфетчик приготовить ему первый пеклеванник и положить в него кусок ветчины, как он уже выхватил у него из-под руки то и другое и снова принялся с необыкновенною быстротою теребить зубами это яство.

Отвратителен и печален вид жрущего таким образом человека, но неизмеримо отвратительней и печальнее безвыходный человеческий голод.

Вересову не хотелось уходить отсюда, потому что хотелось подольше попользоваться теплом, за которое особой платы не полагалось; но он вспомнил, что там, в барке, быть может, ожидает его прихода другое голодное и озяблое существо.

«Если не вернуться, так ведь это... ведь это, стало быть, я ограбил ее, — подумал он, — а может, она мне последнюю копейку отдала... может, завтра сама она, из-за меня, будет так же мучиться — ведь бесприютная!»

«Эх, нехорошо!.. Надо вернуться!» — решил он напоследок, и только с минуты на минуту медлил уходить,чтобы хоть сколько-нибудь еще обогреться.

Не далее как за каких-нибудь четверть часа перед этим, когда он испытывал мучительное, до отчаяния и зверства доводящее чувство голода, ему казалось нипочем не только что ограбить, но даже и убить себе подобного человека; да он, весьма легко может статься, и убил бы Машу, в порыве своего исступления, приняв за насмешку ее слова о хлебе, который можно купить, если б она не поспешила отдать ему свои деньги. Теперь же, когда первый кусок хлеба дал ему первое утоление, в животном, которое мы называем человеком, пробудилась и его действительно человеческая сторона: он вспомнил о другом своем голодающем и холодающем собрате.

Запихав в карман посудину водки да за пазуху три остальные пеклеванника, он полунехотя — потому что приходилось наконец расставаться с теплом, — кое-как обогретый и кое-как утоленный, побежал обратно в барочную берлогу, питая в душе сладкую надежду на половину оставшейся в запасе пищи.

Голодная собака, услыхав чавканье и запах съедомого, поднялась с места и приблизилась к Вересову.

— Что, и ты, небось, хочешь? — проговорил он, думая поделиться с нею и в то же время эгоистически не решаясь расстаться со своим куском.

Собака в темноте обнюхивала его лицо и пеклеванник.

— Вижу, что хочешь, вижу! — продолжал он со вздохом, отламывая добрую половину хлеба. — И ветчинки, небось, также хочешь? Ну, на и ветчинки! Потрескай и ты заодно уж! Спасибо, не выгнала от себя! Это за то тебе, — говорил он, ласково теребя ее морду.

Собака, почувствовав на зубах своих пищу, тотчас же отошла в свой угол и, положив кусок между лап, уплела его с быстротой, не хуже Вересова.

— Ну вот, ты просишь! — заговорил он, только что успев поделиться с Машей последним из принесенных пеклеванников, когда собака снова подошла к нему и, тихо виляя хвостом, стала визжать и обнюхивать.

— Ну, уж так и быть! На тебе еще, только — чур! — не просить больше, потому — последний! — сказал он, сунув ей в пасть половину своей порции.

Маша и от себя уделила половину.

И затем снова улеглись они под рогожку, закутавшись — один в свое пальтишко, другая в бурнусишко, снова крепко переплелись руками и плотно прижались друг к дружке, в надежде, ради обоюдного тепла, провести таким образом остаток ночи, пока не заблаговестят к заутрене.

Водка согрела и сразу одурманила Машу: голова ее кружилась, глаза смыкались под обаянием какого-то тяжело и в то же время сладко наплывающего сна, и через две-три минуты она крепко заснула, забыв и свои невзгоды, и свое настоящее, и свое прошедшее, — заснула тем сном, каким только может спать изнемогший от утомления, но — слава Богу — сытый и немного пьяный человек, в свои молодые, крепкие силой и выносливые годы.

Заснул и Вересов как убитый, почти одновременно со своей незнакомой, но сроднившейся в общей доле соночлежницей.

IX

ВСТРЕЧА ЗА РАННЕЙ ОБЕДНЕЙ

В воздухе уже посерело и отволгло — признак рассвета и начинающейся за ним оттепели, — когда проснулся Вересов.

«Слава Богу, кажись, таять начинает — не так холодно будет шататься», — подумал он, выглянув за дверку.

Маша еще спала, свернувшись в комочек: видно было, что холод и сквозь сон понемногу все-таки пробирает ее. Вересов бережно покрыл ее рогожей и, поместясь подле, заглянул в лицо. Но пока еще нельзя ему было уловить ее черты, а заметил только, что лицо это, кажись, молодое.

Через несколько времени раздался первый удар благовеста, которого так ждал и которому обрадовался теперь Вересов: этот звон несет ему надежду на тепло в течение целых двух с половиной часов, пока будет длиться заутреня и ранняя обедня. Целые два с половиной часа он проживет у вытопленной церковной печки, целые два с половиной часа есть возможность отогреваться! Понять вполне всю радость и наслаждение этой надежды может один только назябшийся вволю, наголодавшийся вдосталь и совсем бесприютный человек.

— Вставай, пора уже! — тихо дотронулся он до спящей девушки. — Пойдем греться, к заутрене заблаговестили.

Маша приподнялась со своего места и, протирая глаза, с изумлением оглядывала всю окружающую обстановку: крепкий сон отшиб у нее на время память с сознанием своего положения, и только совсем уж очнувшись, она живо вспомнила, где она и что с нею было.

— Надо выйти отсюда, пока не совсем еще рассвело, — заметил Вересов. — К ночи, может, придется опять сюда же вернуться, так лучше поосторожней быть, а то как станет светло, пожалуй, полицейские заметят да перехватят, в части насидишься.

Для Маши было теперь совершенно все равно: в части ли сидеть, в тюрьме ли или по белу свету шататься; но Вересов, отведавший уже, что такое неволя, знал цену своей свободе. Ему за ничто казалось потерять ее вчера, когда изнывал от голода, но теперь, пока голод успел угомониться на время, он дорожил этой вольной волей, он ревниво берег ее.

На Спасской Сенной колокольне гудел еще благовест, когда двое бесприютных спешно шагали по площади, направляясь к церкви. Перед местными образами теплились лампады и звучно раздавался фистуловый тенорок дьячка, гнавшего, словно на почтовых, свое чтение. Две-три сердобольные старушонки в черных капорах, неизбежные посетительницы какой бы то ни было церковной службы, разместились уже по разным уголкам храма, со своими обычно сокрушенными воздыханиями. О чем? Про то они и сами едва ли знают: может — от умиления, а может — и от поясничной боли. Появился тоже и согбенный подслеповатый старикашка на своем вечном месте, близ входных дверей — тоже неизменная принадлежность каждой приходской церкви. Старикашка в течение своих многолетних стояний давным-давно уже успел на слух заучить в своей хилой памяти всевозможные службы и, медленно крестясь, непременно бормочет вполголоса, вслед за читальщиком, каждый псалом и каждую молитву; а случится пение — он непременно подпевает своим разбитым старческим голосом, и вечно не в тон подпевает, но всегда норовит затянуть прежде дьячков. Старушки, проходя мимо, непременно поклонятся ему с жалостливой улыбкой, и он им тоже поклонится, степенно и важно. Он постоянно первый приходит и последним выходит из церкви. Без этих неизменно присутствующих и самых усердных молельщиков не обходится ни единая служба ни в единой приходской церкви: старичок с фальшивым пением и три старушонки с воздыханиями составляют почти единственных посетителей заутрень и вечерень, невзирая ни на какое время дня и ночи, ни на какую погоду, ломающую подчас их древние кости.

Бездомники поместились у самой печки: Вересов стоял прижавшись к ней спиной, которая больно уж зазнобилась у него во время ночи, а Маша тут же опустилась и села на колени, прислонясь щекой к теплой печи, и обоим им стало теперь хорошо — насколько может быть хорошо зазяблым людям в подобном положении, — оба про все пока позабыли и только грелись и грелись...

«А давно уж я не была в церкви», — подумала девушка, блуждая взором по слабо освещенному храму — там, где темный иконостас уходил в серовато-рассветную мглу купола, где красноватыми звездочками тускло мигали лампады, постепенно становясь тем бледнее, чем больше проступало утро. Она переходила взором от предмета к предмету, прислушивалась к скудным звукам двух дьячков, к этим с детства знакомым напевам, к тихому голосу священника, долетавшему из алтаря, словно невесть откуда — как будто с воздушной высоты какой-то, — и невольно вспомнилось Маше ее тихое, светлое, спокойное детство, этот серенький домик с садиком в Колтовской, эта чистенькая комната в мезонине, в окна которой заглядывали, вместе с утренним солнцем, ветви медоводушистой черемухи и смолистых берез, а внизу лиловая сирень благоухала; вспомнила она и эти бесконечно добрые, честные лица своих стариков, на которых было написано столько любви и любования ею — молоденькой девочкой, для которой они всю свою жизнь посвятили; но тут же вспомнился до трагизма грустный, хотя и обыденный конец этих стариков. «Одна, с тоски, — в могиле, другой — в сумасшедшем доме, — черным облаком пронеслось в голове Маши. — И ты, одна только ты причиной всему этому!..»

Тяжело было такое сознание ей, обвинявшей во всем одну

только себя и никого больше; тяжело было ей вспомнить все эти безвестно тихие, отрадные картины своего детства, своего чистого девичества, и все это, словно бы нарочно, так ясно, так отчетливо представилось ей в эту минуту, в этом сероватом полусвете храма, по которому легкими струйками ходили синеватые облачка пахучего ладана и тихо раздавались церковные напевы, бедные мелодией, не совсем стройные, но почему-то так и напоминающие светлое детство.

«Да, давным-давно не была я в церкви, — снова подумала Маша, — с тех пор и не была, как из Колтовской увезли... А и теперь-то! Не молитва, а только холод загнал!»

И Маша почувствовала, будто что-то похожее на укор кольнуло ее в сердце. И ей захотелось воротить свое счастливое, беспечное детство, с его чистым смехом и чистыми молитвами, так сильно захотелось молиться и плакать — много молиться и много плакать.

И она молилась и плакала.

Она молилась и плакала, а Вересов стоял над нею, сбоку, и глядел на это детски красивое лицо, вдохновенное молитвой и слезами, глядел искоса и несмело, чтобы взором своим как-нибудь невзначай не смутить ее слез, не нарушить ее молитву. И это лицо только теперь вполне разглядел он: в ту минуту оно показалось ему столь девственно-чистым, столь многострадающим и ангельски-прекрасным, что он в каком-то невольном благоговении отступил на шаг от прежнего места, словно бы не дерзал приблизиться и стоять рядом с тою, для которой была еще возможна и доступна такая чистая молитва...

Он невольно глядел на нее в каком-то почтительно-благоговейном удивлении: он никогда еще в своей жизни не видел, чтобы люди могли так молиться.

«Кто она? — думалось ему в эту минуту. — Кто она?.. Голодная, бесприютная... ночь — в барке... У нее никого нет, стало быть, — никого в целом свете!.. *Никого!*»

И это слово повеяло на него каким-то ужасающим, гробовым холодом.

«Кабы был кто, разве ее пустили бы так?.. Она — честная... Да, честная душа, а иначе не молилась бы так... и в барке не ночевала бы.

И так-таки *одна*, совсем *одна*... Ни отца, ни матери... ни сестры, ни подруги... Все отступились или все перемерли?..

А она, должно быть, не из простых, — продолжал Вересов строить свои предположения, искоса взглядывая на лицо молящейся. — Должно быть, так, потому — это по лицу сейчас видно: у простых не бывает таких тонких линий, такой нежности не бывает... Она головку той статуйки напоминает мне... Лепил было я, да не вылепил!.. Вот бы с нее вылепить!..

Да... И движенья-то у нее все какие-то особенные: просто, а хорошо... Настоящая, значит, грация есть.

Да, это верно: она не из простых, — решил он наконец, вполне убеждаясь в своем предположении. — Странное дело!.. Как же это она так?.. В барке... голодная... Зачем это? Почему? Кто у нее отец и мать?.. Что же это они — живы? умерли?.. Боже мой! Горя-то, горя у нее сколько!.. Ах ты несчастная моя, несчастная!.. Что-то из тебя выйдет теперь! Да, это верно: у нее *никого* нет! — заключил Вересов с какою-то щемящею болью в душе, и вдруг лицо его исказилось оттенком суровой и злобной мысли: — А у тебя?.. У тебя-то у самого есть, что ли, отец или мать?.. Есть они?.. Где? Покажи на них!

Отец... Как же, отец-то есть, да разве это отец тебе?

Верно, и у этой то же самое».

Но вдруг в ту же минуту Вересов вздрогнул и отшатнулся назад: случайно отвратя глаза в другую сторону, он увидел своего отца.

Но — странно! — старик Морденко явился в церковь не по-всегдашнему, не в ободранном халатишке, подпоясанный дырявым фуляром, не в том обычном костюме, в котором украдучись пробирался он обыкновенно, в вечерней темноте, на паперть Сенного Спаса, чтобы двурушничать промеж нищей братьи, — нет: теперь на старом скряге-ростовщике был надет его лучший долгополый темно-синий сюртук, в который облекался он только в самых экстраординарных случаях, на плечах висела новая ильковая шуба, в руке — шапка соболья — и то и другое, очевидно, из заложенных, но не выкупленных вещей. На желтовато-сухом, старчески выцветшем лице написано торжество необычайное: стеклянный, неподвижный взор его как-то приободрился и блестит, как блестят иногда в камине совсем уже потухающие угли: сейчас вот, мол, огонь умрет, застынет, а последняя искорка тем-то и светлее, тем-то и ярче кажется в окружающей темноте. На сморщенно-сжатых и тонких губах его так и проскальзывала необыкновенно самодовольная, гордо торжествующая и счастливая улыбка; во всех движениях так и кидалась в глаза какая-то возбужденность, энергия, живость; словом — Морденко совсем не походил на себя, на тот угрюмый и как бы полуживой скелет, обтянутый пергаментно-желтой кожей, каким все уже давным-давно привыкли видеть его. В жизни этого старика, очевидно, совершилась какая-то необычная метаморфоза: он весь сиял, торжествовал, стряхнув с себя прежнего, затхлого и ветхого, залежавшегося Морденку — теперь уж он был и тот, да не тот Морденко, а как будто обновленный, помолоделый, счастливый, удовлетворившийся и потому торжествующий.

Свечной староста и церковные прислужники, привыкшие уже в течение стольких лет видеть его на своей паперти в его былом, угрюмом и поношенном, образе, немало удивились, заметя столь необыкновенную перемену, особенно же удивился староста, к которому, войдя в церковь и торжественно положив три земных поклона с осененьем себя широким, медлительным крестом, прежде всего подошел Морденко.

— Доброго утра, почтеннейший! С праздником! — обратился он к старосте, забывая, что теперь не время для таких приветствий и что благочестивые люди приветствуют друг друга не за обедней, а после нее. — Позвольте-ка мне четыре полтинных свечи, — продолжал он, — четыре полтинных: спасу и пречистой, празднику и всем святым.

Староста, удивленный столь необычно щедрой для известного скряги церковною жертвою, поглядел на него с изумлением, однако же ничего не промолвил и положил перед ним четыре большие свечи.

Морденко вынул трехрублевую бумажку и попросил сдачи медными:

— Нищую братью оделить желаю.

Пока староста набирал ему медяков, старик не утерпел, чтобы не попробовать на ладони вес четырех свечей: точно ли, мол, они полтинные?

Получил в сдаче целую грудку разнокалиберных медяков и опять-таки не утерпел: весьма тщательно пересчитал всю сумму.

— Почтеннейший, кажись, вы ошиблись на грошик... гроша не хватает.

Многолетняя привычная скаредность и тут-таки немножко просочилась.

— Нет, кажись, верно — позвольте перечту, — возразил староста и перечел. Действительно, его счет оказался верным. Морденко слегка сконфузился, улыбнулся и извинился тем, что ему так показалось: от старости глазами плох стал.

— Так вот, перешлите, как сказано, — продолжал он, с поклоном вручая старосте купленные свечи. — Да вот что еще, почтеннейший: попросите там кого-либо, чтобы заявили батюшке, что я желаю молебен петь... благодарственный молебен — так пускай уж они после обедни отпоют мне его.

— Что это вы так ныне... торжествуете? — с благодушно-самовитой улыбкой заметил ему бородатый староста, который, созерцая такое необычно странное явление, никак не мог воздержаться, чтобы хоть немножко не удовлетворить своей любознательности насчет метаморфозы старого скряги.

— Да, почтеннейший мой, да! Торжествую! — ответствовал Морденко с радостно-самодовольным дрожанием в голосе. — Торжествую! Потому что вседержитель справедлив... О, справедлив он... справедлив... Послал мне благое свое споспешение, на враги же победу и одоление послал!.. Слава долготерпению его, слава!..

И Морденко поспешно полез в задний карман сюртука за фуляровым платком и, отвернувшись, смахнул им выкатившуюся на глаза свои слезинку.

Затем отошел он к сторонке и, упав на колени, молился долго, бия себя в грудь и поматывая дрожащей головой.

Вересов видел его и всю предыдущую сцену, слышал почти все слова его, и захотелось ему уйти поскорее из церкви, чтобы не встретиться с ним больше — благо, пока еще старик не заметил его; но трудно было с теплой печкой расстаться, да и потом невзначай взглянул на молящуюся Машу, и почему-то невольно вдруг захотелось ему остаться подле нее, не отходить от нее, быть как можно дольше вместе с нею — нужды нет, что встретится с отцом! Что ж из этого? Пускай встречается! Пускай он видит да любуется, до чего сам же довел своего сына! «Да полно, сын ли я ему еще! — думает Вересов. — Неужели отец, родной отец мог бы быть таким к своему сыну? Неправда! Приемыш я ему — и только, а приемыша — что жалеть? Не кровь ведь!»

И он опять погрузился в свои невеселые думы, время от времени взглядывая на тихо плачущую девушку.

Отошла служба, отпели и заказанный Морденкой молебен. Немногочисленные молельщики вышли из церкви, пошел и Морденко за ними, но, проходя мимо печи, вдруг остановился, недоумелый и пораженный: он нечаянно столкнулся взорами со своим сыном — и в первое мгновенье как будто обожгла старика эта неожиданная встреча. Но тотчас же посуровело его желтое лицо, словно бы вдруг оно деревянным сделалось, и ни один мускул не дрогнул на нем, когда он с этим неподвижно осуровевшим лицом, по-видимому спокойно и твердо, прошел мимо сына, показывая вид, будто совсем и не замечает его.

Вересов выдержал на себе его стеклянный, холодный взгляд и, не потупя в землю взоров, без смущения, проводил ими старика до самого выхода.

Маша кончила свою молитву. Глаза ее были еще влажны, но грудь уже дышала спокойнее и легче. Несколько времени она оставалась в прежнем положении, бессильно опустя на колени сложенные руки и прислонясь головою к печи, как бы утомленная, в каком-то религиозно сладком забытьи; веяние молитвы не успело еще отлететь от нее.

Но вот она очнулась и огляделась вокруг: все пусто уже, никого нет — один только Вересов стоит рядом и смотрит... смотрит на нее такими грустными, тихими и добрыми глазами. Маша поднялась с пола, кротко улыбнулась ему и, прошептав: «До свиданья», тихо и спокойно удалилась из церкви.

Вересов хотел было что-то сказать ей, но почему-то замедлился смущенно и нерешительно, затем постоял еще с минутку в самом тупом раздумье и тоже пошел на улицу.

Куда? Неизвестно! Все по-старому, по-вчерашнему. Впереди предстоит еще целый день бесцельных шатаний по улицам, голода, холода, изнеможенья и отчаяния.

А день только еще начинается.

Таким образом судьба свела и на несколько часов сблизила и вновь развела, и вновь затеряла одно для другого эти два существа — жалкий и грустный плод самодовольно-сытого распутства этих высокорожденных князей Шадурских, которые, развратничая и подличая, под надежным прикрытием своих гербовых щитов, конечно, и не помышляют о том, что какому-нибудь *незаконному* их сыну Ивану Вересову придется когда-нибудь красть от голоду, а *незаконной* дочери, быть может, продавать себя, чтобы не околеть в холодной барке. Добродетельно жируя жизнью, некогда думать о таких ничтожных вещах, и тем более, что, раз швырнув сколько-нибудь денег какому ни попало воспитателю — лишь бы с рук долой! — эти отцы и матери остаются уже в полном убеждении, что они искупили свою маленькую шалость, что они правы перед этими *незаконными* детьми, что больше и требовать от них ничего нельзя, что эти дети могут даже и не знать, кто именно потрудился их на свет произвести, и что с ними ни случись потом в жизни — это уже не наше дело, а нам — нам можно вновь развратничать и делать подлости, соблюдая свой нежный родительский долг лишь по отношению к своим детям *законным* — прямым наследникам нашего герба, состояния и распутства.

X

УДАР НЕ ПО ЧЕСТИ, А ПО КАРМАНУ

Молодой князь Шадурский сбирался за границу якобы для излечения от опасных ран — поэтому, конечно, ему нужны были деньги.

Старый князь Шадурский проигрался у баронессы фон Деринг — поэтому ему безотлагательно нужны были деньги.

Княгиня Татьяна Львовна Шадурская обещала своему другу Карозичу заплатить один его маленький долг; княгиня во что бы то ни стало должна была исполнить свое обещание, под опасением иначе лишиться его дружбы, — поэтому ей точно так же, как мужу и сыну, необходимо нужны были деньги.

И ни у того, ни у другого, ни у третьей денег в наличности не было.

Единственная надежда — как и всегда в подобных случаях — оставалась на Хлебонасущенского. «У поповича есть деньги, — думал про себя каждый из трех членов сиятельного семейства, — он либо из своих даст, либо откуда-нибудь под вексель достанет».

Поэтому они уже дважды посылали за поповичем, но того все дома не было. Наконец вечером он явился, и явился с физиономией, хранившей солидно-важную опечаленность, словно бы обладатель ее сбирался известить о чьей-нибудь родственно-близкой кончине.

Он вошел своей кошачьей, мягкой походочкой, но вошел молча, без улыбочки, даже височков не приглаживая, и поклонился с выражением сдержанной, но глубокой огорченности.

— Наконец-то вы, мой милый, пришли! — воскликнула княгиня с родственно-дружественным упреком. Когда Шадурские чувствовали необходимость в Хлебонасущенском, а тем паче в деньгах, они всегда принимали с ним этот, по их мнению, «подкупающий» родственно-дружественный тон.

— Prenez place![1] — грациозным движением руки указал ему на кресло старый гамен, забывая, что Полиевкт по-французски не смыслит, и в то же время не забыл полюбоваться в зеркало, сквозь одноглазку, на свой пестрый галстучек и откидные воротнички à l'enfant[2].

— Ну, что почтамтские певчие? Что ваши рыженькие шведочки поделывают? — фамильярно приветствовал его молодой Шадурский, зная, что сии два предмета составляют сердечную слабость Хлебонасущенского и потому рассчитывая, в некотором роде, польстить ему своим вопросом. О шведочках же постоянно осведомлялся он еще и в качестве записного кавалериста.

Но Полиевкт Харлампиевич на все эти любезности отвечал только поклонами, отнюдь не изменяя сдержанно-огорченному и постному выражению своей физиономии.

«Чувствует, верно, старый плут, к чему клонится дело!» — подумала с досадой княгиня, однако же выразить свою досаду она почла неполитичным, а напротив того — изобразила самую приятную, самую приветливую улыбку и необыкновенно мягко предложила ему расположиться в кресле, поближе к ней, потому что надо потолковать о деле.

Но Хлебонасущенский и тут не внял ее сладкому призыву и в кресле не расположился, а ограничился тем, что подвинул несколько стул и сел на него самым почтительным образом, не прикасаясь даже к спинке.

Увы! Такое начало не могло предвещать сиятельному семейству никакого благоприятного исхода; поэтому всех троих незаметно, однако ж очень нехорошо, передернуло.

— Что угодно приказать вам? — безлично проговорил Хлебонасущенский, с сдержанным вздохом и взорами, до полу опущенными.

«Ну, уж верно, какую-нибудь каверзу подведет, каналья!» — помыслил молодой Шадурский, и все трое в один голос обратились к управляющему:

— Денег, милейший Полиевкт Харлампиевич! Денег надо! До-

---

[1] Садитесь! *(фр.)*.

[2] По образцу детских *(фр.)*.

бывайте денег нам! До зарезу нужно! Необходимо, голубчик! Крайне! Понимаете ли, крайне необходимо!

Хлебонасущенский паче того опостнил физиономию, и хотя бы слово в ответ! Только еще ниже потупил в землю свои взоры.

— Что ж вы молчите, милый вы наш? Выручайте! Вы знаете, мы ведь отдадим! — снова заговорили Шадурские.

Полиевкт немножко откашлялся и начал тихо, осторожно, внятно, словно бы какую лекцию или проповедь.

— Вашим сиятельствам небезызвестно, — начал он с новым вздохом, — что за последнее время наши дела сильно расстроились, за прошлый и за нынешний год мы должны были сделать несколько новых займов, доходы с имений очень и очень скудны при этом нынешнем переходном состоянии; опять же дело с этою госпожою... с Бероевой, тоже немало поглотило всяческих издержек — я даже из своих собственных, из последних денег принужден был расходоваться на него. Все это, конечно, известно вашим сиятельствам.

При имени Бероевой молодой Шадурский старался неопределенно смотреть куда-то в сторону, а княгиня очень усердно, однако не без грации, расправляла кончиками изящных пальцев пушистую ангорскую бахрому своей легкой накидки, причем взоры ее были вполне поглощены этим занятием. И мать, и сын при напоминании им этого имени и этого дела как будто невольно чувствовали какое-то неопределенное смущение: им было не совсем-то ловко. Один только гамен безмятежно поигрывал своим стеклышком, любуясь на лакированный носок своей прекрасной ботинки, да Полиевкт Хлебонасущенский сохранял вполне невозмутимую степенность, словно бы ни на волос не чувствовал за собою ничего такого, что бы могло шевельнуть или поскребсти его совесть.

— Так вот-с, изволите ли видеть, — продолжал он с неизменным при начале вздохом, — в приходе состоит у нас очень мало, почти сущая ничтожность, тогда как расходы за последние два года становятся все пуще и пуще, даже с каждым почти месяцем все возвышаются. Мы никогда не тратили так много, как в это время. Имения-с и дом, как известно вашим сиятельствам, давным-давно заложены и перезаложены. Стало быть, что же-с? Мы ведь кое-как, слава создателю, перебивались еще старым кредитом, ныне же, к несчастью, наш кредит... Сколь мне ни прискорбно, я должен объявить это... Я не смею утаить от ваших сиятельств!.. Ныне кредит наш лопнул... то есть так-таки совсем, как быть надо, лопнул-с!

Хлебонасущенский сокрушенно вздохнул, воздел очи горé, сложил свои руки и пощелкал пальцем о палец.

Шадурские сидели как громом пораженные, не вымолвя ни слова, и только пожирали его своими тревожно-недоумевающими взорами. Даже гамен забыл свое стеклышко и лакированный кончик ботинки.

— А теперь, еще на днях, нам нужно в опекунский совет вносить, и нам нечем внести — буквально: *нечем-с!* — с ударением вздохнул Полиевкт, пожав плечами и выразительно шевельнув свои брови.

— Кредиту нет?! Как! Помилуйте! Да что же *вы*-то думали? Чего же вы-то ждали? Это ваша забота! —накинулись на него все трое Шадурских. — Кредиту нет! Как нет? Почему нет? Да где же он? Ведь был же кредит! Был же он! Что ж это значит? Это вы, *вы* виноваты! Это все ваши упущения, ваша нерадивость! Так-то вы нас любите! Так-то вы нам преданы!

Хлебонасущенский со смирением выдержал этот напор семейной бури и, дав ему поуспокоиться, изобразил на лице своем самую горькую усмешку, с оттенком мученически-христианского всепрощения.

— Не думал я, — начал он растроганным голосом, — да-с!.. не думал я, чтобы за всю мою усердно-верную и многолетнюю службу мог удостоиться от ваших сиятельств, от обожаемого мною семейства столь несправедливых, незаслуженных укоров!.. Я — христианин, сердце мое чисто перед Господом: Господь зрит вся моя внутренняя (Хлебонасущенский, говоря это, был торжественно-чувствителен и растроганно-огорчен), Господь — судия неумытный! *Я* виноват?.. *Мои* упущения?.. *Моя* нерадивость? *Я* ваш кредит подорвал? Да ведь у меня самого кровных моих денег до осьми тысяч состоит за вашим семейством-с! И я никакого документа, никакого формального обеспечения не имею! Ну, так статочное ли дело, как будучи в существовании своем зависим от вашего благосостояния, статочное ли, говорю, дело, чтобы я сам стал не радеть, упущения делать и тем паче подрывать кредит ваш? Вы теряете — значит, и я теряю, судьба наша общая-с! Нет, ваше сиятельство!.. Нет! — заключил он с особенной силой выражения. — Не ждал я, истинно могу сказать, не ждал я от вас, при старости лет моих, такого укора! Это меня сильно-с огорчает!.. Это... это благодарность за всю мою службу!

И Хлебонасущенский, отвернувшись в сторону, как бы от преизбытка чувств своих нервно вынул платок и поднес его к лицу — может быть, для того, чтобы отереть набежавшую слезу, а может, и просто, чтобы смахнуть остаток табачной понюшки с кончика своего носа.

— Но позвольте! — энергически вмешалась Татьяна Львовна, смыслившая более мужа и сына в своих семейно-финансовых делах. — Вы не виноваты? Так кто же виноват? Отчего вы заранее не предупредили нас, что все это так плохо? Мы бы могли поостеречься, принять свои меры, ну, наконец... наконец даже сократить свои расходы, уехать отсюда! Зачем же вы молчали?

Полиевкт неторопливо поднялся с места с таким видом, который изобличал в нем намерение поразить сиятельное семейство самым неожиданным, но вместе с тем самым сильным и неотразимым ударом. Он чувствовал свою силу, сознавал, что останется прав, и как будто нарочно приберегал к концу этот милый сюрпризец.

— Я молчал! — укоризненно закивал он головою с тою же горькой усмешкой в лице и голосе. — Я молчал!.. Нет-с, ваше сиятельство! Не угодно ли будет вспомнить вам, что еще два года тому назад, по приезде вашем из-за границы, я предупреждал вас! Я предупреждал, что Морденко скупает понемногу векселя их сиятельства князя Дмитрия Платоновича, одновременно с тем-с также скупает и документы князя Владимира Дмитриевича, а равно и ваши-с, ваше сиятельство! Я тогда же имел честь доложить об этом.

— Ну так что же! — с неудовольствием вмешался старый гамен. — Ведь я вас посылал тогда к этому Морденке! Вы какой ответ привезли мне? Вы сказали, что он нарочно, из чувства признательности, скупает мои векселя, помня добро мое. Что он не хочет, чтобы меня тревожили мои кредиторы! Так или нет?

— Так-с, ваше сиятельство! Все это совершенно справедливо, но вспомните также и то, что я тогда же предупреждал вас: «Эй, не доверяйтесь, ваше сиятельство! Обманывает! Тенета плетет!» Что, не говорил я вам тогда этого? Не говорил? А вы мне что отвечали на это: «Это, мол, братец, не твоего ума дело; у нас, мол, точно есть старые счеты, и я, мол, очень признателен, что он чувствует это». Вот она и вышла — его признательность. Правда и то, что Морденко целые два года после этого не тревожил ваших сиятельств, однако же векселя-то все-таки продолжал скупать себе потихоньку да исподволь... А я что делал? А я нет-нет да время от времени и напоминаю об этом вашему сиятельству, как только дойдут до меня какие бы то ни было, хоть самые пустячные слухи: «Так и так, мол, ваше сиятельство, не вышло бы из этого какой опасности!» Стало быть, что же-с! Я предупреждал! Я бдил! Я провидел! А вы что мне изволили каждый раз отвечать на это? Потрудитесь-ка вспомнить теперь, ваше сиятельство! Вы мне отвечали, что я этого не понимаю, что Морденко скупает векселя, однако же не тревожит, — стало быть, он чувствует свою вину какую-то (какую — о том я неизвестен), стало быть, он хочет загладить ее, исправить свое поведение! Я очень сожалею, что вы, наперекор мне, могли быть так доверчивы. Ваша бдительность была усыплена его коварственной бездейственностью в течение двух лет. Но я все-таки вам напоминал, и неоднократно напоминал, — только голос мой не был принят в должное внимание, а теперича, выходит, я один виноват во всем! Где же справедливость, ваше сиятельство, где же справедливость-то?!

Шадурские дали кончить Полиевкту его продолжительный и столь патетический монолог, и только тогда, когда он выложил перед ними все свои доводы, княгиня Татьяна Львовна решилась предложить ему вопрос о том, какой смысл и значение имеют слова его о Морденке, при чем тут этот Морденко и какую роль играет он во всем этом?

— Морденко-с? А вот какую роль! — не торопясь, но многозначительно ответствовал управляющий. — Морденко исподволь скупал векселя их сиятельств, князя Дмитрия Платоновича. Скупал он их исподволь, незаметно, в течение нескольких лет-с; и так как по обременительности для нас многозначительных долгов наших кредит наш давненько-таки начал уж падать, и чем дальше, тем все больше, то у многих кредиторов, конечно, явилось сомнение в возможности получить сполна всю сумму. Ну-с, а при сем вам, конечно, известно и то, что зачастую, занимая наличными деньгами примерно тысячу рублей, документы выдавались на две и даже, случалось, на три тысячи, когда нужда в деньгах бывала такая, что вот тут ты их сейчас вынь да и положи. Стало быть, что же-с? На все на это была не моя, а опять-таки ваша собственная воля-с, и не мое личное это достояние. Я только и мог советовать и представлять свои резоны, которые не всегда бывали приняты во внимание. И, стало быть, что же я-то теперича при всем при этом-с? Извольте вы сами рассудить, по всей строжайшей справедливости! Морденко же, между прочим, воспользовался ослаблением нашего кредита и скупал по ничтожной цене, особенно же вот — опрометчивые вексельки-то, где за тысячу иной раз мы по три писали, а потом, со временем, и того еще дешевле они ему доставались, потому заимодавцы, видя такое ослабление кредита ваших сиятельств, радехоньки бывали рубль за полтину сбывать. Он этим и пользовался: где полтину, а где и по двадцати копеек за рубль платил, так что, во-первых, документы наши доставались ему исподволь, не делая ущерба его капиталу, а во-вторых, почти за ничтожную сумму, и он, стало быть, нисколько не в накладе. Я вам всегда говорил: «Опасайтесь, ваше сиятельство, этого Морденку!»

— Ну и что же из этого следует? Что вы так распространяетесь? К чему ведете это все? Скорее к делу! — нетерпеливо и досадливо перебили его Шадурские — мать и сын.

— Дело не замедлит-с, — спокойно возразил Хлебонасущенский, — к делу-то я это и веду-с! Изволите ли видеть, ваше сиятельство, дело в том, что Морденко в общей сложности скупил наших документов на сто двадцать пять тысяч серебром, а это, при существующем казенном долге да при остальных наших долгах, положительно превышает стоимость нашего имущества. Если бы могли еще уплатить теперь хотя казенные проценты в опекунский совет, то как-нибудь можно бы было проволочить дело, но теперь — все, решительно все уже лопнуло!

— Ну так что ж, что скупил! — спокойно заметил слабый на сообразительность гамен. — Ведь он не желает теснить меня! О чем же вы, почтеннейший, так много беспокоитесь? Умерьтесь, говорю вам: les affaires ne sont pas encore si mal, comme vous croyez[1].

Хлебонасущенский поглядел на него с грустной и даже презрительно-сострадающей улыбкой.

— «Не желает»! Ваше сиятельство так-таки и полагаете, что «не желает»? Ну-с, я вам скажу, что каждый почти из купленных векселей был уже предварительно протестован прежним владельцем, а ныне Морденко — нежелающий-то ваш — представил их в совокупности ко взысканию!.. На сто двадцать пять тысяч рублей серебром-с! Вот оно и «не желает»!

Известие это имело действие бомбы, внезапно упавшей сквозь потолок: княгиня так и окаменела на месте, князь-гамен, вскидывающий в это самое мгновение свое стеклышко, так и застыл с ним на полпути к своему глазу, а князь-кавалерист как ошпаренный вскочил с кресла и неподвижно глядел на Хлебонасущенского.

Удар по карману для сиятельного семейства был даже гораздо чувствительнее ударов по фамильной чести.

Один только Полиевкт оставался в эту минуту грустно-торжественно-спокоен и созерцал каким-то расслабленным взором попеременно каждого из трех своих собеседников. И он мог быть спокоен, он имел полное право вкушать блаженное безмятежие, ибо его собственный капиталец, тысченок до ста, сколоченный более чем за двадцать лет почти бесконтрольного управления делами Шадурских, был цел и хранился в надежных государственных учреждениях, а если и терял он теперь за Шадурскими тысяч до осьми, то все-таки, сравнительно, это была незначительная лепта, на которую вдовица Хлебонасущенский мог, пожалуй, и рукою махнуть — у него оставался очень да и очень кругленький капиталец для того, чтобы отойти на полный покой, жить барином в свое удовольствие и даже, для отдания общественного долга, быть членом «благородного собрания».

— Что ж это теперь!.. Тюрьма?.. Разорение?.. Боже мой! — проговорила наконец княгиня, подавленная своим ужасом.

— Воля судеб, ваше сиятельство, воля судеб-с! — сокрушенно пожал плечами Хлебонасущенский. — Что ж делать! Наг родился, наг и в землю отыдешь. Смирение — вот совет, который предлагает премудрый!

— Убирайтесь вы к черту с вашим премудрым! — запальчиво закричал князь Владимир, с ожесточением принимаясь шагать по комнате.

Полиевкт проводил его глазами с выражением некоторого изумления, но спокойствию своему не изменил нимало.

— Вы люди молодые-с, ваше сиятельство, — скромно заметил он на эту запальчивую выходку, — вам одно приличествует, энер-

---

[1] Дела еще не так плохи, как вы думаете *(фр.)*.

гия эта, а мы, убежденные опытом, так сказать, — мы это понимаем глубже-с!

— Что ж теперь будет, мой милый? — хлопая глазами, спросил его старец.

— Кроме неблагоприятностей, ничего хорошего быть не может, ваше сиятельство!.. Ничего хорошего!.. За нами есть еще кой-какие порядочные документишки, кроме Морденки, и в других посторонних руках. Эти же кредиторы, как только проведают, что подано ко взысканию, поторопятся сделать то же самое. На недвижимость казна секвестр наложит, а движимость с молотка пойдет, так что мы, значит, и самого дома этого, фамильного достояния предков своих, должны будем лишиться!

Хлебонасущенский говорил все это грустно-сокрушенным тоном, и говорил не иначе как в первом лице: *мы* и *наше*, дабы изъявить перед злополучным семейством всю близость их горя к его собственному сердцу, дабы показать им, что их радости были когда-то и его радостями, а ныне их невзгода есть и его невзгода, при коей он сам, на старости лет, точно так же лишается всех средств к существованию.

— Но я спокоен!.. Я спокоен! — со смиренным достоинством вздохнул он через минуту. — Я мужественно подставляю выю своей судьбе: рази меня! Я спокоен! Я приму удар!

— Черт возьми! Он спокоен! — горячился молодой Шадурский, забыв всякую меру и приличие. — Он спокоен!.. Я думаю, можно быть спокойным, двадцать лет набивая свои карманы!

— Voldemar, au nom du ciel, tais-toi![1]— подняла на него княгиня свои молящие взоры.

— Оскорбление ваше не могу почесть для себя таковым! — заметил ему Полиевкт Харлампиевич с великим достоинством, хотя сам побагровел от гнева. — Вседержитель зрит мое сердце! Но дабы не подвергнуться еще какой-либо подобной вспышке, я удаляюсь!

И Хлебонасущенский, холодно и сухо поклонившись общим поклоном, с достоинством вышел из комнаты, несмотря на то, что княгиня со старым гаменом кричали ему вдогонку:

— Полиевкт Харлампиевич, куда вы? Мой милый! Останьтесь! Полноте!

Но «милый» не заблагорассудил вернуться. При настоящем обороте дел он безнаказанно мог и личное достоинство свое проявить перед теми, которые заставляли его столько лет выносить всяческие щелчки, и мелкого, и крупного свойства, беспрепятственно наносимые его самолюбию и благоразумно им терпимые ради бренных выгод, которых, по-видимому, впредь уже не предстояло: стало быть, теперь и поломаться можно было во всю свою волю.

---

[1] Владимир, ради Бога, молчи! *(фр.)*

— Что ты наделал! Что ты наделал! Ну можно ли это! Ведь он нам нужен еще! — с досадой укорила княгиня своего сына, который в ответ ей только рукой нетерпеливо махнул и продолжал ходить по комнате.

Гамен глубоко погрузился в свое кресло и сидел как-то желчно задумавшись. Казалось, этот нежданный удар по карману пробудил в нем нечто похожее на серьезное сознание, на какую-то тревожно-желчную мысль.

Княгиня, чувствовавшая внутреннюю потребность сорвать — сорвать на ком-нибудь — хотя часть своей горечи и накипевшей досады, с нескрываемой ненавистью и презрением оглядела своего жалкого гамена.

— Вот до чего вы довели нас с вашей безумной расточительностью! — заговорила она к нему, с дрожанием истерических слез в напряженном голосе.

Гамен, не без основания, удивленно взглянул на нее сквозь свою одноглазку.

— Да! Да! — с силой продолжала взволнованная княгиня. — Вашей беспечности, вашей расточительности мы должны быть обязаны тем, что остаемся теперь нищими! Вы испортили всю карьеру вашего сына! Вы один причиной этому! Что вы смотрите на меня? Что вы молчите, достойный отец?!

— Ну, в этом, пожалуй, и мы с вами помогали! — буркнул сквозь зубы молодой Шадурский, в то время как старый не спускал лорнета со своей супруги.

Княгиня вздрогнула, словно ужаленная, вскинув глаза на своего сына; однако предпочла оставить без возражения его малоцеремонное замечание и снова, еще с пущим раздражением, обратилась к злосчастному гамену:

— Да! Вы один всему причиной! Вы помните, как вы поступили с Морденкой! Не будь той сцены — ничего бы этого не было!

Татьяна Львовна, подавленная своею новою невзгодою, под ее горячим и ужасающим впечатлением, неблагоразумно дошла даже до некоторого цинизма своих воспоминаний — тех воспоминаний, которые всю жизнь она тщательно старалась забыть, заглушить в глубине своего сердца. В эту минуту в намеке, понятном только ее мужу, невольно прорвалась у ней, сквозь кору светской и очень сдержанной женщины, ее непосредственная, неподкрашенная натура.

Гамену показалось оно уже слишком. Он поднялся с кресел и остановился перед супругой.

— Так, по-вашему, я должен был молчать! Я должен был терпеть весь скандал вашей связи! Нет-с, покорно благодарю! — Он коротко поклонился. — В этом не меня, а себя вините! Все это — достойный плод вашего поведения!

Молодой князек, шагавший доселе из угла в угол, вдруг обернулся на полпути, по направлению к своим родителям, остановился на месте и чутко насторожил уши.

Родители мгновенно прикусили язычки. Они спохватились, что зашли уже слишком далеко в обоюдных укоризненных воспоминаниях, так что даже не обратили внимания на присутствие третьего лица; они ясно увидели, что вконец забылись, теперь под влиянием горечи и злобы, причиненной им неожиданным ударом по карману. Но... неблагоразумный шаг в присутствии сына был уже сделан и поправить его не оставалось никакой возможности.

Оба разом осеклись и очень сконфузились.

— Как! Так тут еще есть и таинственный роман какой-то! — прищурясь на них, протянул молодой Шадурский, которому с самого раннего детства не особенно было знакомо уважение к отцу и матери и который с того же самого возраста очень хорошо видел и понимал разные посторонне-интимные отношения батюшки и матушки. А в данную минуту, под влиянием досады и озлобления, чувство приличной деликатности было слишком бессильно, чтобы удержать его от этого откровенно цинического замечания.

Княгиня побагровела и потупилась низко-низко, не смея поднять глаза на сына. Внутри у нее все кипело; истерические слезы готовы были хлынуть из глаз. Гамен тоже пребывал в глубоком молчании и, растерянный, как мокрая курица, кося куда-то в сторону, болтал, по обыкновению, своей ногой и стеклышком.

— Вот, однако, новость!.. А я этого и не подозревал! — с преднамеренным хладнокровием продолжал меж тем юный Шадурский: он тоже, кажись, был рад ухватиться за этот кончик, чтобы сорвать на ком-нибудь и свою собственную злобу, благо — подходящий случай наклевывается.

— Уйди вон отсюда! Тебе не место здесь! — строго возвысила к нему голос княгиня, не подняв, однако, своих взоров. С каждым мгновением она терялась и раздражалась все более. Эта выработанная, аристократически приличная сдержанность совсем уже готова была покинуть ее в столь экстраординарную минуту.

— Ха!.. — нагло усмехнулся ей князь Владимир. — Да вы, я вижу, принимаете меня за младенца невинного? Жаль: немножко поздно!

— Я тебе говорю, уйди отсюда! — усилилась проговорить ему княгиня надсаженным гортанным звуком от слез, подступивших к горлу и уже готовых хлынуть. Она чувствовала, что ее волнение и злоба еще через минуту подобной пытки перейдут уже в чистое бешенство.

— Нет, зачем же? Я могу и здесь остаться! — спокойно возразил сынок, играя с матушкой, словно кошка с мышкой. — Ведь мы, если не ошибаюсь, сводим теперь семейные итоги? Почему же и старый счет не вспомнить?

Татьяна Львовна с нервной стремительностью вскочила с места

и, вся вне себя, раздраженно бросила в гамена свой скомканный носовой платок, а гамен в эту минуту все еще болтал ногою и стеклышком. К сыну почему-то княгиня не дерзнула отнестись с подобной демонстрацией, вместе с которой, не скрывая уже всей глубины самого пренебрежительного презрения и нервного бешенства, она проговорила мужу:

— Oh! Vieux bonnet![1] — и, с рыданием, быстро исчезла из комнаты.

Платок попал по назначению и скатился на болтающуюся ногу гамена, которого сей неожиданный пассаж привел в немалое изумление и злобственно вывел из терпения. Гамен почувствовал себя оскорбленным.

— Oh! Sapristi!..[2] Это... это уж слишком! — взволнованно сошвырнул он с ноги платок княгини и, раздраженным петушком, руки в карманы, встал и прошелся по комнате.

Князю Владимиру вся эта сцена, по-видимому, доставила злорадное удовольствие.

— Что, досталось? — оскалившись, поддразнил он своего батюшку. — Хлебонасущенский говорит, что какой-то премудрый смиренно учит...

Гамен молчал, продолжая взволнованно мерить шагами пространство комнаты.

— Так какой же это роман? Расскажите-ка! — злорадно подстрекал его меж тем князь Владимир.

— Роман? — остановился тот перед сыном. И в глазах его засверкало чувство оскорбления и злости к своей отсутствующей супруге. Это чувство в данную минуту пересиливало все остальные и заставило умолкнуть ту малую долю сообразительности и рассудка, которую оставила ему судьба на старость.

— Ты хочешь знать роман твоей матушки? — повторил он с возрастающим раздражением. — Изволь, отчего же! Она была любовницей Морденки, а может быть, и братец твой где-нибудь щеголяет по свету, если только жив! Вот тебе роман! Что, нравится?

И с этими словами старик вышел из комнаты, громко хлопнув за собою дверью.

Князь Владимир остался один.

Порыв злобно-цинической насмешливости, охвативший его за минуту до этого, исчез с уходом отца. Злобы своей нимало не утолил он, несмотря на то, что рад был сорвать ее вначале на ком бы то ни было. И хотя ни любви, ни уважения давным-давно уже не питал он к этому отцу и к этой матери — не потому, что считал их недостойными такого чувства — это было бы уж чересчур высоко для князя Владимира, — а просто потому, что не случилось его

---

[1] О! Старый колпак! *(фр.)*

[2] О! Проклятье! *(фр.)*

как-то с самого раннего детства; хотя знал он и ведал все их шаловливые и мало пристойные старости делишки, однако маленькие детали той истории с Морденкой, о которой сперва не то что узнал он, но мог только догадываться из неосторожного намека, сделанного гаменом своей жене, произвели на него вдруг какое-то скверное впечатление. Ему стало скверно даже и от того тона, каким гамен передал эти детали. Он понуро сидел теперь верхом на мягком стуле, облокотясь на его спинку, и с мрачной озлобленностью беспощадно грыз свои образцово-прекрасные ногти. А если уж до ногтей коснулось, до тех самых ногтей, которые так рачительно воспитывал и холил князь Шадурский, стало быть, дело выходило уж очень и очень плохо. Забытые ногти были принесены в жертву ощущению мрачной, но бессильной злобы, при одной ужасающей мысли о том, что ему предстоит разорение, что через какой-нибудь месяц, много два, он останется круглым нищим, без средств к самому скромному существованию, с коим никак бы не мог примириться, без возможности продолжать карьеру в свете и в одном из самых лучших, самых блестящих полков. За границу удрать нельзя: не выпустят, если уж векселя представлены. Придется выйти в отставку, а выйдешь в отставку — стало быть, в долговую тюрьму посадят.

— Срам... нищета... позор! — скрипел зубами Шадурский, тогда как ногти его так и щелкали под этими зубами. — Придется удрать... Но куда удерешь?.. В армию перейти бы, что ли?.. Да чем жить-то станешь?.. Жениться?.. На содержание идти к какой-нибудь старухе или купчихе?.. Это бы можно, да не подыщешь сразу, а тут тебя пока до содержания — в грязи затопчут, в долговой тюрьме сгноят... О, проклятые! Из-за их подлых романов я, только я *один* терпеть должен!.. За что? за что же? я-то чем виноват тут?.. Им — другое дело! Им — поделом! Не вяжись с хамами! Не развратничай! Но я-то! я-то при чем же тут?!.

Последние мысли у князя Владимира относились непосредственно к батюшке с матушкой, и он при этом совершенно искренно склонен был думать, что всему злу они одни только причиной, а он — неповинная жертва. Свой собственный разврат и личная мерзость даже и в голову не могли прийти юному князю: он их не только не сознавал разумно, но даже не чувствовал; причем жизнь, подобная той, какую он вел почти с четырнадцатилетнего возраста, почиталась им явлением вполне законным, необходимым и самым естественным, потому — *все* так живут, потому — нельзя иначе. Они — родители — должны были позаботиться о нем, о своем сыне, если уж им заблагорассудилось произвести его на свет: они не должны были мотать и развратничать до последней минуты, чтобы доставить ему полные средства жить прилично. Не испорть они своего состояния, своего кредита — ему было бы хорошо, а теперь он — жертва! Невольная, неповинная жертва! И князь Владимир не скупился на грызку ногтей и самые энергические пожелания гамену с отживающей ex[1]-красавицей.

— Что же, однако, делать? Что делать мне? — тщетно ломал и ерошил он свою бессильную голову. — Одно остается только — пулю в лоб!

Но последняя мысль пришла ему так себе, с ветру, совершенно внешним образом, отнюдь не вызванная настоятельной, нравственной необходимостью, и поэтому он выразил ее только так, что называется, с плеча, более для одной красивой фразы. В действительности же мелочно жизнелюбивый князь Владимир совершенно не был способен на самоубийство: силенки и твердости не хватало.

И таким образом долго еще сидел он, погруженный в безотрадные думы, вотще негодуя на обстоятельства, столь нежданно и вместе с тем столь решительно хлопнувшие по карману все это блестящее и почтенное семейство.

XI

КНЯГИНЯ ИЗЫСКИВАЕТ СРЕДСТВА

Все члены этого семейства уединились — потому что тошно им было вместе: каждый, в свою очередь, служил явным и живым упреком двум остальным, и кто был, в самом деле, виноват из них, кто был лучше — решить весьма затруднительно и даже невозможно, так что остается только сказать одно: все трое были лучше.

Княгиня с истерическим рыданием убежала в свою спальню и заперлась. Она бросилась на подушку и вырыдала первые порывы злобы и скоропостижного горя. Затем... Затем она нашла, что время уж и успокоиться, приняла двадцать лавровишневых капель, поглядела в зеркало и, конечно, не могла не сознаться, что истерический припадок смял ее прическу и испортил тонкий слой изящных белил с румянами. Но в эту критическую минуту некогда было думать о красоте своей физиономии. Для княгини предстояла теперь более настоятельная дума о том, каким образом вывернуться из безвыходного положения, и надо отдать справедливость: из всех членов этого семейства она одна только обладала тою практическою энергичностью, которая в самых запутанных и тяжелых обстоятельствах жизни не совсем-то падает духом и до последней минуты старается искать себе выхода. Словом сказать, княгиня Татьяна Львовна была и энергичнее да, пожалуй, и гораздо умнее своего сына и супруга, сложенных вместе.

Долго ходила она быстрой, беспокойной походкой по своей комнате, в то самое время как гамен и кавалерист, окончательно

---

[1] Бывшей *(фр.)*.

обессиленные и павшие духом, предавались тщетному и безвыходному унынию в разных углах своего дома. Наконец Татьяна Львовна взглянула на часы — было около половины девятого — и, выйдя из своего добровольного заточения, приказала позвать к себе Хлебонасущенского.

Полиевкт, к удивлению ее, сказался больным и не пожаловал.

— Oh, quelle canaille![1]— с ожесточением воскликнула княгиня. Однако же, невзирая на это вырвавшееся от чистого сердца восклицание, села к письменному столику и написала прелюбезнейшую записку к своему милому и родному Полиевкту Харлампиевичу, прося его немедленно прийти к ней — лично к ней одной, для необходимых переговоров о деле, с глазу на глаз, без присутствия какого бы то ни было третьего лица.

Записка, хочешь не хочешь, просила слишком мягко и убедительно. Полиевкт поморщился, почесал в затылке, чертыхнулся порядком, однако же, нечего делать, натянул свой синий фрак и спустился к матушке-княгине.

— Что угодно приказать вашему сиятельству? — в холодно-почтительном согбении остановился он в дверях.

— Ах, друг мой, родной вы мой!.. Полноте! Вы все еще сердитесь? Простите, забудьте! Этот негодный сорванец и меня оскорбил — хуже, клянусь вам, хуже даже, чем вас оскорбил! — обратилась к нему княгиня, по-видимому, с самым дружественным порывом, введя его под руку (чего никогда еще не случалось) в свою комнату и усадив подле себя на диване.

— Я послала за вами. Мне более не к кому обратиться! — продолжала она с грустным энтузиазмом. — Вы всегда были самым близким другом нашего дома, мы вас так любим, и вы ведь всегда же находили средства выручать нас в... трудные минуты! Дорогой вы мой! Придумайте что-нибудь! Пожалейте вы хоть *меня* — ведь тут *все* убивается: имя, честь, состояние! Боже мой!.. Я не перенесу такого удара!.. Это страшно, страшно!.. Выручайте нас!

Хлебонасущенский в ответ на ее порыв только плечами пожал.

— Что ж я могу, ваше сиятельство? Я слаб и ничтожен! — пробормотал он с грустным смиренномудрием. — Капиталов — видит создатель мой — не имею никаких, если и есть пустячная тысчонка-другая, то ведь это капля в море! Каплею же пламени не утушишь. А лучше уж, я так полагаю, приберечь ее на черный день, дабы хотя капля могла утолить жажду в пустыне. Когда уже все погибнет, то я, памятуя все милости ваши, охотно поделюсь тогда своей каплей с вашим сиятельством.

Хлебонасущенский нарочно поспешал размазывать эти сладостные речи, в том чаянии, чтобы предупредить княгиню, если бы

---

[1] О, какой негодяй! *(фр.)*

она вздумала попросить у него взаймы, и чтобы в выставленных ей соображениях относительно малой капли иметь достаточный повод к благоприличному отказу.

— Э, Боже мой, да ведь я не о том! — перебила княгиня. — Благодарю вас, мой родной, но ведь я вовсе не о том прошу вас. Вы найдите мне средства задержать как-нибудь иск этого Морденки — вот о чем прошу я!

— А как его задержишь, ваше сиятельство? Альпийская лавина или какая-нибудь Ниагара там, что ли, неудержимы, и один только зиждитель может удержать их. Но что же слабый человек-то может в этом случае?

Княгине так и хотелось выгнать от себя эту великую дрянь — она ненавидела и презирала его в эту минуту, презирала в тысячу раз более обыкновенного и... все-таки поневоле изображала на лице своем самую дружественную, даже родственно-любящую улыбку.

— Вы виделись уже с этим негодяем? — спросила она.

— С которым-с это? — недоумевая, сдвинул набочок свою голову Хлебонасущенский.

— Ну, с этим... как его?.. С Морденкой!

— Нет-с еще, не успел. Я только нынешним утром получил форменное извещение о его иске. Все это так внезапно произошло, никто и не ожидал, а я тем паче. Да-с, только нынешним утром, и все не решался доложить вашим сиятельствам: духу не хватало, потому — удар-с ведь это, очень чувствительный и неотразимый удар-с!

— Вот что, я думаю, надо нам сделать! — нашлась княгиня после двухминутного молчаливого размышления. — Поезжайте вы к этому Морденке, упросите его повременить хоть на неделю. Когда срок опекунскому совету?

— Да через восемь деньков-с, ваше сиятельство, недалеко-с!

— Через восемь? Ну это я успею обделать еще! Я достану! Во что бы то ни стало, а достану — брильянты, картины, бронзу, фарфор заложу, все заложу, а достану! Проценты внесем! — энергически рассуждала княгиня. — Только вы-то, Бога ради, поезжайте! Употребите все ваше красноречие, весь ум, только пусть он согласится обождать одну неделю, а вы ведь там со всеми этими чиновниками знакомы, они для вас сделают, приостановят иск. Ну в крайнем случае даже дайте им что-нибудь, я отдам вам потом.

— Все оно так-с, ваше сиятельство, да только что же из того выйдет благоприятного-с? — уклончиво возразил управляющий.

— Ах, Боже мой! Как что?! — нетерпеливо поднялась княгиня. — Лишь бы казенные проценты были уплачены, а там я найду случай, я поеду, буду просить, к генерал-губернатору поеду, к шефу жандармов поеду, у меня связи есть. Неужели уж и для меня-то не сделают? Для кого же и делать после этого?! Я... наконец... наконец, я даже выше пойду!

Хлебонасущенский с унылым вздохом сомнительно покачал головою.

— Тщетная надежда, ваше сиятельство! Мечтание-с!.. Одно только мечтание-с праздное, и больше ничего-с! Ни шефы-с, ни губернаторы-с тут не вступятся: потому — дело оно чистое-с.

— Но, Бог мой! если я вас прошу! Неужели и этого вы для меня не сделаете! Поезжайте, умоляю вас!

И княгиня с крепким, убедительным пожатием грациозно протянула ему обе руки — честь, которую от нее впервые в своей жизни дождался Хлебонасущенский.

— Хорошо-с, я, пожалуй, съезжу завтра поутру, — согласился он.

— Не завтра! Нет, сегодня! — стремительно перебила Татьяна Львовна, не отнимая своих рук. — Сейчас же, сию минуту поезжайте и упросите его.

— Извольте-с, готов, памятуя все ваше добро ко мне и все расположение, но... если не согласится, тогда что? — усомнился скептический Полиевкт.

— Не согласится?

Княгиня серьезно и решительно задумалась.

— Не согласится... тогда... что же тогда?.. Тогда мы самого князя пошлем! — воскликнула она, озаренная новою мыслью. — Я уговорю, я заставлю его, он завтра же сам поедет! Он должен это сделать! Он лично будет просить его!.. Можете даже, в случае надобности, сами предложить ему свидание с князем. А теперь, друг мой, поезжайте, поезжайте, не теряя ни одной минуты, и привезите ответ! Как бы ни было поздно — я буду ждать. Господь благослови вас! До свиданья!

И княгиня до порога своей половины лично проводила Хлебонасущенского — особая честь, точно так же невиданная им в этом доме до нынешнего дня.

Полиевкт Харлампиевич более чем когда-либо чувствовал теперь свою силу и торжествовал, сознавая, что эта гордая и кровная барыня в минуту нужды так подленько пресмыкается перед ним, кровным семинарским плебеем.

А кровная барыня, проклиная меж тем в душе своего управляющего, и именно проклиная-то не за что иное, как за это же самое пресмыканье свое, за то, что он своим упрямством дерзнул довести ее до такого лицемерного унижения, тогда как она привыкла только приказывать ему в виде вежливой просьбы, воротилась в свою спальню и, пройдя оттуда в известную уже читателю изящную молельню, горячо стала молиться с коленопреклонением и земными поклонами об успешном окончании миссии раба Божьего Полиевкта.

XII
МОРДЕНКО ОЧНУЛСЯ

Покушение Гречки на жизнь Морденки произвело на старика самое решительное влияние. «А что, если вдруг не сегодня-завтра тебя из-за угла хватят, пришибут, как собаку? — подумал он в ужасе, когда остался один, после ареста Гречки и Вересова, произведенного в его собственной квартире. — Раз не удалось — в другой ворвутся, сюда же ворвутся и укокошат!.. Да и кроме того старость, слабость, хворость, того гляди и сам умрешь... Пошлет Бог по душу, а ты с чем предстанешь пред судию-то? С чем, окаянный?.. Со слезами да с проклятиями людскими!.. А зачем они тебе? Что судие-то скажешь, какой ответ дашь?.. Да, да, помрешь, пожалуй, и не успеешь... не успеешь выполнить того, что задумал... Все усилия прахом пойдут, и враг мой не унижен будет, в довольстве останется. Нет, брат, не дам я тебе довольства!.. Теперь пожалуй что и пора. Пора!.. Скорее, надо работать это дело... низложить его... Скорее, а то умрешь... умрешь и не кончишь!.. Не кончишь! А из-за чего же ты всю жизнь свою бился! Зачем унижение принимал, отказывал себе в пище, в тепле, во всем отказывал — зачем? Из-за чего ты нищенствовал, скредничал да столько людских слез да крови на голову свою принял?.. И все это прахом? Нет, не быть тому так! Не пойдет оно прахом! Долго я ждал, долго готовился, а теперь — пора!.. Пора!.. Дело хорошее: и состояние свое разом приумножу, и врага тем самым низложу... Грешно оно, по Писанию-то, потому — «любите враги ваши» — ну да ништо: покаемся. Часовню Богу поставлю, колокольню поставлю, пожалуй, а не то и целую церковь можно соорудить. Вот оно богоугодное-то и будет!.. Душе своей ко спасенью. Опять же и часть достатков своих, кроме того, после смерти на богоугодное же пожертвую: вдовицам и сирым отдам, часть в обители монастырские вкладами запишу, на помин души — пускай их все молятся о упокоении раба Иосифа!.. Господь милосерд, он приемлет раскающегося грешника, блудницу не отвергнет. Низложу врага, старость покойную обрету, а там уж всем остаткам дней моих Господу Богу пожертвую на богоугодное... храм сооружу. И Господь помилует — милосерд и многомилостив он!.. А теперь пора!»

Морденко испытывал холодный, трепетный ужас при мысли, что он не успеет привести в исполнение свою месть, насладиться ее плодами, что вся цель, вся задача жизни его, через преждевременную смерть обратится в ничто, и, таким образом, до смерти не успеет он богоугодным делом обрести себе райские двери. Как-то странно и дико мешались в этом человеке суеверно-мистический страх, религиозная вера и чисто земная, почти животная жажда мщения, с которою он не мог расстаться, ибо, во-первых, через эту месть необыкновенно выгодно и разом приумножал он свое состояние — для чего, собственно, и с какою целью приумножать его, скряга не рассуждал, так как и сам того рассудком не ведал, — а, во-вторых, еще потому не мог он расстаться с этой жаждой, что она стала для него чисто органическою потребностью, ибо сжился и слился с нею воедино, в течение долгих лет лелея ее и мечтая о том блаженном часе, когда наконец она вполне утолится, когда жизненный подвиг его увенчается полным успехом: он жил, и мыслил, и дышал только этой надеждой, отбросив все остальное, — она стала для него idée fixe[1], довела почти до помешательства, скрытого, затаенного, ибо он никому ни разу в своей жизни не заикнулся об этой мысли. И вдруг она не исполнена! Отказаться от нее — значило бы отказаться от самого себя, похерить весь долгий путь своей жизни, умереть; да он бы и умер, если бы его лишили этой единственной живой и отрадной ему мысли.

Это была натура кремневая и закаленная, энергическая и страстная, злопамятная и в высшей степени самолюбивая — тем особенным самолюбием, которое знакомо сильным людям, вышедшим из грязи, из круглого ничтожества и пробившим себе дорогу до степеней высшей знаменитости. Русская история, особенно прошлого века, богата именно подобными личностями. Это же самое самолюбие, только несколько низшей пробы, свойственно людям, которые, подобно Морденке, будучи по праву поставлены в самые неблагоприятные социальные условия, будучи по праву рождения не более как крепостными холопами своего помещика, возвышаются барскими милостями и барским доверием до степени личного камердинера, потом дворецкого, потом управляющего, сколачивают всеми нелегкими капиталец, мечтают о выкупе на волю, о приписке в купеческое сословие, о почетном гражданстве, о женитьбе на штаб-офицерской дочери и, наконец, о полном панибратстве с господами, которые *сами* будут к ним приезжать и *сами* кланяться. Поставь судьба этого самого Морденку в иные, более благоприятные условия да отними от него эту узкость ума, дай она его натуре более широты, и, как знать, при такой-то силе воли и при таком крепком самолюбии, быть может, из него вышел бы какой-нибудь Меншиков, Потемкин, Безбородко, Сперанский. Но теперь он — не более как грязный на вид скряга, темный мещанинишко и злостный ростовщик Морденко. В былое время он чересчур уже много возмечтал о себе, видя расположение самого князя, видя раболепство многочисленной дворни пред своей особой, видя, наконец, себя тайным избранником самой княгини, молодой красавицы и блестящей великосветской женщины. Трудно, чтобы все это вконец не вскружило человеку голову, трудно, чтобы все это не питало самолюбия, развивая его втайне до непомерных размеров. И вдруг пощечина — и ею все похерено! Самолюбие

---

[1] Навязчивая идея *(фр.)*.

ожесточилось, а в этом-то ожесточенном самолюбии и крылось его непримиримое оскорбление, его неизгладимая злопамятность, потому что тут уже человек боролся и мстил за всю лучшую, как он понимал ее, сторону своей жизни, разбитую, уничтоженную, за свои лучшие надежды и самолюбивые мечты. И вот та почва, где сформировался тот Морденко, которого в данную минуту встречает читатель в нашем рассказе.

Как же после всего этого возможно было ему отказаться от единственной своей заветной мысли?

Доводящий до ужаса страх преждевременной и тем паче скоропостижной смерти, возбужденный столь неожиданным покушением Гречки, заставил теперь старика мгновенно очнуться и придал ему новую энергию в достижении своей цели.

Он тут же пересчитал все свои капиталы, пересчитал все векселя князя Шадурского, его жены и сына, скупленные им в разное время, в течение нескольких лет и по весьма различным ценам, скупленные по большей части очень выгодно. И тут овладело им некоторое уныние: он знал состояние Шадурских, тайно и неуклонно следил за его постепенным падением в течение долгого времени и теперь увидел ясно, что все-таки этих бумажек будет еще не вполне достаточно, чтобы вконец разорить своего врага. «Все-таки останется еще на кусок хлеба! — с горечью подумал он в своем ожесточенном унынии. — А надо, чтобы не было этого куска, чтобы ничего не было, чтобы *я — я сам* кормил их в долговом отделении. Вот чего надобно!»

И после этого он, через всевозможных маклеров, с неутомимой энергией начал наводить справки, у кого еще имеются векселя Шадурских, ездил, хлопотал, торопился скупать их в свои руки, выторговывал за рубль полтину, а где и меньше, — и многочисленные кредиторы княжеского семейства, питавшие весьма слабую надежду на обратное и полное получение своих капиталов, почти все были радехоньки, что подыскивается такой покупатель, у которого можно хоть что-нибудь выручить наличными деньгами взамен призрачно-мечтательных упований на падающий с каждым годом кредит Шадурских. И нельзя сказать, чтобы Морденко особенно жалел своих денег на это предприятие. Хотя он каждый раз жидовски начинал торговаться с продавцом, однако же в крайнем случае, встречая иногда неподатливое упорство, выкладывал сполна всю требуемую сумму и радостно приобщал новую бумажку к довольно уже полновесной пачке скупленных документов.

И вот в этой пачке оказалось их теперь, вместе с прежними, на сто двадцать пять тысяч серебром. Правда, Морденко убил на эту скупку значительную часть своего состояния, но тем не менее он был доволен и рад, он торжествовал в эти счастливые минуты, потому знал, что все затраченное скоро вернется назад, и вернется в большом преизбытке.

В первые годы, когда Морденко только что начал заниматься ростовщичьими сделками, он еще не был скрягою: деньги сами по себе в то время не служили для него целью, а только средством, единственным средством к достижению иной заветной цели. В то время он переломил свой характер, так сказать, заставил самого себя сделаться скрягой; а теперь, когда минуло с тех пор двадцать два года, когда подошла и насела на него суровая старость, скряжничество от долгого упражнения незаметно въелось в его натуру до того, что сделалось наконец самою сущностью этой натуры, в которой, кроме такого качества да еще старой заветной цели, ничего уже больше и не осталось.

И вот эта цель почти уже достигнута.

«Сто двадцать пять тысяч, — подумал старик, весь дрожа от радости при мысли, что наконец-то настанет желанный час, в который ударит его мщение. — Сто двадцать пять тысяч — этого будет довольно, вполне довольно, чтобы скосить *его*, потому тут сейчас же вместе со мной и другие кредиторы прихлопнут».

Морденко отлично знал состояние Шадурских, которое лет за тридцать действительно было огромным и блистательным состоянием. Но постоянные и непроизводительные траты, безалаберные долги, обеспечиваемые еще более безалаберными векселями, ловкий исподвольный грабеж Хлебонасущенского с братией и иные подобные причины расстроили вконец это состояние, которое по сей день продолжало еще кое-как держаться одним лишь миражным отблеском прежнего величия. Теперь это была форма без содержания, или *почти* без содержания, роль которого пока еще заменял все более и более колеблющийся кредит; так что стоило только Морденке разом подать ко взысканию на сто тысяч, и весь мираж мгновенно бы исчез, состояние разом бы лопнуло, даже и без помощи исков остальных кредиторов. Один Морденко мог легко проглотить его, пустя Шадурских по миру круглыми нищими или навеки сгноя их в долговом отделении.

«Да!.. Вот они, эти бумажки! — думал он, сжимая в руке свою полновесную пачку. — Вся жизнь на них пошла... вся жизнь!.. много слез, много крови... проклятий много...»

Он закрыл глаза — и в его памяти, в его воображении невольно прошло несколько тяжких сцен и образов, которые время от времени, умножаясь одни другими, врезались в эту память и теперь так ярко вызвались и оживились воображением. Одни вызывали другие, другие — третьи, и так далее, и так глубже, целой вереницей, в которой один образ тонул за другим, заслонялся третьим, и снова выныривал, и снова улетучивался. Одни представлялись ярче, живее; другие лишь бледным и тусклым намеком, очерком; но все были равно тягостны для души, все глядели на старика каким-то одним великим вопиющим укором. Закрыв глаза, он жутко закачал головою, и дрожащие губы его смутно зашептали:

«Ох как много, много их!.. Много!.. *Ну да за то ж...»*

И, не досказав до конца свою мысль, он с энергической силой вытянулся во весь рост, судорожно сжал свои губы, и на желтосухом, бледно-мертвенном лице его отразилось величайшее торжество и полное удовлетворение.

Он немедленно же все эти векселя подал ко взысканию.

XIII

ЛИСИЙ ХВОСТ

Осип Захарович Морденко собирался уже на покой, так как старая кукушка его прокуковала девять часов вечера, и ее хриплому звуку успел уже ответить точно таким же кукованием старый попугай, который в течение нескольких лет, кажись, ни разу не упустил случая покуковать вместе с часами.

— О-ох, — проскрипел старик, с усилием поднимаясь со своего старого, высокоспинного кресла, — запираться пора. Христина! Запирай у себя дверь на болты: время спать.

«На болты, на болты! Время спать, спать... Попке спать!» — болтал попугай, карабкаясь на свое кольцо. Безносый голубь также готовился на сон грядущий и, сидя на голландской печи, похлопывал своими крыльями, отчего каждый раз подымалось там целое облако давно несметенной пыли.

В это время кто-то из сеней дернул дверной звонок.

— Алчущие и жаждущие! — покачал головой Морденко. — Нет, уж будет!.. Будет с меня!.. Больше в заклад ничего принимать не стану... Довольно!

— Откажи там, Христина! — закричал он старой чухонке. — Не принимаю, мол! Да дверь, гляди, не отпирай, через дверь разговаривай.

Вместе с этими словами, старик вышел в прихожую и рядом с кухаркой остановился, прислушиваясь под дверью.

— Кто там? — осведомилась чухонка.

— Господина Морденку...

— Да кто там? Назовись!..

— От князя Шадурского... управляющий... по делу.

При этом имени Морденко встрепенулся и весь даже просиял как-то.

«Ага!.. Видно, круто пришлось голубчику!» — подумал он с тем злорадно-торжествующим самодовольствием, которое за последние дни каждый раз появлялось у него при мысли о давимом враге. Он шепотом, торопливо промолвил Христине:

— Впусти, впусти его!.. Только подожди минутку: дай мне уйти сперва.

И, с тревожно заходившим сердцем, быстро зашлепал он туфлями в смежную горницу, захватил в обе руки по большому ключу — предосторожность на случай защиты, постоянно принимаемая им со дня последнего покушения, и, спрятав их под своей порыжелой шелковой мантильей, поставил свой фонарь так, чтобы лучи его ударяли прямо на входящего, тогда как сам оставался во мраке. Таким образом, он приготовился к встрече.

Вошел Хлебонасущенский, но, не решаясь двинуться вперед, ни отступить назад и не различая еще хозяина, в недоумении оглядывал весьма слабо освещенную комнату.

Морденко узнал его.

— Что вам угодно? — неожиданно и не совсем-то приветливо спросил он, подымаясь из-за разделявшего их стола.

Полиевкт, не рассчитавший такого приступа, даже вздрогнул немного и со смущенной улыбкой пролепетал:

— От князя Шадурского... Хлебонасущенский — управляющий их сиятельства... Имею честь с господином Морденкой?..

— Да, я Морденко. Что же вам нужно-то?

— Я прислан от князя...

— Гм... А князю что нужно?

— Да вот насчет вашего взыскания...

— Что ж такое взыскание?.. Взыскание идет своим законным путем: пусть его сиятельство обращается куда следует, а я-то что же при этом?

— Так-с... Но все же желательно было бы переговорить...

— О чем же нам переговаривать? Сюжета не вижу... никакого сюжета.

— Сюжет тот-с, что князь никак не предвидел, не ожидал...

— Гм... «Не ожидал!..» Должен был ожидать, коли векселя подписывал: не на ветер же они подписываются!

— Так-с... Но вы даже не предупредили их о своем намерении.

— А зачем бы это я стал предупреждать? Причины к тому не нахожу никакой. Он ведь и без меня, полагаю, предупрежден уже законным путем?

— Все это совершенно справедливо-с, однако года два назад, когда я имел свидание с вами еще по поводу скупки документов, вы объявили, что взыскивать не намерены.

— Я и не взыскивал тогда.

— Вы говорили, что производите эту скупку из благих намерений, из расположения к его сиятельству.

— Так точно, из расположения. Вот я теперь и докажу мое расположение.

Хлебонасущенский затруднился, в каком смысле, по-настоящему, следует ему принять последнюю фразу.

— Однако я не вижу расположения, если уже взыскание пошло, — заметил он.

— Гм... — усмехнулся Морденко. — Если князь мое тогдашнее

расположение принял не в аллегорическом смысле, то, я вижу, он весьма подобрел с тех пор, как мы не видались. Своих денег, государь мой, никто даром кидать в воду не станет, а я за бумажки их сиятельства своими кровными заплатил!.. Ну-с, так вам больше от меня ничего не нужно?

— Нет, я прислан с предложением, чтобы вы повременили дней восемь: вам будет заплачено сполна.

— Кто это заплатит?

— Как кто? Конечно, сам князь. Кто же другой еще?

— Нет, князь не заплатит, — спокойно возразил Морденко со стойкой уверенностью полного убеждения.

— Как не заплатит!.. Нам только суммы наши нужно собрать.

— Никаких сумм у вас, кроме долгов, нету. Что вы мне пустяки говорите. Разве я не знаю!..

— Позвольте-с, господин Морденко: если я вам говорю, стало быть, мы имеем свои расчеты.

— Расчеты-то вы, может быть, и имеете, да ведь и я свои расчеты тоже имею. А денег все-таки у вас нет, разве Господь с небеси пошлет — ну, тогда и представляйте их в законом установленное место, а я уж — получу оттуда: обо мне не беспокойтесь!

— Но все-таки князь просит вас, чтобы вы были так добры приостановить на малый срок ваше взыскание.

— Не приостановлю-с. Раз уж подано, пускай идет своим путем. Заплатите всю сумму сполна, и взысканию конец.

— Но ведь князь... *сам князь просит вас*!

— *Сам* князь *просит* меня!.. Скажите какая честь!.. *Просит*... Ну, передайте ему, что я благодарю за честь, но исполнить просьбу все-таки не могу. Так и скажите! А теперь, полагаю, вам уж больше ничего от меня не нужно?

Хлебонасущенский видел, что старик весьма явно выпроваживает его из своей квартиры, но ему не хотелось уезжать, не увезя с собою хотя малейшей тени какой-нибудь надежды для княгини Татьяны Львовны. «Черт их знает, может быть, еще их дела и к лучшему как-нибудь обернутся: может, сын на шиншеевских деньгах женится, — поразмысливал всесторонний Полиевкт. — Все может быть — чем черт не шутит! Так мне выгод своего положения упускать не следует».

Вследствие таких соображений он медлил с уходом, меж тем как Морденко в ожидании ответа на свой вопрос не сводил с него недовольных и сухо-строгих глаз, как будто следя за малейшим его движением.

Полиевкт, ощущая на себе эти неотводные глаза, чувствовал некоторую неловкость, однако же, преодолев ее, посеменил на месте, откашлялся с улыбочкой и очень мягким голосом обратился к собеседнику:

— Послушайте, господин Морденко, все же, как бы то ни было, а не мешало бы поговорить об этом деле.

— Излишне-с! — сухо поклонился старик, причем нечаянно распахнулись полы его накинутой на плечи мантильи, обнаружа под собой два ключа в скрещенных руках Морденки.

— Нет, но все же... ведь князь — не кто-нибудь, — продолжал Полиевкт мягко-лисьим убедительным тоном, — ведь это особа-с, человек со связями, влиятельный-с! А ведь и то сказать, пословица-то говорится: не знаешь, где найдешь, где потеряешь.

— Я ничего не потеряю! — положительно перебил Осип Захарович. — Мое дело чистое. Может быть, его сиятельству угодно будет оспаривать подлинность его документов, так из этого ничего не произойдет, себя только пуще замарают: дело чистое-с, я знал, *что* покупал. Ни одна бумажка не прошла без самой строгой и точной проверки: все, как есть, по форме, в маклерских книгах помечены. Нет-с, это напрасно! Совсем напрасно, тут уж ничего не поделаешь!

— Да я не о том-с, — возразил Хлебонасущенский, — а я, собственно, насчет того, что как же это вдруг, такая особа... почтенная... известная... и вдруг — такое дело!.. Тут-с уже, так сказать... принцип страдает...

— Что это значит «принцип» — так, кажись, вы изволили сказать?.. Что это такое? Я, извините-с, немножко в толк себе не взял.

— Это... принцип... это — начало... Всеми уважаемое семейство, принадлежащее к высшему сословию-с... ко всеми уважаемому сословию... и вдруг — вы, ничему не внемля, подаете на нас ко взысканию, разом на такую сумму... Это может компрометировать.

— Кого компрометировать? — прищурился Морденко.

— Да все семейство-с! Как же не компрометация, ежели вы, помимо частного соглашения с семейством, так-таки прямо ко взысканию подаете! Оглашаете, так сказать — публичность вводите.

— Что ж, это поучительно! — ехидно улыбнулся Осип Захарович.

— Поучительного не нахожу, — сухо и обидчиво возразил Полиевкт Харлампиевич; но вслед за сим сейчас же поспешил придать всю прежнюю мягкость своему тону. — Нет-с, господин Морденко! Право, честное соглашение и для вас, и для нас было бы лучше — поверьте, так! Потому — мы бы условились, назначили бы сроки — и в пять-шесть лет долг был бы погашен со всеми процентами даже, какие могли бы там еще и впредь причесться.

Хлебонасущенский закинул удочку насчет процентов, в том чаянии, что подденет на нее скрягу-ростовщика; он говорил все это, не имея, однако, даже бледного понятия о былых отношениях князей Шадурских к этому человеку, говорил, надеясь, что посредством такого маневра успеет, во-первых, дней на восемь затянуть дело, а там, быть может, при удачном опутывании, еще лет на пять оттянуть минуту гибели для княжеских дел. Но этот паук попал не на ту муху.

— Ни в какие сроки вы мне не заплатите, говорю вам! — нетерпеливо перебил его Морденко. — Уж вы лучше с этими предложениями подъезжайте к другим, а не ко мне. И нечего, стало быть, нам ни слов, ни времени тратить понапрасну. Прощайте-с, я спать хочу.

— Но нет, послушайте, почтеннейший! — решился Полиевкт еще на одну попытку. — Что бы вам и в самом деле повидаться бы да переговорить лично с самим князем? Поезжайте-ко завтра прямо к нему! Я устрою так, что он вас примет без всяких околичностей. Да и сам он, пожалуй, не прочь бы повидаться с вами. Поезжайте-ко, право!

Хлебонасущенский понимал, что единственная надежда на мало-мальски благоприятный исход заключается в личном свидании Морденки с Шадурским — сама Татьяна Львовна сказала, что в случае крайности придется послать к нему князя, — но приезд его к ростовщику Полиевкт считал уже самою крайнею и решительно последней мерой; поэтому он все-таки предварительно попытался бы сохранить тот наружный декорум, который, по его разумению, соответствует важности и значению княжеского имени, обстановки и социального положения. Он думал, что для дела сначала достаточно будет, если ростовщик и сам пожалует к князю, а не князь к нему; он старался при этом дать ему заметить, что ведь князь не кто-нибудь, что и то уж достаточная честь оказывается бывшему холопу, если его лично приглашают к бывшему его барину, что дела Шадурских вовсе не так плохи, как это может казаться, что, наконец, и самая уплата далеко не невозможна после новых условий при личном свидании.

Полиевкт все еще не совсем-таки терял надежду хоть как-нибудь обойти старого скрягу; но он решительно ошибся.

В ответ на последнее предложение Морденко шага на два откинулся назад, вперил в своего гостя изумленный взор и очень выразительно захохотал.

— Ха, ха, ха, ха! — саркастически сухо и раздельно раздался по комнате его деревянный, как бы нарочно деланный хохот.

«Ха, ха, ха, ха!» — вслед за ним откликнулся из клетки хриплый голос передразнивающего попугая.

Морденко покосился туда с видимым удовольствием и указал рукою на клетку.

— Вот глупая птица — попугай, — сказал он Хлебонасущенскому, — совсем глупая птица, а и та понимает, сколь это смешно, сколь недостойно было бы с моей стороны ехать к его сиятельству!.. Ха, ха, ха!.. Поехать!.. Зачем я поеду? Зачем? Для чего? С какой стати? Нет, государь мой, не вижу я к тому никакой причины. На извозчика только понапрасну истратишься либо подметки задаром изшарыгаешь! Это пускай уж баре катаются да прогулки делают, а нашему брату на извозчиков проезжаться не приходится: не по карману, сударь, не по карману. Так-то-с!

Хлебонасущенский, понимая, что удочка лопнула, стоял как в воду опущенный, а Морденко с ехидным самодовольствием прошелся по комнате.

— Если его сиятельству нужно видеть меня, — заговорил он с расстановкой, — то квартира моя известна; может и ко мне приехать; а самому мне делать визиты не приходится; не по чину, батюшка, не по чину-с! Всяк сверчок знай свой шесток, говорит пословица, и я очень хорошо это понимаю.

— Вы хотите, чтобы князь сам к вам приехал? — встрепенулся Хлебонасущенский. — Хорошо, я передам ему ваше желание, может быть, он и согласится.

Морденко с неудовольствием остановился против него и нахмурился.

— Я, милостивый государь мой, вовсе этого не желаю, — отрезал он с прежней отчеканкой, — до его согласия мне нет никакого дела, потому я вовсе и не приглашаю его, а говорю только: если у человека есть до меня дело, то не я к нему, а он ко мне может пожаловать. Вот и все-с. А особенной чести в княжеском посещении я для себя не усматриваю: нам ведь с барами компанию не водить — мы люди мелкие-с, маленькие, темные... Так-то-с!

— Нет, вы не так меня поняли! — поспешил поправиться Хлебонасущенский. — Князю нужно видеться с вами — отчего ж ему и не приехать! Он, я уверен, с удовольствием поедет к вам!

— Это как ему угодно! — пожал плечами Морденко. — Коли буду дома, конечно, из квартиры не выгоню; если застанет меня, то увидит, а не застанет — и вторично приедет, буде нужда есть такая.

— Он к вам, я думаю, завтра будет, — пояснил Полиевкт Харлампиевич.

— Завтра так завтра! Мне это решительно все единственно, особенно ждать не стану.

— Часов этак около двух, — сдавался все более и более Хлебонасущенский. — Для вас это не составит особенного неудобства?

— А, право, не знаю, как вам сказать... Буду дома, так приму! Скрываться мне от него нечего! Пущай его приезжает, коли охота есть.

— Хорошо-с, так в два часа он будет у вас.

— Будет так будет! Это его дело.

— Но вы согласны ожидать его?

— Если особенных занятий не представится, отчего же, можно и обождать.

Морденко, в сущности, от всей глубины души своей желал этого посещения. Смутная, но злобно-отрадная мысль о нем мелькала перед стариком и прежде еще, в заветных мечтах о том, как он сокрушит врага своего и как этот, когда-то гордый, враг станет ползать и унижаться перед своим бывшим холопом. Смутная мысль о посещении Шадурского, о свидании с ним, где он выскажет этому барину все, что так хотелось ему высказать, где он «вдосталь накуражится» над униженным врагом, — мысль эта, говорим мы, была венцом всех мыслей Морденки о мщении, венцом всего мщения, венцом всей жизни его — и вдруг теперь этот враг сам подает надежду на ее осуществление! Морденко трепетал от злобной радости при этой надежде, но тем не менее считал нужным поломаться, и это ломанье доставляло ему теперь истинное наслаждение: он уже торжествовал в самой возможности выказать перед посредником своего врага все равнодушное (на вид) пренебрежение к этому врагу. В эту минуту страстно ненавидящая душа его предвкушала уже то наслаждение, то блаженство, которое предстоит ей завтра, при личном, давно мечтанном свидании с униженным врагом, когда можно будет уже во всю свою волю покуражиться и поломаться над ним. Морденко был счастлив уже одною возможностью, одним ожиданием, с трудом выдерживая свой сухой и холодно-равнодушный вид.

Хлебонасущенский еще раз заявил о посещении Шадурского в два часа и любезно откланялся. Когда же заперлась за ним дверь, Морденко, как безумный, с радостью хлопая в ладоши и хохоча своим хриплым, деревянно-скрипучим смехом, вбежал в свою комнату.

XIV

БЕССОННИЦА

Улегшаяся в кухне Христина долго еще слышала, как по смежным комнатам раздавалось шлепанье больничных туфель Морденки, как время от времени он начинал бормотать сам с собою, издавал какие-то странные восклицания, принимался громко хохотать — и этому хохоту часто вторил попугай, к которому в таком случае старый хозяин его обращался со словами:

«Что, попка, дождались?.. Дождались, мой дурак, дождались!»

И снова начинал хохотать, потирая свои руки.

Чухонка, слыша все это, не шутя подумывала, уж не рехнулся ли старик, недобрым часом.

Морденко всю ночь почти глаз не смыкал, ворочался на постели, вскакивал, снова принимался ходить и бормотать, снова ложился и ворочался, для того чтобы через несколько времени опять вскочить и расхаживать. То напряженное состояние, в котором он теперь находился, далеко отгоняло его сон. Старик был *почти* счастлив: он ждал завтрашнего дня, мечтал и думал о предстоящем свидании, как, может быть, думает и мечтает только влюбленный юноша о первом свидании, назначенном ему любимой женщиной. Ему почти въяве воображалось, как войдет Шадурский, как он встретит этого барина, как будет держать себя относительно его, что станет говорить ему и что Шадурский будет отвечать на его речи; фантазия рисовала ему и фигуру старого князя, и выражение его физиономии. Он начинал говорить то, что давно уже мечтал высказать, даже покрасивее и повыразительнее поправлял иные из своих выражений, и сам сейчас же сочинял и формулировал словами и даже целыми фразами предполагаемые ответы Шадурского на свои речи. Морденко уничтожал его в своем воображении, видел его ползающим у своих ног, вымаливающим прощения, пощады, и злобно наслаждался этими воздушными замками. Он был *почти* счастлив, потому что *совсем* счастливым мог быть только завтра, когда наконец исполнится то, о чем теперь так лихорадочно-страстно мечтает.

Сознание своего торжества, нетерпеливое ожидание и эти мечты, столь щедро питающие теперь застарелую ненависть, ввиду скорого и полного ее удовлетворения, — все это, совокупленное вместе, заставило его вдвойне переживать свою жизнь, оживило, ободрило и омолодило его тою напряженною энергичностью, которая чем сильнее в данную минуту, тем более разрушает организм потом. Такая усиленная деятельность, такая напряженная жизненность живет в старике недолго и живет за счет всех скудных сил разрушающегося организма.

Наконец он заснул; но сон его был лихорадочно-неровен и чуток более обыкновенного. Те же самые воздушные замки, которые он строил наяву, преследовали его и во сне. Морденко часто просыпался и наконец, когда кукушка его прохрипела пять, решительно и бодро вскочил со своей жесткой постели.

Вскоре послышался благовест, призывающий к заутрене.

— Ага, ударил уже, батюшка мой, ударил — православных призываешь! — с улыбающимся лицом проговорил, прислушиваясь, Морденко. — Вонмем, вонмем тебе!.. Первее всего теперь — содетеля возблагодарить, потому — он это все... Ох, один только он!..

— В оный час и тебе пробьет медь звенящая... — как-то торжественно, с оттенком угрозы и грусти глухо проговорил старик, подняв указательный перст, после минутного раздумья. О ком он это подумал? К кому относилось его полубиблейское речение — к себе ли, к врагу ли своему? — неизвестно, только, постояв после этого еще с минуту, погруженный в серьезное раздумье, он вытянулся, высоко подняв свою голову, и снова улыбнулся торжествующей улыбкой.

«Здравствуй, Морденко!» — закричал ему навстречу приученный попугай, имевший старое обыкновение просыпаться, как только заслышит на рассвете шлепанье хозяйских туфель.

— Здравствуйте, ваше превосходительство, здравствуйте! —

приветливо откликнулся старик, вдруг почему-то почтивший сегодня своего старого приятеля титулом превосходительства.

«Разорились мы с тобой, Морденко», — повторил непосредственно за сим попугай свою обычную фразу.

Морденко, вместо того чтобы ответить, по обыкновению: «Разорились, попочка, вконец разорились!» — цмокнул губами и щелкнул пальцами, как бы желая выразить этим: «Ан врешь, брат, ошибаешься».

— Нет, птица моя, не разорились, а обрели сокровище превыше Кира и Соломона-царя, — говорил он в грустном тоне, настроенном отчасти на торжественный лад. — Да, птица моя, да!.. Плотию беден — духом богат...

— Плотию беден — духом богат, — раздумчиво кивая головою, повторял он, ходючи по комнате. Разбудил свою чухонку и хотел уж было отдать ей приказание насчет самовара, да вспомнил, что доброму христианину не подобает, сбираясь к обедне, пищу вкушать, и отложил свое необдуманное намерение.

— Нынче уж целебных трав пить не стану, а чайком потешу себя. Нынче можно дать себе этакое разрешение, потому — день-то такой у меня нынче.

И старик самодовольно потирал свои костлявые руки.

— Вот от обедни пойду — чайку куплю, и сахарцу, и булочек... Теперь уж не для чего мне жалеть!.. Все уж исполнено!.. Можно потешить себя, можно!.. А друзьям своим тоже пиршество задам, непременно!.. Непременно!.. Попка, Гулька, слышите?

И глаза его радостно смеялись от одного лишь предвкушения тех скромных лакомств и удовольствий, которые, мечтая, готовил себе старик в лучший день своей жизни.

Он чистенько умылся, причесался, пригладился, пробормотал свои утренние молитвы, усиливая и протягивая звук голоса на каждом первом слове каждой молитвенной фразы и скороговорным полушепотом глотая остальные слова; медленно крестился и медленно клал большие поклоны, касаясь каждый раз при этом до полу правою рукою, и засим, исполнив этот долг, снова погрузился в сладкую мечтательность и опять заходил по комнате, время от времени улыбаясь все той же торжествующей улыбкой.

В такой-то забывчивости он почти машинально напялил на себя свой ветхий, дырявый халатишко, служивший для вечерних и ранних утренних шатаний на церковную паперть, как вдруг опомнился, оглядел с улыбкой изумления заплатанные полы этого костюма и, покачав головою, торопливо снял с себя и повесил на гвоздик свое убогое рубище.

— Нет, старик, этот образ отныне уж не подобает, — сказал он самому себе, — отныне уж можно пристойно одеваться... Пускай все видят, пускай все знают, что ты врага низложил... Так ли, попочка?.. А?.. Теперь уж нечего жалеть — ведь правда?

Попугай усердно захватывал своим клювом прутья железной

клетки, карабкаясь по ним цепкими лапами. Морденко, как приятелю, шутливо кивнул ему издали головою, лукаво прищурил при этом старческий глаз и принялся очень тщательно сметать метелкой каждую пылинку со своего длиннополого сюртука, много уже лет соблюдаемого в отменном порядке и рачении и служившего старику лучшим парадным костюмом.

Он с видимым удовольствием облекся в это лучшее свое платье и прошел в заднюю комнату, известную у него под именем «молельной», где хранились под замками и за железными болтами вещи, принятые в заклад.

Долго переглядывал он там разные меховые одеяния и наконец выбрал ильковую шубу и соболью шапку, которые показались ему лучше всех остальных.

— Нда! Вот, заложил по весне молодец... заложил и не выкупил, — рассуждал он, примеряя на себя эти вещи, и рассуждал как бы с некоторым оттенком своеобразного сожаления и сочувствия к невыкупившему молодцу. — Ну, что ж теперь станешь делать!.. Просрочил... Тогда вот... грех такой случился... не пожелал я повременить на процентах, а теперь я и рад бы отдать, да где ж отыщешь тебя, молодца-то?.. Поди-ка, уж и рукой давно махнул... Ну и поневоле за собой оставил... Теперича, значит, — мои... А ты, поди-ка, кровопийцем честишь старика, грабителем... О, Господи!.. Прости и помилуй нас, грешных.

И Морденко, крестясь, под влиянием религиозно-грустного чувства побрел к обедне, не забыв предварительно накрепко замкнуть все комнаты и самую квартиру, в которой под обычным арестом осталась чухонка Христина, а ключи, как и всегда, опустил в свой глубокий и вместительный карман.

Он с необыкновенным удовольствием ощущал на своих плечах легкую, теплую и красивую шубу, ему приятно было запахивать на себе ее широкие полы и думать при этом, что кончены уже для него навсегда путешествия в рубище, что уж больше не к чему ему студить свое дряхлое, хотя и закаленное во многих невзгодах тело, что настало наконец время, когда он может побаловать себя несколько, на закате дней своей жизни.

И Морденку, словно ребенка, тешили эти мысли.

XV

КАИНСКИЕ МУКИ

— Ну, мои друзья, у вас нынче пир! Я вам пир задаю!.. Радуйтесь вместе со мной!.. С кем же мне и порадоваться больше!.. Попка!.. Гулька!.. — говорил Морденко, возвратясь от обедни и неся в обеих руках большой бумажный тюрик, где помещались только что сделанные им закупки.

— Христина! Ставь скорей самовар! Будем чай пить!.. С сахаром!.. С сладкими булками!.. С сухарями!..

Чухонка, не зная, что и подумать о хозяине, только оглядела его недоуменным взором да руками развела, однако же, не выразив словами своего немалого изумления, со вздохом принялась копошиться около заплесневелого самовара.

Морденко с великим наслаждением прикусывал сладкие сдобные булки, захлебывая их глотками сладкого и душистого чая, а когда начал третий стакан, то, после краткого колебания, даже и кухарку свою угостил, чему та опять-таки необычайно изумилась.

После этого старик задал балтазарово пиршество и своим друзьям-любимцам: безносому голубю была предоставлсна целая чашка с намоченным в чаю мякишем сладкой булки, а старому попугаю, кроме этого яства, Морденко предложил целые десять грецких орехов из купленного фунта и целую мармеладину; остальное было припрятано «на после». Осип Захарович с видимой любовью и заботой разбивал скорлупу, очищал шелуху и по кусочкам подносил ореховое ядро к лапе своего любимца, каждый раз повторяя при этом:

— Примите, ваше превосходительство!.. Кушайте, ваше превосходительство.

Сегодня был первый день, в который Морденко почему-то произвел в генеральский чин своего красно-зеленого друга.

И красно-зеленый друг видимо наслаждался подносимым ему лакомством, как, в свою очередь, безносый Гулька наслаждался приготовленным для него месивом. Точно так же наслаждалась и чухонка Христина, давно уже не парившая нутро свое чаем (целебных трав она недолюбливала), да еще таким хорошим. А о самом виновнике всех этих наслаждений нечего уж и говорить: он более всех, и притом, наверное, в первый раз в своей жизни, наслаждался предвкушением грядущего триумфа после победы своей над князем Шадурским.

Чем ближе подходило время к двум часам, тем длиннее казалось оно старику и тем все более усиливалось в нем волнение ожидания. Он каждые пять минут высовывал в форточку свою лысую голову, чтобы засмотреть внутри двора — не идет ли там его враг или по крайней мере Хлебонасущенский. Он то и дело подходил к входной двери и чутко прислушивался — не слыхать ли шагов на лестнице. Он был твердо и непреклонно уверен, что Шадурский явится сегодня необходимо, неизбежно, как день после ночи, — до такой степени уже в течение этого времени успела всосаться в него ласкающая мысль о посещении князя.

Когда стрелка подходила наконец к двум часам, старик дрожал как в лихорадке. Это старчески-страстное нетерпение до последней глубины взбудоражило его много подавленную и долго сдержанную натуру.

Но вот пробило два — Морденко с полчаса уже не отходит от форточки, высунув в нее, на потеху сырости да ветру, свою голову, даже продрог от холоду, а все-таки смотрит и отойти не может, потому что крепко боится: ну, как вдруг они постучатся да войдут, а ты и к встрече приготовиться не успеешь? Он представляет себе эту встречу чем-то совсем особенным и необычайным. Немудрено: он так долго лелеял скрытые мысли об этой желанной минуте.

Вот уже четверть третьего, а Шадурского все еще нет, и не видать, и не слыхать даже, чтобы к воротам кто-нибудь подъехал.

Сильное беспокойство начало овладевать Морденкой.

«Ну, как он не приедет... совсем не приедет... не захочет приехать?.. Ну, как он вдруг деньги пришлет... каким-нибудь чудом Господним пришлет? Боже мой, что ж это тогда?.. Все пропало? Все?.. Нет, это вздор, денег прислать ему неоткуда, он *должен* приехать, не смеет не приехать, а иначе...»

И глаза Морденки злобно сверкают из-под нависших бровей, а черствый и костистый кулак сжимается все судорожнее и сильнее.

В прихожей позвонили.

— Э, черт возьми!.. Как же это я проглядел! — встрепенулся Осип Захарович, придя в большое смущение, оттого что встреча захватывает его врасплох. Только что хотел было отдать чухонке инструкции насчет приема, как та уже и дверь поторопилась отворить. Морденке и досадно, а вместе с тем и от сердца-то отлегает: это не Шадурский, а какой-то алчущий и жаждущий пришел.

— Отказать ему! Закладов не принимаю сегодня! Совсем не принимаю! Ничего не принимаю больше! — досадливо распорядился старик и погрузился в новые думы и предположения:

«А ну, как он болен?.. Ну, как он вдруг умрет?.. Или умер?.. Господи!.. Господи... Не накажи ты меня!.. Что же это такое?.. Нет, этого быть не может!.. Не может... не может!.. Не мо-жет!.. Как же это — так все вдруг и пропало, так и погибло?.. Ни за грош, ни за плевок!.. Господи, вразуми ты его! — молится и бормочет про себя Морденко. — Направь его на путь сей! Не дай ты ему наглые смерти, донеси его цела, здрава и невредима! Господи! Услыши меня!..»

И из напряженных глаз старика эта нервная, полупомешанная молитва выжимает тощую слезку.

Он на мгновение отводит от домовых ворот свои взоры, взглядывает на стенную кукушку — и каждый такой взгляд несет ему новое, усиливающееся беспокойство и подбавляет новую каплю горечи в его сердце.

Стрелка показывает двадцать пять минут третьего — а желанного гостя все еще нет. Кукушка прохрипела половину, попугай тоже повторил вслед за нею: «Ку-ку!», а беспокойство старика растет и растет. Он уже уверен, что Шадурский не будет, что он, пожалуй, умер скоропостижно от удара при известии о постигшем его несчастии, — и сердце Морденки щемит, надрывается тоской и злобой.

«Все пропало!.. Все!.. Ничего не будет, ничего не исполнится!.. Все напрасно было! Вся жизнь ни к черту!.. О, Господи, всякую испытуеши!..»

«А, знаю! Знаю! Это за грехи мои так! Это он мне воздаяние посылает! О, я знаю, он ему, может, наглую смерть послал, чтобы я теперь казнился и мучился! Все отдам, Господи! Все имение нищим раздам, только принеси ты его, врага моего!..»

Три четверти третьего — не едет.

«Умер... — шепчут сухие старческие губы, — умер, мне в наказание и в укор... умер... иначе быть не может!»

И Морденко, под гнетом этой мысли, раздавленный, уничтоженный, обессиленный, опустя как плети свои длинные узловатые руки, в отчаянии отходит от окошка, еле волоча ноги, опускается в свое кресло и сидит как убитый, понуря голову, закрыв глаза. Эта внезапно пришедшая мысль о возможности скоропостижной смерти князя вследствие удара, о смерти, нарочно посланной Богом в наказание ему, Морденке, за все его лихие дела, приняла в его возбужденном мозгу всю, так сказать, осязаемую достоверность совершившегося факта. Старик был сильно суеверен. Эта усиленная деятельность за последнее время, сознание близости того часа, в который должно свершиться давно задуманное мщение, эти страстные, лихорадочные мечты со вчерашнего вечера, бессонница и, наконец, эта еще более страстная лихорадка ожидания, сначала радостного и полного блестящих надежд, а потом тщетного до злобы, до отчаяния, — все это в совокупности отняло у Морденки способность спокойно и трезво отнестись к своему положению в столь решительную, роковую минуту его жизни. Мысль о смерти Шадурского (иначе как же бы он не явился!) неотступно стала перед ним, и он, как помешанный, без логики, без последовательности, не рассуждая, отдался ей вполне, под наплывом религиозно-суеверного чувства о высшем возмездии.

Если Морденко много и много понаделал людям зла в своей жизни, то эти минуты мучений и отчаяния, какие переживал он теперь, быть может, многое могли бы искупить ему.

Быстрые и резкие переходы от одного ощущения к другому, совершенно противоположному, далеко не невозможны в подобные минуты самого напряженного, взбудораженного состояния нервов у человека, всю жизнь свою до самозабвения посвятившего одной исключительной идее, одной исключительной страсти.

Морденко был жалок и раздавлен. Напрасно попугай кричал ему: «Разорились мы с тобой, Морденко!» — старик не отвечал, ибо под наплывом своих дум и ощущений даже не замечал криков красно-зеленого друга. Он уже не ждал теперь Шадурского, хотя часовая стрелка даже и до трех не дошла. Отчаяние наступило для него быстро и решительно, и тем быстрее, чем сильнее была предварительная радость, страстная надежда и гордое ожидание.

Опять позвонили в прихожей, и этот звонок произвел на старика действие гальванического тока: он мгновенно вспрыгнул с места, оживленный, взбудораженный и даже немало перепуганный его внезапностью. Но это опять-таки кто-то из алчущих и жаждущих явился — и тем сильнее от нового разочарования давят Морденку отчаяние и злость. А подобным звонкам, после этого, суждено было повторяться еще дважды, один почти вслед за другим, и возвещали они все тот же приход алчущих и жаждущих. Было время, когда такие звонки сильно радовали и утешали одинокого старика, а теперь он их ненавистно проклинает, теперь он считает их чем-то дьявольски-дразнящим, какой-то злобной насмешкой нечистой силы, злобной иронией судьбы над его положением — и после каждого такого звонка в нем еще сильнее вырастает эта странная уверенность в предполагаемой смерти Шадурского, каждая лишняя минута как будто еще более удостоверяет его в этом.

«Что в том, что векселя представлены! Коли он умер — все пошло прахом!.. Уж теперь и смыслу, и значения того это дело не будет иметь!.. Наполовину не будет!.. Совсем не будет!» — горько думал Морденко, в отчаянии опустив голову на руки, упертые локтями в коленки, выдававшиеся острым углом; думал — и много-много, хотя и бессильно, злобствовал. Эта злоба поминутно кидала его в нервно-конвульсивную дрожь.

Христина копошилась у себя в кухне, попугай кричал и свистел, а безносый голубь, которому, вероятно, наскучило сидеть на печке, в своем обычном, давно насиженном месте, вспорхнув оттуда, раза два тяжело покружился зигзагами по комнате и, по привычке, сел на плечо хозяина, похлопывая по нем крыльями.

Это неожиданное, постороннее прикосновение заставило испуганно вздрогнуть забывшегося в своем отчаянии старика — и вдруг, под влиянием охватившей его злобы, он, не давая себе отчета в своих побуждениях и поступках, мгновенно и яростно хватил за шею безносого голубя, который в это мгновение, воркуя так ласково, вытягивал ее и по привычке прижимался безобразной головой к щеке хозяина. Схватив эту шею, Морденко судорожно и крепко сжал ее на несколько мгновений в руке и с силою швырнул от себя голубя в противоположный угол. Птица с размаху ударилась об стену, шлепнулась на пол и, подрыгав с минуту ногами да затрепетав крыльями, осталась на месте — уже без малейших признаков жизни.

Морденко как сидел, так и остался — даже внимания не обратив на это обстоятельство. Один только попугай, заметив, вероятно, что с Гулькой свершаются какие-то выходящие из ряду, необычайные пассажи, машинально крикнул раза два: «Безносый!» и снова стал себе карабкаться по железным прутьям.

Вдруг в это самое время по двору загромыхала карета.

Морденко, словно ужаленный внезапно, быстро вскочил и бросился к окну.

Карета подъехала к его флигелю. Так, не осталось никакого сомнения — это он, это Шадурский!

Осип Захарович затрепетал и обтер ладонью холодный пот, проступивший на лбу.

Вот когда наступила она, эта роковая, решительная минута.

Но она совсем не была минутой необузданно-радостного порыва: ни резким движением, ни внезапным криком, ни широкой улыбкой — ничем подобным не выразил Морденко своего душевного состояния, в котором произошел теперь опять-таки новый, решительный и притом вполне мгновенный перелом. Старик не обрадовался — он только очувствовался, пришел в себя: стук подъехавшего экипажа вернул его от отчаяния и мистически-суеверных грез к прямой действительности, к мысли об осуществляемом мщении.

Он сразу и вполне овладел собою: теперь это был уже всегдашний, обыденный Морденко, наружность которого оставалась черствой, холодной и по видимому спокойной, тогда как внутри его все-таки пробегала нервная дрожь и сердце время от времени сжималось болезненно, тревожно и радостно. Он еще раз заглянул в окно. Из кареты выпрыгнул Хлебонасущенский и под руку помог сойти на землю старому князю, которого таким же образом взвел и на лестницу.

— Христина!.. Сюда идут... Спроси, кто такие и приди доложить мне! Без докладу не впускай... Да как пойдешь докладывать — дверей ко мне в комнату не затворяй! Слышишь? — наскоро распорядился Морденко и поторопился удалиться в свою спальню, притворив за собою двери. От исполнения этого распоряжения зависел некоторый эффект, заранее уже обдуманный.

Затем старик притаился у двери и чутко стал прислушиваться.

Раздался звонок, снова заставивший его вздрогнуть. В прихожую вошли князь и управляющий.

— Мне прикажете с вами остаться? — тихо спросил последний.

Князь задумчиво поморщился.

— Н-нет, вы лучше, мой милый, там, внизу... или в карете обождите меня... Я один объяснюсь... это лучше будет.

Дмитрий Платонович предчувствовал, что в разговоре его с Морденкой могут быть, пожалуй, затронуты такого рода обстоятельства, при которых немало могло бы его коробить и смущать присутствие третьего лица.

XVI

КАК ЛОМАЛОСЬ КНЯЖЕСКОЕ САМОЛЮБИЕ

Когда вчерашний день вечером Хлебонасущенский давал Морденке обещание за Шадурского, он и сам не был хорошо уверен, согласится ли тот ехать к Осипу Захаровичу, решился же дать это обещание, основываясь на словах Татьяны Львовны, которая прямо выразила мысль о необходимости, в крайнем случае, личных, непосредственных объяснений. А уезжая от Морденки, Полиевкт и сам пришел к убеждению, что если и личное свидание не успеет принести ожидаемых результатов, то их уже ничто не принесет, так что с той самой минуты все дело нужно считать потерянным. Эту мысль он высказал и княгине, нетерпеливо ожидавшей его возвращения.

— Я так и знала! — с горечью проговорила Татьяна Львовна. — Я так и знала! Пусть сам князь завтра едет.

— Согласится ли?.. — с скромным сомнением заметил управляющий.

— *Должен* ехать! — настойчиво произнесла княгиня и, отпуская от себя Хлебонасущенского, поручила ему немедленно пригласить к ней старого князя.

Расслабленный гамен вошел не то что мокрой курицей, а скорее мокрым петухом, потому что в нем не успела еще остыть некоторая доля гнева против своей супруги.

— Вы завтра в два часа лично будете у Морденки, — твердо начала княгиня тоном, не допускавшим противоречий, — вы должны просить его, чтобы он дал нам отсрочку. Вы это понимаете?

Князь в великом недоумении глядел на нее сквозь свое стеклышко.

— Повторяю вам: вы должны *упросить* его об отсрочке, или иначе — нас ждут круглая нищета и позор через несколько дней. Что вы на меня так смотрите? Кажется, я говорю ясно.

— Я?! К Морденке?! Да кто из нас с ума сошел — вы или я?

Князю действительно могло показаться странным и диким предложение супруги. Он был столь необычайно изумлен, что даже его стеклышко выпало из выпученного глаза.

— Да! Да! Вы, и к Морденке! Понимаете? — усиленно ударяя на слова, подтвердила ему Татьяна Львовна.

— Можете ехать сами! — сыронизировал Шадурский, пожав плечами и коротко поклонившись.

— О, в этом не сомневайтесь! — с твердостью и достоинством перебила жена. — Когда будет нужно, я, конечно, поеду. Но теперь это пока еще не требуется: теперь Морденко соглашается *вас* видеть!

— Я не поеду.

— Почему?

Последний вопрос очень затруднил старого князя.

— Почему?.. Почему?.. Да как, Боже мой, почему!.. Я — и вдруг к Морденке!.. Да вы вспомните, кто я и кто Морденко!..

— Морденко — человек, от которого зависит погубить нас завтра же, пустить нас нищими, опозорить. Вот кто Морденко!..

— Я поеду унижаться к хаму, которого я как собаку вышвырнул из дому! Я поеду к вашему... к вашему...

— К моему... Ну что ж, к моему? Договаривайте! — прищурилась на него княгиня и вдруг сама договорила с такой цинической откровенностью, от которой даже и князя немножко назад отшатнуло. — К моему любовнику? — медленно и спокойно произнесла она. — Это, что ли, хотите вы сказать? О, мой жалкий князь! Вспомните, скольким из моих любовников вы так любезно пожимали руки, к скольким из них ездили с визитами. Даже у иных и денег взаймы иной раз перехватывали! Вспомните-ка лучше это! Отчего же вы тогда не возмущались? Полноте! Перестаньте драпироваться! Смешно! Кого вы думаете обмануть?

Княгиня потому высказывала все это с таким наглым цинизмом, что пользовалась таким удобным tête-a-tête[1], но иначе высказать она и не могла, потому что от сердца вырвалось ее жесткое слово, а в этом сердце много и много уже накипело. Ее оскорбляло и возмущало то, что этот презренный (даже и в ее глазах) человечишко, которого она видела и понимала насквозь, осмеливается вдруг разыгрывать из себя героически-добродетельного мужа и благородного человека. Ей злобно хотелось сразу осадить его, указав ему настоящее его место, дав ему уразуметь, *что он такое*, в сущности; ей захотелось разом высказать ему все то презрение, которое она питала к нему в эту минуту более, чем когда-либо, и потому, под влиянием такого порыва, Татьяна Львовна даже и не подумала остановиться перед откровенным цинизмом своих желчных выражений.

Князь до того смешался неожиданным оборотом разговора, что решительно не нашелся, как и что ответить ей на это.

— Слушайте! — решительно приступила к нему супруга. — У меня есть свои планы, как устроить наши дела — нечего вам объяснять их теперь, надо только, чтобы Морденко согласился отсрочить взыскание. Хлебонасущенский говорил с ним и думает, что, может быть, он согласится, если его упросить. Морденко по-своему самолюбив. Поезжайте к нему и просите. Это пока единственное средство — унижайтесь, если нужно унижаться! Что уж тут думать о своем достоинстве, если не сегодня-завтра оно будет только увеличивать наш позор! Унижение не Бог знает как велико, потому что о нем никто не узнает: вы будете с глазу на глаз объясняться с Морденкой. Завтра в два часа он ждет вас. Теперь вы понимаете меня?

— Я не поеду к Морденке, — с воловьим упрямством процедил сквозь зубы Шадурский.

— Ну, так будете нищим! Что до меня — так мне все равно: се-

---

[1] Свидание с глазу на глаз *(фр.)*.

годня у нас все идет с молотка — сегодня же я иду в монастырь и запираюсь от света!

Княгиня немножко фантазировала, высказывая эти мысли: ей было вовсе не все равно, и она очень хорошо знала, что уйти в монастырь не удастся, потому что Морденко и ее точно так же упрячет в долговую тюрьму; предполагаемое же отшельничество пустила в ход как эффект, которым сильнее можно подействовать на мужа.

Но эффект не произвел никакого очевидного действия.

— Повторяю вам, мне все равно, — убедительно продолжала экс-красавица. — Я о себе не думаю, но я в отчаянии за сына, мне смертельно жаль нашего несчастного Владимира! Подумайте, что его ожидает! Если не ради себя, то ради родного сына вы обязаны это сделать.

— Да кто же мне поручится, что Морденко согласится на отсрочку? Разве вы имеете какие-нибудь положительные данные для этого? — возразил расслабленный гамен, все еще продолжая упрямиться.

— Я имею одну вероятность... но я надеюсь... Полиевкт тоже надеется. Это, наконец, последнее средство! Более ничего не остается, хватайтесь за бритву, но не тоните же как камень!

— Ну, если он и даст отсрочку, тогда что?

— Тогда... тогда я знаю, что делать: тогда пускай Владимир женится на Дарье Шиншеевой. Она поручится, долг пойдет на рассрочку. Одним словом — там уж мое дело!

Наступила минута молчания. Княгиня ждала. Князь в глупом раздумье расхаживал по комнате, слегка поколачивая на ходу каблуком о каблук.

— Ну что ж, наконец, вы надумались?.. Поедете вы? — нетерпеливо вздохнув, возвысила голос Татьяна Львовна.

Дмитрий Платонович нехотя покачал головой, не решаясь покачать решительно и смело.

Княгиню взорвало.

— Ну, так подите же вы вон отсюда!.. Оставьте меня! — резко и раздраженно проговорила она, вся вспыхнув и засверкав на него глазами.

Гамен как-то глупо ухмыльнулся и вышел, подобно мокрой курице — положение наиболее свойственное ему в таких обстоятельствах.

Экс-красавица в злобном изнеможении бросилась в кресло, досадливо запустив в пряди волос свои трепещущие, тонкие пальцы, и надолго осталась в таком положении.

Она страдала. Перед нею рисовался весь ужас грядущей нищеты и тех оживленных толков, какие пойдут повсюду рядом с разорением, ужас того равнодушного и фальшивого, но тем не менее оскорбительного участия к их положению, того позора, тяжкого для самолюбия, который будет отселе сопровождать их разорившееся и падшее величие. Это было чересчур уж жестоко для избалованной судьбою женщины. И что хуже всего — она очень хорошо понимала, что шансы на успех личных переговоров с Морденкой имеют только фиктивное или по крайней мере слишком шаткое значение, что в действительности эти шансы пока еще — нуль. И все-таки за них, и *только за них*, можно было теперь ухватиться. Этим фиктивным шансам нужно пожертвовать аристократической гордостью, достоинством, человеческим самолюбием, принять унижение, горький стыд — и все-таки княгиня решалась на все эти жертвы, ибо не по ее силам приходилась иная, простейшая жертва: отказавшись навек от всего прошлого, вступить в трудную колею безвестной, темной, скудной достатками жизни.

Княгиня решила во что бы то ни стало уломать своего мужа на свидание с Морденкой, и поэтому рано утром послала за Хлебонасущенским.

Многих усилий и доводов нужно было Полиевкту и Татьяне Львовне, чтобы уломать несговорчивого гамена. Целое утро убили они по-пустому — гамен не поддавался, да и в самом деле, каково было ему ехать к Морденке! Сколько самых щекотливых, тонких и болезненных струн должен он был заставить замолчать в своем сердце, а они между тем, как нарочно, не умолкают, а звучат все больше и сильнее, так что ничем не заглушишь их.

Начало Морденкиной мести, неведомое ему самому, наступило для Шадурских именно с той самой минуты, когда княгиня Татьяна Львовна решила необходимость личного с ним свидания, в жертву коему долженствовал принести себя расслабленный гамен.

Долго с ним не могли ничего поделать: княгиня принимала то решительный и требовательный, то нежный, дружеский тон; Полиевкт пускал в ход свои более или менее убедительные аргументы; наконец послали за князем Владимиром, с тем чтобы и он присоединил к ним свои просьбы и доводы. Князь Владимир порешил этот вопрос очень просто:

— Ехать к Морденке? — воскликнул он. — Боже мой, да отчего же не ехать! Самолюбие? Э, полноте! Спрячьте в карман ваше самолюбие! Выньте его напоказ тогда, когда в карманах деньги будут, а теперь — в карман! Позору боитесь? Так ведь гораздо больше позору будет, когда в тюрьму сядем: тогда все будут знать, а тут ваш позор один только Морденко увидит — ну и пускай его! Предпочтите маленький большому!

Старому гамену как будто не по сердцу пришлась мораль его единородного сына: он пораздумался над его доводами, а этой минутой ловко успел воспользоваться Хлебонасущенский. Последний в таких мрачных и живых красках изобразил близкое будущее княжеского семейства, что княгиня сочла нужным даже пролить несколько слез, а старого князя не на шутку передернуло. Князь же

Владимир выразил ту мысль, что не спасти от позора и гибели свое имя и свое семейство есть дело нечестное. Хлебонасущенский и тут не упустил воспользоваться подходящей мыслью и с широковещательной убедительностью принялся развивать новый аргумент юной отрасли дома Шадурских. Он стал перебирать клавиши долга гражданского и семейного, изобразил всю великость самоотверженного подвига, когда отец семейства, ради спасения детей, родового наследства и родового герба, так сказать, подъемлет на рамена свой тяжкий труд, презирая личное свое самолюбие, но храня самолюбие высшее, самолюбие принципа и прочее, и прочее; засим пришел к ужасу и бездне тех толков, сплетен, пересудов, которые поднимутся в обществе вместе с падением, и долго ораторствовал на самую чувствительную для Шадурских тему рокового *«что скажут?»*.

Все эти убеждения, настояния, просьбы и доводы произвели наконец такого рода безобразный сумбур в злосчастной голове расслабленного гамена, что он потерял все нити своих мыслей, что называется, сбился с панталыку и — усталый, измученный приставаниями, паче же всего устрашенный яркой картиной безвыходного будущего и безобразных толков общества, которые развил перед ним широковещательный Полиевкт, — махнул наконец рукой и дал свое согласие.

Но недешево, в самом деле, далось ему это согласие: он должен был много принести ему в жертву.

Между тем с этими уламываниями прошел срок, назначенный вчера Хлебонасущенским, который опасался теперь, что Морденко не станет дожидаться. Надо было торопиться, и потому Полиевкт уже на дороге принялся основательно внушать князю, как и о чем надлежит просить старика. Но князь, уломанный однажды и уразумевший печальную суть грядущей развязки, сам теперь очень хорошо понимал, какого рода объяснение предстоит ему.

Княгиня во все время его отсутствия пребывала в своей молельной и горячо молилась об успешном окончании дела.

XVII

«НЫНЕ ОТПУЩАЕШИ, ВЛАДЫКО!..»

— Вам кого? Хозяина? — осведомилась Христина, впустив в переднюю обоих приехавших. — Как сказать-то об вас?

— Шадурский, князь Шадурский, — вразумительно передал ей Полиевкт Харлампиевич.

Чухонка неторопливо ушла в смежную комнату и доложила как было приказано.

— Кто такой? — поморщась и словно бы не расслышав сразу,

переспросил Морденко, и нарочно таким голосом, чтобы в прихожей могли его слышать.

Та повторила фамилию.

— Шадурский? Пускай подождет там!.. Попроси подождать.

И Морденко неторопливо зашлепал туфлями по своей спальне. Это был первый эффект, которым он предполагал встретить своего врага — и эффект удался как нельзя лучше. Князь слышал от слова до слова — и побагровел: его передернуло от столь неожиданного приема; тем не менее стал снимать шубу, которую Хлебонасущенский помог ему повесить на гвоздик, вслед за тем сам немедленно же удалился на лестницу.

Дмитрий Платонович вступил в комнату, служившую приемной. В нос его неприятно шибанул затхлый запах кладовой, наполненной гниющей рухлядью, — запах, неисходно царствовавший в берлоге старого скряги. Но впечатление вышло еще неприятнее, когда приехавший осмотрелся: пыль, паутина, убожество, бьющее на каждом шагу, закоптелые печь и стены с потолком, тусклые окна, подернувшиеся радужным налетом, поленья, сложенные у печи, попугай в углу и мертвый безносый голубь — все это показалось Шадурскому чем-то диким, почти ужасающим и наводящим тоскливое уныние. Он не знал, куда деться, куда обернуться, и только изумленно перебегал глазами от одного предмета к другому. Ему уже становилось неловко: он все один, все ждет, а Морденко не выходит. Он был поражен, потому что ожидал не такой обстановки и не такой встречи.

А Морденко меж тем нарочно медлил выходить и копошился в своей спальне, чтобы подольше заставить подождать Шадурского.

«Что, ваше сиятельство? Просить приехали? Ну, так и постойте-ка у меня просителем! — злобно ухмылялся он. — Когда-то вы меня по часам заставляли ожидать, а теперь я вас... А теперь я вас!.. Так-то-с! Слава долготерпению твоему, слава!»

Наконец, вдосталь насладившись этим эффектом, Осип Захарович решил, что пора приступить ко второму акту своей комедии.

Шадурский прождал уже более десяти минут и начинал терять терпение, находясь в самом затруднительном положении, потому что решительно не знал, как ему быть теперь: ждать ли дольше, уйти ли отсюда или решиться на более настойчивый вызов к себе хозяина этой берлоги — как вдруг неторопливо, спокойно растворилась дверь и в ней вырисовалась суровая фигура сухощавого старика.

Он шел прямо на Шадурского, тихо, спокойно, склонив немного набок свою голову и неотводно вперив в него стеклянные глаза. Ни один мускул лица его не дрогнул — это лицо отлилось в выражение совершенно холодного, сухого и несколько сурового спокойствия.

Дмитрий Платонович оторопел и немножко попятился.

— Чем могу служить? — спокойно произнес Морденко свою обычную фразу и обычным же глухим, безвыразительным голосом, остановясь в двух шагах от заклятого врага.

— Я... я приехал по делу о взыскании, — смешался Шадурский, чувствуя на себе магнетизацию этих неподвижно-стеклянных взоров.

— Ну-с? — тем же тоном понукнул Морденко.

— Вы скупили все наши векселя и представили их...

— Скупил и представил.

— Но ведь это губит нас...

— Губит, — вполне согласился и даже подтвердил Осип Захарович.

— Но, вспомните, вы же сами прежде говорили моему управляющему, что не желаете делать мне зла, что вы все это скупали с доброю для меня целью...

— А вы этому верили?

— Да, я этому верил.

— Сожалею. Что же вам, собственно, теперь-то угодно?

— Я... приехал... просить вас...

— Просить?! — удивленно перебил Морденко.

В комнате стояло два стула; но он ни сам не садился, ни гостю своему не предлагал. Объяснение шло друг перед другом стоя.

— Итак, вы пожаловали просить, — продолжал Осип Захарович. — А какого бы рода могла быть эта просьба, позвольте полюбопытствовать?

— Просьба... Для вас ведь не составит большого расчета повременить несколько времени со взысканием?

— Ни малейшего-с. Это для меня все равно.

— Ну, вот видите ли! А для нас это огромный расчет...

— И это весьма вероятно.

— Потому что в это время, если бы вы только приостановили иск, мы бы могли обернуться, мы бы заплатили вам.

— Нет-с, вы мне не заплатите, ваше сиятельство, потому — вам нечем платить.

— Ну, если уж вы так уверены, что я не могу вам заплатить, так зачем же вы жмете меня, зачем ко взысканию представляете? Что же вам, собственно, надо?.. Я не понимаю!..

— Поймете тогда-с, когда будете помещаться в первой роте Измайловского полка. Тогда поймете-с! Вы не извольте беспокоиться: там отменно содержат, помещение приличное-с, и я по гроб жизни своей самым аккуратным образом буду выплачивать кормовые деньги, по расчету на все семейство ваше-с.

— Вы издеваетесь надо мною! — вспыхнул Шадурский.

— Нимало, ваше сиятельство, нимало-с. Для чего мне издеваться? Я говорю то, что есть и что будет.

— Так тюрьма для нас — это ваше последнее слово?

— Последнее, ваше сиятельство, последнее-с. Будьте на этот счет покойны. И... ежели Бог пошлет предел дням моим, то...

Морденко на мгновенье замедлился, как бы под наитием внезапной новой мысли.

— Да-с, так вот — ежели Господь пошлет предел дням моим, — продолжал он, с спокойной твердостью, — то после меня останется мой наследник... сын мой... *мой и ее сиятельства княгини Татьяны Львовны* — Иван Вересов... Вы не тревожьтесь: он не знает, кто его мать... Так вот-с, в случае моей кончины, *мой наследник*, по моему завещанию, станет вносить кормовые за ваше семейство-с.

Последняя мысль пришла Морденке нечаянно — он высказал ее, собственно, затем лишь, чтобы сильнее бить и бить на каждом шагу Шадурского. Старик торжествовал и наслаждался величайшим торжеством и наслаждением, но чувствовал все это втайне, сдержанно, не прорываясь наружу ни единым движением, ни единым лучом своего взгляда.

— Но, Боже мой! Ведь тут честь, ведь тут имя страдает! Сын мой гибнет! Он ни в чем не виноват! — в отчаянии воскликнул Шадурский и, непрошенный, опустился на стул.

— Ах, извините, ваше сиятельство, я и не предложил вам сесть! — с легкой иронией поклонился Морденко. — Не осмелился, право, не осмелился, потому где же вам после ваших-то мебелей да на такое убожество вдруг садиться. Извините-с!

И, вместе с этими словами, он сам уселся на другой, трехногий стул, оставшийся свободным.

— Вы изволили сказать: «честь страдает, имя страдает», — продолжал спокойно Осип Захарович. — Да-с, это точно ваша правда, точно, страдают они — да ведь что же с этим делать? Весьма жаль — и только. Вы подумайте, ваше сиятельство, как страдали *моя* честь и *мое* имя! Да вот — перенес же, и Бог не оставил меня. А ведь как моя-то честь страдала. Ведь и у меня были свои надежды, ваше сиятельство, и свои мечтания-с были, ведь и я думал скоротать жизнь человеком-с. А меня всего этого лишили, из меня волка хищного сделали. Вот что-с! Вся жизнь моя после того навыворот пошла, со всей карьерой, со всеми надеждами должен был расстаться. А все оттого, что честь пострадала, да-с!

— Но... Бога ради!.. Отсрочьте нам... повремените... ведь вы, говорю вам, душите нас! Дайте нам поправиться — мы с радостью отдадим вам! — стремительно поднялся Шадурский.

— Я не желаю, чтобы вы мне отдавали: я и сам возьму то, что мне следует! — отрицательно покачал головой Осип Захарович. — Поправиться... отсрочить... Понимаете ли, чего вы от меня требуете ныне, ваше сиятельство? Вы желаете, чтобы я отказался от своего сердца-с! Да ведь я для моего сердца все, понимаете ли, *все* забыл, всем пренебрег в моей жизни, всем пожертвовал для моей мысли. Я не ел, не пил, в холоду весь век зябнул, я у нищих гроши из кармана воровал, двурушничал по папертям, а вы хотите, чтобы я вам простил, чтобы я от самого себя отрекся!

Он встал со своего места и в волнении прошелся по комнате.

— Нет-с, ваше сиятельство!.. Я вам скажу-с, тяжело это было: начинать пить кровь своего ближнего — куды как тяжело... Не приведи Господи!.. Ну а как начал, так что ж уж останавливаться! Сделал я тогда объявление через полицейскую газету — и нужно же быть судьбе-то! Первый заклад... Приходит ко мне молодая персона. «Бога ради, — говорит, — тут все мое сокровище... не дайте с голоду помереть». Хотел уж без закладу помощь на хлеб насущный оказать, да про ваше сиятельство вспомнил — и не оказал... А с тех пор уж и пошло... и пошло!.. А персона-то была и вам небезызвестная: княжна Чечевинская-с, Анна.

При этом имени Шадурский вздрогнул и изменился в лице.

— Да-с, она самая, — продолжал Морденко, не спуская с него глаз. — Мне и про ваш амур досконально было известно потому, как сами же их сиятельство, княгиня Татьяна Львовна, супруга-с ваша, передавали мне про то в те поры, как они меня к себе приблизить изволили. Так мне, изволите видеть, это все-с известно. Вот-с она, и вещичка-то эта, — продолжал Морденко, вынув у себя из-за ворота рубахи золотую цепочку с крестом и поднося ее Шадурскому. — Я сохранил ее... и всегда храню... как памятник... начало моего сердца-с.

Морденко умолк и продолжал тяжело и медленно шагать по комнате. Шадурский стоял как пришибленный и наконец, словно очнувшись, решительно подошел к своему противнику.

— Ну, — промолвил он с тяжко сорвавшимся вздохом. — Забудем все прошлое... простим друг другу... Если виноват — каюсь... Вот вам рука моя!

И он стремительно протянул ему обе ладони. Это, по его разумению, была уже самая крайняя, последняя мера, до которой могло унизиться его самолюбие, его достоинство, ради спасения себя и своего состояния. Князь Шадурский просил прощения у Осипа Морденки! Но Осип Морденко отчасти изумленно отступил шага на два назад и, с явным пренебрежением к Шадурскому, заложил за спину свои руки, чтоб тот не успел как-нибудь поймать их.

Князь как стоял, так и остался с протянутыми ладонями, в крайне глупом, неловком и смущенном положении.

— Вы не хотите... — пробормотал он, вероятно, и сам себе не отдавая отчета в том, что именно, и зачем, и для чего бормочет.

В эту минуту Морденко вдруг взглянул на него с каким-то волчьим выражением в глазах.

— Как, ваше сиятельство!.. Забыть! Простить!.. — почти шипел он, пожирая его этим волчьим взглядом, тогда как посинелые губы его точили слюну и трепетали от лихорадочно-нервного волнения. Теперь его вдруг, мгновенно как-то, сдавила вся исстари накипевшая злоба. — Забыть! — говорил он. — Забыть!.. Нет-с, горит, ваше сиятельство, горит! До сих пор горит!..

И, произнося эти слова, он с злорадным наслаждением указывал пальцем на свою щеку — ту самую, на которой двадцать два года тому назад запечатлелась полновесная пощечина князя Шадурского.

— Вы мне руку теперь предлагаете... ту самую руку... Ха, ха, ха, ваше сиятельство!.. Нет-с, не осквернюсь я вашею рукою, не осквернюсь!.. Вы это потому, что я вас в бараний рог согнул?.. Напрасно-с! Ни забыть, ни простить, ни мириться я не могу — потому горит — горит, говорю вам, ваше сиятельство, до сих пор горит!

Дмитрий Платонович стоял смущенный, опешивший, желая лучше провалиться сквозь землю, чем стоять теперь перед этим человеком, слышать его голос, испытывать на себе действие его волчьего взгляда и понимать каждое его слово, которое каленым углем ложится на душу. Князь был раздавлен и бессильно взбешен.

— Ну, теперь, полагаю, наши разговоры кончены! — сказал ему Морденко. — Передайте мое глубочайшее почтение супруге вашей, их сиятельству княгине Татьяне Львовне. Скажите, что Осип Захарович, мол, по гроб жизни своей не забыл вас; а затем — прощайте, ваше сиятельство. Наши разговоры кончены вполне.

И Морденко поклонился низким, глубоким и почтительным поклоном.

— Мерзавец! — со всей силой презрения, но — увы! — в совершенно бессильной ярости прошипел ему в лицо выведенный из последнего терпения Шадурский и, весь трясясь и шатаясь на ходу, словно угорелый, поплелся к выходной двери.

— Христина! — закричал вослед ему Осип Захарович. — Помоги его сиятельству надеть шубу и проводи с лестницы, его сиятельство очень слаб и взволнован.

И как только захлопнулась за князем дверь, он бросился к форточке и жадно ждал, когда тот выйдет на двор к ожидавшей его карете. Шадурский вышел, весь бледный, дрожащий от ярости и почти совершенно больной. Испуганный Хлебонасущенский в карете принял его на руки, почти готового лишиться чувств, и Морденко за всем этим следил теперь своими волчьими глазами и тихо улыбался.

А когда съехала со двора княжеская карета, старик тихо удалился в свою спальну, на ключ замкнул за собою дверь и, опустясь перед образом на колени, со слезой в глазах и с восторженно воздетыми горе руками, прошептал задыхающимся голосом:

— Ныне отпущаеши, владыко!.. Яко видеста очи моя... Ныне... ныне отпущаеши раба твоего...

XVIII

ПОХОРОНЫ ГУЛЬКИ

Старик не радовался — он был просто удовлетворен теперь вполне, как может быть только удовлетворен много, долго и страстно желавший человек. Это новое чувство — чувство безграничного нравственного удовлетворения — охватило его каким-то спокойствием. Он мог и действительно имел теперь неотъемлемое право сказать: *ныне отпущаеши.*

Вышел Осип Захарович из своей спальной, и вдруг глаза его случайно упали на распластанные крылья убитого голубя. Он вздрогнул и онемел, чувствуя в то же время, как жидкие остатки волос его вздымаются от ужаса.

Только теперь вспомнил он про своего друга, вспомнил *что-то* совершенное в минуту исступленно-дикого, отчаянного порыва, вспомнил, что это *что-то* сделал он — *он сам*, и в сознании старика шевельнулась ужасная мысль: *«Я убил* его... Друга убил, когда он ласкался... беззащитную тварь... чистую птицу Господню... Каин Авеля убил... Каин Авеля!»

И он, страшась подойти к своему голубю, не осмеливаясь прикоснуться к нему, в каком-то паническом страхе выбежал из комнаты в свою спальню и снова замкнулся там, словно бы боялся теперь птичьего трупа и попугая, живого свидетеля совершенного преступления, и самых стен, окон, мебели и самого себя, наконец: он как будто от самого себя хотел убежать и запереться куда-то.

Забившись с головой под одеяло, он долго трясся лихорадочным ознобом, скорчась у себя на постели. Страшно было на свет взглянуть, страшно прислушаться к каким бы то ни было звукам, и каждый предмет невольно пугал его. Каждый предмет представлялся каким-то безмолвным, но страшным укором.

— Не к добру... не к добру! — кручинно шептал Морденко. — И в такой-то день... в такую минуту!.. Грешник ты окаянный!.. Убийца!.. Чистую тварь Господню!.. Боже, Господи... не к добру... Это — самому мне смерть предрекает...

И от этой мысли захолодило в его груди.

Весь остаток дня пролежал он, не вставая, мучимый раскаянием, угрызениями совести и страхом близкой смерти, предзнаменование которой почему-то суеверно мерещилось ему в смерти голубя.

«Да, теперь умру, а дело недокончено, — думал он несколько позднее, — недокончено — и все прахом!.. Все прахом!»

И вдруг он вспомнил, что, уходя, Шадурский злобно и презрительно сказал ему «мерзавца». Тогда, в первую минуту, под обаянием своего великого торжества, он как-то пустил мимо ушей это жестокое слово; но теперь, когда оно случайно вспомнилось ему среди хаоса его нравственных терзаний, Осип Захарович нашел его весьма веским. Теперь это слово всю кровь к голове ему бросило.

— А!.. Мерзавец? — прошептал он. — Так тебе еще мало? Так ты еще все-таки смеешь голову против меня подымать?.. Я тебя растоптать и растереть ногою могу, а ты мне «мерзавца»!.. А теперь... Господи!..Теперь умрешь и дело не кончишь... враг торжествовать будет!

— Так нет же! Нет! — вскочил старик с кровати. — Не будет тебе торжества! Не будет!.. Недаром я на тебя жизнь потратил! Допеку! Уничтожу!.. В могиле буду, а все-таки уничтожу... «Мерзавца» — мне, мне «мерзавца»! Хе, хе!.. Посмотрим, когда так. У меня пока еще сын есть... Он, он пускай отомстит!.. Коли не я, так он докончит! Что, взяли, ваше сиятельство?.. Хе, хе-е!.. Что, взяли? Не вывернетесь! Не-е-ет!

Только поздним вечером Морденко стал как будто несколько спокойнее, то есть настолько спокойнее, что решился наконец выглянуть в смежную комнату из своего доброхотного заточения.

Больно щемило его за сердце, когда подошел он к убитому другу и стал глядеть на него. Слеза на реснице показалась. Он стоял и думал, как быть теперь с этим убиенным другом? Выбросить его в яму, как падаль? Боже сохрани! Как это можно!.. У себя держать, чучелу сделать? Нет! Грустно, тяжело будет это: вечный укор перед глазами, вечное напоминание.

Наконец похороны были придуманы.

Прежде всего старик жарко растопил свою печь и, когда она горячо уже пылала, поднял с полу голубя.

Долго смотрел он на его безжизненное тело, бледный и угрюмый, с застывшей на реснице слезой, наконец медленно поднес его к губам, и тихо, и долго стал целовать сизоперую шею и бесклювую голову.

— Прости ты мне!.. Прости ты мне, Божья птица! — с глубоким и горьким вздохом прошептал Осип Захарович, кивая удрученной своей головой.

И вслед за тем, опустясь перед печью на колени, он метнул в самый пыл ее смертные останки своего друга и как стоял, так и остался на коленях до тех пор, пока не сгорел голубь. Лицо его было мрачно, неподвижно и мертвенно, глаза устремлены в яркое пламя, а сухие губы непрестанно бормотали все какие-то молитвы. И странно было бы видеть эти как-то машинально шевелящиеся губы на совершенно безжизненном и неподвижном во всех остальных своих мускулах лице. Время от времени Морденко, не переставая бормотать молитвы, подкладывал в печку одно или два полена и продолжал это делать до тех пор, пока наконец не испепелились самые кости его вероломно убиенного друга. Он замаливал теперь свой тяжкий грех, совершенный в минутном исступлении. И это действительно была для него огромная потеря, он действительно убил своего друга — убил существо, которое сам выкормил, взрастил и так долго холил, с которым делил те редкие из своих минут, когда прояснялось его угрюмое чело, существо, которое, вместе с попугаем, он любил более всех существ на земле, к которому действительно питал единственно теплое и живое чувство.

И этим убийством он опять-таки обязан своему заклятому врагу — да, одному ему, только одному ему! Зачем он медлил? Зачем опоздал? Приезжай он вовремя в назначенную пору, Гулька остался бы жив и вместе бы теперь делили свою радость. А теперь и радость не в радость, теперь она не радость, а каинская мука, вечное угрызение!.. И ему-то простить теперь! Его-то, врага-то своего да не доконать? Нет, теперь-то и доконать его!.. И его, и жену его, и весь его род, и племя! Пускай родной сын доконает, коли сам не успею! Пускай же узнают они это!

И вот в таких-то странных, хаотических и тревожных думах провел Морденко целую ночь. На рассвете они как-то оселись в нем и тихо, ровно, непрестанно заныли в измученной душе, как бесконечно занывает иногда у человека долго болелый зуб: сначала его шибко дергало, щемило и рвало, а теперь он ровно и постоянно ноет и ноет, не умолкая и не усиливая этого ощущения. Эти ровно ноющие думы и ощущения вытекали у него из троякого источника: то была злоба на Шадурского за «мерзавца», то было угрызение совести за убийство голубя и, наконец, суеверный страх близкой смерти, предреченной смертью бесклювого друга, страх паче всего за то, что мщение останется недовершенным и враг восторжествует.

С последней мыслью никоим образом не мог помириться Морденко: она возмущала все существо его.

XIX

СОВЕСТЬ ЗАГОВОРИЛА

Меж тем организм старика, переживший в столь короткое время столь много самых сильных и разнообразных впечатлений, не выдержал. Такая исключительная, сильная страсть нелегко дается и молодой, здоровой натуре, а хилому и дряхлому Морденке нанесла она решительный и последний удар. Взглянув на него, можно было с достоверностью сказать, что дни его уже сочтены. На другое утро он был уже очень слаб и недужен, и этот старческий упадок сил произошел в нем необыкновенно быстро, за одну ночь, в течение нескольких часов, и тем-то сильней и быстрей шел этот упадок теперь, чем более усиленной и напряженной жизнью жил Морденко накануне. А напряженная-то жизнь началась для него еще гораздо за месяц вперед, с того самого дня, как было сделано покушение Гречки, с той самой минуты, как нашел на него решительный страх смерти, который не допустит свершиться старой заветной мысли; и до последних часов эта двойная, усиленная лихорадочная жизнь шла все crescendo[1], достигая наконец до самых потрясающих и одно другому противоположных ощущений за последние сутки.

Вчерашний день Морденко, основываясь на вообразившемся ему предзнаменовании, только суеверно *думал* о близости смертного часа; сегодня же утром действительно уже *почувствовал* и сознал грядущую близость его. Он был жалок; он чувствовал себя полным неудовлетворенной ненависти и в то же время совсем бессильным, убитым, обманутым судьбой.

В минуту этих терзаний, когда он, один на один со своей злобой, страхом и совестью, лежал замкнутый в своей убогой спальне, ему кручинно вспало на мысль про своего отверженного сына — про Ивана Вересова. Припомнились ему все детство и юность этого сына, вся та черствая, сухая суровость, какою вечно наделял он его в своем обращении, взамен теплой отцовской ласки, — и почувствовал себя старик не совсем-то правым перед собственной совестью. «Ну, мать я ненавидел, — думал он, — так ведь это мать... А он-то чем виноват?.. Тем, что на свет от нее родился? Так ведь я ж его и на свет-то родил!» И Морденко с горечью должен был сознаться, что всю жизнь свою заходил чересчур уже далеко в своей ничего не различающей, слепой ненависти. Вспомнилось ему, что никакой поддержки ни разу не оказал он своему сыну, предоставляя его самому себе — живи, мол, как знаешь, на свои собственные гроши; а затем совесть подсказала и то, что он, отец, даже обокрал родного сына, затаив в свою пользу значительнейшую часть той суммы, которую двадцать два года назад его мать переслала Морденке на воспитание Ивана. Все это встало теперь перед его совестью тяжелым упреком. В старике заговорила некоторая доля его давно заглохшей человеческой, сердечной стороны: на рубеже расплаты со своей жизнью в нем начинал просыпаться *отец*. И вспомнил он, разбирая отношения свои к этому юноше, что Вересов никогда ни единым укором, ни единым жестким словом не проявил перед ним своего законного протеста: всегда он был тих, и кроток, и почтителен. «За что же, за что же это так?» — задавал он себе укоризненный вопрос, от которого еще жутче становилось на сердце.

«Но ведь он же виноват передо мной! Он на отца святотатственную руку вознести помыслил!» — вильнул он вдруг в оправдание перед собственной совестью, ибо совесть эта, по своей человеческой сущности, настойчиво требовала, искала в чем-нибудь и хотя каких-нибудь оправданий — и не могла найти ни одного удовлетворительного. Но вильнул и опешил — потому что та же самая совесть напомнила, что сам же он, Морденко, из одной слепой злобы, упорно взводил на сына обвинение в этом покушении, основываясь на одних нелепых подозрениях, на «ясновидении», на том толь-

---

[1] Усиливаясь *(итал.)*.

ко, что ему так казалось. Он был зол и перепуган тогда, он еще всецело отдавался своей слепой ненависти, перенося ее от матери на сына; но теперь... «Ведь Иван-то невинен, ведь злодей повинился чистосердечно, рассказал все дело и как опутал-то его, неповинного, — думал и корил себя Осип Захарович. — Ведь и следственный пристав досконально знает это, меня призывал и объявил мне, а я... я от родного детища отказался... и воочию знал, что оно неповинно, а отказался... Ох, горе, горе тебе, человече... Горе на конечный твой час... А час-то этот, яко тать в нощи...

И где-то теперь он, несчастный, скитается? Без крова, без приюта, без хлеба... И все ты — один ты виноват да злоба твоя неисходная...

Вот вчера в церкви стоял и в глаза тебе глядел прямо, несмущенно... была бы нечиста совесть, не стал бы так глядеть... Ведь вон — злодей-то тот, как привели его перед меня да заставили рассказать, как все дело было, так ведь куды как жутко сделалось!.. И коробило-то его, и говорить-то трудно было — а еще злодей, закоснелый злодей!.. А этот — нет, этот прямо и откровенно смотрел... А ты, окаянный, мимо прошел, мимо детища единокровного, словно бы чужой и незнакомый... ты его погибать оставил, да еще добро бы в тюрьме, а то в церкви... А он в церковь-то Божию зачем пришел?.. Молиться пришел!.. Может, еще за тебя же, за лютого молился!..»

И старик горько заплакал. Туго и тяжело выжимались из глаз его скудные, иссякшие, старческие слезы, но тем-то и жутче, темто и горьче и больнее были они. В нем живо и вполне уже заговорило теперь отцовское чувство: старый кремень раскаялся.

И захотелось ему во что бы то ни стало видеть своего сына, прижать его к своей груди — может быть, в первый раз в своей жизни приголубить, приласкать его, выпросить у него прощение себе, загладить все свои былые напраслины, жесткие несправедливости относительно его, и захотелось тем сильней и неотступнее, чем более чувствовал он свою немощь и слабость, близкие к гробовой доске. Но как его видеть? Где отыскать его?

Старик долго ломал себе голову над этим вопросом и наконец, к величайшей радости своей, отыскал подходящее разрешение.

Он дотащился до своего стола, достал четвертушку серой бумаги, заскорузлое гусиное перо, воткнутое в заплесневелую баночку с чернилами, и с трудом начал писать дрожащей и слабой рукой:

«Милостивый государь, господин следственный пристав! Господь вразумил меня и помог убедиться, что сын мой Иван Вересов против меня невинен. Желаю примириться с ним и со своей совестью, но где ныне находится сын мой — о том неизвестен. Вы отпускали его на поруки, и он должен сообщить вам о месте своего жительства. Ради Господа и Бога прошу вас уведомить меня немедля, где он находится. Торопитесь, ибо стар я и недужен — и час мой в руке создателя. Еще прошу, как во Христе брата моего, не откажите сами пожаловать ко мне завтрашнего числа после занятий ваших, дабы я мог при вас и при священнике составить и скрепить свое духовное завещание. Более мне не к кому обратиться. Вы брали участие в сыне моем, надеюсь, что вы не откажете свидетельствующему вам, милостивый государь, нижайшее свое почтение Иосифу Захарову Морденке».

Он запечатал и через свою Христину тотчас же отправил письмо по назначению, строго наказывая и моля ее немедленно и точно исполнить его поручение.

После этого снова стал он писать начерно свое завещание:

«Во имя Отца и Сына и Святого Духа, Живоначальныя, Единосущныя и Нераздельныя Троицы. Аминь.

Находясь в полной памяти и здравом уме, завещаю и отдаю в полную собственность, по смерти моей, все достояние мое, заключающееся: а) в векселях на князей Шадурских, ныне представленных ко взысканию, и b) в кредитных бумагах и билетах (следует перечень и нумера), приемному сыну моему Ивану Осипову Вересову; с) пять тысяч рублей серебром по монастырям на помин души, для вечного поминовения; d) вещи же, все какие есть и коим прилагаются при сем росписи, распродать и деньги раздать неимущим, на поминовение души».

Таков был проект духовного завещания Морденки, написав который, он, от усилий механического труда, ослабел еще более и едва уже мог дотащиться до своей кровати.

Но зато дух его стал теперь светлей и спокойнее. Его подкрепили сознание исполненного долга и примиренная сама с собой совесть. Однако же вместе с наступившим просветлением не моглатаки заснуть и угомониться старинная злоба. Это было чувство, как бы вне его стоящее и парящее над ним всею своею мощью; с ним одним только никогда и нигде не мог управиться старик, потому что оно, от слишком долгого упражнения, перешло у него наконец чисто уже в род какого-то вечно присущего ему помешательства.

И теперь, когда от больного сердца и головы его отлетели все остальные тревожившие их мысли и заботы, чувство старой злобы снова проступило на первый план и даже у двери гроба заняло свое обычное место.

Мысля о смерти и чувствуя близость ее, он все-таки продолжал думать о мщении.

«Примирюсь с сыном — он будет продолжать! — злорадно проносилось в голове у Морденки. — Я скажу ему, что с тем только и все достояние ему оставляю, чтобы он продолжал. Скажу, что это единственное условие... Обещание, клятву возьму... А про мать ничего не скажу: не надо про мать говорить, ничего не надо! Ни-ни! Боже сохрани! Пускай так и не узнает, кто его мать... А то неравно, как узнает, может быть, жалость возьмет, может, простит им, не исполнит... Пускай не знает жалости!.. Пускай до конца ведет!.. Что, ваше сиятельство! Теперь посмотрю, как вы восторжествуете!.. Тут вам и пощечина, тут вам и «мерзавец»!»

И с этих пор умирающий старик только ждал не дождался той желанной минуты, когда наконец он воочию увидит своего сына.

XX

КЛИНОМ СОШЛОСЬ

Над Петербургом висело промозглое, серое и какое-то отволглое утро: нельзя сказать, чтобы было холодно; напротив, с крыш и из дождевых труб точилась капель, но в воздухе стояло что-то тяжело-серое, моросящее, и с моря дул порывами тот гнилой ветер, который всегда приносит с собой распутицу и слякоть.

Этим утром начинался для Маши второй день ее бездомных, голодных и холодных скитаний; для Вересова он был уже третьим.

Оба вышли из церкви Сенного Спаса, обогретые гостеприимной церковной печью, и с паперти повернули один направо, другая налево и затерялись в хлопотливой утренней толпе. Почему тот и другая взяли такое направление, того и сами они не могли б определить: им, по-вчерашнему, было решительно все равно, куда ни идти — потому что ни цели, ни задачи впереди не предвиделось.

Вересов пока еще был сыт и в течение двух суток успел уже как-то обтерпеться в своем положении; он и толкался теперь меж народа без злобы и боли, навеваемых вчера ужасною и голодною мыслью о безвыходном положении. Он как-то даже старался не думать о том, что предстоит впереди — не далее как через несколько часов, — когда опять стемнеет над городом, когда опять начнет подмораживать к ночи и снова вздумает крутить и мутить в желудке проснувшийся голод.

«Однако что ж так-то шататься! Надо же и дела какого поискать, — решил он после часу бесплодного хожденья по улицам. — Надо торопиться, а то... Господи, что, если опять придет такой же голод!.. Надо торопиться, надо торопиться пока до голода...»

И он с тоскливой озабоченностью огляделся во все стороны. Откуда искать спасения? Кто выручит? Кто даст работу?

Но день как назло был праздничный, и работы по этому случаю не могло предстоять ни малейшей. Только по кабакам да харчевням слышны были гам, да песни, да крики.

Но вон, на углу, у кабака стоит толпа, человек до двадцати поденщиков-носильщиков — больше всего отставные солдаты.

«Нанимает же их кто-нибудь, — помыслил Вересов. — Пойду к ним, постою вместе — авось и меня кто-нибудь наймет».

Пошел и примазался к маленько подгулявшей кучке, и стал между двух отставных «гарнадеров». Там шли свои разговоры и свои споры с расчетами и перекорами; но это не помешало им, однако, вскоре обратить внимание на затесавшегося в их толпу пришлого человека.

— Что, малый, надоть? — бесцеремонно обратился к нему близстоявший высокий «гарнадер».

Вересов несколько смутился, но все-таки успел проговорить ему:

— Так... сам по себе... А вы, верно, носильщики?

— Мы-то?.. Мы — носильщики. А что тебе?

— Да я, вот, тоже... хотел бы в эту работу... Может, наймет кто-нибудь.

— Кого?.. Тебя-то? Ха-ха!.. Да нешто ты гож в эфту работу? Силенка-то где? Тебя ведь одним плевком пополам перешибить — и готова! Куда тебе в нашу работу!

— Нет, я могу, — попытался было отстоять себя Вересов.

— Ну, коли можешь, это твое дело, ищи себе.

— Я вот и постою.

— Ну и стой, буде охота твоя такая. Стой хошь до завтрева — никто не наймет.

— Отчего не наймет?

— Отчего!.. Первым делом, оттого что праздник, кто ж в праздник нанимает?

— А для чего же вы стоите?

— Мы-то? А мы для того, что мы выпить пришли, мы уж тут, у эфтого кабака, завсягды и стоим, и как теперь, значит, выпили, ну и галдим промеж себя, известно — проклажаемся, потому — праздник. А второе дело, у нас артель, и окромя артельных никому постороннему эфтого дела мы не уступим, а ты поди тягайся с артелью, коли хошь! Супротив артели ничего не поделаешь.

— Ну возьмите меня в свою артель, — предложил Вересов.

— А какой с тебя прок артели? — возразил кавалер. — Силенки-то у тебя на грош, а сам, гляди, проешь в день на два пятака. Так что с тебя толку? А ты — я вот что скажу — ты, коли хошь, ступай завтра на галанску биржу да там поищи — може и возьмут.

— Где взять! — возразил другой товарищ. — Там ведь тоже дюжий человек требуется, потому — там работа еще потяжельче нашей будет; опять же и то, найдет, этта, ихнего брата туда кажинное утро человек сот пять, а отберут из них в работу два ста, а прочие долой — *але-марш*. Так-то!.. Вот ты и поди тут! А ты лучше другой какой работишки поискал бы, — обратился он к Вересову, — такой бы работишки, которая тебе посноровистей была бы, чтобы силенку не нудить, вот, примером бы, хошь по лакейской части. Вид-то какой есть при тебе аль никакого не имеетцы?

— Вид-то?.. — Вересов несколько смутился. — Вид-то... Как же! Вид у меня есть!

— Покажь его, — бесцельно полюбопытствовал кавалер.

Вересов не совсем-то охотно вытащил из кармана билет, выданный ему следователем при отпуске на поруки.

Кавалер развернул и по складам стал разбирать его.

— Эге, брат, да это у тебя вид-то волчий! — проговорил, подозрительно оглядывая молодого человека. — А еще к нам в артель просится: «Работы хочу! Места какого!» Кто ж тебя с волчьим-то видом на место возьмет аль в работу какую? Никак это невозможно, потому сичас как на этот самый вид посмотрит, так сразу и видит, что ты есть подозрительный человек. Ишь ты ведь гусь какой! Из тюрьмы на поруки отпущен, а сам места ищет! И сичас кажинный хозяин опасаться тебя должен: почем я знаю, может, ты меня обворуешь аль еще чего хуже? Ну и шабаш, значит; проваливай себе с Богом! Нет, брат, — прибавил он решительным тоном, возвращая Вересову его билет, — с волчьим видом ни в какую работу тебя не возьмут, окромя мазурничьей. Мазурить — вот это смело можешь, а что все протчее — ни-ни!

Грустно и понуро отошел от этой кучки Вересов. Он чувствовал, что в словах кавалера заключалась горькая правда, что и точно никто, из простой предосторожности, не решится взять к себе на место человека, отпущенного на время из тюрьмы по уголовному делу. Поди доказывай ему, что ты невинен, что самый отпуск на поруки удостоверяет уже несколько в этом, что ты взят по ложному обвинению, по одним только подозрениям! «Все это так, — уклончиво скажет каждый наниматель, — да все же без этого было бы спокойнее как-то... а теперь все как будто сомнительно». И наниматель по-своему, пожалуй, будет и прав: тюрьма — плохая рекомендация человеку. Стало быть, в конце концов что же остается, если ты не имел до тюрьмы прочной оседлости и хоть какой-нибудь, но все-таки прочной собственности и прочного занятия? Остаются только два исхода: либо великодушно умирай с голоду, либо, коли не желаешь смерти, то волей-неволей воруй для поддержки своего бренного существования. Это факт. И притом это факт, который весьма легко проверить и убедиться в его беспощадной справедливости. Загляните в тюрьму, скажите, чтобы вам указали на нескольких арестантов, которые попадаются в эту тюрьму не в первый уже раз (а таких очень и очень много), а затем, узнав их имена и нумера дел, справьтесь в местах, где таковые производятся, и вы последовательно дойдете до первоначального дела каждого из этих подсудимых. Но это процедура слишком длинная. Возьмите путь кратчайший: спросите у любого опытного следователя, и — как в первом, так и в последнем случае — вы получите ответ такого рода:

«Человек честный, неиспорченный, сделал проступок или по случайному стечению обстоятельств подозревается в проступке, за который в том и другом случае ему отводится место в заключении, в тюрьме.

В тюрьме, или вообще где бы то ни было в заключении, он сидит известное, по большей части довольно продолжительное время, в самом неразборчивом сбродном обществе воров, мошенников, негодяев, так или иначе (иногда самым косвенным и незаметным образом) влияющих на его нравственность.

Почему бы то ни было (как это часто у нас случается) человек этот отпускается на поруки. Чаще всего он и сам ищет этого, потому что в тюрьме не сладко сидеть. При отпуске на поруки (а что такое наши причастные и притюремные поручители за три рубля — читатель уже знает) ему выдается временное свидетельство, которое на специальном *argot* называется *волчьим видом*. Наименование весьма меткое, весьма характерное. *Волчий*. Да, действительно это волчий вид, и человек, его имеющий, по всей справедливости уподобляется волку. Его опасаются, его подозревают, ему нет места ни в одной честной артели, ему нет работы ни у одного хозяина, ни у одного нанимателя, потому что он человек неизвестный: Бог его знает, какой такой он человек, временный билет служит ему крайне сомнительной рекомендацией. И вот каждый начинает подозрительно озираться на него, как на хищного волка, и как хищного же волка его гонят от стада, где нет ему места. А желудок меж тем предъявляет свои законные требования — вследствие такого обстоятельства человек от голоду еще того пуще уподобляется волку. Ну, волк так волк! Что же ему остается?

Либо повеситься, утопиться, буде он человек с твердым закалом честной нравственности.

Либо поступить по-волчьи: украсть, похитить, зарезать ягненка своими волчьими зубами.

Egro[1]: или умри, не существуй, или делайся преступником.

Чаще всего он делается последним и, как быть надо, опять попадает в тюрьму. И вот таким образом, попадая в нее впервые (иногда только случайно) честным, неиспорченным человеком, со всеми данными полезного для общества члена, он вторично попадает в нее уже сознательным *преступником по нужде, по необходимости*, а из этого вторичного заключения уже выходит совсем готовым, вполне сформированным кандидатом на Владимирскую дорогу, в сибирскую каторгу. Тюрьма выработала из него негодяя — честный человек, полезный член общества погиб в нем навсегда и безвозвратно».

Этот неотразимый и несчетно повторяющийся факт составляет главную болячку наших заключений, нравственно умерщвляющих человека и служащих, по нашим большим промышленным городам, одним из средств, способствующих развитию пролетариата и преступления.

Результаты оказываются слишком горестными, слишком нано-

---

[1] Итак, следовательно *(лат.)*.

сящими ущерб обществу, для того чтобы можно было оставить их без самого горячего внимания и без радикальной помощи. Никакие паллиативы не помогут этому злу.

XXI
ОПЯТЬ НАД ПРОРУБЬЮ

Маша пробиралась по тротуару Сенной площади, позади торговых навесов. Тут уже начинал скучиваться праздничный люд-гулена. Отставной инвалид у дверей кабака продавал на грош и на копейку картузики нюхательного зеленчуку, приговаривая каждый раз при этом с малороссийским оттенком: «Купыть, господа! Добра табака! Хранцузька, под названием «сам-пан-тре»!» А подле инвалида расселась на своем товаре баба-картофельница: вывезла она сюда детскую тележку, нагруженную двумя чугунками с вареным картофелем, и сидит на этих чугунах, то и дело выкрикивая пронзительным голосишком: «Теплого товару, господа! Картошки вареныей, с-под себя, с-под себя, господа! Теплая!» А за нею, далее, в разноголосом говоре прибывающих кучек дребезжит козлом речитатив пирожника. Тут же несколько подпольных обитателей успели уже и иного рода торг завести: продают они «с рук» — один жилетку, другой штаны, третий сапожонки, и продают их «за сущую безделицу, ради праздника, лишь бы только на выпивку хватило». Вот появилась своего рода ходячая рулетка, известная под именем фортунки, а далее составился стоячий кружок с целью переметнуться в орлянку. И все эти праздничные гулены стоят тут, в некотором роде сибаритствуя; глазеют себе на народ самым безучастным, равнодушным образом да галдят промеж себя свои разговоры. Но нельзя сказать, чтобы между этими группами особенно кидались в глаза яркие цвета праздничных нарядов, главный колорит их составляет все-таки пестрящая серота лохмотьев и грязь убожества, потому что сюда, на эту закрытую торговыми навесами площадку, повысыпал по преимуществу беспардонный люд Вяземской лавры да Деробертьевского дома — высыпал справить, как ни на есть, утро своего праздника, перед Полторацким кабаком то есть постоять, поглазеть, погалдеть да выпить малую толику на последний грош — «чтобы попусту в кармане не залеживался».

Маша проходила по тротуару мимо этих групп, и вдруг глаза ее случайно упали на вывеску, прибитую над спуском в подвальный этаж, где она прочла слова «Сесная лавка». Это был один из перекусочных подвалов, с которым мы уже знакомили однажды читателя.

«Тут, верно, дешево, — подумала Маша, вспомнив при этом о последнем оставшемся у нее пятаке. — Когда захочется поесть, надо будет сюда зайти. Только... что-то будет завтра, если сегодня все зараз проешь?»

Но это *завтра* в данную минуту почему-то не представилось ей поражающе всем своим ужасом. Маша, сама себе не давая верного отчета, казалось, как будто чего-то ждала, на что-то надеялась, думала в чем-то найти исход. Но это именно было одно лишь что-то, какая-то смутная, беспричинная и безразличная надежда, которая мгновеньями может закрадываться в человека, в то время как он успел кое-как обогреться и насытиться. Эта надежда в подобных случаях есть следствие чисто физиологических причин: организм успел удовлетворить своим законным жизненным требованиям — человеку и кажется мир не в столь мрачном свете, хочется думать, будто еще можно жить. Но если бы Маша захотела строго задать себе вопрос: какое именно это что-то, от которого она ждет исхода, — Бог весть, может быть, она в последней степени отчаяния тут же решилась бы размозжить себе голову о первый попавшийся камень.

Но... жизнь или судьба подсовывает человеку такие задаваемые им самому себе вопросы не тогда, когда он сколько-нибудь сыт и обогрет, а именно в те роковые минуты, когда он голоден и безысходен.

Нечего пересказывать во всей подробности, как провела Маша второй день своего скитальчества. Греться она заходила в пассаж, отдыхать от ходьбы — в католическую церковь, где можно сесть спокойно на любую из скамеек, стоящих двумя длинными рядами.

Часов около восьми вечера она почувствовала голод, ощупала свой пятак и вспомнила про перекусочный подвал, замеченный ею на Сенной площади.

Молодая девушка туда и отправилась.

— Барышня!.. Вы куда это изволите?.. Может, нам по пути... Позвольте проводить! — с наскоку окликнул ее на Невском какой-то франт, приказчичьей наружности, подлетая к ней сбоку и весь изогнувшись ходячим фертом.

Первым движением девушки был испуг. Она вздрогнула от такой неожиданности.

— Что же вы молчите-с? Али языка своего лишимшись? Позвольте-с к вам с нашим почтением! — продолжал между тем ходячий ферт.

«Вот он — путь! — мгновенно мелькнуло в голове Маши. — И легко, и выгодно... Легко?.. Нет! Боже меня избави!»

И она с ужасом быстро метнулась в сторону от обязательного франта.

Из незатворенной двери перекусочного подвала валил на улицу пар, которым густо была пропитана атмосфера этой берлоги, вследствие духоты и дыхания многих людей, разноголосый говор которых гулко вырывался оттуда вместе с клубами пара.

Маша спустилась по скользкой лестнице и в нерешительности

остановилась в дверях: ей сразу же кинулась в глаза мрачно закоптелая внутренность этого подполья под каменными сводами, озаренного, вместо свечей, ярким пламенем топящейся русской печи, — внутренность, наполненная каким-то народом, который скучился там в различных группах, отличавшихся своими лохмотьями и убожеством. Маша хотела уж было податься назад, чтобы уйти от этого зрелища, невольно наводившего на нее робость, но запах жареной трески подстрекнул ее голод, а в это время позади ее раздался сиплый, гортанный женский голос и чья-то рука подала вперед ее плечо.

— Проходи, что ли, краля! Чего в дверях-то фуфыришься!

Маша ступила в подвал и, обернувшись на толкнувшую ее женщину, увидела за собой высокую безобразную старуху, которая прошла мимо и села к одному столишке, где еще оставалось два незанятых места.

Голод заставил молодую девушку последовать ее примеру, и она поспешила занять подле нее последнее пространство скамейки, оставшееся свободным.

Старуха закопошилась в кармане и высыпала на стол несколько копеек.

— На полторы копейки щей, — забормотала она вслух сама с собой, откладывая на ладонь медяки, — на полторы, стало быть, щей... или гороху?.. Горох сытнее... да на полторы хлеба... стало быть, три копейки... да три на ночлег... Вот тебе и все шесть... А больше и нету! — прибавила она, как-то странно улыбаясь и взглянув на Машу, словно относила свою речь не то бы к ней, не то бы просто на воздух.

Но, бросив на девушку этот случайный взгляд, она вдруг как-то чутко насторожила голову и со вглядчивым вниманием замедлила на ее лице свои взоры.

Можно бы было подумать, что это лицо напомнило ей что-либо знакомое своими мягкими чертами.

Маша сидела, подперши рукою голову, и ничего не замечала.

— Покарауль-ка, милая, мое место, — снова дотронулась до нее старуха, — я пойду пока, принесу себе поесть, а то и не углядишь, как займут, — придется стоя...

Маша, не глядя на нее, согласилась кивком головы, а старуха, удаляясь, опять оглядела ее довольно пристальным взглядом. Как будто что-то смутно-знакомое напомнили ей черты Маши, и эти черты словно бы тянули к себе ее сердце чем-то теплым, любовным и как бы родственным, так что старуха с первого взгляда почувствовала нечто вроде инстинктивной симпатии к этой девушке. Ей хотелось глядеть на нее, заговорить с нею, чтобы, глядючи, воскрешать перед собой какой-то знакомый образ былого.

— Ты тоже есть пришла? — спросила она ее, снова усевшись на

место с принесенной краюхой хлеба и грязной посудиной какого-то мутного варева.

Та подтвердила ее вопрос.

— Так чего ж ты ждешь? — возразила соседка. — Здесь ведь не трактир — не подадут. Здесь самому надо схлопотать себе.

— Да я не знаю, как это тут... у кого спросить — не разберешь ничего.

— А вон у повара, у кочегара-то этого... у него и спрашивай. Ты, верно, впервые еще?

— Да, я в первый раз...

— То-то и видно... Хочешь, пожалуй, я тебе добуду? — предложила старуха. — Давай деньги — я схожу.

— Э, да ты на целый пятак? — улыбнулась она, когда Маша подала ей монету. — Хочешь так: похлебаем вместе моей лапши, а я на три копейки возьму порцию трески да на две хлеба — и тоже давай вместе есть?

Девушка согласилась и по-братски разделила убогую трапезу с трущобной парией. Но один только сильный голод заставлял ее глотать эти снеди. Мутная лапша отзывалась каким-то щелоком и мыльной водой, а от немытой трески сильно отдавало ей одной свойственным запахом. Что же касается до старухи, то она ела с видимым аппетитом: для нее эти яства давным-давно уж стали делом совсем привычным.

Обе они доедали остатки своей трески, когда к старухе каракатицей подошла низенькая, очень белобрысая и очень рябая женщина, тоже довольно преклонных лет, и остановилась перед ней, с пьяноватым ухарством избоченясь своей красной морщинистой рукой.

— Ты что, Чуха, в Таиров[1] теперь али на пришпехт? — спросила подошедшая у Машиной соседки.

— Не знаю, — раздумчиво ответила эта.

— А я на Фонталку... удить пойду... может, и наклюнется какой-нибудь карасик. Пойдем-ка? Веселее вместе.

— Н...не знаю, — раздумчиво повторила Чуха.

— Чего «не знаю»! Али копейкой лишней заручилась?

— Какая уж там копейка! Только на ночлег и осталось, а то все проедено.

— Ну, вот то-то и есть! Пойдем, говорю!

— Пожалуй, — нехотя согласилась старуха. — Только — чур! Ты нынче к мосту ступай, а я по набережной, около Вяземского.

— Ишь ты, выбирает тоже, где газу нет, чтобы потемнее было!.. Небось, рыло-то все-таки разглядят... Ну да ладно, будь хоть по-

[1] Таировский переулок, где находится весьма знаменитый в трущобном мире дом Дероберти, почти сплошь населенный подобными париями женского пола.

твоему! — мазнула в заключение белобрысая и за руку вытащила из-за стола свою товарку.

— Прощай, милая, спасибо тебе! — приветливо поклонилась Маше старуха, увлекаемая своей подругой.

Этот мимолетный разговор двух парий произвел на девушку какое-то странное, дикое впечатление. О чем они сговаривались — она не могла дать себе ясного и полного отчета, только чуяла в их намерениях что-то нехорошее, неестественное, вынуждаемое тяжким гнетом всепоглощающей нужды и лихой привычки. Ей стало безотчетно тяжело от этой мысли — тяжело за жизнь, за людей, за этих двух жалких женщин, так что она поспешила поскорей выбраться на свежий воздух из удушливой атмосферы перекусочного подвала, и когда заворачивала на Обуховский проспект, то заметила на углу, у Полторацкого кабака, тех самых двух женщин, переговаривавших с каким-то лохмотником.

Невольное внутреннее движение заставило Машу отвернуться от этой группы; но та старуха, которую звали Чухой, при свете газового рожка заметила прошедшую мимо девушку и через несколько времени тихо побрела вслед за ней, пока не догнала ее подруга, переругнувшаяся напоследок со встречным лохмотником.

Был девятый час в начале, и ночь сгустилась над городом такая же, каков был и рассвет: оттепель и слякоть. Но это не печалило Машу — напротив, она была скорее довольна, потому — все-таки ночь пройдет теплее для тела, плохо прикрытого бурнусиком: меньше знобить и донимать станет ночной холод. Она держала теперь путь ко вчерашнему своему ночлегу, к той пустой барке, где надеялась встретить опять неизвестного, но породнившегося в общей доле сотоварища.

Робко озираючись, спустилась она на лед и несмелой рукой взялась за скрипучую дверку барочной каюты. Но изнутри, едва был переступлен порог, раздалось такое решительное и злобное рычанье щенной суки, что войти туда или даже оставаться в дверях становилось весьма небезопасным. Сегодня собака была гораздо голоднее и потому гораздо злее вчерашнего. Она уже поднялась с места и, рыча и осклабясь, выжидала только удобный миг, чтобы со всей злостью голодной матки кинуться на возмутителя покоя своего логовища.

Маша не рискнула остаться и, поспешно притворив дверь, начала прислушиваться за нею — не слыхать ли в каюте присутствия ее вчерашнего соночлежника; она даже раза два слабо окликнула: «Есть ли кто в барке?» Но на этот оклик не последовало никакого ответа, кроме тревожно сердитого рычанья. Ясно, что товарища нет, что он еще не возвращался. Что же делать? Войти туда, что ли? Собака бросится. И добро бы загрызла насмерть, а то ведь нет: искусает только да последнее платьишко изорвет — значит, входить не к чему, не расчет. Ждать его? Да где станешь ждать-то? Опять шататься по улицам? Нет, уж будет шататься! Усталость берет свое. Надо присесть где-нибудь. И Маша опустилась на обрубок барочного ребра, сторонясь кое-как от широких луж, которые повсюду в изобилии распустила полусуточная оттепель.

И в эту минуту горьче и сильнее, чем когда-либо, охватило ее мутящее отчаяние. «Сегодня так, и завтра так... и все-то, все-то это будет одно и то же!.. Нет, пора кончить! Решительно пора!» — с минутной твердостью и решимостью помыслила Маша, быстро поднявшись с обрубка, и направилась к тому месту, где торчали две елочки.

И вот, по-вчерашнему, у ног ее зловеще зачернелся темный кружок проруби, и, по-вчерашнему, невольно скользнула в уме мысль: «А грех... самоубийство...»

— Нет! Это вздор!.. Нечего обманывать себя! Нечего трусить! — почти в полный голос произнесла она с нервным движением, словно бы хотела стряхнуть с себя непрошеную мысль о греховности предстоящего последнего шага. — Грех!.. Что же мне делать? Что делать мне больше? Господи, научи меня! Господи, прости ты меня! Прости мне это самоубийство!

И она с истерическим, глухим рыданием упала на колени у самого края проруби, судорожно и крепко сложив свои руки, устремя отчаянно-молящие взоры в непроницаемую глубь черного и полного моросящей изморози петербургского неба.

В эту минуту она уже твердо решилась утопиться и только молилась о прощении своего греха безумно горячею, последнею молитвой.

Молитва кончена. Девушка неторопливо, но твердо поднялась с колен и поглядела вдаль с тем холодным спокойствием, которое в ту минуту служило полным выражением ее непреклонной решимости. Этим долгим, острым и спокойным взглядом вдаль, казалось, будто хотела она распроститься навеки с покидаемым миром, с этим суровым городом, который когда-то давал ей столько тихих, безмятежных радостей и потом сразу разбил ее существование. В душе ее не было ни злобы, ни ненависти, ей даже некого было прощать и некому послать последнее проклятие — потому что она умела только любить и не умела и не могла ненавидеть. На ее долю в последние мгновения осталась только горячая молитва за свою бедную, разбитую и одиноко погибающую душу.

— Ну, прощай, Маша, — сказала она себе, вздохнув из глубины души каким-то легким и отрадным вздохом. — Боже мой, прости меня, безумную, прости меня!.. Прощай, Маша!.. Пора!.. Господи, благослови!

Нога ее уже скользнула в воду, как вдруг чья-то посторонняя рука с силой отбросила ее в сторону.

Маша испуганно вскрикнула и остановилась в неподвижном изумлении.

Перед ней стояла Чуха.

Но как все это произошло, и что такое с ней случилось, и кто стоял против нее — девушка не могла еще дать себе отчета: она не успела прийти в себя и ровно ничего не понимала.

Старуха подошла к ней и кротко взяла ее за руку.

— Бедная ты моя, бедная!.. Что это ты задумала!.. Опомнись! — с тихой и кроткой укоризной заговорила она. — Господи! Минутой бы позже... не подоспей я — и все бы было кончено.

— Оставь!.. Пусти меня! — нервно выдернула Маша свою руку. — Чего тебе от меня надо?..

— Не пущу! — решительно возразила женщина, поспешно и с силой ухватив ее снова за руку. — Не пущу!.. Опомнись, что ты это делаешь?

— Уйди, говорю, отсюда! — настойчиво и резко сдвинула Маша брови. — Что тебе за дело до меня? Ведь ты не знаешь меня! Ведь ты чужая мне! Кто тебя просит мешаться?!

— Кто?.. Бог и совесть, — строго проговорила старуха, глядя ей прямо в глаза. — Ты хотела топиться... Я видела... я все видела... я не пущу тебя, а если станешь вырываться — буду кричать, позову на помощь...

Маша поняла окончательную невозможность исполнить в эту минуту свое намерение и в бессильном отчаянии, немая и убитая, тихо опустила голову и руки.

Старуха отвела ее в сторону, подальше от проруби.

— У тебя горе... Большое горе, — прошептала она с теплым участием.

— И горе, и отчаяние — деваться больше некуда! — не глядя на нее, молвила Маша, и из глаз ее медленно полились тихие, глубокие слезы. И эти слезы были вестником благодатного нравственного перелома: она внезапно встретила сочувствие и участие там, где уже ничего больше не надеялась встретить.

— Эх, милая! — глубоко вздохнула старуха. — Кабы люди с горя все топились да резались, так и половины людей не жило бы на свете.

Маша, без ответа на эти слова, стояла склонившись к плечу своей спасительницы и все плакала теми же тихими, благодатными слезами.

— Да! Вот так-то и я когда-то, — грустно закачав головой, продолжала старуха, — и я когда-то тоже стояла над водой. Да ничего: обтерпелась, обкоптелась (в голосе ее дрогнула тонкая, горько-ироническая струнка) — и живу себе до сих пор, как видишь. Оно только сначала, с непривычки кажется, будто и невесть как страшно... А потом ничего — можно... Живут же люди. Ты думаешь, только и горя, что у тебя у одной? Нет, милая, много есть горя у белого света... всякого горя — не одно твое, да живем вот, пока смерть не взяла...

Маша слушала эти тихие, исполненные теплоты и грустной, затаенной горькой иронии речи, в звуке которых ей слышались сердечность и участие к ней, к постороннему одинокому существу, и эта искренняя теплота невольно сказала ее сердцу, что не все еще клином сошлось в этой жизни, что как бы то ни было, а еще можно жить на свете, пока Бог сам не дает тебе желанной смерти, и на ее верующую, религиозную и впечатлительную натуру повеяло ужасом от мысли, что она, вопреки высшей судьбе, задумала своевольно покончить с собственной жизнью. Бедную девушку пронял лихорадочный трепет.

— Холодно тебе? Пойдем, обогрею! — как-то вдруг повеселев, участливо предложила Чуха, беря ее под руку.

— Куда? — отозвалась Маша.

— Да уж молчи. В теплое место сведу. Там хоть и очень скверно с непривычки, да все ж таки люди, а мне бы лишь отсюда-то увести тебя поскорее.

— Ну, видно, и в самом деле не судьба мне еще умирать! Да будет Его святая воля! Пойдем!.. Веди меня, куда хочешь! — решительно и просто сказала Маша, с тихим вздохом, в котором вылилась вся ее кроткая, голубиная покорность своей судьбе и той воле, которая так неожиданно удержала ее от насильственной и страшной смерти.

XXII

МАЛИННИК

На Сенной площади, позади гауптвахты, между Конным и Спасским переулками есть дом под № 3. На вид он достаточно стар и построен если не в прошлом столетии, то никак не позднее первых годов настоящего. Трехэтажный корпус его и восемь окон по фасаду, с высокой почернелой крышей, на которой, словно три удивленных глаза, торчат три слуховых окна, имеют довольно первобытный и весьма неуклюжий вид. Между этим и соседним домом идет род маленького глухого переулчонка, который выводит к воротам обоих домов: одни левее, другие прямо. Если вы войдете в те, что левее, — вашему взору предстанет грязный двор, со всех четырех сторон окруженный каменными флигелями, по всем этажам которых, с наружной стороны, поделаны сплошные галерейки, называемые в петербургском просторечии «галдареями»[1].

[1] В настоящее время уничтожены благодаря некоторым мерам местной полиции и комитета общественного здравия. И вообще весь дом с 1864 года наружно несколько реставрировался, но внутренняя сущность во многом еще осталась почти та же самая. Мы описываем весьма недавнее прошлое, которое во многих чертах и подробностях своих едва ли даже перестало быть настоящим; по крайней мере, значение этого дома для темного трущобного люда остается неизменно все тем же.

Эти галдарейки являют собою необыкновенное удобство сообщения по всему дому, из любого пункта которого вы с помощью галдареек тотчас же проберетесь в любой этаж, в любую квартиру и выберетесь куда вам угодно. Таким образом, эти оригинальные пути сообщения придавали всему дому какой-то сквозной характер, как нельзя удобнее приноровленный к укрытию всяческих темных дел и темных личностей. Казенно-желтая наружность этого дома вдоволь понатерпелась от петербургских дождей и летней пыли, так что приняла наконец грязно-серый цвет и украсилась огромными пятнами сырости, сквозь отлупившуюся штукатурку которых проглядывали промозглые, бурые кирпичи. Такая наружность, при неуклюжести общей постройки, с этим грязнейшим из грязнейших узеньких глухих переулчонком, придавала всему зданию какой-то неприятный, тяжелый и мрачный характер. Оно так и смотрело подозрительным притоном. Мутные грязные стекла давным-давно подернулись сизовато-радужным налетом, и по крайней мере одна треть этих оконных стекол были повышиблены, иные прикрыты доской, иные заткнуты грязной подушкой или каким-то тряпьем, иные залеплены бумагой или, наконец, просто предоставляли свободный проток уличному воздуху в душные серенькие квартирки.

Этот самый дом и есть знаменитый *Малинник*.

Под специальным именем Малинника он известен всей Сенной площади, с местами окрест лежащие, и всему Петербургу, имеющему хотя некоторое понятие о своих петербургских трущобах. Малинник — это есть его главное общее название, что, однако же, не мешает ему носить еще другое, частное, но несравненно менее распространенное имя *Садка*.

Почему же дом этот называется Малинник, или Садок?

И то и другое имя дано в ироническом смысле и представляет собою необыкновенно меткое, характеристичное произведение местного, чисто народного юмора. Нижний этаж этого дома занят мелочной лавкой, двумя лабазами и, конечно, кабаком. В этом кабаке за стойкой помещалась одна особа — распорядительница, известная под кличкой «ее превосходительства» или «енеральской дочки», и она действительно была законная генеральская дочь, в конце концов предпочевшая всем благам мира сего теплое место за кабацкой стойкой. Средний этаж фасадного наружного флигеля сполна занят трактирным заведением, над внешним входом коего висит почернелая вывеска с надписью, лаконически гласящей: «Заведение».

Однажды я полюбопытствовал узнать у одного своего трущобного приятеля, почему этот трактир не имеет какого-нибудь особенного имени, вроде «Синопа», «Полтавы», «Китая», а по вывеске знаменует себя просто заведением? (Неофициально он, наравне с целым домом, носит название Малинника.)

— Да на что ему еще имя? — ответствовал приятель. — Ему, окромя только как «заведение», никакого иного имени и не нужно, потому как ежели заведешь туда подходящего гостя, так уж сам себя он не выведет.

И я вполне согласился с конечной основательностью этого несколько каламбурного замечания.

Верхний этаж над трактиром и три остальных надворных флигеля — все это, разделенное на четырнадцать квартир, занято тринадцатью притонами самого мрачного, ужасающего разврата. Смрад, удушливая прелость, отсутствие света и убийственная сырость наполняют эти норы, особенно же одну из них, расположенную в темном углу двора, в подвале, под низкими почернелыми сводами; зеленая плесень, бурые грибы и водянистые потеки, по-видимому, препятствуют всякой возможности жить человеку в этой норе, а между тем в ней по ночам гнездится не один десяток бродячего народу, который заводят сюда разврат и непросыпное пьянство. И каждая из подобных нор непременно вмещает в себе еще по нескольку закоулочных каморок, отделенных одна от другой тонкими, деревянными перегородками. Убогая кровать или две доски, положенные на две бревенчатые плахи и кое-как прикрытые грязным лохмотьем, составляют всю мебель этих каморок, из коих каждая занимает не более двух или двух с половиной аршин пространства, и каждая при этом оплачивается непременно семью рублями месячной платы. Тут уже царствует полнейшая темнота, под покровом которой кроются грязь и мириады всяческих насекомых. Случись в этом доме пожар — весь Малинник в несколько мгновений сделается вернейшей жертвой самого ужасного пламени. Тут уже едва ли что спасется, потому что это множество долгостоялых и ссохшихся деревянных клетушек представляет самый удобный материал для огня, который живо пойдет катать из одной темной и тесной квартиришки во все остальные. Гниль и промозглость давным-давно уже проели стены и балки Малинника, так что в 1864 году в доме этом произошел случай трагикомического свойства. В одной из задних комнат малинникского трактира шел неистовый топот и пляс, как вдруг пол этой комнаты рушится и проваливается прямо в обиталище кабацкой генеральши. По счастию, ни ее превосходительства, ни кого-либо из посторонних на этот час не было в жилье, которому предстал сей неожиданный сюрприз, и все это дело окончилось только несколькими падениями да ушибами. И вот в этих-то норах и деревянных клетушках гнездятся от восьмидесяти до сотни самых жалких, отверженных существ, отдавшихся убийственному разврату. Эти-то притоны с населяющими их париями и послужили причиной тому, что весь дом, невесть еще с коих пор, назван Садком, или Малинником.

По узенькому вонючему переулчонку в темноте пробирались вдоль стенки две женщины. Одна была Чуха, другая — Маша. У подворотной калитки восседал дворник, завернутый в очень хороший бараний тулуп, и остановил двух новых пришелиц.

— Куда вам? — осведомился он без особенной мягкости.

— Тут вот... в трактир... к девушке к одной... к знакомой, — ответила старуха.

— Вы бродячие?

— Бродячие...

— Давай за впуск!

— Да нет ничего... После отдам... И за нее, и за себя отдам... Поверь! Не первый же день мне с тобой водиться, — убеждала женщина.

Дворник вгляделся в ее физиономию.

— Э-э! Да это ты, брат, Чуха!.. Сразу-то впотьмах и не признал...Только все же за вход-то с обеих хоть семитку подай — без того нельзя.

— Что ж ты, черт! Ты с гостей, с мужчин бери сламу, а с нашей сестры грешно. Нам откуда взять!

— Я и с бродячих ныне беру. Без того впуску нет; а с гостей не канька, а по трешке да по пискалику[1].

— Ну, поверь в долг, дьявол! Отдам, как выручу.

— В долг?.. Разве уж по знакомству, для Чухи за грехи! Только гляди: буде не отдашь семитки за двух — не приходи вдругорядь: шею накостыляю!

И дворник растворил им калитку.

— Вот место-то! Выгодней чиновничьего! — обратилась Чуха к своей спутнице, вступая в низкую и совсем темную подворотню. — Это он по вечерам да по ночам с каждого входящего берет, потому — такой уж у здешних дворников порядок. У него в банке, говорят, за десять тысяч лежит — за выход только старому дворнику тысячу заплатил, чтобы попасть на его место. А сборы-то ведь все только по грошам!

Во всех окнах этого двора светился огонь; во многих из них мелькали человеческие облики и доносился сверху какой-то смешанный гул, разобрать и определить который было весьма затруднительно.

Спутницы поднялись по темной отвратительной лестнице в средний этаж, через внутренний надворный, так называемый «невоскресный» ход заведения. Чуха вела под руку Машу, которая шла только с одним чувством изумления, но без робости, без отвращения. Ею овладело какое-то странное равнодушие, находящее на человека, безраздельно и слепо отдавшегося на волю судьбы после многого горя, борьбы и отчаянья. Она решилась жить и как бы то

---

[1] *Канька, каника* — копейка, *трешка* — три копейки, *пискалик* — пятак.

ни было переносить, перетерпливать жизнь, какова бы она ни показалась. Хотя и вполне равнодушно, однако не без доверия шла теперь Маша за своей спасительницей, и в душу ее заглянуло чувство какой-то невольной симпатии к этой безобразной старухе с той самой минуты, как встретила в ней столько нежданной теплоты и участия к своему положению. Маша по натуре своей была существо слабое, гибкое, нуждавшееся в хорошей и честной любви человеческой; она всегда чувствовала нравственную необходимость в любящей поддержке, в более крепкой руке, которая бы вела и руководила ею в жизни. Одинокая, в безысходном положении, незнакомая с жизнью и предоставленная самой себе, исключительно своей собственной воле, девушка терялась, пугалась этой неизвестной ей жизни и от кажущейся безысходности впадала в отчаяние, разрешение которому думала найти в одной только смерти. Это было свойство ее молодости и неопытности, следствие первоначальной беззаботно-тихой и мирно-безвестной жизни в родном гнезде, под теплым крылом любящих ее стариков Поветиных. Добрые и честные начала, посеянные ими, крепко вкоренились в ее молодой душе; она хотела жить честно, хотела этого до последней минуты, до того мгновения, пока посторонняя рука не отстранила ее от шага в темную прорубь Фонтанки, потому иначе что бы ее удержало от выгодного предложения домового хозяина, явившегося к ней с своими услугами после аукциона в ее квартире? Что бы удержало ее и сегодня вечером от предложения уличного гуляки? Теперь же, вместе с решимостью жить, вместе с словами «Да будет Его святая воля», ею овладело полное равнодушие к этой жизни — равнодушие оттого, что она слишком уже устала страдать. Что бы ни случилось после этого, Маше казалось уже все равно: «Пусть будет, как будет! А будет так, как Бог захочет», — сказала она сама себе и доверчиво шла за своей спасительницей, однако же все еще тая в душе смутную надежду на честный исход своего дальнейшего существования.

Поднявшись по темной лестнице во второй этаж, обе спутницы очутились в кухне «заведения». Огромные медные котлы с кипятком да горький чад жарящегося масла и густой пар столбом с первого шагу встретили Машу в этом до крайности странном для нее месте. Но это было только слабое начало ощущений, ждавших ее впереди.

Из смежных комнат врывался сюда какой-то смешанный гул. Чуха растворила дверь — и взорам Маши предстала высокая, обширная зала, битком набитая всяким народом. Все это странное сборище сидело, лежало, ходило, толкалось на месте, двигалось, как движутся плотные людские толпы, двигалось в каком-то тумане, в каком-то отвратительно-смрадном чаду, который густыми клубами носился в этой удушливой атмосфере и целыми слоями неподвижно стоял вверху, у потолка. Это был смешанный чад зловонного табачища, крепчайшей махорки и обильный пар людского дыхания, заражавший воздух уже от одного присутствия стольких человек, для которых была слишком тесна эта просторная зала. Свежего человека ошибало до зелени в глазах, до дурноты и головокружения. Смотришь, и в первую минуту ничего не различаешь. Слышен только глухой гул и говор нескольких сотен голосов, сквозь который то там, то сям раздается визг или плач, крепкий ухарский возглас и взрывы самого разнородного хохота, то вдруг пьяный или болезненный стон, то визгливая ругань, вой и вопли, а из дальних комнат в то же самое время урывками доносится бренчание торбана, топот неистовой пляски и разухабистые, нестройные звуки песни, которую орут несколько сипло-пьяных голосов. И невозможно определить, кто, и где, и как, и какие именно издает звуки, — все это мешается меж собой в дикой дисгармонии, сливаясь в один общий и глухой гул, который, кажется, будто стоит в самом воздухе этого места, будто это гудит самый воздух и самые стены. Это Малинник гудит. Вы поражены, ошеломлены, одурманены, видите одни только густые, волнистые облака смрадного чаду да слышите эти дикие звуки; но вот глаза начинают несколько привыкать, и мало-помалу различаешь людей, слоняющихся в этом чаду, видишь отдельные группы, отдельные личности. Солдаты, сермяги, чуйки и пальтишки, лохмотья и женщины — множество женщин, в иной вечер число их доходит даже до двухсот, — женщины всякого возраста, от шестидесяти до десяти и девяти лет включительно. Осматриваешься далее — дикий вертеп замыкается почернелыми, закоптевшими стенами, и вся зала слабо освещена мутным, красноватым светом единственной коптильной лампы, без стеклянного колпака, которая неровно льет свои лучи сверху вниз, немилосердно коптя потолок и распространяя смрад этой копоти и перегорелого масла. В разбитое оконное стекло валит с улицы пар, но он вполне бессилен, чтобы освежить хотя сколько-нибудь угарно-прелый воздух этой берлоги. Так и кажется, что попал на какой-то отвратительно фантастический шабаш ведьм и всякой чертовщины. У стен кое-как лепятся убогие маленькие столишки, покрытые мокрым и грязным тряпьем, играющим роль салфеток: тут царство водки с пивом и перепрелого чая с нехитрыми произведениями местного кулинарного искусства. Вдруг на вас падает сверху несколько тепловатых капель, вы ощущаете на лице какие-то влажные потеки, подымаете голову и, если глаза отменно хороши, можете сквозь чадную дымку различить, что в этом вертепе весь потолок, словно в бане, усеян висячими крупными каплями, осадками этого прелого пара людских дыханий. Делаете несколько шагов — новая неожиданность: нога вдруг попала в широкую щель грязного-прегрязного и насквозь прогнившего пола, да и застряла там столь плотно, что нужно некоторое усилие, дабы освободить ее оттуда. Но это ничего: на подобное обстоятельство не обращается внимания со стороны привычных посетителей, которые тут же и свой неистовый пляс устраивают, отчего нередко, во время лихого трепака, каблук танцора оставляет вдавленный след на давно промозглом дереве.

И Боже мой, какого тут только нет народа! Прежде всего со стороны пола непрекрасного вам кинутся в глаза подгулявшие представители всевозможных родов оружия и команд, расположенных в Петербурге и его ближайших окрестностях. Но это, по своим частям, самый плохой, ненадежный народ, потому — хороший солдат сюда не пойдет, а идет лишь пьяница да мошенник, нередко даже грабящий близ Сенной об темную ночную пору. Вот и несколько деревенских сермяг, искусившихся соблазнами Малинника и явившихся разгуляться по-своему, «во вся». К этим больше всего примазываются местные мастеровые в затрапезных халатах, норовящие войти с сермягами в короткое приятельство и «на ширмака» попить да погулять на их зарабочие сермяжные гроши. Вот голь и лохмотья нищей братии да беспардонных пьяниц-пропойц: виц-мундир либо красный воротник небритого оборвыша чиновника да выгнанного офицера, которые «свою амбицию наблюдают» и по этому случаю все стараются держаться поближе к синим чуйкам, вроде загулявших до последнего безобразия артельщиков, которые, в свою очередь, взирают на них с нескрываемым насмешливым презрением и все ублажают: «Покажи ты нам, братец, какой ни на есть фортель, а мы тебе за это пару вина предоставим».

Но главную публику мужской половины человеческого рода — публику, задающую тут «форсу» и чувствующую себя в этом злачном месте словно рыба в водяном просторе, составляют мошенники средней руки и, по преимуществу, мазурики последнего, низшего разряда. Это наиболее сильная, наиболее кутящая и потому наиболее уважаемая публика Малинника, коей тут всегда и услужливый почет, и готовое место — место теплое, насиженное, укрытое и укромное. Они здесь уже полные господа, гордые своим достоинством рыцари, опасные остальным силою кулаков своей коалиции и силою своего суда и расправы. Тут они удобнее всего сбывают «темный товар», тут идут у них важные совещания, обсуждаются в маленьких кружках проекты и планы на какой-нибудь предстоящий выгодный клей[1], критикуются и подвергаются общей похвале или общему порицанию дела выгоревшие и невыгоревшие, то есть удачные и неудачные; но главное, появляется сюда этот народ за тем, чтобы угарно пропить и проюрдонить[2] вырученный слам в кругу приятелей и приятельниц.

Малинник — это в некотором роде главный и общий клуб петербургских мазуриков, центральное место их сборищ, представ-

---

[1] *Клей* — в смысле воровского дела.

[2] *Проюрдонить* — прокутить, промотать.

ляющее для таковой цели всевозможные удобства, особенно же имевшее их до уничтожения «галдареек».

Но вот между неизменными членами-завсегдатаями выдаются несколько личностей, которых можно назвать членами непременными, имеющими личную выгоду от непременности своего пребывания в Малиннике. Между ними наиболее пустили корни здесь два промышленника, называемые «маркитантами»: один ходит по всем комнатам с плетенкой, наполненной булками, другой — со всякой дрянью, вроде пряников, рожков, мармелада и яблок, предлагая, по преимуществу женщинам, разные свои «фруктовые удовольствия». Подобные маркитанты составляют принадлежность почти всех трактиров и харчевен на Сенной площади, особенно же чаепийственных заведений. Рядом с маркитантом слоняется из угла в угол продавец письменных принадлежностей, с тетрадкой почтовой бумаги, сургучом и карандашами. Но тетрадка и карандаши — только наружный предлог, а сущность заключается в маклачестве «насчет картинок», то есть фальшивых видов. Продавец письменных принадлежностей — необходимый член компании, занимающийся фабрикацией картинок, которая по своим частям весьма многообразна: кроме выделки совсем новых фальшивых паспортов и плакатов, что называется *бирка с молоточка*, существует еще продажа видов настоящих, неподдельных. И вот для приобретения и сбыта таковых особенно усердствует продавец письменных принадлежностей, который служит сводчиком и посредником между потребителями и производителями. Обыкновенно какой-нибудь отставной канцелярский чинушечка, пропойца офицеришко, бессрочный или отставной солдат и прочие подобные личности, владеющие бессрочными видами на жительство, вроде аттестатов да указов об отставке, полученными и прописанными на жительстве здесь же, в Петербурге, продают свои подлинные документы какому-нибудь беглому, беспаспортному бродяге, который, приобретая себе звание чиновника, офицера или чего-нибудь в этом роде, удирает подальше из Петербурга, а прежний владелец документа подает в управу благочиния явочное прошение об утрате своего вида, получает вскоре засвидетельствованную копию — и новый документ готов, до новой продажи и нового заявления о его потере. Бывают между ними господа, которые раз по пятнадцати теряют свои виды и продолжают эту профессию до конца своего поприща. Часто покупает у них виды и компания, занимающаяся специально «картинками», чтобы из своих рук перепродавать нуждающимся. И вот таковые-то продавцы письменных принадлежностей служат посредниками между теми, и другими, и третьими.

Тут же неизменно трутся в Малиннике и барышники — перекупщики краденых вещей, и сборщики на построение храмов, с книжками, приобретенными, за скрепой надлежащих церковных печатей, из самой Вяземской лавры, и наконец, ради общего увеселения публики, находятся двое артистов, наши старые знакомцы — Мосей Маркыч и Иван Родивоныч, которые делят свою артистическую деятельность между Малинником и «Утешительной». Однако эти только поют да играют и ни до чего иного не касаются; призвание их — увеселение почтенной публики.

Но если что производит на душу невыносимо тягостное впечатление, то это женщины, гнездящиеся в малинникском «заведении».

Хотите вы видеть поучительную и наводящую на множество печальнейших размышлений судьбу и последнюю степень нравственного падения женщины — ступайте сюда и смотрите! Нечего с содроганием отвертываться и закрывать глаза! *Это наше*, это продукт нашего общества, эти отверженные женщины всецело принадлежат тебе, наше общество, и тебе же обязаны своим положением, возмущающим всяку душу живую! Так смотри же на них и поучайся, если можешь, но не клейми своим презрением, не клейми проклятьем отвержения, потому что на это, по совести, ты не имеешь законного права. Я покажу тебе сначала лучшую, наиболее обеспеченную часть этих парий.

Вот они проходят перед нами, вот они сидят «с компанией» у грязных столишек, неистово размазанные белилами и румянами, в грязноватых ситцевых платьишках. Они менее сыты, чем пьяны, но все-таки кое-как сыты; пьяны же постоянно, с утра до ночи и с ночи до утра. Их нарочно выпускают в это «заведение» мегеры тетеньки, содержательницы тех тринадцати вертепов, которые входят в исключительный состав этого дома и где каждая из этих женщин, закупленная и завербованная в полное крепостничество названными мегерами, платит такой мегере семь рублей в месяц за гнусно-грязную, двухаршинную конуру. Их выпускают сюда нарочно, подневольно, потому что тетеньки заключают на этот счет особую конвенцию с трактиром. Эти жалкие женщины — хочешь не хочешь — обязаны заманивать в ловушку трактирного посетителя, подбивать его как можно более пропиваться, чтобы потом мегеры тетеньки, уже в своих собственных берлогах, могли спокойно грабить до последней нитки бесчувственно пьяного и выталкивать на улицу с помощью своих приспешников и сильных дворницких кулаков. Нерадивую женщину тетенька подвергает истязаниям, бьет чем ни попало, чаще же всего пускает в ход кочерги и ухваты, день-деньской грызет поедом, морит голодом, и оттого зачастую бывает, что женщина сбежит куда-нибудь, пропадет без вести и, случается, ищет спасения или в Фонтанке, или в петле, потому что кроме петли да Фонтанки из Малинника вряд ли отыщется какой-либо другой исход, более сносного свойства.

И действительно, если бы вам пришлось пройтись по берлогам этого дома, вы легко услыхали бы повествования о самых трагических происшествиях, которые вдобавок расскажутся вам самым спокойным, безучастно-равнодушным образом: в одной квартире женщина повесилась, удавилась; в другой ножом зарезали женщину, а там — в драке убили; от каждого темного закоулка, сдается вам, будто так и пахнет кровью, от каждого угла так и веет смертью и преступлением. И это не гипербола, это — факт, неоднократно засвидетельствованный полицейской газетой в дневнике городских приключений.

Посмотрите вы на эти лица: иные из них не утратили еще следов безвременно увядшей молодости; но какая болезненность, какая изможденность и нравственная скотская отупелость ярко написаны на них! Порок и разврат навеки уже наложили свои неизгладимые клейма на эти лица, дышавшие быть может не более как за год, за два, еще всей свежестью молодости и здоровья. В этом разврате кроется главный источник чахоток, сухоток спинного мозга, идиотического, скотского отупения и той страшной болезни, которая, будучи неизменным спутником грязного разврата, на всю жизнь заражает тело и убивает душу. И при всем этом никогда — ни сна в настоящую меру, ни покоя вдосталь, ни здоровой пищи, и вечное пьянство, пьянство и пьянство. И вот отсюда-то, как из главного центрального депо, тайная зараза ползет и обильными потоками разливается по городу, в его низменной, чернорабочей и солдатской среде, из города идет далее, посредством постоянного прилива и отлива того же самого чернорабочего и солдатского люда, забирается в села, в крестьянские избы, и зачастую бывает, что целые деревни оказываются зараженными. Гибнет честная, здоровая семья, гибнут в массах молодые рабочие силы, рождаются хилые, больные, золотушные дети. Дальнейшие-то последствия, стало быть, оказываются слишком серьезной и печальной важности.

Вы видели теперь, до чего доходит падение женщины, но не думайте, однако, чтобы это была уже последняя степень его — нет, мы вам показали еще лучшую, так сказать, показную часть малинникских женщин, то есть все то, что волей-неволей обитает у хозяек в этом же самом доме и, стало быть, кое-как обеспечено, насколько вообще может обеспечить всякое рабство; но есть еще одна грань, стоящая за ними, и эта грань действительно будет последней, до какой только может дойти падение человеческое.

Малинникские посетительницы делятся на «тутошних» и «бродячих». Взгляните же теперь, что такое эта «бродячая», которая служит выражением последней грани падения.

Вот они, эти тощие, безобразные, болезненные призраки женщин, напоминающие скорее каких-то гномов сонного кошмара, чем женщину, Богом созданную! Вглядитесь ближе: иссохшее, изможденное развратом тело нагло выставляется наружу сквозь огромные дыры и прорехи разного тряпья и лохмотьев, насквозь пропитанных всякой грязью и напоминающих какое-то подобие одежды, но какой — определить невозможно; и это дырявое лохмотье, раз попавши на плечи парии разврата, остается на них непременно уже до полного истления. Нагло, цинично выставляется в прорехах это изможденное, отощалое тело, часто покрытое струпьями многоразличных язв, заскорузлое под пластами всевозможной грязи и нечистоты, потому что эти парии спят где ни попало и как ни попало, часто валяясь в ужасающей грязи дворов Вяземского дома. Они дрожат и корчатся от холода, потому что зачастую один и тот же костюм бессменно служит им и зимой и летом, и один лишь гостеприимный Малинник служит им местом спасения: сюда они забегают греться, со смутной надеждой на жалкую добычу. С каким волчьим выражением блуждают их впалые глаза, обрамленные большими темными подглазьями! Какая алчная, тревожная жадность написана на этих лицах, обезображенных болезнью, прыщами, синяками и шрамами от многих побоев! Немудрено: они вечно голодны, они не могут поручиться, будут ли есть что-нибудь завтра и послезавтра, если судьба послала им скудный кусок хлеба сегодня. Они живут развратом, удовлетворяя страстям последних парий между нищими и голышами-пропойцами, на которых с презрительным омерзением взирают даже женщины, живущие в тринадцати вертепах Малинника. И даже у этих-то парий они вынуждены чуть ли не Христа ради вымаливать себе долю внимания, от которой зависит их горький кусок хлеба. Заработаны три копейки в сутки — они могут прожить до завтрашнего дня, заработан пятак — они уже счастливы, а если редко-редко перепадает им в руки какой-нибудь гривенник или пятиалтынный — они пьяны, слава Богу, потому что во хмелю хоть на час позабывается весь ужас их обыденного положения. А как часто даже и не за грош торгуют они собой, а просто за то только, чтобы их как-нибудь накормили; и укрывает их не каморка в квартире, а какой-нибудь последний закоулок грязного двора, темная лестница, чердак или заброшенные подвалы. Есть между ними женщины молодые, даже очень и очень молодые еще, но знаменательное большинство этого последнего разряда составляют старухи, искалеченные, изнуренные, обезображенные болезнью, которых за негодностью и старостью вышвырнули из последних вертепов Малинника и пустили на все четыре стороны. И вот большая часть из них приютилась кто в Вяземском доме, а кто насупротив его, в Деробертиевском доме, известном под именем «Клоповника», где они действительно, подобно клопам, забились во всевозможные темные, тесные щели и только ночью решаются выползать из этих щелей.

Но не всегда падение для этих женщин идет с их взрослых годов, и да не покажется кому-либо невероятным, если я скажу, что для иных из этих несчастных оно начинается чуть ли не с самой колыбели. Забулдыжная и развратная бродяга мать рожает в какой-нибудь из этих трущоб девочку; но с рождением дитяти для нее отнюдь не прекращается прежний образ жизни; дитя всюду при ной растет в атмосфере кабаков и притонов разврата, ежеминутно окруженное сценами самого цинического, а иногда и трагического свойства, и кроме этой жизни ничего более не видит, ничего не знает; все остальное для него чуждо, кроме окружающей мерзости, всасываемой с молоком матери, и дитя сживается, сливается воедино с этой мерзостью — здесь от него ничего нет скрытого, все наружу, все наголо, и эта мерзость становится его мыслью, его духом, его плотью и кровью. Случается, что мать попадает либо в тюрьму, либо в больницу, а отсюда зачастую на кладбище, и вот ребенок-девочка брошена на произвол случая, остается одна-одинехонька на всем белом свете, иногда не зная ни кто ее мать, ни куда она девалась, ни сколько самой ей лет, ни даже как зовут ее: добрые люди все равно дадут какую-нибудь свою собственную кличку; о Боге, о религии ни малейшего даже намека на понятие, да и кто здесь внушит ей все это! Детские уста ее лепечут, между множеством самых циничных слов и ругательств, одну только фразу, при подходящем случае, фраза эта — «подайте Христа ради!». Но какой нравственный смысл заключается в этом *Христа ради* — нечего и спрашивать: она знает слово только по частой наслышке от других, не сознавая его внутреннего смысла и значения. Она знает, что есть на Сенной церковь Спаса и что церковь эта существует затем, чтобы стоять там на паперти и протягивать за подаянием руку, пока не заприметил полицейский хожалый, от которого чуткая и шустрая девочка задает тотчас же юркого стрекача, чтобы, затерявшись в толпе, снова просить милостыню в каком-нибудь другом месте. И просит она таким образом до того раннего возраста, после которого вступает в новый фазис своего существования, начинает жить развратом, торгуя своим детским, болезненно-хилым телом, а к этой жизни (иногда, впрочем, и раньше еще) присоединяется новое ремесло, заключающееся в мелком воровстве, которому никогда не прочь обучить подходящего человека, и особенно ребенка, наши малинникские специалисты, потому что ребята им служат добрыми помощниками. А исход из всего этого тот же самый, что и ее матери: либо тюрьма, либо преждевременное кладбище, да и слава Богу, если смерть подоспеет на выручку от подобного существования.

И эти дети толкутся тут же, в смрадной зале Малинника, и наравне со взрослыми ищут своей добычи.

XXIII

КРЫСА

Вот между ними одна, небольшого роста, очень худощавая на вид девочка; лет ей может быть около тринадцати, но во всей ее маленькой, болезненной фигурке сказывается уже нечто старческое, немощное, нечто отжившее, даже не живя. Какое-то ситцевое лохмотьишко, грязное, оборванное и штопанное-перештопанное, кое-как прикрывает ее худенькое тельце; сбоку вырван, очевидно в драке, значительный клок этого лохмотья и волочится по полу, а подол обтрепался до последней возможности и драными космами бьется по голым голеням; сверху рукава — большая прореха, и сквозь нее выставляется наружу бледное костлявое плечико; ворот разорван и расстегнут, так что позволяет видеть часть плоской, болезненно впалой детской груди; спутанные и Бог весть от когда нерасчесанные темно-каштановые волосы липнут к влажному лбу и спадают слабо вьющимися недлинными космами на плечи, еще более выдавая худобу вытянутой шеи; а лицо — Боже мой, на него и взглянуть невозможно без сжимающего душу сострадания! — лицо это в очертаниях своих носит следы некоторой красоты, но какая голодная алчность светится в этих лихорадочно горящих запалых глазах, обведенных темными, синеватыми кругами — явный признак неестественного истощения; каким наглым, вызывающим бесстыдством подернуты углы этих сжатых и сухо воспаленных детских губок; какой след беспутных дней и ночей лег на этих выдавшихся скулах, на этих впалых щеках, и сколько, наконец, беспощадной озлобленности — озлобленности вполне ненормальной, неестественной в столь раннем возрасте — сказывается в общем выражении всей ее физиономии! И здесь уже разврат успел наложить свое неизгладимое клеймо на это детское личико, которое можно бы было назвать прекрасным, если бы не это выражение. И это дитя цинично сидит на коленях какого-то огромного, дюжего атлета, куря предложенную им трубку кисловато-горькой, крепчайшей махорки, и залпом, стакан за стаканом, с небольшими промежутками пьет его водку.

Эта девочка — дитя Малинника и Вяземского дома. Там она растет, там и родилась. От кого? Неизвестно. И как успела дорасти до этого возраста — тоже один только Бог святой знает. Ни разу в жизни не встретила она материнской ласки, ни разу в жизни не слышала ни от кого из посторонних людей доброго слова, приветливого взгляда, и только холодала да голодала до последней минуты своей жизни. Это было какое-то отверженное и всем ненавистное существо. С тех самых пор как только стала она себя помнить, ее везде и повсюду встречали одни только щедро и с избытком сыпавшиеся колотушки. Колотушки да брань, пренебрежение да общий посмех являлись ее обыденным уделом — и бил ее всякий, кто и когда, бывало, захочет. Особенно не любили ее женщины, и им доставляло истинное удовольствие дразнить ее, щипать, дергать за волосья и колоть булавками. Это подчас была их пьяная потеха, доходившая до своего апогея особенно в те минуты, когда приведенная в кошачью ярость девочка, без слез, со стиснутыми, скрежещущими зубами, со сверкающими кровавой злобой взорами дикой кошки, с визгом начинала кидаться на первую попавшуюся из своих мучительниц, вскакивала ей на плечи, цепко обхватывала ножонками и старалась укусить и исцарапать лицо своими острыми ногтями. Это был какой-то звереныш, да ее и звали по-звериному: кто-то, где-то и когда-то назвал ее крысой, так она Крысой и пошла на всю жизнь свою, и, должно полагать, эта кличка была присвоена ей еще в раннем детстве, так как никому из трущобных обитателей не было известно ее настоящее имя. В ней уже не осталось ничего детского, ничего такого, чтобы хотя мало-мальски нравственно напоминало ее пол и возраст, — ни одного кроткого взгляда, ни одного нежного движения — одно только вечно хмурое недовольство и одичалая нервная озлобленность. С языка ее срывались только звуки площадных ругательств, наглых песен да цинические речи наглого разгула. Странное и почти невозможное, немыслимое существование! Да оно и казалось бы вполне невозможным, если бы, к прискорбию, не довелось воочию видеть и наблюдать его.

Никогда не замечал я слез на глазах этой девочки, хотя она была очень нервна. И эта болезненная нервность поминутно проявлялась у нее в странных, порывистых и быстрых движениях, в гримасах и подергиваньях вялого, поблекшего лица. Она кашляла кровью и страдала падучей болезнью. Часто, бывало, после того, когда задирчивые щипки с тумаками да поддразнивающее приставанье приводили ее в исступленное остервенение, с нею вдруг делался припадок. Несчастная падала на пол с клокочущей пеной у рта, и начинало ее бить и коробить. Тогда ее лицо накрывали какой-нибудь тряпицей и оставляли до тех пор, пока нервный припадок не переходил в состояние изнуренного, обморочного сна.

Я никогда не забуду одной маленькой, совсем ничтожной сценки, в которой отчасти самому довелось мне быть действующим лицом и которая с тех самых пор болезненно врезалась в мою память.

Это было часу в первом ночи. Захожу я в малинникское «заведение» с одним из моих тогдашних трущобных приятелей. Спросили мы себе по порции селянки и уселись к одному свободному столику. Подле этого же самого стола, с другого конца, сидела Крыса. Я знал, что она Крыса, и видел ее здесь неоднократно, но знаком с ней не был и ни в какие разговоры доселе вступать мне с ней не доводилось. Подали нам по мисочке жидкой бурды, носившей имя селянки; но есть мне нисколько не хотелось, а спросил я этого яства только «ради компании»; да оно, признаться, несколько и мудрено есть произведения малинникской кухни, при всей окружающей обстановке и атмосфере; разве уж надо быть для этого очень голодным или по крайней мере иметь неприхотливый, неразборчивый вкус и большую привычку.

В то самое время как собеседник мой с видимым аппетитом уплетал свою порцию, я заметил, что Крыса, со своего места, искоса кидает на него, и особенно в его миску, нетерпеливые, алчные взоры, то и дело нервно поводя мускулами своих щек. Очевидно, Крыса была голодна, верно, потому, что на сей день ей не довелось ничего заработать себе на насущный кусок хлеба.

— Хочешь есть? — неожиданно спросил я девочку, но она даже и внимания не обратила на мой вопрос, по-видимому, никак не предполагая, что он мог именно к ней относиться.

Я снова, и притом яснее, повторил его. Крысу нервно передернуло, и она с величайшим изумлением молча повела на меня своими глазами.

Молчание.

Пришлось в третий раз повторить то же самое предложение.

— Есть? — недоумело проговорила она.

— Ну да, есть!.. Мне сдается, словно бы тебе очень хочется.

— А хоть бы и хотелось, тебе-то что?

Видно было, что Крыса подозревает во мне намерение дразнить и издеваться. Голос ее сипел, и дыхание было хриплое, короткое, перерывчатое.

— А коли хочешь, так ешь вот, — сказал я и подвинул к ней свою миску; но девочка не решалась до нее дотронуться, несмотря на свое смертельное желание, и все продолжала глядеть на меня недоверчивыми, изумленными глазами. Ей было непривычно, а потому дико и странно слушать такое предложение, делаемое не в шутку.

— Да ты это как? — спросила она наконец после значительного колебания. — Ты как это? На смех ведешь или взаправду?..

— Чего тут на смех? Просто есть не хочется.

Крыса еще раз поглядела, колеблясь, затем недоверчиво протянула руку и робко подвинула к себе мою порцию. Еще робче сделала она первый глоток и, несмотря на сильный аппетит, приостановилась на минуту и глянула на меня искоса, исподлобья, желая поверней удостовериться, не намерен ли я тотчас же выкинуть над ней какую-нибудь скверную штуку. Так точно, с такими же приемами и почти с таким же выражением берут голодные, бездомные и запуганные собаки кусок пищи, брошенный рукой близко стоящего, незнакомого им человека. Еще два-три таких движения, два-три таких взгляда — и Крыса наконец удостоверилась, что я скверной шутки над ней выкидывать, кажись, не намерен. И, Боже мой, с какой жадностью, с какой голодной быстротой в тот же миг принялась она пожирать эту селянку! Мне казалось, и, вероятно, не без основания, что она нарочно ест с такой быстротой, торопясь поскорее очистить миску, из боязни, чтобы я, ради злостной штуки, не отнял бы вдруг от нее пищи. Было жалко и больно глядеть на это несчастное созданье. Миска очень скоро оказалась пустой; но Крыса далеко еще не насытилась.

— Хочешь еще чего-нибудь? — обратился я к ней. — Коли хочешь, так скажи, я закажу тебе.

— Битка хочу, — отрывисто и не глядя на меня ответил ребенок.

Пока там готовили биток, я захотел поближе рассмотреть этого дикого зверька.

— Как тебя зовут? — спросил я, к новому ее удивлению, лишь бы завязать разговор.

— Зовут? — повторила она. — Крысой зовут.

— Нет, это, стало быть, тебя только дразнят Крысой, а имя... Есть же у тебя имя какое?

— Имя — имя есть.

— Какое ж?

— Да Крыса же, говорят тебе!

Очевидно, она даже не знала своего имени или, быть может, с детства забыла его.

— А мать у тебя есть? — продолжал я.

— Как это мать?.. Какая мать?

— Ну, как обыкновенно бывает.

Крыса поглядела на меня пристальным и совсем недоумелым взглядом. Ей казался диким и странным этот естественный вопрос, потому что доселе едва ли ей кто предлагал его.

— Может, есть... Не знаю... не слыхала, — задумчиво проговорила она после некоторого размышления.

Но в то же время, показалось мне, будто в этом лице появилось что-то тихо-грустное, задумчиво-тоскливое, одним словом, что-то человеческое; как будто слово «мать», показавшееся ей сначала диким, инстинктивно хватило ее за какую-то чуткую струнку души и пробудило минутный оттенок *нового* сознания: словно бы ей стало жалко и больно, что она никогда не знала *своей* матери, не знала, *что такое мать.*

— А сколько тебе лет-то? — спросил я.

— Да кто ж его знает, сколько?! Разве я считала! — вырвалось у нее с нервно-досадливым раздражением. — Чего ты пристал ко мне?.. Эка, чертомелит, леший!

Вероятно, среди охватившего ее нового чувства и сознания, ее болезненно раздражил этот вопрос, естественно соединявшийся с мыслью о прожитых годах, о начале ее существования, о дне рождения и, стало быть, опять-таки о матери — и ни о том, ни о другом, ни о третьем она не имела понятия. Казалось, Крыса была бы рада, если бы что-нибудь постороннее, хоть бы новый вопрос в другом тоне, отвлекло ее от этого чувства и мысли.

Вокруг худощавой шейки ее обвивалось убогое украшение — алая бархатная ленточка, которая своей свежестью сильно рознилась со всей остальной внешностью Крысы.

— Ишь ты, еще и бархатку нацепила! — заметил мой собеседник, ткнув на нее пальцем. — Откуда у тебя бархатка-то? Кто дал?

— Украла, — совершенно просто, естественно и нисколько не стесняясь ответила Крыса. — На Сенной у лоскутницы стырила! — похвалилась она, очень нагло улыбаясь, и с новой жадностью принялась за принесенный биток. Когда же и это яство было истреблено, девочка выждала с минутку и, поднявшись, обратилась ко мне с необыкновенно наглым, циничным выражением физиономии.

— Ну, идем, что ли? — вызывающим тоном предложила она.

— Куда?.. Зачем? — удивился я в свою очередь. — Я никуда не пойду... Ступай, куда тебе надо.

Крыса остановилась в величайшем недоумении и поглядела на меня долгим, изумленным взором.

— Как! Так ты это, стало быть, даром кормил меня? — как-то странно протянула она, продолжая оглядывать.

— А то как же еще?

— Хм... Нет, взаправду даром?

— Да я ж тебе говорю.

— Дурак! — отрывисто, с пренебрежительным презрением буркнула Крыса и быстро удалилась от нашего столишка.

Жалкое существо! Она даже не могла и представить себе возможности, чтобы кто-либо решился без задней мысли, без преднамеренной цели накормить ее! Может ли быть что-либо горше подобного сознания? У меня невольно сжалось сердце за этого ребенка, за эту жизнь. «Пошли тебе, Господи, поскорее смерть!» — подумалось мне в ту минуту. И кажется, что Крыса действительно умерла; по крайней мере в последнее время я не встречал ее больше ни в одной трущобе, и у кого ни спрашивал — никто не мог мне сообщить о ней никакого ответа. Даже и память исчезла об этой девочке.

XXIV

КАПЕЛЬНИК

Хотите вы видеть парию парий? Это капельник. Это нечто такое, перед чем даже Крыса и «бродячие» Сенной площади могут показаться существами, не утратившими человеческого достоинства и гордости. Если бы классической памяти Диоген какими-нибудь судьбами заглянул со своим фонарем в Малинник и увидал бы тут капельника, то, несмотря на множество внешних признаков, обличающих в нем новейший вид старого идеала, циник положительно затруднился бы определить, что это такое, и едва ли бы у него хватило решимости сказать: «Се человек!»

Несколько выше чем среднего роста, с изогнутым от расслабления позвоночным столбом, что всегда придает вид сутуловатости, плешивый и дрябло-тощий, человек этот казался дряхлым стариком, тогда как на самом деле ему было немного за тридцать. Припухлые веки его красноватых, поблекших глаз придавали всей физиономии апатически-сонное выражение, посинелые губы углами свесились книзу и вечно слюнявились, а сам он весь трясся, постоянно, не переставая, вследствие страстной наклонности и привычки к пьянству. Чем прикрывал он иссохшую наготу свою — и сказать затруднительно: нечто вроде женской рубахи служило ему единственным беспременным костюмом во всяком положении и во всякое время года, так что даже и на обычных малинникских завсегдатаев откровенный вид капельника производил своего рода шокирующее впечатление.

— Ты бы хошь грешное тело чем-нибудь прикрыл, свинья ты эдакая, нечем промеж людей так-то слоны слонять! Срам ведь, бесстыжие твои бельма! — укоризненно замечали ему подчас и мужчины, и женщины, в ответ на что он вполоборота к ним делал руками и физиономией отвратительно смешную гримасу, и с глупой, почти идиотической улыбкой начинал издавать шипящие и рычащие звуки, удачно подражая хриплому лаю комнатной собачонки или фырканью ощетинившегося кота. Но это бывало с ним в минуты не то чтобы веселости, а некоторой бодрости духа — весьма, впрочем, редкой и в сущности своей очень ничтожной. В обыкновенном же состоянии, встречая подобные замечания, капельник только озирался искоса, с тупой и приниженно-пугливой робостью, подобно блудливой, забитой и трусливой собачонке. В эти минуты, по обыкновению трясясь всем телом, он корчился и ежился и старался поскорей забиться в какой-нибудь темный угол, где бы на него менее обращали внимания. Есть на крайних низших гранях жизни такого рода положения, когда униженный, падший человек, даже по безотчетным внешним своим проявлениям, вроде взглядов, поступи и вообще движений, весьма близко начинает походить на бессловесное животное, и именно на тех из животных, которые наиболее чувствуют над собой тяготеющую руку человека; в такого рода положениях есть сходство с приниженной, поджатой походкой нелюбимой, отколоченной собаки, со взглядом нещадно избиваемой ломовой лошади. Тяготеющая рука людей в этом случае совершенно равняет человека и животное, а судьба, сблизив их нравственное положение, постаралась сблизить и внешние проявления инстинктов и воли.

Кроме обычной клички «капельник» люди пренебрежительно зовут иногда этого человека Степкой, и сам себя он Степкой называет разве только в минуты уничиженного шутовства, на потеху людей, изменяя иногда это имя на более нежное и ласкательное «Степинька».

— Прикажите Степиньке представить какую-нибудь киятру,

сударики! — говорит он с ужимками и пригибаньями, робко подкрадываясь к какой-нибудь гуляющей компании.

Степинька в Малиннике играет шутовскую роль общего посмешища.

— Представляй, пожалуй! — соглашается кто-нибудь из пьющих состольников.

Капельник ухнет каким-то нечеловеческим голосом и перекувырнется. Это называется «киятра». Компания хохочет.

— А ну-ко, валяй собаку!.. Собаку валяй, сучий сын! — поощряют его пирующие.

Капельник, идиотски улыбаясь, с ужимкой кланяется им не головой, как обыкновенно, а как-то особенно, всем телом, сгибая вперед коленки; затем становится на четвереньки и, хрипло рыча и лая, лезет под стол.

— Что это, братцы, за собака забралась к нам? Откудова это? — говорит один из членов сидящей вокруг стола компании. — Надо бы выгнать ее! Эй, ты! Жучка! Диянка! Пшла вон!

И Степиньку при этих словах пинают ногой, а Степинька рычит и огрызается.

— Не трошь ее, надо лаской сперва, — останавливает другой состольник и, опустив руку под стол, начинает поглаживать лысую голову капельника, потрепывать его щеки, приговаривая: — Славная собачка! Она у нас верный пес! Верная собака!

И Степинька, изображая, как юлит и визжит собака радостным голосом, начинает со всеусердием лизать языком руку и ноги ласкающего. В компании раздается новый взрыв хохота. Поднимается третий собеседник и, взяв корочку хлеба, выманивает ею из-под стола человека-собаку.

— Ну! Служь!.. Служи!.. Служи, Жучка! — обращается он к капельнику, а тот уж свое дело знает: с четверенек подымается на корточки и рукам своим придает положение передних лап служащей собачонки. Голова его сильно закинута назад, для того чтобы с кончика носа не мог свалиться положенный на него кусочек хлеба.

— Аз, буки, веди, глаголь, добро — *есть*, — восклицает шутник, и при последнем звуке Степинька делает головой быстрое движение, от которого кусочек летит кверху, а он в это время с удивительной ловкостью схватывает его на лету зубами и проглатывает с видимым наслаждением — потому что Степинька постоянно голоден.

Этот фокус повторяется обыкновенно по нескольку раз кряду, и капельник очень любит его, ибо таким образом в желудок его все же таки перепадает лишний комок пищи.

Ну вот компании надоело любоваться на повторение одного и того же, она желает еще каким-нибудь иным способом распотешиться над собакой, и потому капельника снова загоняют под стол и снова раздается оттуда лай да рычанье.

— Э, да какая она злая!.. Цыц, ты, леший! Молчать! — И Степинька вместе с этим получает чувствительный пинок сапогом в физиономию; но он уже вошел в свою роль и потому, в ответ на пинок, взвизгнув по-собачьи, как приличествует обстоятельству, старается поймать эту ногу и жамкнуть ее зубами. Непосредственно вслед за последним пассажем, при новом взрыве дружного хохота, на капельника сыплется град нещадных ударов: его пинают ногами по чем ни попало, так что и бокам, и спине, и лицу достается вволю. А капельник знай только взвизгивает от боли да рычит и лает, тщетно хватая зубами уже кого ни попало. Это, если угодно, пожалуй, может служить ему единственным утешением в подобной роли. А то случается и так, что кто-нибудь сделает вид, будто хочет погладить, приласкать его, а сам, гляди, всей пятерней цапнет за скудный остаток слабых волосенков и давай таскать его под столом во все стороны, так что только череп об ножки колотится.

— Стой, братцы! Да никак она бешеная! — восклицает кто-нибудь из любующейся публики. И это обыкновенно служит последним актом представления, финалом quasi[1] собачьей комедии.

— Бешеная?! — как бы с испугом подхватывает остальная компания. — Бешеная!.. Стало быть, коли так, она беспременно должна воды бояться?!

— Воды!.. Воды давай!.. Лей на нее воду! Лей живее! Плесни-ка в самое рыло! — раздаются крики в публике, сопровождаемые самым веселым хохотом, и капельника обдают мутной чайной водой из полоскательной чашки, а коли очень уж расходятся, что называется, «во вся широты» своей натуры, то льют и из большого чайника, и пиво из недопитых стаканов.

— Сударики! Не лейте! Не лейте пива-то! — словно бы очнувшись, кричит жалобным голосом избитый и ошпаренный Степинька, и вместе с этим голодным криком можно заметить, какая сильная алчба и жадность страсти звучит в нотах его голоса и отражается в глазах.

— Не лейте попусту! Дайте лучше мне — я выпью! Не лейте, Христа ради! Уж лучше кипяточком! Кипяточком, сударики! — молит он, выползая на четвереньках из-под стола и стараясь удержать руки с поднятыми стаканами.

Компания, в награду «за утешение», великодушно жертвует Степиньке стакан пива.

— На! Лакай себе, псира! — говорит ему обыкновенно один из сочленов, поднося напиток, но чуть только Степинька протянул к нему руку — в стакан попадает плевок подносителя. В компании новый хохот. Капельник в смущении смотрит унылыми глазами на всю эту ораву, но... горькая страсть преодолела слабую долю отвращения: трепещущими руками хватается он за полный стакан и с

---

[1] Будто бы *(лат.)*.

жадностью цедит его сквозь зубы взасос, чтобы посредством такого способа хоть немножко более продлить свое отравленное наслаждение.

— Что же, сударики, за киятру-то!.. Ученой собачке на крупку... на овсяночку! — несмело произносит он дрожащим голосом минуту спустя, весь согнувшись и с униженно-умильным, вымаливающим видом протягивая компании заскорузлую горстку.

— Э-э! Да уж ты, брат Степка, больно тово... зазнался! Ишь ты, чего еще выдумал — на крупку! — возражает компания. — Будет с тебя и того, что пивком угостили!

— Ах, сударики-с, мои, сударики! — со вздохом, в минорном тоне качает головой Степинька. — Так ведь это, по милости по вашей, выпивка была. Ну, собачка и полакала!.. А ведь собачке тоже и кушать надо... Ей ведь и кушать хочется... Так уж прикажите хоть косточку... собачке-то... косточку!

— Ну, ин быть по-твоему! Служь!.. Проси!.. Только — чур! — жрать по-собачьему!

И капельник вновь начинает входить в едва лишь оставленную роль, по-прежнему становится на корточки, в позитуру служащей собаки, а в это время на одну тарелку сгребают ему со всех остальных различные объедки и ставят на пол, непременно примолвив: «Пиль!»

Степинька, на четвереньках, с жадностью принимается пожирать это нелепое месиво и в заключение, совершенно по-собачьи, дочиста вылизывает языком всю тарелку.

Но вообще роль собаки является еще самою сносною из репертуара несчастного капельника. Пьяная и дикая орава заставляет его иногда и не такие шутки проделывать.

— Можешь ли ты хоша бы, примерно, миноги принять? — вызывает его какой-нибудь подгулявший жорж.

— Могу! — даже и не думая, соглашается Степинька.

— А сколько, примерно, ты вытерпишь?

— Сколько потребуется, — на это у Степиньки своя цена стоит, — значит, по такции.

— А как цена?

— С вашей милости, сударик мой, недорого-с: по копеечке за пяток.

— Много! Бери за десяток копейку.

— Хе-хе!.. Себе дороже стоит! Ей-Богу-с, дороже.

— Да что тебе на спину-то скупиться! Товар свой, не купленный!

— Как же-с можно! Все ж таки оно — спина!.. Ведь больно, сударик мой, очинно больно...

— Ну, хочешь — бери полторы копейки за десяток! Больше не дам! — решительно произносит жорж, и для Степиньки начинается нравственная борьба: несколько копеек представляют ему великий соблазн, в жертву которому он решается наконец принести свою спину. Тогда свивается крепкий и тонкий жгут, мазурик кладет на пол несколько медяков, а капельник становится опять-таки на четвереньки и круто выгибает свою хилую, больную спину. Начинается нещадная мерная лупка, с медленным счетом при каждом ударе.

— Асс!.. два... три!.. четыре!.. пять! — словно ружейные темпы, отсчитывает в полный голос капельник, и после каждых двадцати ударов аккуратно откладывает из кучки в свой карман по три копейки. Лицо его посинело и выражает жестокое страданье, зубы судорожно стиснуты, из воспаленных глаз капают на пол крупные слезы, а он меж тем стоически переносит свою пытку, усиливаясь вытерпеть возможно большее число ударов, чтобы заработать побольше грошей.

Не легко доставались капельнику его скудные тяжелые деньги! Не легко потому, что иногда, в самые крайние, критические минуты своей жизни, когда ему, что называется, все нутро выворачивало от нестерпимого, болезненного алкания выпивки, он решался предлагать на пари всякому охотнику подержать на ладони горячие уголья. И нельзя сказать, чтобы не находилось охотников полюбопытствовать, как это Степинька за несколько копеек будет жечь свои руки.

Но он весьма спокойно, окруженный любопытными зрителями, отправлялся в кухню, и корчась от боли всем телом, держал около минуты горсточку угольев на своей ладони и получал за это условную плату — около двадцати или тридцати копеек. Нужды нет, что на ладонях накипали пузыри. Вскоре у него руки уж до того огрубели и заскорузли, что им почти нипочем стала и эта операция: зато сколько водки-то, водки мог выпить Степинька на эту сумму! Водочным наслаждением утолялись все его раны.

Случалось иногда (впрочем, весьма редко), что любители, после подобных киятров, чувствовали охоту полюбоваться, не в счет абонемента, еще новой сценой, и для этого не давали ему ни условленных денег, ни своих объедков, ни своих опивков. Тогда Степинька искренно и глубоко оскорблялся. Тогда шел он подальше от ненавистных ему глаз малинникской публики, робко и униженно забивался на какой-нибудь стул, в самый темный угол, кручинно и тяжело опустив на руки свою горемычную голову, и по омраченному, угрюмому лицу его в молчании текли горькие, тихие слезы.

О чем тогда плакал шут малинникских парий? С досады ли от своей неудачи? О неудовлетворенном ли голоде и жажде водки? О своей ли сладкой, но обманутой мечте и надежде на эту водку или о своем погибшем, поруганном и раздавленном достоинстве человеческом? О чем он так горько и тихо плакал — Бог весть: быть может, и о том, и о другом, и... быть может, даже и о последнем.

«Господи!.. Господи! Что ж это такое!.. Жизнь ты моя,

жизнь!» — нечаянно подслушал я однажды шепотом сорвавшийся у него вопль в одно из таких едко отчаянных мгновений.

Кто он, из каких он, откуда взялся и как дошел до таких степеней — никто не знал, да никто и не интересовался. Сам же капельник никогда об этом не говорил ни слова. Однажды, в удобную минуту, я попытался было навести с ним разговор на эту тему, но он только рукой махнул да, скорчив уморительную рожу, с ужимками и приседаньем, подергивая коленками, предложил мне лучше какую-нибудь «киятру» поглядеть. Больше уж нечего было и пытаться! Одно только можно предположить с наибольшей долей вероятности: довела его до этого положения отчаянная, неодолимая, болезненно-мучительная страсть к пьянству и безделью, ибо, по-видимому, ему не была знакома не скажу уже привычка, но даже способность или потребность к какой бы то ни было работе и труду. Но главное все-таки — пьянство. Верно, и в прежнее время, по присущей ему слабохарактерности, он позволял каким-нибудь товарищам безнаказанно потешаться над своей личностью; может быть, даже в детстве, среди своей семьи, которая, пожалуй, могла и не быть для него вполне своею, ему точно так же приходилось выносить пассивную роль забитого посмешища, так что потом, вследствие всех этих весьма возможных причин, переход к публичному и самому униженному шутовству не был для него особенно резок и оскорбителен. Он не успел и не умел выработать себе ни малейшей самостоятельности в жизни. Может показаться странным, как при такой страсти к пьянству этот человек не нашел себе более выгодного и легкого средства для добывания денег, водки и хлеба? Как он не сделался нищим, или вором, или, наконец, даже грабителем-убийцей? Когда-нибудь он, вероятно, и был-таки нищим, но почему не нищенствует теперь — об этом скажется ниже. Для того же, чтобы сделаться грабителем-убийцей, необходимо нужны известного рода энергия, решительность, воля и характер, нужно до известной степени убеждение в собственной силе и сознание личной самостоятельности, и ровно ни одного из этих качеств не было отпущено природой жалкому капельнику. Что же касается воровства, которое, после нищенства, действительно представляло бы наиболее подходящий и легчайший способ, то, мне казалось, от этого удерживало его нечто другое: быть может, душе этой парии когда-то были доступны иные инстинкты и чувства, чем те, какие может выработать в человеке малинникская среда, буде она охватит его, как, например, Крысу, со дня рождения. Быть может, когда-нибудь ему было знакомо нечто другое — более хорошее, более честное, да — беда! — все это заставила умолкнуть перед собой проклятая похоть на водку!.. И не потому ли, что сердцу его некогда было доступно это что-то хорошее и честное, он не хотел и избегал вспоминать о своем прошлом? Не потому ли не сделался он и вором, а предпочел уж лучше, с ущербом для собственных боков, быть шутом-собакой малинникских парий?

День свой безвыходно проводил он в Малиннике, и хотя пользовался тут всеобщим и величайшим презрением, но отсюда его не гнали, ради шутовского образа, доставлявшего столько утехи многочисленным посетителям. И капельник крепко дорожил Малинником, потому тут ему было тепло и являлась возможность сколько-нибудь поесть и выпить. Внимательно высматривает он из своего угла, за какими столами и что именно пьют да едят различные гости, и чуть удалятся они от своего места, покончив яства и пития, капельник, озираючись, с робостью, почти подкрадывается к столу и досасывает из стаканчиков капли водки, доглатывает пивные опивки, доедает огрызки хлеба да со всех тарелок оставшиеся куски. Этим только он и питался и потому снискал общее прозвание капельника. Но потом добыл он себе черепок битого горшка с уцелевшим донышком да банку из-под помады. В эту банку сливал он по каплям, зараз, всевозможные опивки водок, настоек, меду и пива — затем, чтобы можно было делать более значительный глоток; а в черепок сметал с опроставшихся столов объедки и крошки.

В Малиннике вообще господствовал своего рода бесцеремонный коммунизм, да и не в одном лишь Малиннике, а во всех трущобах низшего разряда. Существуют там особенные личности, пользующиеся некоторыми мелочными удобствами трактирного заседания с помощью самой наглой бесцеремонности. Это — попрошайки на затяжку, на стакан пива, на чашку чая. Сидит, например, у стола какой-нибудь человек, курит сквернейшую папиросу и пьет мутное пиво. Попрошайка подходит к нему — и нужды нет, что совсем незнаком с ним и вовсе не знает, кто он, и даже видит-то впервые, — обращается за позволеньем хлебнуть из стакана и затянуться табаком, а сам, не дожидаясь отказа и даже, по-видимому, совершенно не предполагая и возможности его, берет одной рукой стакан, а другою вытягивает из губ папироску. Отпивает сколько захочет, покурит себе и как ни в чем не бывало ставит стакан на прежнее место, папироску тычет в рот прежнего курильщика и, обыкновенно сплюнув сквозь зубы в сторону, отходит от него, даже не буркнув спасибо. И на попрошайку никто не обижается; напротив, все находят это столь естественным, обычным и законным, что ежели какой-либо посетитель, из новых и непривычных, покажет ему чувство брезгливости или вздумает как-нибудь выразить свое неудовольствие на такую бесцеремонность, то рискует быть побитым. Попрошайка иногда не прочь завязать историю, а малинникская завсегдатошь никогда не прочь оказать его кулакам союз и поддержку своими кулаками, особенно же если при этом представляется еще возможность задать, среди азарта и драки, некоторую рекогносцировку карманам избиваемого. Но коммунизм этого рода был совершенно чужд для Степиньки, ибо Степинька до такой степени был принижен, что даже не осмеливался и помыслить о подобном проявлении своей личности.

На улицу ему показаться было невозможно, потому — костюм не позволял, да и на обувь ни малейшего намека не оказывалось, так что и зиму, и лето он щеголял босиком. По этой же причине и милостыни просить не отваживался, ибо, не говоря уже о попрошайстве, полиция тотчас же забрала бы его за одну лишь непозволительную наружность, а Степинька очень боялся полиции, потому что ни законных, ни незаконных видов при себе не имел и, стало быть, рисковал, с появлением в уличную публику, весьма непривлекательной перспективой. И вот таким образом этот человек всю жизнь свою проводил не выходя из одного дома.

Одна из квартирных хозяек как-то раз, сжалившись над положением Степиньки, дала ему приют в своей темной и тесной кухне. Степиньке более негде было поместиться, как только под диваном (на диване же обитала какая-то женщина), но он и этому приюту был необыкновенно рад, и постоянно, с искренним чувством называл свою хозяйку благодетельницею. Полено заменяло ему подушку, а в подстилке с покрышкой капельник не находил ни малейшей нужды: бока его давным-давно привыкли и к побоям, и к жесткому полу. Но для того чтобы не занимал Степинька уж таки-таки совсем задаром своего ночного места под кухонным диваном, то сердобольная хозяйка вменила ему в обязанность отпирать и затворять дверь за ее гостями — значит, Степинька и сном покойным не пользовался.

И вот таким образом драная рубаха, из милости подаренная ему какой-то малинникской женщиной, черепок с помадной банкой, подобранные самим владельцем из грязной кучи, да подголовное полено сполна составляли всю наличную собственность Степиньки, так что если кто и имел бы наиболее неоспоримое право сказать про себя: «Omnia mea mecum porto»[1], то это, без сомнения, малинникский капельник.

XXV

ЧУХА

Старуха поместилась вместе с Машей у столика, в углу задней комнаты, где вообще было несколько просторнее и чище, если только понятие о чистоте насколько-нибудь может быть вообще применимо к Малиннику. Коптильная лампа, совершенно подобная той, что озаряет первую залу, и здесь точно так же кидала

[1] «Все свое ношу с собою» — изречение греческого мудреца Биаса. Смысл его: внутренние достоинства человека не могут быть у него отняты.

сверху мутно-красноватый отблеск на лица и стены, сохранившие кое-как следы желтой краски и украшенные почернелыми масляными картинами, из коих одна изображала жертвоприношение Исаака, и две другие — портрет Петра I и какого-то архиерея.

Чуха, совершенно спокойно усевшись на своем стуле, с безразличным и равнодушным вниманием принялась осматривать и наблюдать присутствующих, а Маша воспользовалась этим самым временем, чтобы получше и поближе разглядеть свою спасительницу.

Наружность и выражение лица этой женщины производили на нее какое-то странное и совсем новое впечатление.

Это была старуха пятидесяти лет, но на вид казалась еще гораздо старше — свойство, общее почти всем обитателям трущоб, которых преждевременно и сильно старит самый род бесшабашной и горькой их жизни. Она была высока ростом, и даже теперь можно было заметить, что этот стан отличался когда-то замечательной красотой и стройностью. Прелая духота малинникской атмосферы заставила ее сбросить с себя сильно и пестро заплатанную кацавейку, и Маша с удивлением заметила, что на старухе надето грязное кисейное платьишко с значительно открытой грудью — что называется, декольте. Ей невольно бросилась в глаза страшная худоба ее костлявых плеч и выдавшиеся ключицы; казалось, будто это сидит скелет, обтянутый пергаментной кожей. С лица она была тоже весьма худощава, так что это лицо могло бы даже показаться отвратительным, если бы в нем не проскальзывало порою выражение чего-то мягкого, человеческого да не мелькал бы иногда оттенок какого-то подавленно-скрытого и глубокого страдания. В этом лице сказывалось присутствие мысли и чувства. Но первый и притом бегло-поверхностный взгляд на него производил весьма невыгодное впечатление. Представьте себе женскую головку, вконец обезображенную развратом, с двумя жидкими и тощими косицами, которые были переплетены с какими-то ленточками и двумя крысиными хвостиками болтались позади ушей, не достигая даже до плеч; голову, с значительной лысиной посередине темени, на месте женского пробора, с морщинистым лбом, под которым, словно два каленых угля, горели два черных глаза; эти глаза глубоко и грустно глядели из своих впадин, окруженные сухими, воспаленными веками и буроватыми подглазьями; во рту торчало только два-три зуба — остальные были искрошены скорбутом, и дряблая, морщинистая кожа на этом лице, несмотря на его худобу, казалась местами припухшей и имела какой-то странный, болезненный цвет, словно бы под нею зрел и наливался изжелта-зеленоватый нарыв. И это свойство ее выдавалось тем резче, чем более старуха старалась прикрыть его, обмазывая свое лицо толстым слоем белил и румян: последними для нее служила свекла, а роль первых исполнял, кажись, просто-напросто мел или крахмал, разведенный водою. Самодельные белила Чухи неровными и густыми пластами слоились на лбу, на щеках и подбородке, оставляя прочие части лица в их естественном виде. Но несмотря на все это поражающее безобразие, в старухе не потухла живая Божия искра: ее глаза иногда горели доброй теплотой и тихим горем; улыбка губ ее не утрачивала порою мягкой приветливости, и общее выражение этого лица, если долго и пристально вглядеться в него, казалось одушевлено такой кроткой покорностью своей судьбе, осмыслено таким лучом человеческой любви и вместе с тем столь глубоким горем, исходным, беспредельным страданием, что вы невольно забывали яркое клеймо безобразия, наложенное долгим и самым ужасающим развратом, а видели в этом лице одну лишь его лучшую, осмысленную, нравственно-человеческую сторону. И по ее сохранившимся еще глазам, и по очерку этих губ, особенно во время улыбки, можно было предположить, что когда-то она была замечательно хороша собою...

Такова-то была эта женщина, окрещенная в трущобном мире дикою кличкою Чухи, и если вы усвоили в своем воображении намеченные нами черты, то вы вполне с нею познакомились: это будет ее полный, живой портрет.

Таковою показалась она теперь и Маше. Девушка долго вглядывалась в это лицо — и в душе ее вставало чувство новое и странное для нее своей двойственностью. Она видела ее внешнее безобразие, чутким инстинктом угадывая в нем именно безобразие разврата, но не испытывала при этом ни малейшего отталкивающего отвращения; только сердце ее ныло, болело и щемило от жалости и сострадания к Чухе, и не столько за безобразие, за этот внешний признак разврата, сколько за самый разврат ее. «Может, она дошла до него той же самой дорогой, на которой и я стою, — с участием и снисхождением помыслила девушка. — Может быть... почем знать! — может быть, и мне предстоит то же самое!» И от этой мысли ее всю передернуло холодом. Но улавливая порою во взоре и улыбке старухи то особенное выражение, которое так отличало ее от наглых и скотски бессмысленных, пришибленных физиономий множества других здешних женщин, Маша невольно начинала чувствовать к ней самую теплую симпатию, испытывала задушевное желание поделиться с нею своим сердцем, облегчить на ее груди свое неисходное горе, вылить перед нею все свое оскорбленное, поруганное чувство, так невнимательно и грубо оттолкнутое любимым человеком; словно бы что-то свое, близкое, родное влекло ее к этой женщине, под добрым и ласковым обаянием ее мимолетно теплого и грустного взора, и Маше как-то невольно чувствовалось, что в ее одинокой, зазнобленной жизненным холодом душе все растет и растет беспредельное доверие к этому существу, погрязшему в мрачной тине. Она инстинктивно почуяла в нем родную, теплую душу. Ей показалось, будто с этой самой минуты она уже не совсем одинока в мире, будто нашлись чья-то другая воля и сердце, которые поддержат и согреют ее на этом жизненном распутье, и ей захотелось не расставаться, как можно дольше не расставаться со своей случайной спасительницей. Но опять-таки и то, что, раз уже сказав себе «да будет Его святая воля» и вместе с этим словом слепо отдавшись судьбе, — куда не вынесет! — ей было покамест не на что больше решиться и ничего не оставалось, как только держаться около Чухи, пока случайная судьба или жизнь не подставят неожиданно какого-либо иного исхода.

— Mon Dieu, comme je veux boire!.. Comme je veux boire!.. et comme j'ai faim! Mais... personne ne m'a donnée nul copeck aujourd'hui![1] — с каким-то жгуче-отчаянным и вакхически-растерзанным видом подошла вдруг к Чухе какая-то молодая еще женщина, тоскливо заломив свои руки.

Чуха ответила ей только печальным пожатием плеч и быстро глянула на Машу. Эту, казалось, необычайно поразили звуки французского языка, услышанные в Малиннике.

Вакханка молча постояла еще с минуту, с озабоченной тоской озираясь во все стороны, и со вздохом пошла себе искать дальнейших приключений.

— Что, милая девушка, тебя, кажись, удивило? — с тихой улыбкой обратилась к Маше ее спутница.

— Да... французская фраза... здесь... Я не ожидала... — смущенно прошептала она.

— Мало ль чего ты тут не ожидаешь еще! — с горько-ироническай грустью покачала головой старуха. — А между тем мудреного ничего нет, тут не одна она, тут, на Сенной, и много таких-то есть... Много их!..

— Что ж это значит?.. Француженка? — прошептала пораженная девушка.

— Нет, русская... дворянка... — все так же грустно возразила Чуха. — Это вот что значит, если хочешь знать, — продолжала она. — Случается, что девушка этого «порядочного» круга собьется с истинного пути — несчастие, обстоятельства, обман, — всякое ведь бывает в жизни! И если уж она попала на эту дорогу, вернуться почти невозможно — затягивает! Словно тина какая засосет тебя! Ну, а стыд и гордость-то не всегда ведь сразу убьешь, и становится ей совестно встречаться в «пансионе-то» с людьми прежнего круга: на знакомых, пожалуй, может натолкнуться; поэтому она в видных пансионах и сама не остается, а спускается куда-нибудь пониже, где народ блыкается попроще. Да вот беда — и это у них у всех почти общее — со стыда да с горя начинают пить, и сильно пьют они, привыкают к пьянству, а за пьянство сперва бьют, а потом

---

[1] — Боже мой, как я хочу выпить!.. Как я хочу выпить!.. И как я голодна! Но... никто не дал мне ни копейки сегодня! *(фр.)*

выгоняют, перепродают в другие руки, и вот такими-то судьбами девушка спускается ниже и ниже и доходит наконец до Сенной. Тут уж из прежних-то ни с кем она не рискует встретиться, да и за пьянство здесь не взыскивают, ну, на Сенной они все и кончают, на Сенной-то особенно их и отыщешь. Так-то, милая девушка! — закончила Чуха, вздохнув тихо, но невыразимо тяжело.

Маша слушала и глядела на нее в невольном ужасе: после этого рассказа ей еще сильнее стало казаться, что и ее ждет та же роковая судьба.

Чуха тревожно угадала ее мысли.

— Я тебе вот что скажу, — начала она, видимо торопясь успокоить волнение девушки. — Ты с нами не оставайся. Тут тебе не место, тут тебя верная погибель ждет. А ты только первое время пережди у меня, пока тебе, кроме Фонтанки, деваться некуда, а там я уж как бы то ни было раздобудусь деньжонками, хоть маленькими, дам тебе... взаймы, — прибавила она в скобках, с доброй, хорошей улыбкой, — отдашь, когда разбогатеешь; ты места себе поищи какого, а с нами оставаться... Нет, не допущу я до такого греха! Не на это я тебя от проруби оттащила! Ты вот смотри на меня, — поднялась Чуха с места. — Что, какова я? А ведь когда-то тоже была хороша — женщина была... Да только это — именно когда-то было... А теперь-то... Чуха — и только!

И старуха с едко-горькой улыбкой отчаянно махнула рукой.

— Ох, давно бы я бросила все это, — тихо продолжала она спустя несколько времени, — противно, гадко оно... Пора иначе пристроиться... Хотелось бы хоть селедками на Сенной торговать, хоть гнилушницей промышлять, апельсинами да яблоками! Кажется, уж на что невелика торговля, а возможности нет... Нет, да и только... Десяти-двенадцати рублишек не могу сколотить на обзаведение! Поверишь ли ты этому? И вот — хочешь не хочешь, а поневоле продолжай каторгу да позор...

Старуха замолкла и угрюмо понурилась, отдавшись какой-то беспросветной думе. А между тем в этой комнате, под звуки торбана и гнусавого пения Ивана Родивоновича, составилась осьмипарная кадриль. Танцевали исключительно одни только женщины, под куплетцы чего-то вроде «чижика»; мужчины же оставались зрителями. Но как танцевалась эта кадриль! Каждый из читателей, конечно, имеет более или менее приблизительное понятие о том, каким наглым и циническим образом отплясывается этот танец у различных Ефремовых, Марцинкевичей и Гебгард, которому придано здесь все дикое российское безобразие и у которого вполне отняты французская грация и изящество. Казалось бы, чего же после этого должно ожидать от Малинника? А между тем представьте себе самую крайнюю противоположность! Кадриль, танцуемая в Малиннике, в этом вертепе крайнего разврата и безобразия, отличается образцовой скромностью и приличием, так что хоть бы впору любому пансиону благородных девиц. И — как знать! — быть может, в среде этих восьми пар найдется и не одна женщина, у которой вполне разорваны всякие связи с прежней жизнью иного общества и для которой эта скромность и приличие в танцах составляют теперь уже единственную сладкую иллюзию, напоминающую ей это безвозвратно погибшее прошлое. Ведь кроме скромности в танцах для нее уже не существует более ни в чем остальном никакой скромности — решительно ничего, напоминающего нравственный идеал женщины.

— У тебя есть еще деньги или уж ничего больше не осталось? — тихо спросила Чуха у Маши во время этой кадрили.

— Нет, я последние проела... — несколько смущенно ответила ей Маша.

— Ну и у меня всего-навсего три копейки... На ночлег обеим не хватит... Надо бы как-нибудь добыть... Я добуду, — раздумчиво проговорила старуха и стала кого-то отыскивать глазами.

Вскоре она заметила слонявшегося у столов капельника и отошла с ним в сторону.

— Слушай, голубчик Степинька, что я тебе скажу, — начала она ему вкрадчивым голосом. — Хочешь добыть деньгу?

Капельник вместо ответа только крякнул с ужимкой да языком прищелкнул.

— В той комнате, кажись, море разливанное? — продолжала женщина. — Кто это там так шибко?

— Летучий. Лука... Нонешний слам юрдонит[1].

— Стало быть, при деньгах?

— В больших деньгах!.. Сотельную бумажку сам сейчас видел.

— Ну, если его потешить теперь, так он расщедрится! — с живостью и надеждой подхватила Чуха. — А мы с тобой поделимся. Хочешь, что ли?

— Да ничего не выканючишь — надругательство разве какое, а больше ничего! — с унылым вздохом возразил Степинька.

— Уж там мое дело! — удостоверила его старуха. — Уж там я знаю как!.. А ты теперь подойди только к нему да попроси хорошенько, чтобы позволил для себя поплясать... Скажи ему: Чуха, мол, вместе со мною желает.

— Ладно, я пойду... Для чего не пойти?! — согласился капельник и направился в большую залу, где дым и чад стоял коромыслом и теснилось видимо-невидимо всякого народу.

Там, на самом видном месте, окруженный достойной компанией своих приспешников, восседал и безобразничал во вся тяжкие Лука Лукич Летучий, тот знаменитый и уже несколько известный читателю герой, который в отдельном нумере «Утешительной», с пол-

---

[1] *Слам юрдонит* — добычу прогуливает.

тора месяца назад, собственноручно задушил дворника Селифана Ковалева. Нынче Летучий угарно прокучивал выгодный слам с большого воровского дела, направо и налево без толку соря своими деньгами.

Какое-то внутреннее чувство больно укорило было Чуху за ее решимость прибегнуть к добыче нечистых денег от такого человека, но... деваться больше было некуда, жаль бросить Машу, жаль оставить ее без ночлега, без приюта, когда она — того и гляди — опять, пожалуй, вздумает с отчаяния идти на Фонтанку. Старуха не могла сама себе дать отчета как и почему, но только сердцем своим чуяла, будто что-то инстинктивно и тепло привязывает ее к спасенной ею девушке, и для нее-то она решилась на последнее средство.

«Э! Что тут думать! — с твердой решимостью помыслила она. — Ведь не впервой кувыркаться из-за куска хлеба».

И через минуту, по мановению Летучего, перед его столом расчистился кружок, тесно обрамленный досужими зрителями. Скромная кадриль была прервана, потому что Лука потребовал к себе музыкантов, а еще через минуту говор толпы покрывался уже гнусавым тенорком Ивана Родивоныча, которому, по обыкновению, вторил пьяненький басок Мосея Маркича, под аккомпанемент звенящих ложек и торбана.

Как у нас Чуха-красотка —
По всему телу чесотка —
Очень хороша!
Ах! Очень хороша! —

раздавалось по зале отвратительное пение, которое подхватывали иные голоса из хохочущей толпы, и безобразная Чуха, ставши в позитуру против безобразного Степиньки и высоко подняв юбку затрепанного кисейного платьишка, лихо отхватывала трепака. Эти два внешних безобразия, соединенные в откровенно цинической пляске, во вкусе Луки Летучего, являли собой донельзя отвратительную картину. И хорошо, что не видела ее Маша, которая осталась в ожидании скрывшейся Чухи на прежнем месте и боялась удалиться с него, потому что, в отсутствие ее, испытывала крайнее беспокойство и смущение.

Чух!.. Чух!.. Чух!..
Ни молодок, ни старух! —
Чух!.. Чух!.. Чух!..
Ни молодок, ни старух! —

размахивая руками и валяя то кувырком, то в присядку, мычал расходившийся Степинька, тогда как многие из зрителей громко отбивали в ладоши такт, а сам Лука, схватившись за животики, надрывался от неудержимого смеху и дико взвизгивал по временам:

— Ух-ти!.. Жарь его!.. Валяй!.. Поддавай пару!.. Лихо!..

И через несколько мгновений все это смешалось в такой безобразный лай, гам, и свист, и топанье, и хохот, что стены дрожали и за людей становилось страшно. После прерванной скромной кадрили весь этот безобразный трепак и все эти неистовые вопли скучившихся зрителей поистине являлись живой сценой из шабаша на Лысой горе, переполненной всякой адской сволочью.

Трепак с каждым мгновением разгорался все живей и быстрей; Мосей Маркич все более и более учащал такт — до того, что струны его торбана звенели уж без всякого толку. Тут, откуда ни возьмись, на помощь к нему явилась какая-то посторонняя гармоника, визжавшая не в тон, и танец длился до тех пор, пока запыхавшаяся плясунья, выбившись из сил, не повалилась на пол. Последнее обстоятельство наиболее всего развеселило зрителей, но в душе Чухи было мрачно, она думала: «Что, если все это было понапрасну, что, если Лука не даст ни гроша!» Но Лука Летучий запустил уже руку в карман и, выгребав оттуда горсть мелкой монеты да две-три скомканные ассигнации, швырнул их на пол перед собой. В тот же миг передние из кучи зрителей жадно кинулись ловить деньги, предназначавшиеся танцорам, и действительно захватили большую часть. Поднялась свалка и драка, но Чуха успела-таки проворно схватить серебряный двугривенный и юрко улизнула из схватки, которая теперь чуть ли не более пляски потешала Луку Летучего.

— Лука Лукич — моей матери сын — noниче гуляет! Знай, мол, нас, народ, до самых трухмальных ворот! — кричал он, вскарабкавшись на стол и кидая оттуда новую горсть в самую середину свалки. — Потому мы нониче и в Италии, и далее, и в Париже, и ближе бывали!

— Пойдем теперь отсюда... спать пойдем, — едва переводя дух, сказала Чуха, вернувшись к Маше, которая все это время, слыша визг и гвалт, наполнявший большую залу, не смела подняться с места и только все пуще робела, тщетно отыскивая глазами свою старуху.

XXVI

МАЛИННИКСКИЙ САМОСУД

— Гей, ребята!.. Мазурик!.. Мазурика поймали! Мазурика! Держи его, держи-и! — раздались вдруг в эту самую минуту несколько громких голосов в большой зале, и в комнату вбежал растерянный и бледный с перепугу молодой человек, за которым гнался малинникский хлебный маркитант и несколько личностей, ошалелых от пьяного разгула.

Маша глянула на вбежавшего и сразу узнала его.

То был Вересов.

Но из этой комнаты ему уже больше некуда было бежать; тут же его и схватили.

— Ах ты, мазурик! — вопил маркитант, хватив одной рукой за ворот Вересова и в то же время не выпуская из другой свою булочную корзину. — Ах ты, воришка!.. Гляди-кось, почтенные, булку у меня стянул!.. Я только что отвернулся, а он и стянул! Ах ты...

И полился целый мутный поток бранных восклицаний и бесконечные повторения о булке.

У Вересова действительно из-за пазухи торчала краюшка белого хлеба, которую он прикрывал рукой, не то бы в намерении припрятать, не то готовясь защищать ее, буде отнимать начнут.

Сам же вконец потерялся и бессмысленно глядел на всех беглым, испуганным взором.

— Мазурика, мазурика поймали! — пошел быстрый говор по всей малинникской толпе, которая с этим известием по большей части хлынула в желтую комнату, где маркитант со своими охочими приспешниками, вопя о булке, держал Вересова, который, впрочем, и не думал вырываться от них.

Маша решилась ждать, чем это кончится: она чуяла, что ему грозит что-то нехорошее.

— Надо его выручить... Надо его выручить! — быстро шепнула она Чухе и, схватив ее под руку, старалась протискаться поближе к Вересову; но сделать это было несколько мудрено за плотно скучившейся и все более прибывающей толпой. Однако же девушка не теряла надежды и решительно, хотя и понемногу, грудью и плечом подавалась вперед.

— Мазурика поймали?.. Где он? Где? Значит, эфтот соколик? Покажите вы мне его! — говорил Лука Летучий с развалистой и гордо-самодовольной важностью, входя вслед за другими.

— Здесь, батюшка Лука Лукич!.. Здеся-тки! Вот он! — вопил маркитант. — Обокрал меня!.. Теперича — штука ли! — кажинная булка ведь не даром достается, кажинная трешку[1], значит, стоит, а он, подлец, на-кось тебе!.. А?.. Ах ты...

— Ошмалаш ему, ошмалаш![2] Обыскать его, коли он мазурик! Надо во всем пункту эту самую соблюсти, чтобы, значит, было оно по закону... Без закону ни-ни! — авторитетно подал свой голос Летучий.

И едва успел он подать свой голос, как уже два человека из его же шайки с необыкновенной ловкостью и сноровкой принялись шарить по карманам Вересова и ощупывать всего, с головы до ног. Прежде всего была торжественно вынута из-за пазухи его трехкопеечная булка.

---

[1] *Трешка* — три копейки.

[2] *Ошмалаш* — ощупка.

— Ге-ге-е! Вот оно что! — смеховным ревом пронеслось по толпе.

Затем один из обыскивавших вынул из кармана старый, потертый и замасленный бумажник.

— Эй, вы! Публика почтенная! Чей лопатошник[1]? Не признает ли кто? Может, тоже стыренное[2], — воскликнул нашедший, высоко во всевидение подняв над головой бумажник.

— Ахти! Да никак, брат, мой! Ну, так и есть: у меня подтырил! — вмешался, пробравшись сквозь толпу, какой-то человеченко, с виду прямой жорж, и, пошарив для пущего удостоверения в карманах и за голенищем, принялся разглядывать находку.

— Мой, мой! Вот и наши ребята сичас признают, что мой, — говорил он, развертывая бумажник, и вдруг скорчил притворно испуганную рожу.

— Батюшки! Голубчики!.. Отцы родные! — жалобно возопил человеченко, отчаянно хлопнув об полы руками. — Ведь у меня там двадцать рублев денег было, а теперь — ни хера! Все выкрал, подлец! Расплатиться за буфетом теперича, как есть — ну нечем да и только! Благодетели! Как же это!.. За что же это?.. Господи! Батюшка! Микола Чудотворец! Святители вы мои! Караул!.. Кара-у-ул!!

— Не горлопань! — сурово осадил его Летучий, легонько давнув за плечо, отчего человеченку вдруг болезненно скорчило. Тем не менее он не преминул воспользоваться удобною минутою, чтобы под шумок опустить в свой карман вещь, вовсе ему не принадлежавшую.

Вересов действительно украл и бумажник, и булку. Прошатавшись весь день без приюта, ища какой ни на есть работишки и нигде не находя ее, он к вечеру снова почувствовал голод. Подобное существование вконец уже ожесточило его, и он решился украсть — не по-вчерашнему, а действительно взаправду и во что бы то ни стало украсть, что ни попадет под руку, на насущный кусок хлеба. Вересов видел вчера, что в Малиннике собирается множество народу, бывает много пьяных. «Авось в этакой толпе сойдет! Авось не заметят!» — подумал он и решился отправиться прямо сюда, благо дорога уж знакома. Вошел, послонялся некоторое время по комнатам, огляделся и видит, что у одного столишка, опустя голову на руки, одиноко дремлет захмелевший матросик, а перед ним лежит бумажник. Вересов присел к тому же столу — моряк не просыпается. Тогда, улучив минутку, когда никто не обращал особого внимания в их сторону, он с величайшей робостью потянул к себе чужую вещь. Матрос и тут не проснулся. Вересов быстро опустил бумажник в карман и тихо удалился в другую комнату. Дрожа от волнения, с невольно и назойливо навязывающейся

---

[1] *Лопатошник* — бумажник.

[2] *Стыренное* — украденное.

мыслью, что его сейчас захватят и обличат, развернул он этот бумажник — пусто; заглянул во все отделения его и кроме какой-то засаленной, исписанной бумажонки да двух папирос ничего не нашел и в злобном отчаянии бессильно опустил свои руки.

«Нет, я все же припрячу его; не сегодня, так завтра кому-нибудь продам — копейки три или пять дадут за него», — решил он, снова пряча в карман свое приобретение. А в это время в большой зале происходила свалка, затеянная по милости щедрот разгулявшегося Летучего. Вересов бросился было туда и вдруг видит, что маркитант, позабыв про висевшую у него на руке корзинку, все свое внимание устремил на эту свалку. При виде хлеба и при надежде добыть его с помощью кражи, аппетит Вересова вдруг разыгрался гораздо сильнее, чем за минуту до этого, так что он, нимало не медля, подкрался к маркитанту и запустил руку в корзинку. Вот — булка уже схвачена, но, торопясь выдернуть свою руку, он неловко зацепил и дернул эту корзинку, маркитант живо обернулся на него и заметил кражу. Вересов ударился в сторону, на ходу запихивая булку к себе за пазуху.

«Мазурик!» — крикнул тот, поспешая за ним вдогонку. От этого слова молодой человек мгновенно стал белее полотна, растерялся и бросился бежать куда попало.

А что было вслед за тем — читатель уже знает.

— Рожа-то его что-то мне незнакома, — пробурчал Летучий, подойдя к Вересову и вглядываясь в лицо. — Ребятки! — обернулся он к толпе, — не признает ли кто молодца? Хороводный он откольнибудь аль с ветру?

— Не надо быть, чтобы хороводный! Кабы хороводный, мы бы знали, кто-нибудь да узнал бы беспременно, — отозвались из толпы несколько записных жоржей.

— Так, стало быть, с ветру?[1] — снова обернулся Летучий.

— С ветру!.. На особняка, значит, ходит, — подтвердили жоржи.

— Ну, коли так, надо оправосудить его! — порешил Лука и обратился к помертвелому Вересову:

— Так ты, собачий сын, мазурить сюда явился? Так ты это наше обчество осквернять? Честное заведение порочить?.. А?.. Ребята! Как скажете: поиграть ему маненечко на скрипке, чтоб напредки половчее был? Ась?

— Задай ему хорошую концерту! Задай!.. Пущай прахтика будет! — согласились окружающие.

Все же прочее, что наполняло эту комнату, оставалось безучастным и равнодушным зрителем, и только у одной Маши, как у

---

[1] *Хороводный* — принадлежащий к какой-нибудь из известных мошеннических ассоциаций; *с ветру* — пришлый неведомо откуда и занимающийся воровством в одиночку.

пойманной в руку касатки, захватывало и екало сердчишко от страху за Вересова да от негодования на эту бездушную толпу.

— Придержите-ка его, ребятки! — тихо распорядился Летучий, кивнув двум обыскивавшим молодцам из своей шайки, а сам весьма медленно, внушительно и с торжествующим самодовольством, видимо красуясь перед толпой, стал засучивать свои рукава.

В это же самое время двое других молодцов засучили и Вересову рукава выше локтей и вытянули вперед худощавые руки, приведя их в прямое горизонтальное положение. Он весь дрожал, дыша тяжело и медленно, и дико озирался во все стороны, как бы ища спасения.

Неторопливо подошел к нему Летучий, с той подлой улыбкой, которая обличала ясно всю его беспощадность. Спокойно глянул он на Вересова и обеими руками, то есть, собственно, двумя только пальцами каждой — большим и указательным, взял его за руки повыше кистей, в том месте, где приходятся восемь косточек запястья, и именно со стороны большого пальца и мизинца. В то же самое мгновенье, сильно нажав эти косточки запястья, Летучий начал мерно передвигать своими пальцами, отнюдь не отрывая их от рук своей жертвы.

Вересов побледнел еще более, лицо его исказилось и из груди вырвался глухой стон.

Эта игра на скрипке представляет одну из самых невыносимых пыток. Острой боли, собственно, при этом нет ни малейшей, но перебирание хрустящих косточек производит такое тяжелое и в высшей степени неприятно нервное ощущение, что человек даже с самыми грубыми нервами едва ли более двух минут в состоянии спокойно вынести эту пытку, последствием которой, при известной продолжительности манипуляций, явится сперва исступление, а потом обморок. Говорят, что бывали примеры, когда эта пытка доводила и до эпилепсического состояния. Мудреного, впрочем, ничего нет. Невыносимое нервное ощущение можно хотя еще несколько уменьшить, если крепко сжать кулак, к чему инстинктивно и прибегнул в эту минуту Вересов; но Лука Летучий отменно знал эту штуку.

— А ну-ко, живчика ему поддерни! — мигнул он своим приспешникам, державшим молодого человека, и те, в сию же минуту, концом большого пальца начали снизу толкать его в сочленение локтевой кости, где находится так называемая в просторечии жилка живчик, от мгновенного и достаточно сильного прикосновения к которой по всей руке тотчас же побегут нестерпимые мурашки.

Приспешники Летучего не заставили повторять себе приказание и весьма усердно принялись поддергивать живчика Вересову, отчего пальцы его в тот же миг разогнулись и по обеим рукам пошли конвульсивные движения. Эти пальцы, если можно так выразиться, судорожно прыгали при каждом толчке в живчик.

— Воруй не воруй, а будь ловок, — приговаривал, пытая, насмешливо-поучительным тоном Летучий. — Напредки помни да не попадайся, чтобы и себя не срамить, да и нас, добрых людей, в конфуз не вдавать. Воруй половчее, буде Бог тебе дал на то дарование такое, для того и пальчики тебе теперь разминаются. А не будешь ловок — будешь бит от начальства. Вот тебе и притча во языцех — от Писания слово сказано; а ты, как есть ты младой человек, так ты и поучайся, да заруби себе на носу, что это, мол, учит тебя уму-разуму Лука Лукич, моей матери сын, по прозванию Летучий — человек кипучий. Что, брат, каково? Складно? Затем и складно, чтобы в память принял.

Вересов сначала только зубами скрежетал, но потом не выдержал и стал стонать и порываться из рук своих мучителей.

— Э-э! Любезный человек!.. Потерпи, потерпи малость самую! Это ничего, это очинно даже приятно! — издевался Лука, не переставая мучить.

Вдруг в эту самую минуту с яростным криком пробралась сквозь толпу Маша и стремительно кинулась к Летучему, крепко схватив его за руку. Щеки ее пылали, грудь высоко подымалась от трудного дыхания, волосы взбились в беспорядке от тех усилий, которые употребила она, чтобы пробиться сквозь густую толпу, и смелые глаза метали злобные искры. В эту минуту она была замечательно хороша собой: гнев и волнение придали ей совсем новый, небывалый еще оттенок восторженной энергии и решительной воли, так что даже сам Летучий, остановив пытку, перенес на нее свои изумленные взоры, в которых начинало уже заискриваться дикое животное сластолюбие.

— Оставь его!.. Оставь, или я задушу тебя! — сцепив свои зубы и задыхаясь, прошипела девушка.

— Ну нет, задушить-то ты меня не задушишь, — спокойно возразил Летучий, пожирая ее пьяными глазами. — Для эфтово у вашей сестры руки из репы кроены, капустой подстеганы! А вот, поколева живу, отродясь не видал еще, чтобы баба ко мне эдак-то подлетала! Вот что правда, то правда! Ай да зверь-девка! Право, зверь!.. Люблю таких!.. Одначеж ты отселева отчаливай, потому неравно второпях зашибу, — прибавил он ей, снова обращаясь к Вересову с прежним намерением.

— Не тронь! — с силой вырвался отчаянный крик из груди Маши. — Клянусь, задушу! Слышишь!

И она с неестественной, нервной и неведомо откуда вдруг появившейся у нее силой опять схватила его за руки. Глаза ее грозно и зловеще сверкали из-под сдвинутых бровей.

— Ай, да и что ж это за девка! — в каком-то зверообразном довольстве воскликнул Лука, любуясь дикой красотой девушки. — Любо мне это, да и только!.. Слышь ты, зверь-девка, вот бы мне такую полюбовницу! Лихо!

— Палач!.. — с ненавистным омерзением бросила ему в лицо свое слово Маша.

Летучий вздрогнул и хмуро насупился.

— Палач? — повторил он медленно и тихо. — Ну нет, брат-девка, это ты врешь!.. Не говори ты мне, никогда не говори ты мне такого слова! Слышишь! Палачом Луку Летучего не обзывай!

Лука знал, что рано ли, поздно ли он попадется в палачовские лапы, и по естественной ненависти к ним, свойственной всей братии, считал это слово, примененное к самому себе, большим оскорблением, жестокой обидой и тяжелым укором. Оно его словно ножом резнуло по сердцу, сказанное с такой презрительной прямотой, в глазах огромной толпы, значительную часть которой человеческий поступок Маши заставил вдруг человеческими глазами взглянуть на это дело.

Но самолюбие Луки Летучего не позволяло ему оставить Вересова вследствие одного только слова и энергической воли какой-то шальной девчонки: «Пожалуй, подумают, что испугался». И в то же время он чувствовал, что после «палача» не годится мучить мальчонку. Луке нужно было с достоинством выйти из этого положения, и потому он тотчас же сметливо придумал исход, который мог польстить и его самолюбию, и его сластолюбивым инстинктам.

— Так вашему здоровью, стало быть, желательно-с, чтобы я его оставил? — с заигрывающей улыбкой обратился он к Маше.

— Ты его не тронешь больше! — твердо и решительно проговорила она.

— Не трону, коли на стачку пойдешь. Поцалуй, девка, Луку Летучего, тогда — вот тебе Бог! — не трону. — И он, выжидая поцелуя, стал перед ней, избоченясь.

Маша ответила одним лишь презрительным взглядом.

— Не хочешь? — медленно проговорил мучитель, сдвигая свои брови; положение становилось для него еще более затруднительным. — Не хочешь? Ну, так уж не пеняй! Держите-тка его, братцы!

И он снова взял руки Вересова.

Маша дикой кошкой бросилась на него, но Летучий одним легким движением локтя отбросил ее в сторону, так что она уж разом поняла всю невозможность меряться с этой силой.

Лука держал руки своей жертвы, но почему-то медлил приступать к новой пытке, а положение Вересова меж тем становилось все более и более критическим.

Несчастный бросил на Машу долгий, невыразимо страдающий и молящий взгляд, после которого тотчас же раздался его крик — Летучий начал свое дело.

Девушка уловила этот взгляд, столь много говорящий, и, заслышав новый вопль, с отчаянной тоской оглянулась вокруг себя, почти готовая упасть без чувств от потрясения, и вдруг — не успел еще замереть голос Вересова, как она уже стремительно бросилась к Летучему и, закрыв глаза, чтобы преодолеть отвращение, громко поцеловала его.

Тот, как зверь, охватил ее своими лапами и стал покрывать поцелуями все лицо бесчувственной Маши.

Чуха подоспела на помощь. С ругательствами и криком старая волчиха принялась отбивать от него девушку, и Лука Летучий через минуту опомнился: он хоть и был шибко хмелен, однако ж увидел и понял, что дело дошло до обморока.

— Тьфу!.. Это я словно мертвеца целовал! Ажно похолодела! — пробурчал он себе под нос и, передав Машу с рук на руки Чухе, мигнул своим приспешникам:

— Отпустите мальца! Будет с него!

Вересов был оставлен.

С помощью двух женщин старуха утащила девушку от посторонних глаз, в маленький темный чулан, за перегородку, куда обыкновенно сваливают в Малиннике мебель, пострадавшую до окончательной негодности среди ночных оргий. Там ее раза два вспрыснули водой, потерли грудь да виски — и девушка очнулась.

— Где он?.. — спросила она, подымаясь на ноги. — Где он?.. Пустите меня к нему — они снова станут мучить его.

Чуха начала было уговаривать и успокаивать ее, но Маша ничего не хотела слушать и порывалась из чулана. Пришлось отвести ее в прежнюю комнату.

Вересов, оставленный Летучим, а вместе с тем и всей остальной толпой, долго еще не мог прийти в себя и стоял на прежнем месте, ошеломленный всем случившимся, не зная, куда из этой комнаты направиться к выходу, и в то же время страшась сделать шаг, из опасения подвергнуться опять каким-нибудь новым мучениям.

— Пойдем отсюда... Бога ради, пойдем отсюда! — стремительно проговорила Маша, подведенная к нему Чухой, и, без сопротивления взяв руку молодого человека, повела его вслед за собой.

— Вот девка так девка! Молодец девка!.. — одобрительно замечали некоторые личности, когда Маша, вместе с Чухой и Вересовым, проходила малинникские комнаты.

А в это время в большой зале опять уже вокруг Летучего кучилась большая толпа, и опять бренчал торбан, и звенели ложки, и певцы охватывали «величальную» в честь этого героя:

Ах, и кто же тароват у нас?
Тароват да свет Лука Лукич!
Он со гривенки на гривенку ступал,
Он полтиною вороты припирал,
По пяти рублев в окошечко кидал.

И Лука Лукич при этих последних словах величальной песни снова швырнул в толпу направо и налево две горсти серебряной мелочи и медяков, а сам, поднявшись с места, начал с сановитой повадкой, и подтопывая, и помахивая развернутым фуляровым платком, плясовым ходом похаживать по кругу и вдруг лихо гаркнул, вместе с певцами:

> Ах вы, Сашки, канашки мои!
> Р-р-разменяйте-д мне бумажки мои,
> Вы бумажки мне новенькие-да
> Двадцатипятирублевенькие!

И при этом снова несколько скомканных ассигнаций полетело в толпу, где давно уже шла из-за этих грошей великая свалка и драка.

Трое малинникских беглецов вышли на площадь, откуда было слышно, как гудел и неистовствовал весь этот малинник.

Чуха бережно поддерживала трепещущую Машу, которую теперь благодетельно освежила и придала новой бодрости струя свежего воздуха.

— Спасибо... Это второй раз... Второй раз вы меня выручили... спасли... — бессвязно проговорил ей глубоко потрясенный Вересов, удерживая в груди тяжелое рыданье. — Я... никогда, никогда не забуду... Спасибо!

Маша протянула ему руку, и они молча простились одним крепким горячим пожатием.

— Хорошо, что ты привела меня сюда. Я рада... — с чувством промолвила девушка своей спутнице, когда они одни переходили площадь по направлению к Вяземскому дому.

— Да, без тебя-то он, пожалуй бы, так не отделался, — с тяжелым вздохом и мрачным лицом проговорила старуха. — Они бы его, пожалуй, и насмерть забили.

— Насмерть? — с удивленным ужасом широко раскрыла Маша свои глаза.

— Насмерть, — подтвердила спутница. — В наших хороших местах это случается: убьют невзначай человека, в драке там, что ль, или как, нахлобучат на мертвого шапку да словно пьяного и потащат вдвоем или втроем, под руки, к Фонтанке, а там внизу у спуска и в воду — поминай, как звали! Они на это молодцы у нас.

Вересов остался один на распутье.

«Нет, воля хороша сытым... голодному воля — смерть, — решил он сам собой. — Тюрьма лучше... лучше, чем такая воля!.. Пойду к следственному, сейчас же пойду — чего тут ждать еще? Попрошусь снова в Литовский замок... Пока, в части, в арестантской, дадут ночлег, а может... может и хлеба там себе выпрошу...»

И он решительно шел к возврату в прежнее, но теперь уже добровольное заточение после двух с половиной суток голодной свободы.

XXVII

СИБИРКА

— Веди меня в часть! — обратился Вересов к дремавшему на углу городовому, перейдя некоторые улицы, за которыми уже начинался район той части, где производилось о нем следственное дело.

— Куда-а? — изумился спросонья блюститель.

— В часть!.. В сибирку! — с раздраженной настойчивостью повторил бездомник.

— Проходи, проходи себе с Богом, приятель, нече пустяки-то болтать... Время ночное.

— Мне некуда идти, у меня нет ни дома, ни пристанища — понимаешь ли ты?.. Веди же меня в часть, говорят тебе!

— Ну, проваливай, брат, проваливай!.. Что нам часть — богадельня, что ли? За что я тебя поведу, коли ты бесчинства никакого не сделал?.. Ты сделай бесчинство какое, так я тебя отправлю с дворником в квартал, а без того за что же? Ну, хмелен маленько, ну, это ничего: иди, знай, своей дорогой, а мне со своего поста тоже нельзя отлучаться — неравно начальство...

И блюститель послаще да покрепче завернулся в свою дежурную шубу, в надежде опять подремать с часочек.

Вересов не двигался с места. «Бесчинство... — думал он. — Даже и сюда-то не пустят тебя просто, потому что тебе деваться некуда!.. Надо сперва бесчинство какое сделать либо околеть на улице с голоду и холоду, тогда сволокут, тогда примут!.. Господи, что же это будет!»

— Чего же ты стоишь? — обратился к нему между тем городовой. — Хочется в часть тебе? Ну и ступай сам! Дорога, чай, знакомая. А отсюдова отчаливай подобру-поздорову!

Бездомник действительно решился сам идти в часть и объявить себя беглым из тюрьмы преступником, в надежде, что после такого заявления ему не откажут в приюте. Не без некоторого труда, однако же, удалось ему добиться, чтобы впустили в дежурную комнату, где на жестчайшем кожаном диване спал дежурный офицер. Беглый преступник, являющийся сам объявить о себе, показался ему явлением почти сверхъестественным и весьма курьезным. Приказал, для порядку, обыскать его, причем, конечно, был найден временный билет, выданный следственным приставом.

— Какой же ты, черт тебя дери, беглый, если ты на поруки отпущен? — изумленно и строго спросил его дежурный. — Что ж ты задаром-то начальство беспокоишь?.. А?

Вересов стал опасаться, что и тут, пожалуй, сорвется дело, что и отсюда выгонят.

— Я голоден... Я третьи сутки шатаюсь по улицам, без хлеба, без приюта, — заговорил он голосом, дрожащим от волнения и отчаяния. — Не откажите мне... сжальтесь!.. Дайте мне место в арестантской сибирке, хоть до утра... утром я в тюрьму... да еще... Христа ради... хоть кусок хлеба!

— Да ты, должно, пьян, каналья? — усомнился дежурный.

— Я голоден... — с горечью повторил Вересов.

— Верно, пьян... не может быть, чтоб не пьян... Подойди-ка сюда!

Тот подошел.

— Ближе подойди!.. Совсем подойди ко мне.

И ближе подошел, и совсем подошел.

— А ну-ка, дохни на меня!

И дежурный чутко подставил свой нос под самый рот Вересова.

— Ну, дыхай же, бестия!.. Еще! Сильнее!

Тот исполнил и это.

— Хм... Кажись трезв, животное!.. Хм?.. Так ты в самом деле не пьян?

— Вы видите.

— Вижу! Вижу, что вы, мерзавцы, только начальство по пустякам тревожите!.. Сна лишаете!.. Из-за вас мучиться тут!.. Тащи его, каналью, в общую! — промолвил он, обращаясь к полицейскому солдату. — Утром ужо разберут!

Половина жестокого груза упала с плеч Вересова. Он радостно пошел рядом с солдатом, взявшим его за шиворот.

— Голубчик!.. Коли веруешь в Бога... дай мне... Христа ради, дай мне поесть чего-нибудь... Хоть корку хлеба! — со слезами умолял он солдата на пути к общей арестантской.

Тот сжалился и принес ему туда краюху ржаного солдатского хлеба, щедро посыпанную солью.

В сибирке, отличавшейся особенным простором, было скучено до шестидесяти человек всяческого народу. Сиделые подследственные арестанты в казенных серых пиджаках являли себя в некотором роде аристократами этого места и потому занимали все лучшие места на нарах; остальная же публика, забранная или подобранная на улицах в течение одних суток, довольствовалась чем Бог пошлет и по большей части валялась врастяжку по отвратительно грязному полу, в бесчувственно-пьяном образе. Тут был народ с весьма различных ступеней общественной лестницы: и лакеишко с раскроенной щекой, и оборванный солдат, и купец в хорошей лисьей шубе, с которого сиделые арестанты преспокойно стащили в свою пользу новые сапоги, отнюдь не стесняясь присутствием стольких посторонних людей; тут же валялся чиновник, весь мокрый и перепачканный уличной грязью, с оторванной фалдой виц-мундира, и личность, напоминающая своей черной хламидой странствующего инока, и серяки-мужики, и карманщики-жоржи, и некий иностранец француз, без всяких признаков панталон, и немецкие подмастерья, вместе с подмастерьями российскими, и, наконец, *мосью* с гигантскими усами и с красным околышем да кокардой на замасленной фуражке, из разряда тех, которые останавливают вас на улице непременно французской фразой и просят на пропитание жены-вдовы с семерыми детьми мал мала меньше. Иные из них были окровавлены, избиты, расшиблены, а большая часть грязны и оборваны — следы отчаянных драк и уличного валянья. И все это храпело, стонало во сне, бредило, хрипло кашляло, а в одном углу раздавались пьяно-горький неумолчный плач и вздохи с бесконечным причитанием: «За что ж он мне рожу расквасил?.. Нет, ты мне скажи, за что он меня растворожил всего?.. Может ли он?.. Никак он этого не может... И я не могу... и он, значит, не может... Нет, ты мне скажи, за что...» и т. д.

Замечательно, что у русского человека в сивушно-пьяном образе все его мысли главнейшим образом и почти постоянно сосредоточиваются и путаются около одного представленья о том, что он *может* и чего *не может*, а также и о том, что могут и чего не могут другие. Это почти общая характеристическая черта.

Сиделые арестанты, по преимуществу жоржи среднего и старшего разрядов, ходили от одного бесчувственного или сонного человека к другому, и, задав ему ошмалаш[1], бесцеремонно вытягивали из кармана в свою пользу все, что попадется на руку: вязаный шарф, носовой платок, чулки или сапожонки, одежонку, какая случится, а иногда и кошелек либо портсигар, если таковые позабыла отобрать и припрятать до утра полицейская власть в дежурной комнате; особенно же любят жоржи шейные кресты да обручальные и иные кольца, буде случатся подходящие: золотые либо серебряные. Все это к шести-семи часам утра через какого-нибудь приятеля-солдатика потайным образом сбывается за пределы части и — ищи ветра в поле.

Вот втолкнули в сибирку совсем пьяного человека: ни ног не волочит, ни языком не шевелит. Но чуть захлопнулась дверь, чуть удалились полицейские, пьяный человек вскакивает на ноги как ни в чем не бывало и, совершенно трезвый, пробирается по комнате, все наклоняясь и ища кого-то. Вот отыскал спящего мальчонку, лег с ним рядом и разбудил.

— Что, брат, обмишулился? Потеешь?![2] — с укоризной и сочувствием шепчет он мальчонке.

Тот кручинно и досадливо чешет за ухом.

— Яман[3] твое дело, — продолжает мнимо пьяный, — на духу у кармана, поди-кось, все, как было, вызвонил?[4]

— Вызвонил, — со вздохом подтверждает малый.

---

[1] *Ошмалаш* — ощупку.

[2] *Обмишулиться* — то же, что и влопаться, ввалиться, то есть попасться в воровстве. *Потеть* — сидеть в части.

[3] *Яман* — плохо, нехорошо, дрянь-дело.

[4] На допросе у квартального надзирателя выболтал.

— Ну, вот то-то и есть, неумелыш ты эдакий! Записали, стало быть, в акт. Как записали, не помнишь?

— Да так и так, что в церкви, мол, бымши, руку запустил в карман к тому-то черту — сам же ты мне показал его! — а что черт поймал за руку: с платком поймал. Так и записали.

— А ты сознался?

— А я сознался.

— Дура!.. Ну, да ништо! Завтра, как поведут к ключарю[1], смотри — говори, что и знать, мол, ничего не знаю, что стоял да молился, а он вдруг за руку, мол, ухватил меня, а что в акте карман записал, того не знаю и мне читано не было — мало ль чего там не пропишут; а станут спрашивать, бываешь ли на духу да у причастия, говори: бываю, мол, каждогодно; годов тебе — шестнадцать; работать ходишь поденно на голланску биржу. Главное стой на том, что про кражу знать ничего не знаю, ведать не ведаю — и баста! На том тебя и отпустят.

И, сговорившись таким образом, учитель укладывается спать с учеником, чтобы наутро опять повторить ему все свои наставления[2].

Вересов, кое-как утолив свой голод краюхой хлеба, с жадностью напился воды из общего ушата и, полный тяжелой усталости и изнеможения, повалился на пол, где, невзирая на мириады жалящих насекомых, заснул как убитый, радуясь возможности спать не в холодной барке и со сладкой надеждой на новое переселение в одну из татебных камер Литовского замка.

---

[1] *Ключай, клюй* — следственный пристав.

[2] Особого рода уловка является обычным способом петербургских мошенников для выручки своих юных товарищей и учеников, попавшихся на воровстве и угодивших в арестантскую частного дома. В то время как *жулик* (ученик), действовавший в толпе под руководством *маза* (учителя), попался благодаря своей неловкости, ментор зорко следит за ним, не подавая, однако, ни малейшего подозрения, будто между ними может быть какое-либо сообщничество. Маз первый же начинает кричать, что мазурика поймали, и волнуется и негодует на то, что много развелось таких негодяев, прибавляя, как вполне честный и добропорядочный человек, что поделом вору и мука и как хорошо, что его поймали. Он обыкновенно с энергической жестикуляцией, с жаром начинает красноречиво и выразительно повествовать о том, как все происшедшее случилось на его глазах, как он был свидетелем и даже первый закричал «держите вора» — только схватить, вишь, не удалось, потому больно прыток... повествователя обыкновенно окружает досужая толпа, в которой в это же самое время приспешники маза благополучно поворовывают под аккомпанемент красноречивого повествования. Один из приспешников-жоржей, между тем как только полиция успела схватить юного жулика, тотчас же отделяется от толпы и зорко следит издали, куда поведут его. Ведут обыкновенно в квартал, а потом в часть. Узнав таким образом о месте пребывания ученика, ментор испивает для «духа», то есть для запаху, для букета, косушку водки и вечером, изображая из себя бесчувственно пьяного, валится на тротуар где-нибудь поблизости частного дома. Его подбирают — и в общую арестантскую, пока проспится. Ночью, сойдясь с учеником, маз очень подробно и всесторонне научает его, что именно следует показывать на

XXVIII

НОВАЯ ВСТРЕЧА С ОТЦОМ

Утром, когда наконец дошла до него очередь предстать для спроса и разбора пред светлые очи частного пристава, он чистосердечно объяснил свое печальное положение и просил препроводить его в следственное отделение, где надеялся вымолить себе отправку в тюрьму.

Следователь крайне изумился, выслушав его просьбу.

— Нет, обратно в тюрьму я вас не отправлю, — возразил он ему с улыбкой, — а пойдемте-ка лучше ко мне на квартиру: мне надо с вами переговорить о весьма важном деле.

И он прошел с ним по коридору в свою квартиру, помещавшуюся тут же.

— Ваш отец убедился наконец в вашей невинности. Вот, прочтите это, — сказал ему следователь и подал письмо Морденки.

Вересов сразу узнал руку старика, пробежал его строчки — и глазам своим не поверил. Со вниманием, вдумчиво прочел еще раз — и пришел в величайшее изумление! Как! Этот человек, который несколько дней тому назад отказался взять его на свое поручительство, который сожалел, что сын его, в сущности, оказывается невинен, который еще не далее как вчерашним утром так бессердечно, с такой черствой сухостью отвернулся и прошел мимо него в церкви, теперь вдруг почувствовал невиновность своего сына и так тоскливо просит в письме увидеть его! Что все это значит? Как и чем объяснить столь внезапную перемену? Вересову все это казалось похожим на какую-то странную грезу.

— Я сам только сейчас получил это письмо — женщина принесла его, — пояснил ему следователь. — Отправляйтесь теперь прямо к старику, — прибавил он.— Вы видите, как он торопится увидеть вас. Скажите ему, что под вечер я буду у него сегодня же непременно.

Вересов отправился, не будучи в силах вполне уяснить себе

все вопросы частного или следственного пристава, как отпереться от первичного показания, если таковое было уже неосторожно дано, и пр. Жулик неуклонно следует на другое утро лекции своего ментора, а ментор в качестве взятого за пьянство отрабатывает в части казенную работу, вроде мытья полов в арестантских, пилки дров и качанья воды в течение трех суток, по истечении которых и выпускается на свободу, то есть отсылается для этого выпуска в ту часть, в которой показал себя проживающим. Мальчонка-жулик заперся в своем воровстве: улик положительных, неопровержимых против него, по большей части, не находится, и поэтому он отпрашивается на поруки, показывая, что его может взять на свое поручительство родственник. Этим же родственником обыкновенно является маз-учитель, через день или два после освобождения от собственного ареста за пьянство. Этот способ обыкновенно самый употребительный между всеми петербургскими мошенниками в подобных обстоятельствах.

перемену в чувствах отца. Теперь, более чем когда-либо, он не питал к этому человеку ни малейшей злобы, хотя и много поводов представлялось бы для нее в течение его жизни. Единственное чувство, которое жило в душе Ивана Вересова к его отцу, было грустное и горькое сознание, что отец жестоко не прав перед ним; но теперь даже и оно исчезло: одно лишь доброе желание старика видеть его, заочно протянутая ему рука, сознание близости конечного часа — все это вполне уже примирило с ним незлобивую добрую душу забитого и настрадавшегося молодого человека. Он торопился теперь к отцу с тем христианским, бескорыстным чувством, которое спешит на призыв заклятого врага, чтобы принести ему полное прощение и забвение всех обид перед его смертным часом, а этого человека мог ли он назвать заклятым врагом своим, чувствуя в нем все-таки своего отца, и особенно после того, как тот первый заочно протягивает ему руку примирения?

На душе молодого человека было теперь тихо, светло, но бесконечно грустно. Чувство, похожее на это, бывает иногда разлито в самой природе в последние ясные дни глубокой осени. Он сознавал себя вполне и безукоризненно правым в отношении старика, он сознавал, что до последней минуты может прямо и честно смотреть ему в глаза, и заботился только об одном, чтобы предстоящая встреча не была особенно тягостна для нравственного чувства его отца, если только тот вполне искренно примирился с ним. Он дал себе обещание ни словом, ни взглядом, ни намеком не напоминать ему о своем горьком положении, о своих несчастиях, чтобы это не могло колючим укором отозваться в душе Морденки. Если ему суждено скоро умереть, Вересов хотел своим присутствием, своим теплым попечением и ласковым ухаживанием облегчить и усладить его последние минуты. В сиротствующей одинокой душе молодого человека была слишком сильна и велика потребность в отцовской или материнской ласке и добром слове, которых он не знал с самой минуты своего появления на свет Божий, и потому-то, надеясь облегчить собою последние минуты Морденки, он в то же время, с весьма понятным и законным эгоизмом, лелеял в себе мысль и надежду на взаимную отцовскую ласку, которая своим тихим веянием облегчила бы его собственную наболелую душу, заставив хоть на время позабыть все столь много и несправедливо пережитые им страдания.

В таком-то настроении он переступил порог Морденкиной квартиры.

Старик и без того всегда был желт и бледен, а тут, при этом внезапном появлении сына, побледнел еще более, до смертной синевы, и задрожал всем телом от величайшего волнения. Он с усилием поднялся с постели, пошел навстречу, и вдруг — изнеможенно бросился ему на шею. Послышалось удушливое, тихое и хриплое старческое рыдание; на глазах появились слезы, а костлявые руки крепко сжимали в объятиях сына, и сухие, холодные губы как-то судорожно приникли в поцелуе к сыновнему лбу и долго-долго не отрывались.

Эта безмолвная сцена длилась несколько минут, к немалому удивлению чухонки Христины, выглядывавшей в щель непритворенной двери. Но ни отец, ни сын не замечали постороннего свидетеля. У обоих скопилось в душе столько чувства — и горького, и отрадного в одно и то же время, что оба ощущали и понимали огромную трудность и даже невозможность нарушить словом безмолвие этой встречи.

— Ваня... Ванюша... прости ты меня... прости старика... — шепотом начал наконец первый Морденко, с объятиями, склоняясь лицом к груди взволнованного Вересова и не смея поднять глаз, потому — совесть пока еще боялась встретиться с его открытым и честным взором, боялась прочесть на этом лице следы горя, унижения и несчастий, перенесенных этим человеком. Едва еще только вошел он, Морденко уже по первому взгляду увидел, как много изменилось его лицо, как жалка и убита вся его фигура, и этот вид мгновенным и колючим укором пронзил очнувшееся отцовское сердце.

— Прости... прости мне, Ваничка... голубчик мой, сын мой... родное ты мое! — продолжал старик все тем же надрывающимся от слез шепотом. — Виноват я... много виноват... а ты прости... отца... отца прости!.. Забудем друг другу... все забудем!.. Коли ты простишь — и Бог простит меня!.. Неужели ты... Ваня... неужели ты ненавидишь меня?! Неужели... О, Господи!..

Вересов со слезами кинулся к его ногам и покрывал поцелуями дрожащие похолоделые руки.

При виде этого искреннего, сердечного движения на лице старика тихо просияла любящая улыбка. Он нагнулся к своему сыну, и целовал его голову, и трепещущей рукой гладил его волосы, и все шептал:

— Милый... милый мой... родной мой... сын мой... не проклинает... простил... простил старика...

Когда прошел этот первый горячий порыв свидания и Морденко несколько поуспокоился, он не мог не заметить злосчастного тощего костюмишка, облекавшего молодого человека, и его болезненно изнуренного, голодного лица.

— Встань, Ваня, встань, Ванюша! — ласково твердил он, подымая его с колен. — Я рад... ну, я рад! Наконец-то это... наконец-то мы с тобой свиделись... Привел Господь — не до конца еще прогневался... Ты, Ваня... это-то платьишко твое — тово... надо бы... тово... другое; переодеться надобно... Постой, погоди, я дам тебе, я все дам тебе... Вот сейчас... сейчас!

И он очень слабой, болезненно шаткой, но торопливой походкой заковылял в свою «молельную», порылся там несколько времени и с торжествующим видом вынес оттуда чистое белье да пару хорошего платья.

— Прикинь-ко это на себя, голубчик!.. В пору ли будет? А то и другое можно — у меня есть...

Вересов с радостью переоделся в свежее белье и обменил свое изношенное, загрязнившееся платьишко. Новый костюм пришелся почти в пору.

— В баньку бы сходить теперь, — продолжал Морденко. — Сходи-ко, попарь, брат, свои косточки... Э, да нет! Это после... после пойдешь, ужо вечером, а теперь не отпущу... теперь со мной побудь, наглядеться, наговориться хочу.

И старик с улыбкой оглядывал своего сына. Эти новые ощущения успели несколько приободрить его на время: в желтом лице его даже легкий румянец появился, и тусклые глаза вдруг заблистали жизнью; но — увы! — насильственно вызванной, и потому неестественной, фальшивой бодрости, при общем расслаблении обессиленного организма, суждено было продолжаться весьма короткий срок: будучи следствием нового и столь сильного потрясающего напряжения, она вскоре могла только еще усилить собой на несколько градусов общую болезненную слабость Морденки.

— Ты, брат Ваня, у меня молодец будешь... молодец хоть куда! — говорил он, любуясь. — Погоди, дай только сроку, а ты поправишься... Э! Да что ж это я-то, и не домекнулся! Прости ты меня! — спохватился вдруг Осип Захарович, ударив себя по лбу. — Ведь ты, наверное, есть хочешь!

Вересов действительно был голоден, и потому немедленно подтвердил отцовское предположение.

— Христина... А Христина?! Где ты, дурища, закопошилась там! — затревожился снова старик. — Наставь самовар поскорее!.. Чаю завари!.. Да нет, это все не то!.. На вот тебе деньги, на, пять рублей! Беги скорее в трактир, закажи там всего, чего знаешь, только живее! Супу закажи, котлет, жаркого там какого, что ли, да пирогов... Вина возьми бутылку, красного, в рубль — понимаешь ли?.. Да смотри, чтоб на сдаче тебя не надули, вернее считай, а то вечно не донесешь копейки, вечно в недочете; придется потом хоть самому бежать да проверять... Лучше счет спроси. Пускай тебе там счет напишут... Да только гляди, чтоб не прибавили на счете-то! Я ведь проверю потом! Да живее ты, леший!

Но Христина и без того уж металась по кухне, хватаясь то за самовар, то за чайник да за тарелки, то отыскивала запропастившуюся кацавейку и совсем потеряла голову, решительно недоумевая, что бы это такое могло вдруг случиться с ее хозяином, и что это вообще за странности деются с ним вот уже третьи сутки? Наконец отыскала кацавейку, напялила кое-как на один рукав и торопливо пустилась бежать с лестницы.

— Деньги-то! Деньги, гляди, не потеряй еще! Боже тебя избави! — крикнул ей вдогонку Морденко и снова заторопился к сыну, чтобы снова любоваться на него родным, отеческим любованием и радованием.

Никогда еще трактирное кушанье не казалось отощавшему Вересову таким вкусным, и давно уж не ел он так сладко и вволю; а старик все время был сам не свой: то садился в кресло против сына, то вдруг принимался похаживать вокруг него, улыбаясь и потирая руки и любуясь, заглядывал на него с разных сторон. Так точно заглядывает и любуется на какую-нибудь любезную вещь человек, желавший долго и страстно приобрести ее и наконец исполнивший свое заветное желание.

Обильный и вкусный стол значительно подкрепил силы Вересова, а стакан-другой давно не питого им вина подействовал несколько на голову, так что его стало клонить ко сну.

Старик убедил его лечь на свою кровать, и даже, для того чтобы мягче было лежать ему, приказал Христине подостлать на тюфяк две енотовые шубы, которые с болезненным усилием сам вытащил теперь из своей «молельной». Кроме себя Осип Захарович никому и никогда не позволял входить в эту последнюю комнату. Вересов скоро заснул с тем чувством неги, возбуждаемой усталостью, которое очень хорошо знакомо человеку, долгое время спавшему кое-как, неудобно и жестко, когда вдруг он успокоится и отрадно почувствует себя на свежей и мягкой постели.

Старик, ходючи на цыпочках, завесил клетку попугая, чтобы тот не тревожил сна своим пронзительным криком и свистом, а сам осторожно опустился в свое кресло, боясь кашлянуть и пошевельнуться неловко, и принялся глядеть в сонное лицо сына.

Новое и столь сильное волнение, которое опять-таки довелось ему вынести в это утро, — волнение, соединенное с таким потрясением, с таким сильным чувством, окончательно уже расстроило и расслабило больного старика. Он чувствовал себя весьма дурно, а сам меж тем все-таки сидел в своем кресле и пристально смотрел на спящего. Лицо его живо напоминало Морденке знакомые черты матери, и эти черты невольно будили застарелую ненависть, бередя ее, словно наболелую рану. Но в эту минуту он уже не переносил, как бывало, свое злобное чувство на неповинного в нем сына: в старике для этого слишком сильно и горячо проснулся теперь *отец*, но тем не менее он ненавидел мать, и вид напоминающего ее лица только усиливал его злобу.

«Он, он, Иван мой дополнит, — злорадно мыслил старик, глядючи на Вересова, — не я, так он докончит мое дело... Как проснется, надо будет говорить с ним... надо сказать ему... клятву взять с него...»

— О, Господи, что ж это, как мне дурно! — тихо прошептал он, болезненно метнувшись на своем кресле. — Слабость какая-то... жар... то жар, то озноб... лихорадка это, что ли... Ох как нехорошо!..

Подкрепи меня, Боже мой!.. А поговорить надо... посерьезнее! — заключил он, все-таки в конце концов возвращаясь к прежней заветной мысли.

И под влиянием ее лицо старика приняло свой обычный оттенок сухой, желчно-сосредоточенной угрюмости, так что когда Вересов проснулся, то не без внутреннего беспокойства заметил эту резкую перемену, которая так живо напоминала ему прежнее время.

Не подавая еще о себе голоса, он вполглаза внимательно и тревожно поглядел на Морденку: голова старика бессильно опустилась на грудь, кулаки были как-то судорожно сжаты, и сидел он совсем неподвижно, словно немое изваяние, а нависшие брови угрюмо сдвинулись, насупились, и поблеклые глаза были неподвижно устремлены на пол в одну точку; но при всем том в этом неприветливом, черство-омертвелом лице сказывалось явное присутствие тяжелой и злобно-мрачной думы, которая словно бы застыла в нем. Это был прежний, обычный, но уже изнеможденный и больной Осип Морденко.

XXIX

КЛЯТВА

Наконец Вересов кашлянул и потянулся.

— Ты проснулся уже? — слабым голосом вопросил его старик, тогда как самого его от этого кашля словно бы очнуло из-под тяжелого забытья.

Молодой человек, протирая глаза, поднялся с постели.

Прошла минута молчания, в течение которой Осип Захарович казался погруженным в свою прежнюю думу.

— Иван! — позвал он наконец сына тем серьезным, сосредоточенным и даже отчасти строгим тоном, который мог предвещать какое-то решительное объяснение. — Иван! Поди сюда!.. Сядь поближе — мне надо поговорить с тобой.

Вересов приблизился к Морденке, ощущая в душе тревожное волнение несколько болезненного, сжимающего в груди ожидания.

Старик, отчасти тоскливо и не без тревоги, собрался с мыслями и начал слабым, обессиленным голосом, которому, однако же, старался придать всю возможную теперь твердость и решительность.

— Видно, мне уж не долго осталось, — начал он со вздохом, — чувствую я это... совсем уже слаб и недужен — что ни час, то все тяжелее да хуже становится... Ох!.. Видно, Вседержитель к себе призывает... Ты один останешься после меня, один, голубчик... Один на всем свете... сиротой. Я был горд и злобен... много согрешил против тебя... Ну, покаянием очищуся, да и ты... ведь простил меня!.. Но — видит Бог — теперь я люблю тебя... Я и прежде, может, любил тебя, да вот — видишь ли... было такое дело... Ох, и сказать-то как — не знаю... Врагов я, Ваня, имею, заклятых врагов; они меня злобили, а я... подчас неразумно эдак-то на тебе вымещал всю злобу мою. Ну что ж делать! Каюсь! Слаб и греховен... Сердца своего сдержать не умел... И по гроб жизни не сумею, не могу я этого... Ты, голубчик, может, и не понимаешь, а оно так. Ну вот, видишь ли, остается после меня много всякого добра... всякого — и денег, и вещей... Все тебе оставлю, никому, кроме тебя; только... только есть у меня векселя одни — они уже представлены ко взысканию, на сто двадцать пять тысяч серебром... Эти векселя на имя князей Шадурских... Слышишь ли —*Шадурских*! Это враги мои, заклятые враги и в сей, и в будущей жизни... Они и твои враги... Они нам много-много, Ваня, зла понаделали... Я не могу простить им; не прощай и ты! Это тебе мой последний отцовский завет!.. Помни!.. И Боже тебя избави простить им! Прокляну!.. В гробу прокляну!.. Кости мои перевернутся! Слышишь ли?

И, говоря это, воодушевившийся и дрожащий старик строго стучал своим пальцем об ручку кресла, и резко сухой, костистый звук его пальца каким-то беспощадным, гробовым молотком отдавался в душе Вересова, который внимательно и кручинно выслушивал теперь его прерывающиеся речи, в тяжелом волнении потупив голову.

— Боже тебя избави прекратить мой иск! — тем же строгим внушительным тоном продолжал Морденко. — Ты доведешь дело до конца!.. Коли в тюрьму сядут — не выпускай! Не сжалься, гляди! Они постараются обойти да оплести тебя, а ты — простая душа — пожалуй, и поддашься. Боже тебя сохрани от этого! Боже сохрани! Плати за них до конца кормовые деньги, сгнои их в тюрьме, а не выпускай!.. Я тебе с тем только и все добро мое оставляю... Только с этим условием... Слышишь?..

— Что ж они вам сделали? — тихо и несмело спросил Вересов под гнетом своего тяжелого волнения, которое еще значительно усилили последние речи Морденки.

— Что сделали?! — сверкнул глазами Осип Захарович и, поднявшись с кресла, выпрямился во весь рост. — Что сделали?! Зверя из человека сделали! Чести нас лишили, всего лишили! Вся жизнь из-за них прахом пошла!.. Из-за них что я одних проклятий да слез людских на свою голову принял! Из-за них я грешником великим перед Богом стал, кровопийцем человеческим! Из-за них! Все из-за них!.. Ненавидь же и ты их, все равно как я вот ненавижу... Верно, уж хорошо нам от них пришлось, коли и перед смертью не прощаю! Ты думаешь, я и всю жизнь такой вот был?.. — продолжал он. — Нет, Ваня, я добрый был... я, может, хорошим человеком был бы, кабы не они...Молод был тоже когда-то... Надежды свои были, мечтанья разные... Полагал тоже честным порядком жизнь свою устроить, а они всего этого лишили меня, зверя сделали, Авеля в Каина переродили. Вот они что!.. Таким и простить все это?.. Так и простить?!. Нет, Боже тебя избави! Боже избави!

Ослабевший старик почти повалился на кресло и через несколько времени с усилием протянул к Вересову руку, слабо, но решительно спросив его:

— Обещаешь ли ты мне?

Вересов сидел в глубоком раздумье, не подымая головы. Он видел, что старику слишком больно и тяжело говорить об этом предмете, для того чтобы заставлять его входить в новые подробности, и в то же время чувствовал, что если уж в душе человека, даже и в предсмертные минуты возможно присутствие подобной ненависти, то, верно, уж эта ненависть глубоко небеспричинна и имеет самые законные права на свое существование. Слова старика почти ничего не пояснили ему в этой ненависти и в ее истории, но он живо чуял в них самую глубокую искренность и сознавал, что если так кроваво был оскорблен его отец, заклинавший его об отмщении, то вправе ли был сын отвергнуть его последний завет, его предсмертную просьбу?

Морденко между тем в ожидании ответа с тревожной тоской метался на кресле. В уме его родилась ужасная мысль: что, если сын не даст ему требуемого обещанья?! В эту минуту он готов был снова возненавидеть его всеми силами своей души — возненавидеть это «барское отродье».

— Иван!.. Не томи меня!.. Отвечай скорее: да или нет? — строго и тоскливо продолжал он, не отымая выжидательно протянутой руки. — Ох, да дай же ты мне хоть умереть спокойно!

Вересов решительно поднял голову, твердо промолвил «да!» и крепко пожал отцовскую руку.

— Поклянися мне, — быстро заговорил старик. — Образ сними со стены!.. Или нет!.. Постой... вот крест мой — поцелуй его, тогда поверю... тогда успокоюсь я.

И он трепетной рукой вынул из-за пазухи нательный крестик и в самом томительном ожидании, трижды перекрестясь, поднес его к губам Вересова.

Этот наклонился и благоговейно поцеловал отцовскую святыню.

Морденко крепко прижал к груди своего сына, на лоб которого горячо капнули две его крупные слезы и, долгим поцелуем прильнув к этому лбу, проговорил наконец с радостным и облегченным вздохом:

— Спасибо, Ваня!.. Милый!.. Теперь я умру спокойно... Господи, благослови тебя!

XXX

СМЕРТЬ МОРДЕНКИ

В тот же день вечером пришли: следственный пристав, священник и майор Спица — Петр Кузьмич, тот самый, который брал к себе на воспитание сбродных детей, отдавая их напрокат нищей братии и у которого, между прочим, во время оно воспитывался и Иван Вересов. За священником, который был духовником Морденки, и за Спицей, которого Морденко считал единственным своим добрым знакомым, посылал он сегодня свою Христину. При этих свидетелях было составлено, подписано и скреплено свидетельским рукоприкладством духовное завещание Морденки.

Вересову все это казалось какою-то болезненной грезой, бредом или сонным кошмаром. Какие быстрые, какие резкие переходы! То он — нелюбимый, отверженный сын, обвиняемый в преступлении тюремный арестант, бездомник голодный, вор от голоду; то вдруг льется на него щедрый поток отцовской ласки, той ласки, которой столь долго алкала его сиротствовавшая душа, но о которой он и мечтать-то не осмеливался, а теперь она есть и вся безраздельно принадлежит ему. Вчера еще нищий, вчера еще и голод и холод, сегодня в тепле и в холе, и накануне получения огромного богатства. Вчера — эта страшная ночь в пустой барке, рядом с щенною сукой, и эта ужасная ночь в Малиннике; сегодня странная клятва, вынужденная умирающим отцом. Отвержение и ласка, ненависть и любовь, бесприютное нищенство и огромное богатство — и все это так странно, так быстро и неожиданно смененное одно другим, смененное в ту самую минуту, когда он как благодатного и единственного спасения искал для себя тюрьмы, — все это могло показаться ему каким-то невероятным фантастическим сном. Но не было в душе его места скрытной радости, затаенному ликованию; Вересов, напротив того, был только грустно-спокоен.

«Богатство, — думал он, — богатство... На что мне оно?.. Что же я стану делать с ним — один-одинехонек на свете... Один, совсем один!.. Отец умирает... Мать — где она, эта мать? Кто она? Никогда ни единого слова про нее не сказано!.. Ни брата, ни сестры, ни близкого родного человека, кроме отца, да и тот умирает!.. И тот на минуту лишь был мне отцом... любить некого!.. Кого мне любить!..»

Но в душе его смутно мелькнул при этом чистый образ девушки, которая молилась и плакала... так горько и горячо молилась и плакала в большом и сумрачном храме, опустив на колени свои бледные, тонкие руки; образ девушки, с отвращением, но так великодушно давшей свой чистый, святой поцелуй этому грязному и пьяному вору — среди безобразной малинникской оргии.

И сердце молодого человека тихо заныло и сжалось кручинным, но сладостным трепетом.

«Кто она и где-то она теперь? — думалось Вересову, меж тем как в воображении смутно проносился этот образ. — Неужели же так мы и затерялись друг для друга навеки? Неужели нам не суждено еще встретиться?.. Бедная! Что-то с нею делается?.. Сама, сама гибнет, а меня два раза спасла... два раза... Не будь ее, не было бы и меня теперь, или, может быть, был бы вор, убийца, преступник... Нет, я не дам ей погибнуть — я отыщу, я найду ее!.. Теперь за мной очередь спасти ее... А как знать: может быть, и для меня еще будет когда-нибудь тихое, хорошее счастье».

Все эти контрасты и думы вставали в голове молодого человека, когда он печально и чутко проводил бессонную ночь над изголовьем старика Морденки.

А старику Морденке стало очень и очень уж плохо. Этот железный и энергический характер выдержал себя до конца. Как ни донимали его слабость и болезнь, однако он все ж таки собирал всю волю, все усилия, чтобы бодриться и перемогать себя до той минуты, в которую покончил все свои расчеты и распоряжения. Теперь уже он знал, что сын при нем, что последние мгновения его жизни не будут черство и холодно одиноки, что закроет ему глаза все ж таки родная рука; теперь он знал, что самая заветная мысль и желание его обеспечены: с сына взята клятва, завещание написано и оформлено, духовник исповедал и причастил его, былые прегрешения искуплены этой последней исповедью, и теми вкладами на монастыри, и даяниями на сирых и вдовиц, ради вечного поминовения души раба божия Иосифа. Исполнено все, что повелевали исполнить совесть и неугомонная ненависть — стало быть, можно умереть спокойно.

Он крепился до той самой минуты, пока сознание не сказало ему: «Ну, теперь уж все сделано!» И вместе с этим сознанием перемогавший себя организм ослабел уже окончательно. И тем сильней, тем прогрессивнее шло теперь это общее расслабление и хворость, чем напряженнее и энергичнее были все предшествовавшие раздражения.

У старика открылась сильнейшая, беспощадная нервная горячка.

Он впал в беспамятство и пластом лежал на своей постели, а воспаленную голову его безобразно и беспорядочно посещали разные видения, сменяясь одни другими, и больной широко раскрывал свои безжизненные глаза и бредил.

Вересов послал за доктором. Доктор явился, осмотрел больного и только пожал плечами, выражая этим полную бесполезность какой бы то ни было помощи. Медицине тут уже ничего не оставалось делать: нервная горячка в изнуренном, дряхлом организме быстро развилась до крайних своих пределов. Это была жертва, уже обреченная верной могиле.

Морденко лежал тихо, с трудом дыша хриплым, перерывчатым дыханьем. То вдруг начинал страшно стонать, когда его воспаленную голову пугало какое-нибудь ужасное виденье, то вдруг хохот раздавался среди ночной тишины.

— Хе-хе, хе-хе-е!.. Ваше сиятельство! — бормотал старик, искривляя лицо свое злорадной гримасой. — Что, взяли? Хе-хе-е!..

Вот-те и «мерзавец»!.. Боже тебя избави!.. Боже избави!.. Будь ты проклят! Проклят! Проклят!.. Образ сними! Образ сними!.. «Мерзавец»... Хлясть!.. Хлясть!.. Вон, животное! Хе-хе, хе-хе-е!.. Ныне отпущаеши... Ныне...

Все эти отрывочные, бессвязанные слова наводили ужас на Вересова и мутили тоской его наболевшую душу.

Так прошло двое суток. Перед рассветом третьего дня для больного наступил уже период агонии.

Вдруг он с невероятным усилием, на локтях приподнялся на своей подушке, крепко схватил за руку Вересова и устремил на него дикий, ненавистный, трепещущий взгляд.

— Здесь была мать твоя... здесь была она... сейчас... я ее видел, — забормотал он не своим голосом. — Зачем ты впустил ее? Где она?.. Куда ушла она?.. Убей!.. Убей их!.. Всех убей! Слышишь?

И с этим хрипеньем вместо слов, вырывавшихся из его груди, старик упал на подушку, а через полчаса Вересов уже сидел над его длинным-длинным, вытянувшимся трупом.

«Мать... последнее слово про мою мать было, — думал он, глядя на отца. — Но кто же эта мать моя? Где она — жива ли, умерла ль? И что тут за тайна во всем этом кроется!.. Про кого это он говорит мне: «убей!» — про нее ли или... Он сказал: *их* — «убей их! всех убей». Кого это *их*?.. Что это, бессмысленный ли, помешанный бред умирающего или все та же старая ненависть?.. И из-за чего, наконец, такая непримиримая ненависть, такая злоба?»

Все эти думы и вопросы копошились в уме молодого человека, который глядел в неподвижное лицо покойника, словно бы хотел допытаться от него последнего ответного слова: но лицо это являло теперь собой какую-то неразрешимую загадку, и Вересову казалось, будто его тайну старик унес вместе с собой, будто вместе с ним и она умерла для него навеки.

«И вот опять один — один на всем Божьем свете! — тоскливо сжималось его сердце. — Уж теперь никого не осталось... Господи! И нужно же было подразнить человека на несколько мгновений отцовской теплой лаской, поманить его бесконечной любовью, и вдруг через несколько часов отнять все это снова и безвозвратно!.. Зачем? Затем разве, чтобы теперь еще больнее почувствовать одиночество да холод!.. Экая злая ирония во всем этом кроется!.. Господи! Неужели же это всю жизнь свою придется так-то промаяться — все одному да одному!.. Неужели же так-таки уж и ни одной теплой души не встретишь!..»

«Мать!.. О, если бы мне теперь мать!.. Никогда-то я про нее не слыхал ни одного слова!» *«У тебя никогда не было матери»*, — вспомнились ему вдруг суровые слова старика из воспоминаний своего бедного детства. «Отчего же у других у всех есть матери?» — *«То другие, а то ты! У других есть, а у тебя не было»*. — «Отчего же так?» — *«Молчать!»* — черство звучит в ушах его громкий голос, при воспоминании о котором Вересов даже и в эту минуту вздрогнул и со страхом покосился на мертвеца.

«Мать... О, да! Если бы мне теперь мою мать!.. Если бы только знал, кто она, где она, я бы любил ее, я бы все ей отдал — всю жизнь свою! Всю жизнь за ласковое слово, за теплый взгляд!»

Горе человеку, не знающему женской хорошей любви, но бесконечно горшее горе — никогда не знавшему материнской ласки.

Вересова начинало невыносимо угнетать его круглое сиротство, его замкнутое в самом себе одиночество.

Он мог еще кое-как переносить его до той минуты, пока первый раз в своей жизни не узнал, что такое искреннее отцовское чувство. Но отведав его столь мало и оставшись опять сиротой, он уже чувствовал нравственный голод и жажду по нем; оно раздразнило его, так что теперь уже для него сделалось неодолимой потребностью родное, теплое сочувствие, близкая, родная душа, с которой он мог бы отдохнуть и приютиться под ее любящей сенью, уйти, укрыться в нее от своего одиночества и сурового холода жизни.

И этой души у него не было, и тем-то сильнее он алкал ее.

Правда, мелькал перед ним в каком-то призрачно туманном отдалении образ молящейся девушки, но это покамест еще было нечто далекое, нечто призрачное, скорее мечта и греза, чем действительность; а душа его меж тем требовала для себя более законного и родного — требовала матери.

Он снова пристально взглянул в лицо покойника, и вдруг по членам его пробежал невольный трепет: из-под полуоткрытых век старика безжизненно глядели на него два тусклых, мертвых глаза.

Вересову почему-то сделалось страшно. Несмелой рукой он попытался было смежить эти веки, преодолевая в себе свое невольное чувство; но едва лишь его пальцы успевали закрыть их, как они снова тихо приподнимались одна за другой. Труп не успел еще охладеть мертвой окоченелостью.

Поддавшись раз этому ощущению инстинктивного страха жизни к смерти, молодой человек почувствовал и неприятный холод легкого ужаса, и некоторую боязнь оставаться долее один на один с этим тускло глядящим мертвецом. Он разбудил и позвал к себе Христину.

Старая чухонка с тупым недоумением поглядела на покойника, на его глаза и, сама смежив еще раз его веки, положила на каждую из них по медной тяжелой гривне и оставила их таким образом на лице старика, чтобы они своей тяжестью придерживали веки в их закрытом положении, пока уже окончательно не захолонет труп.

— Это нехорошо... Ох как нехорошо! — со вздохом прошептала она, покачав головой.

— Что нехорошо? — безразлично спросил ее Вересов.

— А что глаза-то у него смотрели... Это, говорят, он высматривал, кого бы взять за собой... Беспременно кто-нибудь да еще умрет, из родных умрет... Это нехорошо. Примета такая.

Вересов улыбнулся какой-то странной улыбкой и покосился на Морденку.

Тот лежал так же неподвижно-покойно, как и за минуту, только лицо его приняло теперь неприятный и странный вид: эти две медные гривны глядели, словно два глаза — большие, черные и круглые.

Христина с головой покрыла весь труп чистой простыней и, опустясь перед ним на колени и, сложив пальцы рук своих, забормотала по-своему какую-то молитву.

Это происходило на рассвете, а утром, около девяти часов, уже успели явиться в квартиру Морденки двое гробовщиков, которые словно каким-то собачьим нюхом всегда чуют покойника — подходящий для себя товар. Они сняли с него мерку для гроба, сторговались относительно всех траурных принадлежностей и в заключение прислали двух каких-то баб — творить обряд обмывания — да старика-читальщика в длиннополом сюртуке, с круглыми совиными очками в медной оправе и с закапанной воском тяжелой Псалтирью.

XXXI

ПЕРЕД ГРОБОМ

На другой день, часу в седьмом вечера, по двору загромыхала карета и остановилась у лестницы, по которой обитал покойный ростовщик. Но Вересов нимало не обратил внимания на ее стук, потому что он слишком глубоко погрузился все в одни и те же неотступные думы и сидел в каком-то одурманенном забытье, под монотонный голос псаломщика.

— Вам, верно, насчет закладов? Не принимает... Совсем уж нынче не принимает больше, — послышался в прихожей глуповато-грустный голос Христины, отворившей кому-то входную дверь.

Но в эту самую минуту Иван Вересов был неожиданно поражен появлением лица, совершенно ему неизвестного.

В комнату вошла высокая и необыкновенно элегантная дама, казавшаяся несколько моложе своих преклонных лет и одетая с большим вкусом в черное шелковое платье.

Это была княгиня Татьяна Львовна Шадурская.

Она вошла и, отступив назад, остановилась в дверях, испуганно пораженная неожиданностью картины, представшей ее взорам.

В комнате господствовал неприятно смешанный запах: припахивало ладаном, квартирной сыростью, трупом и свежим сосновым гробом. Сопровождаемая до порога Хлебонасущенским, который возвратился домой ожидать ее, княгиня не могла заметить в темных сенях гробовую крышку, прислоненную в самый темный угол, и потому все, что увидела она здесь, представилось для нее внезапно и неожиданно.

Окна, вместо штор, были завешаны белыми простынями, и вся мебель, за исключением двух стульев, вынесена; даже красно-зеленый друг покойника принужден был удалиться в смежный покой, где все время оставался во тьме, ибо клетка его весьма тщательно завесилась покрывалом, дабы он не кричал и не болтал, по обыкновению, раздражаемый дневным светом, что было бы вполне неприлично при современных обстоятельствах. Тем не менее красно-зеленый друг, прислушиваясь все время к совершенно новым для него монотонно-тягучим звукам псаломщика, не утерпел, чтобы раза два не крикнуть из своего темного заточения: «Разорились мы с тобой, Морденко! Вконец разорились!»

Посредине пустой комнаты наискось возвышался тремя ступенями черный катафалк, а на нем бархатный темно-фиолетовый гроб с золотыми кистями и позументами, пышно покрытый блестящим парчовым покровом, который широкими складками обильно спускался до полу. Четыре восковые свечи в высоких повитых крепом подсвечниках заливали всю комнату потоками мутно-красноватого света и, пуская вверх к потолку тонкие струи черной копоти, щедро озаряли изжелта-восковое, иссохшее лицо покойника, с его глубоко запавшими глазами, с сурово вытянутым заостренным носом и торчащей белой щетинкой на негладко выбритом остром подбородке и над вдавленно-сжатой почернелой губой. На разглаженном смертью челе его неровно скользил и лоснился блеск этого мутно-красноватого света. А там, несколько дальше, виднеются из-за него круглые совиные очки на совершенно апатической, бесстрастной физиономии старика-читальщика — мерно и глухо звучит по душной комнате его тягучий голос; а еще дальше, в углу — молодой человек, в немой и неподвижной тоске опустившийся на стул, облокотясь рукой на его спинку и бессильно сложив на нее свою отяжелевшую голову.

Вот что увидела княгиня, когда, внезапно войдя в эту комнату, вдруг подалась назад и неподвижно остановилась под неожиданным и сильно бьющим впечатлением. То ли надеялась она встретить!..

«Это *он*! — мгновенно сверкнуло в ее сознании при первом взгляде на непокрытое еще кисеей лицо покойника. — Он умер, значит, есть надежда: иск приостановится». И нельзя сказать, чтобы эта сверкнувшая мысль была для нее неприятна. Но, успокоившись в главной своей заботе, княгиня все еще оставалась в тяжкой нерешительности: «Уйти ли тотчас или остаться немного?.. Уйти — неловко... Здесь все же есть люди, надобно остаться».

Перед ней лежал труп человека, бывшего когда-то ей очень близким: она все же, насколько могла и умела, любила его, и он ее любил когда-то. Он даже в то время был ведь единственным существом, оказавшим ей, оскорбленной и покинутой мужем, свое простое, искреннее сочувствие. Княгиня вспомнила это. Плавно шурша и свистя шлейфом своего шелкового платья, ступила она вперед несколько шагов, тихо опустилась перед катафалком на колени и, поклонясь до земли, около минуты оставалась неподвижной в этом склоненном положении.

Бог весть, что в эти мгновения творилось в душе княгини; но когда поднялась она с колен, троекратно осеняя себя благоговейно медленным крестным знамением, на длинных ресницах ее томных и когда-то столь божественно прекрасных глаз двумя жемчужинами дрожали две крупные слезинки.

Были ль то слезы о своем прошлом или слезы сожаления об этом некогда любимом человеке; сказалось ли в них раскаяние во многом или материнская дума о сыне — тайном сыне ее и этого покойника, отверженном, затерянном для нее и даже давно позабытом? Бог весть. Но только эти две слезинки сказали собой, что в данную минуту княгиня искренно чувствовала себя и действительно была женщиной — и только женщиной.

Она иногда могла еще быть ею на мгновенья, но — только на мгновенья, и то лишь под сильным влиянием какого-нибудь не исковерканного, хорошего чувства человеческого.

Вересова очнуло из его забытья это внезапное, странное появление совсем незнакомой ему женщины: оно изумило его и прервало длинную нить кручинных мыслей и того чувства, знакомого лишь со вчерашнего дня, которое так много жаждало близкой и родственно сочувствующей души среди вновь обуявшего неисходного одиночества, пустоты и холода. Вместе с изумлением, не успев еще ничего сообразить и не умея дать себе отчета, что это за особа и зачем она здесь, молодой человек почувствовал даже какое-то внутреннее беспокойное волнение. Он поднялся со стула и, недоумевая, неподвижно и выжидательно следил глазами за каждым движением этой женщины, которая меж тем тихо и грустно вздохнув из глубины души, отерла тончайшим и слегка ароматным батистом свои слезы и оглянулась вокруг себя в несколько смущенном затруднении, словно бы искала какого-нибудь исхода из своего положения после молитвы над гробом в совершенно новом и незнакомом для нее месте.

Вересов приблизился к ней почтительно и тихо, но с невольным выражением вопроса в лице.

— Когда он умер? — почти шепотом обратилась к нему Татьяна Львовна.

— Вчера на рассвете, около пятого часа, — столь же тихо ответил молодой человек. — Вы, вероятно, знали покойного? — прибавил он после колебательной минуты молчания.

— Да, я его хорошо знала... когда-то... — тяжело и грустно вздохнула она.

— Извините... Позвольте узнать, с кем я имею честь... — отчасти смущенно пробормотал Вересов, почтительно склоняя корпус.

— Княгиня Шадурская, — было ему спокойным и тихим ответом.

Он слегка вздрогнул и выпрямился, глянув на нее холодно-удивленным и пристальным взглядом, который снова привел ее в смущение.

— Княгиня Шадурская?! — медленно и едва внятно проговорил он.

Та подтвердила легким склонением головы и в свою очередь пристально, хотя и смущенно, взглянув на молодого человека, спросила:

— А вы?

— Я — сын покойного.

Княгиня глянула еще пристальней и с оттенком какой-то внутренней тревоги.

— Ваше имя? — быстро прошептала она.

— Иван Вересов... Я его сын... побочный, — с некоторым затруднением, но, впрочем, достаточно твердо ответил он и не без внутреннего удивления заметил в тот же миг, как лицо княгини вдруг озарилось каким-то необыкновенным выражением: тут, казалось ему, скрестились между собой и изумление, и испуг, и радость, и даже что-то теплое, какая-то необъяснимая нежность.

Она все так же пристально продолжала вглядываться в его черты.

— А ваша... ваша... мать?.. Разве вы не знаете ее? — чуть слышно и даже с каким-то трепетным замиранием в голосе спросила княгиня, спустя минуту первого волненья и тревоги.

Вересов угрюмо опустился и грустно пожал плечами.

— Не знаю. Я никогда не слыхал про нее ни единого слова: отец скрывал от меня.

На глаза княгини навернулись новые слезы, и в ту же минуту она протянула ему руки свои.

— Мы близки друг другу! — с ясной и нежной улыбкой тихого восторга трепетно прошептали ее губы. — Да, мы близки друг другу... Я... я — ваша мать.

Вересов вздрогнул и невольно отступил назад, ошеломленный звуком этого голоса. В его сердце ударило что-то острое, сильное, роковое, и вся кровь мгновенно прихлынула к груди.

— Я ваша мать! — повторила княгиня тем же тоном, к которому примешалось теперь несколько смущенной тоскливости при виде этого внезапного движения со стороны молодого человека.

— Мать!.. — воскликнул он, пожирая ее взорами и словно бы еще не веря глазам своим. — Мать... моя... моя мать! — все слабей и слабей обрывался его голос, и вдруг с рыданием он бросился к ее ногам, покрывая слезами и поцелуями эти бледные, трепещущие руки.

И несколько минут кряду, в тишине, залитой мутным светом комнаты, перед высоко стоящим гробом раздавались только восторженные звуки взаимных поцелуев, неудержимые рыдания да безучастно монотонный, старческий голос псаломщика.

XXXII

РАЗЛАД С САМИМ СОБОЙ

Пришли попы и пели панихиду, на которую, как уж это обыкновенно водится в таких случаях, доброхотно пожаловали непрошеные и даже совсем незнакомые две-три соседки, жилицы того же самого дома. И жалуют они обыкновенно не столько ради молитвы по усопшем, сколько ради новой темы для разговоров да воздыхательных сердобольствий и философских размышлений, вроде того, что «вот жисть-то наша!.. Жил-жил человек, да и помер, и все-то помрем тоже, все там будем». Эти обиходные особы обыкновенно никак не могут удержаться, чтобы не бухнуть на колени, с земными поклонами, и не источить нескольких слез, когда запоют «со святыми упокой»: от этого уж они никак не воздержут себя — «потому, очинно уж жалостливо и даже, можно сказать, в большую очинно чувствительность возводит».

Княгиня Шадурская тоже выстояла панихиду рядом с Вересовым и после того пробыла еще около часу. Они удалились вдвоем в смежную горницу. Татьяна Львовна с грустным любопытством оглядывала жилище покойника и всю его убогую обстановку. Около часу длилось их свидание, наполняемое ежеминутными ласками матери и расспросами про покойного да про житье-бытье Вересова, и в этих ласках, и в этих расспросах сказывалось столько участия к нему, столько материнской любви и радости при виде найденного сына, что тот почувствовал в себе возможность безграничной сыновней любви к этой женщине. В ней он нашел то, чего искал и чего так алкала сиротствующая душа его, нашел мать, которая с первой минуты оказала себя *матерью*, доброй, нежной, любящей, тогда как отец только в последние часы стал для него отцом, будучи до этого всю свою жизнь одним лишь суровым, черствым деспотом, доводившим свою сухость в отношении сына даже до какой-то холодной ненависти. И этот разительный контраст невольно, сам собой пришел теперь в голову молодому человеку.

— И он никогда, ни полуслова не говорил тебе про меня? — молвила Татьяна Львовна.

— Никогда. Если я его спрашивал, так он приходил даже в ярость какую-то.

— Боже мой! Боже мой!.. Какая ненависть! — со скорбью прошептала она. — И за что?.. Чем я тут была виновата? Я, которая любила его?.. И вдруг скрыть от сына, что у него даже была когда-либо мать... поселять в нем ненависть.

— Он ненавидел весь род Шадурских, — отозвался Вересов, — он ненавидел все, что могло лишь напоминать это имя.

— За что? — с жаром перебила княгиня.

— Не знаю. Перед смертью он как-то глухо отзывался об этом. Говорил, что князья Шадурские лишили нас чести, что все невзгоды его из-за них пошли! Да!.. И он... он завещал мне... отомстить... Он взял с меня клятву.

Молодому человеку было жестоко-трудно произнести эти слова. Тайный внутренний голос говорил ему, что уже самое свидание его с этой женщиной есть нарушение клятвы, данной умирающему отцу, которого даже труп еще не зарыт в землю; но в то же время он столь неожиданно нашел свою мать, и к этой матери порывисто кинуло его самое святое чувство. Мог ли он ее ненавидеть, когда его так и тянуло облегчить на ее груди свою наболевшую душу, когда ее ласки и участие так тихо, любовно глядели, и исцеляли, и освежали его?.. Он чувствовал, что тут уже нет сил не преступить данную клятву, и эта разрозненная двойственность чувств и помыслов в эту минуту была для него невыносимо мучительна, ставя человека в невозможное положение.

— Клятву!.. Отомстить! — в ужасе проговорила княгиня, широко раскрыв свои большие глаза. — Отомстить... Чтобы сын мстил родной матери... Боже!.. Нет, это невозможно!..

Вересов понуро сидел, закрыв лицо руками, облокоченными на колени. Он много страдал в эту минуту.

— А! Я знаю, какая это месть, — продолжала Татьяна Львовна. — Это все дело о наших векселях...

— Да, тут есть какие-то векселя... Но что это за дело, я еще не знаю... Мне не до того теперь было!.. Я ничего не знаю! — с нервным нетерпением заговорил Вересов. — После... в другой раз мы будем говорить об этом... Только не теперь... Теперь мне так тяжело, так тяжело. Господи!

И он опять в отчаянном изнеможении опустил на руки свою голову.

— Бедное, бедное дитя мое! — с грустным чувством прижала княгиня эту голову к своей взволнованной груди и надолго осталась в таком безмолвном положении.

Кукушка прохрипела восемь. Татьяна Львовна поднялась и вместе с сыном вышла в комнату, где стоял покойник. Поклонясь еще раз телу, она медленно поднялась на высокие ступени катафалка и остановилась, глядя на строгий лик усопшего, потом нагнулась к его лбу — и живые, теплые губы ее ощутили неприятный, мертвенный холод прикосновения к трупу. По членам ее пробежала нервная дрожь, и, вся в каком-то экзальтированном напряжении, с глазами, полными слез, княгиня обернулась к Вересову, не сходя со ступень катафалка.

— Видит Бог, виновата ли я! — сказала она полным голосом, в котором дрожало рыданье. — Он ненавидел меня... Напрасно!.. Он мог ненавидеть моего мужа — да! Но... не меня... Я не хотела зла ему. Прости его Бог за это!

И, произнося эти слова, княгиня по-своему была искренна и права: она действительно оставалась глубоко убеждена, что лично не причиняла никакого зла Морденке и не желала зла ему. Когда-то она любила его, до известного столкновения с мужем; быть может, и продолжала бы любить дольше, если бы он иначе сумел поставить себя в этом столкновении, если бы он явил себя достойным ее любви и если бы его униженно-трусливое поведение не вызвало в ней разом презрительного сожаления и горького разочарования в том человеке, которого она, совершенно призрачно, мечтала «возвысить до себя», а он вдруг оказался смиренным холопом и трусом, вместо того чтобы гордо и смело, один на один, в тот же миг защитить своею грудью, своею силой и ее, и собственное чувство. Так думала и тогда, и теперь княгиня Татьяна Львовна и, сообразно со своим социальным положением в свете, находила себя исполнившей до конца свой долг относительно этого человека, тайно послав ему значительную сумму на воспитание их общего сына, на которого она считала себя лишенною иных, более законных прав, потому что, сообразно условиям своей жизни и положения, не могла явно признать его своим ребенком.

Вересов, простясь до завтрашнего утра, проводил ее до кареты и с почтительной сыновней любовью в последний раз поцеловал ее руку.

Он был как-то мучительно и тоскливо счастлив, и тем-то тяжелее становилось ему после этих проводов вернуться к мертвому отцу и снова оставаться одному с этим покойником. Внутренний голос нашептывал ему, что он виноват перед ним, что он не исполнил его единственного завета, о котором тот так страшно и тоскливо молил и заклинал его перед смертью. «Будь проклят, если ты простишь им!» — зловеще отдавался теперь в его сердце этот хриплый, надорванный голос, и Вересов как будто чувствовал уже над собой тяготенье отцовского проклятья: ему тяжело и трудно было дышать и страшно взглянуть на гроб и на резко выдающийся из него мертвый профиль лица; как будто со всех сторон его давили и душили весь этот воздух, низкий потолок, и голые стены, и самое чтение Псалтири, как будто все это злобно-сурово смеялось над ним, корило и проклинало.

И в то же самое время в груди его дрожало сознание такого счастия, такой радости при одной мысли, что у него есть теперь мать, есть дружеское, любящее сердце, о которых он и мечтать-то не осмеливался. И в течение стольких лет самая легкая мысль о матери встречала гнев со стороны отца, который безжалостно давил всякое ее проявление. «Он скрывал и прятал ее от меня, — думал Вересов, — он хотел, чтобы мы не знали и ненавидели друг друга; а когда умер — скрывать уже для него было невозможно: она сама первая пришла сюда, и она ни в чем не виновата пред ним — разве этого не видно было из ее слов? Разве она не сказала этих слов над гробом? А он... он так ненавидел ее... За что же? За что же все это?» И ему горько и больно становилось на душе за эту женщину, которая, по его мнению, столь неправо была оскорблена покойником. «Он и меня ненавидел, да, ненавидел, потому только, что я ее сын, — продолжал думать Вересов. — Кто же прав, кто виноват из них? И не жестоко ли он заблуждался всю свою жизнь? Не было ли, наконец, это своего рода помешательство? Ведь он, надо сознаться, иной раз сильно-таки походил на помешанного. Может быть, все это только ему грезилось и больная фантазия создала всю эту непримиримую ненависть? Нет, *она* ведь, впрочем, сказала, что мужа ее он мог ненавидеть, но не ее; значит, причина ненависти есть. Я узнаю ее. Но кто же прав и кто виноват из них?» — задавал он вопросы своему сердцу, и сердце невольно склонялось к оправданию матери, к оправданию той, которая с первого разу явила себя такой доброй, сочувственной, тогда как другой и умирал-то в бреду, с проклятием, да и всю жизнь свою преследовал и ненавидел единственного сына.

Вересов был счастлив и несчастлив в одно и то же время. Теперь уж он не чувствовал себя таким одиноким сиротою; сердце его было полно любовью, но в этом же самом сердце неумолчно раздавался голос: «Будь проклят». И эта двойственность мысли и чувства раздирала ему душу.

И вот черной тучей наплыло на него новое сомнение.

«Что именно так внезапно убедило отца в моей невинности? Отчего он вдруг перестал думать, что я покушался на его жизнь, когда еще несколько дней назад так упорно стоял на противном? Точно ли он почувствовал угрызение совести против меня? Точно ли он раскаялся, не было ли тут чего-нибудь другого, какой-нибудь посторонней цели?

Быть может, он почувствовал, что смерть уже близка, а он еще не отомстил? Не меня ли он хотел сделать продолжателем своего мщения и не для этого ли только он примирился со мною? Да! Это так, это правда! Он ведь сказал мне: «Я тебе оставлю все, но только ты должен мстить». С тем только и наследником своим сделал, для того и клятву с меня взял, для того и скрывал имя моей матери. Теперь я все понимаю: он никогда не любил меня, а понадобился ему я только по необходимости. Может быть, он думал, что мщение его будет вдвое горше, если *сын* станет мстить родной *матери*? Он обманул меня. Какая ужасная мысль! Господи! Да нет, этого быть не может!.. Я, наконец, с ума схожу... Что это со мной?!»

И он в отчаянии схватился обеими руками за свою голову. Оставаться долее в этой комнате и в этой атмосфере было невозможно: Вересов чувствовал, как будто ему не хватает воздуха для дыхания, как будто с каждым глотком его становится все меньше, а голова горит, и кровь приливает к вискам, и в глазах все как-то мешается и тускнеет, все предметы начинают терять свои естественные очертания и сливаются в какие-то неопределенные глыбы, даже самая эта комната, несмотря на яркое свое освещение, все более и более становится какою-то тусклою — словно бы уходит от него куда-то вдаль... Еще несколько минут подобного состояния, и Вересов, наверное, упал бы в обморок; но тут он решился наконец преодолеть себя и, быстро одевшись, вышел на улицу.

Свежий воздух подействовал успокоительно, однако же далеко не рассеял всех этих дум и двойственности ощущений.

XXXIII

МЫШЕЛОВКА СТРОИТСЯ

Княгиня уехала сильно взволнованная.

Печальная необходимость побудила ее предпринять личное свидание с Морденкой, и это уже было самым последним, решительным средством для поддержки своего светского положения. Хлебонасущенский, надо отдать ему справедливость, «подмазывал», на сколько хватало средств (а он на «собственные» средства ради чужого дела был-таки тугонек), «подмазывал» во всех скрипучих местах, для того чтобы иску Морденки возможно большее время не было дано никакого ходу. Но успеху его подмазываний вредили два обстоятельства: личная и притом давнишняя вражда его с главным «делягой» — секретарем, от которого первее всего зависело дать иску немедленный ход или спустить его на проволочки. Это было одно обстоятельство из числа скверных; а второе заключалось в том, что Морденко, предвидя подмазывания Хлебонасущенского, не поскупился и со своей стороны на таковые ввиду самой крайней необходимости упрятать поскорее Шадурских; и подмазывания старого скряги были несравненно гуще, особенно же щедро смазал он «делягу», коему даже специально поручил ведение иска, за что и была между ними письменно обусловлена известная процентная плата. Вследствие таких обстоятельств дело, уж без малейших оттяжек и проволочек, было весьма быстро двинуто вперед. А тут еще опекунский совет со своими процентами — того и гляди, на всю недвижимость опеку наложат; словом сказать, положение выходило до крайности скверное. Хлебонасущенский, видя, что дело совсем не клеится, опустил крылья и стал заботиться о княжеских интересах только на словах, при разговоре с ними, а на деле предпочел заняться интересами исключительно своими, личными. Княгиня решила ехать к Морденке, просить, умолять его и — сказать ли уж всю правду? — рассчитывала даже употребить в дело некоторое кокетство — последние осенние цветы своего увядания... Она думала, что ведь любил же ее Морденко, так — почему знать? — быть может, слезами, просьбами, напоминанием былой любви она и успеет расшевелить в нем если не искорку, то хотя теплое воспоминание былого чувства. Она думала оправдаться перед ним, даже изобрела в уме своем весьма удачный, по ее мнению, план оправдания, изобрела целую подходящую историю — и все это ради умягчения сердца старого скряги. Но княгиня совсем-таки не имела ни малейшего понятия о том, что такое Осип Захарович Морденко. Между прошлым и настоящим недаром протекли двадцать два года расстояния.

Так или иначе, Татьяна Львовна надеялась на некоторый успех, и хотя вместо живого Морденки застала только труп его, хотя этот труп уже сам по себе давал надежды ей на приостановку иска, однако же самая смерть весьма сильно поразила ее своей неожиданностью и особенно внезапностью мрачно-печального зрелища. Княгиня, забыв все остальное, отдалась этому впечатлению, и на некоторое время сила впечатления заставила ее сделаться исключительно женщиной. Точно так же матерью и женщиной была она и во все время свидания с Вересовым, чему помогло все то же самое впечатление, от которого она не могла освободиться весь вечер и всю ночь.

Успокоенная в главном своем опасении и заботе насчет иска, которые доселе пересиливали в ней все остальное, она могла устранить от себя эту докучную мысль и тем цельнее отдаться своим новым впечатлениям и чувствам. Нервы ее были сильно раздражены и расстроены, так что домой приехала она почти больная.

— Ну что? — с нетерпеливым любопытством встретил ее Полиевкт Харлампиевич по возвращении.

— Он умер, — безразлично ответила княгиня, проходя на свою половину.

— Умер?!!

И фигура Полиевкта весьма наглядно изобразила собою знак удивления, пришибленный сверху знаком вопросительным.

— Умер?!! Морденко умер?!! Что за дьявольщина!.. Как? Когда? Почему умер? — бормотал он сам с собою, хлопая глазами и поводя нюхающим носом, словно бы хотел допроситься ответа у княжеских стен и мебели. — Вот уж именно не весте ни дня ни часу... Фю-фю-фю-ю!.. Так-с! Что же теперь будет?

И для вящего прояснения сообразительности, равно как и всех мыслительных способностей, отправил в нос большую понюшку французского табаку и, заложив руки в карманы брюк, неторопливо прошелся по комнате.

— Что ж это ее-то сиятельство удалилась? Странно, право!.. Тут надо обсудить да поразмыслить, а они — в будуар... Чудны бо суть дела Твоя! — раздумывал, ходючи, Хлебонасущенский. — А ведь это, пожалуй, хорошо, что умер, а буде нет законных наследников, то и прекрасно... Тэк-с!.. И прекрасно!.. Дела-то, значит, могут еще взять благоприятный оборот; надо, стало быть, опять погорячее приняться, нечего сидеть спустя рукавишки! Эдак ведь чем черт-то не шутит? А тут, ежели опять для их сиятельств вожделенная теплота потечет, то как бы мне своего не упустить... Можно будет погреться.

И Полиевкт попросил через камеристку немедленного свидания с ее сиятельством, но ее сиятельство выслала ему сказать, что она расстроена и принять его сегодня не может.

Полиевкт Харлампиевич снова изобразил собою знак удивления, затем досадливо плюнул и удалился восвояси.

Княгиня несколько раз принималась плакать, не то чтобы очень, а так себе, слегка: впечатление от пережитого все еще продолжало быть довольно сильным. Раздевшись, она прошла по обыкновению в свою молельную и после молитв вечерних прочитала заупокойные, а к именам близких ей людей, которые имела привычку поминать в своих молитвах, на сей раз сопричла и имя раба Божия Иосифа.

Исполнив свой долг, Татьяна Львовна приняла значительную дозу успокоительных сонных капель и вскоре заснула сном безмятежным, который унес с собой все ее чувства и впечатления, внезапно вызванные нынешним вечером.

Наутро княгиня проснулась уже всегдашнею княгиней, а так как вчерашний день она легла довольно рано, то и пробуждение было раннее, даже, к удивлению самой себя, довольно бодрое и влекущее к хорошему расположению духа. Поэтому Татьяна Львовна совершенно спокойно принялась с разных сторон обдумывать свое положение в связи со вчерашними приключениями, и это могла она делать тем удобнее, что, не вставая еще с постели, предавалась самому сладкому утреннему far niente[1].

А положение, во всяком случае, стоило того, чтобы о нем подумать, и подумать хорошенько. Смерть Морденки могла на время затянуть иск; но главная суть не в затяжке, а в совершенном прекращении его, в обратном получении всех своих векселей. И это можно обделать теперь весьма удобно. Этот молодой человек остается единственным наследником. От его воли зависит кончить или продолжать дело. Он обязан какой-то нелепой клятвой вести его до

---

[1] Безделье *(итал.)*.

конца; но он тогда не подозревал еще, что эта клятва вынуждается у него против родной матери; а раз узнавши это, достанет ли у него духу мстить? И кому же мстить? Той женщине, которая, несмотря на свое общественное положение, *сама* назвала ему себя его матерью! И за что мстить? За ее ласку, за ее нежную любовь, которую она показала ему вчера, с первого слова (немножко под влиянием расстроенных нервов и, главное, под необыкновенным впечатлением, — позволит себе автор заметить в скобках, уже от себя лично)? И неужели же после того, как этот молодой человек сам показал ей столько порывисто-теплой и почтительной любви, после его слез и душевных излияний у него подымется рука на родную мать, особенно когда он узнает еще целую историю, из которой увидит, что мать его совершенно права и перед ним, и перед отцом, что отец жестоко заблуждался в своей ненависти? Нет, не может этого быть! Положительно не может быть — он никогда не решится на такой варварский, бесчеловечный шаг. А для большего убеждения можно будет как-нибудь предварительно и кстати подать ему мысль, что отец его всю жизнь был не совсем в своем уме, отчасти помешан, так что и сам потом дойдет до мысли, что вынужденная клятва да и вся его месть семейству Шадурских была не что иное, как следствие умопомешательства. А если мать — родная, любящая мать — станет просить, умолять спасти ее, он наверное исполнит. Да нет, он и без этого *сам* возвратит векселя, нужно только продолжать с ним видеться и оставаться столь же нежной и любящей.

Расчет был верен и показывал, насколько спокойная нега утреннего кейфа благотворно действовала на сообразительность опытной и по-своему умной женщины.

А в сущности, что такое был для нее этот Вересов и могла ль она питать к нему какое-нибудь прочное, серьезное чувство, вне расстройства нервов и раздражающих впечатлений? Она, которая в течение двадцати двух лет почти забыла о самом существовании его, не ведая, жив ли он, умер ли; она, едва видавшая его одну минуту в ночь появления на свет и только вчерашний день проведшая вместе около полутора часа, — что могла она чувствовать к этому человеку? Что могло быть общего между ними и какие крепкие, неразрывные симпатии могли бы ее приковать к нему?

«Хм...Это мой сын... Я видела вчера своего сына — как все это странно, однако!.. И неужели это точно мой сын? — думала княгиня, заложив под голову свои алебастрово-бледные, хорошо выточенные руки и слегка улыбаясь самой спокойной, чтоб не сказать равнодушной, улыбкой. — Хм... Да, это мой сын... Иван Вересов... Нет, в самом деле, необыкновенно странный случай... La main de la Providence!.. Oui, c'est la main de la Providence, qui m'indique le chemin du salut!..[1] А он, кажется, хороший и скромный молодой чело-

---

[1] Рука провидения! Да, это рука провидения указывает мне путь к спасению!.. *(фр.)*.

век... Чересчур мешковат только... резкость какая-то в нем, — конечно, дурное воспитание виновато... Отец никакого воспитания не дал... Это жаль. А впрочем, в нем нисколько не видна порода. Странно! Положительно нисколько! И это мой сын!.. Верно, весь в отца пошел, а иначе это непонятно. Однако все же таки надо обласкать его...»

Так спокойно думала и мечтала княгиня разные пустяки — доказательство, что все более серьезные вещи и планы были уже обдуманы ею; а между тем часы пробили десять.

«Однако мне надо непременно видеть его сегодня — обещала ведь! — решила Татьяна Львовна. — Да, этим никак не должно теперь манкировать. Но где его лучше увидеть — дома или на кладбище? Надо бы на кладбище ехать... Это очень неприятно, да нечего делать!»

И по лицу ее пробежала тень неудовольствия: она предвидела новое расстройство нервов от предстоящего зрелища гробов и кладбищенских сцен; но делать нечего: практические соображения и расчеты требуют этой поездки, и княгиня, приказав закладывать карету, поспешно стала одеваться.

Вересов хоронил Морденку вполне прилично и даже с некоторой роскошью: было трое попов с дьяконом и причтом и хор полковых певчих в парадных кафтанах с позументами. Четверка лошадей в новых траурных попонах тащила погребальные дроги, за которыми шел только он да Христина, пожелавшая отдать последний долг бывшему хозяину, а Петр Кузьмич Спица со своей супругой восседал в карете, нарочно нанятой Вересовым ради этого случая. Эти двое провожатых с одинокой каретой позади составляли весь кортеж родных и знакомых, и тем-то страннее кидалась в глаза прохожим некоторая пышность похоронной обстановки при этом скудном числе провожающих.

После благовеста к «достойной» в церкви появилась княгиня Татьяна Львовна в скромном, но очень изящном траурном наряде. Глаза ее были несколько красны — частию от вчерашних слез, а частию от сегодняшнего ветра, залетавшего в открытое окно кареты. Она очень скромно держалась в стороне, у стенки, и часто опускалась на колени, избегая все время взглядов на соседние гробы, чтобы не раздражать себе еще более нервы. Когда началось отпевание, княгиня заранее уже приготовила и вынула из кармана батистовый платок и флакон спирту. Платок очень часто был подносим к глазам, а спирт к кончику носа. Впрочем, от расстройства нервов ей-таки не удалось уберечься, потому что, когда под церковными сводами стройно раздались могильно-мрачные аккорды «надгробного рыданья» и «со святыми упокой», Татьяна Львовна не выдержала и тихо, прилично зарыдала: на ее душу хорошие музыкальные вещи всегда производили свое впечатление, а тут, пожалуй, слезы были и очень кстати, потому что Вересов из них все ж таки легко мог заключить, насколько она любила покойного. Княгиня плакала и в ту минуту, когда приблизилась дать усопшему поцелуй последнего прощанья. Впрочем, она только низко наклонилась к венчику, облегавшему поперек его лоб, и сделала вид, будто целует, но, в сущности, не поцеловала, потому что очень помнила вчерашнее ощущение холода, которое и после прикосновения несколько времени оставалось еще на губах ее, да и притом же от мертвого так неприятно несло теперь гнилой мертвечиной, почему и ощущалась для нее самая настоятельная потребность в спиртном флаконе. Но справедливость требует сказать, что роль княгинею была исполнена безукоризненно прекрасно. Она сделала все, что могла сделать — по совести и даже против нее.

Когда гроб понесли к могиле, Вересов почтительно вел ее под руку, а когда земля, от земли взятая, земле предалася, то есть, попросту сказать, когда могилу совсем уже закопали, Татьяна Львовна предложила Вересову довезти его домой в своей карете. Он простился со Спицами, поблагодарил их за добрую память о покойнике и поехал вместе с княгиней.

Полдороги было сделано в угрюмом молчании как с той, так и с другой стороны. Молодой человек понуро весь сосредоточился в какой-то тяжелой думе, а княгиня несколько раз украдкой и искоса взглядывала в его лицо, наблюдая за его впечатлениями, пока наконец нежно взяла его небрежно опущенную руку.

— О чем же ты?.. Тебе грустно? — с кротким участием спросила она.

Тот безнадежно как-то махнул рукою.

— Ну, полно! — продолжала Шадурская тоном, исполненным материнской нежности. — От смерти уж не вырвешь... Не воротишь!.. Тяжело тебе, но все же не так, как если бы ты был один, один совершенно! Ты не совсем сирота еще: ведь теперь я с тобою... мать... Мы будем видеться... Да, мой друг? Будем?

Молодой человек, вместо ответных слов, взглянул на нее взором беспредельной восторженной благодарности.

В этих словах для него заключался целый рай света, надежды и сыновней любви. Он чувствовал, как полнее становится его существование.

— Да, мне тяжело! — проговорил наконец он с глубоким вздохом. — Но... надо же ведь говорить правду — с отцом я еще потерял немного: я во всю мою жизнь не видал от него любви; только вот последние дни... да и то, Бог весть, любил ли бы он меня, если б остался жив!.. Нет, — продолжал он минуту спустя, — я только вчерашним вечером узнал немного счастия... я узнал, что такое мать...

Княгиня улыбнулаь небесной улыбкой и любовно поцеловала в лоб молодого человека.

— Так о чем же, дитя мое, о чем так мрачно задумываться? — нежно утешила она, не выпуская его руки.

— О, задумываться есть о чем! — промолвил он, глубоко потупив взоры. — Меня мучит эта странная клятва, которую он вынудил.

— Боже мой! Но что это за клятва, расскажи ты мне? — горячо подхватила княгиня, и Вересов подробно рассказал ей все, чему был свидетелем в последние дни Морденки; рассказал ей про свое беспросветное детство, про беспричинное обвинение отца и внезапное примирение, про свою тюрьму и бездомные скитания и, наконец, передал все те чувства и сомнения, которые волновали его со вчерашнего вечера.

Княгиня слушала и по временам утирала набегавшие слезинки. Благо, нервы уж были расстроены, так вызывать эту женскую влагу становилось довольно легко: нужно было только немножко подъяривать себя в этом настроении — и все шло превосходно.

Карета меж тем давно уж подъехала к опустелому жилищу Морденки, и Вересов продолжал свои рассказы, уже сидя с матерью один на один в пропахших ладаном комнатах.

— Боже мой! Как он заблуждался!.. Как он жестоко заблуждался в этой ненависти! — воскликнула, всплеснув руками, княгиня, по выслушании всех вересовских рассказов. — Нет, я должна снять с себя это пятно! — горячо и гордо продолжала она. — Ты мой сын, и я не хочу, чтобы ты мог хоть одну минуту сомневаться в твоей матери! Я расскажу тебе все — все, как было! Суди, виновата ли я!

И она последовательно принялась повествовать ему историю своего выхода замуж, объяснила, что такое, в сущности, ее муж, князь Шадурский. Потом пошла история ее одиночества, оскорбления и забвения мужем, история ее отверженной им любви и роман с княжной Анной Чечевинской. Вересов внимательно слушал рассказ о похождениях супруга, и его честному сердцу становилось больно, и были гадки, противны эти поступки, и чувствовал он к нему злобу и презрение за свою обиженную мать. Потом дошла княгиня и до своего собственного романа с Морденкой, рассказала, что именно влекло ее к нему и что заставило полюбить его; рассказала даже в подробностях столкновение с ее мужем, не забыла и двух пощечин — и доселе рассказ ее отличался полной правдивостью, которая потом уже стала мешаться с элементом фантазии, придуманной поутру, ради вящего убеждения Вересова в полной своей невинности относительно Морденки. Так, например, истинный рассказ о рождении Вересова и об отсылке значительной суммы на его воспитание сопровождался фантазией о том, как княгиня претерпевала тысячи тиранств от своего ужасного мужа, как она хотела разорвать с ним все связи, бросить его и уйти к Морденке, чтобы вместе с ним навсегда удалиться от света, но Морденко, думая, что она столь же виновата в его оскорблении, как и ее муж, не хотел внимать никаким оправданиям и выгнал ее от себя чуть ли не с позором; как она писала к нему множество писем и ни на одно не получила ответа; как она жаждала узнать, где находится ее сын, чтобы взять и воспитывать его самой, но от нее это было скрыто, и вскоре после этого деспот муж насильно увез ее за границу и держал там в течение нескольких лет. А между тем Морденко задумал свое мщение. Рассказ Татьяны Львовны был веден мастерски в его подробностях и обличал в ней большое присутствие такта, своеобразной логики и живого изобретения. Конечно, при этом не было недостатка и в приличном количестве тихих, умеренных слез, так что все это в совокупности произвело на Вересова достодолжно сильное впечатление. Он теперь глубоко страдал душой за все страдания своей матери, и Бог весть, на что бы только не решился ради нее в эту минуту! В то мгновение он любил ее беспредельно.

— Но... как я ни думала обо всем этом, — в заключение пожала плечами Татьяна Львовна, — мне постоянно казалось, что твой отец был немного помешан... Я и прежде, еще до нашего разрыва, замечала в нем иногда кой-какие странные вспышки... Да, он был помешан — иначе я никак не умею объяснить себе эту беспричинную злобу против меня, этот поступок со мной, когда он выгнал меня, когда он скрыл от меня моего ребенка... Да и наконец, его обращение с тобой — что это такое, если не помешательство?! Бедный он, бедный!.. Как мне жаль его!..

Вересов слушал ее с глубоким, сосредоточенным вниманием. Его необыкновенно поразило совпадение ее мысли о помешательстве Морденки с его собственной вчерашней мыслию; а рассказ о его странных поступках и, наконец, целая жизнь его, во многом отличавшаяся необъяснимой странностью, как нельзя более осязательно подтверждала это предположение. И он высказал это княгине.

Несколько времени после того говорили они все на ту же тему и об этом же предмете, пока наконец не настала минута расставания. Татьяна Львовна обещала приезжать к нему часто, и по преимуществу вечерами, чтобы ему не так тоскливо казалось одиночество в опустелой квартире. Добродушный Вересов был в восторге и не находил слов благодарить ее за такую любовь и участие.

А княгиня села в свою карету, хотя и с расстроенными нервами, но как нельзя более довольная собой: теперь она знала все, что ей нужно было знать для того, чтобы вернее действовать, и уже нимало не сомневалась в совершенном успехе.

И сколько новых блестящих планов и предположений радужно заиграло в ее голове при мысли об уничтожении долгов и восстановленном кредите.

«А, право, он очень добрый и милый мальчик, — думала она,

подъезжая к своему дому. — Только ужасно невоспитан, так что даже отчасти неприятно глядеть на бедняжку... Как это жаль, право!»

Но этим приговором о доброте и невоспитанности только и ограничивались все думы и заботы княгини о ее побочном сыне.

XXXIV

ДЕЛО ДВИНУЛОСЬ

Деляга секретарь, который действовал во вред Хлебонасущенскому, со смертью Морденки очутился в некотором роде на неведомом распутье. В пользу кого станет теперь вести он это дело? Где наследники и подтвердят ли они условие, заключенное с ним покойником? Как вдруг на этом распутье появляется Полиевкт Харлампиевич с достодолжной подмазкой, прося о приостановке иска за смертью истца, пока не выяснится, кто суть его прямые наследники. Пришлось ему, конечно, подмазать и другие колеса орудующей сим производством машины, и дело с Божьей помощью застряло в каком-то захолустье, под чьим-то зеленым сукном или в чьем-то портфеле.

Княгиня между тем очень часто, почти через день, посещала Вересова и проводила с ним вечера. Хотя эти посещения, а еще более — беседы, начинали уже сильно утомлять ее, тем не менее нужно было выдерживать роль нежной, любящей матери и друга-утешителя. Другой на месте Вересова, быть может, и заметил бы некоторую искусственность и принужденную натянутость этой роли, которые иногда прорывались-таки местами, но Вересов был слишком добродушно-доверчив и в особенности слишком слепо жаждал любящего материнского сердца, для того чтобы замечать что-либо подобное. Княгиня спросила его однажды, хлопочет ли он об утверждении его в правах наследства. Тот ответил, что не начинал еще да и не знает, как за это приняться. Тогда Татьяна Львовна предложила ему услуги опытного ходатая, который обделает все очень скоро, не вводя Вересова ни в какие хлопоты. Вересов охотно согласился, и Полиевкт Харлампиевич Хлебонасущенский весьма энергично принялся обделывать утверждение Вересова.

Недели через четыре оно состоялось благодаря его усиленному содействию, по обыкновению не обошедшемуся без достодолжных подмазок — «для наибыстрейшего хода всей механики».

Вересов очутился богачом. Но эта перемена нисколько его не порадовала и не изменила. Время, со смерти отца до настоящей минуты, было для него временем жестокого страданья, от которого забывался он на час, на два тогда лишь, когда приезжала к нему княгиня. Зато каждый раз, с удалением ее, эти муки становились все жутче, еще сильнее: он глубже начинал чувствовать и свою любовь к ней, и свое клятвопреступление перед покойным отцом. Теперь уже он пользовался всеми правами утвержденного наследника — стало быть, нужно было наконец исполнить главную волю отца, и он чувствовал, что нет сил исполнить ее. «Боже мой! Неужели, неужели я решусь губить мать свою? И такую-то мать!» — неоднократно задавал он самому себе мучительный вопрос, на который сердце его каждый раз отвечало: «Нет, нет и нет!» А клятва? А предсмертная мольба отца? И на эти возражения, представляемые памятью недавно прошедшего, не было ответа, но тем-то и хуже, тем-то и невыносимее было для молодого человека. А княгиня Шадурская за все это время хоть бы одно слово, хоть бы какой-нибудь намек ему об этом долге! Она казалась только нежной матерью, она, по-видимому, предала полному прощению и забвению все «несправедливости» Морденки, а об исковом деле даже и не заикалась, словно бы его и не было. Такое поведение с ее стороны еще усиливало тревожное состояние Вересова.

Однажды утром к нему является деляга секретарь и объясняет, что, узнав об утверждении за ним наследства, пришел узнать и о дальнейших намерениях его относительно иска, так как Морденко заключил с ним, делягой, особые условия, коими предоставил право хождения по этому делу; а потому желаю, мол, знать, в каком отношении имею находиться к нему на будущее время?

Это посещение наконец-то очнуло Вересова; он понял, что так или иначе нужно кончить. О деле не было пока еще составлено у него ясного понятия; поэтому прежде всего захотелось ему узнать, что это за векселя, по скольку их приходится на каждого из Шадурских и на какие суммы. Деляга все это ему обделал и на другое утро сообщил самые обстоятельные сведения, из которых Вересов увидел, что главнейшая часть всего долга падает на долю старого князя.

Деляга меж тем настаивал на решительном ответе.

— Пока еще никакого. Мне надо подумать, — отвечал ему Вересов. — Завтра утром вы узнаете ответ... Во всяком случае, будьте покойны: вы получите за ваши хлопоты.

И это последнее обещание действительно несколько способствовало к успокоению деляги.

«Что же мне теперь делать? Что делать мне? — в отчаянии ломая свои руки ходил молодой человек по комнате, когда снова остался один. — Я должен мстить... матери — за что? За то, что она любила моего отца, за то, что меня любит? Я дал клятву... Господи! Да знал ли я, что я делал и против кого давал ее!.. Он от меня скрыл, он не сказал мне всей правды, не сказал, что я должен поклясться мстить родной матери. Да, да, да! Он обманул меня! Обманул!.. Да если и сам он еще заблуждался? Если он ненавидел мою мать — не ту, которую создала его собственная фантазия, больное, расстроенное воображение?.. Если... если точно он был помешан? А я теперь должен исполнить его больную волю, губить мать — добрую, неповинную... Ведь она же любила его — разве я не видал этого, когда стояла она над гробом, разве тут-то не сказалось ее чувство, разве оно не высказывается на мне самом, в ее любви ко мне?.. Нет, не подымется у меня рука мстить этой женщине — *мстить Бог весть за что!* Мстить невиноватой, а если он и был убежден, что она никогда не любила его, то я теперь на деле вижу совсем другое — я знаю больше, чем знал он сам, быть может; он не представил мне ни единого доказательного факта против нее, а она успела уже дать доказательства своей любви. Кто же прав во всем этом? Боже мой, кто же прав и кто виноват из них?»

И опять-таки внутреннее чувство невольно как-то подшепнуло ему, что *она* не виновата.

«„Он мог ненавидеть моего мужа, но не меня", — сказала она над гробом, — продолжал думать и анализировать Вересов. — Да, стало быть, мужа он имел право ненавидеть, и она сама не отвергает этого... Значит, значит, в отношении ее мужа я должен исполнить отцовский завет... *ему*, но не ей обязан я мстить, если уж дана такая клятва!»

И Вересов, найдя себе такой исход, немедленно же написал деляге секретарю, что он уполномачивает его вести иск по векселям князя Дмитрия Платоновича Шадурского, оставя в бездействии векселя княгини и ее сына Владимира.

Эта уклончиво придуманная комбинация несколько успокоила Вересова; но, говоря по правде, он, принимая такое решение, желал лишь обмануть самого себя, вильнул перед собственной совестью и угодил только тому побуждению, которое в подобных обстоятельствах вынуждает мягкого сердцем, но слабого волей человека действовать так, чтобы, по пословице, была и Богу свечка, и черту кочерга.

Он чувствовал полнейшую нравственную невозможность делать зло своей матери и в то же время не хотел нарушать данную клятву. Что же оставалось более, как не ухватиться за такое уклончивое, слабохарактерное решение, благо уж исход этот подвернулся под руку?

Деляга секретарь крайне изумился такому решению, тем не менее помог Вересову немедленно оформить его и горячо принялся за дело, имея в виду повторенное обещание условленного вознаграждения...

Прошло около недели, в течение которой поверенный Вересова работал весьма успешно, так что имущество старого князя без всяких уже проволочек было назначено к описи. Княгиня через Полиевкта очень хорошо знала все эти обстоятельства, то есть что Вересов остановил иск по векселям ее и сына. Она просила только своего фактотума до времени не заикаться об этом ни мужу, ни сыну, и когда фактотум, пытливо озирая ее своими глазками, полюбопытствовал узнать, какие планы имеет в виду ее сиятельство, поступая таким образом, то ее сиятельство, дружески пожав ему обе руки, ответила с немножко хитростной, но вполне довольной улыбкой:

— Уж только молчите, мой милый, да делайте беспрекословно все то, что я вам скажу, а за счастливый исход и для нас, и для вас я вам ручаюсь.

Полиевкт только плечами пожал да склонил на бочок свою голову в знак полного и покорного согласия.

Княгиня меж тем, зная все эти обстоятельства, все-таки три вечера в течение недели провела у Вересова; была нежна по обыкновению и ни малейшего виду не подавала о том, что ей известны его мероприятия.

Но насколько прежде посещения ее облегчали молодого человека, заставляя его хоть на час забывать свое горе, настолько же теперь они вносили в его душу горькое, болезненно-ноющее чувство: он становился задумчив, печален, озабочен, его мутило сознание того, что дело мщения уже начато, и начато им самим, а мать меж тем еще не знает про это, и не хватает ни сил, ни решимости прямо сказать ей, потому — понимал он, что хотя покойник и имел право ненавидеть и мстить особенно князю, но каково бы ни было мщение, наносящее решительный материальный ущерб мужу, оно не могло не касаться и жены, хотя бы самым косвенным образом, тем не менее и она вместе с ним терпела. Поэтому теперь уже каждое нежное слово, каждая ласка этой матери каленым углем ложилась на сердце сына: он чувствовал, что с той минуты, как начат им иск, совесть его не совсем-то чиста и спокойна перед нею; а высказать ей прямо в глаза — духу нет, и черт знает, что за странная, самому непонятная сила невольно удерживает от этого шага, удерживает в ту минуту, когда решительное слово уже почти готово сорваться с языка.

Вересов, быть может, и не понимал, но инстинктом чуял, что его удерживают от этого добрый взгляд и добрая ласка матери, на которые она не скупилась во время их свиданий, удерживает боязнь поразить ее сердце новой вестью, нанести ей душевное огорчение. И все это ставило его в крайне неловкое, запутанное и невыносимое положение. Он проклинал свою судьбу, свое богатство, нисколько ему не милое, свое каторжное положение, и все-таки сознавал всю бессмысленную, бесхарактерную безысходность из этой путаницы, в которую, почти помимо собственной воли, бросили его обстоятельства.

Татьяна же Львовна очень хорошо умела каждый раз подмечать на его лице следы жестокой нравственной борьбы и печальных мучений, очень верно догадывалась о настоящей причине этого внутреннего состояния, которое он тщетно старался скрыть от ее глаз, и все-таки *делала* себя любящей матерью, участливо расспрашивала о причинах растерянности, на что, конечно, не получала ответа и продолжала по-прежнему дарить ему свои посещения, беспощадно усиливая этим нравственную пытку своего сына.

XXXV

«ЛИКУЙ НЫНЕ И ВЕСЕЛИСЯ, СИОНЕ!»

Был восьмой час вечера. Иван Вересов сидел у себя дома и ждал княгиню, которая обещала быть сегодня непременно. Странное чувство наполняло душу молодого человека: ему и хотелось, и не хотелось видеть ее, он и желал, и тоскливо боялся новой встречи с матерью; боялся потому, что знал, каким растопленным свинцом опять станут ложиться ему на душу ее материнские ласки и заботливые расспросы. А в то же время так хотелось и этих ласк, и этого участия!

Позвонили в прихожей, и на этот звонок Вересов сам бросился отворять двери, но, к удивлению своему, встретил не княгиню.

В комнату вошел с прилично-грустным и скромно-степенным видом Полиевкт Харлампиевич.

— Я к вам по делу... от ее сиятельства княгини Шадурской, — начал он с обычной сдержанностью, когда хозяин усадил его в старое кресло покойника Морденки.

У Вересова екнуло и упало сердце.

— Княгиня сегодня только узнала, что по векселям ее и ее сына Владимира иск остановлен, — продолжал Хлебонасущенский. — Это ее очень удивило... но... она благодарит вас за ваше великодушие.

При этих безразлично сказанных словах молодой человек снова почувствовал, как его ударило каким-то колючим и горьким упреком; в особенности фраза «ваше великодушие» казалась ему невыносимой.

— Но княгиня не хочет, чтобы за ней пропадал даже самый пустячный долг ее, а не то что эдакая-то сумма, — говорит Полиевкт. — Она заплатит вам все сполна и за себя, и за сына, и за старого князя, только, Бога ради, повремените еще с вашим иском!.. Она умоляет вас об этом! Вы еще молодой человек, сердце ваше доступно жалости, вы в состоянии понять такое положение... Повремените!.. Разом, конечно, отдать вам она не в состоянии; но по частям, в течение трех-четырех лет, долг будет уплачен. Вы ведь почти единственный кредитор княжеского семейства, стало быть, всегда остаетесь в своем праве, можете начинать иск, когда вам заблагорассудится, и все-таки имеете все шансы на получение своих денег. Да и вот что-с скажу я вам: частями-то, по рассрочке, вы получите все сполна, тогда как продажа с аукциона едва ли и третью часть вам выручит. Теперь, в настоящую минуту, надо говорить откровенно — вы губите нас, губите навеки все княжеское семейство... почтенное, всеми уважаемое семейство!.. Бога ради, повремените, согласитесь на полюбовную сделку, на рассрочку! Княгиня, сама княгиня умоляет вас!.. Она бы даже сама приехала просить вас, но это обстоятельство столь много поразило ее, что она совершенно больна, расстроена и лежит в постели.

Вересов необычайно побледнел при последнем известии.

— Больна! — проговорил он слабым голосом, отдаваясь глухому и тяжелому волнению.

Хлебонасущенский ответил только грустно-глубоким, сострадающим вздохом да головою покачал печально.

— Это ее убило... совсем убило! — словно бы про себя прошептал он, опустив свои взоры. — Но... видно, так уж угодно Богу: да будет его всемогущая воля!.. Она, хоть и больная, собрала все свои ценные вещи: картины, кружева, фамильные брильянты и серебро — ее собственное приданое; все это хочет завтра же пустить в продажу, чтобы быть в состоянии уплатить хотя бы малую толику своего долга. Печальное положение, молодой человек, очень печальное...

Вересов меж тем решительно и быстро поднялся со своего места.

— Приезжайте ко мне завтра в четыре часа, непременно приезжайте! Если бы меня еще не было дома, так ждите, но только, Бога ради, будьте у меня завтра!.. А теперь... я вас прошу... оставьте меня. Извините, но... я не могу дольше объясняться сегодня, — быстро и взволнованно проговорил он, подавая Полиевкту руку. И Полиевкт удалился с новым печальным вздохом.

На другой день, в начале пятого часа, Вересов, запыхавшись, вбежал в свою квартиру, где уж в это время ожидал его Хлебонасущенский.

— Везите меня к княгине! — сказал он, здороваясь.

— Как?.. Куда?.. К княгине? — повторил Полиевкт, озадаченный внезапностью такого предложения.

— Ну да, да! К княгине!.. Мне надо ее видеть... Она очень больна? Скажите, не скрывайте от меня, очень больна?.. Да?..

Тот не без заметного удивления поглядел на молодого человека, видя в нем такое сильное волнение, но не понимая причины.

— Да, она больна, — проговорил он с расстановкой, наблюдая его. — Теперь ей несколько лучше, но... все еще больна... расстроена... лежит. Ведь это страшно убило ее!

— Ну так едем!.. Едем сию же минуту! — торопил его Вересов.

— Но позвольте, как же это?.. Не предупредивши...

— О, Боже мой, что там предупреждать еще!.. Предупредите, как приедем! Но только скорей! Бога ради, скорее! Говорю вам, мне необходимо видеть ее!

Полиевкт раздумывал с минутку, в течение которой Вересов, бледный и взволнованный до нервической дрожи, нетерпеливо шагал по комнате.

— Ну что же наконец! — досадливо остановился он перед Хлебонасущенским.

— Пожалуй, едем! — согласился тот со вздохом, пожав своими плечиками.

Приехали. Полиевкт Харлампиевич побежал предупредить Татьяну Львовну, а Вересов остался ждать в одной из блестящих гостиных княжеского дома, где ослепительно ошибло его взоры невиданное еще им доселе изящество и богатство роскошной обстановки.

«Боже мой, а я-то принимаю ее у себя в этой грязной берлоге! — подумал он, невольно вспомнив гнилую квартирушку своего отца. — И неужели же все это великолепие — один призрак, голое ничто, которое покойник мог в минуту развеять этой пачкой бумажек!»

На половине Татьяны Львовны меж тем поднялась некоторая суета, которая, однако, не могла достигнуть ни до взора, ни до слуха ее побочного сына. Хлебонасущенский наскоро передал ей, что привез кредитора, который настойчиво требовал видеть ее лично и расспрашивал, очень ли она нездорова. Поэтому уж, значит, надо оправдать его слова и казаться больной. Княгиню очень встревожил этот внезапный приезд сына, заставлявший ожидать чего-то особенного, необыкновенного, и, конечно, вызвал известную степень нервного потрясения и волнения, что было, в сущности, даже весьма кстати в данную минуту. Быстро удалилась она в свой будуар, распорядилась спустить сторы, дабы устроить в комнате синеватый полусвет, который имел свойство придавать лицу оттенок интересной бледности, и, наконец, поспешила, вместо снятого платья, накинуть на себя легкую блузу и легла на диван, окруженная прошивными батистовыми подушками.

— Ах, Боже мой, чуть было не забыла! Чепчик, чепчик ночной подай мне скорее! Да поставь на столик лавровишневые капли и баночку спирту! Да скорее ты, говорю тебе! — нетерпеливо понукала и торопила она свою камеристку.

— Ну теперь, кажется, все уж готово. Поди, пускай там скажут управляющему, что он может войти! — распорядилась напоследок Татьяна Львовна, вполне уже приготовленная к надлежащему свиданию с сыном.

— Извините, но... я желал бы остаться один с ее сиятельством, — обернулся Вересов на Хлебонасущенского в дверях будуара.

Тот хотел было следовать непосредственно за ним и в самый будуар, чтобы быть свидетелем интересного свидания, но, встретя в упор такое заявление, сделанное вслух при самой княгине, «Лисий хвост» только слегка поперхнулся и поневоле осадил назад.

Вересов плотно припер за собою дверь и, прямо из светлой

комнаты вступя в будуар, где таинственно царил синеватый полусумрак, не мог еще разглядеть с первого взгляду, где его мать.

— Я здесь... — подала слабый голос княгиня, видя затруднение вошедшего.

— Матушка!.. Бога ради... Прости!.. Простите меня! — воскликнул он, кидаясь в ее сторону.

Та сделала усилие, чтобы приподняться на подушках, и еще слабее, печальным тоном промолвила:

— В чем?.. За что?..

— Я виноват... я скрыл... это дело... Господи! Что за адское положение! — без связи бормотал взволнованный Вересов, то судорожно сжимая протянутую ему руку, то приникая к ней губами и заглядывая тревожным взором в лицо матери.

— Матушка!.. Милая, добрая моя!.. Вы больны, вы убиты... Это я, я один виноват во всем!.. Боже мой!..

— Зачем ты скрыл от меня?.. Зачем ты не сказал мне прямо?

— Да! Я сделал мерзость!.. Подлую мерзость! Но... у меня — клянусь вам! — сил не хватало высказать.

— Подлую мерзость? — с грустным вздохом отрицательно покачала головой княгиня. — Нет, мой друг, тут подлого ничего нет, ты исполняешь только данную клятву.

— Я не исполню такую клятву! — с жаром воскликнул Вересов. — Я много думал теперь об этом — я был обманут!.. Я не подозревал, *против кого* вынуждена у меня эта клятва! Я не исполню ее.

Татьяна Львовна поглядела на него долгим и пристальным взглядом.

— Нет, я не хочу этого, — печально молвила она, — чтобы ты потом всю жизнь из-за меня переносил терзания совести... Нет, мой друг! Делай уж то, что тебе было завещано! Но... только не губи нас разом! Вот о чем я бы стала умолять тебя. Мы тебе все отдадим частями... Я уже распорядилась, собрала все свои лучшие вещи... Я продам все, все! Я заплачу — только не доводи нас до этого позорного скандала... до описи. Бога ради!.. Это моя единственная просьба! Мы все равно и потом останемся почти нищими, когда этот долг будет уплачен... Цель покойника все равно ведь будет достигнута... Но не с позором!.. Не с позором, умоляю тебя! Сделай это ради... ради матери твоей!

И княгиня заключила слезами свою странную тираду.

— О, да не мучь же ты меня!.. Ведь это хуже всякой пытки, наконец! — воскликнул Вересов, вскочив со своего места. — Я не хочу вам зла! Я никого не хочу делать несчастным — пусть уж лучше один буду мучиться, а не другие... не мать моя!.. Иску больше нет никакого. Вот все векселя, какие только были у моего отца! Вот они!

И, вынув из кармана полновесную пачку, он, с лихорадочной

энергией величайшего волнения, надорвал ее наполовину и бросил на маленький столик княгини.

Та даже вскрикнула от неожиданности и сильного изумления. Она, несмотря на свои надежды, все ж таки не ожидала на этот раз окончания столь полного и столь быстрого.

— Что ты сделал!.. Что ты сделал, несчастный ты мой! — воскликнула она, хватая его за руки. — Зачем?!. Разве я тебе об *этом* говорила!..

— Не вы, а совесть... любовь моя... сердце мое — вот что мне говорило! — порывисто и трудно дыша, глухо прошептал Вересов, закрыв лицо руками.

Княгиня заплакала, и на этот раз, кажись, уже искренно. Этим мгновеньем на нее опять нашло мимолетное непосредственное чувство матери, сказалась женская душа. Прильнув к голове сына и положив ее на свою грудь, она плакала и долго-долго целовала ее, ласкаючи.

— Ваня! Милый мой! Дитя мое! Ведь ты будешь потом, может быть, раскаиваться, — любовно шептала она ему. — Ведь это один только порыв, честный, великодушный, благородный порыв, но... я боюсь за тебя!

— В чем? — решительно поднял он голову. — В том, что я дал клятву?.. Ну пусть буду проклят... лишь бы *ты* не страдала... Матушка! Люби меня! Люби меня! Ведь у меня никого, никого больше нет в целом свете... Люби меня — и мне больше ничего не надо!.. Не покинь меня! Родная моя!

Княгиня с некоторой торжественностью положила руку на его голову.

— Если тебя проклял твой безумный, помешанный отец, — сказала она твердым, но, в затаенно глубокой сущности своей, искусно аффектированным голосом, — то мать благословляет тебя!.. Пусть это благословение снимет его проклятие!.. Ведь он, говорю тебе, он страшно, страшно заблуждался всю жизнь свою!.. Прости его Бог за это!

Такой оборот дела благотворно подействовал на Вересова: он почувствовал, как на душе его стало легче, светлей и шире, словно бы груз тяжелый скатился с него в это мгновенье.

Несколько времени сидел он еще у матери, которая обещала быть у него, как только в состоянии будет выехать (кататься — она могла бы, в сущности, выехать хоть сию минуту), и затем удалился под обаянием того же мирного успокоенного чувства.

— Князь дома? — спросила княгиня Хлебонасущенского, выйдя в другие комнаты по уходе Вересова.

— Никак нет, ваше сиятельство.

— А Владимир?

— Тоже уехавши куда-то.

— Передайте им, как вернутся, что у князей Шадурских, кроме казенного, более нет долгов, — сказала она с самодовольно радостным видом и подала Полиевкту надорванную пачку.

— Пересчитайте, все ли сполна?

И сама повернулась из комнаты.

Тот так и осовел, увидев у себя на руках поданные ему бумажки.

— Господи! Да точно ли это они? — восклицал он, пересматривая векселя один за другим, по порядку. — Они!.. Они самые!.. Они, мои любезные, драгоценные! Все как есть, на сто двадцать пять тысяч серебрецом-с!.. Важно!.. Что ж это теперь? Кредит... капиталы... всеобщее просветление! — размышлял он сам с собой. — Ликуй ныне и веселися, Сионе! Вот-те и Морденко! Вот-те и гроза его!.. Пхе-е!.. Однако же козырь-баба! Ей-Богу, козырь! Как она ловко да скоро обошла мальчонку!.. — хитровато подмигивал да посмеивался себе Полиевкт Харлампиевич. — Хи-хи-хи!.. Ай да патронесса моя! Ай да козырь-баба! Отменно важно! Отменно!.. Ликуй ныне и веселися, Сионе!

И Полиевкт, восторженно потирая свои руки да широко ухмыляясь, чуть не вприпрыжку удалился в княжескую контору.

XXXVI

«НЕ ПРИНИМАЮТ!»

Хотя и вернулся Вересов домой под светлым, успокоительным впечатлением, однако же на этот раз квартира покойного отца более чем когда-либо показалась ему мрачней и неприветней. Словно бы каждый угол, каждый стул, каждое пятно на стене глядели на него безмолвным и потому беспощадным укором за дерзко нарушенную клятву. А этот попугай, который, по долгой привычке, не совсем еще разучился кричать: «*Разорились мы с тобой, Морденко!*» — наводил теперь своей фразой род какого-то ужаса на молодого человека; казалось, это не просто бессмысленная болтовня бессмысленной птицы, а нечто иное... будто эти слова умышленно относятся к какому-то незримому существу, которое тем не менее присутствует здесь, в этой самой комнате, и вот сейчас скажет ему в ответ знакомым глухим голосом: «*Разорились, попочка, вконец разорились!*» — и грозно потребует отчета... Каждый скрип половицы или двери, каждое хрипенье часовой кукушки, казалось, звучали чем-то зловещим, пророчили нехорошее, недоброе что-то.

Вересову стало невыносимо и душно в этом мрачном месте. Он сказал Христине, что не придет ночевать домой, и тотчас же удалился с намерением найти новую квартиру и пока взять себе хоть нумер в первой попавшейся гостинице.

На другой день чистая, светленькая квартирка была нанята и к вечеру уже скромно меблирована. Вересов торопился исполнить все это как можно скорее, чтобы разом покончить со старым обиталищем, наводившим столь болезненное впечатление. Мебель, кукушка и попугай с клеткой были предложены в полную собственность майору Спице, который весьма охотно принял нежданный подарок, надеясь за меблишку все ж таки выручить кое-что под Толкучим.

— А попугайчика уж я на память о друге оставлю, — заявил он на прощанье.

В новой квартире как-то легче жилось, легче дышалось, веселее, спокойнее думалось. Она была такая уютная, светлая, смотрела на тебя со всех сторон такими свежими обоями, белыми дверями и чистыми большими окнами; потолок, далеко не такой низкий, как в прежней квартире, не давил собой, воздуху было довольно, и Вересов мог бы про себя сказать, что он вполне доволен, если б к его светлому и спокойному чувству не примешивалось отчасти какой-то тихой грусти. Это была грусть по отце, сожаление о стольких печальных заблуждениях его печальной жизни: «Зачем он так заблуждался!.. И Господи! Как бы все хорошо, и тихо, и любовно было б, если бы не это!.. Но — дело конченное и похороненное, не вернешь!» И молодой человек стал думать, как приедет к нему его мать, какое впечатление сделает на нее эта новая обстановка, какое участие примет она во всем этом новом житье-бытье его, и он тотчас же уведомил ее по городской почте о перемене своей квартиры.

Княгиня после этого приехала к нему дня через три, но первым словом объявила, что сейчас лишь узнала об этой перемене, в прежнем доме, куда первоначально приехала.

— А письмо, которое я послал вам? — воскликнул Вересов.

— Какое письмо? Никакого не получала!

Княгиня сказала неправду: она получила письмо, но это получение было ей весьма неприятно, во-первых, потому, что сын называл ее в нем так-таки прямо матерью, а во-вторых, она взглянула на него как на некоторую уже притязательность со стороны Вересова на ее особу; ей показалось, как будто это письмо только начало, как будто он требует ее посещений и, пожалуй, целую жизнь станет требовать; будто это ее связывает, будто он своим поступком с векселями поставляет ее в какие-то обязательные отношения к себе.

«Обязательные отношения! — думала Татьяна Львовна. — Но разве все это произошло так не по моему собственному плану? Разве не я сама заранее все это обдумала и повела дело таким образом?.. Обязательные отношения! Нет, это уже слишком! Это, наконец, скучно!»

И ей захотелось на первом же письме прекратить всякую дальнейшую корреспонденцию; поэтому, изъявив свое удивление по поводу неполучки, княгиня пораздумала с минуту и сказала, что письма не всегда могут доходить к ней, что они могут как-нибудь, вследствие неумелости швейцара и лакеев, перемещаться и попасть в руки мужа или сына, которые и не подозревают об этих свиданиях, что ее сильно беспокоит пропажа посланного письма и потому ее совет — на будущее время не писать вовсе, а уж лучше она сама будет уведомлять, когда понадобится.

Вересов слушал ее, подавляемый горьким сознанием, что он родную мать свою не может явно, в глаза другим, назвать своею матерью, что должен видеться с нею только украдучись, словно бы в этом крылось какое нехорошее дело, что мать сама принуждена скрывать от всех, что у нее есть сын, не смеет признаться в этом.

«Господи! Что за безобразие! И зачем все это так устроилось на свете, таким гнусным образом? И зачем *тот* сын имеет на нее все права и может открыто и честно гордиться ею, а я — столько же родной и близкий ей — я всего, всего лишен и, словно вор какой, могу только впотьмах, украдкой, тайно поцеловать материнскую руку!..»

Прошло еще недель около двух. Княгиня считала свой план и свою миссию оконченными. Они и действительно были окончены с той самой минуты, как рука Вересова надорвала пачку векселей, но приличие и требование известного рода округленности всего этого дела требовали еще на некоторое время продолжения материнских посещений, без чего оно вышло бы уж чересчур шероховатым. По правде говоря, Татьяне Львовне более уже решительно нечего было делать у Вересова; посещения ее становились раз от разу все реже и короче; продолжительная роль нежной матери начинала уж быть весьма-таки не под силу; общих интересов с ним она никаких и ни в чем не усматривала и даже не находилась, о чем и говорить-то с ним во время своих визитов. Все это было для нее действительно очень скучно, обременительно, так что каждый раз она садилась теперь в карету с маленьким чувством досады и неудовольствия, а уезжала с расстроенными, раздраженными нервами и еще с большей досадой. Надо быть нежной, хоть изредка приласкать, поцеловать его и делать все это без всякого искреннего побуждения, тогда как от него так и несет абсолютным плебеем, и нет ни малейшей надежды выработать из него что-нибудь более приличное и более изящное, а он еще вдобавок так любит эти ласки, так телячьи-радостно ждет этих материнских поцелуев — наклонность тоже, должно быть, весьма плебейская. Все это в совокупности только все больше и больше раздражало нервы Татьяны Львовны, чувствовавшей, как с каждым разом усиливается ее натянутое, принужденное положение.

А Вересов?

Вересов тоже начал не столько умом, сколько инстинктом ощущать ее охлаждение. Наконец домекнулся, как все увеличиваются промежутки между ее свиданиями и как самые свидания становятся под разными предлогами все короче, тогда как прежде этих предлогов не существовало. И при этом сознании у него мучительно сжалось сердце; но он поспешил убаюкать себя и обвинить во всем свою мнительность.

«И что это в голову мне все ползет? — досадливо думал он. — Что это я все сочиняю себе?.. Это все оттого, что мне хочется Бог весть какой-то невозможной любви. Судьба избаловала тебя, дала тебе все, что могла дать, а ты, как жадный жид, все больше да больше!.. Это все призраки, все моя мнительность, глупая, ни на чем не основанная!»

Но хотя такими рассуждениями он и успокаивал себя на время, посещения княгини не становились оттого чаще и материнские ласки нежнее.

Княгиня, однако, была слишком чувствительная женщина, слишком хорошо думала о себе и слишком была убеждена в своих истинно прекрасных качествах души, для того чтобы высказать самой себе, перед собственной совестью, с такой цинической наглостью, *настоящие* причины ее охлаждения и скупости на дальнейшие свидания с сыном, с какою высказали их мы, от собственного лица, для пущего уразумения читателя.

Поводы княгини — так, как они представлялись ее глазам, — были неизмеримо мягче, деликатней и благородней. Даже, можно сказать, это были возвышенные поводы и оправдывались вполне самой настоятельной необходимостью.

Она оставалась убеждена, что любит своего *тайного* сына, хотя разница общественных положений и сделала то, что между ними нет и не может быть ничего общего, исключая взаимного чувства. Таково было ее главное убеждение. Но... кроме этой любви в сердце ее есть еще и другая, имеющая более законные и даже священные основания — любовь к своему *явному* сыну. С этой последней сопряжен великий долг семейственности, дома и рода, а с этим долгом неразрывно идет общественное положение, которое она обязана прежде всего поддерживать на соответственной высоте. О том, что у нее есть сын, которого зовут Иван Вересов, никто не знает, кроме мужа да самого этого сына, и она не имеет права дарить ему свою любовь в ущерб сыну Владимиру, у которого есть имя, есть положение, карьера и который остается единственной отраслью Шадурских для продолжения славного рода. Имя его должно быть чисто, незапятнанно. А что, если вдруг узнают про ее таинственные посещения? Если узнают, что у нее есть живой плод такой связи, память о которой надо скрывать, и скрывать как можно тщательней, зарывать ее под землю? Что, если об этом стоустая молва пойдет? А она может пойти, если посещения будут продолжаться: как-нибудь, от кого-нибудь узнается; может, он сам проговорится, и тогда, тогда... Страшно и подумать!.. Что, наконец, если об этом узнает Владимир? Как он взглянет на свою мать и где будет после этого место его уважению к ней? Нет, как ни думай, а дальнейшие посещения придется если и не совсем кончить, то сделать их очень редкими.

«Конечно, я люблю его, — размышляла Татьяна Львовна, — он такой добрый мальчик, у него такое хорошее сердце, и если ему случится в жизни какая-нибудь нужда во мне, я все ему сделаю, я помогу... но продолжать настоящие отношения мне запрещает долг. Надо изменить их. Как это ни тяжко, как это ни больно моему сердцу, нечего делать — надо покориться!»

И княгиня покорилась.

Прошло еще недели две. Она со дня на день думала еще однажды посетить Вересова,чтобы не обрывать уж так-таки сразу, и все откладывала; все случалось так, что что-нибудь непременно каждый раз помешает ей. А время шло, и чем больше шло оно, тем уже самое свидание представлялось затруднительнее, неловче, — как вдруг однажды докладывают ей, что просит позволения видеть ее некто Вересов. Княгиня даже испугалась. Ей представилась вся странность, вся видимая беспричинность, на посторонние глаза, даже вся невозможность этого свидания в ее доме; да кроме того, придется объяснять ему продолжительность перерыва своих посещений, изобретать причины, а как тут объяснишь и изобретешь все это при такой внезапности! И княгиня послала сказать ему, что принять никак не может.

— Что ж она, нездорова? — спросил внизу весь побледневший Вересов.

— Не знаю... Может быть, и нездоровы, — холодно ответствовал ливрейный лакей.

— Когда ее можно видеть?

— Да как это сказать?.. Почти всегда... Всегда можно видеть, а ежели вам по делу, так вы обратитесь в контору — там управляющий.

Вересов повернулся и вышел с щемящей болью в душе.

Смутное предчувствие глухо нашептывало ему что-то нехорошее, а он рассудком хотел уверить себя, что это либо слуги переврали его фамилию, либо его мать нездорова.

Иначе он решительно не хотел понимать, что все это значит.

«Хоть бы узнать-то, больна ли она», — подумал он и, перейдя на тротуар набережной, стал глядеть в княжеские окна да отмеривать шагами мимо дома расстояние шагов в полтораста. Но окна ничего ему не сказали, и сколько ни ходил он по набережной, ожидая, что, может, выйдет кто-нибудь из прислуги, у которой можно будет узнать, ничего из этого не вышло. Но вот из-под ворот выехала карета, с парою серых, щегольской рысью и с не менее щегольским грохотом прокатилась вдоль улицы саженей пятьдесят, сделала заворот и подъехала к крыльцу княжеского дома. Лошади били копытами о мостовую, а бородач кучер, с истинно олимпийским достоинством, с высоты своих козел взирал вниз на весь Божий люд, мимо идущий.

— Эта карета самого князя? — спросил его подошедший Вересов.

Олимпиец сначала оглядел его сверху вниз с надлежащим спокойствием и не сразу удостоил ответа.

— Ее сиятельства, — сказал он после минутного оглядывания, и когда произносил это слово, то уже не глядел на вопрошавшего, а куда-то в сторону.

— Она сама поедет куда-нибудь? — попытался тот предложить еще один вопрос олимпийцу.

— Сама, — было ему столь же неторопливым ответом.

«А, стало быть, не больна? — подумал Вересов. — Отчего же, если так, она не пустила меня к себе?.. Неужели?.. Нет, нет! Какой вздор! Какие мерзости лезут в мою глупую башку!.. Отчего? Ну, просто оттого, что нельзя было почему-нибудь, помешало что-нибудь, мало ль чего не случится! Но я все-таки увижу ее; хоть и слова сказать не придется, да зато глазами погляжу. Вот как станет садиться в карету, так и погляжу».

Так успокаивал себя Вересов, а сердце меж тем почему-то все так же беспокойно колотилось.

Но вот наконец и дождался.

Растворилась стеклянная дверь парадного подъезда, из нее поспешно выбежал выездной лакей в княжеской ливрее и поторопился отпереть дверцу экипажа, около которой и стал в автоматически почтительном ожидании; затем показалась княгиня Шадурская в наряде для прогулки, почтительно сопровождаемая комнатным ливрейником.

Вересов стоял в двух шагах и глядел на нее во все глаза. Взор княгини случайно скользнул по нем и словно обжегся, потому что тотчас же быстро вильнул в другую сторону. Сделан был вид, будто его не замечают. Но если обжегся на Вересове взор его матери, то этот же взор хуже ножа резанул его сердце. Не помня сам, что делает, он безотчетно побежал вслед за каретой, словно бы хотел ухватить ее за колеса и остановить на ходу. Хотел крикнуть что-то, но звук не вылетал из груди, в которой накоплялось теперь одно только судорожное рыданье. В горле спералось дыхание, а он все бежал и бежал за каретой, которая во всю рысачью прыть с каждым шагом уносилась от него все дальше и дальше, и бежал до тех пор, пока колени не подкосились, пока не запнулся за уличный булыжник, так что пришлось остановиться и уж только тоскливыми глазами упорно выслеживать удаляющийся экипаж, который уже далеко-далеко мелькал между другими.

Вересов все еще не хотел верить. «Не может этого быть, — убеждал он самого себя на другой день утром. — Она могла не заметить меня или не узнать, верно, торопилась куда-нибудь. Но это... Это подло, думать таким образом! И что я за гадкое животное, если в мою голову могут закрадываться подобные мысли!»

«Пойду сегодня! Сегодня уж, наверно, примет, — решил он в заключение. — А чтобы лакеи фамилию как-нибудь не переврали, запишу-ка лучше на бумажке — словно бы визитная карточка будет».

И он отправился с новою надеждой.

— Дома княгиня?

— Нету дома, уехали с визитами.

— А скоро будет?

— Часа в четыре.

Ушел и опять принялся ходить по набережной. Был только третий час в начале, и он решился ходить хоть до вечера, чтобы не пропустить кареты. Около четырех часов княжеский экипаж подкатил к подъезду, и из него вышла Татьяна Львовна в сопровождении молодого кавалерийского офицера.

«Это — *мой брат*», — догадочно екнуло сердце у Вересова, и, выждав минут около десяти, он вторично вступил сегодня в парадные сени княжеского дома и послал наверх свою импровизированную карточку.

— Ее сиятельство очень извиняются — они никак не могут принять вас сегодня.

Таков был ответ, полученный от лакея. Добродушный безумец все еще не хотел увериться в истине и баюкал себя, вопреки самой яркой очевидности. Он выждал сутки и послал письмо, на которое не получил ответа. Выждал вторые и послал новое, написанное слезами и кровью, так, как только может писать смертельно тоскующая душа сына, жаждущего возвратить себе любовь матери.

И опять-таки нет ответа.

Тогда уже он решился на последнее средство: решился еще раз идти к своей матери.

Но швейцар даже и докладывать не послал, а просто, без всякой церемонии, ставши в дверях всей массой своего плотного, отъевшегося тела, ответил с весьма решительным лаконизмом:

— Не принимают!

XXXVII

НОВОЕ ГОРЕ И НОВЫЕ ГРЕЗЫ

Тогда в душу его закралось страшное и самое адское сомнение.

«А что, если она *не мать* мне? Если все это была одна только ловкая выдумка, хитрая интрига, разыгранная комедия, чтобы поискуснее выманить от меня векселя покойного отца?» — пришла Вересову роковая мысль, от которой он почувствовал, как волосы его поднялись дыбом, как упало и захолонуло сердце и как смертельно-тоскливый ужас подступил и медленно пошел по всем членам и суставам его подкосившегося и трепещущего тела.

«Разве мать, родная мать в состоянии была бы поступить таким образом? Разве у нее хватило бы бессердечия ответить так на самую горячую, беспредельную любовь родного сына?» — вставали перед ним один за другим роковые ужасные вопросы, на которые и сердце, и разум давали один и категорический отзыв: «Нет, нет и нет!»

И вспомнились ему тут предсмертные слова Морденки: «Они постараются обойти да оплести тебя, а ты — простая душа — пожалуй, и поддашься». И Вересов ясно теперь увидел, что совершилось полное и торжественное оправдание этого предсмертного пророчества.

А вслед за этим в ушах его яснее, чем когда-либо, как будто зазвучали теперь другие слова: «Будь ты проклят, если простишь им!» И это страшное «*проклят*» огненными и железно-острыми буквами вонзилось в его мозг, и расплавленной медью, капля за каплей, падало на душу и насквозь прожигало весь состав его.

Положение безысходное, трагическое, с которым едва ли что может сравниться. На короткий срок узнать, что такое материнская ласка, слепо уверовать в материнское чувство, с восторженной радостью изведать, что такое чистая, святая сыновняя любовь и, наконец, принести во имя матери и во имя этой любви самую страшную жертву, стоившую мучительной борьбы, перешагнувшей через отцовский завет и собственную клятву, и вдруг убедиться, что все это было не более как ловкий обман, что у него нет матери, а вместо нее была какая-то интриганка, разыгравшая ее роль. Это было такое ужасное сознание, после которого, казалось бы, ничего уже больше не остается в жизни, и нет с этой жизнью ни в чем примирения.

Но в этой же самой жизни с ним встретилось дважды одно существо, которое дважды спасло его.

Может быть, для него еще стоило жить.

Вересов схватил себе горячку. Христина кинулась к соседям, те приняли участие в молодом одиноком человеке, привели хорошего известного доктора, и тот его спас. Молодой выносливый организм перенес и эту страшную болезнь. Вересов стал поправляться и через семь недель мог уже выходить на свет Божий.

Кончилась горячка, а вместе с нею утих и первый пыл его душевного состояния, взбудораженного всеми предшествовавшими обстоятельствами. Теперь он постоянно уже стал тихо задумчив и глубоко, сосредоточенно грустен, и в тайне этих сосредоточенных дум и грусти надумал, как ему быть и поступать в его дальнейшей жизни. Он не считал себя более вправе тратить на себя деньги, оставленные ему покойным отцом.

«Эти деньги нажиты людской бедностью да нуждой, людскими слезами да страданием, — думал он. — Бог с ними, мне не надо их, я им дам лучше назначение; пускай через меня ими пользуется тот, кто нуждается, кто гол и голоден. Они взяты у голодных — надо и возвратить их голодным. А я не хочу, я не смею пользоваться ими, я уже потому не смею, что не исполнил единственного отцовского завета».

Так думал и так решил Иван Вересов.

Он сузил и ограничил до последней возможной степени все свои житейские потребности. Он отказывал себе в малейшей прихоти, зато не пропускал мимо себя ни одного истинно голодного бедняка без того, чтобы не дать ему значительно щедрую подачку. И после каждой такой подачки, после каждого взноса на какое-нибудь честное, хорошее дело — на школу, на стипендию бедняку-студенту, на приют или богадельню — чувствовал, что как будто немножко легче становится на душе, как будто каждый раз с нее спадает частичка невыносимо тяжелого груза.

А между тем его теплое и открытое для честной любви сердце не могло жить без этой честной любви. Он порою все более и более начинал чувствовать, что в нем таится какой-то знакомый образ — образ девушки, которая молилась и плакала, которая дважды спасла его.

«Я найду, я отыщу ее! — сказал сам себе Вересов. — Я успокою, отогрею ее... Отыщу где бы то ни было и приведу сюда, и будет она жить здесь в тиши да в мире, полной хозяйкой; чтобы не было у нее больше ни одной заботы в жизни, ни единой темной минуты, чтобы был один только свет, да улыбка, да хорошая радость... А сам буду служить ей, буду молиться на нее, беречь и охранять, всю жизнь отдам, лишь бы она была счастлива!»

И он отвел для нее две лучшие и удобнейшие комнаты в своей квартире, обставил их с таким комфортом и так изящно, накупил вдосталь цветов и птиц, и две-три хорошие картины, и мягкие ковры, и приходил сюда сидеть по целым часам, запершись наедине в этих комнатах, и все мечтал, как он отыщет эту девушку, как приведет ее сюда, в этот маленький, теплый, светлый и уютный рай, как скажет ей, что это — *все ее*, что она здесь полная хозяйка, и как она будет любоваться на все это, любоваться и радоваться, и отдыхать душой и телом от суровых несчастий своей голодной и холодной жизни. И Боже сохрани, чтобы при таких мечтах когда-либо забрела ему в голову нечистая мысль потребовать от нее какой-либо взаимности за свое чувство! Нет, это чувство он думал ревниво схоронить в своей душе от всех, и даже от нее — и от нее-то даже больше и глубже еще, чем от кого бы то ни было, чтобы ничто не могло оскорбить ее, чтобы и не подумала она, будто вся эта обстановка дана ей взамен ее взаимности.

Нет, Вересов думал совершенно прямо и просто сказать ей: «Мы оба были нищие, оба спали в барке под одной рогожей; ты накормила и спасла меня, и мне нечем было благодарить тебя. Теперь я богат, у меня всего есть вдосталь — пускай же ты от этих пор ни в чем больше не нуждаешься; пользуйся всем, чем хочешь, живи здесь у меня, и живи, как хочешь, и делай, что знаешь!»

Каждый день почти он прибавлял к милой обстановке этих двух комнат какую-нибудь новую безделицу, какую-нибудь хорошенькую вещицу, с восторгом приносил ее домой, ставил на предполагаемое место, приглядывался, перестанавливал на другое и снова приглядывался и любовался, пока не находил для нее нового помещения, на котором она более выигрывала, и все мечтал при этом, как эта новая вещица понравится ей, как *она* будет любоваться и играть ею. Покупал зачастую какую-нибудь хорошую книжку и думал, что это *для нее*, что *она* будет читать ее, и многие другие будет читать из тех, что накуплены им для нее в последнее время. И эти покупки, и эти ни для кого неведомые занятия и мечты его в двух комнатах служили для него источником самых чистых и высоких наслаждений. *Она* рисовалась ему высшим идеалом всего доброго, умного, честного и хорошего, да иною она и быть не могла. И иначе как с этим священно чистым ореолом он и представить себе не мог неведомую и затерянную девушку.

Но зато какой резкий контраст с этими двумя комнатами являла собой маленькая комнатка Вересова! Здесь все глядело как-то строго, бедно и сурово, так что скорей она напоминала скромную келью отшельника, чем жилище молодого человека. Он усердно принялся за живопись и лепку, мечтая усиленным трудом дойти до известности этими двумя искусствами, собственными руками доставлять себе скромные средства к жизни. Все, что покамест приходилось ему, скрепя сердце и с укорами совести, истрачивать на себя самого из наследственного капитала, он аккуратно записывал, с твердым убеждением возвратить все это в тот же капитал потом, впоследствии, из собственных заработанных денег, отнюдь не считая своими деньги покойного Морденки.

И между тем одновременно с устройством изящного помещения для будущей хозяйки, он всеми средствами принялся за трудные поиски Маши по всему Петербургу.

XXXVIII

ВЯЗЕМСКАЯ ЛАВРА[1]

Четвертого квартала бывшей третьей Адмиралтейской, ныне Спасской, части числится дом князя Вяземского. Это, собственно, не дом, а целые тринадцать домов, сгруппировавшиеся на весьма

---

[1] В среде пролетариев, воров и мошенников, населяющих окрестности Сенной площади, дом князя Вяземского известен под шуточным названием Вяземской лавры. Мы удерживаем это название как характерное имя, данное тем слоем общества, о котором наиболее придется нам говорить при описании Вяземского дома.

обширном пространстве и разделенные разными закоулками и проходными и непроходными глухими дворами. Все тринадцать флигелей имеют между собой сообщение, так что составляют как бы одно неразделенное целое.

Если вы пойдете по правой набережной Фонтанки, направляясь от Семеновского моста к Обуховскому, то на правой же стороне непременно заметите дом изящной архитектуры во вкусе барок. Он красноватого цвета; карнизы и окна украшены лепной работой; крытый подъезд с двумя большими фонарями, с бронзовыми скобками и зеркальными стеклами ведет во внутренность этого изящного дома. Большие зеркальные же стекла в дубовых рамах украшают все окна. В одном из них торчит чучело попугая, в другом, на третьем этаже, виднеются два изящных мраморных кувшинчика.

В какую пору дня ни довелось бы вам идти мимо, вы никогда не заметите за этими зеркальными стеклами ни малейшего признака жизни; вам никогда не мелькнет оттуда облик человеческой фигуры. В какую бы пору вечера и ночи ни бросили вы взгляд на эти окна, вам никогда не придется заметить в них освещения: все глухо и пусто, словно бы дом этот вымер. Одно только крайнее к стороне Обуховского моста окно нижнего этажа составляет исключение. В нем виднеются белые занавески да листья каких-то растений, и об вечернюю пору брезжится иногда огонечек. Тут живет единственный обитатель пустого дома — швейцар.

Если бы какими-нибудь судьбами вам удалось переступить порог этого изящного на вид, пустого дома — странное и несколько жуткое чувство закралось бы в душу. Вы увидали бы богатые сени, с колоннами и статуями. Налево — дверь к швейцару, направо — в изящный кабинет, ненарушимую тишину которого охраняют четыре человеческие фигуры, поставленные по сторонам входной двери и напротив, по бокам камина. Неподвижные фигуры эти облачены в полные, тяжелые рыцарские доспехи и держат в чешуйчато-стальных руках огромные средневековые мечи и алебарды. Налево завешанная драпировкой дверь ведет в темную комнату, с заколоченными окнами, которые пропускают в щели свои две-три полоски слабого света, и при помощи его глаз может разглядеть на свете женскую фигуру — картину хорошего письма. Отсюда — новая дверь выводит в ванну, где винтообразная лестница поднимается в средний этаж, а около нее устроен темный потайной ход в зимний сад и под внутренние ворота, куда спускается он высокими ступенями.

Вернитесь опять в парадные сени, бросьте взгляд наверх перед собой, где представится вам легкая, роскошная и широкая лестница, которая прямо приведет к довольно обширному зимнему саду. Этот сад — высокая, во все три этажа, зала, с двух сторон обильно залитая дневным светом. Легкие, узенькие воздушные лестницы и галерейки вьются по разным направлениям, опоясывают ее со всех сторон и ведут в средний и верхний этажи, откуда смело выдаются сюда легкие балкончики, крытые ложи с дорогими хрустально-узорчатыми стеклами. Но все это уже приходит в ветхость, и с каждым днем все больше да больше подтачивается временем, так что ходить по всем этим лестницам вполне твердой, самоуверенной поступью может быть и не совсем безопасным: вы ясно чувствуете, как они местами трещат и поддаются под вашей ступней. Направо от входа с парадной лестницы — ряд беломраморных колонок и кариатид, под которыми внизу сквозит почтенной работы каменная решетка с выточенными из камня же мелкими украшениями и гербами, и эта решетка маскирует собой темный потайной ход из ванны. По белым стенам разбросаны там и сям лепные консоли, на которых некогда помещались газоны с округло прядающим вниз каскадом дорогих растений. Во многий местах этих стен доселе еще грустно висят и спускаются с вышины сухие, длинные стебли ползучих, вьющихся лиан, павоев, плюща и винограда, кудрявые и резвые побеги которых когда-то сплошь и покрывали эти стены обильно листвою и цветами. Тут красовался целый лес драгоценных тропических деревьев, блистали роскошные клумбы редкостных цветов; и до сих пор еще можно видеть обломки обрамлявших эти клумбы бордюров из целого дуба, решетчато выточенного искусным художественным резцом в виде виноградных гроздий, листьев и сучьев. Посредине мозаичного пола вделан мраморный бассейн, где когда-то были прохладные фонтаны и отражались, вместе с обильной, разнообразной зеленью, в больших зеркалах, которые теперь с каждым годом все больше тускнеют и портятся — летом от пыли, зимою от сырости.

Поднимитесь три-четыре ступени, и вы из сада с одной стороны очутитесь в полусумрачной бильярдной, стены, пол и потолок которой сплошь поделаны из резного дуба. Отсюда — новая обширная комната, с закрытыми окнами на улицу. Она вся завалена разным хламом, и рядом же с этим хламом валяются предметы самой изысканной роскоши. На полу кое-как сброшена богатейшая коллекция древнего оружия. Тут спокойно ржавеют себе панцири, шлемы, чешуйчатые рукавицы; стоит в углу большая группа самых разнообразных копий, алебард, бердышей и кистеней-головоломок с игольчатыми, ежевидными чугунными шарами на стальных цепях; а на полу — несколько десятков различных мечей, между которыми особенно обращает на себя внимание один экземпляр, клинком которому служит длинный нос пилы-рыбы и который, наверно, пришелся бы по руке Илье Муромцу. У противоположной стены, рядом с нагроможденной роскошной мебелью, прислонены несколько больших, полуторасаженных картин, новой, но весьма хорошей работы, которыми, как слышно, предполагалось украсить в виде обоев стены большой концертной и театральной залы. Тут же валяются и недоконченные половинки

10 Зак № 270 Крестовский

дверей, с самой тонкой, изящной лепной работой и позолотою. И на все это уже несколько лет садится, слой за слоем, обильная пыль и грязь, так что и прикоснуться боязно.

Вернувшись опять в зимний сад и поднявшись по лесенке направо, за мраморные колонки и кариатиды, вы очутитесь перед большим зеркалом, которое служит дверью, потайным образом ведущею в роскошную и уютную библиотеку, где вся отделка, при удивительной роскоши, дышит самым строгим стилем. Большие стекла, прозрачно расписанные пестрыми арабесками, пейзажиками и гербами, маскируют собою вид на отвратительный Полторацкий переулок и наполняют весь этот тихий приют таинственным и ровным полусветом, так и располагающим вас к уединению и серьезному спокойствию, потребным для занятия чтением. В среднем окне возвышается на пьедестале высокая мраморная урна, очень тонкой и, кажется, очень старой работы. В простенках — массивные дубовые шкафы, которыми сплошь занята вся стена, обращенная к саду, где одна отодвижная половинка служит потайной дверью, ведущею в этот сад. Шкафы эти наполнены книгами, большею частью старой печати, на немецком, латинском, итальянском, французском и иных языках в старинных, корешковых прочных переплетах, между которыми значительную долю занимают пожелтелые пергаментные, и все это богатство, покрытое обильной пылью и паутиной, преимущественно относится к литературам восемнадцатого и семнадцатого столетий. Очевидно, оно составляет старое фамильное достояние.

После библиотеки ваше внимание непременно остановилось бы на двух парадных гостиных. Обе они обиты штофом. Одна голубая, почти вполне отделанная; по стенам ее, как принадлежность обоев, расположены медальоны с прекрасной акварельной живописью цветов и растений. Другая необыкновенно эффектна. Представьте себе комнату, блещущую беломраморными стенами, широкий нижний карниз которых, отороченный позолотой, обит нежной пунцовой материей. Беломраморная арка с колоннами разделяет эту комнату на две половины, и в боковых пролетах арки устроены помещения для цветов, которые в данный момент дополняются одним воображением. Но тут же, в этой самой гостиной, как и во всем доме, вы видите начатую и недовершенную работу: пол представляет печальную картину разрушения, которая особенно ярко выдается в большой зале, где предполагался домашний театр; рядом с начатой великолепной отделкой стен, где должны были сочетаться между собой мозаика, скульптура и живопись, вы видите кучи мусору, подпольные балки, кирпичи и всякий хлам. Пройдите далее, и вам представятся уже положительные развалины. То будет начатая и недоконченная каменная постройка над Полторацким переулком, возвышающаяся над пролетом второй арки этого переулка. Эти развалины — приют голубей, воробьев и летучих мышей; последние с наступлением сумерек начинают здесь свою оживленную деятельность.

Затем, при дальнейшем осмотре вы познакомились бы с целым лабиринтом комнат, коридоров, уютных закоулочков, где непривычному человеку весьма легко заблудиться и потеряться; вы увидели бы, что все это приноравливалось для жизни одного богатого семейства на самую широкую барскую ногу, и все это представляет теперь одно только разрушающееся запустение. Тут на каждом шагу обратит на себя внимание какая-нибудь ваза, позабытая в каком-нибудь углу, то хорошего старого письма картина, брошенная на полу, на попечение судьбы и мышей, то древней средневековой работы цельные дубовые двери с рельефно вырезанными украшениями, представляющими библейские сюжеты жертвоприношения Исаака и пророка Илью в пустыне с кормильцем вороном. И чем дальше стали бы вы бродить по этому пустынному дому, тем больше охватывало бы вашу душу чувство жуткого уныния. Шаги и голос раздаются пустынно-звучно, словно бы эти стены пугаются и шагов, и голоса, нарушивших внезапно их забвенный покой. Вы видите повсюду самую изысканную роскошь, предполагавшую создать из внутренности этого дома нечто вроде старинных итальянских палаццо, и видите ее рядом с мусором, гнилью и разрушением. Вы видите, что тут были убиты целые сотни тысяч, и убиты даром, понапрасну. Везде пауки заткали свои сети; повсюду грязная пыль насела целыми пластами: дотронься до чего-нибудь — напустишь ее целое облако. Птицы свободно залетают в разбитые стекла и ютятся себе в непогоду по разным закоулкам карнизов; дождь и снег проникают сюда теми же путями, так что зимою, по разным комнатам, сквозь течи в окнах и крышах, и особенно на мраморном полу сада настывают его целые заледенелые груды, а наверху торчат, словно сталактиты, разнообразные ледяные сосульки.

Ветер свободно гуляет по всем этим обширным комнатам с тихо унылым воем и свистом, так что темными ночами кажется, будто этот пустой дом населен невидимыми духами и всяческой чертовщиной, которая тут воет, и пляшет, и песни поет. В одной из зал спокойно гниет труп растерзанного голубя, и по всему дому порскают одичалые кошки, ведущие неукротимую войну с залетной птицей, мышами да крысами, которые водятся тут в почтенном изобилии. На всем, одним словом, лежит печальная тень забвения, роскоши, грязи и разрушения.

Этот дом у местных жителей называется Фонталочным домом.

При взгляде на Фонталочный дом снаружи вы бы никак не подумали, судя по отделанному фасаду, что задняя половина его представляет самые печальные развалины. А между тем стоит только заглянуть под ворота, в пролете которых прибита казенная голубая доска с надписью: «Полторацкий переулок», чтобы увидеть в расстоянии тридцати шагов, уже в самом переулке, вторую арку, над которой возвышается в несколько этажей мрачного вида развалина с заколоченными окнами, сложенная из потемнелого, бурого кирпича. Стоит она тут вполне бесполезно и обитаема одними только птицами да летучей мышью.

Налево за этой аркой, по Полторацкому же переулку, пойдет мимо небольшого Конторского флигеля длинное двухэтажное небеленое строение, известное здесь под именем Корзиночного флигеля, где по преимуществу обитают мирные корзинщики, снабжающие своими изделиями чуть ли не пол-Петербурга. Та часть Корзиночного флигеля, которая выходит к Полторацкому переулку, в среде вяземских обитателей известна более под именем «Никанорихи». Название на первый взгляд весьма странное, но мы сейчас объясним его. В нижнем этаже «Никанорихи» находится кабак, который содержит еще не старая и на иной глаз довольно смазливая псковитянка, Пелагея Никаноровна. Сама она помещается над кабаком, содержа в своей квартире и воровской ночлежный приют. Пелагея Никаноровна и сама достопримечательна в качестве мошенницы. В сундуках да в подпольях у нее была однажды найдена полицией весьма значительная покража, которая по суду не повела ее в страны сибирские только потому, что у Пелагеи Никаноровны карман изрядно-таки толстенек. Эта Пелагея Никаноровна у вяземцев известна под именем Никанорихи, отчего и часть флигеля, занимаемая ею, получила то же название.

Корзиночный флигель тянется параллельно с Фонтанкой в направлении к Обуховскому проспекту. На вид это длинное, небеленое здание, фасадная часть которого позади флигеля Конторского выходит на так называемый Пустой двор. Пустой двор — не что иное, как пустырь, со всех сторон обрамленный стенами. Он довольно обширен для того, чтобы смотреться совершенным пустырем, по которому местами пошла дикая сорная поросль, а потому и называется Пустым. Стены, обрамляющие его, совершенно глухие, за исключением Корзиночного флигеля, в котором есть окна. В прежнее время[1] отличительною чертою этого двора была громадная гора всяческих нечистот, вровень с крышей Тряпичного флигеля, примыкающего к нему справа. Все это в течение многих и многих лет сваливалось сюда сквозь маленькое оконце, одиноко пробитое почти под самой крышей названного флигеля, так что, начиная с ранней весны, вплоть до крепких заморозков, в густой атмосфере этого двора стояла неисходная зараза[2].

---

[1] Года три назад.

[2] Настояниями комитета общественного здравия и местной полиции нынешнего 1866 года этот двор очищен, вспахан, засеян овсом и клевером, а с одной стороны его, за конторой, разбит небольшой садик. Мера эта вполне благодетельна для Вяземского дома, где до настоящего времени на огромном пространстве, над которым неисходно стояли густые миазмы, не было ни одного деревца, ни одного кустика, и даже трава-то попадалась инде как редкость.

В двух-трех местах Корзиночного флигеля дефилируют узенькие проходные коридорчики, которые ведут в новый двор, находящийся позади этого флигеля и называемый двором Порожним. Порожний точно так же представляет замкнутое со всех сторон высокими стенами пространство, значительно меньших размеров, сравнительно с Пустым. С одной стороны его, в виде невысокой колоннады, идут два длинных ряда кирпичных устоев, возведенных для какой-то постройки, которой не суждено было осуществиться. На Порожнем же дворе помещается и знаменитый у вяземцев «Козел». Роль «Козла» играет здесь пустая квартира в нижнем этаже, с окнами без рам и стекол, с дверями без плинтусов и деревянных створов, с разломанной русской печью и полом без досок. Квартира однажды была отделана и готовилась в сдачу под жилье, как вдруг, в одну темную ночь, забралось в нее несколько вяземцев, разломало и повытаскивало все, что только можно было стащить. Дерево пошло на растопки, а железные скобки, задвижки и тому подобные вещи за гроши сбыты в железные лавки. С тех пор квартира уже не возобновлялась и отошла под иные хозяйственные надобности. А именно: если кто из обитателей тринадцати домов сделает какое-нибудь незначительное буйство, то дворники, не доводя о том до полиции, тащат виновного в пустую квартиру и там производят собственноручную расправу. И вяземцы вообще очень одобряют таковой самосуд, сами даже помогают ему, ибо они сами не жалуют полиции, частей, сибирок и кварталов. А вследствие подобных расправ экзекуционная квартира и получила у них наименование «Козла».

За «Козлом» находится небольшое, отгороженное пространство, в виде отдельного дворика, где помещалось гусачное заведение. Гусачных заведений в Вяземской лавре было два, теперь же осталось только одно, на противоположном конце, у Сенной площади. Но знаете ли вы, что такое гусачное заведение? Вам, конечно, неоднократно, если даже не ежедневно, доводится встречать на углах некоторых площадей и улиц, а большей частью при въездах на мосты, те грязноватые лотки, на которых продаются печенки, рубцы да студень и тому подобные закуски. Все это приготовляется в гусачных заведениях. Но как приготовляется! Если бы нервы ваши в состоянии были вынести убийственную вонь, то, войдя в отгороженный дворик, устланный прогнившими и пропитанными кровью досками, вы бы увидели прежде всего несколько огромных чанов. Одни из них наполнены кровью, другие бычачьими внутренностями, из третьих торчат бычачьи головы, в четвертых — груда ног и хвостов. Несколько работников в перепачканной и заскорузлой одежде трудятся над этими чанами, сортируют внутренности, рубят топорами головы и кости и таскают все это в стряпную. Тут же на железных крюках, вбитых в кирпичную стену, висят несколько бычачьих туш, с которых стекает кровь в одно общее длинное корыто.

В настоящее время, когда одно из этих заведений уничтожено по причине крайнего неряшества, на промозглой стене его видна еще, по прошествии трех лет, все та же кровь, столь въевшаяся в кирпич и так крепко запекшаяся, что ее не смыли ни снега, ни дожди петербургские, ни людские усилия.

На дощатой настилке дворика стоят огромные лужи крови и валяются ненужные внутренности, рядом с которыми тут же, на навозе лежат и пригодные, в виде ног, языков, гусаков, хвостов и прочего.

Несколько голодных, полуодичалых собак, словно шакалы, понуро лакомятся непригодною в дело пищей, тычут заалевшие морды в кровавые лужи, лакают оттуда языком и ведут войну с кошками, являющимися с той же целью. А по ночам, откуда ни возьмись и неизвестно с какой целью, наползает сюда целое воинство крыс, в изобилии плодящихся по окрестности. Летом, особенно в знойные дни, тут кишат мириады больших, зеленых и серовато-желтых мух, так что в воздухе стоит такое жужжанье, как словно бы сюда слетелось множество пчелиных роев.

С одного конца этого дворика, словно темный зев, из которого валит зловонный пар, смотрит на вас низенький вход в стряпную, куда надо спуститься две-три ступени. Тут, в совершенной темноте и копоти, кипят огромные котлы с бычачьими внутренностями. Из-под полу прокрадывается красный свет пламени, скрытого под ним в большой и низенькой печи; но эти лучи только местами освещают черного повара, а вся остальная внутренность низкосводной стряпной остается в глубоком мраке. Пар стоит непроницаемым, густым туманом; жара и духота убийственные; и ко всему этому невыносимая вонь, с которой могут сравниться только несколько десятков зараженных трупов.

Тут-то и приготавливаются эти закуски, в состав которых, как рассказывают люди, называющие себя очевидцами, входили иногда, наряду с бычачьими, внутренности и лошадиные, и даже собачьи, а о мелкой животине, вроде какой-нибудь крысы, попавшейся в чан и изрубленной случайно, нечего уж и рассказывать.

Кроме гусачных заведений в Вяземской лавре имеется еще несколько куреней. В 1863 году число их доходило до семи. Они помещаются в подвальном этаже так называемого Новополторацкого, или Стекольчатого флигеля, о котором речь еще впереди. Каждый из этих куреней представляет низкосводный подвал, около трех квадратных саженей пространством. Большая русская печь занимает более четверти всего помещения, которое в остальных своих частях более чем наполовину занято большими столами, где приготовляется тесто для пирогов, калачей и саек; а кроме этих столов конечное пространство комнаты загромождено еще посудой да разной рухлядью. Теснота такая, что повернуться негде, а духота, неисходно царствующая в курене от не перестающей топиться печи, доходит до того, что человеку со свежего воздуха становится дурно, и нельзя дышать свободно. Семь или восемь хлебопеков посменно возятся то у печи, то у столов, а к вечеру сюда же набивается голов до двадцати народу, который в течение дня бродил по Сенной и ее окрестностям, продавая куренные печенья. Летом же, когда народу этого значительно прибывает, число куренных обитателей доходит до тридцати и даже до тридцати пяти человек. Все это как попало спит, валяясь на порожних столах и под ними, либо же уходят в сени и на двор, на прохладу; а в это время очередная смена работает у раскаленной печи запас пирогов и булок, который разойдется на рассвете, как только проглянет утро и проснется обитатель трущоб Сенной площади. Вообще в Вяземской лавре помещается очень много различных промышленных заведений. Не говоря уже о кабаках и пивных и о ресторации «Сухаревке», от которой и самый флигель, занимаемый ею, называется тем же именем и которая уже давно описана в настоящем повествовании, — тут находятся большая кузница, отдельный Столярный флигель и общественные бани, которые особенно замечательны были патриархальностью своих обычаев: в летнее время любители обоего пола нераздельно мылись на дворе, а зимой выбегали сюда же поваляться в снегу, отнюдь не смущаясь посторонними взорами людей мимо идущих[1] В отдельных же, так называемых «семейных», банях два первые нумера отличаются даже значительной роскошью, особенно если вспомнить, что они принадлежат Вяземскому дому. Тут и мраморные ванны, и ковры, и драпри, и мягкая комфортабельная мебель. И все это служит по большей части к удовольствию средней руки мошенников, когда им удастся зашибить выгодную добычу. При этом нельзя не заметить, что в этих нумерных банях весьма нередки случаи скоропостижной смерти, как говорят, от удара и опоя спиртными напитками.

О Конторском флигеле, собственно, нечего говорить, кроме того, что это небольшой, отдельно стоящий каменный домик, который содержится несравненно опрятнее всех остальных и в котором помещается контора и живет управляющий.

Гораздо интереснее соседний с ним флигель Тряпичный. Этот точно так же представляет отдельный, длинный, двухэтажный дом с отдельным внутренним двором. Здесь испокон веку жили тряпичники — те самые, которых, с большим вместительным мешком за плечами, вам неоднократно доводилось встречать на грязных задних дворах, вооруженных клюкой с насаженным на конец ее острым железным крючком. Тут находился более двадцати лет сряду один из самых главных притонов этой оригинальной промышлен-

[1] В настоящее время для этих любителей устроено во дворе особое помещение, отгороженное забором, дабы «не вводить в соблазн» прохожих, как поясняет банный сиделец. Такой же забор отгораживает теперь и мужское отделение от женского.

ности, которая на первый, поверхностный взгляд кажется только не совсем чистоплотной, а в сущности далеко не невинна. Впрочем, об этом после. Узенькие, темные лестнички без перил, вроде тех, по каким взбираются на колокольни, ведут вас в квартиры Тряпичного флигеля. Только для того, чтобы достичь этих лестниц, нужно сперва перейти двор, во всех углах которого красуются целые горы грязных тряпок, лохмотьев, бумажек, костей, подошв и тысячи тому подобных предметов, которые по всему городу выбрасываются за ненужностью в ямы задних дворов. Эти горы — трофеи тряпичной промышленности. В одном месте поперек двора протянуто несколько веревок и на них развешены для просушки целые ряды таких же пестрых тряпиц: они продадутся потом как отборные, первого сорта. Переходить тряпичный двор оказывалось весьма затруднительно: в течение более чем двадцати лет он ни разу не чистился, ни разу не подметался. Представьте же себе, что это такое там было! Летом он являлся какой-то зловонной трясиной, в которую по щиколотку уходила нога; зимою же там образовывалась сплошная ледяная кора бурого цвета. Чуть только начнется оттепель, как со всех концов и углов гнилого, пробрюзгшего дома начинала стекаться сюда мутная, грязная вода, которая под утро при новом морозце подбавляла новый ледяной слой к прежней бурой коре, и вот к весне изо всего этого образовывалось такое болото, по которому впору ходить было только в охотничьих сапожищах. И этот двор, вместе с его грудами тряпья, между прочим, служил местом ночлега для разных бездомников, особенно же для «бродячих» женщин. Делалось это обыкновенно так, что залезет человек в это тряпье, забьется подальше, по возможности в самую глубь тряпичной груды, чтобы потеплее было, да и спит до рассвета. Когда же этот двор принялись наконец расчищать, то, прежде чем добраться до мостовой, нужно было снять затверделую кору, толщиной гораздо более аршина, так что самая расчистка представляла собой весьма трудную работу[1]. Но вот вы преодолели трудности двора, преодолели узенькую и совсем темную лестницу и очутились в одной из квартир тряпичной артели. Квартира эта является вам в виде узкой, низенькой и длинной, окон в семь, залы, где нары перемешаны с кроватями, а посредине — большой длинный стол, служащий трапезой. Грязь и удушье и в то же время проявление своего рода эстетизма: на потолке, Бог весть как и для чего, подвешена поломанная люстра, а по стенам, в виде украшения, всякая всячина: половина чьей-то оборванной фотографической карточки, крышка от кондитерской коробки из-под конфет, с

---

[1] Весною нынешнего года местная полиция, признавая дом опасным в настоящем его виде для жилья и двор, вследствие испарений от его нечистот, положительно вредным для здоровья, настояла, чтобы тряпичники из Вяземского дома выехали за город. После этого была сделана очистка самого двора.

золотою надписью «Rabon», заржавая подкова, отбитая ручка гипсовой статуэтки, оборвыши картинок из «Иллюстрации», объявление о воздушном полете Берга, с изображением шара, запачканная в грязи гирляндочка искусственных цветов, золотая конфетная бумажка, донышко пуховой шляпы и множество подобной, ни к чему не пригодной дряни. Все это прибито или прилеплено к стене с помощью хлебного мякиша, все это имеет назначение украшать артельную квартиру и, стало быть, служит проявлением своеобразного эстетического чувства тряпичников, и все это было в разное время подобрано из кучи дрянного сора при сортировке.

Против Тряпичного флигеля тянется вдоль Полторацкого переулка главное гнездо Вяземской лавры, трущоба трущоб петербургских: это так называемый Стекольчатый, или Новополторацкий флигель.

Если вы заглянете с набережной Фонтанки в ворота Фонталочного дома, вам под двумя арками откроется длинная перспектива узенького переулочка. По нем вечно снует народ — обитатель лавры и Сенной площади. Справа во всю глубину этой перспективы тянется темный покосившийся и погнивший забор, отделяющий дворы Вяземского от обширных дворов генеральши Яковлевой. Слева же идет Стекольчатый флигель. Это — Полторацкий переулок, по которому бывало даже и днем ходить небезопасно, о вечере нечего уж и говорить. Да даже и теперь, при значительно усиленном полицейском бдении и надзоре, нельзя вполне поручиться, если вы пойдете один-одинешенек, чтобы с вами не случилось чего-нибудь неприятного. А года два тому назад очутиться вдруг без шапки или даже без шубы, да и вдобавок с прилично ошеломляющим подзатыльником, не было ничего мудреного. Здесь на каждом шагу ноголомные рытвины, выбоины, ухабы, вывороченные камни, грязь, лужи, делающие проезд почти невозможным. Зимою же настывают такие бугры и скаты льду, что пройти переулком, не поскользнувшись и не шлепнувшись раз десяток, мог бы разве очень ловкий эквилибрист.

Со стороны Полторацкого Стекольчатый, или Новополторацкий, флигель представляет длинное трехэтажное здание грязно-желтого казарменного вида. Окна нижнего, подвального этажа по большей части выбиты, кое-где загорожены чем ни попало, а преимущественно ничем, и стоят себе без стекол, без переплетов и даже, случается, вовсе без рам. Они приходятся очень низко над землей, так что в зимнее время, когда случится обильная оттепель, мутные потоки уличной грязи и воды свободно стекают с оледенелых бугров в жилые помещения подвалов. Эти помещения похожи более на хлевы, чем на людское жилье, и некоторая часть из них остается пустой, служа только потайным ночным приютом для беспаспортных бездомников, у которых нет ни гроша, чтобы добыть себе место в ночлежных квартирах. В самой середине этого флигеля помещается дрянная и тесная мелочная лавчонка, за съем которой, как слышно, хозяин платит сто десять рублей серебром в месяц. Из этой цифры можно судить, насколько здесь потребляется его нехитрых товаров и какую огромную выгоду должна приносить ему грошовая торговля в одном только Стекольчатом флигеле.

По фасаду на Полторацкий переулок этот дом представляет мало интересного: мрачная, запущенная и какая-то пустынно-казенная внешность, битые стекла, голые рамы, плесень да отлупившаяся штукатурка — и только. В несравненно более живописном виде является эта трущоба, если посмотреть на ее задний фас с той стороны, где она тянется насупротив Тряпичного флигеля. Тут вы увидите двухъярусную галерею. Длинный ряд ее полукруглых арок уходит вдаль и тянется во всю длину этого флигеля, прерываясь только в центре маленьким выступом каменной пристройки, которая до того уже пробрюзгла, что цемент почти не держит кирпичей, отчего самая стена как-то выпятилась наружу, дала несколько трещин и грозит падением. В предупреждение последнего печального обстоятельства было придумано весьма остроумное средство: подпереть ее снизу досками и бревенчатыми распорками. Подперли, и ничего: покамест стоит себе, слава Богу. Эта двухэтажная галерея имеет весьма оригинальный вид. Внизу, между арочными устоями, нагромождено всякого хламу: тут и бочки, и кучи досок, и полозья, и колеса, и ящики какие-то, и чего-чего только нету! Верхний же ярус представляет широкие круглые окна в пролетах арок, где пестрят разноцветные лохмотья, вывешенные на воздух. Эти-то окна, со стеклами в частых и словно бы парниковых переплетах, и послужили причиной того, что Новополторацкий флигель назван здесь Стекольчатым. Переплеты рам и стекла, играющие на отсвет всеми переливами радуги, конечно, наполовину поломаны и повыбиты; из них торчат и высовываются всевозможные людские головы: женщины, дети — все возрасты и полы. По коридору видно, как бродит и снует взад и вперед множество разных людей — и пьяные, и лохмотники, и голодные, иные чуть ли не в полном костюме Адама. «Бродячие» женщины затевают перебранки и, гуляя по тому же коридору в самом бесцеремонно развращенном виде, задирают прохожий люд. Тут вам бросается в глаза непрерывное людское движение, слышны смешанный гул человеческого говора, детский плач, женское тараторство, возгласы продавцов по части съедомого и носимого, мужская ругань и бесшабашная песня. Словом, вы чуете, что тут жизнь трущобная кипит; и кипит в полном, обычном, ежедневном своем разгаре.

XXXIX

ОБИТАТЕЛИ ВЯЗЕМСКОЙ ЛАВРЫ

Дом Вяземского — сквозняк. Он выходит тремя главными воротами на Фонтанку, на Обуховский проспект и на Сенную площадь. Если мы говорим *«дом»*, то в данном случае разумеем под этим именем все тринадцать флигелей; население его делится на оседлое и кочевое. К первому принадлежат квартирные съемщики, прописанные здесь на постоянном жительстве; ко второму — большая часть их жильцов и так называемые ночлежники, которые ежесуточно перекочевывают с одной квартиры на другую. Таким образом, общее число обитателей Вяземского дома, во всей совокупности их, простирается до 10 000 душ, являя собой население, которое пришлось бы впору любому уездному городку обычно средней руки.

Мы нисколько не погрешим против истины, если скажем, что дом князя Вяземского служит извечным и главным приютом всевозможных и разнородных пролетариев Петербурга, большей части голодных людей этого города.

Нам скажут, что по официальным сведениям он считается в числе самых неблагонадежных, ибо заселен мошенниками, ворами, беспаспортными бродягами и тому подобным народом, существование которого не признается удобным в благоустроенном городе. Это совершенно справедливо, как относительно заселения, так и относительно его неудобства; но ведь в том-то и дело, что не одни только порочные склонности сами по себе делают из людей воров и негодяев, а прежде всего, и притом главнейшим образом, все тот же голод да холод, все та же каторжная невозможность при всех усилиях жить честной жизнью, тогда как жить все-таки хочется, пока смертный час не пришел. Голод и нищета граничат с преступлением. Но этого мало: нищета и пролетариат суть сами по себе общества, виновного в таком строе своей общественной жизни, который может порождать эти горькие явления. И если общество терпит от нищеты и пролетариата, оно, в сущности, несет только вполне заслуженную кару за свое собственное совокупное преступление. Жаловаться и винить кроме самих себя решительно некого: пролетариат — преступление общества. Кто бы ни доказывал в великом самообольщении, что в России нет этого явления, что оно даже невозможно у нас, что оно всецело принадлежит только Западной Европе, мы скажем ему: неправда! У нас пока, слава Богу, нет, да, вероятно, и не будет пролетариата почвенного, безземельного, но есть в значительных размерах пролетариат городской, чуть ли не самый жалкий из всех явлений этого рода и представляющий собою сильный контингент острогов, арестантских рот, сибирской каторги и поселений. Говорю смело, говорю по опыту, по многочисленным и многократным наблюдениям, что большая часть воров, мошенников, бродяг — не что иное, как невольные жертвы социальных условий. Ты, мой читатель, мог это видеть на наглядном примере Ивана Вересова. Мы не оправдываем воровства и мошенничества; мы не желаем доказывать, что подобный промысел законен в общем итоге социальной жизни; но мы указываем на настоящие причины зла, и потому вовсе не хотим относиться с известного рода сентиментальностью к голодному и холодному пролетарию, а показываем его и его жизнь так, каковы они суть на самом деле, со всем их горем, нищетой, развратом и пороком, со всем их физическим и нравственным безобразием. Если это описание успеет возбудить в читателе ужас и омерзение к подобной обстановке и существованию, то оно же, вероятно, успеет одновременно вызвать в нем и разумное человеческое участие к падшему человеку без всяких с нашей стороны сентиментальных подыгрываний под его сердечность и притворного причитанья да вытья о сочувствии. Если ты человек, то сочувствие явится к тебе само собой, невзирая на отвратительную обстановку жизни, невзирая на отталкивающие нравственные стороны этой жизни, которых нечего прятать, ни приходить от них в карающее негодование. Прятать и сглаживать не следует потому, что чем они будут ярче и виднее, тем более узнается сама жизнь и самые эти люди, и, стало быть, тем скорее и настоятельнее можно будет подумать о том, как избавить человека от подобных социальных условий и от подобной жизни. Негодовать же, и особенно негодовать карательно, и вовсе уж не следует, потому что прежде, чем негодовать и карать, нужно хорошо исследовать первичные побудительные причины, хорошо знать мотивы такой жизни, исполненной всякой мерзости, порока и преступления. Люди, прежде чем быть скверными, бывают голодными. Те же, которых скверность является сама по себе, прежде голода и побуждаемая особенными, тяжелыми условиями жизни, составляют ненормальную сторону человечества, явление печальное и как бы болезненное.

Итак, поведем теперь речь об обитателях Вяземской лавры.

Не станем говорить о корзинщиках, столярах, кузнецах, гусачниках и куренщиках. Это все народ *при деле*, народ, имеющий постоянную работу, определенные занятия и более или менее оседлость, так что живет ли он в Вяземском доме или в другом каком месте — это не составит решительно никакой характерной разницы. Гораздо интереснее остальные обитатели, составляющие громадное большинство местного населения.

Чуть только забрезжится на небе утро, чуть заголосят предрассветные петелá между четырьмя и пятью часами по полуночи — в Вяземской лавре начинается движение. Она просыпается. И вот вскоре из ворот ее на Обуховском проспекте начинают высыпать рабочие артели каменщиков, землекопов и плотников, которые, перекрестясь на все четыре стороны, отправляются себе гурьбами к своему рабочему делу. Вообще, надо заметить, что население этого дома как-то само собой специализировалось на отдельные группы самым простым и естественным образом. Столяры заняли отдельный Столярный флигель, корзинщики и тряпичники — точно так же; куренщики с пирожниками поселились в подвальном этаже Новополторацкого дома, верхний этаж которого служит постоянным привалом для рабочих артелей, особенно же занят он хорошим, честным и весьма трудолюбивым народом, приходящим сюда на заработки из Витебской губернии. Средний же этаж, то есть стекольчатая галерея, служит неизменным притоном мазуриков, беспаспортных и всевозможных бродяг, которые также сгруппировались и еще в одном, особенном флигеле крайней ветхости, называемом «Над четвертными», в силу того что жилья этих корпораций помещаются тут над четвертными банями.

Вскоре за рабочими артелями из тех же ворот на Обуховском проспекте показываются пирожники и калачники со своим товаром, которые, точно так же перекрестясь на четыре конца, рассыпаются по Сенной площади и ближайшим окрестностям. Одновременно с ними расползлись по тем же местам и лотки с гусаками да печенкой и прочими закусками. На Сенной в это же время начинается уже первое утреннее движение: скрипят возы с сеном и телеги со всякой живностью да овощью из подгородных деревень; трусит рысцой беловолосый чухна в таратайке, наполненной кадушками масла да бочонками молока, и трясогузки охтянки спешат со сливками, и православный телятник флегматически везет на продажу полную телегу своего живого, но в замор заморенного товару, который стукается безнадежно свешенными головами о тележные бока и колеса.

Но вот раздается первый удар благовестного колокола. К заутрене звонят. Весь народ, находящийся в эту минуту на площади, снимает шапки и крестится; а в это самое время из Вяземской лавры стороною ползут разные Касьянчики-старчики и Слюняи, Фомушки и Макридушки, слепыши и хромыши, сухоруки и язвенники — словом, разная нищая братия, к которой присоединяются ходебщики на мнимое построение храмов. Первый удар колокола — это их час, начало их дневной деятельности, которая, почти без исключения, для всего этого люда начинается прежде поборов на паперти непременным визитом в кабак, успевший уже растворить свои гостеприимные двери. Тут совершается нищею братьею надлежащее подкрепление — «потому дело наше бродячее да стоячее, больше все на юру, на ветру да на дождике, с головой непокрытой — самое холодное дело, прости, Господи!»

Почти тотчас же вслед за нищими торопливой и озабоченной походкой шмыгают из лаврских ворот барышники-перекупщики, так называемые маклаки, и вместе с ними выходят на промысел тряпичники, которые высыпают на улицу не артелью, как плотники и каменщики, а идут вразброс, по два, по три либо в одиночку. Первые, то есть маклаки, раскидываются по Фонтанке, от Аничкова до Измайловского моста, по Садовой улице, от Чернышева переулка до Никольского рынка, и затем — по Чернышеву до Лиговки, у Глазова кабака. На всех этих пунктах они ловят ночных мазуриков и скупают у них «темный товар». Прохожего народа в это время на улицах не особенно много, поэтому ничего не препятствует им вести эту куплю и продажу на открытом, вольном воздухе. Барышники-маклаки вообще сильно не жалуют тряпичников, которых ругательно обзывают они «вонью, помойниками, крюками, подзаборниками и падалью». Те в свою очередь огрызаются и титулуют маклаков «порточными маклаками». Таковая неприязнь происходит от взаимной и притом весьма сильной конкуренции, преимущество которой остается на стороне тряпичников, так как они действуют хотя и в одиночку, по-видимому, но, в сущности, на артельном начале, тогда как маклаки занимаются своим ремеслом исключительно порознь и один с другим из своей братии общих дел не заводят. Тряпичники, специальность которых заключается в собирании по всевозможным дворам и закоулкам брошенных за негодностью тряпок и костей, да в скупке старого платья, сапог и бутылок с банками, принадлежат, в сущности своей, к разряду воров-перекупщиков. Вор-перекупщик не совсем-таки то же самое, что барышник-перекупщик. Последний только с выгодой для себя надувает мазуриков, а первые и надувают, и заказывают воровства по их личному указанию, и сами при удобном случае низрядно-таки поворовывают. Главная же суть заключается, однако, в перекупе темного товару — и в малом, и в весьма большом количестве. Хотя они и живут артелями, но никогда почти не составляют артелей самостоятельных, а ходят «от хозяина». Тряпичные хозяева держат артели либо при себе, либо же нанимают для них в разных концах города особые помещения, под надзором своих приказчиков, которые иногда состоят даже в доле со своими хозяевами; хозяева же, почти все без исключения, владеют в городе собственными благоприобретенными домами, что составляет необыкновенное удобство для избранного ими промысла; они устраивают при своих домах особые огромные сараи для склада товара и держат их под надежными запорами да кроме того имеют еще укромные подвалы, подполья и разные тайники, где хранится у них товар темного свойства. За известную плату каждый хозяин-тряпичник составляет свою собственную артель, а иногда даже и по две, и по три. В артели эти идут мужики и мальчишки, по большей части одного с ним уезда и деревни, так что они оказываются с хозяином своим либо односельчане, либо близкие соседи. Хозяин, бывший мужик и точно такой же заурядный тряпичник, при маломальской разживе приписывается в купеческую гильдию и, по большей части, переменяет костюм и смотрит шибко зажиточным, почетным гражданином.

Проснувшись ранее пяти часов утра, артель тряпичников, вся вкупе, садится обедать, и затем каждый из работников получает от доверенного приказчика либо от самого хозяина от десяти до двадцати пяти рублей серебром на день, и с мешком за плечами рассыпаются они во все концы города. По нескольку раз в день заходят в разные условленные кабаки и харчевни, где сходятся за стойками или за чайным столом с известными им мазуриками, причем наличный темный товар исчезает в мешках тряпичников, а часть выданной на дневной расход суммы переходит в карман жоржа. В прежние годы водилось так, что пока одна часть тряпичной артели бродила с клюкою у сорных ям, другая кочевала из двора во двор с козлиными возгласами: «Старого платья продать!» или гнусила: «Бутылки-штоф! Банки-штоф!» Но с тех пор как этот род торговли оказался официально воспрещенным, они скитаются по дворам уже молча. И это послужило к их же выгоде, так как теперь они чаще прежнего слоняются по черным лестницам разных домов и заглядывают в квартиры, особенно где дверь не плотно притворена. Без сомнения, многим случалось натыкаться в своей кухне на такое неожиданное посещение, когда вдруг осторожно и тихо приотворится выходная дверь и в нее просунется пронырливая физиономия с вопросом, нет ли костей или тряпок продажных, старого платья, бутылок, банок, штофов продажных. Можете быть вполне уверены, что этот вопрос — не более как один только благовидный предлог со стороны тряпичного артельца, и предлагается им потому лишь, что он имел несчастие застать в кухне людей. А если бы такого обстоятельства не случилось, то вы, наверное, не досчитались бы каких-нибудь вещей, вроде серебряной ложки, медной посуды или столового белья. Они заодно уж не дают спуску и домашней птице, которой мигом свертывают голову — и в мешок, а потом в курятную лавку. Зачастую, высматривая этим способом расположение квартиры и подходящих вещей, особенно когда прислуга согласится продать перекупщику кости да банки со старым тряпьем, промышленник отправляется немедленно в условленную харчевню и там подговаривает «на клей» знакомых жоржей, которым тут же за парой чая вручает и денежный задаток на предстоящее дело. Когда таким образом обусловлена значительная кража, артелец немедленно дает знать о ней своему хозяину, а тот уже выбирает из артели самых ловких людей, которые на надежных извозчиках ожидают ночью за углом улицы, где должна произойти кража. Получив от исполнителей наворованное добро и наскоро рассчитавшись с ними, причем всегда бывает не без греха в расчете, они мчатся к хозяину, где все это приобретенное имущество сейчас же исчезает в тайниках и подпольях.

Каждый из артельцев непременно надеется в свой черед сделаться приказчиком, а потом и самостоятельным хозяином, который в свое время был таким же, как и он, простым тряпичником в чьей-нибудь артели. Собирание тряпья да бумажек хотя и приносит свои выгоды, но эта часть промысла составляет только официально-наружный, благовидный предлог. Главная же суть — в тайниках и подпольях да в темном товаре. Но эта главная суть, конечно, сохраняется в глубокой тайне от всех, кому о том знать не следует, и поэтому многим кажется весьма удивительным то обстоятельство, что через какие-нибудь десять-пятнадцать лет тряпичные хозяева покупают себе каменные дома, строят их один за другим, даже застраивают, по нескольку флигелей, весьма обширные пространства, способствуя таким образом к вящему приукрашению города; затем приобретают титулы почетных граждан, становятся почтенными, всеобщеуважаемыми людьми и даже, случается подчас, занимают различные должности на поприще городского общественного служения.

Почти одновременно с тряпичниками выходят на дневной промысел и мазурики. В это время одни из них только что выходят на работу, другие же только что возвращаются к отдыху. Последние принадлежат к разряду ночников, поэтому их уже очень зорко высматривают и ловят барышники-перекупщики, в надежде выгодно поживиться от голодного и трезвого жоржа тем темным товаром, который тот успел приобрести в течение ночи. Как входящие в лавру, так и выходящие из оной мазурики относятся к ворам среднего и преимущественно низшего разряда. Эта корпорация, точно так же, как и прочие сословия государства, имеет свою аристократию и свой плебс. Два последних разряда формируются из подонков общества, из накипи всех сословий, за некоторым исключением дворян (и то далеко не общим), которые норовят всегда держаться первого, высшего разряда. В последних же двух вы найдете мелюзгу из чиновничьего мира и канцелярских служителей, исключенных из службы; точно таких же офицеришек, пьяненьких купеческих сынков да приказчиков, выгнанных за нечистую руку, бессрочных или беглых и ни к чему не пригодных солдат, лакеев, кучеров, дворников, кабачных сидельцев, чиновничьих детей, которые, по гнусной бедности родителей, не могли быть пристроены к грамоте и делу. Наконец, вы отыщете тут мещан и крестьян, прибывших в Петербург на заработки, но, по несчастным обстоятельствам, не нашедших себе вовремя работы, и, таким образом, стали они, ради насущной необходимости, поворовывать, а вскоре от пьянства да тунеядства получили уже полное отвращение к честному труду. И вот вам извечный контингент, из которого формируются многочисленные корпорации мелких петербургских мошенников.

Крестьяне, попавшие в число мазуриков третьего разряда, составляют иногда целые артели для коллективного промысла. Вот чем по преимуществу занимаются эти артели: в числе тридцати, сорока, иногда и более человек являются они к какому-нибудь подрядчику наниматься в работу. Самое возможное для этого время, конечно, весна и лето. Но прежде чем прийти наниматься, воровская артель идет в какой-нибудь из специальных мазурничьих кабаков, вроде бывшего «Полторацкого», бывшей «Широкой лестницы», или в «Конькову моленну», в «Телячий», в «Ивановский» либо «Зелененький» и там запасаются поддельными плакатами. С этими новыми «бирками с молоточка» артель приходит к подрядчику и нанимается в работу. Торг слажен, причем каждый из артельцев получает в задаток от десяти до двадцати пяти рублей, а для верности они оставляют подрядчику свои фальшивые виды, что называется у них на байковом argot *заделать* бирки. И вот, получив задаточные деньги, артель запасается в кабаке новыми плакатами и точно таким же порядком отправляется к другому подрядчику, за другим к третьему и т. д., отчего, конечно, происходит естественное недоверие и подрыв действительно честным артелям рабочих, которые вследствие этого гораздо труднее находят себе доверие и работу.

Мошенники средней руки, точно так же, как и мошенники высшего разряда, непременно имеют по нескольку квартир. Самое бедное — две, и одна из них по большей части обретается в какой-нибудь трущобе Сенной площади. Одна берется на имя самого мошенника, другая же — на имя жены или дамы его сердца. Это делается для более удобного укрывательства на случай полицейских поисков. Днем их никогда не отыщешь ни на одной из квартир, которые им нужны для ночлегов. Мошенники же низшего разряда довольствуются перекочевками из одной ночлежной в другую и обитают исключительно в самых темных трущобах, вроде Вяземской лавры, около которой постоянно встретишь их в часы раннего утра. Одни, как мы уже говорили, выходят на дневной промысел, другие — возвращаются с ночного. А одновременно с ними показываются из тех же ворот толпы в тридцать, в пятьдесят и более человек оборванного, испитого и голодного народу. Одна толпа выходит вслед за другой с небольшими промежутками, и все они направляются по одному пути, к одной общей цели. Путь этот — на Васильевский остров, цель эта — голландская биржа. С раннего утра вся площадка позади университета перед биржевыми пакгаузами наполняется массою громко голчащего оборванного народа, который пришел сюда искать тяжелой, чисто каторжной работы за скудную поденную плату. Рук тут предлагается множество, но из множества биржевые дрягили выбирают сотню-другую, а все остальное остается ни при чем. Эта толпа состоит из окончательных пролетариев. Работник, потерявший место, мужик, вышедший из больницы, бесприютный заштатный чиновник, бессрочный солдат — все это стекается в одну и ту же толпу, на известную площадку. Не удастся получить работу день, не удастся другой, не удастся третий и четвертый, а на пятый голодный и оборванный человек по необходимости высматривает уже, нет ли чего подходящего, что бы можно было подтибрить. Голод служит ему теперь первым советчиком и учителем на воровство, а там уже идет дорога торная и легкая, после первого трудного и тяжелого шага.

Около девяти часов утра в воротах Вяземской лавры начинают показываться местные аристократы. Это чиновники, живущие здесь «по углам» в ночлежных притонах. Есть между ними холостые, есть и женатые. И те и другие в своем чиновничьем мире принадлежат к разряду самых жалких чиновничьих парий! Но пусть они там будут париями, зато они являются аристократами в Вяземской лавре. Да и как же не аристократия? Они могут пить кофе с цикорием. Пить кофе с цикорием там, где подчас большинству просто нечего есть. Это уже является великим и чисто аристократическим преимуществом.

В четыре часа пополудни они появляются в перекусочных подвалах и обедают. Один чиновник, весьма пожилой вдовец, приходил сюда обедать с пятью маленькими детьми, которые жили с ним вместе, в одном углу ночлежной квартиры Вяземского дома. Он обедал скуднее остальных своих собратий, потому что у него было кроме своего собственного еще пять маленьких желудков, и эти последние желудки отличались большой прожорливостью. Надо было насыщать их в ущерб самому себе. Кто имел жену и одного ребенка, тот обедал богаче вдовца с пятью ребятами. Кто имел одну только жену без ребят, тот мог насыщать себя более и лучше имеющего жену и ребенка. Кто не имел ни того ни другого, тот был самым счастливым человеком, ибо питал только свой собственный желудок, не помышляя о других, и, стало быть, мог даже допускать кое-какие излишества и убогую роскошь в убогой пище перекусочного подвала.

С пяти часов пополудни начинается прилив обитателей лавры. Вышедшие поутру последними возвращаются теперь первыми. За ними после вечерен и всенощных появляются нищие. За нищими — торговцы и тряпичники. За этими — усталые на работе артели каменщиков, землекопов, плотников и поденщиков. Наконец приходят барышники-перекупщики и мазурики. После этого, когда вовсе уже станет темно на дворе, у ворот появляются совсем уже голодные, бездомные люди и голодные «бродячие» женщины. И те и другие ищут удобного случая проскользнуть незаметно в ворота Вяземской лавры, чтобы дворники не заприметили. Если это им удастся, то они забираются на чердаки, в нежилые подвалы или закапываются в груду разного тряпья, бумажек и костей на бесконечно грязном и топком дворе Тряпичного флигеля. Всякому хочется отыскать и захватить себе какой-нибудь уголок, где бы можно было укрыться на ночь до раннего рассвета.

И вот наступает наконец эта вожделенная ночь; но и она не может назваться вполне покойной для голодного бездомника, да и каждый почти из лаврских обитателей точно так же не может почитать ее покойной для собственной особы.

Причина этого беспокойства — ежеминутное ожидание ночной полицейской облавы. Это своего рода охота на людей, которых не подстреливают и не травят борзыми собаками, но забирают в сибирки, дабы очищать городскую атмосферу от бродяг, беспаспортных скитальцев и иногда от мошенников.

В глухую полночь, когда вся Вяземская лавра, по-видимому, предалась уже отдохновению и покою, все входы и выходы ее оцепляются полицейскими патрулями. Ни войти, ни выйти нет уже никому ни малейшей возможности. И эта оцепка совершается в глубокой тишине. Три входа Стекольчатого, или Новополторацкого, флигеля, который служит главным пунктом облавы, точно так же занимаются полицейским караулом. Когда все это исполнено, караулы размещены по надлежащим местам, тогда начинается и самая охота. Полицейская власть, подкрепленная несколькими вооруженными людьми, начинает обходить ночлежные квартиры.

— Долой с нар!.. Вставай!.. Где хозяин?.. Паспорты сюда! — распоряжается какой-нибудь рослый детина с медной бляхой на груди, пока лицо, производящее облаву, остается в дверях квартиры. И вот через минуту все население ночлежной уже повскакало на ноги. Смущенный хозяин или хозяйка тащит из своей каморки все наличные виды своих обитателей. Двое городовых становятся по бокам главного прохода, один против другого, в двух шагах перед полицейским чиновником, и начинается проверочная перекличка. У кого законный вид не подлежит сомнению, того пропускают мимо двух городовых в другую половину ночлежной комнаты; у кого же наличного вида не имеется или усмотрена в нем фальшь — того отсылают в сени, под присмотр особого караула, который, по окончании всей облавы, уводит под арест длинную вереницу беспаспортных и подозрительных людей.

Но у лаврских обитателей развито необыкновенное чутье: они чуют полицию. Поэтому они очень часто предупреждают ее. Первый, кто имеет возможность почуять и предупредить, это знаменитая Никанориха. Из окон ее, особенно летними ночами, очень хорошо видно всякого проходящего к Стекольчатому флигелю и по Полторацкому переулку. У Никанорихи даже и в глухую полночь окна всегда освещены. Чуть приметят из этих окон, что полиция прошла в Стекольчатый, как вдруг огонь немедленно потухает, и это служит сигналом для крайней квартиры Стекольчатого, где на крытой галерее всегда есть ночлежники. Коль скоро последние заметили, что свет у Никанорихи потух не в обычную пору, значит — полиция уже подымается по лестнице. Тотчас же осторожный стук в дверь крайней квартиры дает знать о приближении опасности. Из первой квартиры стучат в стену второй, из второй — в стену третьей и так далее, по всему среднему этажу Стекольчатого флигеля.

Эта минута — минута паники и общего переполоха.

Чуть послышится стук последовательных ударов из стены в стену, как по всем квартирам подымается бесшумное смятение и идет глухой, шепотливый тревожный гул. Весь народ, который может предвидеть для себя явную опасность в полицейском посещении, ищет благополучного исхода, хочет спастись. Прячутся куда и как попало. Забиваются по нескольку человек в большую русскую печь, зарываются в разный хлам под нарами, залезают в квасные и капустные бочки, в мучные мешки, лежащие в складочных подвалах куреней, и лежат в этих мешках пластами один на другом, на верхних полках и на верхних рядах этих мешков. Иные бегут в ретирадные места и кидаются в клоаки, иные держатся внутри этих клоак, уцепившись пальцами за доски верхней настилки, и висят под ними всем телом на воздухе в самом напряженном и отчаянном положении, но зато невидимые для ищущего глаза. Иные, наконец, решаются и на более отчаянное средство: распахивается окно — и хорошо, если оно приходится близ дождевой трубы, по которой можно спуститься в Полторацкий переулок и через забор удрать на соседние дворы генеральши Яковлевой. Если же этого удобства не оказывается, то перепуганные люди просто-напросто решаются выскакивать из окон и с высоты второго этажа кидаются прямо на улицу. Если упал удачно, то есть с сильным ушибом, но без перелома кости, то есть надежда улизнуть через забор; если же неудачно, то, нечего делать, оставайся жертвой полиции, которая, впрочем, редко пропускает эти побеги, так как ей очень хорошо известны все уловки вяземцев, и она беспощадно отыскивает беглецов и в бочках, и в мешках, и в клоаках, и вдоль Полторацкого переулка, так что, в сущности, побег остается почти всегда вполне тщетной попыткой, и одна только безграничная страсть к воле вольной, самосохранение да слепая надежда на *авось* заставляет людей выкидывать все эти безрассудные, отчаянные salto mortale[1].

Но вот кончается полицейская облава, и обычная жизнь Вяземской лавры как ни в чем не бывало вступает в свои прежние права. Та же мутная река течет своим прежним течением.

XL
НОЧЛЕЖНЫЕ

Маша не знала, куда ведет ее Чуха. Все равно, куда бы ни идти, лишь бы поскорей забыться, успокоиться. Люди и жизнь и обстановка этих людей и этой жизни не ужасали девушку в данную минуту. Ей было скверно и досадно вспомнить про Летучего — она бы разорвала и уничтожила его за час тому назад, если бы только были силы. Теперь же сердце Маши могло уделить на долю этого челове-

---

[1] Смертельные прыжки (*итал.*).

ка одно лишь злобное презрение. До всего же остального, казалось, ей не было никакого дела. Ей было все равно. Хотелось только сна и покоя — прежде всего сна и покоя.

— Куда мы идем? — спросила она свою спутницу.

— Спать.

— О, наконец-то!.. Слава тебе, Господи!

И она еще охотнее пошла за старухой.

Чуха вела ее вонюче-грязными и топкими дворами Вяземской лавры к Стекольчатому флигелю. И вот, словно черная пасть, приняла их под свои своды темная лестница, ведущая на стеклянную галерею. Подыматься по влажно-скользким ступеням было очень трудно, так что, ухватясь одною рукою за Чуху, Маша другою придерживалась за стенку и, при всей осторожности, все-таки на каждом шагу рисковала оступиться, поскользнуться и опрокинуться вниз. Наверху был слышен какой-то гул: лавра угомонялась, но еще не заснула. Идут по коридору. Вдруг обе оступились, запнувшись за что-то, лежащее поперек дороги.

— Кой дьявол тут по людям шагает! — послышался с полу сонный, недовольный и притом пьяноватый голос.

— А ты подберись к сторонке, чем на пути лежать! — резонно возразила Чуха, за что немедленно получила от потревоженного бездомника пинок ногою.

Наткнулись они таким образом еще на нескольких человек, пока добрались до того нумера, который снимала одна солдатка, знакомая Чухе. На галерее спало много народу, мужчин и женщин. Эти люди и зимой и летом укрываются тут, за недостатком места в ночлежных, и в случае облавы служат первыми жертвами полицейских очищений.

Вошли в темные сени, за которыми впереди были слышны многие голоса. Старуха в потемках нащупала дверь и толкнула ее. Незапертая дверь распахнулась, и из нее густым туманом повалил прелый, удушливый, кисловато-махорочный пар, которым до одури обдало непривычную Машу.

Обе спутницы переступили порог.

— Ай, Чух — песий дух! Наше вам! С пальцем девять! — сипло приветствовал вошедшую старуху один из обитателей ночлежной, сидевший в кружке, где шла игра в косточки.

— С огурцом одиннадцать! — кивнул другой из той же компании.

— С редькой пятнадцать! — подхватил третий.

И все трое засмеялись собственным остротам.

Чуха, не отвечая на эти шуточки, прямо прошла за перегородку в хозяйкин угол; пошепталась минутку с солдаткой, и та указала ей на одно место на верхней наре, оставшееся еще незанятым.

Маша огляделась вокруг с немалым изумлением.

Квартира эта состояла из одной комнаты в два маленьких окошка. Комната была очень невелика, не более шести квадратных саженей, с низким закоптелым потолком, по которому в изобилии гуляли клопы, а пауки заткали свои паутины по всем возможным углам и закоулкам. Одна часть этой квартиры была занята русской печью, где кишмя кишела, копошилась и шуршала целая армия тараканов. Стены сплошь иллюминовались мазками раздавленных пальцем клопов, потеками грибчатой сырости, отлупившейся штукатуркой и какими-то пятнами неизвестного происхождения. Смрад, грязь и неисходное убожество — вот слова, которыми можно охарактеризовать это несчастное убежище. По всем стенам, и даже посередине комнаты, были понаделаны нары. Над нижним ярусом нар, в полутoрааршинном расстоянии, шел второй, средний ярус. Над средним, еще в полуторе аршин, — верхний, почти уже под самым потолком. Все это было сплошь унизано выставившимися наружу пятками и подошвами человеческих ног. Кое-где торчали головы или свесившаяся рука. Под нарами, на грязном полу, среди всяческого хламу и сору, точно так же валялось десятка два людей. Кому случилось опоздать и не найти себе места ни на полу, ни на одном из трех ярусов, тот забирался на подоконник и спал себе сидя либо садился скорчившись у двери, у печки, у одного свободного края дощатой перегородки, отделявшей хозяйкину конуру, в которой, кроме ее самой, обитало еще шесть душ постоянных, месячных постояльцев. Это был почти нищий заштатный чиновник, вдовец с пятью малыми ребятишками, из которых последнему не было еще и году. Во всей квартире скопилось человек до шестнадцати разного народу. Все это валялось на голых досках, подостлав себе в головы какую-нибудь одежишку с сапожонками. Но и то решались на такую подстилку только те, которые надеялись на чуткость своего сна. Кто же знал, что ему всегда спится крепко, тот уже не раздевался и даже шапки с головы не снимал, потому по опыту был твердо уверен, что во сне кто-нибудь с ним «пошалит», так что наутро непременно не досчитаешься какой-нибудь принадлежности костюма. Между этим народом перетасовывались все возрасты человеческой жизни. Тут были и старики, и грудные дети, здоровые парни, мужики и дряхлые старухи, мальчишки и девчонки, женщины и молодые девушки, иные еще невинные, иные уже с детства развратные, иные беременные и голодные, другие больные и пьяные. Все это лежало вповалку и вперемешку друг с другом, как попало и где пришлось, откровенно, беззастенчиво; и тут же на глазах у всех этих людей совершались в разных местах самые зазорные сцены. Это была какая-то человеческая псарня, вонючий сарай, в который ночные фурманщики загоняют захваченных на улице, в бродячем состоянии, разношерстных и разнородных собак. Другого сравнения нет и быть не может.

Внизу, под нарами, точно так же вперемешку с мужчинами, валялись грязные полунагие женщины. Бедра одной служили изголовьем для другой, другой для третьей и так далее. Тут было взаимное одолжение.

Вдруг Маша заметила, что у ее ног что-то копошится. Это что-то корчилось и ежилось на ничтожном пространстве пола, которое оставалось еще свободным. Это жалкое существо было пьяно, мокро, грязно и окровавлено, наполовину лысая голова была всклокочена. Грязное существо запускало в эту паклю свои окровавленные пальцы и вытаскивало целые пряди вырванных волосьев, хрипло завывая о том, что «зачем его так больно таскали за волосное правление!». Какое-то растерзанное мокрое рубище едва-едва кое-где прикрывало обильно перепачканное уличной грязью, нагое, истощенное тело. По обезображенному лицу текли слезы, потеки грязи и кровь. Грязное существо было безжалостно, беспощадно избито и пьяно хныкало, приправляя это хныканье самой цинической руганью и угрозами кому-то.

Маша с ужасом глядела на это жалкое подобие человека и наконец, по его словам, заметила с колючей болью в сердце, что это была женщина... Она, избитая, исколоченная где-то на дворе, притащилась сюда искать себе, Христа ради, ночлега.

— Я бы в кучу пошла, на Тряпичный, — хныкала она сама с собою, — да боюсь — убьет... совсем убьет, разбойник!.. Мерзлую б собаку ему в глотку, чтоб она там лаяла, таяла, скребла, жрала да его матери детей берегла! Чтоб ему, подлецу... Ах!.. Ах, девушки-подруженьки!.. Ва-ва-ва-ва!..

И начинается новый неистовый вой, а вокруг нее на полу давно уж образовалась лужица крови; но на такое обстоятельство никто не обращает ни малейшего внимания, и одну только квартирную хозяйку оно смущает несколько с той стороны, что, не ровен час, нагрянет ночью облава, увидит кровь да избитую женщину, пойдут расспросы: что, мол, за женщина, да где ее вид. А дьявол ее ведает, кто она такова! Поди-ка, еще из-за нее да самое потянут. Опростаться б от нее лучше, пока до греха! И в силу таких соображений хозяйка стала выталкивать ее из квартиры. Но женщина не идет и все продолжает бормотать, что пошла бы она в кучу на Тряпичный, да убьет шельмец, расшельма он разбойницкая.

Солдатка, недолго думая, кликнула двух подозрительного вида молодцов из кучки, где шла игра в косточки, и все втроем за волосы вытащили несчастную на галерею, невзирая на ее отчаянные мольбы и крики.

Невыразимо тяжко было Маше глядеть на все эти безобразия, и не особенно утешительную картину представило ей с первой встречи это новое место, где она чаяла найти себе сон и успокоение. Ей хотелось бежать — но куда бежать из этого лабиринта, в котором и днем-то потеряешься, который пугал ее на каждом шагу своим мраком и людьми, его населяющими, и представлялся ей теперь какой-то черной, зловещей неизвестностью. Куда побежишь — одна-одинешенька? Как найдешь дорогу? Где отыщешь выходы? У кого спросишь пути? Пойдешь одна, а там, быть может, на первом же шагу обидят тебя, изобьют, ограбят, изнасилуют и бросят среди темной ночи одну, поруганную, беспомощную...

Она с ужасом и тоской взглянула на свою спутницу, словно бы ждала ее слова, ее совета, словно бы вся предавалась в ее волю.

Странное дело: эта безобразная старуха была единственное существо среди трущобного мира, к которому Маша в ту минуту не чувствовала боязни, и почему-то, почти бессознательно, инстинктивно верила в эту женщину: она ее не обманет, она ей не сделает зла, она сумеет защитить ее в случае надобности. И вся дрожа, взволнованная и перепуганная, Маша доверчиво прижалась к своей спутнице.

Та как будто предугадывала все, что должна была чувствовать в тот миг эта девушка.

Лицо ее стало мрачно и тревожно-печально, как только заметила она, какое впечатление сделала на Машу вся эта ночлежная квартира, и эта пьяная окровавленная женщина, и вся сцена, разыгравшаяся над нею. Для нее самой все это было дело давно привычное, заурядное; но тревожилась она за свою спутницу. Быть может, в глубине души все сильно возмутило Чуху; быть может, ей бы и хотелось вступиться за женщину, вытащенную за волосы, но — увы! — Чуха побоялась гнева хозяйки. Она не хотела вести Машу в другие ночлежные, с хозяевами которых сама не была хорошо знакома. Тут, в этой самой квартире, был ее постоянный ночлег, тут было для нее более спокойно и более безопасно: все же есть-таки, на всякий случай, хоть несколько знакомых людей. А рассерди она хозяйку своим непрошеным заступничеством, та без малейшей церемонии выгонит сейчас же и ее вместе с Машей, ибо квартирные хозяева в трущобном мире вообще крайне деспотично относятся к своим постояльцам; а тут, при таком обороте дела, и двое расходившихся молодцов, пожалуй, еще поусердствуют своими кулаками. Долгая жизнь в трущобах и горький трущобный опыт давно уже научили Чуху быть в иных случаях черство-рассудительной и эгоистически-осторожной.

Почувствовав взгляд и движение прижавшейся к ней Маши, старуха поторопилась ответить ей успокоительным взором и прошептала:

— Не бойся... Ничего не бойся: пока ты со мною — никто не тронет.

— Пойдем отсюда... Пойдем куда-нибудь в другое место, — тихо просила ее девушка.

Та только пожала плечами.

— Некуда, милая... Пойми ты, некуда больше идти; здесь еще несколько лучше, спокойнее, чем у других... Перетерпи уж хоть одну-то ночь!.. Ну куда ты пойдешь? Говорю тебе: некуда, некуда! — убеждала ее старуха, глядя в ее глаза хорошим и честным взором.

Маша, потупясь, раздумала с минуту и вдруг, быстро подняв голову, несколько странно улыбнулась.

— А впрочем... живут же вот люди! — проговорила она, окинув

глазами комнату. — Чем я лучше их?.. Пустяки, нечего привередничать! И здесь хорошо будет!

«Между чем выбирать-то мне? — горько подумалось ей. — Не из чего! Хуже ведь уж не будет, да и лучшего теперь нигде не отыщешь!»

И вместе с этой мыслью она снова всецело отдалась своему спокойному равнодушию относительно всего, что бы ни ожидало ее в дальнейшей жизни.

— Спасибо, хозяйка приберегла мне сегодня мое место... потеснимся как-нибудь, авось на обеих хватит, — говорила Чуха, помогая Маше вскарабкаться на третий ярус нар, куда надо было взбираться по плохой приставленной лестничке.

Там, под самым потолком, стояла страшная духота, заметная здесь несравненно более, чем внизу. Это было неудобство третьего яруса, на котором за место в аршин ширины платится в ночь две копейки с человека. Средний и нижний ярусы ходят уже в три копейки. Это своего рода аристократический бельэтаж ночлежной. Зато места на полу под нарами, то же самое, что этаж подвальный, стоят в цене, равной с верхним ярусом, а иногда, при обилии ночлежников, понижаются (конечно, не иначе как с торгу ночлежника с хозяином) даже и до одной копейки. На двух нижних ярусах можно еще сесть на занятом месте; под потолком же и на полу этого сделать нельзя: там можно только лежать, и забираться в эти места нужно ползком на животе, подобно пресмыкающемуся[1]. Таким же самым способом вползли туда и Маша с Чухой. Последняя сняла с себя кацавейку и устроила из нее для обеих головную подстилку. Это уже почитается здесь большим удобством, ибо мешок, набитый соломой, вместо подушки да кое-какая подстилка под спину служат уже признаком не удобства, а комфортабельной роскоши.

По всей ночлежной раздавался многозвучный богатырский храп. За перегородкой неумолчно пищал больной ребенок, и слышно было, как усталый, измученный вдовый отец его, кряхтя и охая, сам качает люльку, тягучий скрип которой аккомпанировал этому писку и этому храпу. В углу все еще длилась игра в косточки, допивался полуштоф водки и раздавались громкие споры по поводу дележки выигранных денег. Дверь ночлежной не запиралась, и время от времени в нее входил какой-нибудь новый посетитель или посетительница; но, видя, что все места на нарах уже заняты, ютился себе где попало, в сидячем положении, навалясь тяжело на соседа,

---

[1] В настоящее время, после неоднократных настояний комитета общественного здравия и местной полиции, верхний и средний ярусы в большей части ночлежных квартир уже уничтожены и для каждой квартиры положено определенное число постояльцев, сообразно с гигиеническими условиями и ее вместительностью; но так как точный и еженощный контроль над исполнением этой меры не всегда равно возможен, то правило это почти не соблюдается хозяевами. Вред для здоровья громадный: тут славный источник всяческих зараз и болезней, поражающих чернорабочее население Петербурга.

и это обстоятельство обыкновенно служило поводом к ругани из-за места между ночлежниками, потревоженными новым постояльцем[1]. Среди всего этого довольно трудно было заснуть, но Машу одолевала такая сильная усталость — и моральная, и физическая, что она через минуту спала уже глубоким сном, приютясь под потолком рядом с Чухой.

Около пяти часов утра ее разбудил необыкновенный шум, говор, споры и поминутное хлопанье двери — странное смешение звуков, которые вместе с детским плачем и хриплым кашлем проснувшихся пьяниц наполняли теперь ночлежную.

Маша раскрыла глаза: подле нее с одной стороны лежала Чуха, с другой было уже пусто на несколько мест кряду. На другом конце верхнего яруса несколько человек, легши на живот, ползком спускались вниз, нащупывая ногами подставленную лестницу.

Свободное пространство на верхней наре позволило Маше ползком же передвинуться в такое положение, в котором она могла видеть, что происходит внизу. Ее удивил этот шум и движение; захотелось узнать и причину.

Она видела, как из-за нижней нары, словно пауки или черви, выползали существа, носившие признаки образа человеческого. Но это именно были только признаки его, а самый образ скрывался под всклокоченными космами, под синяками, приобретенными во вчерашних драках, под грязью и пылью, которою слишком изобилуют места под нарами. Выползали рубища и лохмотья, выползали обнаженные члены человеческого тела. Все это немилосердно чесалось, скреблось, потягивалось и громко зевало, крестя свои широко распахнувшиеся рты. По комнате толклось много разного народу. Иные, кто желал быть почистоплотнее, раздевались вконец, выходили на галерею и там вытрясали свое платье от пыли и насекомых; иные же, не выходя, совершали свой туалет — мужчины и женщины рядом. Каждый был занят только собою, не обращая на других никакого внимания. Несколько ребят ревмя ревели Бог весть с чего, а раздосадованные матки отшлепывали их за такое занятие и тем еще усиливали ребячий концерт. Квартирная хозяйка пронзительно тараторливым и каким-то утиным голосом крупно считалась с кем-то из ночлежников. Дело шло о недостаче одного гроша. Эта почтенная дама стояла в дверях, держась за железную скобку, а близ нее неотлучно находились два вчерашних молодца, ее обычные нахлебники, которые, на случай надобности, играли здесь роль

[1] Года три-четыре тому назад квартирные хозяева обыкновенно не спрашивали паспортов от своих случайных одиночных постояльцев, но теперь частые облавы заставили их ради предосторожности отбирать на ночь от каждого его вид. Фальшивый он или нет — на это хозяин не смотрит: был бы вид для очистки собственной совести перед полицией. Но достигает ли такая мера каких-нибудь положительных результатов — это вопрос сомнительного свойства.

мордобийц и мздовоздателей. Это было обычное утреннее время, когда ночлежники Вяземской лавры расстаются с объятьями Морфея и своих случайных соседок-дульциней. Это был час, в который для вяземцев начинается их день и работа. Квартирная хозяйка, дверь которой вчерашним вечером столь гостеприимно была отверста для каждого входящего, сегодня утром скаредно стоит у этой самой, теперь уже замкнутой, двери и поочередно пропускает в нее своих ночлежников, но пропускает не ранее, когда лишь почувствует на своей ладони достодолжную за ночлег трешку или семитку. Если же трешки или семитки налицо не оказывается, то подымается немедленно спор, и с виновного в пользу хозяйки стаскиваются сапожонки или что-нибудь «лишнее» из одежишки. А буде сапожонок нет и вместо одежи на плечах болтается убогое дырявое рубище, так что содрать решительно уже нечего, то в этом случае хозяйка удовольствуется тем, что двое приспешников ее намнут порядком бока да накладут по шее такому неисправному субъекту и торжественно вытолкают его за дверь, чтобы напредки уж не показывался.

И вся эта кутерьма и толкотня совершалась при слабом свете наступающего бледного утра.

Вдовый чиновник, в качестве постоянного жильца и грамотного человека, выдавал за перегородкой, при мутном огне сального огарка, плакаты и виды тем из ночлежников, у которых таковые имелись в наличности и были вчера вечером, для порядку, вручены хозяйке на сохранение.

Когда же наконец расплатились и вышли все те, кому это нужно было, дверь распахнулась настежь и осталась в таковом положении, ибо сгущенная и донельзя спертая атмосфера ночлежной требовала немедленного очищения. Там угрюмо царила злейшая зараза. В открытую дверь повалили седые клубы холодного воздуха, и этим же путем можно было видеть часть того, что в данную минуту происходило на галерее.

Там среди грязнейших луж, где еще валялись некоторые из тех непроспавшихся бездомников, что ищут себе ночного приюта по дворам да на этой галерее, стояли две молоденькие девушки перед дымящимися котлами. Одна продавала похлебку, другая — вареный картофель, а рядом помещались пирожник, сбитенщик и саечник. Эту группу тесно обступала толпа разношерстного народу, который только что повысыпал сюда из ночлежных и голодно жрал все эти снеди.

Среди общего гула и говора то и дело раздавались возгласы продавцов: «Кому картошки! Похлебочки!.. Пироги горячи, горячи из печи! Сбитень московский, сахарный, медовый, на скус бедовый, с перцем, с сердцем, с нашим удовольствием!» Все это покупалось нарасхват и пожиралось торопливо, на ходу, причем иногда впопыхах да в суетливой толкотне иной кусок падал на пол, и к нему тотчас же протягивался проворный десяток голодных, но бессребренных рук, и подымался при этом новый взрыв гаму, ругани, споров, что зачастую вершалось и добрыми зуботычинами.

Тут уже на первый план выступал один только голод.

Хозяйка пересчитала всю выручку и затопила печь. Комната наполнилась едким дымом.

Обычный день Вяземской лавры начался обычным своим порядком.

XLI

ЧТО КАЗАЛОСЬ СТРАННОЙ СЛУЧАЙНОСТЬЮ ДЛЯ МАШИ И ДЛЯ ЧУХИ

К десяти часам утра в ночлежной осталось очень немного народу. Все, что населяло ее ночью, разбрелось по разным концам города, с тем чтобы к вечеру опять вернуться в дом Вяземского. Из тех же, которые остались, двое были хворых и лежали на нарах; кучка игроков в косточки значительно умалилась, но все-таки наступившее утро вызвало продолжение игры: в этом углу то и дело звякали крупные медяки и раздавались крупные ругательства, сопровождавшие споры из-за расчетов. Чиновник, обитавший за перегородкой, удалился по своим делам, а оставшиеся дети разбрелись канючить на улицах христарадное подаянье, за исключением старшей девятилетней девочки, и то потому, что на руках ее оставался больной ребенок, которого, за неимением матери, вскармливали на соске. Непрестанный тоскливо-больной плач и визг наполнял собой комнату. Сестренка нянчила младенца как могла: носила на руках, баюкала, совала в рот грязную соску и наконец озлобленно выбилась из сил, видя совершенную тщетность всех своих терпеливых страданий.

Маша не могла равнодушно переносить эту сцену. Крик ребенка и вид измучившейся девочки томили ей душу. Она взяла у нее дитя к себе на руки и стала баюкать его.

Девочка, воспользовавшись этим маленьким одолжением, тотчас же дала стрекача на улицу: ее тоже одолевало понятное желание заработать лишний христарадный грош, на который можно купить несколько паточных леденцов в мелочной лавке. Дитя, без сорочки и пеленок, было голяком завернуто в какое-то грязное, дырявое лохмотье, из которого клоками торчала слежавшаяся вата.

— Экий несчастный ребенок! — с участием и как-то жутко проговорила Маша, глядя на малютку. Она безуспешно укачивала его на руках: ребенок стонал и не брал соски.

— Бывает и хуже, — заметила Чуха тоном, по-видимому равнодушным; но чуткое сердце молодой девушки подметило в нем, что это было равнодушие глубокого и притом застарелого отчаяния. Она с удивлением вопросительно взглянула на старуху.

— Да, бывает и хуже, — повторила та, как-то сдержанно вздохнувши из глубины души и безразлично отведя взор куда-то в сторону.

— То есть как же это?.. Хуже-то уж едва ли: нищета и болезнь... И сказать-то он не может, что у него болит, — заметила Маша.

— Ты, милая, спрашиваешь, как это хуже? — возразила Чуха с желчно-грустной улыбкой. — У этого все-таки есть отец да сестренка: доглядят, когда надобно, а есть, у которых ни отца, ни матери, ни доброго человека... Растет себе, как былина на битой дороге... Есть такие, что ни в жизнь не увидят и не узнают отца с матерью. Этим-то хуже.

Маша немножко раздумалась над словами старухи.

— Я сама из таких, — проговорила наконец она тихо и как бы сама с собой. — Только меня-то добрые люди подняли на ноги, а отца с матерью тоже не знавала.

Чуха поглядела на нее с пристальным вниманием.

— Да ты из каких? — спросила она.

— А право, и сама не знаю! — пожала плечами девушка. — По паспорту — из здешних мещан.

— Да взглянуть-то на тебя, ты, кажись, не похожа, чтобы из грубой работы? — заметила старуха, окинув ее новым взглядом, которым она делала как бы проверку для подтверждения себе своего мнения.

Маша в ответ на это только улыбнулась несколько странным, загадочным образом.

— Нет, в самом деле, мне так кажется, — проговорила Чуха.

— А мне кажется, что *ты* не совсем-то похожа на здешних, — в свою очередь заметила ей девушка. — Ей-Богу, правда! — подтвердила она с доверчиво-открытой искренностью. — Мне вот тоже кажется, что ты и сама... не простая.

— Хм... может быть... — ответила старуха с точно такой же странной, загадочной улыбкой. — Здесь ведь всякие есть между нашей сестрой. Да я не про то говорю, кто из дворян, кто из мещан, а взглянуть, например, на тебя, так видно, что живала ты хорошей жизнью, иных людей видала... Это уж всегда на человеке след какой-то остается — его не скроешь.

— Видала я всяких! — горько вздохнула Маша. — Были на моем веку и хорошие, честные люди, а были такие, с которыми... не приведи Бог никому столкнуться в жизни.

Слово за словом, разговор тянулся в этом направлении и все становился теплее да откровеннее. Душа молодой девушки слишком была переполнена всяким горем, и это горе она поневоле принуждена была до сих пор глухо таить в себе, не имея близкого, сочувственного сердца, перед которым могла бы открыть все, что так давило и глодало ее, и тем хотя несколько облегчить себя. Сердце ее было слишком молодо, и натура слишком нежна для того, чтобы могла она удовлетвориться страданием скрытым, молчаливым и гордым этою молчаливостью. Ей хотелось облегчения, хотелось доброго участия и поддержки. Их искала ее душа инстинктивно, потому что в этом облегчении и поддержке она обрела бы себе хоть немного новых сил и твердости для дальнейшего существования, подернутого для нее такой черной непроницаемостью. И теперь эта отрадная минута наступила.

В Чухе она с первого почти мгновенья сердцем учуяла хорошего, доброго и честного человека. С этой женщиной, казалось ей, можно говорить по душе: она не продаст, не насмеется, не оттолкнет тебя, она поймет все твое горе, поймет, быть может, по собственному опыту. И Маша мало-помалу рассказала ей свою жизнь в Колтовской у Поветиных, с ее светлыми воспоминаниями; рассказала то странное и непонятное ей самой участие в ее судьбе, которое принимала загадочная генеральша фон Шпильце; откровенно передала, как гнусно, каким подлым обманом распорядилась она ее неопытностью, как бросила ее в руки любовника и как, наконец, поступил с нею этот любовник. В голосе ее дрожали слезы и негодование. Чуха слушала с возрастающим вниманием и участием.

— Как зовут этого подлеца? — спросила она с чувством глубокого презрения.

Маша потупилась. При этом слове, которое с такой беспощадностью заклеймило любимого человека, ей стало больно выдать на позор его имя: воспоминание любви все еще не заглохло, не зачерствело в ее сердце. Ей было больно, и в то же время она ненавидела, она точно так же презирала его.

— Зачем скрывать! — с горечью продолжала меж тем старуха. — Если публично объявляют карманного вора, так неужели *этот* заслуживает, чтобы его скрывали из деликатности? Вздор... Если подлец — пусть всякий знает, что подлец, мол! Разве он лучше?

Маша вся вспыхнула ярким румянцем и все-таки длила свое молчание!

Чуха участливо заглянула в ее глаза и кротко взяла ее руку.

— Ты, видно, все еще любишь его? — тихо проговорила она.

Маша вздрогнула, словно бы испугалась этого слова.

— Я?.. Я люблю его?.. О нет, нет! Боже меня избави! — быстро и энергично заговорила она. — Нет, князь Шадурский не стоит любви честной женщины.

При этом имени Чуха, уже в свою очередь, вздрогнула и изменилась в лице.

— Шадурский?.. Князь Шадурский?! Как его зовут?.. Как зовут его?.. Имя? — быстрым шепотом и в сильной тревоге заговорила она, крепко сжав Машину руку.

Девушка глядела на нее с великим изумлением!

— Владимир, — было ее едва слышным ответом.

— Владимир? — подхватила Чуха, широко раскрыв свои черные и в ту минуту сверкавшие глаза. — Владимир, говоришь ты? Да уж не Дмитриевич ли, по батюшке? — добавила она с злорадно саркастической улыбкой в лице и голосе.

— Да, Владимир Дмитриевич.

— А!.. Так это, значит, сын, да, сын... — раздумчиво, медленно и словно бы сама с собою проговорила пораженная Чуха, глядя неопределенно в землю.

С минуту длилось молчание. Затем она тихо поднялась с места, медленно выпрямилась под глубоким вздохом и стала перед Машей, неотводно глядя на нее своими грустными глазами, тогда как у самой на губах мелькала какая-то иронически-странная и нервная улыбка.

— Наша судьба похожа, — заговорила она. — Со мною отец то же сделал... отец его — князь Дмитрий Платонович Шадурский... Это у них, должно быть, родовое... Сынок-то, стало быть, не из роду, а в род пошел... Оно так и следует: «C'est le principe!»[1] — прибавила она с глубочайшим презрением и великой ненавистью. — Но... ты все-таки счастливее меня! — вырвался у нее горький и тяжелый вздох. — У тебя хоть ребенка не было, а я от него дочь имела, и эту дочь они от меня украли... Понимаешь ли ты: от матери *дочь* украли!.. Запрятали, скрыли ее куда-то... Может быть... может быть, даже... убили... отравили ее. От них всего жди! От них всего хватит!

Старуха злобно махнула рукой и, торопливо отвернувшись от Маши, быстро зашагала по комнате в своих грязных кисейных лохмотьях, которые развевались в стороны от этой быстрой ходьбы. Маша молча следила за нею глазами и видела, как она нервно закусывала свою губу, стараясь глотать тяжелые слезы, которые то и дело навертывались на ресницы большими жгучими каплями.

Обе молчали. Одна баюкала больного ребенка, другая продолжала шагать между нарами, и обеим казалось про себя необыкновенно странною эта случайность, это совпадение обстоятельств и имен, отца с сыном, сыгравших такую сходственную роль в жизни той и другой женщины; и, наконец, еще более странным казалось это сходство их общей судьбы, которая в конце концов свела обеих в ночлежный дом Вяземского. Гора с горой не сойдется, человек с человеком — случается.

XLII
СВАДЬБА ИДИОТОВ

Кому из петербургских жителей не доводилось встречать на улицах ручную повозку, на которой спереди утверждена плохенькая шарманка, а сзади, в самой повозочке, помещается расслабленно согбенная человеческая фигура. Эту фигуру, купно с шарманкой, развозят по городу эксплуататоры человеческого убожества. Если вы петербуржец, то ваше внимание, вероятно, не один раз было привлечено странной физиономией человека, возимого в по-

[1] «Это правило!» *(фр.)*

возочке. Толстые отвислые губы, черные большие глаза совершенно бессмысленного выражения и болезненная бледность лица придают этому несчастному какой-то неприятный и отталкивающе суровый вид. При взгляде на него вам покажется, что он болен, животненно чувственен, скотски глуп и чертовски зол. Таково впечатление от этого лица. Но вы жестоко ошибетесь, если вздумаете поддаться своему впечатлению. Ничего этого нет. Он просто глубоко и глубоко несчастен — несчастен до беспредельной степени сожаления. Он идиот. Есть в человеческом обществе неповинные выродки, на которых, кажется, природа будто нарочно выместила всю свою злобу — насмешливую, поражающую, беспощадную. Создавая такого выродка, она как будто хотела сказать человеку: «Ты считаешь себя бессмертным, разумным духом, всесильным царем моим, ты подчиняешь своей воле мои стихийные силы, а я меж тем на этом выродке показываю тебе, что в моей власти создать тебя несчастнее всякого животного, так что любое четвероногое, пожалуй, покажется, сравнительно с этим выродком, идеалом души, ума и развития, а этот выродок — человек, единоприродный брат твой, а ты сам, со всем твоим разумом, ты тоже не избавлен от возможности произвести на свет подобного же выродка, потому что это моя тайна; мало того: это мой каприз!» Тот несчастный, о котором мы теперь говорим, является именно одним из тех субъектов, на которых природа, в своей насмешливой забаве, излила полную чашу творческой злобы. К полнейшему убожеству нравственному и уродству умственному в этом несчастном присоединялось еще вдобавок убожество и уродство внешнее, физическое. Это второй экземпляр Квазимодо, но экземпляр, лишенный всей силы, души, ума и сердца своего первообраза. Природа отпустила ему очень ничтожный рост, несоразмерно большую голову, длинные, бессильные руки и почти совсем отняла ноги: он ходит с величайшим трудом; а болезнь сделала его расслабленно согбенным, сутуловатым и как бы горбатым. Когда везут его в шарманочной повозочке, руки его болтаются как плети, а голова машинально мотается и раскачивается в стороны, словно у гипсового кролика. Казалось бы, для этого существа возможен один только приют и одно жизненное назначение: богоугодный дом, больница умалишенных, а между тем люди нашли возможность утилизировать даже и высшую степень человеческого убожества и уродства: они выставляют его напоказ, они возбуждают им чувство сострадания, в пользу собственного кармана, и хотя это чувство выражает себя не более как грошами да копейками, тем не менее из грошей получается в ежегодном результате довольно кругленькая сумма, так что шарманочный идиот составляет для этих эксплуататоров прибыльную статью кочевой, уличной промышленности. Как слышно, несчастного иногда перепродают из одних рук в другие; и это очень может быть, потому что его не всегда развозят по городу одни и те же лица. И если оно так, то идиот перепродается вместе с шарманкой и повозочкой, составляя необходимую принадлежность этих вещей. Иногда его возят женщины, иногда мужчины, смотря по тому, кто им пользуется. Летом вы его увидите в неизменной синей блузе, а зимой в каком-то ваточном отрепье. И возят его что-то очень уж с давнего времени: лет около пятнадцати, если не гораздо больше, и будут возить, вероятно, до самой смерти. Несмотря ни на суровые рождественские морозы, ни на июльский зной, вы равно увидите его в качестве неизменной поклажи все в той же самой повозочке, с тою же шарманкой, с тою же мотающейся головой, бессильными длинными руками и злобно-бессмысленным взором. Обитает он там, где вздумает поселиться его обладатель; ест то, что ему дадут, и тогда, когда дадут; а если попадется под руку тряпка, подошва, кусок глины, мочалка или что-нибудь подобное, он и то немедленно несет в рот и усердно принимается действовать зубами. Это скорее какой-то сказочный гномик, чем человек, — гномик, воочию путешествующий по петербургским улицам и дающий о себе знать хриплыми звуками разбитой шарманки.

В то время, к которому относятся обстоятельства нашего повествования, идиот принадлежал какой-то пожилой женщине немецкого происхождения. У нее был муж или сожитель, тоже немец, пропойца самого отчаянного свойства. Как наступало утро, так отправлялся он в кабак, из кабака перепархивал в полпивную, из полпивной снова в кабак, и снова в полпивную, и так далее, до самого вечера. А жена в это время шаталась по всем концам города, возя своего идиота и играя на шарманке. Муж почитал нужным сопровождать ее только в экстренных случаях, когда, например, бывают гулянки под балаганами об Масленой или Святой или на знаменитый Кулерберг под Иванову ночь, в Екатерингоф 1 мая, на Елагин 22 июля, во все же остальное время жена шаталась одна, а муж перепархивал из кабака в полпивную. Вечером возвращалась она с выручкой, иногда в полтора-два рубля. Муж требовал от нее денег, жена не давала, он ее бил и отнимал всю выручку, которая переходила немедленно в кассу кабачника. Жена наконец рассудила, что чем быть битой, так лучше самой пьянствовать. Муж ее стал бить и в этом случае: зачем, мол, одна пропиваешь всю выручку. Тогда они стали пропивать ее вместе: вечером, по приходе домой, она оставляла шарманку с идиотом в квартире, а сама отправлялась с мужем в кабак. Хотя и при таком обороте дела сожитель находил иногда нужным упражнять на жене свои кулаки, но житье их вообще пошло ладнее, согласнее: все, что вырабатывала она одна, пропивалось вдвоем. Идиот служил единственным, исключительным ресурсом и поддержкою их жизни, то есть их пьянства. В то время, о котором мы говорим, эта достойная чета со своим кормильцем и поильцем проживала в Вяземском доме. Она снимала под себя один чулан у квартирной хозяйки, той самой, у которой и Чуха имела свой приют под потолком, на верхней наре. При некоторых квартирах Новополторацкого флигеля вы можете заметить в левой стене темных сеней низенькие двери. Эти двери ведут в особые каморки или чуланы, предназначавшиеся под склад разной домашней рухляди, но вместо того служащие квартирами. Хотя они, за исключением единственной двери, совершенно глухи и темны, ибо вовсе не имеют окон, хотя и воздух там отвратителен, однако же и для этих берлог находятся свои обитатели. В иных из таких чуланов ночует от восьми до десяти человек пришлого, бродячего народу, в иных же обитают и постоянные, месячные съемщики. К числу последних принадлежала и пьяная чета обладателей шарманочного идиота. Они все втроем, вместе с повозочкой и шарманкой, помещались в тесном, узком и совершенно темном чулане, за который платили хозяйке полтора рубля серебром ежемесячно. Но им свету и не требовалось, так как чулан оказывался необходим только для одних ночлегов. Возвратясь вечером домой, немка вынимала из повозочки своего идиота и втаскивала ее на плечах по скользкой лестнице в чулан, а потом возвращалась за ним и вела его под руку. Обратный процесс повторялся утром. Пьяный муж ко времени возвращенья всегда уж поджидал ее на стекольчатой галерее. Они сажали идиота в угол своего чулана, пихнув ему в руки кусок хлеба или какой-нибудь кусок съедобной дряни, и, заперев его в совершенной темноте, сами удалялись пьянствовать. Иногда подбирала их на улице полиция и за пьянственный образ или за драчливое буйство спроваживала в часть. Идиот сидел взаперти, пока, наконец, не начинал чувствовать голод, и тогда из замкнутого чулана раздавалось его унылое мычанье. Говорить — он ничего не говорил, а все свои ощущенья изъявлял только мычаньем, похожим на телячье; когда же чувствовал прилив гнева, то обыкновенно урчал, в том роде, как урчат расходившиеся на крыше коты-соперники, когда они, облизываясь и немедленно поводя напряженно изогнутыми хвостами, сторонятся и косятся друг на друга.

В то же самое время и в том же самом Стекольчатом флигеле Вяземского дома судьба устроила пребывание и еще одного подобного же существа. Читатель мельком видел его однажды, когда, показывая ему корпорацию нищих, приютившихся на паперти Сенного спаса, мы показали, между прочим, в одном из темных углов притвора высокую, сухощавую старуху, с клоком черных с сединою волос, который выбивался на ее лицо из-под головного платка, с вытянутым, длинным носом и впалыми глазами, жадно высматривающими свою добычу. Эта старуха вместо младенца, для привлечения людского сострадания, держала у себя на руках старуху же — безобразную карлицу-идиотку. Если читатель помнит, идиотка эта была очень мала ростом и страшно худощава, так что казалась каким-то уродливым скелетиком в коже. Тупые бельма-глаза навыкате отличались у нее подвижностью, как у обезьяны, причем она еще, к довершению сходства, беспрестанно мигала веками. В этих глупых глазах сказывалось какое-то вечное выражение бессмысленного испуга, и такое выражение выдавалось тем рельефнее, что за каждым взглядом ее непременно следовало какое-нибудь трусливо-порывистое движение, какая-нибудь приниженная ужимка. Седые волосы ее путались космами и беспорядочно набегали на лицо. Идиотка спешно хватала концы этих косм и тащила их в рот, принимаясь немедленно за торопливое жеванье. Житье у старухи-нищей было ей совсем уж не красно, так что даже шарманочный идиот сравнительно пользовался все ж таки несколько более сносными условиями существования. Нищая, у которой находилась она на попечении, была очень жадное, мрачное и желчное животное. Она ненавидела это существо, которое ради собственной же выгоды, как младенца, таскала у себя на руках, скудно завернутое в грязные лохмотья. Когда нищая эта была голодна или раздражена чем-нибудь или когда выручка оказывалась у нее плохой, она всю свою злость изливала на идиотке. Она ее била и ругала. Ругани идиотка не понимала, но побои чувствовала, и, быть может, вследствие их-то у нее и образовался этот трусливый, вечно испуганный вид. Попечительница ее была особа жадная и прожорливая, поэтому она еще и не всегда-то кормила в меру предмет своей эксплуатации, а кидала ему одни только объедки свои. А между тем этот предмет служил немалым поводом к зависти товарок нищей старухи: «Это не то что с малоденцем звонить[1], — говорили они. — Где с малоденцем-то грош наканючишь, она со своей диковинной копейку подберет, потому ей кажинный за самую эту диковину скорее нашего сотворит!» Поэтому товарки ее сильно недолюбливали и рады-радешеньки бывали, коли удастся подстроить ей какую-нибудь пакость, так что нищая старуха держалась еще в среде нищенствующей братии благодаря только мужчинам и особенно старосте Слюняю, с которым, собственно ради этого обстоятельства, принуждена была делиться иногда некоторой частью своей выручки.

Насколько идиотка была подвижна, настолько шарманочный идиот отличался своей апатичной неподвижностью. У одной лицо было бессмысленно испуганно, у другого бессмысленно мрачно и зло. Одна была уж совсем старуха, другой только вступал в период полной зрелости — если только слово «зрелость» применимо относительно идиота. Ему можно было дать лет около тридцати. Все это составляло в них качества противоположные, отличные друг от друга, а засим — во всем остальном они пользовались почти безусловным сходством. У обоих все инстинкты были развиты в весьма слабой степени. Они не умели сами одеться, не умели защитить себя от опасности, от непогоды, от голодной собаки, которая порой дерзала вырывать у них из рук кусок пищи, — не понимая необхо-

[1] На местном нищенском argot *звонить* — просить милостыню.

димости есть своевременно и выбирать для еды подходящие к своей натуре вещества, тогда как эти инстинктивные свойства находим мы весьма развитыми у очень многих из бессловесных животных. Они, напротив, рады были жевать и жрать хоть целые сутки, лишь бы нашелся подходящий для этого материал. Оба весьма охотно пили помои, лакали из грязных лужиц, если их оставляли на свободе, среди какого-нибудь из дворов Вяземского дома, где им всего удобнее можно было отыскивать для жранья всякую дрянь, которая попадалась под руку. Трава, коренья, табак, земля, свечное сало, мочала, глина, солома, подошва или тряпка — все это служило им обильным материалом для их прожорливого аппетита. Грубая животненная натура проявлялась в этих двух жалчайших существах во всей наготе и срамоте своего безобразия, причем, к довершению уже всех скотских свойств, оба они отличались непомерным любострастием, которое противоестественно проявлялось в каждом из них, словно у обезьяны, одиночно посаженной в клетку. Казалось, природа не могла уже создать никакого наиболее совершенного идеала для наибольшего оскорбления и унижения человека со стороны его нравственных и духовных качеств; она создала идиота — идиота-самца и идиотку-самку, а судьба, словно бы в помощь ей, вздумала иронизировать и как бы нарочно бросила обоих в одну и ту же среду, свела в одном и том же притоне человеческого падения, нищеты, безобразия и порока.

В тот же самый вечер, когда Чуха привела Машу из Малинника в ночлежные Вяземского дома, немка-шарманщица и нищая старуха с их идиотами воротилась домой почти одновременно со своих промыслов.

— Дурни!.. Дурни Бога нашего!.. Обех волокут! Гляди-кося, паря! Инда смехотина тебе все кишки сопрет, как поглядишь, этта! — говорил один из мздовоздателей и мордобойц солдатской квартиры, указывая своему товарищу на пару идиотов, которых в это время мимо тащили за руки их обладательницы, направляясь по стекольчатой галерее к своим логовищам.

— Отчего это они не говорят, а только все это, значит, по-телячьему да по-кошачьему? — отозвался товарищ.

— Такой им, надо полагать теперича, предел положон.

— Планида такая показана?..

— Это точно что; от самого, то ись, на свет спорожденья.

— Ишь ты!.. Премудрость, право!

— Премудрость.

— И выходит одно слово, что глупые они есть люди.

— А что, брат, — начал опять первый, — я так на эфтот счет полагаю, что теперича порознь им жить очинно выходит скучно.

— Никакой приятности нету. Что ему без бабы, что ей без мужика; а копченый про копченое и на мыслях завсегда уже держит; так и они вот.

— Что, ежели бы их теперича да повенчать?

— Хе-хе-хе! А что ж? Ничего, можно!

— Поп не окрутит.

— А для чего поп? Мы и без попа, сами повершим все дела! А и потеха же это теперича, ежели бы повенчать их!.. Ей-Богу, потеха!.. Смехов-то сколько было бы!

— А и в самом деле! Дава-кося, повенчаем!

— Можно.

— Сватьев засылать надо. Кого сватьями пошлем?

— К немке заместо свата полштоф пойдет; а к халде-то к этой сватьей гривну предоставим — обе склеятся![1]

— Где склеиться! Волка ноги, брат, кормят, а у них энти дурни ровно что струмент у майстрового человека. Теперича майстровый человек без струменту ни к чему не гож, так и они. Сломайся теперича у майстрового человека струмент, ну и при чем он, выходит? Одно слово, что ни при чем, и, значит, кажинный майстровый человек допреж всего свой струмент соблюдать должон. Так ли?

— Так-то оно так, да ведь и полштоф тоже ведь денег стоит.

— Чего ей денег, коли она на своем дурне и без того кажинный день беспременно на полштоф выручает.

— А выручает, и пущай ее!.. Свадьбу все-таки можно обварганить. Коли честью не согласна, и силой отберем: поди там, судися с нами!

— А я так полагаю, что это дело, пожалуй, похерить надо, потому — плевка не стоящее.

— Зачем херить? Вот еще!.. Живешь-живешь, инда скука тебя проймет. Любопытно, как они это промеж собой... И коли ежели теперича дети от них пойдут — могут ли дети пойти?

— Беспременно могут.

— И такие же будут?

— Ровно такие ж.

— Ну и шабаш! Стало быть, свадьба!.. Ты, брат, вот что: ты за посаженного будь, и теперича ступай наших ребят оповестить, что так и так, пожалуйте, мол, на свадьбу, и кому угодно, тот давай в складчину хоть по трешке, чтобы, значит, не даром киятру глядеть — даром, мол, не допущается; а как складчина выгорит, сейчас это купим ведро водки; кто при деньгах, того подпоим, а затем в косточки аль в карты затянем, ну и, значит, выгрузку карманам задавай! Понял теперича?

— Ишь ведь!.. Голова, брат, ты, как я погляжу!.. Клевую штуку придумал! Свадьба, стало быть, пойдет только на подмазку, а главное — ширманам чистка[2].

— Верно!.. Это слово твое — самая центра! Ты, значит, за посаженного, а я хоть за попа стану — и повенчаем.

— Лады, барин, лады! Это дело ходит!

---

[1] *Склеиться* — согласиться.

[2] *Ширманам чистка* — чистка кармана.

— Ну и, значит, мешкать нечего, ступай гостей собирать.

Сговорились и принялись действовать.

Солдаткины мздовоздатели и мордобийцы по промыслу своей жизни принадлежали к мазурикам; специальность их составляла игра в карты и кости. Это были шулера, подвизавшиеся среди трущобных отребьев. Штука с идиотами экспромтом придумалась ими сколько для их собственной потехи, столько же и для собственных барышей. Оба они никогда не упускали никаких шуток, из которых могли извлечь себе какую-либо выгоду; поэтому оба весьма усердно изобретали подобные штуки.

На другой день к восьми часам вечера в солдаткину квартиру набралось изрядное количество народу. Тут все были большей частию приглашенные на предстоящую свадьбу.

Солдатка получала иногда от своих мздовоздателей кой-какие деньжишки при «тырбанке сламу», часто сама принимала некоторое участие в их шутках, и потому в данном случае не препятствовала сборищу приглашенных: она нюхом чуяла, что в ее карман перепадут ныне кой-какие лишние деньги, если затеянная штука удастся благополучно.

Чуха не покидала Машу. Они весь день провели вместе, не выходя из ночлежной.

Стояла мерзкая холодная погода, при которой, как говорится, добрый хозяин и собаку на двор не выгонит, поэтому — понятное дело — обеим им, вдосталь наскитавшимся и нахолодавшимся без крова и пищи, не хотелось расставаться хоть и с грязным, да зато теплым углом. Чуха давно уже научилась давать цену теплу, Маша только теперь; но обе равно дорожили им.

Под вечер начались нехитрые приготовления к предстоящей свадьбе. Одну нару, расположенную посередине комнаты, своротили на сторону, чтобы простору больше было. На место ее поставили маленький столишко и покрыли его узеньким полотенцем с красным узорочьем по краям. На столишке воздвигли, в виде мавзолея, бутыль водки в плетушке, а по бокам, на самом полотенце, поставили две тарелки каких-то нехитрых закусок.

— Тетка! Ты мне дай свою шемягу[1] ковровую, — обратился к хозяйке один из учредителей предстоящего торжества. — Шемяга у нас заместо ризы пойдет, потому никак без ризы венчать невозможно.

— Что и поп, коли ризы нет, — усмехнулась солдатка и достала из сундука широкий большой платок с бахромой и пестрыми разводами.

— А где ж постелю молодым построим? — домекнулся другой учредитель.

— На первой наре, супротив дверей, чтобы всем видно было, — присоветовал товарищ, и солдатка вытащила откуда-то затаскан-

[1] *Шемяга* — платок.

ную рогожку, долженствовавшую играть роль постели. Рогожу положили на избранное место.

Собиравшиеся гости перекидывались остротами и веселыми замечаниями насчет всех этих приготовлений; но более всего взоры их клонило на заманчивую бутыль, возвышавшуюся среди маленького столишки. Все эти господа, по-видимому, чувствовали себя в ожидании чего-то курьезного и смешного. Все были очень весело настроены, а наиболее смышленые и дошлые догадывались, что тут дело неспроста, что бутыль недаром возвышается мавзолеем и что двое мордобийц уж наверное имеют в виду устроить какую ни на есть ловушку насчет карманной очистки. Эти дошлые помалчивали, переглядывались порой многозначительными взглядами, и только знай ухмылялись себе, наблюдая все приготовления.

Между тем около девятого часа воротилась немка-шарманщица. Ей напрямки был предложен полштоф водки, с тем чтобы она отдала на один час своего идиота, а сама поиграла бы в это время на шарманке. Немка, не успевшая еще напиться, вздумала было заартачиться, но пьяный муж, в виду такого соблазна, каким представлялся ему даровой полштоф, пригрозил ей побоями, показал два мощных кулака — и идиот был отдан, а владетельница его после такой угрозы беспрекословно согласилась вертеть ручку шарманки.

Начало было сделано скоро и вполне успешно; оставалось только добыть теперь идиотку.

Вскоре на стекольчатой галерее показалась и длинная, сухощавая фигура старухи-нищей, со своей обычной ношей. Нищая на сей раз казалась очень суровой и злой. Сидевшая у нее на руках идиотка вздумала было потащить в рот бахромку ее головного платка и получила за это затрещину.

— Пузырится! — заметил один учредитель другому, намекая на гнев старухи-нищей.

— То и на руку! — возразил другой. — Значит, выручка плоха; может, ни каньки не скенит[1], а тут ей жирмашник[2] в зубы — и шабаш!

Предположение последнего оказалось верным. Старуха действительно была голодна и трезва, поэтому и не отказалась от предложения двух учредителей свадьбы, только выговорила себе вместо гривенника пятиалтынный. Те согласились и получили идиотку. Компания зрителей, приглашенных на свадьбу, была почти вся уже налицо. Там случилось человек тридцать народу, между которыми виднелись физиономии разных жоржей, торчал костыль хроменького, выставлялся красный нос косоглазого Слюняя, нищенского старосты, вертелась монашеская ряска ходебщика на построение храмов; несколько женских юбок шмыгали между нарами и юркали

[1] *Ни каньки не скенит* — ни копейки нет.

[2] *Жирмашник* — гривенник.

за перегородку шушукаться с квартирной хозяйкой. Несколько местных аристократов из чиновников тоже присутствовали в числе гостей. На них-то главнейшим образом и метили учредители свадьбы, имея в виду затянуть их потом помаленьку в игру. Для этого они успели уже угостить их водочкой. Чиновники были очень веселы и держались отдельной группкой. Им оказывалось предпочтительное внимание со стороны мордобийц и мздовоздателей, и чиновники показывали вид, что умеют чувствовать и понимать таковое предпочтение. Немка с супругом и шарманкой находились тут же и успели уже угоститься из предложенного им полштофа, а идиот, которому дали сосать говяжью кость, озирался на всех с весьма тревожным видом: он не привык видеть себя в эту пору среди такого большого общества, так как в этот час находился обыкновенно под замком, во тьме кромешной своего чулана. Это сборище людей, из которых многие обращали на него предпочтительное внимание, дотрагиваясь до него, словно до диковинной вещи, руками и пальцами, очевидно беспокоило идиота, повергая его в тревожное состояние духа. Шарманщица, замечая это, время от времени ободрительно поглаживала его по голове, в том роде, как обыкновенно поглаживают барсуков, лисенят и медвежат те деревенские парнишки, что показывают иногда по дворам «чудного зверя зверьского».

Среди всей этой компании были только два лица, относившиеся вполне безучастно ко всему происходящему перед их глазами. Это были Чуха и Маша. Девушка смотрела на это сборище, на эти приготовления совершенно безразличным взором как на нечто совсем постороннее, не касающееся до нее нимало. Она не понимала, что такое и зачем, с какою целью все это творится. На душе у нее было еще слишком много своего собственного горя и невзгод, так что, погруженная в свой внутренний мир, она почти и не видела, не замечала, что делается вокруг. В ту минуту Маша, в глубине души, была искренно рада одному только обстоятельству — что не шатается без цели по улицам голодною бесприютницей, что находится наконец под теплой кровлей, рука об руку с существом, которому она доверилась и которое успела уже искренно полюбить среди своего сиротского одиночества.

— Готово! — вскричал один из учредителей, внося на руках карлицу-идиотку, которую только что добыл от нищей на стекольчатой галерее.

Вслед за ним из дверей показался и резкий профиль высокой, сухощавой старухи.

— Музыка! Играй!.. Встречай молодую! — распоряжался он, пробираясь сквозь толпу со своей ношей.

Шарманщица завертела ручку. Раздались сиплые, свистящие и хрипящие звуки какого-то марша. Пьяный немец бил такт ногами и ладонями и вдруг пустился маршировать по комнате, начальственно махая рукой и выкрикивая:

— Патальон! Стой, равняйсь!.. Направо марш! Але!.. Алемарш! Дирекцион вперот... Ур-р-ра-а!..

Публика осталась очень довольна началом комедии и нетерпеливо ждала продолжения.

— Молодых на переднее место! Под богов, под богов сажай их, с почетом!

И двух идиотов посадили рядом на одну нару. Самец, тяжело и медленно дыша, озирался по сторонам дико и подозрительно, а самка сосредоточенно погрузилась в торопливое жеванье космы своих собственных волос.

— Теперь батька оболокаться пойдет, а вы, публика почтенная, жди да молодых не задирай, пущай не пужаются.

Один из затейников свадьбы ушел за перегородку и вышел оттуда в распущенном ковровом платке, который он обвязал двумя концами вокруг своей шеи, сотворив себе таким образом некоторое подобие ризы.

Одобрительный хохот зрителей встретил появление его в этом наряде.

Двух идиотов поставили посередине комнаты, перед столом, на котором возвышалась бутыль.

— А что же брачующиеся-то без свечей? — компетентно заметила монашеская ряска ходебщика. — Подобает дать им в руку свечи возженные! Потому без свечей возженных и брак не в брак.

— Хозяйка! Дай им по сальному огарку! — предложил кто-то из зрителей.

— Ишь ты, чего еще вздумал!.. По сальному!.. Они сало-то сожрут, а за свечку, поди, чай, тоже деньги платим, — отгрызнулась солдатка. — И без свечей повенчаются!

— Без свечей, говорят тебе, никак невозможно!

— Ну ладно! Пущай заместо свечки что другое возьмут.

— Да чего там! Дать нешто одному ухват, а другому кочергу — вот и свечи им будут!

Мысль эта встретила полное одобрение как со стороны публики, так и со стороны самих затейников. Дали одному ухват, а другой кочергу и снова подвели к столику.

Игравший роль венчателя налил из бутылки полный стакан, и, обернувшись с ним лицом к идиотам, заговорил нараспев:

Венчаются кулики
На болоте на реки,
Яко масленники,
Ни с горохом,
Ни с бобами,
А с картофелью.

Вслед за этим он залпом выпил налитый стакан и, скомандовав шарманщице, чтоб она «дула развеселую», взял было за руки идиотов...

Публика хохотала и еще теснее понадвинулась к месту действия, сплотившись в тесный кружок.

Идиоты, вспуганные этим неумолчным хохотом и этим вниманием, которое в данную минуту было устремлено исключительно на них, стали озираться еще диче, и наконец оба задрожали всем телом. Когда же снова раздались звуки шарманки и венчатель вздумал взять их за руки, перепуганные и раздраженные самец и самка, побросав ухват и кочергу, мгновенно порскнули в разные стороны.

Хохот сделался еще громче, еще веселее; многих уже кололо в подреберья.

Оба затейника принялись ловить брачующихся, а те, видя новую напасть, забились — один под нары, другая в угол около печи. Самца достать было несколько трудно: он, как раздраженный кот, урчал и шипел оттуда, выказывая самые враждебные намерения относительно своего ловца. Самка же, более беззащитная, сильно тряслась всем телом и так корчилась да ежилась, словно бы хотела уйти спиною в самую стену. Поймать ее не составляло никакого труда, и потому, когда приспешник венчателя, ловившего идиота, подступил к идиотке, та, видя себя в крайней уже опасности, присела на корточки и вдруг пронзительно и долго завизжала тем самым звуком, как визжит иногда заяц, когда его уже доспела гончая собака.

У Маши не хватило сил выносить далее эту сцену. Заткнув уши, с мутящим чувством в душе, она опрометью кинулась к дверям и выбежала из ночлежной квартиры, в которой раздавались смешанные звуки хохота, шарманки и заячьего визга. Она бежала вдоль по галерее, бежала безотчетно, не зная куда и зачем. Ей только хотелось вон, поскорее вон из этого вертепа, из этой тлетворной заразы.

За нею поспешала старая Чуха, но Маша не видала ее. Чуха кликнула девушку по имени, та не слыхала ее. Наконец старухе удалось догнать ее в конце коридора, уже у самой лестницы, и схватить ее за руку. Маша только теперь словно очнулась немного. Она в отчаянии схватилась обеими руками за голову и с внутренним усилием прошептала:

— Вон, вон отсюда!.. Скорее вон!.. Сил моих нету!..

Старуха сама была потрясена, а вид этой несчастной девушки еще увеличил ее тревожное, смутное состояние. Она молча взяла Машу под руку, бережно свела ее с лестницы и повела вон из Вяземского дома.

...Описывать далее импровизированную свадьбу идиотов нет ни малейшей возможности для печатного слова. Довольно сказать одно, что затея наконец удалась двум мордобийцам солдаткиной квартиры. Идиоты были повенчаны; публика, наслаждавшаяся отвратительным зрелищем, хохотала под звуки шарманки и разошлась необыкновенно довольная спектаклем. Наконец, та часть этой публики, на которую устроители идиотской свадьбы имели свои расчеты, достаточно напоена и обыграна в карты и кости. Безобразная оргия и игра длились до самого утра, после чего обыгранные и пьяные игроки были вытолканы взашей, а барыши разделены между солдаткой и двумя ее приспешниками.

XLIII
КЛОПОВНИК ТАИРОВСКОГО ПЕРЕУЛКА

Низенькая комнатка в два окна, оклеенная шпалерами, освещалась лампой, повешенной на стену. Комнатка была перегорожена дощатою перегородкой, не доходившей до потолка, и разделялась на пять или на шесть узеньких, тесных и темных клетушек. Оба низких маленьких окошка до половины закрывались белой и красной шторкой на вздержках, дабы с улицы не было видно, что творится внутри, так как эта комнатка помещалась в нижнем этаже огромного каменного дома и окнами выходила на Таировский переулок, что выводит с Сенной на Садовую. На стенах этой комнатки висели две-три раскрашенные литографии, из коих одна изображала какую-то торжественную церемонию, а две остальные — сентиментальные сцены кавалера с дамой. К одной стене приткнулись убогие, допотопные клавикорды, к которым страшно было прикоснуться — до того они дребезжали и шатались на непрочных ножках. Клавикорды, наверное, отжили мафусаилов век, в чем можно было вполне удостовериться, взглянув на пожелтелые, истершиеся клавиши; и все-таки, несмотря на свое инвалидное долголетие, инструмент продолжал каждый вечер и каждую ночь добросовестно отбывать свою музыкальную службу. За клавикордами восседала растрепанная, рябая, пожилых лет особа, в весьма большом дезабилье, и с грустной сентиментальностью аккомпанировала своему пьяновато-сиплому, разбитому голосу весьма чувствительный романс, причем ей никак не удавалось выговаривать чисто букву «с», вместо которой все выходило у нее шепелявое «ш».

Я тиха, шкромна, уединенна,
Цельный день сижу анна,
И сижу амнакнавенно
У камина блишь окна, —

выводила девица свои чувствительные ноты, причем на слове «у камина» взвизгивала во весь полный голос. На следующем куплете, под ту же самую музыку и под тот же мотив, у нее выходил уже новый «романец»:

Гушар на шаблю опирался,
Надолго ш милой ражлучался.
Прости, крашавица, слезами,
Амур все клятвы наши пишет
Штрелою на воде в воде.

Девица вздыхала и пела, пела и вздыхала, а по комнате в это самое время бродили с перевальцем еще три или четыре подобные же девицы, из коих одна кушала луковку, а другая курила махорчатую папироску, тогда как две остальные поднимали промеж себя звонкую тараторливую перебранку.

— Ну признавайся! Слукавилась? Слукавилась? — наступала одна и голосом, и руками.

— Чего признавайся! — отмахивалась другая. — Разве ты мне духовный отец аль последний конец?

— Пущай глаза мои лопнут!

— Не бойсь, не лопнут!

— Нет, лопнут! Лопнут!.. А ты — никогда ты меня не порочь, потому — я хорошая девушка, а ты под присягу поди!

— Пойду ли я присягать? Нешто я дешевле тебя?

— Желтую б заплатку тебе на спину, коли так, да за город!

— Сама, сама была запрещена в столице!

— Эх ты, ноздря! — с величайшим презрением брякнула наконец одна из спорщиц, и это слово, как фитиль, приложенный к пороху, произвело взрыв: обе кинулись в цепки, поднялась драка, полетели клочья.

— А!.. Наше вам! Четыре здоровья, пята легкость! — раздался вдруг звонкий, веселый голос, и в распахнувшихся дверях показалась представительная фигура Луки Летучего.

— Важная лупка! Инда перье летит! Катай, марухи![1] Лупи, котята! Жарче! — возглашал Лука, вступая в комнату. — За што ломка идет? — обратился он к особе, жевавшей луковицу.

— Да уж у них дело такое, примером, что у той петельки, а у той крючочки, а застегнуться не могут: вот и драка схватилась.

— Ну и пущай их, коли развлечение такое! Оно мне стольки чувствительно, скольки занимательно. А ты мне, мадам, «Муфточку» взыграй — очинно уж люба мне эта самая ваша песня, — отнесся гость к музыкантше. — «Муфточку», значит, да две пары пивка выставьте, потому благодушествуем.

И он швырнул на стол желтенькую ассигнацию.

— Ну, марухи, одначе же будет вам драться! Не мешайте мне песню слушать!

Марухи все-таки дрались, и потому Лука нашел себя вынужденным взять за шиворот одну, взять за шиворот другую, приподнять обеих на воздух, слегка потрясти, покачать и со смехом поставить наземь друг против дружки.

— На всяк день, на всяк час помни, что ты есть баба, — внушительно обратился он к той и другой, выразив почему-то в слове «баба» великое свое презрение, так что тем оно даже и обидным показалось.

---

[1] *Маруха, марушка* — женщина.

— Да я-то — баба, с какой хошь стороны поверни, все буду баба! — раззадорилась марушка, войдя в азарт уже против Летучего и позабыв свою антагонистку. — А ты...

— Что, небось, дурен, скажешь?

— Сам знаешь, каково кроен да шит.

— А что ж? Ничего: дурен, да фигурен — в потемках хорош.

— Хорош, кабы не пархатный!

— Чево-о-с?.. Можешь ли ты, насекомое ты эдакое, можешь ли ты мне слово такое сказать? Никак того моя душа не потерпит, и как есть я купец...

— Купец из Рабочего дома! — перебила марушка.

— А по-твоему — кто?

— По-моему, бубновый туз в кандалах — вот кто, по-моему!

— Хм... Тэк-с!.. Пожалуй, хоть я и туз, да только козырный, — бахвалился Лука, избоченясь и расставляя ноги, — а ты — той же масти дама, а туз даму бьет.

И в подтверждение этой теории он совершенно спокойно одним ударом упражнил над ней свою руку.

Та с визгом опрокинулась навзничь, а Лука, словно ни в чем не бывало, подал встревожившейся музыкантше трехрублевую бумажку и сел на стул у окошка.

— Отдай это ей, мадам, на пластырь, да убери ее куда подале, потому — не по сердцу мне такая концерта, — пояснил он музыкантше, принимаясь за пиво. — Да накажи ты ей, пущай мне спасибо скажет, потому, говорю тебе, благодушествуем!.. Я нониче добрый, совсем добрый, право!

И, отвернувшись к окну, он раскрыл форточку, объявив, что больно жарко ему, и машинально стал глядеть в нее на улицу.

Вскоре на панели остановились две женские фигуры. Они разговаривали, и можно было слышать голоса.

— Куда ж ты? Куда? — заботливо и тоскливо раздавался голос, очевидно, старухи.

— Все равно... Куда глаза глядят, — отвечал ему голос молодой, но полный отчаяния.

— Да ведь... милая, подумай!.. Ведь пропадешь!

— И лучше! Один конец!.. Мне там непереносно, не могу я этого!.. Не могу!..

Послышалось тихое, судорожное рыдание, сквозь которое прорывались отрывистые слова девушки, припавшей к плечу старухи.

— Прощай... Нейди за мной... нейди дальше... я одна... одна я пойду... Прощай... Спасибо тебе... Пусти меня!..

Лука Летучий вглядывался, вслушивался, и вдруг его рожа осветилась плотоядно-чувственной улыбкой.

— Эге!.. Да это зверь-девка вчерашняя!.. Она, она и есть, — пробурчал он себе под нос, напряженнее устремив взор на фигуру девушки. — Ну, вчера в Малиннике из рук упорхнула лебедка, сегодня не уйдешь!.. Не уйдешь!..

И с этой мыслью он быстро выбежал на улицу.

Раздался испуганный крик двух женских голосов, и, менее чем через минуту, Летучий, словно ошалелый, опять вбежал в комнату, облапивши в охапку молодую девушку, которая отчаянно кричала и тщетно билась из его крепких рук.

Это была Маша.

Потрясенная и возмущенная вконец сценою свадьбы идиотов, которая только что разыгралась перед ее глазами, она чувствовала, что решительно не может уже ни минуты долее оставаться в этом диком и страшном мире, в смрадной, зараженной среде этих безобразных людей. Ее душила эта растленная атмосфера порока и разврата, она задыхалась в ней; она мгновенно раскаялась теперь, что вчера не хватило решимости броситься в прорубь и разом покончить с собой навеки. Она теперь хотела бежать, бежать и бежать — без оглядки, без цели, с одной только мыслью — забежать туда, где нет и следа человеческого, чтобы никогда не досягнул больше до слуха ни единый звук человеческий, чтобы не коснулись ума и памяти ни единая мысль, ни одно напоминание об этой жизни, об этих людях. Внутри ее все, решительно все было потрясено, оскорблено, разбито. Ей стало до мучительного ужаса страшно и холодно не за себя, но за жизнь, за человека страшно, и до злобы оскорбительно за самого Бога, в бесконечную благость которого она так привыкла веровать, за Бога, допустившего возможность подобной жизни и создавшего подобного человека.

И вдруг — нежданная встреча с Летучим, в тот самый момент, когда ей думалось, что она уже ушла и покончила с тем, что так бесконечно возмутило ее.

Лука Летучий уже третьи сутки гулял и пил самым беспардоннейшим образом. Он прогуливал выгодную поживу своего последнего и весьма выгодного воровского дела. Этот человек жил только для себя, и не умел, и не мог отказать себе в чем бы то ни было, если уж оно раз забрело ему на ум или запало в душу. Эти дни он обретался в каком-то угарном чаду, который неослабно поддерживался сильным количеством спирту. Это была заматерелая, закаленная и какая-то слоновья натура! Взбудораженные и воспаленные инстинкты его расходились теперь до того, что ни в чем не знали предела. В необузданной чувственности своей он дошел до бессмысленного зверства, и со вчерашнего вечера, в течение последних суток, к нему неоднократно возвращалось воспоминание о вчерашней зверь-девке, дерзнувшей выступить перед ним в защиту какого-то мальчонки. Ее поступок показался лю́бым его сердцу: такая неожиданная дерзость пришлась ему по душе, а ее поцелуй, это прикосновение ее губ, и потом столь близкое прикосновение к ее телу взбудоражили его сладострастие. Этот волк стал мечтать об этом ягненке и точил на него свои зубы. В течение всего дня он неоднократно с досадой восклицал себе: «Эх, жаль! Упустил ни за что девку!.. Вот кабы такую в полюбовницы!» И эта мысль донимала его. Вдруг — судьба, словно бы нарочно, дает ему возможность овладеть зверем-девкой, и на сей раз он уже не упустил случая.

— Замыкай дверь! Замыкай дверь! — чуть не задыхаясь, говорил он музыкантше, сцепив свои зубы и весь дрожа от волнения. — Все отдам, бери все, что есть, только двери замкни, чтобы ни единой души не вошло!

Все женщины, бывшие в комнате, стояли истуканами, изумленные, перепуганные, недоумевая, что все это значит. А между тем на улице раздавались отчаянные вопли Чухи, призывавшей караул на помощь.

Пьяный Лука, вконец опьяненный еще дикой страстью, уже решительно не помнил, где он и что он делает. Бросив на пол почти бесчувственную девушку, он кинулся к двери и трепещущими руками старался замкнуть ее на ключ. Музыкантша, кое-как пришедшая в себя, с криками пустилась за ним — попрепятствовать ему в этом намерении, Лука отшвырнул ее в сторону, как щепку. Остальные женщины разбежались и в страхе попрятались по своим конурам. А крики Чухи не умолкали. Она тщетно ломилась в ту же дверь из сеней: Летучий крепко ухватился за медную ручку.

Маша почувствовала, что нет почти уже никакого исхода, что она во власти этого зверя, и вдруг, инстинктивно вскочив с полу, кинулась к окну, схватила стул и с размаху принялась вышибать им раму. Стекла задребезжали и мелкими звеньями посыпались на улицу.

Летучий, как кошка, бросился к ней от двери, которую так и не удалось ему замкнуть, и быстро ухватил сзади руки девушки.

В ту минуту Чуха ворвалась в комнату, а под окном, где уже успела столпиться куча прохожего народу, вдруг пронзительно раздался призывной свисток полицейского.

Следом за Чухой появился хожалый, дворники и несколько любопытных.

Музыкантша с воем указала на Летучего. Его схватили и скрутили локти назад. Сила этого человека уступила силе восьми дюжих рук.

Увидя себя связанным, Лука громко вздохнул, как бы от сильной усталости, огляделся вокруг, тряхнул головою и спросил чего-нибудь испить. Испить ему не дали.

Чуха сволокла обессиленную Машу на диван и принялась суетиться около нее, не зная, как и чем унять ее глухие, тяжелые рыданья, а музыкантша вместе с остальными подругами своими, которые теперь уже смело повыскакивали из конурок, взапуски и вперебой объясняли, с воем и плачем, свое великое горе, рассказывая без толку всю историю, случившуюся за минуту.

— Эта девушка, миленькие, обидела меня! — пьяно кричала музыкантша, ударяя себя в грудь и указывая на лежащую Машу. — Я не какая-нибудь, у меня комната шпалерками оклеена, а она, подлая, у меня окно вышибла, шкандалу мне наделала, штул хороший поломала, я за штул в рынке шама тоже руб-цалковый платила!.. Не прошшу я такую обиду при моем бедном звании!.. Я хорошая девуска, миленькие, я хорошая!.. Я не приглашала ее к таком телоположению!..

Появились еще двое городовых, потревоженные свистком своего товарища.

— Ишь, фараоново войско! — не без иронии пробурчал себе сквозь зубы Лука Летучий.

— Ты откелева? Ты здешняя? — обратился один из блюстителей к Маше, которая едва лишь успела немного опомниться.

— Нет, — ответила за нее Чуха.

— Как звать тебя?

Маша назвалась.

— Где живешь?

Ответа на вопрос не последовало.

— Ну, стал быть, из бродячих! — порешил блюститель. — Вид твой при себе? Подай-ко вид сюда!

Маша торопливо опустила руку в карман и вдруг остолбенела: она не нашла там паспорта. Стала искать во всех карманах — нигде не находится. Она и не знала, как был украден в ночлежной ее вид, во время сна, ее соседом по месту на общей наре.

— А впрочем, там ужо в конторе разберут, — заметил допросчик. — Нечего толковать! Марш за мною в квартал! Все марш! Ребята, ведите-ко! Забирай всех, сколько ни есть, ужо разберут.

— Ну-у!.. Замололо! — свистнул Летучий с значительною долею смешливого ухарства. — Мне что? Мне все равно что ничего! Одно слово: плевать вам в тетрадь! Попотеем денек да и выпрыгнем. Свои люди — сочтемся, не впервой ведь! Ведите меня, воины поштенные.

— Ишь ты, тигра зверинская! — плакалась на него удрученная музыкантша, отправляясь в кучке по общему назначению. — Ты его считай за апостола, а он тебе хуже кобеля пестрова!

— Ну ты, насекомое, молчать! — цыцнул на нее Летучий и, проходя уже по тротуару мимо толпы любопытных зрителей, бахвалясь, гаркнул им во все горло:

— Эх вы, баря!.. Гляди-кось, много ли ваших крестьян мимо нас ходит?! Ась?

И пошел себе, напевая:

> Тыра, тыра, перетыра!
> Ты марушья заколдыра!
> Тыра земко стремит,
> А карман ему грозит,
> Дядин домик сулит,
> Сулит кряковки
> Да бриты маковки!
> Ай да, ну да два,
> Ходи улица моя!

ЧАСТЬ ШЕСТАЯ

ПАДШИЕ. КОЕМУЖДО ПО ДЕЛАМ ЕГО

I

НОЧНЫЕ СОВЫ

Ночные совы — птицы совсем особого полета. Это птицы домовитые, они не любят света, они ищут тьмы, таинственности, уединения. Поэтому субъекты, принадлежащие к досточтимому обществу сов, избегают градского центра и мест, к нему прилегающих, ибо сии места, по преимуществу, отличаются светом и людностью. Они, напротив, избирают для жительства своего городские окраины, вроде под-Смольного, глухой Петербургской, Коломны за Козьим болотом, Аптекарского острова, поблизости какой-нибудь речонки Карповки.

В этой последней местности сова устраивается обыкновенно таким образом.

Избирает она гнездом своим старую дачу — либо благоприобретенную, либо родовое свое наследие от отцов и дедов — последнее даже чаще первого, — поселяется в этой даче со чады и домочадцы и со всем хозяйственным полупомещичьим обиходом; живет там безвыездно лето и зиму и убеждена, что живет «по-барски». «Жить по-барски» — это идеал птичьей жизни, к которому она вся стремится; но только эта «жизнь по-барски» понимается здесь весьма скромно, совершенно не так, как понимается она в каком-нибудь палаццо Сергиевской улицы и Английской набережной. Барская жизнь домовитой птицы несколько приближается к былой жизни помещиков средней руки, то есть душ в триста, в шестьсот; и действительно, обыденные подробности птичьей жизни по характеру своему напоминают нечто патриархальное, что весьма плохо вяжется с тем представлением, которое возникает в нашей голове при слове «Петербург». Какой в самом деле диссонанс: Петербург и патриархальность! Но седьмой фиал гнева не совсем еще излился над этим городом, и, надо полагать, что ничему другому, как только этому обстоятельству, можно еще приписать существование в Петербурге некоторой патриархальности по закоулкам Аптекарского, под-Смольного и Козьего болота.

Держит обыкновенно домовитая птица широкие, вместительные дрожки на низких рессорах и рыженького или буланого, поджарого, пузатенького и куцого меринка. Меринок этот — лошадь добродетельная и смирная; трусит себе помаленьку, степенною рысцою и знать больше ничего не хочет. Правит им всегда кучеренко неказистого вида, который у птицы успел уже выжить лет двадцать с хвостиком, да все на том же «месте» и помереть собирается. Сидит он на козлах крендельком, в неуклюжей старосветской поярковой шляпе, образы которой можно еще встретить по кой-каким захолустьям нашего обширного отчества, у какого-нибудь засидевшегося до плесени на одном и том же месте городничего, у какого-нибудь заседателя или в губернском городе у старика-доктора из немцев.

Вот такой-то пузатенький, поджарый меринок, которому весьма привольно обитать на Аптекарском острове, на птичьем корме, имеет почти исключительной обязанностью своею совершать в развалистых дрожках экскурсии «в город» в тех редких случаях, когда птице-мужу или птице-жене представляется надобность съездить или по своим делам каким-либо, или в Гостиный двор за хозяйственными и иными закупками. Этот меринок с развалистыми дрожками и этот беззубый кучер в старосветской заседательской поярке составляют первые и неизменные атрибуты птичьего житья «по-барски».

Но кроме двух главнейших атрибутов вы всегда найдете у петербургской птицы в се захолустном обиталище домашний квас, домашнего печения булку-папушник, домашнее варенье, домашние настойки (иногда от сорока восьми недугов) и грибки с огурцами домашнего же соленья. Хотя все эти предметы гораздо легче и удобнее, без всяких хлопот, можно добыть в любом фруктовом и бакалейном магазине, но домовитая птица непременно желает, чтобы все это было не иначе как только домашнее: она *любит*, чтобы это было *домашним*, она любит самый процесс варенья, соленья, настаиванья и сбереженья на зиму, ибо все эти предметы, наряду с пузатеньким меринком, составляют атрибуты птичьего житья «по-барски». Без этого птица и жить не может.

Не все птицы, конечно, живут по *дачным* захолустьям. Большая часть из них, как уже сказано, лепится в захолустьях городских, вроде под-Смольного, под-Невского и Козьего болота, где они обитают по преимуществу в своих собственных родовых или благоприобретенных домиках. И замечательно вот что: насколько дачные обиталища являются преимущественно родовым, унаследованным достоянием, настолько же городские составляют имущество благоприобретенное, большею частью купленное на женино имя, из скромного капитальца, сколоченного помаленьку, во время служебного поприща мужа. Птицы имеют пристрастие к домикам деревянным или на каменном фундаменте, с мезонином и садиком — непременно с мезонином и садиком, приноравливая к сему, по патриархальным свойствам натуры своей, и настойки с огурцами, и кургузого меринка. Значит, думают себе, что тоже живут «по-барски». Они все без исключения очень любят свои захолустья с их ближайшим околотком; они привязаны к ним душевно, ибо в течение долгой жизни своей как-то органически срослись с почвой окружающей местности и всегда, с некоторым умилением даже, говорят не иначе как *у нас* под-Смольным, *у нас* на Аптекарском, *у нас* на Козьем. Все эти Козьи болота, под-Невские и Аптекарские они уже привыкли считать чем-то своим, прирожденно собственным, нераздельно слитым с их существованием.

Но не думайте, чтобы в характере жизни домовитых птиц было что-либо общее с жизнью той среды, представителями которой у нас являлись старички Поветины в буколической Колтовской. Нет, Поветины — люди так себе, мелкая сошка, совсем простые, хорошие люди, живут себе скромно, безвестно, богобоязненно, по пословице «день да ночь — сутки прочь, — к смерти ближе», не тронь, мол, только ты нас, а мы-то уж тебя никак не тронем. Словом сказать, живут, как Бог послал, беззатейно да помаленьку. В птичьем же обществе есть свои стремления, свои цели, свои интересы, своя борьба, и победы, и невзгоды, свои политические вопросы и волнения, даже — даже своя пропаганда.

Птицы почти исключительно принадлежат к дворянскому сословию, да и не просто к дворянскому, а к столбовому, и сами себя, при случае, очень любят заявлять «столбовыми». У них есть свои традиции, и каждая из птиц может похвалиться каким-нибудь своим дедушкой или дядюшкой, который «в свое время на всю губернию был барин». Но... от широкой жизни этих дедушек и дядюшек нынешним старикам-племянникам и старушкам-внучкам остались очень скудные обрезки, вроде псковской или новгородской усадьбы душ в двести или, чаще всего, вроде старинной барской дачи, а не то — домика с мезонином и садиком. Птицы очень любят хвалиться своим родством, в котором непременно состоит какая-нибудь никому не ведомая княгиня Подхалим-Закорюкова или князь Почечуй-Чухломинский. И это все будут князья и княгини очень древние, что называется, рюриковичи, до такой степени древние, что про них даже никто уж и не знает и не помнит, но тем не менее они есть или были и состоят в родстве с домовитыми птицами, и домовитые птицы считают их людьми в свое время очень вескими.

Но столько же, сколько своим родством с княгиней Подхалим-Закорюковой и князем Иваном Почечуем, домовитые птицы любят хвалиться при случае и своим коротким знакомством с различными представителями ныне сияющих барских фамилий. Нужды нет, что эти представители иногда успели уже давным-давно позабыть о самом существовании какой-либо птицы и даже не вспомнят имени ее, если начать им припоминать и растолковывать, домовитые птицы все-таки хвалятся этими quasi знакомыми, и это приносит им истинное удовольствие. Если кому-нибудь случится упомянуть случайно имя какого-либо из этих современно блистающих представителей, птица никак не утерпит, чтобы не умаслить при этом лицо свое улыбкой, довольством сияющей, и не промолвить тоном, в котором будет сквозить оттенок даже некоторой приятельской фамильярности, смешанной, впрочем, с чувством подобающей почтительности: «А... князь Илья Семенович!.. — скажет птица. — Как же, как же! Старые сослуживцы!.. Приятелями были!» или: «Э, батенька, что вы мне говорите про графа Андрея!.. Уж мне ли не знать его! Однокашники! На одной скамейке сидели, вместе на кулачки дирались, вместе и посекали нас!», или, наконец: «Когда я воспитывалась в Смольном, мы с княгиней Аглаей уж какие подруги были!.. Она теперь как встретит меня, все вспоминает: а помнишь, ma chère[1], кофейных? а помнишь, mon ange[2], нашу maman?.. Такая, право, милочка, эта княгиня Аглая!.. Все к себе зовет, да вот никак не соберусь!» И при этом необходимо следует полный вздох умиления и довольства. И птицы счастливы, что им удалось намекнуть или приплести кстати и некстати о своем аристократическом знакомстве. Они, все без исключения, необыкновенно интересуются знать, что делается в кругу этих современно блистающих представителей, о *чем* они говорят, *чем* занимаются, *кто* за кого дочку выдал или сына женил, какая жена с мужем разошлась и отчего это произошло, и кто и с кем находятся в контре; и при этом обнаруживается у них полное и самое подробное знание восходящего родства и свойства этих знаменитостей и самое твердое знание всех без исключения имен и отчеств их, так что если промеж ними, например, говорится: «князь Владимир Андреич» или «графиня Дарья Савельевна», то каждый уж очень хорошо знает, о каком именно князе Владимире Андреевиче и о какой графине Дарье Савельевне идет дело. И все принимают участие в этом разговоре, и сердцу каждого оказываются весьма близки и князь Владимир Андреевич, и графиня Дарья Савельевна; а те, между прочим, даже и не подозревают, что есть на свете совсем посторонние люди, которые так живо, com amore[3], интересуются их особами и их делами. Но как тут не интересоваться, если сплетни и рассказы из высшего света составляют пищу и одну из любимейших тем домовитых птиц при каждой почти их встрече, при каждом птичьем собрании!

Птицы, однако, не любят сходиться с новыми личностями. Они предпочитают вращаться в тесном и замкнутом кружке своего птичьего общества, члены коего все связаны друг с другом самою интимною привязанностью, и постороннему человеку, что называется «человеку с ветра», нет почти никакой возможности проникнуть в их заколдованный круг — разве уж кто-нибудь из доверенных птичьих членов, за строгим своим ручательством в достодолжной доброкачественности рекомендуемого субъекта, возьмется ввести

---

[1] Милочка (*фр.*).

[2] Мой ангел (*фр.*).

[3] С любовью *(итал.)*.

его в птичье общество, и тогда уже новая личность остается на ответственности своего поручителя. Для этого надо, так сказать, пройти несколько мытарств и искусов.

— Евдокия Петровна! Савелий Никанорович! — говорит какой-нибудь член птичьего общества. — К вам в дом желает быть представленным господин Триждыотреченский. Позволите вы это?.. Он уже давно ищет этой чести.

Евдокия Петровна и Савелий Никанорович делают мину кислого и недоверчивого свойства.

— А кто такой этот Триждыотреченский? — мямлят они сквозь зубы.

— Триждыотреченский?.. Мм... Он, сколько мне кажется, очень достойный и благонамеренный человек, — замечает адвокат нововводимого члена.

— А какой чин на нем?

— Титулярный советник, в капитанском ранге.

Евдокия Петровна и Савелий Никанорович вторично делают мину отчасти кислого свойства.

— А где служит? — продолжают они.

— В N-ском департаменте столоначальником.

— Хм... А как начальство аттестует его?

— Начальство ничего... Чиновник доброкачественный.

— То-то! Нынче поди-ка поищи их, доброкачественных-то! Все вольнодумство да непочтительность! — с прискорбием размышляют супруги.

— Нда-с!.. Времена!.. Что называется, tempora et mores[1], как сказал философ... все прогресс этот! — с грустно-презрительно-снисходительной улыбкой вздыхает в ответ на это размышление адвокат господина Триждыотреченского.

— А достаточно ли скромен он? — продолжают между тем супруги.

— О, да! Он очень скромен и почтителен.

— Не пьет ли, не дебоширствует ли да на стороне не держит ли чего?

— Боже сохрани и избави! Как это можно!

— То-то... Нынче времена-то какие!.. А сколько лет ему?

— Ему-то? Да тридцать девятый пошел недавно.

— Только всего-то тридцать девятый еще? — восклицают с некоторым недоверием и даже с беспокойным опасением супруги. — Молодой такой человек... Не опасно ли?.. Ведь они нынче, знаете ли, какие, эти молодые-то люди! Богоотступники, красные!.. Право, я и не знала, что он такой молодой... Уж знакомить ли вам его, полно?.. Что как он красный? Ведь этак позор на весь дом наш ляжет тогда.

---

[1] Времена и нравы *(лат.)*.

— Нет, уж за это ручаюсь! Уж красноты в нем нет ни малейшей.

Евдокии Петровне и Савелию Никаноровичу сорок лет казались еще молодостью. Это, впрочем, нисколько не удивительно, так как им обоим, в общей сложности, было около ста тридцати с маленьким хвостиком.

— А богобоязнен ли он? — продолжают они допрашивать с неуменьшающимися беспокойством и заботливостью.

— О, да! Богобоязнен. Четырежды в год постится.

— К старшим почтителен ли?

— Я уж докладывал, что вполне удовлетворяет.

— Ну, то-то! А не пересмешник ли он? К нам вот тоже как-то один затесался, да потом осмеял в газете.

— Ой, нет, нет!.. Боже сохрани!.. Боже сохрани и помилуй! — отмахивается и крестом и пестом адвокат Триждыотреченского.

— Не знаком ли с кем из сочинителей, из литераторов нынешних, из кашлатых-то этих окаянных, прости Господи?

— Ой, что вы!.. Помилуйте, как это возможно!.. Разве *я-то — я-то* разве решился бы тогда? Нет-с, он, полагаю, из наших, вполне из наших.

— То-то!.. Это ведь все поджигатели... Ну а образ мыслей его? И что читает он? Выбор чтения?

— Образ мыслей — можете судить — самый отменный, вполне благонамеренный, а читает... На полке видел я у него творения Державина и прочих классиков российских, богословские сочинения, «Домашнюю беседу», «Странник», Ивана Выжигина, ну и иные творения. Нет-с, уж что до этого, то книги все достойные и благонамеренные; за это поручиться могу.

— То-то! Чтоб журналов-то этих нынешних не читал! Да откудова он? С университета, что ли?

— Ой, нет! Как можно! Он из духовной семинарии.

— Да нынче и из семинарии-то какие-то все выходят — отщепенцы! Ни в кого веры нельзя иметь. Ну, да уж, пожалуй, привозите его, знакомьте; только смотрите, пусть уж он остается на вашей ответственности. Ежели что, оборони Бог, случится, *вы* отвечаете — так уж мы и всем *нашим* заявим!! — решают наконец супруги, и господин Триждыотреченский получает позволение быть представленным в дом к Евдокии Петровне и Савелию Никаноровичу.

В первую же пятницу он облекается во фрачную пару и вместе с членом-поручителем отправляется к черту на кулички в какой-нибудь под-Смольный или за Козье болото.

— Нынче особенно интересный вечер, — не упустит случая птица-поручитель внушительно заметить своему protégé, — нынче будет там блаженный Фомушка о своих хождениях рассказывать. Все наши будут...

— Который это блаженный Фомушка? — вопрошает неофит. — Кто он таков?

— Ай-ай! Как же вы это так — не знаете Фомушку-то! — с упречным качаньем головы замечает поручитель. — Фомушку, я полагаю, все знают! Это странник, блаженный... Он юродствует даже; а вы знаете, как в наш растленный-то век мало истинных юродивых случается. Да, — замечает он со вздохом сокрушения, — оскудевает милость Божия, оскудевает!.. А на Фомушке даже особая благодать почиет: он дар предвидения имеет; с ним даже чудеса бывали.

— А кто еще там будет? — спрашивает Триждыотреченский, спеша новым вопросом сгладить впечатление, произведенное на птицу его невежеством касательно Фомушки.

— Да там много бывает — все наши: Маячок Никифор Степанович — отменно умный человек, диспутант отличный; Петелополнощенский, почтеннейший, — этого, уж конечно, знаете, слыхали? Ну, князь Балбон-Балбонин — тоже мыслитель замечательный, и даже юродственному житию Фомушки подражать стремится.

— Это который? Гусар-то бывший? — перебивает новопосвящаемый.

— Он самый. Познал тщету мира сего и в созерцание мыслительности обратился. Ну, потом, актриса Лицедеева тоже бывает там и нынче, полагаю, наверное будет. Князь Длиннохвостов — черепослов и спиритист известный. Ну, иногда тоже княгиня Долгово-Петровская навещает, правда редко довольно, но все-таки навещает иногда, и граф Солдафон-Единорогов тоже завернет изредка — на язык очень резок, никого и ничего не опасается. Да, одним словом, общество все вполне достойное, и это, я вам скажу, большую они вам честь делают своим приглашением. Уж я на вас полагаюсь, и так как вы еще неофит, то на мою ответственность допущены туда.

Между тем экипаж подъезжает к дому Савелия Никаноровича и Евдокии Петровны, и господин Триждыотреченский вступает в сие элевзинское обиталище.

Птица-поручитель рекомендует его Евдокии Петровне и Савелию Никаноровичу, которые отвечают неофиту церемонными поклонами, присовокупляя надежду, что он, вероятно, оправдает рекомендацию птицы-поручителя.

II

СОВИНЫЙ АРЕОПАГ В ПОЛНОМ БЛЕСКЕ

Войдем и мы туда вместе с ними, с тем, однако, чтобы уж тут сейчас же расстаться и с господином Триждыотреченским, и с птицей-поручителем, так как мы занялись ими, собственно, для того, чтобы изобразить самый процесс вступления в птичье общество, после чего в них уже ни малейшей надобности не оказывается.

Мы в довольно просторной зале, освещенной по стенам старинными масляными лампами — теми древними лампами, в виде жестяных крашеных колчанов с позолоченными стрелами, какие ныне становятся уже чрезвычайною редкостью. Мебель вся тоже старинная, если и не времен очаковских, то наверное первых годов нашего столетия; краснодеревная, с высокими сплошь деревянными спинками, жесткая и неудобная. В одном углу наугольный диван. Перед ним массивный овальный стол, а около стола — полукругом размещаются кресла. За креслами полукругом же стулья, что являло собою нечто необыкновенное, заставлявшее предполагать, что тут готовится, вероятно, какое-нибудь заседание или чтение. В пользу последнего предположения говорили: две свечи под абажуром на столе, бронзовый колокольчик, графин воды, стакан и сосуд с толченым сахаром на особом подносе. В противоположном углу сделано было некоторое возвышение, покрытое красным сукном, а на возвышении стояли табурет и позлащенная арфа — инструмент псалмопевца.

Гостей было много: все больше старцы — либо в костюмах, напоминавших стариковским покроем десятые и двадцатые годы нашего столетия, либо в форменных вицмундирах, с надлежащими регалиями и беспорочиями.

Все это чинно сидело, чинно прохаживалось и еще чиннее вполголоса разговаривало.

Дамы в гостиной помещались отдельно. Там были все какие-то постные физиономии, вроде выжатого, высохшего и зацветшего плесенью лимона. Одеты они были в чепцах и темных платьях и закутаны в старинные шали, лимонного же или черного цвета. Между ними ярко выдавалась актриса Лицедеева, разодетая в великолепное, шумящее, черное шелковое платье, belle femme[1], в полном смысле этого слова, лет, начинающих уже становиться преклонными, то есть сорока с хвостиком, и с физиономией, которая ясно изобличала, что обладательница ее, хотя к небесно-божественному приникает, но и от греховно-земного укрыться плотию своей неизможет. Однако по всему заметно было, что в доме сем госпожа Лицедеева — гостья почтенная.

В качестве непременного кошмара тут же находилась и одна сочинительница, преклонных лет девица Разбитая, которая, где бы она ни была, всегда прицеливается залпом, за один присест прочесть благосклонным слушателям свой добродетельно-моральнофилософический роман, для чего всегда возит с собой в увесистом свертке толстейшую рукопись. А пока, в ожидании удобной для чтения минуты, девица Разбитая перебегает от одного птичьего члена к другому, от другого к третьему и т. д., и все жалуется, что ни одна редакция не хочет печатать ее роман, и все спрашивает со-

---

[1] Красавица (*фр.*).

вета, как бы вы полагали, куда бы еще отдать ей свое произведение и где бы могли напечатать его. Когда же девица Разбитая успеет уже всем нажаловаться и со всеми насоветоваться, то непременно начинает вдаваться в отвлеченные и метафизические темы. Сладко и скромно подседает она к актрисе Лицедеевой и еще сладостнее, идеально защуривая глазки, вкрадчиво-тихим, любезным голосом просит разрешить ей вопрос: как она, Лицедеева, полагает, что такое душа? Или — что есть жизнь? Или — что есть прекрасное и чем отличается оно от непрекрасного? Или, наконец, как она, Лицедеева, думает, кто из этих современных писателей лучше пишет: Тургенев или Гончаров? И у кого из них лучше и тоньше... э-э, как это называется!.. Девица Разбитая ищет подходящего слова и найти не может, а актриса Лицедеева, подобно оракулу, по возможности, старается кратко, но точно удовлетворить каждому из вопросов девицы-сочинительницы Разбитой.

Находилось в этом обществе также и несколько молодых людей; но это были молодые люди с какими-то блинчато-плоскими, тарелочно-тупыми физиономиями, какие-то загнанные и запуганные. Они скромно лепились по стенам, не дерзая свободно ходить, свободно разговаривать и даже кашляли-то в руку и отвертываясь, причем непременно конфузились вдобавок, словно учинили какой проступок или даже нечто непристойное. Эти молодые люди скромно сидели по разным уголкам, на кончике стула и по большей части созерцательно молчали, похлопывая оловянными бельмами; а при прохождении мимо них кого-либо из «старших» тотчас же почтительно подымались с места, словно желая предупредительно уступить его, и вытягивались чуть не в струнку, чтобы, по уходе сих «старших», снова сесть и снова созерцательно помалчивать.

Главных светил мудрости, составляющих ареопаг гостиной Евдокии Петровны, еще не было, но их ждали с минуты на минуту, ибо в нынешний вечер назначено было собрание экстраординарное, цель которого узнается своевременно. Один только князь Длиннохвостов заседал в гостиной, на диване между дамами, и повествовал о Сведенборге, о Месмере и о спиритизме, основанном на верчении столов. Относительно последнего предмета он находил себе ярого противника в одном из важнейших совиных членов — в Петелополнощенском, который громил и его, и Юма, и Кардека всеми громами своего красноречия, подкрепленного тяжелою артиллериею различных текстов, и провидел в этом спиритизме всесветно-революционное, зажигательное значение, почитая его за один из несомненных признаков того, что Антихрист уже народился. Но пока этот вития не появился еще на птичьем небосклоне, князь Длиннохвостов свободно мог распространяться о своем любимом предмете и убеждал дам повертеть немного кругленький столик — до появления Петелополнощенского. Охотницы нашлись сразу: девица-сочинительница идеально-мистически сосредоточилась с карандашом в руке над листом бумаги (князь Длиннохвостов сказал ей, что она медиум) и в ожидании таинственных духов, которые незримо должны явиться и начертать ее рукою на бумаге загробные тайны, девица Разбитая даже и про свой добродетельно-морально-философический роман позабыла — факт почти невероятного свойства. Под стать преклонной девице Разбитой, три выжатых лимона, в лимонных шалях, уселись вокруг маленького столика и, устроив своими пальцами «магнетическую цепь», с сердечным замиранием ожидали, когда наконец духи начнут стучать и вертеть их кругленький столик. Сторонницы Петелополнощенского отчасти хмурились, называя князя Длиннохвостова деистом и вольнодумцем, и предпочитали слушать замечательного и притом юродственного мыслителя, князя Балбон-Балбонина, который тут же помещался на низковатом табурете, против отдельного полукружия своих слушательниц, и на чистейшем, образцовом парижском жаргоне витийствовал о православии, о знамениях и чудесах, поминутно вставляя во французскую речь свои обильные славянские тексты, коими она уснащалась и подкреплялась. Часть дам наслаждалась князем Длиннохвостовым, а часть — князем Балбон-Балбониным, и все с равно усердным и глубоко уважительным вниманием.

Хозяин элевзинского обиталища, штатский, давно отставленный за негодностью генералик, Савелий Никанорович, маленький, жиденький и вертлявый человек, неизменно украшенный всеми своими регалиями, хлопотливо вертелся здесь и там, везде и нигде и все так добродушно старался сказать каждому своему гостю что-нибудь приятное, какой-нибудь комплимент и сладкую любезность. Супруга же его, напротив, держала себя с плавным достоинством: в молодости своей она живала в Царском Селе при своей двоюродной фрейлине-тетке и очень хорошо помнила двор императрицы Марии Федоровны. У нее проглядывало везде и во всем этикетно-чопорное, натянутое и выделанно плавное достоинство. Это была высокая, очень худощавая старуха, с надвинутыми от висков на лоб седыми коками в виде локонок-колбасок; при гостях всегда не иначе как декольте и со шлейфом, без кринолина. Она любезностей никому не говорила и только церемонно улыбалась, с весьма идеальным и религиозным оттенком в выражении глаз и всей своей давно поблекшей физиономии. Эта чета являла из себя до наивности добродушных людей, воображавших о себе, впрочем, очень многое, считавших себя чем-то весьма важным, весьма значительным, серьезным и приписывавших себе огромное влияние на дела мира сего. Они безусловно веровали в различных Фомушек-блаженных, душевно чтили разных Макридушек-странниц и чистосердечно поклонялись московскому пророку и странновещателю Ивану Яковлевичу. Радушный и хлебосольный дом их служил постоянным притоном для всевозможных юродивых и странниц, для какого-нибудь странствующего монашка с Афонских гор, явившегося в Россию за доброхотными даяниями, и вообще для всех подобных особ, иже не сеют, не жнут, но в житницы собирают и, аки птицы небесные, сыты бывают.Тут для них была полная лафа, причем многие до крайности злоупотребляли гостеприимством Савелия Никаноровича. Прирожденное добродушие и душеспасительные стремления заставляли обоих супругов относиться вполне безразлично и к истинным представителям религии, и к самозванцам-мошенникам, принявшим на себя какой-либо религиозный оттенок. В романе этом автор уже неоднократно выводил на сцену всяческих мошенников, по всем почти отраслям и специальностям этой промышленности; но галерея представителей темного искусства была бы далеко не полна, если бы он упустил из виду мошенников, спекулирующих на счет религиозного чувства добродушных и доверчивых людей. Принимая на себя образ самозванных монахов, странников и юродивых, обчищают они людские карманы чуть ли не с большим успехом, чем все другие собраты по широкому искусству. Гнусные проделки этих господ доходят зачастую до возмутительного кощунства, и хорошо еще, что между истинными представителями религии есть слишком достаточное количество людей, вполне достойных всякого уважения, которым иногда удается обличать кощунственные плутни и просвещать светом истины людей добрых и верующих, но чересчур уже доверчивых и потому поддающихся на одураченье. Одна из подобных мошеннически-кощунственных проделок послужит предметом нашего дальнейшего рассказа.

Вечер шел довольно вяло и монотонно, между столоверчением и французским разглагольствованием о догматах православия, как вдруг в прихожей раздался очень громкий звонок, за который чья-то сильная рука дернула подряд три раза.

Савелий Никанорович торопливо и озабоченно побежал в переднюю, и гости засуетились. Между ними пошел тот шепотливый гул, который потаенно пробегает в толпе, когда в ней ожидают входа необыкновенно важного и только что приехавшего лица.

Такой же гул и теперь ходил от залы до кухни и от кухни обратно до залы.

— Приехал! Приехал! — сообщили с радостью и важностью друг другу гости.

— Кто приехал?

— *Он*!.. Он приехал! Удостоил!.. Почтил!.. *Сам* приехал и еще кого-то привез с собою!

Дверь в залу торжественно распахнулась, и в собрание, стуча сапожищами и широко размахивая красными лапищами, вступил Фомушка-блаженный. Рыжая бородища — клоками, и рыжие, кудластые и от рожденья нечесаные волосы так и кинулись в глаза всем и каждому на этой мясисто-красной и лупоглазой физиономии. На коренастом Фомушке, по обыкновению, была надета черная, оборванная, перепачканная и забрызганная грязью хламида, на манер монашеской ряски, перетянутая в талии широким стальным обручем, а на макушке красовалась несколько сбитая на сторону порыжелая бархатная скуфейка. Божий человек в это время почему-то казался нечистоплотней и неопрятней, чем когда-либо, так что самое платье его на два, на три шага вокруг издавало весьма неприятный запах, которым всегда почти отличаются неопрятнейшие и грязнейшие нищие. Все это являлось в нем в данную минуту необходимыми атрибутами его юродственного образа, благодаря которому он почитался в этом доме и в этом обществе чуть ли не святым Божиим угодником, так как его рекомендовала *сама* княгиня Настасья Ильинишна Долгово-Петровская, покровительница Божьего человека, вскоре после того как она определила его на спокойные хлеба одной из богаделен.

Фомушка шел бойко, чувствуя, что он тут полный и незыблемый авторитет.

В двух шагах за ним частой походочкой семенила кривошейка в черном люстриновом платье полумонашеского покроя, с черным же платком на голове, и с видом до бесконечности лицемерно-смиренным. Вся она была какой-то ходячий вздох всескорбного сокрушения и ходила не прямо, не простой, обыкновенной походкой, а как-то все бочком, бочком, отчего кривошейность ее кидалась в глаза еще более. На вид ей было лет тридцать пять или под сорок.

— Здравствуйте! Все здравствуйте! — не заговорил, а как-то громко и отрывисто залаял Фомушка, остановясь посреди залы. — А где у вас Бог-то тут? Не вижу что-то, с улицы-то пришодши.

Хозяйка почтительно указала ему на образ, висевший в углу.

Фомушка бац прямо на колени и с наглым, совсем уж беззастенчивым лицемерием положил три земных поклона. Кривошейка, позади его, последовала этому примеру, но только еще с большим лицемерием.

— Еще раз здравствуйте! Все здравствуйте! — вторично пролаял блаженный, поднявшись с колен и отвесив собранию глубокий поклон.

— Ну, а хозяева теперь где? — спросил он. — Давайте мне хозяев сюда!

Евдокия Петровна и Савелий Никанорович с почтительным согбением предстали пред лицо Фомушки.

— А! Вот вы где!.. А я-то, умолясь, и не приметил вас, — говорил он, в разговоре своем налегая на букву «о». — Ну, здравствуйте! Поцелуемся!

И хозяева троекратно поцеловались с грязным Фомушкой.

Евдокия Петровна изменяла обычной суховатой чопорности и церемонности своей только в отношении самых важных и отитулованных знакомых да в отношении разных юродивых Фомушек, странствующих монашков и Макридушек. С этими она становилась и мила, и приветлива, и даже очень услужлива.

— А я к вам не один благодати принес, — заговорил Фома после целования, указывая на кривошейку, — а вот и ее прихватил с собою. Вот она вам — Макрида-странница! Вместе, вдвоем ныне подвизаемся.

Макрида со смирением поклонилась очень низким поклоном.

— Ну, поцелуйтеся! — протекторски поощрял Фомушка.

И хозяева облобызались троекратно и с Макридой-странницей.

— А что, Игнатыч не бывал еще? — спросил Фомушка, оглядывая гостей, в то время как наиболее усердные из них (и особенно из лимонных дам) подходили к нему с наиглубочайшим почтением, иные даже, по усердию своему, и к ручке.

— Нет, не жаловал еще, а, надо быть, скоро будет, — с неизменным почтением докладывала хозяйка.

— А что, чайку бы испить; побаловаться малость хотца, — предложил бесцеремонный Фомка.

И в зале тотчас же появился древний лакей, из доморощенных, ибо у всех почти домовитых птиц прислуга по преимуществу отличается древностью и доморощенностью. Лакей нес на подносе большое количество стаканов с чаем. За ним следовала сморщенная горничная-девица, с лотком сладких печений и ломтями домашней булки.

— Ты мне, мать, как налила-то? Поди, чай с сахаром? — спросил Фомушка у хозяйки, беря с подноса стакан.

— С сахаром, Фомушка, с сахаром.

— Ну, так я и пить не буду! — порешил он, опрокидывая на блюдце полный стакан и залив чаем лощеный пол, вместе со своей грязной хламидой. — Он ведь скоромный — из собачьих костей вытравляется. А ты мне, мать, медку пожалуй-ка, так я изопью стаканчик. Да, слышь ты, — крикнул он вослед удалявшейся хозяйке, — я ваших этих печеньев да финтифлюх не больно-то жалую, а ты мне, по-христианскому, подай сайку — гривенную, разрежь ее пополам, да икорки паисной положь в середку-то! Да поболе — икорки-то! Больно уж люблю я, этта, чай с икоркой лакать!

И к услугам Фомушки тотчас же явились мед и сайка с икоркой.

Жадно погрузил он в медовницу свой указательный палец и, зацепив на него клок густого меду, понес в рот и тщательно обсосал. Потом грязные ногти свои вонзил в икру, разодрал сайку и запихал все это за щеки, запивая горячим чаем, так что трудно было представить себе, куда и как это возможно сразу запихать такое количество пищи. Фомушка не ел, а жрал, и гости с глубоким благоговением взирали на все эти его эволюции.

Чай обносили «по чинам»: сначала несли к старшим, чем-либо

отитулованным гостям, людям почетным, а потом к неотитулованным, то есть второстепенным, и, наконец, к скромным молодым людям, лепившимся у стен и в уголках, на кончиках стульев. От этого происходило то, что древний лакей, со следовавшею за ним сморщенною девицею, как угорелые метались из угла в угол по зале, отыскивая старших и опасаясь, как бы не подать, по ошибке, какому-нибудь младшему ранее старшего. Такой грех обыкновенно случался с неофитами, которые на первый раз не вполне еще ознакамливались с обычаями и уставами птичьего гнезда. Трется неофит по большей части около своего патрона-поручителя, словно ютится под крылышком его, а патрон, конечно, состоит в числе старших. Патрон взял стакан, а вслед за ним и клиент тянет туда же свою руку. Но древний лакей, чутьем угадывающий градации птичьих членов, быстро выдергивает у него из-под руки поднос, круто повертывается и идет в другую сторону, а сморщенная горничная-девица бросает очень свирепый взгляд на дерзновенного неофита. При этом патрон непременно с укоризной замечает ему вполголоса, что он сделал промах, и хорошо еще, что хозяйка этого не видала, а то сочла бы вольнодумцем и, пожалуй, могла бы совсем не дать чаю — ибо молодые люди в сем доме, за такие промахи с чаем, в наказание очень часто остаются и без оного.

Когда лакей, в числе старших, подошел с подносом к Макриде-страннице, она, лицемерно скромничая, сделала руками и головой отрицательный жест и заговорила сладко-певучим голосом:

— Нет, Божий человек, нет, старичок миленький, мне последней! Последней мне!

— Ей последней поднеси! — громко пояснил Фомушка. — Она у нас со смирением!

— Вы с чем? С медком тоже прикажете? — вопросила ее угодливая хозяйка.

— Нет, мать моя, мне с мермеладцем, с мермеладцем мне, ежели милость будет. Я с мермеладцем люблю! — распевала Макрида, корча смиренные рожи.

В это время на горизонте появились два новых светила: Петелополнощенский, вошедший необыкновенно гордой походкой, и Никифор Степанович Маячок, ходивший, напротив, более с мягким смиренномудрием.

При появлении первого занятия спиритизмом тотчас же торопливо прекратились.

— А!.. Игнатыч! Друг! — закричал, увидя вошедших, Фомушка и заегозил на своем месте. — Да и ты тут, Никиша! Оба два вместе!.. Друзие мои, облобызаемся!..

И Фомушка, не обтирая своих засаленных медом и икрою губ и усищ с бородищею, троекратно и звонко облобызался, «со обниманием», с каждым из новоприбывших. Но нельзя сказать, чтобы гордо-поступному Петелополнощенскому особенно нравилось это целование. Никиша же, как человек чистого сердца, принял его с радостью и благоговением.

— Фомушка нынче про странствия свои рассказывать будет! — шепотом проносилось между гостями, и все повысыпали в залу слушать медоточивого Фомушку.

— Блаженный! Ты нам ныне про хождение свое к Афону повествовать хотел, — обратился к нему хозяин. — Мы ждем твоего повествования...

— А, да! Про Афонстии обители! — отозвался Фомушка, встряхнув кудластыми волосами, и тотчас же стал ломаться. — Да что, друже мой, не больно-то я охоч ныне рассказывать.

— Ах, Фомушка!.. Пожалуйста, Фомушка!.. Про Афонские... Нельзя ли уж как-нибудь? — ублажали его некоторые из гостей, и особенно дамы.

— Не! Не! Не хочу!.. Вдругорядь! Вдругорядь как-нибудь, а ноне не хочу! — замахал на них ручищами своими Фомушка. — И не лезьте, не приставайте! Чего это и в сам-деле привязалися ко мне, словно псицы какие... Подите вон!.. Сказано — не хочу! А вот есть — хочу! Хозяйка! — присовокупил он. — Вели-ка мне еще медку да сайку с икрой подать!.. А рассказывать не стану.

— Ах, как жаль! Истинно жаль! Блаженный рассказывать не хочет!.. Не желает! — с грустью и сокрушением говорили между собою гости, отходя от Фомушки и покачивая головами.

— Да ты хошь расскажи господам милостивым, как тебя беси эфиопстии купать-то водили, — вмешалась странница.

— Ты чего еще голчишь?.. Молчать! — закричал, притопнув на нее, Фомушка, и странница, оторопев, прикусила язычок свой.

Оказалось, что блаженного ублажить на рассказы нет никакой возможности.

Однако ж не прошло и пяти минут, как Фомушка, словно под каким-то наитием, вдруг возвысил свой голос.

— И приступиша ко мне беси, — начал он громко, широковещательно и с удивительной самоуверенностью, так что при первых звуках его речи все гости с благоговением, на цыпочках обступили блаженного. — И приступиша ко мне беси. Семь бесов — по числу зверину. Один старший — Сатанаил и шесть младших — сподручники. А я в та поры спасался: тридесять ден и тридесять нощей гладен был, и в бане не парился — с год, как не парился, и не мылся, потому — чистоты не люблю: в ней же бо есть блуд и предел спасенью. Не пецитеся о телесах, сказано.

Вздох с икотой со стороны Фомушки, вздох с прискорбием со стороны Макридушки и вздох с умиленным вниманием со стороны некоторых слушателей, особенно женского пола.

— И говорит мне бес: «Фомушка, приставлю я тебе жену некую, зраком зело добру, и будешь ты у меня первый человек Адамий, и царем эфиопским наречешься, как одно тому слово — над всеми князьями князь и над всеми королями король, и будут тебе герцоги всякие ноги мыть да воду ту пить». Я говорю: «Пошел вон! Потому, как ты черт — и я с тобой не могу!» А он мне речет: «Хочешь, в реке тебя выкупаю? Вот мы, говорит, жеребцов заводских поведем купать и тебя с ними!» И подхватили меня тут шесть бесов младших с эфиопом Сатанаилом и потащили купать. И взмолился я тут слезно ко Господу, да и не искупают меня в реке...

Новый вздох с икотой со стороны Фомушки, причем был перекрещен его рот: «для того чтобы враг человеческий не влетел через уста во утробу», — пояснил он гостям, которые от умиления только головами покачивали.

— Так вот како чудо было! — торжественно заключил блаженный, окидывая быстрыми глазами присутствующих. — И как я, значит, Божиим соизволением, по вере своей многоей, спасенье приял! А что этих всяких соблазнов мне было, как, то есть, враг мою плоть смущал — больше все во образе женском, ну, и опять же насчет яствия и питания — то и несть тому исчисления, и только одна вера моя соблюла меня чиста — вера да о грехах сокрушение. А соблазны-то нашему брату бывают многие!

Третья икота со вздохом, а гости все слушают да слушают с глубоким благоговейным вниманием, и некоторые лимонные дамы даже слезы источают. Актриса же Лицедеева сидит — не шелохнется, и глаза глубоко опустила, потому, вероятно, чувствует, что и ее, немощную, на этот счет исконный враг потайно многими соблазнами одолевает...

— А вот мне, грешнице, тоже чудо великое было, — начала своим певучим голосом Макрида-странница.

Гости остались по большей части глубоко поражены этим последним чудом, а лимонные дамы еще сильнее источали слезы умиления.

Они совершенно искренно верили этим рассказам и преисполнялись чувством священного благоговения к таким избранникам, как Фомушка-блаженный и Макрида-странница.

Прошла одна минута молчаливого раздумья.

Макрида, пользуясь ею, вынула из-за пазухи книжку в черном клеенчатом переплете и тихо, но торжественно поднялась со своего места.

— Благочестивые милостивцы! — начала она переливаться певучим голосом. — Пожертвуйте доброхотным даянием на преукрашение храмов и обителей Божих!.. Было мне видение: святитель во сне явился. Слезно плакал он, батюшка, и заказал мне, чтобы я, по усердию своему, через доброхотных дателев, престол ему, Костромской губернии Чуриловского погоста, в деревне Сивые Жохи беспременно поставила. «А я, говорит, и за тебя, раба Макрида, и за них, за дателев-то, перед Господом умолитель грехам вашим буду». Так вот — не будет ли милость ваша, господа мои высокие, по усердию своему пожертвовать мне что-либо?

Гости с готовностью взялись за свои карманы, и ассигнации их обильно исчезали за черным клеенчатым переплетом Макридиной книжки.

Макрида выдерживала роль и строила лицо строгое, с очами, долу потупленными. Но Фомушка выдерживал с трудом: плотоядная улыбка, при виде стольких ассигнаций, невольно просачивалась на его роже, и жадными глазами он неустанно следил за Макридой, как бы опасаясь, чтобы она его не надула. Одни только добрые домовитые птицы ничего не видели, ничего не подозревали и во имя небывалых чудес позволяли обчищать с такой беззастенчивой наглостью свои широкие карманы.

Вскоре появились еще два новых лица — одно почти вслед за другим. Это были: отец-протопоп Иоанн Герундиев и, с одного из кладбищенских приходов, отец Иринарх Отлукавский. Последний вступил в залу минутами тремя позже первого, и потому они приветствовали друг друга взаимно троекратным лобызаньем, пожимая один другому обе руки: правую — правой, левую — левой.

— Ну что, как слышно? Говорят, тифозная эпидемия свирепствует? — спросил отец Иоанн отца Иринарха, плавно поглаживая свою бороду.

Вообще, отец Иоанн отличался плавностью и мягкостью своей речи, своих движений и всего своего наружного характера. Отец же Иринарх был более резок и в улыбке порою несколько саркастичен.

— Да! Мрет народ, мрет, — подтвердил отцу Иоанну отец Иринарх, расправляя с затылка на обе стороны лица свои волосы. — И шибко мрет, но... все больше чернорабочий... все чернорабочий...

— А я так полагаю, что никакой тут эпидемии нет, а все это одна только выдумка господ медиков; потому где же тут эпидемии, ежели вот уж четвертые сутки ни к кому, а ни-ни то есть ни к кому, в буквальной точности, не позвали ни исповедывать, ни отпевать. Какая же тут эпидемия, я вас спрашиваю?

— Нет-с, я вам доложу, что мрет народ, — весьма настаивал отец Отлукавский. — Но только не из достаточных, не из зажиточных классов, а все это мертвец, доложу вам, — чернорабочий.

— Ну, что ж делать! Божья воля, Божья воля! — развел руками отец Герундиев, и оба с сожалением вздохнули — оба хорошо понимали друг друга, оба друг друга не любили, и оба друг другу сладко улыбались и, по завету, лобызались при встрече.

— Что есть жизнь? Нет, вы мне разрешите сейчас же вопрос: что есть жизнь? — словно пиявка, присосалась меж тем девица-писательница к князю, спириту и черепослову.

— «Жизнь! Что ты? Сад заглохший», — сказал мудрец, сударының ня, — отбояривался черепослов. — И вопрос этот весьма труден, я не могу разрешить его сразу.

— Ну, так вот что: я даю вам неделю сроку. В следующую пятницу, когда мы опять здесь встретимся, вы мне должны привезти разрешение моей проблемы.

А пока она задавала свои вопросы, успел прибыть и еще один гость из самых почтенных. Это был граф Солдафон-Единорогов, который являл из себя гладко выбритую фигуру высокого, плотного старика, звучно и крепко опиравшегося на черную палку, при вечном старании придать нечто орлиное своей закинутой назад физиономии. Он, в качестве бывшего воина, постоянно носил наглухо застегнутый фрак, украшенный блестящими регалиями, и высокий черный галстух старовоенного покроя, который вполне скрывал под собою малейшие признаки белья и твердо подпирал обе графские щеки. Старик придавал необыкновенный вес и значение своим визитам, и потому посещения его к Савелию Никаноровичу были весьма не часты, так как он старался всегда выбирать те вечера, присутствовать на которых изъявила желание и княгиня Настасья Ильинишна: он питал к ней большое почтение, считал себя вполне равным ей и поэтому полагал, что уже если оказывать честь своим посещением, то оказывать ее одновременно с княгиней Долгово-Петровской, что выходило всегда как-то блистательней и оставляло свое впечатление. Граф Солдафон-Единорогов принадлежал к числу «огорченных», недовольных современным ходом событий русской жизни и при каждом удобном случае громко заявлял свой негодующий протест. Его называли «либералом с другого конца».

Первое, что почел он нужным сообщить хозяевам, с достоинством раскланиваясь с ними, было известие, что княгиня Настасья Ильинишна непременно хотела быть у них сегодня. Хотя хозяева знали об этом и без него, однако он думал все-таки доставить им большое удовольствие сообщением, услышанным из его собственных уст, а через какие-нибудь пять минут в отдельном кружке самых солидных и достойных гостей Савелия Никаноровича авторитетно раздавался уже его голос, в котором даже и нечуткое ухо ясно могло бы расслушать огорченное раздражение.

— Нет, вы скажите, куда мы идем, — говорил граф Солдафон-Единорогов, — куда мы идем, я вас спрашиваю! И что из этого выйдет? Ха-ха-ха!

Хохот графа раздавался весьма умеренно, с большим достоинством и отчетливой раздельностью в звуке «ха-ха».

Кружок слушателей глубокомысленно пожимал плечами, качал головами и произносил безнадежно:

— Гм!..

— Вчера я встречаю князя Петра Петровича, — возвысив голос, не без горечи продолжал граф. — Это Бог знает что за старик! Что с ним сделалось! Радикал, чистейший радикал! Ну и прочел же я ему мою отповедь! И что ж? Улыбается. «Вы, граф, говорит, озлоблены». Еще бы не озлоблен! Я думаю!

А через десять минут в новом кружке таких же почтенных и «влиятельных» гостей раздавался тот же самый голос графа, только значительно уже пониженный, до степени необыкновенно важной и как бы испуганной таинственности:

— Куда мы идем? Что мы делаем, я вас спрашиваю! Кем мы окружены? Э-эх!.. Встали бы отцы из гроба да кабы поглядели... Нечего сказать, приятный сюрприз увидали бы!.. Есть на что полюбоваться! И удивиться есть чему!

— Да! — уныло шамкнул генерал Дитятин, грустно покачивая своей трясущейся головой, на которой посредине темени, как у какой-то птицы, торчал мизерный клок жиденьких волосенков. — Были когда-то и мы нужны, спрашивали когда-то и нашего мнения, нуждались и в нашей помощи... А теперь похерили разом, да и баста! Убирайся, мол, вон!.. Не нужен!..

— Обидно, ваше превосходительство, обидно! — со слезкой в красненьких глазках заметил ему на это сморчкообразный генерал Кануперский.

— Да-с! Ваше превосходительство, Магомета укрощали мы, ваше превосходительство, венгра укрощали, — шамкал генерал Дитятин, — а теперь мы не нужны!..

— Обидно, ваше превосходительство, обидно! — снова вздохнул сморчкообразный генерал Кануперский.

— Это все ничего! Пускай их!.. — утешил граф Солдафон-Единорогов. — Сам я, положим, сторонюсь, я сторонюсь и созерцаю про себя. Я все вижу, предусматриваю! Наша роль, господа... Вот, погодите! Наша роль...

В прихожей раздался новый звонок.

Хозяева, как бы инстинктивно чуя, что звонок этот возвещает не простого гостя, торопливо бросились в переднюю, откуда в ту ж минуту послышались их голоса, захлебывающиеся от радости и умиления:

— Ваше сиятельство! Княгиня Анастасия Ильинишна! Матушка! Жданная гостья! Милости просим!.. Милости просим!..

Приговаривая таким образом, они ублажительно кланялись ей льстивыми поклонами, пока ее древний ливрейный лакей, с помощью того же древнего лакея и сморщенной девицы, находящихся в услужении Савелия Никаноровича, освобождали ее сиятельство из-под богатой лисьей шубы, сматывали с шеи меховые хвосты, стягивали теплые перчатки и стаскивали большие бархатные сапоги на беличьей подкладке. Пока производились все эти операции, она сидела на стуле в каком-то расслабленном, изнеможенном состоянии и охала как бы от сильной усталости.

Она имела обыкновение повсюду вывозить с собою престарелую девицу, компаньонку, и двух воспитанниц, которых выбирала по очереди из числа десяти, проживающих у нее на хлебах из христианского милосердия. Компаньонка, высохшая и злая, напоминала видом своим египетский обелиск и как раз подходила под стать лимонным дамам, наполнявшим гостиную Савелия Никаноровича. Две юные воспитанницы обещали в будущем сделаться точно такими же. Они все втроем почтительно стояли перед Настасьей Ильинишной. Одна держала ее ридикюль, у другой находился маленький аптечный ящичек, в котором помещались лавровишневые капли, мятные лепешки, нашатырный спирт и какие-то порошки да пилюльки, испокон века неизвестно для чего глотаемые княгиней. Третья же держала на руках двух злющих-презлющих мосек, вверенных ее попечению и взросших точно так же, как и девицы, на воспитании сердобольной княгини. Этих престарелых и злющих мосек она каждый раз привозила в гости к собачонкам Евдокии Петровны. Евдокия Петровна и многие из ее гостей, особенно же лимонные дамы, с умильным усердием занимались моськами княгини, ласкали их, подносили кусочки сахарцу и сладкие крендельки. Сморщенная девица-горничная, по заведенному уже раз навсегда положению, готовила для каждой из них по полному блюдцу месива, составленного из булочного мякиша и сливок. Одним словом, княгининых мосек ублажали не менее самой княгини Настасьи Ильинишны, ухаживали за ними точно так же, как и за нею, ибо моськи были ее первою, сердечною слабостью на склоне ее добродетельных дней. И моськи словно чувствовали и сознавали: они, по причине своей дряхлости, чуть ли не ежеминутно оставляли после себя неприятные следы по всем комнатам, причем Настасья Ильинишна каждый раз, качая головой и обращаясь к моське, виновной в такой неприличности, укоризненно замечала ей:

— Ах, какая мерзкая!

А Евдокия Петровна, вместе с лимонными дамами, улыбаясь на это замечание до крайности милой улыбкой, возражала княгине каким-то поощрительно-успокоительным тоном:

— Mais non, madame la princesse, ils sont si beaux, si jolis, ces petits chiens![1] Это ничего, право же, ничего!

Моськи Настасьи Ильинишны, в качестве гостей, вели себя совсем уж невежливо в отношении собачонок-хозяев. Они, нисколько не соблюдая правил общежития и житейской мудрости, поминутно грызлись с собачонками Евдокии Петровны, отчего по всем комнатам поднимался нестерпимый визг, вой и рычанье. Наиболее усердные из лимонных дам тотчас же бросались разнимать грызню, причем Евдокия Петровна зачастую собственноручно чинила расправу над своими собственными собачонками, награждая их то

---

[1] Ах нет, княгиня, они у вас такие прелестные, такие милые, эти собачки! *(фр.)*.

шлепком, то дерганием за уши, хотя и знала в то же время очень хорошо, что они невинны, что зачинщики ссоры суть моськи княгини и что таковая расправа, по всем законам справедливости, должна была бы пасть на их задирчивые головы; но... моськи княгини меж тем от нее же самой получали новый кусочек сахарцу, переходили с рук на руки лимонным дамам и были награждаемы от них глажением по шерсти, с присовокуплением множества самых ласкательных, милых эпитетов и даже нежных поцелуев в морду. И все это только потому, что они имели счастие быть моськами княгини.

С ее сиятельства стаскивали еще сапоги и разматывали хвосты, а уже во всем доме не было того мизерного существованьица, которому не сделалось бы известно, что сама княгиня Настасья Ильинишна изволили пожаловать. Гости сочли нужным, в ожидании ее появления, приободриться и просветлеть светозарными улыбками, чтобы каждый волосок, каждая морщинка, мало того — каждая складка одежды исполнились почтительной радости при встрече с особой ее сиятельства. На лице Фомушки-блаженного немедленно появилась глупая, идиотская улыбка. Макрида еще с пущим благочестием потупила долу свои взоры и плотнее запахнулась на груди черным платком, что было исполнено ею с таким видом, который явно изобличал всю глубину ее смиренства и скромности. Граф Солдафон-Единорогов самодовольно и горделиво упер в галстух свой подбородок, глянув вокруг себя ясным соколом, хотя и походил более на коршуна. Петелополнощенский поправил жабо и обтянул жилетку. Никиша Маячок, с своей стороны, ограничился только тем, что глубокомысленно и смиренно-мудро кашлянул в руку, а девица-сочинительница Разбитая, которая до этой минуты терзала его разрешением философской задачи: «Что есть *высокое* и чем оно разнится от *глубокого*?» — теперь вдруг заговорила ему торопливым шепотом, как он думает и как посоветует, не может ли княгиня Настасья Ильинишна устроить дело так, чтобы ее добродетельно-философический роман сделался известным в наиболее высших сферах.

Никиша с тихим вздохом ответствовал:

— Она все может...

Многие из лимонных дам, при первой вести о приезде Долгово-Петровской, никак не воздержались, чтобы не повскакивать с мест и не повысыпать всем гуртом в залу — навстречу сиятельной гостье. Одна только актриса Лицедеева осталась в гостиной на канапе, хотя и ее, то и дело, подкалывало иголочками — вскочить и отправиться туда же вслед за другими; но, ради выдержки собственного достоинства, актриса Лицедеева принудила себя остаться на месте и продолжать разговор о каком-то догмате с князем Балбон-Балбониным, помещавшимся против нее на низеньком табурете, с которого, однако, он, при известии о приезде княгини, как бы невзначай, предпочел подняться и, поигрывая ключиком своих часов, продолжал уже стоя разговор свой с актрисою — впрочем, продолжал его, напустив на себя вид некоторой независимости.

Наконец наступил ожидаемый момент появления Долгово-Петровской.

Она вступила в залу в сопровождении почтительных хозяев. За хозяевами следовала иссохшая компаньонка с ридикюлем; за этим ходячим египетским обелиском ковыляла уточкой воспитанница, державшая на руках двух мосек, а хвост всего шествия замыкался девицею, которая заведовала аптечкой.

При виде княгини уже все без исключения поднялись с мест.

— Матушка!., Сиятельство! — среди всеобщего молчания залаял вдруг Фомушка, направляясь мелкими шагами к княгине, причем он изогнулся всем корпусом вперед и протянул обе горсти, словно желая подойти под ее благословение. — Узорешительница... Матица-утица — всем цыпкам курица! — говорил он, смачно целуя руку, обтянутую лайковой перчаткой. — Дайко-се и другую ручку Божьему дурачку!.. Божий дурачок за тебя умолитель, а по молитве Фомкиной и ширина тебе посылается! Поздоровела, матка, шибко поздоровела! Ишь, как тебя разнесло! Словно бы ситник, раздобремши! А все дураковой молитвою! Ты у меня, матка, сила!.. Сила Силовна! Вот кака сила!.. Улю-лю-лю! Величит душа моя Господа!.. Величит душа моя Господа!..

Княгиня снисходительно улыбнулась на приветствие блаженного и показала вид, будто бы это чересчур громкое изъявление публичной благодарности к ее особе несколько смущает в ней чувство христианской скромности, которая повелевает творить добро втайне, чтобы шуйца не ведала о деснице. Но это был только вид, а в душе-то Настасья Ильинишна, по обыкновению, осталась очень довольна таким громким заявлением.

Хозяева, при сем удобном случае, представили ей и Макриду-странницу — в качестве особы, подвизающейся вместе с Фомушкой на поприще юродства. Макрида, тотчас же накинув на себя высокую степень смиренства, какая только могла быть присуща ее лицемерию, облобызала бахромку дорогой шали, спускавшейся с плеч княгини, и после этого почему-то сочла нужным вздохнуть и отереть у себя набежавшую слезинку.

Отдав гостям общий и довольно церемонный поклон, Настасья Ильинишна направилась прямо в гостиную, где и была помещена на самом почетном месте древнего дивана.

Нечего и говорить, конечно, что эта гостиная немедленно же наполнилась народом, из коего те гости, которые пользовались почетом и авторитетом, заняли круг мест, ближайших к этому солнцу в юбке, озарившему собою скромное обиталище Савелия Никаноровича. С одной стороны княгини поместилась Евдокия Петровна, в качестве хозяйки дома, с другой — граф Солдафон-Единорогов.

Затем следовал отец-протоиерей Иоанн Герундиев, отец Иринарх Отлукавский, гордопоступный Петелополнощенский и генерал Дитятин. Актриса Лицедеева, конечно, отошла теперь на второй план, но тем не менее сохраняла свое достоинство и все-таки осталась на диване в качестве уважаемой гостьи. Что же касается до лимонных дам, то эти, будучи настолько смиренны, чтобы не тесаться в высший ареопаг, засевший вокруг Настасьи Ильинишны, избрали себе более скромную роль: одни из них молча внимали тому, о чем говорилось в среде ареопага, другие возжались с египетским обелиском, который, в качестве княгининой компаньонки, имел в их глазах громадное значение и силу, а третьи ограничивались еще более скромною ролью и вместе с двумя воспитанницами занимались ухаживанием за двумя моськами. Княгиня скромно и как бы невзначай, между разговором, успевала кстати ввертывать мимолетные сообщения о сотворенных ею благодеяниях в течение последней недели: того-то она в богадельню поместила, тому-то место выхлопотала, за того-то просила князя такого-то и генерал-губернатора, во вторник посетила тюрьму, в среду явилась нежданным гением-благотворителем семейству, стоявшему на краю погибели, в четверг присутствовала на торжественном акте детского приюта, в пятницу заседала в особом собрании филантропического комитета и т. д.; словом, не проходило дня и часу, чтобы княгиня не успела кого-либо облагодетельствовать или сотворить иного доброго дела.

— Ваше сиятельство, вот у меня есть одно знакомое мне семейство, очень злосчастное семейство, нуждается в помощи. Не соблаговолите ли принять в нем участие? — почтительно осмеливается доложить княгине кто-нибудь из гостей, улучив для этого удобную минуту, и княгиня, получа такое сообщение, немедленно же обращалась к своему обелиску, приказывала ему достать из ридикюля роскошную записную книжку и собственноручно вносила в нее адрес злополучного семейства. Это записывание, равно как и самое выслушивание рассказа о бедствиях, сопровождалось у нее непременными вздохами христианского сокрушения и сердобольного сочувствия к ближним.

Теперь уже в гостиной Савелия Никаноровича говорила почти исключительно одна княгиня Настасья Ильинишна. Остальные довольствовались почтительным вниманием к ее рассказам, которые иногда только прерывались у нее внезапным восклицанием, обращенным к одной из двух мосек: «Ах, мерзкая! Опять она, опять!..», да время от времени сопровождала эти повествования Макрида-странница своим смиренным вздохом или Фомушка бесцеремонной икоткой. Однако сие не вменялось ему в особое неприличие, потому — человек он Божий, юродственный, и все сие производит не по своему хотению, а по высшему соизволению.

III

ДИАНЫ О ФРИНАХ

Теперь уже ареопаг находился в совершенном блеске и в полном собрании своих членов. Собрались они в этот вечер неспроста, и каждый гость Савелия Никаноровича, отправляясь к нему, на край города, знал очень хорошо, что ныне предстоит обсуждение, а может быть, и окончательное решение весьма важного дела. Это был целый проект, сущность которого читатель узнает несколько ниже. Инициатива проекта принадлежала актрисе Лицедеевой, которая сообщила о нем Евдокии Петровне, а эта доложила в удобную минуту Настасье Ильинишне, и Настасья Ильинишна приняла его под свое покровительство. Мысль проекта заключала в себе начало одного действительно хорошего дела, дела гуманного, честного, христианского, которому, для того чтобы оно стало на ноги и пошло как следует, надлежало только дать настоящее, истинное направление. В способе исполнения этой мысли и во всем направлении дела главнейшим образом и заключалась его *суть*, то есть та существенная польза, которую оно могло бы принести. Но — увы! — в том-то и беда, что мысли и желания у них сами по себе необыкновенно высоки и безукоризненно прекрасны, а способ проведения этих мыслей в жизнь отличается необыкновенной дикостью и бывает способен убить в самом зародыше каждое хорошее дело, которое попадает к ним в руки. Княгиня Настасья Ильинишна потому лишь приняла под свое покровительство проект Лицедеевой, что в нем явилась новая пища для тщеславия, вплеталась новая благоуханная лилия в пышный венок ее дел христианского милосердия, о которых каждый из ее многочисленных доброжелателей и поклонников мог на всех перекрестках трубить в громкие трубы и кричать по всему городу, по всем весям и дебрям, умиленно прославляя ангельски добродетельное сердце княгини Настасьи Ильинишны. А если бы предстоящее дело вплетало в ее пышный венок не благоуханную лилию, очевидною красотою которой всякий желающий может вдосталь любоваться, а какие-нибудь тайно скрытые, незаметные для глаз окружающего мира терновые шипы, то княгиня Настасья Ильинишна — увы! — едва ли бы вызвалась взять под свое высокое покровительство проект актрисы Лицедеевой.

Еще до прибытия ее сиятельства некоторые гости, из числа посвященных в это дело, шушукались о нем между собою, а теперь, когда ее сиятельство успела уже выложить полный короб своих добрых деяний и выпить чашку чаю, весь ареопаг безмолвно находился в ожидании начала совещаний. Хотя этого ожидания и никто не высказывал, но оно начало уже томительно чувствоваться в самом воздухе этой гостиной. Поэтому Савелий Никанорович, почтительно подойдя к дивану, на котором восседала княгиня, наклонился к ней с улыбкою и тихо спросил, не позволит ли она приступить к обсуждению проекта... Княгиня охотно изъявила свое милостивое согласие. Тогда Савелий Никанорович кивнул смиренномудрому Никише Маячку, игравшему в этом обществе нечто вроде роли секретаря. Никиша немедленно же удалился в залу, откуда тотчас раздался его громкий звонок, призывавший гостей ко вниманию. Все направились в эту залу и, по чинам и по достоинству, заняли «присвоенные» места на креслах и стульях, расставленных тесным полукругом против допотопного дивана, перед столом, на котором стояли свечи под абажуром, колокольчик, мелкий сахар и графин с водою. Актриса Лицедеева, которой надлежало перед лицом собрания изложить мысль своего проекта, поместилась на диване рядом с княгиней, игравшей неизменную роль почетной председательницы. После минутного двиганья стульев, кашлянья и усаживанья, водворилась наконец совершенная тишина, и заседание открылось речью актрисы Лицедеевой.

— С помощью Всевышнего, — начала она с томным вздохом, подняв к потолку взор свой, — меня осенила мысль, которая долгое время не давала мне покоя. Внутренний голос шептал мне: «Иди и исполняй!» Я долго обдумывала, и вот плодом моих размышлений явился этот маленький труд — проект, который мы теперь обсудим и дополним общим нашим собранием. Прежде всего я должна принести благодарность ее сиятельству княгине Настасье Ильинишне (Настасья Ильинишна скромно улыбнулась и потупила голову). Чувствительное сердце княгини открыто для каждого доброго дела. Это, я надеюсь, ни для кого не тайна. Каждый из нас может подтвердить это целыми десятками примеров. (Настасья Ильинишна улыбнулась еще скромней и еще ниже потупила голову, показывая вид, будто чувству ее христианской скромности становится очень неловко. Оно бы, может, и было так в сущности, если б на губах ее не мелькала легчайшая тень улыбки самодовольствия.)

Актриса Лицедеева говорила свою речь несколько театральным тоном. Она успела уже заранее хорошенько приготовиться к ней и даже сама прорепетировала ее дважды перед зеркалом, запершись наедине в своем будуаре, как репетировала обыкновенно каждую роль своего сценического репертуара. Этот театральный тон пробивался у нее и в жизни, почти на каждом шагу: в манерах, в походке, в движении рук, во вскидывании глаз и больше всего в поклоне. В настоящую же минуту он был преисполнен театральной аффектации, что могло зависеть и от высокости самого сюжета.

— Я имею в виду говорить о тех несчастных женщинах, которых принято называть падшими (на слове «падшими» актриса Лицедеева, видимо, замялась, сконфузилась и покраснела). Женщины добродетельные, мне кажется, могут взять под свое покровительство детей порока. И Христос не отвергал блудницу (новый конфуз со стороны актрисы Лицедеевой, по причине цинического слова «блудница»). Не возмущалась ли, господа, ваша душа видом этих несчастных созданий, когда вы случайно встречали их на улице? Я надеюсь, что никто из нас не мог смотреть на них без содрогания. Они хотя и падшие, но все-таки женщины, все-таки наши во Христе сестры. Священная обязанность женщин добродетельных — протянуть погибшему созданию руку помощи и вырвать его из когтей порока.

— Ах, как хорошо говорит! — умилительно перешептывались некоторые из лимонных дам, закатывая глаза от восторга.

— Красноречиво! — прошамкал генерал Дитятин.

Княгиня же Настасья Ильинишна ничего не выразила словом, зато при каждой фразе безмолвно поддакивала в такт головою. Да и актриса Лицедеева, казалось, просто захлебывалась в пучине сознания собственной добродетели, которая родила в ней такую высокую мысль. Добродетель фонтаном брызгала из каждого ее слова, из каждого взгляда и вздоха, даже испарялась в виде тонкого эфира из каждой поры актрисы Лицедеевой.

— Но вот является вопрос, — продолжала она, повысив голос и обводя взором собрание, — является вопрос: каким образом женщина добродетельная может протянуть руку дочери порока? Конечно, наше общественное положение воспрещает самим нам спускаться в вертепы порока, чтобы отыскивать там заблудших овец. Это было бы с нашей стороны уже слишком великой жертвой, которой я даже не осмеливаюсь и предложить. В этом случае нам помогут господа наши члены-мужчины. Им несравненно удобнее, чем нам, находить детей порока. Мы же примем на себя исправление и перевоспитание тех несчастных, которым судьба дозволит прийти к нам для направления на путь добродетели. Мы совместно с членами-мужчинами должны жертвовать в общее дело излишек от достатка нашего, устраивать в пользу его благородные спектакли, концерты, балы и лотереи. Конечно, ее сиятельство княгиня Настасья Ильинишна не откажется, по общему, единогласному выбору, принять на себя труд представительницы и почетной председательницы нашего нового общества. Лепта вдовицы иногда бывает угоднее Богу, чем целые сто талантов. Наша почтенная хозяйка вместе с почтенным хозяином решились уже безвозмездно пожертвовать своим отдельным надворным флигелем для устройства в нем убежища. Это будет нечто вроде монастыря, где будут помещаться кающиеся женщины. Мы начертаем строгий устав их жизни и занятия; они будут работать и молиться, молиться и работать, а мы возьмем на себя задачу говорить им о безднах порока, вселять к нему отвращение и внушать правила добродетели. И если в которой-либо из них заметим явные признаки исправления, то такую должно будет выпускать на волю из нашего заведения, приискать ей место или доставить работу. Но только, полагаю, что ранее двухгодичного срока (по крайней мере двухгодичного) ни одна из них не должна покинуть убежища. Это время ей будет служить искусом и неизменным сроком покаяния, потому что прежде чем думать о жизни земной, телесной, надо подумать и о жизни загробной. Вот, господа, в главнейших чертах мысль этого проекта. Передаю вам ее на общее обсуждение.

Актриса Лицедеева торжественно замолкла и, опустив глаза, с каким-то покорственным видом нагнула голову, словно сама она признавала эту голову повинною и отдавала ее обществу — судить, карать или миловать.

В зале царствовало молчание. Только иной сосед с соседом одобрительно перемигивался и шепотом произносил: «Хорошо!.. Высокая мысль!.. Красноречиво изложено!» Или что-нибудь в этом роде.

Отец Иринарх Отлукавский приподнялся с кресел, с видимым намерением в чем-то оппонировать. Все взоры ожидательно вскинулись на него. Госпожа Лицедеева даже вымеряла его глазами, словно это был ее враг, противник на кровавом поединке. В птичьем обществе всем было хорошо известно, что отец Иринарх отличается в спорах большим уменьем диалектически пользоваться слабыми сторонами противника. Хотя он и был членом этого общества, однако же многие недолюбливали его за такое свойство, и за глаза выражались о нем, что это, мол, «из новых». Но отец Иринарх на сей раз, против общих ожиданий, не ввернул никакой казуистической загвоздки, а только очень резонно и вполне логично заметил, что зачем же, мол, непременно выдерживать на искусе аккуратно двадцать четыре месяца? Если, мол, исправление последует ранее этого срока, то нет никаких причин понапрасну держать женщину в приюте, лишая тем каких-нибудь новых кандидаток возможности скорейшего исправления.

Целый хор голосов восстал против отца Иринарха. Какие данные выставляли эти голоса в защиту двухгодичного срока — понять было невозможно. Одной только госпоже Лицедеевой удалось наконец перекричать хор своих защитников и с жаром возразить своему оппоненту, что для спасения души и для снискания прощения на небесах необходим по крайней мере двадцатичетырехмесячный срок.

Княгиня Настасья Ильинишна безусловно согласилась с ее мнением, и этим согласием был уже положен крайний, окончательный предел всякому спору. Переход за Рубикон с этой минуты сделался невозможным, так что отцу Иринарху осталось только слегка улыбнуться и безмолвно усесться на прежнее место.

Но некоторые из птичьих членов оказались постойче и поупрямее его. Спорили кружками, в два-три человека, о разных частностях проекта и более о некоторых словах, чем о самой мысли. Во всех концах залы поднялся многоречивый говор, в котором ничего нельзя было разобрать, и только Фомушка с Макридой ни в чем не принимали участия. Последнюю давненько-таки стало клонить ко сну, так что, сидючи в креслах, она частенько клевала носом и, чтобы вконец не заснуть, меланхолически вертела палец вокруг пальца. Фомка же просто-напросто хотел жрать и все никак не мог улучить удобную минуту, чтобы спросить себе у хозяйки новый стакан чаю с медком и гривенную сайку с икоркой. Наконец Савелий Никанорович, усмотрев, вероятно, что спорам конца не будет, так что в нынешний вечер и ни до каких результатов не добьешься, кивнул Маячку, чтобы тот призвал общество к порядку. Раздался звонок, и началось новое передвиганье стульев, сморканье, откашливанье и усаживанье.

— Я прошу слова, господа! — воскликнул Савелий Никанорович. — Я прошу слова! Мы все говорили довольно; мы все — люди, во тьме ходящие; живем нашей суетной, житейской мудростью и житейскими помыслами, а вот между нами — простой Божий человек (при этом он указал на Фомушку). Его сердце откровенно пред Господом, Господь любит таких, как он, и открывает им свои веления. Испросим лучше его совета: что он нам скажет, так тому и быть! Его мудрость не наша; он и сам, может, не знает, что он нам скажет; но мудрость вселяется в него свыше.

Это предложение необыкновенно понравилось всем и каждому.

— Ах, да, да! Фомушка! — заговорили лимонные дамы. — Он нам скажет; он ведь вещий человек — вот как в Москве тоже Иван Яковлевич удивительно говорит, так что сначала многое не понимаешь, совсем, кажись, смыслу нет — ан есть! И потом, гляди, сбудется, непременно все сбудется, что ни скажет!

— Да, это так. Это лучше всего. Пусть он нам разрешит. К Фомушке! К Фомушке! — говорили члены, со всех сторон обступая блаженного.

— Блаженный! Разреши нам наши суемудрые шатания, поведай нам свое слово! — обратился к нему Савелий Никанорович.

— А где-кося тут хозяйка? — вместо всякого ответа залаял Фомка. — Подайте мне ее сюда на златыим блюди, красную мою малину-ягоду! Слышишь ты, Божья раба, мирская боярыня, ублажи-ка дурака еще чаишкой, малость самую, да сотвори милость Христову: подай еще одну сайку гривенную с икоркой, тогда дурак тебе и слово свое скажет! А теперь у дурака брюхо нудит, коловоротом вертит нутро. Вишь ты, есть оно больно просит, ажно пишшит!

Пока Фомке готовили чай да сайку, Савелий Никанорович старался втолковать ему понятными выражениями сущность проекта госпожи Лицедеевой. Фомка слушал и понимал, но для виду продолжал бессмысленно хлопать глазами. Когда же принесли ему чай, то, прежде чем разрешить общественные сомнения, он начал жрать, и жрать не просто, а с фокусами: перед каждым глотком троекратно крестил дымящийся паром стакан и на каждый комок разрываемой когтями сайки тоже накладывал печать крестного знамения, бормоча про себя вполголоса:

— Беси-эфиопы содомстии, изыдите! Тьфу-тьфу-тьфу!.. Аминь!

Сжамкал Фомушка сайку, вылакал чаю стакан, а добрые домовитые птицы все стоят вокруг него да ждут вещего слова. Но слово не изрекается.

Успокоительно сложив на чреве персты свои, он только икнул от преизбытка душевного и с закрытыми глазами истомно произнес:

— Фуй, прости Господи!.. Объядохся, опихся и осовех... Осовех, окаянный... Простите, отцы и братия, иже кого в соблазн возвел похотеньем своим блудныим! Пишши этой самой набил в мамон от пупа до маковки!

И действительно, от жранья в нынешний вечер его расперло и вспучило до полной осовелости. А члены все ждали вещего слова и наконец дождались. Бессмысленно глядя вокруг себя и похлопывая лупоглазыми бельмами, блаженный забормотал какие-то отрывочные фразы, по которым можно было предположить, что он погрузился в полное самозабвение.

— Душа его с Богом беседует, — умильно-назидательным тоном заметила Макрида, отнесясь к одной из своих соседок.

— Вода возлияния, козел отпущения, жертва ревнования, хлебы предложения, светильник седьмисвещный — всие медное море... всие медное море.

— Беседует, с Богом беседует... — шепотом внушала Макрида соседке.

Гости стояли, слушали разинув рты и, ровно ничего не понимая, переглядывались друг с другом недоумевающими взорами, а некоторые из более робких и скромных лимонных дам даже какой-то страх восчувствовали — очень уж дивным казалось им откровение, воочию проявившееся в Фомушке. Савелий Никанорович немножко начинал чувствовать, что он, в некотором роде, дал маху, предложив достопочтенному собранию обратиться к мудрому совету блаженного. Фомушка между тем продолжал, не обращая ни на кого внимания:

— Старец некий вниде во врачебницу и рече ему врач: всякую потребу вошел еси семо от овамо? И отвеща ему старец: имеши ли былие, врачующее грехи? И рече ему врач: аще, восхощеши, покажу ти его.

Все общество сомкнулось еще плотнее и отдало Фомушке полное свое внимание. Птицы начинали прозревать нечто похожее на человеческий смысл в вещаниях юродивого, а он между тем разглагольствовал далее:

— Возьми корень нищеты духовные, на нем же ветви молитвенные процветают цветом смирения, иссуши его постом и воздержанием, изотри терпеливым безмолвием, просей сквозь сито чистой совести, всыпль в котел послушания, налей водою слезною и подпали теплотою сердечною. Тогда убо возжется огнь молитвы. Подмешай былия благодарения, и довольно уваривши смиренномудрием, влей на блюдо рассуждения; остудивши же зело братолюбием, часто прикладывай на раны сердечные, и тако уврачуеши душу свою от множества грехов.

Этот духовный рецепт сам по себе, без сомнения, был прекрасен, но ни Савелий Никанорович, ни все остальное общество не видело еще в нем прямого разрешения предложенной задачи.

— А что же, блаженный, насчет дела-то? Ты вот нам насчет нашего дела скажи, что Бог тебе на разум положит. Мы хотим знать твое мнение, чистого духом, простого Божьего человека! — настойчиво ублажал его хозяин.

Фомка ясно понял, что тут, как видно, ничем не отвертишься, и потому махнул наудалую.

— Ты это все насчет чего же пристал-то ко мне? Ишь ведь пристал, словно к ягодице банный лист, и в сам-деле: ты все, этта, насчет женска пола, одно слово, про девок?.. Так я тебе, милый человек, одно скажу: никакого тут исправления нету, а сделай вы все, сколько вас ни есть, складчину. Первым делом — купите соли пуд да дворнику велите ушата с три воды натаскать. Соль-то эту в воде размешайте, чтобы вода, значит, соленая была, и не так, чтобы слегка, а оченно, значит, соленая, чтобы она, значит, плоть разъедала. И тогда ступайте в лес да нарежьте лозанов жиденьких, березовых, а либо ивушку-лозу, одно слово — тонкого прутья. Ну и пущай лозаны в той-то самой соленой воде завсегда у вас и мокнут. Вот тебе мое верное слово.

— Это для чего же, блаженный? С какою целью? — вопросил хозяин.

— А для того, друже мой, чтобы пороть девок-то лозанами. Лозанами их! Чехвости, знай, каждодневно, и в утреню, и в вечерню, да и баста! Потому, окромя как лозанов, — никакого такого средствия, ну и исправления тут нет: больно уж люты они, подлые! Токмо от лозы единой и проймешь, чтобы Бога восчувствовали. Вот тебе и сказ! А боле и не моги вопросить! Ничего не скажу тебе боле!..

И Фомушка опять погрузился в созерцательное молчание.

Справедливость требует заметить, к чести большинства птичьего ареопага, что откровение блаженного произвело странное и даже невыгодное впечатление, хотя и нашлось несколько усердствователей, которые отнеслись к нему одобрительно.

— А что ж? Это он и в самом деле правду сказал, — замечали эти последние. — Ведь не сам же от себя он выдумал! Он даже очень глубоко это сказал: потому сперва дал духовный совет для души, к уврачеванию грехов, а потом и для исправления телесного. И это совсем уж напрасно отвергает большинство. Совсем напрасно! По-настоящему, совет его следует принять в соображение.

Итак, смелый билль, предложенный Фомушкой-блаженным, не прошел. Зато прошел другой, предложенный, с не меньшей гениальностью, графом Солдафон-Единороговым. Этот последний билль возник в среде членов-мужчин по поводу того пункта из проекта госпожи Лицедеевой, который, относясь непосредственно к ним, предоставлял на их долю отыскивание падших женщин.

— Это непрактично, — говорил граф. — Я, например, при моих летах и при моем сане, ведь не пойду Бог знает куда, да и никто не пойдет, потому что это оскорбляет и достоинство, и нравственность.

— Так как же тогда мы будем отыскивать этих несчастных? — горячо вступилась актриса Лицедеева, поддержанная самою княгиней Настасьей Ильинишной.

— Очень просто-с, — возразил ей Солдафон. — При посредстве местной полиции.

— То есть как же это? — не удержались от восклицания многие из членов.

— Опять-таки очень просто-с. Полиция ведь забирает же их иногда за дурное поведение? Ну вот, когда заберут нескольких, пускай и представят к нам. На это можно выхлопотать разрешение.

— Осмелюсь доложить вашему сиятельству, что, стало быть, это выходит, насильством брать? — опять-таки не без некоторого злорадства заметил Иринарх Отлукавский.

Но граф Солдафон не смутился.

— Так точно, ваше преподобие! Иного средства я не нахожу. Детей, например, заставляют же учиться насильно; строптивых мы укрощаем розгами; солдата я сам приучал к службе шомполом да палкой... И-и! Боже мой! Да, наконец, нас самих посекали в детстве! И спасибо! Слава Богу, не пропали в жизни. Так точно нужно действовать и в этом случае; по крайней мере скорее всего приведется к цели, а цель наша, полагаю, прекрасная, нравственная цель!

И граф умолк, с сознанием полной непогрешимости своих аргументов.

Мысль его об обращении падших при содействии местной полиции была принята как вполне рациональная; ею серьезно думали воспользоваться, и только Настасья Ильинишна выразила сомнение и несогласие свое к последнему из аргументов графа, на котором он вполне сходился с Фомушкой-блаженным.

Наконец проект госпожи Лицедеевой кое-как был обсужден, дополнен и благосклонно принят обществом. Оставалось только приступить к делу, то есть к выполнению. Краеугольным камнем этого выполнения, по мнению Лицедеевой и самой княгини Долгово-Петровской, должен был явиться первоначальный фонд, основанный по доброхотной и посильной складчине всех членов. Первый пример щедрости показала сама княгиня, которая на подписном листе выставила сумму в 500 рублей серебром. Что касается до Савелия Никаноровича и Евдокии Петровны, то эти, действительно добрые и по-своему очень хорошие люди, еще раньше княгини, безвозмездно пожертвовали для дела целым отдельным флигелем своего дома. При этом, впрочем, автор должен заметить, что самолюбию Евдокии Петровны немало льстило почетное звание директрисы убежища, на которое она сильно рассчитывала.

Но — увы! — большая половина наличных членов оказалась сильно-таки скупенькой в своих доброхотных даяниях. Впрочем, для исторической полноты события, автор необходимо должен добавить, что эта самая половина, не далее как в нынешний же вечер, с несравненно большею охотой и щедростью делала свои вклады в черную кружку Макриды-странницы, ибо в этих последних вкладах усматривала ближайшую и наиболее существенную пользу для спасения души.

«Оно, конечно, дело очень хорошее и доброе, — мыслила эта половина птичьих членов насчет проекта госпожи Лицедеевой, — но тут все-таки дело земное, а там уже прямо дело небесное — потому на построение храма сбирает».

Когда подписной лист оказался наполнен фамилиями вкладчиков и первое заседание объявлено закрытым, девица-сочинительница Разбитая не вытерпела и обратилась к Евдокии Петровне с назойливою просьбою — предложить гостям выслушать одну маленькую главку из ее добродетельно-морально-философического романа.

Началось очень скучное чтение, во время которого Евдокия Петровна тихо взошла на возвышение, покрытое красным сукном, где стояла перед табуретом ее позлащенная арфа, и пока девица Разбитая читала «с оттенками» и декламацией, Евдокия Петровна, устремив глаза в потолок и придав своей седокудрой физиономии выражение восторженно-вдохновенной меланхолии, в блуждающей задумчивости, медленно и тихо бряцала перстами по струнам арфы.

Таким образом, чтение девицы Разбитой походило на театральный монолог под сурдинку. Гости весьма томились навязанным им развлечением, напряженно стягивали рты и мускулы щек, удерживая широко наплывшую зевоту; а более слабые из них и совсем уже не выдержали... По зале, вместе с девицей Разбитой и меланхолической мелодией Евдокии Петровны, раздавалось тихое и мерное носовое сопение. Десятка полтора гостей, убаюканных этими звуками, безмятежно спали блаженным сном невинности.

И Бог весть сколько бы времени длилось еще чтение маленькой главки добродетельно-морально-философического романа, если бы внезапно не прервала его бесцеремонно громкая икотка Фомушки.

— Хозяйка! — вскрикнул он, ерзая на кресле и поворачиваясь всем туловищем к Евдокии Петровне. — А где у вас тут выйти?

Вели-ткось проводить меня. Больно уж я спать захотел. Да пущай мне там, в буфетной на лежанке, постелю бы настлали — сон сморил совсем. И вам пора по домам, во Христе братики! — с глупой улыбкой подпел он себе в заключение:

Все домой-да, все домой,
А я домой не пойду,
Ай, люли, не пойду!
Сударики, не пойду,
Ай, ду-ду, ду-ду, ду-ду!

И это было единственное умное слово, без особенного умыслу оброненное Фомушкой в течение вечера, так что все члены птичьего ареопага в глубине сердец своих восчувствовали и к блаженному величайшую благодарность за это самое слово. Он, словно израильтянин от пленения египетского, извел их от пленения девицы-сочинительницы Разбитой, смело перешагнув неисходные морские пучины ее добродетельно-морально-философического романа.

— Простите, отцы и братия, еже соблудих, окаянный, словом, делом, помышлением! — бухнулся вдруг на колени блаженный, кланяясь в ноги всему обществу. — Отпустите мне не блазно на сон грядущий!

И после нового земного поклона он тихо удалился из комнаты, напевая себе под нос:

— На реках Вавилонских, тамо седохом и плакахом.

IV

ТЬМА ЕГИПЕТСКАЯ

В гостеприимном доме Савелия Никаноровича Фомке была полная лафа. Здесь он достигал уже до апогея своего подвижнического юродства. Здесь его без обиняков признавали чистым, святым Божиим человеком, верили всем откровениям и каждому его слову, ухаживали за ним как за писаной торбой, почитая такое ухаживание делом богоугодным и, стало быть, душеспасительным. Кормили его на убой, поили фруктовым квасом, водянками, пивком и домашней наливкою; сажали рядом с собою за стол, нисколько не брезгая его грязью и вонью, которые также причислялись ими к непременным атрибутам его юродственной святости. Никогда еще фортуна не улыбалась Фомушке такою широкою улыбкой, как с тех пор, когда он имел счастие обратить на себя высокое внимание и покровительство княгини Настасьи Ильинишны. До этого времени, или, вернее, до тюрьмы, высший круг его знакомства и деятельности составляло мелкое купечество да мещанство, — а теперь Фомка в баре попал. Лимонные дамы наперерыв старались залучить к себе Фомку, почитая его самым дорогим гостем, и бывали истинно счастливы, если он удостаивал которую-либо из них своим посещением — и все это только потому, что сама княгиня Настасья Ильинишна изволила ему покровительствовать.

Во всем птичьем ареопаге было только три человека, которые, по своему уму и житейской опытности, сразу раскусили, что такое, в сущности, этот блаженный Фомушка; но каждый из трех раскусил его порознь, в глубине собственного сердца, и каждый почел за лучшее держать на этот счет язык за зубами. Эти трое раскусивших были отцы Иринарх с Иоанном да гордопоступный Петелополнощенский.

Отец Иринарх с первой же встречи устремил на Фомку проницательный пытливый взгляд, минут с десять послушал его разглагольствия и безошибочно узнал птицу по полету.

— Вы бы с ним, матушка Евдокия Петровна, тово-с... как-нибудь поосторожнее, — предварил он тогда же гостеприимную хозяйку. — Потому, изволите видеть, случается и так, что эти Христа ради юродивые, не по чему иному, как, собственно, по одной своей забывчивости, зачастую и серебряные ложки в карман таскают. Так чтобы как-нибудь тово... греха такого не случилось бы и с вами.

— Ай!.. Ах!.. Отец Иринарх! Что вы! Да как вы! — всплеснула руками Евдокия Петровна, возмущенная столь клеветнической несправедливостью. — Фомушка!.. Чтобы Фомушка решился!.. Да нет... да вы вспомните: сама княгиня Настасья Ильинишна... Ну, стала ли бы Настасья Ильинишна ему покровительствовать? Ах, нет, нет! Перестаньте, я и слушать не хочу! Это — божеской жизни человек. Сколько он одной несправедливости-то от злых людей претерпел в жизни, если бы вы только послушали! Нет, это святая душа!.. Святая душа!

Таким образом, предупредительный подход отца Иринарха был отпарирован. Ему не верили, потому что знали его наклонность смотреть на вещи немножко с темной, скептической стороны и почитали священником «из новых». Отец Иринарх не находил нужным ссориться с Евдокией Петровной из-за какого-нибудь Фомки-блаженного и поэтому молчаливо выносил его присутствие. Но на душу благочестивой женщины всегда производила несколько неприятное впечатление эта ехидственная улыбка, которая неизменно появлялась каждый раз на устах отца Иринарха, как только Фомка начинал свои широковещательные разглагольствования.

Отец Иоанн Герундиев, как человек плавный и поэтому политичный, не подал даже и виду относительно своих выводов насчет юродивого. Петелополнощенский же, в котором блаженный слишком задевал чувство брезгливости, показывал вид, что дружески любит и истинно уважает сего человека, потому что человек сей пользуется фавором княгини Настасьи Ильинишны. А гордопоступный Петелополнощенский был великий практик вообще во всех делах, как от мира, так и не от мира сего.

Одним словом, в доме Савелия Никаноровича Фомушке привольно жилось, сладко жралось и мягко спалось, и в силу таковых причин он облюбил этот гостеприимный порог, за который перешагнув однажды, не хотел уже скоро расстаться с таким местом злачным и прохладным.

Он почти совсем поселился у Савелия Никаноровича, забыв даже свою богадельню. Да и как было не держаться этого дома? Ходи себе, куда знаешь и куда хочешь, во всякое время дня и ночи; исчезай на несколько суток и опять возвращайся туда, где тебя радушно ожидает ласковый привет, и теплая, мягкая постель на лежанке, и вкусный обед, и квасок фруктовый, и добрая чарка наливки. Идешь куда хочешь, и никто не спрашивает у тебя ответа: где был, зачем исчезал и что сотворил за все это время. Титул юродивого дурачка и Божьего человека застраховал Фомушку в этом доме и во всем этом обществе относительно каких бы то ни было сомнений насчет его поведения и нравственности: «Он, мол, в своих поступках не волен; что Бог ему положит на душу, то он и делает». Таково было мнение о Фомушке, и оно-то более всего благоприятствовало его закулисным похождениям.

Фомка рассчитывал надолго вести подобный род жизни в гнезде птичьей пары и поэтому справедливо поразмыслил, что ему необходимо нужно заручиться в свою пользу прочными симпатиями этой пары. Как заручиться ими? Фомка подумал, и выдумал.

Заметил он в обоих старичках сильную и притом безразличную слабость к предметам священного поклонения. Заметил также и их необычайную любовь к рассказам о разных странствиях да хождениях к святым местам да о чудесах, случившихся и с ним самим, и с иными богоугодниками. Во всем, что хотя на миллионную долю касалось религии, рассудок их пасовал, а сердце преисполнялось безграничною верою. Конечно, в христианском смысле, это была черта высокая, но, на беду, столь старательное устранение логики заставляло их относиться совершенно одинаковым образом и к самым высоким догматам христианства, и к наглым бредням мошенника Фомки. Различия между тем и другим они не полагали, и достаточно было блаженному каждой рассказанной им нелепости придать какой-нибудь религиозный оттенок, чтобы они безусловно уверовали в эту нелепость, несмотря на все ее очевидное безобразие. Так, например, однажды он рассказал им, каким образом приходил к нему во граде Смирно-Ливанскием ангел Фиатирской церкви и поведал рабу своему Фоме, что дураковы ноги его подобны Халколивану.

— А вот, братия моя возлюбленная, — говорил он им в другой раз, — как я был в Юрусалиме-граде, так сподобился там, окаянный, зрети пуп земли, и поперек этого пупа красный крест там положен. И этот самый пуп оченно хорошо противу брюха помогает. Коли ежели вспучит, али сопрет тебе брюхо, алибо когда этой грыжей нудишься, так только ничего, что навались брюхом на этот самый пуп, и только приснорови, чтобы твой-то пуп, человечий, пришелся как раз супротив пупа земного — пуп на пуп, значит, и сейчас у тебя брюхо перестанет. У меня у самого, — прибавлял Фомушка ради пущего удостоверения, — вот как истинный Христос Бог на небеси! — тут же в секунду прошло брюхо; только что навалился пупом, а оно и прошло: сейчас, значит, этта, благодать снизойшла на меня. И от той поры как ежели сопрет меня, сейчас я больше ничего, что только про пуп земной вспамятую себе, а брюхо мое уж и знает. Как вспамятую, так оно и перестанет, — потому земного пупа боится, и никак ему супротив его идти невозможно.

Старички слушали, и послухом чистосердечно верили, сожалея только об одном, что паломники наши опустили столь важный факт в описании своих путешествий ко святым местам, и таковое опущение поставлялось ими в непростительную вину почтенным авторам.

Однажды Фомушка вместе с Макридой пропадали суток около четырех. Хозяева, давно привыкшие к подобным отлучкам, не обратили на это обстоятельство особенного внимания. Зато их крайне удивил священно-важный и таинственный вид, который принял на себя Фомка, вместе с своею сподручницей, по возвращении в гостеприимное гнездо Савелия Никаноровича. Вернулись они вечером и на предложение испить чайку ответили, что ни есть ни пить ничего не станут, потому что весь этот день великий пост содержат и всю ночь простоят на молитве.

— Что же так? По какой причине? — осведомился хозяин, встревоженный такою экстраординарностью.

— А вот погодь до утра, друже мой! Утром все тебе объявлю, и скажу теперь только одно, друже мой милый, что дом твой отныне будет вместилище великия благодати.

Любопытная хозяйка приступила было к обоим странникам с расспросами о столь загадочном предвещании; но Фомушка круто отрезал, что узнаешь, мол, завтра, а ныне нет тебе на то знатье мово разрешенья!

Тотчас же после этого он заперся на ключ в буфетной, где обыкновенно почивал на жаркой лежанке, а Макридушка замкнула за собою на задвижку дверь в гардеробной хозяйки, отданной в ее пользование. И тот и другая затеплили по восковой свече, и добродушные старички, заинтригованные таким загадочным поведением своих гостей, неоднократно подходя на цыпочках к той и другой двери, могли явственно расслушать и там и здесь какое-то молитвенное бормотанье.

Наутро Фомушка, с тою же таинственностью, позвал к себе в буфетную обоих старичков и Макриду-странницу.

— Ну, христолюбцы мои милосердливые! — заговорил он, трижды перекрестясь на образ. — Обещал я вам благодати, и прикатила она — благодать-то. Еще со вчерасева притащил я ее с собою. Великая у меня есть сокровища, и николи я с нею не желал разлучиться... Ну да уж так и быть — жертвую для вас, за ваше ублаженье. Странных людей не брезгаете — за то вам и жертвую! Притащил я с собою эту самую сокровищу от святых гор синайских. Шел я через эти самые горы синайские во святую землю с одним монашком. Был он такой из себя старичок праведный, и шли мы только двое; проходили пустыню великию, и скрючила его тут трясовица с огневицею. Видит он, что конешный час ему приблизился, а вси друзи и ближние далече от него сташа. Споведался он мне на свой конешный час и отдал притом эту самую сокровищу, а сам завет положил, чтобы хранить мне сокровищу верно алибо отдать ее в надежные руки. Как взял с меня этот самый обет, так и преставился, и пошел от него тогда тимиан благоухания по всей по пустыне.

— Какое же это сокровище? — затаив дыхание, несмело вопросили старики.

Фомушка поднялся с тем медленным спокойствием, которое изобличает в человеке сознание необыкновенной важности его поступка, и неторопливо развязал узлы цветного ситцевого платка, откуда вынул нечто завернутое в старый парчовый лоскут, тщательно перевязанный тесемкою. От лоскута разлился по комнате легкий запах ладану и розового масла.

Та же неторопливая важность сопровождала и развязывание тесемки.

Савелий Никанорович и его супруга взирали на все это в каком-то благоговейном, трепетном ожидании, и вдруг перед изумленными очами их появились небольшой осколок какой-то темной косточки и небольшая склянка, наполненная какою-то маслянистою массою совершенно черного цвета.

Фомка хлопнулся перед этими предметами на колени и стал усердно креститься и класть земные поклоны. Макрида последовала его примеру, а за Макридой и хозяин с хозяйкой стали делать то же.

— Узрите! — торжественно заговорил Фомушка, с осторожностью указывая на склянку и кость. — Се убо тьма египетская, в Соломонов сосуд заключена, а это моща.

Черная склянка была тщательно закупорена пробкою, и поверх пробки туго обтянута воловьим пузырем.

Савелий Никанорович протянул было к ней руку с намерением полюбоваться, как вдруг Фомушка-блаженный остановил его на полдороге, поспешно отстранив его локтем, с каким-то опасливым испугом.

— Не прикасайтеся! Не прикасайтеся! — заговорил он торопливо. — Говорю вам, это — тьма египетская. Она теперь заключена есть во склянницу, а ежели — Боже избави — разбить эту склянницу алибо откупорить — она сейчас же и расточится! По всей земле расточится! И свету уж ни чуточки не будет, и вси мы будем тогда во тьме ходящие!

— Свят! свят! свят! — в религиозном ужасе шептала, крестясь, Макрида.

Фомушка вертел в руках и склянку, и кость перед глазами пораженных стариков, которые уже не смели прикоснуться ни к тому, ни к другому предмету.

— Так вот, друже мой, какою сокровищей я тебе жертвую! Сохрани ты ее в целе и тогды в дому своем спасен будеши! — наставлял Фомка Савелия Никаноровича. — Да только слышь ты, никому ни гугу про это дело, а блюди ты его втайне: знай молчок, допрежь всего, и тогды будет тебе всякая благодать от вышнего.

После такого многозначительного предисловия заключенная тьма египетская была благоговейно положена руками самого Фомушки в фамильный киот Евдокии Петровны, наполненный образами. И с той самой минуты авторитет Фомушки возвысился в глазах птичьей пары по крайней мере на сто процентов. Теперь уже этому кому стало не житье, а в полном смысле слова — широкая масленица. Ублажали его как только могли, с восторгом лобызая за этот великодушный подарок, и в свою очередь отдарили несколькими красными ассигнациями.

V

ПЕРВАЯ ПАНСИОНЕРКА

Время шло меж тем своим чередом. Пока юродивый да странница привитали себе в теплом птичьем гнезде, успело все-таки уладиться и дело, затеянное по инициативе госпожи Лицедеевой.

Впереди этому делу предстояла еще длинная перспектива всяческой официальной процедуры с рассмотрением да разрешением проекта, что, конечно, требовало довольно долгого времени. А княгиня Долгово-Петровская меж тем желала как можно скорее узреть плоды новой филантропической затеи и усладить ими избалованный вкус своего тщеславного честолюбия. Поэтому на одном из последующих сборищ большинство членов решило: не дожидаясь официального разрешения, приступить к делу, помаленьку, путем негласным. И, Боже мой, что за самодовольная гордость сияла на лице княгини, когда на долю ее выпала честь — представить первую пациентку в нравственную лечебницу актрисы Лицедеевой.

Случилось это самым обыкновенным и несложным образом.

В качестве присяжной филантропки вздумалось однажды ее

сиятельству посетить некоторые места заключения. Вспомнилось ей, что давно уже не посещала она арестантские камеры при съезжих домах полицейских. Как вздумала, так на другой день и поехала.

Приезжает в одну из частей. Вступает в общую женскую камеру — и среди расспросов о том, хорошо ли содержат да какова пища, взор ее случайно упал на одну очень молоденькую и хорошенькую арестантку. На взволнованном лице молодой девушки было написано столько горя и страдания, на ресницах виднелся еще невысохший след обильных слез, и во всей гибкой и хрупкой фигурке ее сказывалось такое беспомощное отчаяние, что княгиня невольно остановила на ней свое внимание.

— Ты, милая, за что? — неожиданно обратилась она к девушке.

Та вздрогнула и смутилась.

Вместо ответа на ресницах ее показались новые слезы.

— Ты, милая, не плачь, а отвечай, если тебя спрашивают. Я ведь тебе не следственный пристав — желаю знать ваши нужды и облегчить вашу печаль, — говорила меж тем княгиня каким-то деревянным тоном выделанной кротости и сочувствия. В этом тоне, казалось, будто звучит иная струна, звук которой должен бы был в своей сущности выразиться таким образом: «Вы, мол, дряни, порочный сброд и грязные отрепья, должны чувствовать и ценить, что я — я, княгиня Долгово-Петровская, снисхожу до вас и принимаю в вас такое близкое участие, потому что я хорошая христианка и желаю отличиться добрым, чувствительным сердцем».

Но и тут, вместо ответа на ее изъяснение, со стороны молоденькой арестантки прорвались одни только рыдания, которые она тщетно силилась задержать в груди своей.

Настасья Ильинишна, по обыкновению, перевела взоры на сопровождавшее ее начальство, ища в нем достодолжного объяснения этим рыданиям, и потому в ее взорах выражался теперь обычный в подобных обстоятельствах знак вопросительный.

Сопровождавшее начальство объяснило ее сиятельству, что молодая арестантка взята вчерашнего числа вечером в одном из развратных притонов Таировского переулка за учиненное ею буйство с намерением вышибить стулом оконную раму, причем законного вида у нее не оказалось, а показывает-де, что вид ее украден в ночлежной Вяземского дома, и при сем называет себя — быть может, и облыжно — санкт-петербургской мещанкой Марьей Петровной Поветиной.

«А! Вот и прекрасный случай! — тотчас же мелькнуло в голове княгини. — Молодое падшее существо... Надо его направить на путь истинный... Прекрасно! Вот уже и есть одна пансионерка в нашем убежище!»

И вместе с этой мыслью авторитетная княгиня не замедлила заявить полицейскому начальству, что пока идет следствие да будут наводить справки, точно ли эта девушка та, за которую себя выдает, она, княгиня Настасья Ильинишна, желает взять ее отсюда немедленно под свое поручительство.

Маша, вне себя от восторга, бросилась к ногам своей избавительницы и, внезапно схватив ее руку, покрыла горячими поцелуями.

А вместе с нею к тем же ногам припала и другая женщина — безобразная, оборванная старуха — и, не дерзая даже прикоснуться к краю княгининой одежды, с молитвенно сложенными руками, с глазами, полными слез, и радостной улыбкой на губах, быстро заговорила взволнованным голосом:

— Не оставьте!.. Спасите... спасите ее!.. Она пока *еще* честная... *честная* девушка... Пока еще *есть время...* пока еще *можно* спасти... Ей нехорошо быть с нами — пропадет! Погибнет!.. Ради Господа Бога... Из христианского милосердия — уведите ее отсюда!.. От нас от всех уведите!..

Чувствительная княгиня даже прослезилась — и по этому поводу в затхлой атмосфере арестантской камеры разлился тонкий, едва слышный букет духов, которыми был спрыснут ее кружевной батистовый платок.

Эти две женщины, стоящие перед ней на коленях в присутствии многочисленных зрителей, этот восторженный порыв благодарности, стремительно сорвавшийся у молодой девушки, и эта мольба безобразной старухи пролили отрадный елей в глубину мягкого сердца княгини.

— Полно, милая, зачем благодарить меня? Незачем, незачем! — говорила она Маше, показывая вид, будто хочет выдернуть из-под ее поцелуев свою руку; однако же не выдернула ее совсем: ей не хотелось сразу прекратить такую картинную сцену; сердце ее жаждало *еще* несколько капель елея, и когда почувствовало оно, что эти капли уже пролились, тогда княгиня собственноручно подняла с колен молодую девушку и приветливо кивнула головой старухе.

Удаляясь из камеры, вполне счастливая и даже растроганная совершенным благодеянием, ее сиятельство распорядилась, чтобы полицейское начальство сегодня же переслало к ней молодую арестантку.

Спустя около часу после отъезда филантропки полицейский солдат позвал Машу из камеры.

Чуха взяла обе ее руки и крепко их сжала.

— Ну, девушка, прощай! — вырвалось у нее с глубоким вздохом приветное, теплое слово. — Сама не знаю за что, а полюбила я тебя крепко, словно родную дочь полюбила... Скоро это сделалось; кажись бы, недолго и пожили мы с тобою, а вот, поди ж ты, расставаться тяжело... И знаю, что верно уж хорошо тебе там будет, а самой тяжело почему-то...

На красновато-припухлых глазах ее накипели едкие слезы. Чуха торопливо смахнула их рукой.

— Ну, да Господь с тобою, голубка моя! Тебе одна дорога, а

мне другая. Дай тебе Бог если не счастья... так хоть покою! Спасибо, нашлась еще добрая душа — вырвала из омута... Прощай, моя девочка, прощай!..

И они крепко обнялись и крепко поцеловались последним и таким тихим, таким кротким поцелуем, каким, быть может, родная мать целует иногда свое дитя, добром отпуская его на трудную житейскую дорогу.

Полицейский солдат «доставил в точности» освобожденную девушку к княгине Настасье Ильинишне.

Княгиня Настасья Ильинишна, не считая более нужным удостоить Машу своего лицезрения, продиктовала своему египетскому обелиску очень чувствительную записку, адресованную на имя Евдокии Петровны. В записке этой, изложенной, конечно, по-французски и даже не без красноречия, изъяснялась история давешнего путешествия в причастную арестантскую, где княгиня, «среди самых ужасных монстров порока и преступления» отыскала «юное, но — увы! — уже падшее существо, которое вопиет о спасении...» и т. д.

Эта записка была вручена ездовому княгини, которому вдобавок через египетского обелиска было поручено передать Евдокии Петровне, что ее сиятельство княгиня Настасья Ильинишна приказали-де кланяться вашему превосходительству и посылают-де вашей милости девушку, при записке. И ездовой повел Машу к новому ее назначению.

Поместили ее в отдельный надворный флигелек, а для вящего наблюдения за нею переселили туда же, в виде приставницы, и Макриду-странницу.

Этот ходячий вздох всескорбящего сокрушения с первой же минуты начал читать ей нравственные сентенции о том, что на том свете потаскушкам — беда! Что заготовлены там для ихней сестры огни серно-горючие и медные трубы, которые черти станут сквозь все нутро пропущать окаянным грешницам и сквозь те самые трубы вливать в нутро смолу кипучую, так что по всем телесам очённо большие волдыри да обжоги пойдут. Маша слушала и словно не слыхала. Ни трубы со смолою кипучею, ни огни серно-горючие, ни волдыри с обжогами не производили на ее душу достодолжно спасительного воздействия, и посему на следующее утро смиренномудрая Макрида, явясь к Евдокии Петровне с негласным докладом о поведении пансионерки, объявила с неудовольствием, что ничего ты с нею, матушка моя, не поделаешь, потому — несократимое сердце имеет и дух строптивости.

— Я, матушка, говорю ей: молись, дурища, да ефитинью наложи на себя постом и поклонами, да первым делом проси создателя нашего батюшку: «Дух же целомудрия, смиренномудрия даждь ми!» Хотела было сказать и про дух терпения и любви, да подумала себе, что этого уже не след, про любовь-то — потому, матушка, этая самая любовь — всему злу что ни есть первая причина. И долблю я ей, этта, все таким благородным манером, по великатности моей, а она — что ж бы вы вздумали? — молчит, псовка экая! Молчит и бровью не шелохнет, словно и не к ней говорится. Как об стену горох, матушка, как об стену горох!.. Одно слово, сударыня, вашие преасходительство, закаменение сердца, и больше ничего-с!

Евдокия Петровна слушала, с глазу на глаз, неутешительный доклад Макриды-странницы, и в большом неудовольствии сокрушенно качала своими седокудрыми коками.

Часа три спустя после этого негласного доклада приехала На́стасья Ильинишна, нарочно по поводу пансионерки.

Последовал, конечно, обширный и украшенный многими подробностями рассказ об арестантской камере, с ее монстрами порока и преступления, о молодой, но уже падшей душе и о прочих деяниях по части филантропии.

— Ну а что? Как?.. Заметны ли уже в ней какие-нибудь следы исправления? — осведомилась наконец она после всех этих рассказов.

Евдокия Петровна передала ей неутешительный результат Макридиных наблюдений.

Княгиню это весьма огорчило; она уже вполне расположила себя к немедленному пожинанию плодов исправления.

— Надо сообщить об этом madame Лицедеевой. Пускай-ка еще и она побеседует с нею, — заметила хозяйка.

— Одной Лицедеевой мало, — компетентно возразила высокочтимая гостья. — Надо, чтобы все мы приняли в этом самое горячее участие; надо назначить очередь, чтобы каждый из наших членов являлся по очереди в приют и старался внушить ей правила нравственности; надо устроить так, чтобы это было вроде лекций, чтобы даже заранее каждый приготовлялся насчет своей темы — тогда это выйдет хорошо... В этом я уверена.

Евдокия Петровна, конечно, безусловно согласилась с мнением княгини, остальные члены тоже — и вот таким образом начались для Маши ежедневные душеспасительные беседы.

Вскоре в приют поступила, почти так же, как и Маша, еще другая пансионерка, а через несколько времени и третья; но — увы! — необходимо должно сознаться, что искус, налагаемый на исправляемых пациенток, был для них только одним искушением. Елейный бальзам, о котором столь мечтала госпожа Лицедеева, как-то плохо вливался в их души.

Дело выходило совсем каким-то мертворожденным плодом благодаря все тем же непризнанным благодетелям и филантропам; как бы в совершенный контраст с одним из подобных же, но только гласных приютов, который и по сей день процветает в Петербурге, принося истинную пользу кающимся Магдалинам, потому что принципы, положенные в основание его деятельности, принадлежат людям, разумно взявшимся за дело, и отличаются духом истинной гуманности и христианской любви.

За каждым словом, взглядом, движением этих пациентов наблюдал верный Аргус в лице Макриды-странницы, которая каждодневно ранним утром являлась к матушке ее «преасходительству», с неизменным негласным докладом о суточном результате своих наблюдений. Будили их рано и сейчас же заставляли молиться... Кормили плохо, дважды в сутки, и давали пищу постную в умеренном количестве. Это делалось по принципу — ибо обильная и притом скоромная пища будит в человеке неподходящие в данном случае инстинкты. Таким образом, пациентки всегда чувствовали себя несколько впроголодь, что называется — налегке. После эпитимических поклонов приносили им сбитню и тотчас же сажали за работу, которая состояла в шитье и вязанье. Работы всегда было вдосталь, так как у каждого почти из членов, и особенно у дам, постоянно находился какой-нибудь заказ. В этом отношении преимущественно отличалась актриса Лицедеева, для которой вечно шились и вышивались гладью то сорочки, то шемизетки, то рукавчики и прочая дребедень дамского туалета, коим так щеголяла эта особа. Выручаемые довольно скромные деньги шли в приютскую кассу на увеличение средств существования. Во время этой работы обыкновенно появлялся кто-нибудь из членов — читать моральные назидания, на поприще которых особенным искусством и красноречием отличалась все та же незаменимая госпожа Лицедеева. Назидания разделялись на общие и одиночные. Первые преподавались всем трем пациенткам вкупе, вторые же — каждой отдельно, с глазу на глаз, и эти последние характеризовались особливою своею назойливостью. Они-то им и надоедали по преимуществу. Некоторые из совьих членов отличались такой любовью к этим беседам, что зачастую являлись с ними даже и не в очередь, и тогда случалось вместо двух назиданий обыденных — общего и одиночного — выносить еще и экстраординарные, стало быть в двойной пропорции. Все это были слова, слова и слова, очень чинные, очень чопорные, очень сухие и очень скучные, в которых — увы! — зачастую шибко била в нос и фарисейская закваска. Вечером опять собирались пациентки на общую эпитимью с земными поклонами — и день, почти минута в минуту распределенный на известные занятия, наконец кончался для утомленных и полуголодных девушек, чтобы назавтра начаться точно таким же монотонным порядком.

Сначала очень по душе пришлась Маше эта тихая, однообразная жизнь в петербургском захолустье, почти на городской окраине. Она так искала теперь уединения и спокойствия — прежде всего и более всего спокойствия, полного, ненарушимого, скрашенного скромным и прилежным трудом. Ей так хотелось отдохнуть наконец душою в каком-нибудь безвестном уголке, уйти от жизни и от мира, забыться после всех тяжелых треволнений, выпавших на ее долю. Она от полной благодарностью души благословляла свою спасительницу — эту добрую, трижды добрую княгиню Настасью Ильинишну. Она с наслаждением думала, что наконец-то нашла себе тихую пристань, и горячо благодарила за нее Бога.

Но... вскоре в это тихое, спокойное существование стали впиваться разные мелкие шипы и колючки, которые тем не менее давали себя знать ей очень чувствительным образом. Первое, что подметило ее чуткое на правду сердце, было фарисейское лицемерие, проглядывавшее в скучных и сухих поучениях некоторых из назидателей. Ее возмутила ханжеская неискренность. Неискренности, притворства положительно не выносила душа этой девушки. Она слишком живо чувствовала благодеяние, сделанное ей княгиней Долгово-Петровской, и потому первым движением ее, при возникшем подозрении, был жестокий упрек, сделанный самой себе за свое сомнение. Маша, что называется, затыкала себе уши, закрывала глаза, отводила в сторону ум свой, чтобы уничтожить, искоренить в себе закравшееся сознание о фарисействе иных назиданий. Все свои сомнения старалась она приписать своей собственной подозрительной мнительности, фантазии, настроенной в мрачную, озлобленную сторону; уверяла себя, что в действительности ничего этого нет, что все это ей только так кажется; упрекала себя в горькой неблагодарности; но — время шло все вперед, а вместе с ним росла и очевидность лицемерия разных госпож Лицедеевых и господ Петелополнощенских. Маша закрывала себе глаза — действительность шла наперекор и насильно раскрывала их. В этом была ее нравственная пытка. Она наконец поняла, что эти три несчастные пациентки только затем почти и содержатся здесь, чтобы служить обильным предметом эксплуатации для своеобразного эгоистического тщеславия разных господ, прикидывающихся добросердечными святошами; что для них важна не сущность дела, а его внешняя, показная сторона, которая только подает этим господам отличный повод покрасоваться перед собою и светом собственною добродетелью, перлами и адамантами собственной мелконькой душонки, дает возможность самоуслаждения собственным красноречием. И как ни старалась она отыскать в этих назиданиях теплое, душевное слово, истинно христианское, человеческое побуждение — рассудок убеждал, что все это одна только сушь да глушь, где ни один звук, ни единая мысль не пронизывает огнем все сердце, не прошибает честную слезу на глаза человека, жаждущего духовной помощи, сочувствия и утешения.

«Господи! Да кто же кого надувает здесь, наконец?» — с горечью думалось ей не однажды среди таких грустных размышлений.

Более всего невыносимым казалось то, что ей насильно навязывают нравственное падение, будто бы вовлекшее в глубокий разврат ее душу, от которой теперь излечивают ее черствыми назиданиями. Это ее оскорбляло. Она не чувствовала себя ни падшей, ни развратной. Она чувствовала себя только обманутой злыми людьми, бесчеловечно обманутой тем человеком, которого она так просто и так много любила.

Она просила у них честного исхода и честной работы ради куска насущного хлеба, а ей назойливо пилят о ее разврате и падении, о Боге, наказующем подобную жизнь, о великости доброго дела тех особ, которые взяли на себя тяжелый, богоугодный труд извлечь ее из бездны порока, о благодарности к этим добросердечным особам — и твердят это ежедневно, по нескольку часов, не желая даже и слушать ее возражений, ее оправданий. Это ее подчас выводило из терпения, так что бедная девушка не шутя начинала уже считать сумасшедшими — либо себя, либо своих надзирателей.

Тихая, покойная жизнь, которой так обрадовалась она на первых порах, теперь ей положительно опротивела, что называется — осточертела. Маша начала сознавать, что долго вынести этого невозможно: никакого терпения не хватит.

Эта внутренняя накипь пробивалась у нее иногда наружу, а добродетельные назидатели приписывали такие проявления исключительно одной лишь ее закоснелости, строптивости и страшно порочным инстинктам. Поэтому они смотрели на нее весьма неблагосклонно, прилагали усиленные старания о возвращении «заблудшей овцы» на путь истинный, иссушали ее — по рецепту Фомушки — «постом и воздержанием», и жизнь в приюте, вследствие всех этих причин, была для «заблудшей овцы» вдесятеро горше и невыносимее, чем двум остальным ее товаркам. Ее не любили, и она сама никого не любила тут. Она была совершенно одинока в каземате этой инквизиции.

Вскоре одно обстоятельство еще более усилило ее невыносимое существование.

VI

ПТИЦЫ РАЗОЧАРОВЫВАЮТСЯ В МАШЕ, А МАША — В ПТИЦАХ

Вздумалось и блаженному порадеть на общее благо: тоже захотел читать нравоучение трем пациенткам.

— Ты, матка, дозволь и мне, дураку, поучить-то их, — говорил он Евдокии Петровне.

Евдокия Петровна посоветовалась с мужем — и обоим очень понравилось предложение Фомушки. Поехали они доложить о нем Настасье Ильинишне, и Настасье Ильинишне понравилось. Порешили на том, что и в самом деле, если его сердце угодно Господу, который во уста его влагает свои веления, то, уж конечно, никто из самых умных и красноречивых членов не воздействует на души падших женщин столь благодетельно, как блаженный Фомушка.

Таким образом, разрешение было дано, а Фомке только того и нужно, потому умысел другой был у него, и заключался этот умысел в следующем: наведывался он иногда в надворный флигелек к Макриде, объясняя притом каждый раз хозяевам, что иду, мол, побеседовать духовно со странницей. Наведываясь таким образом, приглядел он однажды там спасаемую Машу.

«Важная девица!» — подумал про себя Фомка и даже языком прищелкнул от удовольствия.

— Подь-ка, лебедка, ко мне! — приветно поманил он ее рукою.

Это было еще на первых порах вступления молодой девушки в приют кающихся. Хотя первое инстинктивное впечатление при виде блаженного и произвело на Машу какое-то непонятное, отталкивающее действие, однако присутствие его в этом месте и эта монашеская ряска, да вообще вся его святошеская внешность волей-неволей заставляло ее покориться изъявленному им желанию, которое еще вдобавок было так невинно.

Она приблизилась.

Фомушка забормотал какую-то ерунду, начал крестить ее, довольно бесцеремонным образом тыча ее тремя сложенными перстами и в лоб, и в грудь, и в плечи.

Пока та недоумевала, с какой стати производятся над ней все эти странные эволюции, Фомка, недолго думая, прямо чмок ее в губы.

Маша вскрикнула и отшатнулась. Блаженный за нею, продолжая крестить ее в воздухе, как вдруг накинулась на него ревнивая Макрида. Очень уж вскипятила ей сердце зазорная наглость ее благодетеля. Изругала она его, как только душа пожелала, и даже пообещалась «пожалиться» на него самой Евдокии Петровне; однако же не пожаловалась, потому что подрывать авторитет блаженного в глазах птиц вовсе не входило в ее расчеты. На первый раз она ограничилась тем, что вытолкала его взашеи. Но Фомушка не унялся. «Важная девица» почему-то приглянулась ему, скуки ради.

«Погодь же ты, я те доведу до точки! — помыслил он относительно Маши. — Чего и в самом деле? Живешь-живешь себе на свету, жрешь-жрешь всякую пишшу... Макрида — провались она в тартарары! — по горло опостылела... Никакой тебе занятности нету, никакого удовольствия не вздумаешь. А тут такие три королевины под боком...»

Из этого размышления читатель может усмотреть, что наш юродствующий Фомка тоже не лишен был отчасти и ловеласовской самоуверенности. Надо полагать, что теплое привольное житье да жирный довольственный кусок и на него произвели свое воздействие. Одна беда — Макрида каждый раз гоняет взашеи, чуть только изъявит он намерение приблизиться к какой-нибудь из трех пациенток.

«А вот я ж те понадую, шельмину дочку! Я те подведу такую штуку, что только руками разведешь, а не пикнешь!» — решил Фомка сам с собою — и точно: понадул и штуку подвел отменную.

Волчихой глянула на него Макрида, когда сама Евдокия Петровна впервые ввела его в приют — читать назидательные нотации... Но... как ни чесался у нее язычок, а ничего не поделаешь: должна была держать его за зубами, ибо чувствовала, что с подрывом Фомушки и ей самой не удержаться; потому — и выдаст, и продаст, окаянный.

Фомушка оказался очень усердным назидателем, и пациентки, за исключением Маши, оставались им очень довольны. При назиданиях общих он им прочитал что-нибудь из духовных писаний, во избежание придумывания собственных своих тем; зато часы назиданий одиночных проводились довольно весело. О нравственных беседах не было тут и помину. Фомка просто-напросто балагурил с той или другой поочередно, чему каждая была очень рада, потому что его занятное и малоцеремонное балагурство служило им единственным развлечением среди их монотонной жизни.

Вскоре Фомушка благодаря своим назиданиям увидел себя чем-то вроде турецкого паши в приюте кающихся, который таким образом был обращен им в своеобразное подобие гарема. Макрида играла роль первой супруги, а две остальных состояли веселыми одалисками.

Макрида страшно ревновала благоприятеля ко всем трем вместе и к каждой порознь, но более изъявила это чувство относительно Маши, которая была и лучше всех, и моложе.

Хуже всякой пытки сделались для бедной девушки одиночные наставления назойливого Фомушки. Она чувствовала к нему и страх, и отвращение, а между тем надо было покоряться. Наконец стало невмоготу. Маша пожаловалась Евдокии Петровне, рассказав, какого рода назидания делает ей Фомушка. Евдокия Петровна поразилась и возмутилась ее рассказом, но решительно не хотела верить, чтобы «этот праведник» мог быть способен на такое дело. Вместе с Савелием Никаноровичем немедленно произвела она следствие, поставив пред свои очи Макриду с двумя пациентками, и те, конечно, дали ей самые благоприятные отзывы о святом Божием человеке, изображая его перлом кротости, смиренства и целомудрия. Одна говорила так хоть и противу сердца, но по своекорыстному расчету, а другие — и по расчету, и по сердцу.

— Нет, вашие преасходительство, — переливалась при этом в минорных тонах Макрида. — Я человек уж преклонный, мне теперь вашей милости солгать, а час смерти моей близится; и я ведь тоже о страшном судилище должна помышление соблюдать-то! Ничего я такого зазорного за Фомой не замечала, да и они вот обе, — указала она на пациенток, — девушки кроткие, богобоязненные — хорошие девушки, вашие преасходительство! Они солгать не дадут, извольте сами у них спросить. А что у Машки у этой — доподлинно могу доложить — карахтер распреподлеющий! Все-то это зверем на тебя взирает, словечка в кротости не скажет тебе; одно слово — обрывало-мученик, а не девушка! Строптивость это у нее какая-то да непокорство анафемское! Видно, все по гулящей жисти тоска дерет. Стало быть, матушка, развращенность-то эта тянет-таки ее к дияволу, так что и сладу нет!

Евдокия Петровна сделала Маше очную ставку с обвиненным и свидетелями. Те в совокупности, конечно, высказались против нее. Фомка даже пал на колени и стал клясться: да отсохнет язык у него и да лопнет утроба, буде когда помыслил что-нибудь неподобное; уверял, крестяся, что он сызмальства блюдет за собою чистоту голубиную, и в удостоверение своих клятв даже образ со стены снимать хотел.

Евдокия Петровна не допустила его до этого последнего аргумента: она и без того уже вполне ему верила.

Что ни говорила Маша, как ни доказывала правдивость своей жалобы, ей не дали веры, и в конце концов вся эта история была приписана ее испорченности и строптивому, неуживчивому характеру.

С этих пор житье молодой девушки вконец уже стало скверно: Макрида наушничала на нее, Фомка докучал своей назойливостью, товарки не сближались, находя, что им с нею не рука. Евдокия Петровна, а вслед за нею и остальные члены-назидатели сделались с нею очень сухи и аттестовали вздорною, строптивою и — увы! — неизлечимою.

Маша решилась во что бы то ни стало и каким бы то ни было путем избавиться от этой жизни и если не уйти, то хоть потайно бежать из приюта.

Вся эта ложь и ханжеское фарисейство довели ее до того, что ей наконец сделался противным путь подобного спасения. Она открыто созналась, что какая-нибудь Чуха неизмеримо выше, чище и честнее всего этого лицемерящего безобразия.

VII

ФОМУШКА РАЗМЫШЛЯЕТ...

Как ни счастливо разыгралось для Фомушки следствие по поводу Машиной жалобы, он все-таки пришел к заключению, что не мешало бы снова поднять на недосягаемую высоту авторитет своей святости в глазах хозяев. Тьма египетская была уже принесена им в жертву ради этой цели. Она и сослужила-таки ему свою добрую службу. И все бы шло как не надо лучше, кабы не эта историйка.

— Ляд их знает, хоша и веруют, а все оно может опосля энтого и сумление когда найти, — совершенно резонно рассуждал он однажды со своей верной и ревнивой приспешницей. — Гляди, часом, чтобы дрянь дело не вышло... Надо бы милостивцев-то этих опять подтянуть на уздечку, да эдак бы хорошохонько подтянуть, чтобы снова того... всякое даяние благо перепало бы. Что, брат Макрень, так ли аль не так рассуждать я изволю?

— Это что говорить!.. Да чем подтянешь-то?

— Чем?.. А уж про то наше знатье! Образом подтяну!

— Образом? Каким таким образом?

— Явленным. Вот оно что!

Странница выпучила на него глаза.

— Явленным?.. Ах ты, жупелово семя! Да где ж его взять, явленного?

— Ну!.. Что еще «где взять»!.. Пошто брать? И сам явится!

— Да ты скажи толком!

— То и толк, что возьмет да и явится. Известное дело — сфабрикуем! А допрежь, чем явиться ему, Антонидке видение сонное будет. Я уже настрочил ее: почувствовала, как не надо лучше!..

— Та-ак! — крякнула Макрида, раздумчиво погружаясь в какую-то созерцательную меланхолию.

— А ты, Макрень, гляди вот что, — продолжал Фома, принимаясь за достодолжные внушения своей сподвижнице, — как пойдешь поутру на доклад к генеральше, так, смотри, докладывай, что Антонидка, мол, у нас оченно большую набожность почувствовала, что совсем, мол, и не узнать девицу — столь много переменилась! Говори, быдто все на молитве стоит — и день, говори, молится, и ночь поклоны кладет; ума, мол, не приложу, что за измена хорошая с девкой! Так-то в аккурате, гляди, и докладывай!

— Так и доложу, — согласилась Макрида. — Только бы вот Антонида...

— За нее не тужи — потому, говорю тебе, настроил уже вдосталь: заведет машину, что на сорок шурупов — вот как заведет. Девка ведь тоже со смекалкой.

Антонидка, о которой шла теперь речь, была одна из числа трех исправляемых пациенток, наиболее близкая сердцу блаженного и наиболее чуткая к его интимным поучениям. Он действительно успел отменно приспособить ее к своим целям, а цели эти — сколько может уже видеть читатель — были весьма бойкого свойства. Оставалось только благополучно привести их в исполнение. И вот через несколько дней после описанного разговора Макрида-странница вышла поутру к своей покровительнице с видом какой-то озабоченной и в то же время благоговейной таинственности. По всему заметно было, что она имеет сообщить Евдокии Петровне нечто необычайно важное.

— Вот, матушка, вашие преасходительство, — со вздохом начала она переливаться на все тоны, перекрестясь предварительно на киот с образами, — докладывала я вашей милости про Антонидкуто, какая измена в ней — и совсем теперь удивила меня девка! Вконец удивила, вашие преасходительство!.. Хоть верьте, хоть не верьте, а только доложу вашей милости, что вчерася очень долго стояла она на молитве. «Я, говорит, тетенька Макрида, сугубую эфитимью наложить на себя желаю для того, чтобы грехам моим умаленье было» — так и говорит, вашие преасходительство! Я уже и спать легла, и проснуться успела, и снова заснула, а она — слышу — все эти поклоны кладет, да и не просто кладет, а таково-то умиленно, со слезами и сокрушением. «Ложись ты спать, говорю, Антонидушка, полно тебе молиться!» — «Не лягу, тетенька, говорит, потому я, говорит, врага теперь одолеваю». — «Ну, говорю, одолевай, это дело богоугодное», — и опять заснула. Только под утро слышу — будит меня кто-то. Гляжу: Антонида! Сама такая бледная, трепещущая, а от лица словно бы, этта, преображение такое исходит. Индо вскрикнула я. «Что с тобой, девка, говорю, чего-ся ты не в пору?» — «Ах, тетенька, говорит, было сейчас видение мне сонное». — «Како тако видение-то?» — «Лик мне являлся, говорит, само успение приходило и объявлялось ясно». — «Как-то оно, спрашиваю, объявлялось-то?» — «А так и объявлялось, что стояла я на эфитимии да сон смотрю; тут, говорит, как стояла, так и упала во сне, так и объявилось!» — «Да как же это?» — говорю. «А так и объявилось, что как представился мне этот самый лик, оно приходит и говорит: «скажи ты, раба Антонида, всем, в доме сем живущим, что будет дому сему честь и благодать велия: единой седмицы не минет, как я дому сему знамение дам явленное». Только всего и сказало оно, а как сказало, так и сократилось — больше уж и не видела». Что вы на это сказать изволите, матушка, вашие преасходительство? — заключила Макрида глубокомысленным вопросом.

Но ее превосходительство не сказала ничего: она была поражена и озадачена не менее Макриды, с тою только разницею, что последняя притворялась, а первая действительно испытывала это состояние. Озадачился и Савелий Никанорович, когда ему сообщили о видении Антониды. Для пущего удостоверения позвали и самое Антониду, которая подтвердила Макридино сообщение и снова рассказала все дело по порядку, после чего на общем совете положили со смирением ждать будущего знамения целую седмицу. Только Макридушка весьма резонно присоветовала — до времени не разглашать никому о видении Антониды на том основании, что как разгласишь, так, может быть, какого человека в сумление введешь, а от сумления благодать отлетит. «А лучше, как объявится она, тогда все и увидят», — заключила странница, и Евдокия Петровна на этот раз точно так же согласилась с ее умозаключением.

Фомушка в этом совете не принимал никакого участия. Дело было подстроено так, что за полтора дня до видения Антониды он ушел из дому, сказав, что отправляется к одним своим благодетелям, которые звали его погостить на малое время, и возвратился уже на пятые сутки во образе юродственном, изображая всей своей особой то высшее наитие, которым будто бы был одержим в данную минуту.

— Хорошо ли гостилось, Фомушка? — спросил его Савелий Никанорович. — Спасибо, что скоро пришел, без тебя уж и скучновато нам стало.

— Пришел не пришел, а вышняя сила меня уносила да и назад воротила, — залаял блаженный и, круто отвернувшись от хозяина, зашагал по комнате, неопределенно глядя куда-то вытаращенными бельмами.

— Вышняя сила дом твой посетила, — лаял он как бы сам с собою, не относясь ни к кому в особенности, — про то мне сама она объявила. Пока еще ее нет, а через три дня в дому будет у тебя свет. Объявится тебе лик — вельми, сударь, велик. И объявится твоей святыне на маленьком на мезонине. Спать ты будешь, сударь, во сне, а объявится она на окне. И как расстаться тебе со сном, так и узреешь ее за окном. Вот те и сказ на сей раз. А теперь ты меня не трогай — теперь Фомка-дурак пойдет да на молитву станет.

И он тотчас же удалился в свою буфетную.

— Eudoxie, что это такое он говорил?.. В мезонине... святыня... спать будем... на окне... Что это значит все?! — чуть не шепотом произносил Савелий Никанорович в великом недоумении. — Что все это значит? Как это понимать? — повторял он неоднократно, допытываясь у жены разгадки волновавшим его вопросам.

Для Евдокии же Петровны, как бы в совершенный контраст с ее мужем, сомнений и недоумений тут вовсе не существовало. Она медлила еще дать ему положительный ответ, потому что сама старалась поглубже вдуматься во все подробности странновещательства Фомушки. И когда наконец додумалась от альфы до омеги, то, с некоторой даже торжественностью поднявшись с места, объявила Савелию Никаноровичу самым решительным тоном:

— Это предвидение! Ты помнишь видение Антониды? То же самое и он теперь прорицает.

Пелена спала с глаз недоумевавшего старца. Оба они приготовились к явлению чего-то необычайного и с нетерпением ожидали только исхода назначенного Фомушкою трехдневного срока.

А тот все последующие засим дни старался как можно более усердствовать в своем юродстве: выкидывал разные странные штуки, бормотал сам с собой какие-то «странные словеса», простаивал целые часы на молитве, потом ложился на лежанку и, притворяясь спящим, бредил отрывочными словами и фразами, в которых почти без исключения можно было отыскать смысл, имеющий некоторое отношение к сделанному им предсказанию. По временам он предавался какой-то необузданной радости, прыгал, хохотал, раз даже кубарем прокатился по полу; то вдруг диким голосом запевал какой-нибудь ирмос или тропарь на один из восьми гласов. Хозяева терпеливо переносили все эти выходки и даже смотрели на них с чувством некоторого благоговения.

Долго обдумывал Фомка, каким бы манером получше подстроить ему всю эту механику с «явленным чудом». Подводы и мины свои повел он довольно-таки издалека: сочинил видение Антониды, сочинил и для себя самого подходящие прорицательства. Это была внешняя сторона подготовительных работ, имевших целью настроить ночных сов в свою пользу и подготовить их к принятию ожидаемого чуда. Внутренняя же сторона Фомкиной работы началась несколько ранее. Как только порешил он, что способнее всего будет подстроить проделку с явленным образом, так тотчас же, не медля, отправился под Толкучий и, бродючи меж рядов, высматривал подходящую икону старинного письма и бывшую долго в употреблении. Таковая вскоре была найдена и куплена Фомкою. Принес он ее под полою к Макриде и отдал на хранение.

Стали они «сдабривать» образ розовым маслом, но так как этот запах, без сомнения, мог бы показаться экстраординарным в воздухе приютских комнат, то «сдабривание» Макридушка производила на чердаке. Фомушка нарочно для этого добыл деревянную шкатулочку, дно которой покрыла Макрида ватой и полотняными тряпицами и полила ее розовым маслом. Тем же самым маслом обкапала она изнанку и бока образа, который положила в шкатулку, покрыв его лицевую сторону точно такою же ватой и тряпицей. Шкатулка наглухо была замкнута и покрыта кучею разного сора в одном из чердачных углов. Средство казалось вполне действительным — образ благоухал. Оставалось только явить его в качестве чуда очам доверчивых хозяев, и вот тогда-то и последовали все эти видения Антониды и пророчества Фомушки. А образ меж тем продолжал напитываться ароматом все в той же самой шкатулке и в том же чердачном углу.

В ночь, по истечении которой должно было исполниться предвещание Фомушки, он — как известно уже читателю — исчез куда-то с вечера; вернулся же к дому Савелия Никаноровича уже в позднюю полночь.

Обогнув этот дом с соседнего переулка, Фомка направился к задней его стороне, за надворный флигелек, куда выходил на смежный пустынный переулок ветхий забор, ограждавший небольшой сад Евдокии Петровны.

Фомке необходимо нужно было, чтобы никто в целом доме не заметил его присутствия. Его считали ушедшим, и, по собственным планам, он должен был вернуться главным образом только поутру. Поэтому и не пошел он к воротам, не стал стучать в калитку и будить дворника, а предпочел путь через садовый забор.

Вскоре очутился он во дворе. Цепной полкаша встретил было его лаем, но дальновидный Фомушка не упустил и этого важного обстоятельства. Еще гораздо ранее он поспешил сдружиться с дворовым псом, чтобы тот считал его за своего, домашнего человека. Для этого Фома чуть не ежедневно приносил ему то говяжью кость, то кусок пирога или ситника и ласково трепал его кудластую голову.

Смело подошел он теперь к собаке, тихо называя ее по имени, и бросил целый фунт только что купленного ситного хлеба. Собака узнала своего приятеля и преспокойно занялась едой.

Фомка постучал к Макриде.

Форточка отворилась.

— Готово? — шепотом спросил взволнованный голос странницы.

— А образ тут? — не отвечая на вопрос, возразил ей блаженный.

— Еще с вечера притащила и со шкатулкой.

— Шкатулку-то утром спали, как печку затопишь, со всем тряпьем спали, чтобы и следу никакого не было. А теперь дай-кось мне либо одеяло ватное, либо шугайчик да прихвати-ко веревочку.

— На что тебе?

— А этта, обернуть лестницу, чтобы стука ничуть было, как ежели приставлять станешь.

Макрида подала ему стеганое одеяло, веревку и образ. Фомка со всем этим добром отправился под навес, где лежала лестница, и, оба верхних конца ее тщательно обернув одеялом, накрепко привязал его с обеих сторон веревкою. Затем, уложив икону к себе за пазуху, взвалил он к себе на плечо лестницу и потащил ее через садик к забору, взобрался по ней на заборный кончик, переправил ее в соседний пустой переулок и понес на себе в смежную улицу, куда выходил лицевой фасад совиного домика.

В эту пору на улице не было ни души живой. Даже ни одна собака не тявкала во всем околотке. Старые масляные фонари тускло мерцали на огромном расстоянии друг от друга, так что, казалось, еще увеличивали собою окружающую тьму. О городских сторожах во всем этом захолустье, казалось, не было и помину.

Нижний этаж совиного домика был замкнут ставнями, а в мезонине из трех окошек в одном только сквозь опущенную штору пробивался слабый свет от копотной лампады.

Там была спальня Евдокии Петровны.

К этому же окну, без малейшего шума, приставил Фомушка лестницу. Стеганое одеяло сослужило ему в данном случае свою верную службу. Фома влез наверх и, плотно прислоня к окну икону, поставил ее на довольно широкий выступ подоконницы.

После этого лестница тем же путем была положена на свое обычное место под навесом, и одеяло сквозь форточку возвращено Макриде, а сам Фома удалился досыпать остаток ночи в один из радушных притонов далекой Сенной площади.

VIII

ТЬМА ЕГИПЕТСКАЯ РАСТОЧИЛАСЬ

Наутро сморщенная горничная-девица поднялась в мезонин — будить свою барыню. Разбудила обычным порядком, пожелав ей, с поцелуем ручки, доброго утра и сообщив, что погода нынче, слава Богу, хорошая — ни снегу, ни слякоти нету.

Потом подошла к окошку, подняла стору, да так и ахнула, и руками всплеснула.

— Что с тобой, Ксешка?

— Господи!.. Боже мой!.. Сударыня, миленькая!.. Ваше превосходительство!.. Да что ж это такое? Изволите сами взглянуть.

Сударыня вздела на ноги туфли и спешно вскочила с постели. Из-за двойных стекол смотрел на нее темный лик.

— Образ!.. Чудо!.. Явленное чудо!.. Савелий Никанорович! Сюда! Сюда!.. Эй, люди!.. Людей сюда! Все сюда бегите! Скорее!.. Скорее!.. — кричала Евдокия Петровна, бегая в растерянном виде по комнате и кидаясь то к окну, то к сморщенной девице, которая гонялась за нею с утренним шлафроком, стараясь уловить удобный момент, чтобы накинуть его на плечи старушки.

Прибежали люди. Прибежал с намыленной щекою Савелий Никанорович.

И было тут изумление неисчерпаемое и даже страх велий.

— Образ!.. Батюшки!.. Да как он сюда попал?.. Какой образ? Чей образ? Откуда он?

Вопросов, догадок и самых разнообразных предположений была целая бездна.

Все бегали как ошалелые по всему дому, снизу вверх и сверху вниз; глядели на лик, безмолвно и строго смотревший на них из-за стекла; глядели, недоумевая, друг на друга, крестились, восклицали, ахали, изумлялись, страшились и радовались.

Прибежала из флигелька и Макрида-странница, которой уже успели сообщить о необычайном явлении; как прибежала, так сразу — бух перед окном на колени и давай выбивать несчетные поклоны.

— Матушка! Вашие преасходительство! — вопияла она, кланяясь образу, и в то же время простирая руки, и вертясь на коленях во все стороны, и обращаясь ко всем присутствующим. — Евдокия Петровна!.. Ведь это чудо! Божеское чудо!.. Господь милостию своею посетил!.. Дом твой благодатью взыскал, родная ты моя!.. И как чудно: ну, как бы руке-то человеческой встащить да поставить его на-кося куда? Ну, добро бы еще внизу — мудреного бы тут не было, а то с улицы да на мезонине! Ну вот, видимо, как окроме Господа, никому невозможно!.. Явление, мать моя, явление!..

Все слушали Макриду, качая изумленными головами.

— Вот оно! Помните ли, голубчики мои! — быстро вскочила

она с колен. — Антонидке-то видение сонное было, лик-то являлся? Вот он, лик-то, и есть! Вот он — священство священное!.. Как сказал тогды, что и седмицы не минет, так и исполнилось! Помните ли, батюшки-голубчики? Еще и Фомка-дурак то же предсказывал!

Все присутствующие действительно очень живо припомнили и то и другое предвещание. Теперь уже для них не оставалось ни малейшего сомнения, что образ этот — свыше явленный и что именно ни на что иное, как только на него указывали оба предречения.

Живо разнеслась по всему соседству весть о благодатной милости, посетившей дом Савелия Никаноровича. На улице немедленно столпилась кучка местных обывателей и глазела на чудо, воочию всех прислоненное к оконному стеклу. Шли весьма разнообразные толки и заключения. Иные из любопытства проникали даже в самую спальню Евдокии Петровны, чтобы видеть не только изнанку, но и самый лик явленной иконы. Все поздравляли хозяев с Божией милостью. Сморщенная девица-горничная по крайней мере в сотый раз повествовала всем и каждому, как пришла она будить барыню и обычно пожелать ей доброго утра, как подняла стору и всплеснула руками и так далее — все последовавшие слова и события этого утра.

Евдокия Петровна тотчас же разослала в разные концы города почти всех своих людей. Одному наказывала бежать к отцу-протопопу, чтобы скорее шел молебен петь, другому — на кладбище к отцу Иринарху; третьему — велела скакать на извозчике оповестить княгиню Настасью Ильинишну, госпожу Лицедееву, Петелополнощенского, Маячка и других, к кому поспеет и кого сам вспомнит.

Пока эти гонцы пустились облетать город, Савелий Никанорович порешил внести образ в комнату и поставить его в киоту на самое почетное место.

Та же самая лестница опять была вытащена из-под навеса и пошла в дело.

Один из уличных зрителей вызвался взлезть и достать образ, на что и получил немедленно согласие. В этаких экстраординарных обстоятельствах каждый, по неизмеримым свойствам человеческой природы, непременно стремился *сам* сделаться действующим лицом, чтобы потом, при рассказах, иметь повод и право хоть куданибудь ввернуть в дело собственное *я*. Савелий Никанорович самолично принял образ из рук в руки от охотника и, с непокрытою головою, благоговейно понес его в дом свой и поставил на уготованное место, рядом с египетской тьмою и костью Козьмы и Демьяна.

Все присутствовавшие опять-таки были несказанно поражены сильным ароматом розы, исходившим от образа, и этот аромат уже окончательно убедил их в чудесном происхождении иконы.

Пришел отец-протопоп Иоанн Герундиев с причетником. Дьякона не захватил он с собою, потому что тот в это время служил обедню с очередным священником.

Начались новые ахи и рассказы да объяснения.

— Вы, матушка, ваше превосходительство, конечно, пожелаете украсить этим образом свой приход? — мягко выразился отец Герундиев.

Евдокия Петровна, напротив, думала было оставить его у себя в доме; но отец Иоанн успел наконец убедить ее, что благодать, посетившая ее, не отыдет, если образ будет поставлен во храме, где все без исключения могут поклоняться ему, тогда как в частном доме поклонение это не каждому может быть доступно, а что всем и без того будет известно, где и как и у кого явился образ, и что можно даже напечатать и издать брошюру обо всем этом происшествии.

Убежденная такими доводами, Евдокия Петровна склонилась на предложение отца Иоанна, так что, когда в числе прочих званых и избранных появился отец Иринарх, то это уже было у них дело вполне решенное.

Рассказ о чудесном явлении был выслушан отцом Иринархом с некоторым скептицизмом, а сообщение Савелия Никаноровича о последнем намерении отца-протопопа встретило в новоприбывшем обычную его загадочную ухмылку и острый проницательный взгляд, брошенный исподтишка все на того же отца-протопопа, и этим догадчивым и пытливым взглядом отец Иринарх, казалось, проник во вся внутренняя отца Иоанна и прочел там вся его сокровенная, так что того даже несколько покоробило.

— Антонида предсказала... хм... и опять-таки Фомушка! — помыслил вслух сам с собою Отлукавский. — А где же этот Фомушка? Не видать его что-то...

— С вечера ушел куда-то и не бывало еще доселе...

— Хм... Так с вечера, говорите вы?.. А образ-то в ночь явился?

— В ночь, батюшка, в ночь! И в таком месте, где рука человеческая...

— Знаю, знаю, матушка! Но не в том это дело. А вот желательно бы на образ-то взглянуть. Позвольте показать мне его.

Повели наверх отца Иринарха, куда протянулась за ним и длинная вереница прибывших знакомых.

Отец Герундиев тоже поднялся вместе с другими.

— Так это-то он и есть? — проговорил Иринарх, рассматривая стоявший в киоте образ. — Ох, да какой же темный!

— Древность, батюшка, древность! — заметил Савелий Никанорович.

— А может, и копоть, ваше превосходительство, может, и копоть, — развел руками Отлукавский.

— Какая же копоть? Это видно, что древность, — возразил ему

Герундиев, с оттенком несколько злобного неудовольствия на его сомнение.

— Древность? А вот мы это сейчас поглядим!

Макрида стояла вся бледная, с некоторым беспокойством в блуждающем взоре, и старалась прятаться за спины многочисленных свидетелей.

— Позвольте попросить у вас чистое полотенце да тепленькой водицы немножко, — обратился Иринарх к хозяйке. — Да не беспокойтесь сами, ваше превосходительство! Пускай вот... хоть Макрида сбегает — она ведь у вас свой человек в доме.

Макрида спустилась вниз, и вместе с ней, по усердию своему, за тем же делом сбежала и сморщенная горничная.

Принесли отцу Иринарху и полотенечко, и водички. Макрида перед ним держала в руках и то и другое. Стал он тереть мокрым кончиком с одного края иконы, и этот край понемногу начал светлеть, обозначая блестящий золотом фон, а на полотенце обильно насела вдруг черная грязь.

И полотенце, и образ отец Иринарх с некоторой торжественностью показал отцу Иоанну и всем присутствующим.

— Докладывал вам, что не древность, а копоть — копоть и есть! А образок-то, как видно, новенький.

Это было первое, но еще маленькое разочарование для созерцателей явленного чуда.

Отец Иринарх самолично направился к киоту и поставил икону на ее место.

— А это, матушка, что за баночка у вас тут поставлена?

— Ах, это тьма — нам Фомушка подарил... спасибо ему, голубчику!

— Тьма-а?.. Какая тьма? Где эта тьма-то?

— А тут же вот в киоте хранится.

Отец Иринарх мельком поглядел на Евдокию Петровну взором того внутреннего беспокойства, которым смотрят на людей, впервые оказывающих признаки умственного расстройства.

— То есть позвольте... Этого я, признаться сказать... извините, ваше превосходительство! — не совсем-то понимаю: как это тьму подарил?.. Какая же это тьма?

— Египетская, — подсказала сморщенная девица вместо своей барыни, которая молча глядела на Иринарха, будучи приведена его скептическими словами в некоторое недоумение относительно Фомушкиной непогрешимости. Но покамест она еще не могла взять в толк, чего это хочет от нее отец Иринарх и чего он так добивается...

— Что такое?.. Тьма египетская?.. Да где ж она? Покажите мне ее! — настаивал меж тем священник, обращаясь то к хозяину с хозяйкой, то к горничной-девице и ко всем присутствовавшим, между которыми были и поумнее; им точно так же показалось довольно странным курьезное открытие египетской тьмы.

Горничная, в ответ отцу Иринарху, указала на склянку с черною маслянистою массой.

Тот изъявил намерение немедленно вскрыть ее и поглядеть, что там такое.

— Батюшка!.. Бога ради!.. Нет, нет, не открывайте! — стремительно приступила к нему Евдокия Петровна.

— Отчего же так?..

— Невозможно!.. Невозможно!.. Он запретил! И прикасаться запретил!

— Кто это он? Все Фомушка же блаженный?

— Он, он запретил строго-настрого! Оставьте уж лучше, оставьте!

— Нет, уж позвольте полюбопытствовать, матушка!

— Да говорю же вам, невозможно!

— Напротив, весьма легко. Отчего невозможно?

— Расточится!

— Что расточится?

— Тьма! Сейчас же расточится; только открыть сосуд — она и расточится по всей земле, и все тогда будем во тьме ходящими — так и он нам наказывал!

— Не тогда, а ныне, матушка, — извините меня, — во тьме вы ходите! — наставительным пастырским тоном возразил ей отец Иринарх. — И от всего сердца моего желаю, — продолжал он, вскрывая банку, — чтобы поскорее озарил вас свет истины. Извольте, матушка, ваша тьма не расточается... Видите? А меж тем откупорена — и не расточается!

Отец Иринарх, вертя в руках Соломонов сосуд, показывал его всем присутствующим.

— Что ж это такое?.. Боже мой, что ж это такое? — в недоумелом смятенье шептала, опустя руки, пораженная старушка. — Не расточается... И в самом деле, не расточается... Что же это такое?

— А то, что ваш Фомка — мошенник...

— Господи помилуй! Да что вы говорите, отец Иринарх?.. Мошенник... тьма — не тьма... Да что ж оно такое, наконец?

— Оно-то?

Отец Иринарх поднес откупоренную склянку к кончику носа.

— Вакса-с, ваше превосходительство, вакса! Очень доброкачественная и — должно полагать по запаху и глянцевитости — брюлевского производства.

Едва ли бы какое-нибудь действительно сверхъестественное явление могло произвести на добрых птиц такое сильное впечатление, как это простое слово «вакса», сказанное отцом Иринархом с такой самоуверенностью, которая не допускала ни малейшей ошибки. Оно в один миг разбило их долгую и глубокую веру в Фомушек, Макридушек и во всю странно-юродствующую братию.

Отец Иринарх не выдержал и засмеялся горьким смехом сожаления, который почему-то не особенно понравился отцу Иоанну, так что тот даже решился заметить, ни к кому, впрочем, не относясь лично со своим замечанием, что все это скорее печально, чем смешно.

— Истинная ваша правда! И чем смешнее, тем печальнее, — отпарировал Отлукавский. — Так это все Фомушкины подарки? И насчет образа *он* предречение делал?.. Хм!.. А вы, отец Иоанн, не наведя даже самонужнейших справок, уж и в свой приход возжелали поставить его? Жаль, поторопились немного! — саркастически заметил он с ехидственной улыбкой.

Отец Иоанн сильно сконфузился и, ничего не ответя, только развел руками, а сам меж тем исподтишка бросил на Иринарха взор, исполненный непримиримой ненависти: отец Иринарх заодно уж разрушил и его сладкие надежды...

Макрида стояла ни жива ни мертва и вся тряслась как в лихорадке.

Дело благодаря Отлукавскому приняло оборот очень серьезный.

— Подобного кощунства над религией допустить нельзя-с! — громко сказал он решительным тоном и принялся допрашивать Макриду.

— Я человек преклонный — мое дело сторона! Ничего не знаю, ничего не ведаю! — разливаясь в притворных слезах, отнекивалась смущенная странница, а сама все дрожала, словно лист осиновый.

Позвали Антониду, которая ничего еще не знала о печальном для нее обороте дела и предстала пред очи всего собрания с полной готовностью рассказывать и подтверждать свое сонное видение.

— Расскажи-ка, милая, как тебя Фома учил сны чудные рассказывать? — с онику обратился к ней Отлукавский.

— Какие сны? — смутилась и побледнела девушка.

— А хоть бы такие, какой ты видела на прошлой неделе?

— Я ничего не видела, ничего не знаю.

— Ну, а мы уже все знаем. Так расскажи-ко свой сон, не конфузься!

Антонида бухнулась в ноги.

— Виновата! Простите!.. Всему Фомка учил, а сама я ничего не делала, ничего и знать не знаю и ведать не ведаю! — плакала она, не поднимаясь с полу.

В это время доложили, что пришел местный надзиратель с письмоводителем — составлять законный акт о явленном образе, про который и до него дошла стоустая молва. Теперь ему приходилось писать акт хоть и о том же все образе, но только совсем с другой стороны.

Признанием Антониды Фомка был уличен заочно. И это уличение послужило великим ударом как для Савелия Никаноровича, так и для Евдокии Петровны. Разочарование было полное, горькое и постыдное.

— Сказывал я вам, матушка, давно уже сказывал поберегаться этого Фомушки, потому — мошенник, — говорил отец Отлукавский, — а вы не пожелали меня послушать — вот и вышло по-моему. Я давно это видел, да только молчал, потому — мое дело сторона опять же, и вам мои слова были неприятны.

— Ах! Боже мой!.. Фомушка, Фомушка!.. Кто бы это мог предвидеть?.. Кто бы это мог подумать?.. Человек такой святости... Господи! Да что же это такое? — всхлипывала вся в слезах Евдокия Петровна, для которой в самом деле было тяжко такое разочарование в своем любимце.

Наконец появился и этот любимец, ничего еще не подозревая, появился с отрадной и полной уверенностью, что его встретят с распростертыми объятиями и что теперь-то польются на него всяческие щедроты и ублажения.

Каково же было разочарование! Обличитель Отлукавский, сознавшаяся Антонида и местный квартальный надзиратель... Такой оборот дела поразил его как громовая стрела среди чистого солнечного неба. Он почему-то приучил себя в данном случае ожидать всего, но только никак не такого исхода: он к нему совсем не приготовился, поэтому вконец растерялся при первом прямом вопросе отца Иринарха.

Но явных, неопровержимых улик относительно образа не было, и Фомушка, конечно, заперся. Пошло обычное «знать не знаю, ведать не ведаю»; но, на беду его, налицо была тьма египетская, относительно которой никакое запирательство было уже невозможно. Свидетели утверждали единогласно, что принесли ее Фомка и Макрида. Полицейская власть составила надлежащий акт и объявила того и другую, да заодно уж и Антониду, арестованными.

Фома долгое время стоял сложа руки и опустив голову, совершенно безучастный ко всему его окружавшему и сосредоточенно погруженный в какую-то тяжелую думу. Бледная странница растерянно дрожала, Антонида громко всхлипывала.

Наконец им было приказано отправляться в часть, под прикрытием двух хожалых.

Фомка только в эту минуту словно очнулся из своего забытья.

— Да! — с широким вздохом промолвил он громким голосом, в котором слышалось внутреннее волнение. — Сорвался карасик! Все-то мне, все бы с рук сходило, все как с гуся вода было, а на эком деле — прру!.. Вот оно, Бог-то!.. Не попустил!.. За себя — грехом попутал! Не шути, значит, Макар, коль до шапки не достал!.. Прощайте, друзья любезные, да не поминайте лихом, коль добром не за что... Идем, Макрень! Махай, Антонидка!

И троица эта удалилась под надежным прикрытием.

Все были как-то сконфужены, все торопились проститься с хозяевами и скорей убраться из этого дома. Первый подал пример отец протопоп Иоанн Герундиев.

— А что?.. Ваш-то — с носом! — ехидственно шепнул отец Иринарх, наклонясь к уху причетника, на что со стороны того последовало только скромное и как бы невинное гамканье в руку.

Так кончилась совершенно невозможная, но — увы! — совершенно правдивая история явленного образа и тьмы египетской.

Теперь, для полноты очерка из жизни и деяний домовитых птиц, автору остается только сообщить вкратце дальнейшую судьбу приюта кающихся грешниц.

Прошло около месяца со дня, в который разыгралось только что рассказанное событие. Савелий Никанорович с Евдокией Петровной поневоле оказались прикосновенными к делу. Их не особенно, впрочем, тревожили следственными расспросами, которые еще вдобавок чинились им на дому. И вот при одном из таких посещений следственного пристава было им сообщено, что Антонида оказалась беременною и чистосердечно выставила причиною своего положения все того же Фомку-блаженного, присовокупляя при сем обстоятельный рассказ о роде негласной жизни кающихся грешниц в спасительном приюте. Скандал в ареопаге произошел беспримерный. И кость, и тьма — все это казалось ничтожным в сравнении с этим последним скандалом. Наскоро собрали после этого общий совет, на котором определили: кассировать немедленно дела приюта, так как основался он негласно, ибо еще и доселе официального разрешения на него не последовало, а после происшедшего скандала уже неловко и хлопотать о нем. Решили — и закрыли, а за покрытием всех расходов оставшуюся ничтожную сумму разделили по тридцати рублей между Машей и другою ее товаркой, да и пустили обеих с Богом на все четыре стороны.

IX

«БОЖЬЯ ДА ПОДЗАБОРНАЯ»

На набережной Фонтанки, в недальнем расстоянии от Семеновского моста, столпилась небольшая кучка народа.

Всякая подобного рода уличная кучка имеет неизменное свойство — прибывать с каждой минутой все больше и больше, пока блюстители градского порядка и спокойствия не уберут из среды ее предмет, возбудивший досужее любопытство прохожих. Так точно было и в этом случае. Блюстителей пока еще на месте не оказалось, и потому кучка благополучно росла да росла себе. На сей раз предметом любопытства служила пьяная женщина.

Это была оборванная, безобразная старуха; короче сказать — это была Чуха. Она пьяно всхлипывала и пьяно ухмылялась сквозь слезы; а из кучи окружающих наблюдателей то и дело вылетали остроты, шуточки и разные замечания.

— Слышь, баба, как те зовут? — дергая за платье, докучал ей какой-то вертлявый мещанинишко в чуйке, на вид тоже весьма пьяноватенький. — Пьяный твой образ! Что ж ты молчишь?.. Как те зовут, спрашивают тебя?

— Зовут зовуткой — кузькиной дудкой! — обронил мимоходом свое словцо продавец поваренной груши, и за такую остроту удостоился в кучке одобрительного смеха.

А Чуха все себе ухмыляется да всхлипывает.

— Ну, брат, отетеревела совсем! — махнув на нее рукой, заметил маклак-перекупщик, из отставных солдатиков.

— До тишины допилась, — поддакнул ему мещанинишко, — совсем до тишины! Да слышь ты, баба, где ж ты живешь? — продолжал он теребить за рукав пьяную. — Ты объявись мне насчет свово местожительства, так я, по такой уж доброте своей, домой тебя провожу, нечем в фартал-то заберут. Что ж молчишь-то? Где живешь, говорю те?

— Против неба на земле, голубчики, против неба на земле! — с ухмылкой отвечала Чуха, расслабленно прищурив глаза и глядя на окружавших ее совершенно безразличным и как бы ровно ничего не понимающим взором.

— Да и все на земле мы валандаемся, а ты скажи, куда сволочить тебя-то? — настаивала вертлявая чуйка.

— В часть... в часть ведите меня, — тихо заговорила Чуха каким-то расслабленно-нежным и бессвязным голосом, обращаясь ко всем в совокупности. — В часть, мои голубчики! Кроме как в часть — никуда не желаю!

— Да ты чья такая? Откелева? Ась?

— Божья, миленькие, Божья да подзаборная.

Безобразная Чуха — надо отдать ей полную справедливость — в пьяном образе была вконец отвратительна.

В это время к досужей кучке присоединился еще один новый зритель, потому что она загородила ему дорогу.

Он шел себе прогулочным шагом, с видом фланера, которому решительно нечего делать, и поэтому нет ничего мудреного, что скучившиеся люди вместе с пьяной Чухой мимоходом остановили на себе его праздное внимание.

Он один из всей этой кучки отличался и безукоризненным изяществом, и джентльменски-представительным видом.

Это было лицо уже знакомое читателю, которое он знает под именем венгерского графа Николая Каллаша. Граф возвращался пешком от своего приятеля и сподвижника Сергея Антоновича Коврова и совершенно случайным образом наткнулся на уличную сцену.

— Слышь ты, баба, говорят те — домой сволоку! — настаивал

меж тем сердобольный мещанинишко. — Ты мне только больше ничего, что объявись насчет местожительства, да главное, как звать тебя?

— Княжною звать меня, княжною, — бормотал голос пьяной женщины.

— Ха-ха-ха! — пронеслось по толпе. — Слышь, робя, княжной велит звать себя! Вот так княжна! По полету видна!

— С самого, значит, с Тьмутараканьева княжества — это верно! — скрепил своим бойким словом маклак-перекупщик.

— А ты что думаешь? Нет, ты скажи мне, ты что себе думаешь? Княжна! Известно, княжна! — задорливо вступила с ним в диспут пьяная старуха, размашисто жестикулируя руками.

Венгерскому графу это обстоятельство начало казаться довольно курьезным, так что он решился пробраться сквозь толпу и стал поближе к диспутантке.

— И я то ж само говорю, что княжна, — подуськивал перекупщик, показывая вид, будто сам вполне соглашается с нею и хочет отбояриться от спора. — Одно слово, княжна с подлежалого рожна аль с попова задворка!

— К ней, надо быть, и гостье-то все графское да княжеское ездит — все-то кол да перетыка! — опять ввернула слово поваренная груша.

— Ты, баба, не мели мелевом, а насчет имя-звания объявись, потому — имя-звание сичас первым самым делом! — не обращая внимания на перекрестные остроты, дернул Чуху назойливый мещанинишко.

— Чего-то звание! — хлопнул его по плечу перекупщик. — Пиши, коли хошь, княжна, мол, Косушкина, да и вся недолга!

— Ан врешь, не Косушкина, а Чечевинская! Княжна Анна Яковлевна Чечевинская! — войдя в окончательный задор и с сильной жестикуляцией взъелась на него пьяная женщина, вконец задетая за живое всем этим градом острот и дружного хохота. — Нда, вот... Что, взял? — продолжала она, показывая ему кукиши. — Не Косушкина, а Чечевинская... Княжна Анна Чечевинская!.. А ты, на-ко вот, выкуси!

Услышав звук этого имени, граф Николай Каллаш изменился в лице. Он побледнел мгновенно и, сильным натиском плеча окончательно уже пробравшись к пьяной старухе, дрожащими пальцами коснулся ее руки.

На пьяненьком лице ее показалась улыбка удовольствия.

— А!.. Чудной гость!.. Чудной гость! — замолола коснеющим языком старуха, не спуская с него глаз. — А наши девушки и доселе вспоминают угощения твои! Ей-Богу, так! Что ходить-то перестал к нам на Сенную? Дай-ко мне на косушечку!.. Я нынче хмельная — я уж хватила немножко, да хочется еще... за твое здоровье! Я ведь это с горя, ей-Богу, с горя!

И из припухлых глаз ее потекли новые пьяные слезы.

— Хорошо, я дам... только едем со мною! Сейчас едем! — мимоходом буркнул ей граф, торопливо выводя ее из кучки, которая осталась необычайно изумлена столь внезапным оборотом дела.

— А мне все равно... вези куда хочешь!.. В часть так в часть, в кабак так в кабак — я поеду, я всюду поеду! Поеду! Мне все равно! — бормотала Чуха, позволяя ему вести себя без малейшего сопротивления.

В ту же минуту кликнул он дремавшего неподалеку ваньку и довез на нем хмельную старуху до извозчичьих карет, которые обыкновенно стоят на бирже у Семеновского моста.

Нанятый экипаж вскоре прикатил их обоих к подъезду небольшого, но изящного дома, занимаемого венгерским графом.

X

КТО БЫЛ ГРАФ КАЛЛАШ

— Я это, милый мой, говорю тебе — с горя!.. Ей-Богу же, с горя!.. Ты не думай, что я старая... что я пьяная да развратная, а и у меня тоже, может быть, свое горе! — медленно молола языком Чуха, смахивая грязною рукою набегавшие слезы. — Я сирота... совсем сирота, бесприютница... Нашла себе было хорошую девушку — ты не думай, нет, честная, хорошая!.. Божусь тебе!.. Как дочку полюбила ее, а ее увели от меня вчера... из части увели... Ей, конечно, теперь хорошо там будет... и сама знаю, что хорошо, а расстаться трудно мне было... больно уж полюбила, говорю тебе!.. Пусто теперь мне как-то без нее, тоска берет... Ну, а я и тово... хватила с горя!.. Тоску залить... я и хватила!.. А ты не осуди... не смейся... над жалким человеком и грех, и стыд смеяться... Зачем? Слышишь ли, голубчик, зачем ты привез меня сюда?.. Мне бы в часть или в кабак, а ты вон куда!.. Зачем, говорю, зачем?

— А вот затем, чтобы ты проспалась хорошенько, а потом мы поведем с тобою разговоры.

— Какие с Чухой разговоры!.. Да и куда я тут лягу... Я ведь грязная, пьяная — видишь, какова... а у тебя мебель — вон какая хорошая... Мне, мой милый, не место здесь... Ты пусти меня — уж я лучше... как-нибудь сама... в часть пойду.

Граф с трудом наконец убедил хмельную женщину остаться и лечь соснуть на широком покойном диване.

Та как повалилась, так через минуту и захрапела.

Он спустил гардины и, притворив дверь, вышел в другую комнату, а сам, казалось, был так встревожен, хмуро-задумчив и сильно озабочен какою-то мыслью. Нетерпение проглядывало в каждом его взоре, в каждом движении, и граф неоднократно, осторожными шагами подходил к двери, за которою спала пьяная старуха, заглядывал в щель и прислушивался; чем дольше проходило время, тем сильнее отражалось в нем беспокойно-тоскливое нетерпение.

Но чтобы разъяснить причины этого настроения, мы должны начать рассказ наш издалека — за двадцать два года назад.

В 1838 году — если не забыл еще читатель — княжну Анну Яковлевну Чечевинскую постигло несчастье, обыкновенно называемое в свете большим скандалом. Она родила дочь и испытала всю великую меру подлости того человека, которого беззаветно полюбила всей своей честной любовью.

Нам приходится теперь отчасти напомнить читателю некоторые из обстоятельств, сопровождавших это печальное приключение.

Неожиданная весть о родах дочери как громом поразила старую княгиню Чечевинскую, нанеся беспощадный удар ее фамильной гордости...

Благодаря язычкам семейства Шипониных, и в особенности трем сестрицам, известным под именем «трех перезрелых граций», скандал необыкновенно быстро распространился в среде большого света. Старуха Чечевинская после сразившего ее известия уже не видела более дочери. Она ее прокляла и не совсем-таки законным образом лишила в наследстве даже и той части, которая должна бы была достаться на ее долю из имения покойного отца. Ареопаг непогрешимых судей-диан, собравшийся у постели княгини Татьяны Львовны Шадурской, которая, за несколько дней перед тем, сама преждевременно и тайно ждала сына — Ивана Вересова, — безапелляционно решил общим своим приговором навеки подвергнуть остракизму опозорившую себя княжну Анну. Быть может, читатель помнит еще, как встретила ее Татьяна Львовна, эта великодушная Диана, когда несчастная мать, жаждая узнать судьбу своего подкинутого ребенка и бесполезно обращаясь поэтому несколько раз с письмами к ее мужу, своему любовнику, и даже к самой княгине, явилась наконец к ней лично, умоляя отдать ей дочь или по крайней мере сказать, где она находится.

Сказать ей этого княгиня не могла, потому что и сама не знала. Дело помимо нее было устроено самим Шадурским с помощью знаменитой генеральши фон Шпильце. С проклятием и неисходным горем в душе, со слезами, душившими грудь, вышла от нее княжна Анна, не ведая, куда пойдет теперь и что дальше станет с собою делать.

В настоящее время читатель встречает ее уже в образе грязной, развратной Чухи, а какими судьбами дошла она до этого образа — мы расскажем несколько ниже.

Теперь же нам необходимо напомнить, что после княгини Чечевинской единственным наследником ее состояния, больше двух третей которого было украдено горничной Наташей с литографским учеником Владиславом Бодлевским, остался молодой сын ее, князь Николай.

Покойница давно уже чувствовала к дочери полнейшее равнодушие, которое потом перешло у нее даже в род какой-то затаенной антипатии, возраставшей тем более, чем сильнее становилась к ней безграничная привязанность пьяницы отца. И чем сильнее было это тайное неприязненное чувство к дочери, тем горячее становилась ее слепая любовь к сыну, с которым княгиня уехала в Петербург после разъезда с мужем, оставившим при себе дочку. В течение целых восьми лет, последовавших за этим разъездом, до самой смерти князя Якова, ее привязанность к сыну росла и росла, так что, несмотря даже на мелочную и огромную скупость, княгиня зачастую давала ему более или менее круглые куши сверх положенного содержания и смотрела сквозь пальцы на его поведение и образ жизни. Да, впрочем, иначе она и не могла смотреть на него. Все, что ни делал, все, что ни говорил юный князек, — в ее глазах было безукоризненно прекрасным. Но сын далеко не платил матери той же монетой и чувствовал к ней полнейшее равнодушие. Впрочем, мальчишка был настолько хитер, что всегда очень ловко умел подделаться к старухе, прикидываясь перед нею в высшей степени любящим и почтительным сыном. Княгиня вполне удовлетворялась этим, потому, что вообще очень высоко ценила всякое внешнее проявление любви и почтительности к своей особе. Молодой князек еще с шестнадцатилетнего возраста успел завоевать себе некоторую долю самостоятельности, которая прежде всего проявилась в том, что он настоял у матери об удалении своего гувернера, затем занял в ее доме совершенно отдельную квартиру, завел свой собственный, отдельный штат прислуги, а потом и своих отдельных лошадей, являлся к матери ежедневно в урочные часы с неизменным выражением своего почтения, а все остальное время дни и ночи рыскал по городу, вращаясь в кругу добрых приятелей, содержанок и танцовщиц, наедал и напивал в кредит по всем лучшим ресторанам и возвращался домой только затем, чтобы выспаться или переодеться.

Вскоре, конечно, содержание из сверхштатных сумм, выдаваемых ему матерью, оказалось весьма недостаточным. Пришлось прибегать к займам, познакомиться с разными ростовщиками и ростовщицами и, будучи еще несовершеннолетним, давать на себя векселя сто на сто в счет будущих благ от грядущего наследства. Желание скорейшей смерти скупой матери вскоре сделалось для него заветным, хотя покамест он и не решался еще высказывать его вслух. Впрочем, выпрашивая у ростовщика в долг денег и подписывая векселя, молодой князек не упускал почти каждый раз удостоверить заимодавца, как бы для большего успокоения, что мать его очень слаба здоровьем и едва ли протянет более года, а много двух. Неожиданная смерть ее в первую минуту его поразила, а во вторую втайне весьма-таки порадовала. В эпоху этой смерти ему было восемнадцать лет. До полного совершеннолетия, с которым придет неограниченное право на безотчетное пользование унаследованным состоянием, оставались еще впереди три проклятых года. Но первое же разочарование последовало для князя непосредственно по возвращении с кладбища, когда он, запершись в комнате матери, вскрыл ее заветную шкатулку, где оказалось в документах, билетах и наличных деньгах только полтораста тысяч. Князек рассчитывал найти там гораздо больше, не подозревая, что двести сорок четыре тысячи благополучно украдены, под руку княжны Анны, горничною Наташей, а уличающая записка за три часа до смерти проглочена гордо-самолюбивой старухой, не допустившей для света возможности сказать, что ее дочь, будучи развратной, вдобавок еще оказалась и воровкой.

Из оставшихся полутораста тысяч пятьдесят тысяч были положены на имя его, а сто принадлежали покойнице. По расчетам князя Николая, этой ничтожной суммы, за уплатой некоторых долгов, едва ли бы хватило ему года на три. Впрочем, он надеялся на опеку, которая, по его соображениям, в течение трех лет не допустит до растраты состояния, стало быть, заимодавцы должны будут ждать и, в расчете на будущие льготы, не закрывать ему кредита. Зато, по прошествии срока опеки, долгов у него оказалось больше чем на двести тысяч.

С нервическою дрожью холодного ужаса увидел князь подступающую нищету. Приходилось проститься навеки с прежней безалаберной, бесшабашно-роскошной жизнью, со всеми приятелями, рысаками и танцовщицами, со всем этим комфортом, к которому так избалованно привык он. Расстаться со всем этим для князя было невозможно, немыслимо. Что станет он делать? Чем будет жить? Трудом? Да к какому же труду он способен? Какое трудовое дело мог бы он взять на себя? Умный, но пустой мальчишка как нельзя лучше понимал, что на этом пути ему нет никакого спасения и что выбирать ему приходилось одно из двух: либо пулю в лоб или петлю, либо же во что бы то ни стало, каким бы то ни было способом жить прежней жизнью. Для того чтобы избрать первое средство, он был слишком еще молод и слишком заманчиво ему жизнь улыбалась, слишком много сулила она ему впереди радостей и наслаждений; и так верил он в ее улыбки и посулы, и так надеялся на них, и так ему жить хотелось, и так жадно любил он эти наслаждения! Князь избрал второе средство и нимало не задумался над дальнейшим путем, которым отныне предстояло ему идти для удовлетворения своей жажды жизни и наслаждений. Воспитание и жизнь сделали его пустым. Природа дала ему ум, довольно решительный, энергичный, самообладающий характер и значительную даровитость. Он, почти не учась, был отличным рисовальщиком и отличным музыкантом; кроме того, отличался искусством смелого наездника, хорошего стрелка и ловкого фехтовальщика. Была у него и еще одна специальность, заключавшаяся преимущественно в беглости и проворстве рук; он изумлял своими фокусами с колодой карт, и за выучку этим фокусам в свое время переплатил довольно-таки денег разным профессорам магии, чревовещания и пр. Но все, чем так щедро наделила его природа, осталось в нем в своем первобытном, самородковом виде. Князь не приложил ни малейшего старания, чтобы развить наукой свои способности к музыке и живописи. Зато большие и неутомимые старания были приложены им к выездке лошадей да к владению пистолетом, рапирой и карточными фокусами. Жизнь и воспитание направили в весьма дурную сторону некоторые из его инстинктов: поэтому-то князь и не задумался над средствами, когда печальные обстоятельства лицом к лицу поставили его с грозной проблемой «быть или не быть». Для него все средства оказались хороши, лишь бы только вели к вожделенной цели.

Еще в годы своего несовершеннолетия попался он в добрую переделку к некоей компании шулеров петербургских и заплатил-таки ей свою далеко не посильную дань. Теперь же явился он прямо к главному воротиле этой достойной компании и предложил ему свои товарищеские услуги. Немедленно же был произведен достодолжный экзамен над колодою карт. Это испытание привело в полный восторг главного воротилу. Он бросился на шею к князю Чечевинскому, трижды облобызал его и компетентно выразил свое мнение, что если призаняться еще этим делом месяца с два, то новый член компании, относительно совершенства и чистоты замысловатых вольтов, достигнет полного идеала, не оставляя желать ничего уже лучшего. Сотрудник с таким обширным знакомством, с такою обстановкою, с аристократическим именем и положением в свете был чистым кладом для честной компании, которая и руками и ногами приняла его в недра своих братских объятий. Князь Николай Чечевинский сделался шулером. Но пословица говорит: «И на старуху бывает проруха» — так и на шулеров находят иногда невзгоды.

Случилось однажды такое обстоятельство.

На петербургском небосклоне появился в тот зимний сезон один отставной гусар, рекомендовавший себя помещиком двух тысяч душ Симбирской, Саратовской и Пензенской губерний, — господин изящный, ловкий; представительный в полном смысле этого слова, который самым блистательным образом показывался везде и повсюду, занял целый ряд великолепных комнат в одной из лучших гостиниц и задавал вечера и обеды.

Честная компания задумала его «оболванить» и натравила все

свои помыслы на его карманы. Она шибко стала ухаживать за приезжим барином. Князю Чечевинскому не трудно было сойтись с ним на короткую ногу. Они сделались приятелями, стали на *«ты»*, показывались везде вместе, вдвоем, и наперебой друг другу ухаживали за одной из первых солисток тогдашней балетной сцены, что, впрочем, нисколько не нарушало их дружелюбных отношений. Князь познакомил экс-гусара с некоторыми из самых дошлых членов своей тайной компании, и члены эти, конечно, не упускали случая упитывать себя обедами и ужинами в отеле радушного Амфитриона.

В один из таких вечеров, когда необходимые члены названной компании благодушествовали в гостиной симбирского помещика, князь очень ловко завел разговор об игре, и вдруг экспромтом предложил заложить, от нечего делать, в штос или в ландскнехт небольшой кушик.

— Нет, уж коли играть, — возразил ему гусар, — так в качестве хозяина право заложить банк принадлежит мне. Я хотя и давно не играю, — домолвил он с кисловатенькой ужимкой, — да уж куда ни шло!.. Пожалуй, я не прочь тряхнуть полковой стариной.

Вслед за тем сейчас же был раскинут ломберный стол. Амфитрион пошел в кабинет и вынес оттуда полновесную пачку банковых билетов.

— Назначайте сами, господа, сумму банка, я в вашем распоряжении.

Князь на первый раз очень скромно предложил ему заложить тысячу рублей.

Любезный хозяин согласился беспрекословно.

Завязалась игра — чистая, с переменным счастьем. Гусар проигрывал очень любезно, выигрывал очень равнодушно, так что своим поведением в игре вконец очаровал членов компании.

На первый раз дело этим и ограничилось.

Через несколько дней повторился подобный же вечер и та же игра. Гусар метал банк и очень любезно проиграл компании более трех тысяч. И опять наступил вечер, и опять проиграл он тысячи за четыре, проиграл и не поморщился.

Компания, возвращаясь от него, была в восторге и оставалась в полном убеждении, что нашла для себя в симбирском помещике Язоново золотое руно. Она решилась дать генеральное сражение, пустить в ход всю свою армию, всю свою тактику и стратегию и — куда ни шло — рискнуть почти всем своим сборным компанейским капиталом.

Князь Чечевинский сделал вечер у себя и после роскошного ужина, за которым не было недостатка в обильных возлияниях, предложил играть. Возлияний на долю симбирского помещика пришлось очень много. Почти каждый из членов достойной компании, порознь изливая ему свои дружественные чувства, любовь и симпатию, предлагал выпить на брудершафт, затем шел тост в честь только что заключенной неразрывной дружбы и иные тосты, на какие лишь могло хватить остроумия всех наличных членов. Экс-гусару приходилось пить с каждым в отдельности, так что на его желудок досталось более значительное количество вина, чем на всю остальную братию. Гость, как истый джентльмен, пил не отказываясь, пил артистически, с чувством и толком, и под конец заявил себя порядочно-таки охмелевшим.

Князь, как хозяин, заложил банк, пустя в него, ради генерального сражения, большую часть общей компанейской суммы. Хмельной гусар менее чем в десять минут спустил порядочный кушик; но вдруг пришла ему фантазия пристать к князю с неотступной просьбой — уступить ему место банкомета.

— Смерть хочется пометать! — мычал он совсем пьяным голосом. — Пусти меня, я заложу!.. Убери свои деньги... Все равно, завтра, если хочешь, мечи ты у меня, а сегодня уж мне у тебя позволь... Ну, вот пришла фантазия. Ведь я самодур, мой друг... русский самодур, коренная натура!..

Члены переглянулись. Видят, что добряк почти лыка не вяжет, и думают себе: все равно, не так, так иначе дело обделать можно.

Пустил его князь на свое место. Деньги остались на столе. У гусара чуть колода из рук не валится. Дал он им сразу три добрые карты, на четвертой взял себе маленький кушик, затем дал опять несколько сряду, но в конце талии нахлопнул — и банк его значительно увеличился. В три-четыре талии почти весь куш, приготовленный компанией для генерального сражения, перешел к не вяжущему лыка гусару. У честной братии вытянулись физиономии. Но гусар был так добродушно пьян, так нежен и любовен с ними, и в конце концов неожиданно забастовал, положа в карман выигранную сумму, которая с избытком вознаградила его за все предыдущие проигрыши, и передал карты князю — продолжать, буде ему угодно, а сам удалился к камину и задремал на покойной кушетке.

Игра для виду продолжалась еще несколько времени, с очень незначительным уже кушем; но хмельной гусар даже и не дождался ее окончания и, сказавшись нездоровым, благополучно уехал домой.

Компания осталась в великом недоумении — считать ли ей это делом слепого случая или ловкой проделкой более дошлого шулера?

Большинство склонялось на сторону первого предположения, соображая то огромное количество вина, которое пришлось на долю гусара, и все вообще положили: не откладывая в долгий ящик, с завтрашнего же вечера исправить свой промах и наверстать с процентами утраченные деньги.

На следующее утро князь Чечевинский лежал еще в постели, как от джентльмена-гусара была получена им самая дружеская записка, в которой он сам безмерно удивлялся своему вчерашнему слепому счастью, «так что даже самому совестно становится за свой выигрыш», и потому-де приглашает он всех своих вчерашних друзей отыграться у него сегодня вечером.

На нынешний раз гусару пришлось повторить, даже с избытком, все количество вчерашних возлияний, прежде чем успела составиться игра. Князь Чечевинский напомнил ему вчерашнее обещание уступить место банкомета. Тот, конечно, не поперечил. Князь стал метать. Гусар, полудремля, уселся против него, а тот, воспользовавшись удобной минутой, взял да и передернул.

— Атанде! — остановил внезапно хозяин и, к неописанному удивлению гостей, проговорил это слово трезвым голосом и с совершенно трезвым видом. — Позвольте-ка мне вашу колоду!

Тот — хочешь не хочешь — передал ему карты.

— Теперь подойдите сюда, — предложил ему гусар, вдруг изменяя дружеское *«ты»* на официально-сухое *«вы»*.

Князь подошел.

— Станьте здесь, подле меня, справа. А вы, хоть например, — промолвил он, обращаясь к главному воротиле, — становитесь с другой стороны. Да и все вообще, господа, станьте и смотрите.

Те, до крайности конфузясь и изумляясь, почти беспрекословно исполнили требование хозяина, высказанное таким решительным, безапелляционным тоном.

Хозяин перекинул три-четыре карты и вдруг остановился, окинувши всех прямым, твердым взглядом.

— Видите ли? — спросил он, обращаясь ко всем безлично.

— Что такое? — недоумело откликнулось несколько голосов.

— Как — что? Известное дело, передержку! Спрашиваю вас, видели ли нет?

— Нет, не видали.

— Ну, так смотрите еще, да повнимательнее смотрите!

И опять перекинул две карты.

— Видели?

— Ровно ничего! — передернули те плечами. — Да полно, что за мистификация! Никакой тут передержки нет! — заговорили они всем хором.

— Как нет, если я говорю, что передернул! — возвысив голос, возразил гусар даже несколько оскорбленным тоном. — Смотрите пристальнее, я прокину еще... Заметили?

Те только отрицательно пожали плечами.

— Ну, так вот как передергивают порядочные люди! — с торжествующим видом сказал он, поднявшись с места, бросил на стол колоду и загреб в карман весь банк.

— Сначала поучитесь, господа, чтобы играть со мною, а пока вы годитесь только на подкаретную игру с кучерами да с лакеями. То, что я вам показал, я называю «мертвым вольтом». Подите-ка попытайтесь достичь до него! А комедия, разыгранная нами, называется «коса на камень, или дока на доку нашел». Теперь прощайте и подите вон отсюда, я с вами не хочу иметь никакого дела. Эй! Человек!.. Подай всем этим господам шляпы и шубы!

И, откланявшись общим поклоном, экс-гусар неторопливой, спокойной и твердой походкой удалился в комнаты.

Урок был дан великолепный и слишком чувствительный: ловкие шулера наскочили на шулера еще более ловкого. Все укоры и проклятия компании всецело обрушились теперь на голову злосчастного князя Чечевинского. Воротило назвал его подлецом и предателем Иудой. Он настоятельно утверждал, что князь был заодно с экс-гусаром, что все это было делом их обоюдного заговора для общего раздела барышей, и остальные члены вполне разделили убеждения своего воротилы. Князь с позором был изгнан из компании.

Хотя последующие обстоятельства наглядно показали им жестокость их ошибки относительно своего сочлена, но — увы! — показали слишком поздно, когда все было потеряно для несчастного князя.

Потерпев столь жестокое поражение и увидя себя вполне одиноким, без всякой поддержки со стороны товарищей, князь Николай не мог уже добывать себе средств к жизни игрою. Он в крайности решился на другие ресурсы: устроил несколько мошеннических проделок, наделал несколько фальшивых векселей и перепродал их в разные руки. Проделка открылась очень скоро — и князь Николай Чечевинский очутился в Тюремном замке. Выпутаться не было никакой возможности. Все самые очевидные улики явились налицо — и финал его широкой петербургской жизни завершился длинною Владимирской дорогой.

Князь отбыл четырехлетний срок сибирской каторги, после которого его перевели на поселение.

Вместе с этой последней переменой своего сибирского существования ловкий и умный человек не потерялся. К тому же и несчастья закалили его душу и придали много стойкости его натуре, а уму много горького опыта. Он как бы вырос нравственно, ободрился, окреп своим духом и снова принялся за дело.

Удалось ему сойтись с одним весьма значительным золотопромышленником и при помощи своего ума и ловкости вкрасться в его доверие — как это и зачастую случается в Сибири. Через два года подначальной, не совсем еще самостоятельной службы на приисках хозяин поручил ему заведывание делами. Князь вел дела очень ловко, честно и аккуратно до последней степени, так что эти качества, испытанные в течение последующего почти пятилетнего срока, удесятерили доверие к нему патрона. Он сделался положительно его правою рукою, так что на время отлучек самого золотопромышленника в Москву и в Петербург вполне заменял его особу, являясь по доверенности почти полноправным его представителем. Он получал хорошее жалованье, и, наконец, в виде награды, ему было дано четверть пая.

Аристократический петербургский джентльмен не утратил и после сибирской каторги своего салонного блеска. Он сделался положительно идеалом всех местных дам и задушевным приятелем властей предержащих. На бывшего мошенника они смотрели теперь как на человека идеально честного. При всех этих условиях князю не стоило почти ни малейшего труда воспользоваться правом долгих, самостоятельных и почти своевольных отлучек в разные концы сибирского края, куда призывали его дела, доверенные патроном. На руках его часто оставались очень большие суммы денег, относительно которых в течение пяти лет идеальная честность князя проявлялась в полном блеске.

Но в один прекрасный день, к общему и несказанному удивлению, оказалось, что князь куда-то пропал, а куда — решительно неизвестно! — пропал с поддельным паспортом и бумагами будто бы какого-то служащего чиновника или офицера, с подорожной по казенной надобности и вдобавок не забыл захватить с собою несколько слитков золота и семьдесят две тысячи серебром. Благополучно удалось ему миновать сибирские дебри и веси и очутиться, с видом уполномоченного купеческого поверенного, на американском судне, которое с Охотского порта столь же благополучно доставило его в Соединенные Штаты.

Несколько лет провел он то в Нью-Иорке, то в Ричмонде, то в иных городах великой республики, занимаясь торговыми операциями, а подчас и аферами ловкого, но не совсем чистого свойства, пока наконец не возбудил против себя некоторых подозрений.

Пришлось удирать снова.

От Азии выручила его Америка, от Америки — старая Европа, где, скитаясь из края в край и занимаясь все тем же темным делом, он столкнулся наконец в Гамбурге с Сергеем Антоновичем Ковровым. Птицы видны по полету, а это были птицы одного полета, так что догадаться о специальной профессии друг друга, а затем стакнуться и подать один другому руки на общее действование было им не трудно.

И вот в 1858 году, вскоре по приезде из-за границы в Россию баронессы фон Деринг и ее друга, прикатившего под именем Владислава Карозича, на арену петербургской жизни неожиданно появился никому не известный, но тем не менее богатый, представительный и всех очаровавший собою турист, с которым Петербург познакомился теперь под именем венгерского графа Николая Каллаша.

XI

КТО БЫЛА ЧУХА

Надеемся, каждому теперь будет понятно нетерпеливое и жуткое волнение, которое испытывал этот человек, пока старая Чуха отдыхала в смежной комнате.

«Неужели же... Боже мой!.. неужели это сестра моя?» — буравил его мозг неотступный вопрос, на который отчасти мелочное тщеславное самолюбие настойчиво отвечало: «Нет, не может этого быть! Но имя?.. Каким образом этой пьяной, развратной женщине может быть известно имя княжны Анны Яковлевны Чечевинской, которая уже двадцать два года как сошла со светской сцены, скрылась неведомо куда?»

«А если и не она моя сестра, — думал Каллаш, — то, во всяком случае, она должна знать ее, а если она ее знает, стало быть, и моя сестра такая же».

В этой последней мысли, пришедшей ему в соединении с ярким образом Чухи, было для него нечто страшно сжимающее душу тою отчаянною болью, которая всегда засаднеет в ней в ужасные минуты, когда мы видим, как умирает близкое нам существо, а у нас нет ни силы, ни возможности поддержать в нем потухающую искру жизни. Бывают мгновенья, когда в душе падшего человека вдруг ни с того ни с сего закопошится какой-то червяк, засосет, загложет, забеспокоится. Этот червяк в подобные мгновения как будто высасывает всю дрянь, весь гной, всю накипь из души человеческой, как будто он очищает ее, возвращая к той счастливой, почти детской поре, когда она еще была чиста и человечна. Этот червяк называется совестью. Он копошится иногда и в душе самого закоренелого злодея. Если же его внутри там нет и никогда не существовало, — это значит — вы видите перед собою животное, ни за что ни про что проклятое судьбою.

Давно уже не сосало и не глодало в душе графа Каллаша так сильно и так много, как теперь; потому, быть может, еще первый раз в жизни кольнул его горький упрек совести за родную сестру. Он вспомнил, что нехорошо поступил с нею когда-то. Если бы не он — почем знать, быть может, она и не дошла бы до такого падения... Ни одного слова не было замолвлено им за нее перед матерью, тогда как при ее ослепленной и безграничной любви к нему одного умоляющего взгляда с его стороны, быть может, было бы достаточно, чтобы несколько изменилось суровое решение старухи. Конечно, она не согласилась бы иметь ничего общего со своей дочерью, но от него зависело сделать так, чтобы по крайней мере ей была отдана законная часть ее из отцовского наследства. Эта часть могла бы ей скоротать век в какой-нибудь глуши — здесь ли, за границей ли, но скоротать его мирно и честно. Он этого не сделал, он ограбил сестру — и вот теперь-то впервые прошибло его нечто похожее на раскаяние. Впервые налегла на грудь какая-то глухая злоба — злоба и на покойную мать, и на себя самого, а более на того негодяя, который был первою причиною несчастного падения сестры. Кто этот негодяй — князь Николай Чечевинский не ведал, как и все остальные, кроме самой княжны Анны. Хотя давно уже обстоятельства заставили его покинуть свое родовое, старинное имя, которое носил он до ссылки в Сибирь, однако же это имя, внезапно услышанное теперь из уст пьяной и безобразной развратницы, которая публично присвоила его себе, как-то жестоко, как-то нехорошо и смутительно захлестнуло в нем щекотливое чувство прирожденного гордого аристократического достоинства. Ни его ухо, ни его ум, ни его чувство решительно не выносили того, что это древнее и почтенное имя было брошено на позор перед уличной толпой. Забывая, что сам когда-то своими преступными проделками публично нанес позорную пощечину этому самому имени, князь Николай Чечевинский, среди обуявших его горьких дум и ощущений, не мог удержаться, чтобы в его душу не врывалось чувство озлобления даже и против сестры, против этой несчастной пьяной старухи.

«Зачем, зачем она назвала себя перед этою толпою?» — долбило все одно и то же в его голове, и тем-то настоятельнее хотелось ему разрешить все свои сомнения, и тем-то нетерпеливее ждалось, скоро ли проснется и вытрезвится эта женщина. Он почти поминутно подходил к двери и прислушивался, заглядывая в замочную скважину, пока наконец нетерпение его разрешилось.

За дверью явственно послышался шорох движений и хриплый старушечий кашель.

Долее не мог уже терпеть Каллаш и как-то порывисто вошел в смежную комнату. Он пристально остановился против своей гостьи.

Чуха вскочила с дивана — и в то же мгновенье оба сильно смутились. Оба чувствовали какую-то странную, томительную неловкость друг перед другом.

«Как приступить? С чего начать с нею?» — смешался на мгновенье граф, но тут же почти преодолел себя. К нему воротилась обычная твердость и самообладание.

— Ты — княжна Чечевинская? — твердым голосом задал он ей вопрос, неотводно глядя в упор на смущенную женщину.

Та смутилась еще более и глубоко потупила взоры. Видно было, что ей очень тяжело отвечать ему.

— Нет, — прошептала она, отрицательно покачав головою, — это не мое имя. Меня Чухою зовут.

— Когда я встретил тебя пьяною на улице, — спокойно и ровно продолжал граф, испытывая ее глазами, — ты, в виду всех, назвала себя княжною Анной Яковлевной Чечевинской.

— Я... Ну что ж такое?.. Я солгала, — было ему чуть слышным ответом.

— Стало быть, ты знаешь ее, если назвалась ее именем?

— Н... не знаю!.. Не знаю... ничего не знаю!.. — прошептала Чуха, не глядя на него и продолжая отрицательно качать головою.

— Откуда известно тебе это имя? — настаивал граф.

— Имя?.. А так, слыхала.

— Ты? Когда? От кого слыхала?

— Не знаю... не помню... от людей слыхала...

— От каких людей?

— О, Господи! Да кто же их знает!.. Мало ли людей на свете! — теряясь, воскликнула Чуха, которую, видимо, терзали все эти вопросы.

Граф осторожно и кротко взял ее руку и, не спуская с нее глаз, проговорил вполне уверенным тоном:

— Ты говоришь неправду. Ты — княжна Чечевинская.

— Ну, а если б и так, — нетерпеливо сорвалось у Чухи, — если б и так — тебе-то что за дело?

Граф замолчал. В лице его заметно было сильное волнение.

— Брату всегда есть дело до его сестры, — взволнованно и тихо сказал он наконец голосом, полным участия.

Чуха вскинулась на него изумленными глазами и отступила шага на два.

— Брату?.. — прошептала она, пожирая его взорами.

— Да, брату!.. Князю Николаю Чечевинскому.

Ошеломленная Чуха глядела и молчала.

Она не могла еще прийти в себя от этого странного, неожиданного слова.

Тот снова приблизился к ней и хотел было взять за руку, как вдруг Чуха отдернула ее и еще больше подалась назад. На губах ее мелькнула горькая, колючая улыбка.

— Моему брату, — проговорила она наконец с иронической горечью и затаенной злобой, — не было до меня дела в течение двадцати двух лет, какое же дело может быть теперь?.. Теперь уже поздно!.. Теперь мне не надо ни брата, ни его участия!

Граф Каллаш, в тяжелом и смущенном волнении, медленно прошелся по комнате. Лицо его было бледнее обыкновенного, во взоре горела томительная тоска.

— Гм!.. В течение двадцати двух лет!.. — проговорил он как бы сам с собою. — А если в течение этих двадцати двух лет он успел вынести позор, тюрьму, сибирскую каторгу и потом скитание Бог знает где — далеко, в Америке, под чужим именем... Если и теперь даже сам себе он не осмеливается признаваться, что он князь Николай Чечевинский? Что ж тут говорить, было ли или не было ему дела?

Пораженная Чуха следила за ним и слухом, и взорами, пока тот не остановился наконец перед нею.

— Послушай, сестра, — начал он тихо и, насколько мог, спокойно, — двадцать два года тому назад я поступил против тебя подло. Я был тогда большим негодяем. Теперь я, быть может, несколько лучше, но... все-таки и теперь я негодяй! Да ведь находят же и на мерзавцев минуты человеческого сознания, минуты раскаяния?.. Я раскаиваюсь не в настоящем, но в прошлом, в том, что сделал я против тебя двадцать два года назад. Прости меня, если можешь простить! Если ты несчастна, но столько же несчастен и я... Быть может, нас равно побила жизнь... Право, сестра, это верно, это так! Мне кажется, мы можем подать друг другу руки. Прости меня!

Чуха все глядела на него, но в этом взоре все более и более сглаживался оттенок прежней суровой иронии и злобы, уступая место чему-то теплому, мягкому, болезненно-страдающему и родному. Это был взор всепрощения. С ресниц ее скатилось несколько крупных слезинок.

Граф стоял перед нею в томительном ожидании.

Чуха вздохнула полным, освобождающимся из-под гнета вздохом и молча протянула ему руку.

XII

КАКИМ ОБРАЗОМ КНЯЖНА АННА СДЕЛАЛАСЬ ЧУХОЮ

Глава эта будет вовсе не длинна и не обильна подробностями. В силу этого обстоятельства автор тем более охотно предлагает читателю проследить вместе с ним судьбу столь давно покинутой нами княжны Анны Чечевинской.

С моря дул порывистый, гнилой ветер, который хлестал одежду прохожих, засевая их лица мелко моросящей дождевою пылью, и пробегал по крышам с завывающими, пронзительными порывами. Туман и дождливая холодная изморось густо наполняли воздух, в котором царствовали мгла и тяжесть. Над всем городом стояла и спала тоска неисходная. На улицах было темно и уныло от мглистого тумана. Фонари, по весеннему положению, не зажигались.

Нева плескалась волнами своими в гранит набережной. За рекою крепостные куранты у Петра и Павла с безысходною тоскою медленно играли «Коль славен наш Господь» и пробили девять. По пустынной набережной шибко шла против ветра высокая стройная женщина, закутанная в черную шаль, и шла, казалось, без всякой определенной цели, без всякого пути.

— Кажись, недурна, — процедил сквозь зубы беспутный шатун-гуляка и, подумав с минуту, повернулся и пошел вдогонку за молодой женщиной, темный очерк которой с каждым шагом все более и более терялся в холодном и моросящем тумане петербургской ночи.

Эта ночь была в середине мая 1838 года.

Эта молодая женщина была княжна Анна Чечевинская.

Она с проклятием только что покинула порог княгини Шадурской.

В груди ее кипели злоба и ненависть непримиримая, беспощадная, и, словно невские волны, ходуном ходили глухие рыдания, которые, однако, ни воплем, ни слезою не выдавались наружу. Ей хотелось бы мстить — мстить и этой строгой, лицемерной Диане, и всему этому «большому свету», с которым теперь уже были порваны все связи и который с этой минуты она страстно презирала и страстно ненавидела. Мстить!.. Но как и чем же мстить этому гордому своим кажущимся достоинством обществу? Чем же мстить ей, бедной, несчастной, одинокой, опозоренной и всеми отвергнутой? Какая месть могла быть ей доступна, если с этого самого вечера она, может, на всю свою остальную жизнь становилась в разряд «голодных и холодных»?

— Барышня! А барышня? Позвольте вас проводить? — вдогонку послышался в эту минуту голос беспутного гуляки, который шел за ней по пятам.

Анна испуганно вздрогнула и с гордым достоинством остановилась, чтобы пропустить его мимо себя.

Но шатун не благорассудил миновать ее и тоже остановился рядом.

— Вечер, знаете ли, холодный — все равно как в Александринке этот куплетец поется: «Вместо красного-то лета, здесь зеленая зима». Это истинная правда! — рассыпался он перед нею, стараясь быть ловким и любезным. — Одной идти скучно и даже очень притом небезопасно, а по холодку-то и коньячку бы хватить не мешало... пойдемте-ка под ручку!

Княжна круто отвернулась от него и пошла так быстро, что чуть не бежала.

Гуляка не отставал ни на шаг и назойливо шел рядом.

— Какие вы строгие-с! Спесивые-с! Даже очень, должен сказать, гордянки-с! Вам благородный человек делает деликатное свое предложение, а вы не удостоиваете, словно герцогиня или княгиня какая...

«А! Вот она, месть! — мгновенно сверкнула в голове Анны сумасшедшая, взбалмошная мысль. — *Они* горды, *они* прячут и скрывают свои гнусненькие скандалы. Так я же буду им живым, всеобщим и ходячим скандалом! Скандал — так уж скандал до конца! На полпути нечего останавливаться! Пускай же коробит их гордое чувство хоть тот факт, что княжна Чечевинская, особа, принадлежащая их кругу, — позорная женщина. Пускай же краснеют они хотя за этот титул! Кроме этого — у меня им нет, к сожалению, никакого мщения, а я хочу, да, я *хочу* мстить, мстить и мстить им!.. Впрочем, и это будет хорошо».

И с такою мыслью, в каком-то нервно-лихорадочном самозабвении и почти в сумасшедшем порыве, задерживая в груди не то рыдания, не то истерический смех, княжна Анна отчаянно махнула рукою и тотчас же подала ее беспутному гуляке.

Порыв прошел очень скоро, но — увы! — прошел уже тогда, как несчастная девушка вступила на скользкую колею падения.

Со стыдом и презрением к себе, с отчаянием и жгучей болью в душе покинула она поутру логовище беспутного гуляки.

На прощанье он сунул ей в руку скомканную ассигнацию. Анну словно что ужалило; как скользкую поганую гадину, с содроганием и омерзением она тотчас же далеко швырнула от себя полученные деньги и, оскорбленная до глубины души, вне себя сбежала с лестницы на улицу.

Ей больше некуда было идти, как только в Свечной переулок, в тот серенький домик, у ворот которого висела черная вывеска с надписью «Hebamme»[1], извещавшая об обиталище востроносенькой, чистоплотной немки-акушерки, дававшей до вчерашнего дня приют молодой роженице. Немка приняла ее теперь не то чтобы радушно, не то чтобы сухо. Она была очень недостаточна, рассчитывала каждую копейку. Княжна решительно объявила, что ей пока больше некуда деваться, умоляла приютить ее еще на несколько дней, пока подыщется какой-нибудь исход из этого неопределенного положения, и обещала непременно заплатить за свое житье. Немка согласилась. Анна прожила у нее еще недель около трех, ложась и вставая каждые сутки с ужасающей мыслью о том, что-то будет дальше, как и чем-то она расплатится за стол и квартиру. Немка молчала, но, видимо, тужилась. Ее крайне стесняло безвозмездное присутствие лишнего, постороннего человека; княжна занимала отдельную комнату, а в этой комнате зачастую оказывалась для немки настоятельная необходимость, так как нередко случались родильницы, являвшиеся к ней на квартиру для разрешения от бремени. Такое положение тяготило княжну Анну, быть может, вдесятеро более, чем ее хозяйку, которая наконец высказала ей свое крайнее стеснение. Анна решилась заплатить ей за прошлое время и думала снести к ростовщику последнюю остав-

---

[1] «Акушерка» *(нем.)*.

шуюся у нее заветную вещицу. Это был массивной работы золотой крестик на такой же цепочке — благословение ее отца. Случайно подвернувшаяся под руку полицейская газета, испещренная всяческими объявлениями, указала ей на несколько крупных строк, гласивших, что в Средней Мещанской улице, дом такой-то, в квартире № 24, ссужаются деньги, от восьми часов утра до двенадцати ночи, под залог золотых, серебряных и иных вещей. Это было объявление Осипа Захаровича Морденки, только что вступившего на поприще благодетелей рода человеческого.

Вырученные от него двадцать пять рублей княжна Анна немедленно же отдала акушерке и, в смутном ожидании какого-то исхода, снова осталась без гроша. Она исходила конторы одной, и другой, и третьей газеты, с намерением публиковаться о желании своем вступить в гувернантки, но нигде без денег не приняли от нее объявления. Попросить у немки взаймы часть отданных денег ей было крайне совестно. Она не решалась на это, считая, что та уже и без того сделала для нее много разных одолжений.

Однажды, пересекая Морскую улицу вдоль Невского проспекта (это именно было в день посещения трех газетных контор), она близ английского магазина столкнулась лицом к лицу с тремя дамами большого света, выходившими из щегольской коляски.

Еще столь недавно эти самые три дамы были с нею в таких хороших, почти приятельских отношениях, а одна из них, по положению своему стоявшая ниже двух остальных и допускавшаяся в их общество только в качестве задушевной институтской подруги, не была наделена никакими блестящими титулами и поэтому относилась всегда к княжне Чечевинской даже несколько заискивающим образом. Теперь эти три Дианы прошли мимо, не узнавая княжны Анны, и вдобавок совершенно спокойно окинули ее с ног до головы равнодушным взором такого леденящего и оскорбительного холода, от которого сжалось и как будто перевернулось в груди сердце несчастной девушки.

И снова почувствовала она тяжелое оскорбление, и снова закипели в груди ее злоба, и ненависть, и презрение, и столь же ярко, как в первую минуту, вспыхнула в ней опять жажда прежнего мщения.

До болезненности раздраженная этой встречей, она быстро шла по направлению к Адмиралтейскому бульвару и, очутившись на нем, бессильно опустилась на зеленую скамейку, будучи уже невмоготу подавлена бесконечным наплывом всех этих дум и ощущений.

Она не помнила да и не заметила, сколько времени просидела на этой скамейке. Когда же наконец очнулась несколько и огляделась вокруг — на дворе уже вечерело, а рядом с нею, на другом конце скамейки, равнодушно позевывая и болтая ногами, сидела какая-то аляповато одетая девица из породы ночных бабочек.

Пробуждение из этого оцепенелого забытья осталось в душе Чечевинской чем-то невыразимо горьким, кручинно-жутким и колючим — и Бог весть почему стало ей так больно, так тоскливо и грустно, что по щекам ее несдержанно покатились слёзы. Но это были слезы мрачные, злые, тяжелые, которые не облегчали души, а только усиливали ее оскорбленную озлобленность.

Эти резко обозначенные и сурово сдвинутые брови, этот угрюмый взор и слезы, катившиеся тихо одна за другой, произвели несколько странное впечатление на аляповатую ночную бабочку. Раза три покосила она в сторону Анны и наконец подвинулась ближе.

— Слышьте, что это вы так плачете?

Анна хотела было уже резко ответить: «А вам какое дело?» — но, вскинув глаза, увидела такую глуповато-добрую физиономию, что на резкость не хватило духу. Княжна почти чутьем поняла, что этот вопрос вызвало скорее участие, чем безразличное любопытство.

— Скверно жить... Со злости плачу... — отрывисто обронила она слово, глядя далеко в сторону.

— Это бывает... — поддержала бабочка. — Со мной тоже вот, как станет на что-нибудь обидно, так я сейчас выпью — и ничего, полегчает!

— Как это «выпью»? — пристально вслушалась Анна.

— А так, обыкновенно, рюмки три-четыре вина простого... Когда сама, когда и кавалеры, случается, угощают.

— Да ведь скверно!

— Скверно-то скверно, зато потом хорошо: все позабудешь!

— Не знаю... не пивала... — молвила в раздумье княжна.

— А вы попробуйте — пречудесно!

— Гм... В другой раз как-нибудь, — со вздохом улыбнулась она бабочке, — теперь не на что — денег нету.

Прошло несколько минут полного молчания.

Анна, подперев ладонями подбородок, сосредоточенно погрузилась в свои непросветные думы. В сердце все еще бушевала и судорожно грызла его оскорбленная злоба и ненависть.

Ночная бабочка продолжала апатично болтать ногою и по временам искоса взглядывала на свою соседку.

— Послушайте, — наконец заговорила она, снова обратившись к Анне, — хотите, выпьемте-ка вместе?

— Денег нету, — безразлично ответила та, не изменяя позы и глядя все в то же неопределенное, далекое пространство.

— Это ничего, — возразила бабочка, — я вас угощу; будемте знакомы... Я и сама не прочь бы выпить теперь: люблю я это!..

Княжна не давала ни положительного, ни отрицательного ответа и сидела по-прежнему.

— Потом как-нибудь сочтемся: ну, вы меня тоже угостите

когда, — продолжала аляповатая особа. — Вы из каких? — повернула она вдруг неожиданным вопросом.

Анна чутко подумала, улыбнулась про себя едва заметной горькой улыбкой и спокойно ответила:

— Я-то?.. Да как вам сказать?.. Пожалуй, из таких же, как и вы!

— Нет, в сам-деле?

— Да я же вам говорю!

— А!.. Ну, вот и прекрасно!.. Будемте знакомы. Вы где живете?

— Нигде!

— Как же это нигде? Разве можно без фатеры? — изумилась бабочка во всю свою глуповато-широкую, добродушную физиономию. — Я вот у хозяйки живу, — словоохотливо продолжала она, — нас там три девицы живет, по двадцати пяти рублей на месяц платим: тут и фатера, и кушанье, и стирка, и горячее, а остальные деньги, что добудем, — на себя уже. Так как же это вы, миленькая, без фатеры?

— Да так же вот, как видите!

— Хотите идти к нашей хозяйке жить? У нее еще есть одна комнатка свободная; Луиза там жила, только теперь она уехамши с офицером одним — во Псков увез с собой; так комнатку-то хозяйка вам уступит. Хотите, в сам-деле?

Анна закрылась руками в мучительно-тяжелой нравственной борьбе. В эту минуту, казалось, она делала последнее усилие над собою: она ломала себя... наконец переломила.

— Хочу! — было ее твердым, решительным ответом.

— Ну и пречудесно! — подхватила бабочка. — Вместе будем жить, подругами будем... Давайте завсегда под ручку по Невскому ходить.

— Давайте, — согласилась Анна, прикрывая выделанно-беспечной улыбкой то глухое отчаяние и злобу, которые клокотали в ее груди и были готовы прорваться наружу раздирательным воплем. Но — она уже решилась, она уже переломила и похоронила себя. Теперь хотелось ей только поразгульнее справить над собою собственную тризну, панихиду с поминками над прежней княжной Анной Яковлевной Чечевинской.

— А уж как хозяйка-то мне будет благодарна, что я ей новую жилицу предоставила! — довольственно улыбаясь, продолжала меж тем бабочка. — Теперь на радостях таких, пожалуй что месяц подождет на мне долгу — должна я, видите, ей за житье, пристает все; ну и кофию не стала давать... А теперь ничего, помиримся!

Анна снова уселась в озлобленно-мрачном раздумье и, не слушая болтовню своей новой товарки, погрузилась в свои собственные глухие думы.

— Послушайте, — наконец прервала она ее неожиданным словом, — вы хотели угостить меня... Угостите-ка! Я отдам вам потом... Я хочу быть пьяной!

В этих словах ее прозвучала безнадежная решимость мертвого отчаяния. Глухая тоска побуждала скорее залить неисходное горе, а чувство оскорбленной злобы и мстительной ненависти подмывало скорее увидеть самой свое собственное падение.

И в тот же самый вечер она жадно, с каким-то колюче-пронзающим наслаждением исполнила и то и другое...

Княжна Анна стала развратной женщиной. Что делалось в глубине ее разбитой души — того никто и никогда не ведал. Нравственно, как и прежде, это было честное, но глубоко искалеченное, оскорбленное и озлобленное существо. Фактически — это была развратница по ремеслу, которая с каким-то самодовольствием, с каким-то мстительным горьким наслаждением выставляла напоказ свое падение и не скрывала своего настоящего имени и происхождения.

Она теперь вечно стала чувствовать себя совсем одинокою; любить было некого и нечего, привязаться не к чему, и она мало-помалу вконец привязалась к вину. А в сердце ее, наряду с ненавистью и продолжающимся мщением, неугасимо теплилось единственное теплое чувство. Это было чувство матери. Заочно привязалась она какою-то страстною привязанностью к своему ребенку, к своей дочери, с которой ее разлучили. Это была привязанность к своей светлой, отрадной мечте; и вечным, нескончаемым укором самой себе поставила она теперь свое решение подкинуть ребенка к порогу Шадурских, где так сладко надеялась когда-то видеть свое дитя, хоть издали следить, как оно растет, развивается, и знать его жизнь, его судьбу в этом доме. Она теперь любила по временам баловать себя несбыточной мечтою о том, что когда-нибудь она узнает, где именно и у кого находится ее дочь, отыщет ее во что бы то ни стало, вырвет ее из чужих рук, возьмет к себе и всецело отдастся своему дитяти, начнет жить только для него и только одним этим чувством. Чем радужнее были эти мечты и чем доверчивее она им отдавалась, тем быстрее наступало для нее горькое разочарование, тем ярче выступала перед ее рассудком вся несбыточность этой мечты и надежды, и тем-то сильнее после подобных минут закипала в душе ее ненависть и жажда непримиримой и беспощадной мести. Тоска подступала адская, и ничего более не оставалось, как только скорее топить ее в хмелю и забываться в разврате. И во всю свою жизнь она не могла отрешиться ни от этой мечты и надежды, ни от этой тоскливой ненависти. И когда какими бы то ни было судьбами доходили до нее слухи о том стыде и скандале, который порождало в большом свете ее поведение, княжна Анна предавалась дьявольски-злобной радости и еще наглее начинала выставлять на позор свое титулованное имя. Она сама так ревностно заботилась о возможно большем распространении по городу собственного позора и не упускала ни малейшего случая заявить, что первою причиною его был князь Дмитрий Платонович Шадурский.

Года через два подобной жизни у эксплуатировавшей ее хозяйки княжна Анна по горло запуталась в долгах. Она задолжала уже сотни четыре этой госпоже, которая, увидев ее у себя в полной кабале, стала помыкать ею как тряпкой, обижать и притеснять всяческими способами.

Вскоре на выручку ей подоспела новая сердобольница, из разряда подобных же госпож, которая приняла на себя долг княжны и перевела ее к себе, на новое житье. Анна очутилась в новой и еще более тяжкой кабале. Каждый день, каждая неделя, месяц запутывали ее все больше да сильнее, пока наконец не сделалась она вещью, полной крепостной собственностью своей хозяйки. А время шло себе да шло и беспощадно смывало всю свежесть и красоту ее... Не успело пролететь и трех лет, как прежнюю княжну Анну никто уже не мог узнать по наружности, да и она-то сама себя не узнавала. И чем больше убывали красота и свежесть, тем ниже и ниже спускалась Анна, с ужасающей, роковой постепенностью переходя из рук в руки от одной хозяйки к другой, пока наконец последняя не согласилась уже держать ее долее у себя, за негодностью пустила на все четыре стороны. Княжна увидела себя круглою нищей, бесприютницей, больной и безобразной. Лета тоже миновали — подступал уже возраст преклонный. Впереди оставалась только Сенная площадь да больница, да Митрофаньевское кладбище.

Здесь, на Сенной, она перестала уже бравировать именем княжны Чечевинской: проклятая жизнь да тяжелые годы вконец умаяли, уходили ее. Было уже не до того. Кто-то окрестил ее безобразною кличкою Чухи — так она с тех пор и пошла Чухою. Княжна с невыразимою горечью увидела наконец, что жизнь ее потрачена напрасно, что она сама убила ее, добровольно, со злости, избрав себе путь публичного позора, что позор этот все-таки в конце концов не привел к желанной цели: месть оказалась бессильной и недоступной, так как те, кому она думала мстить своим позором, давным-давно позабыли даже и о существовании ее. После такого разочарования наступил период полнейшей и глубокой апатии, в котором нравственная жизнь проявлялась одним только неугасаемым чувством какой-то призрачной, тоскливой любви к дочери. Даже злоба ее поугомонилась, и только одна любовь осталась прочной и неизменной. В трезвом виде Чуха обыкновенно была сдержанна, несколько угрюма и постоянно сосредоточена в себе, зато во хмелю нередко пробивалась у нее прежняя злоба и прежние бравады именем княжны Чечевинской.

В одну из подобных минут на нее случайно натолкнулся граф Каллаш.

XIII

НАЧАЛО ТОГО, ЧТО УЗНАЕТСЯ ИЗ СЛЕДУЮЩИХ ГЛАВ РОМАНА

Рассказ о жизни и приключениях сестры был выслушан графом Каллашем с сильным, но сдержанным волнением. Крутое негодование не однажды закипало в его груди и передергивало личные мускулы.

Хотя всю жизнь, до этой минуты, он был совершенно равнодушен к своей сестре и даже не знал, существует ли она на свете, но встреча с нею в образе пьяной Чухи и ее рассказ о своей жизни — все это разбудило в нем чувство родственности, инстинкт крови и беспощадно оскорбило гордость и достоинство прирожденного аристократизма.

«Как!.. Ее, княжну Анну, его родную сестру и дочь князя Якова Чечевинского, эти мерзавцы довели своими поступками до позорной жизни публичной женщины, до пьянства, до безобразия и нищеты... Этого простить им невозможно! Это требует мщения!» — безвозвратно решил граф сам с собою, и это решение было для него тем более неизменно, что он сам, в глубине души своей, чувствовал себя сильно виноватым перед сестрою.

Но укорливую досаду на самого себя он пристегнул к своей злобе на главного виновника сестрина позора и несчастья, и потому решился отплатить вдвойне и во что бы то ни стало. У графа не хватило мужества открытой совести для того, чтобы признать себя виноватым наравне с Шадурским не только перед сестрой, но даже и перед самим собою. Вообще, немногие из людей могут быть способны на решимость открытого и тяжкого обвинения собственной личности, и граф Николай Каллаш был не из их числа. Он был бы скорее склонен извинять себя, смотреть сквозь пальцы на собственный скверный поступок и как бы не замечать его. Но тем-то сильнее и проявлялась в нем склонность утягчать вину другого — вину Шадурского и мстить ему сугубо.

— Ты не вернешься больше на Сенную, — решительным тоном сказал он княжне Анне, — ты останешься здесь, у меня. Пока, до времени, надо будет скрывать тебя, но... Ты все еще не раздумала мстить ему? Ты хочешь этого?

— Еще бы нет! — сверкнув глазами, энергично вскочила с места старуха. — Только... Бога ради, дочь... Мне бы дочь мою найти!.. Или хоть бы узнать, где она похоронена, если они уморили ее...

Чуха тяжело и горько заплакала.

— Ну, что будет, то будет... Вот тебе рука моя! Если мстить, так уж вместе! И... так или иначе, но ты должна быть, ты *будешь* княгиней *Шадурской.*

И он с открытой решимостью протянул ей правую руку.

XIV

БЕДНЫЙ, НО ЧЕСТНЫЙ МАЙОР, МНОГОЧИСЛЕННЫМ СЕМЕЙСТВОМ ОБРЕМЕНЕННЫЙ

Опять я веду тебя, мой читатель, в места уже нам знакомые, в самый центр многосуетного города Петербурга, в улицу, называемую Средней Мещанской, в тот неказистый, закоптелый дом грязно-желтого цвета, где всегда неисходно пахло жестяною посудою и слышался непрерывный стук слесарей да кастрюльщиков, — словом, я веду тебя в дом, где обитало много наших знакомцев. Там жил, вплоть до самой смерти, Осип Захарович Морденко; там же обитал и единственный его благоприятель Петр Кузьмич Спица, называвший себя не иначе как «бедным, но честным майором», и по той же самой лестнице, дверь против двери с Петром Кузьмичом, помещалась тайная агентша знаменитой генеральши фон Шпильце Александра Пахомовна Пряхина, известная всем и каждому более под именем Сашеньки-матушки.

Осип Захарович Морденко навеки отошел уже к праотцам, и поэтому не он будет составлять предмет дальнейшего повествования, а его благоприятель Спица и соседка этого благоприятеля Сашенька-матушка.

Мы так давно уже не выводили на сцену бедного, но честного майора, что нет ничего мудреного, если читатель в течение этого рассказа успел и позабыть его фигурку, затерявшуюся в длинной галерее мелькавших перед его глазами имен, лиц и прочего. Это был невысокого роста плотный старичонка, носивший серую военную шинель и солдатски скроенную фуражку с кокардой; «для того чтобы все знали и видели, что я — благородный человек, — пояснял он в надлежащих случаях, — и чтобы каналья солдат дисциплину не забывал». Петр Кузьмич любил, когда встречные солдаты отдавали ему честь, снимая шапки. Вся фигура этого старичонки необыкновенно оживлялась чувством амбиции и самодовольства, которые вполне гармонировали между собой, высказываясь особенно ярко в его надменных свиных глазках и в щеточках-усах, вечно нафабренных и закрученных кверху. Голос у него был баритон, с приятным хрипом, такой, какой обыкновенно бывает у ротных командиров, когда они с недосыпу после вчерашнего перепоя являлись ранним утром перед выстроенной во фронт своей ротой. Майор подчас очень любил вспоминать былое время, которое называл «лихим», и при этих рассказах всегда старался держать себя с наибольшей молодцеватостью, закручивал кверху щетинку усов и поводил глазками с сокольей искоркой, которая переходила у него в капельку маслица, если дело начинало касаться разных полечек, жидовочек, хохлушек и татарочек. Майор уже более двадцати пяти лет познал сладкие узы Гименея. Какие причины побудили его оставить карьеру чинов и отличий, он не упоминал, да и притом это случилось так уж давно, что никто его об этом и не спрашивал. Все знали только, что он бедный, но честный майор, многочисленным семейством обремененный. Действительно, семейство его было весьма многочисленно, ибо состояло из членов кровных и приемных, а определенных средств к жизни в том смысле, как обыкновенно понимаются «определенные средства», майор не имел: пенсии не получал он ниоткуда, имения ни родового, ни благоприобретенного за ним не числилось, и частной службой, которая давала бы ему жалованье, тоже не пользовался, словом сказать, — ниоткуда никаких определенных ресурсов; а между тем майор жил, содержал многочисленное семейство и даже находил возможность кое-когда откладывать копейку на черный денек. Квартиру держал он по состоянию своему довольно обширную, состоявшую из семи комнат, и никогда почти не было у него задержек в платеже хозяину; при всем том профессию, дававшую майору возможность существования, нельзя было называть мазурнически-темной. Да и он бы сам в высшей степени амбициозно оскорбился, если бы кому-нибудь пришла фантазия усомниться в доброкачественности его доходов.

— Я — моему императору майор! Я — штаб-офицер российской службы! Христолюбивое российское воинство идет по пути чести, и я, майор Петр Кузьмин, сын Спица, с этого пути никогда не соступлю-с! — любил иногда говаривать майор за стаканом приятельского пунша, причем непременно энергически ударял себя кулаком в грудь для пущей убедительности.

Какие же, однако, были средства майора и что за профессию избрал он себе в водовороте петербургской жизни? Средства, конечно, зависели от профессии, а профессия эта сама по себе является настолько курьезною, что мы попросим читателя остановить на ней внимание.

Если бы вы какими-нибудь судьбами попали в квартиру майора, вас непременно поразила бы многочисленность ее обитателей, и в особенности обилие детских голосов. Три комнаты сдавались майором под жильцов, которых впускал он к себе за помесячную плату. У ворот грязно-желтого дома неизменно болталась плохо приклеенная жеваным хлебным мякишем бумажка, на которой каждый мимо идущий, в случае надобности, мог прочесть, что «в доме сем отдаются углы и комнаты, спросить майора Спицу».

Петр Кузьмич предпочитал жильцов, занимающих именно углы, а не комнаты. На таковое предпочтение у него имелись надлежащие резоны, почерпнутые им из многолетнего опыта.

— Один ли человек занимает тебе комнату или пять человек, это мне — все единственно, — говаривал он, поясняя свое предпочтение угловым жильцам, — потому что с одного жильца взять мне двадцать рублей, что с четырех по пяти, итог будет одинаковый. А только если один у тебя снимает да заволочит плату, гляди, за месяц, а не то и за два — вот ты тут поди-ка да потягайся с ним, пока отдаст! А иной раз ничего и не поделаешь: возьмет да и съедет или живет не платя. Получи-ка с него! В полицию жаловаться, так больше подметок исшарыгаешь, ходючи по кварталам. Да и что с него взять? Иной раз и полиция спасует, как навяжется этакая *эгалите-фратерните и либерте*[1]. А впущу я в комнату пять человек, примером, хотя будь они те же самые Голь, Шмоль, Ноль и компания, — мне все-таки менее шансов остаться внакладе. Не заплатит один, не заплатит другой, положим, а трое заплатят — все же десять-пятнадцать целковых у тебя есть в кармане. Плохого жильца сейчас же и вытуришь, а хороший остается. На место плохого новый поступит, а коли и новый плох окажется, сейчас и его на первый же месяц опять-таки туришь. Ну а хороших попридержишь, всякое им благоволение окажешь, кофейком когда угостишь. Хороший жилец и чувствует тебе это, и старается быть аккуратным. Ну а из плохих, этта, вытуришь одного, вытуришь и другого, и третьему накладешь по шапке, а четвертый, глядишь, и хорошим окажется. Поэтому пословица недаром же говорит, что свет не без добрых людей, и на наш пай добродетельные души окажутся!

Таким образом, углы трех комнат служили для майора Спицы одним из постоянных его ресурсов. Другой ресурс — сколько ни странным это покажется — составляли дети.

Ребят у майора было очень много, и помещались они в двух комнатах. Майор и его супруга отличались большой плодовитостью, словно над ними благодатно сбывалась древняя заповедь — плодиться, размножаться и населять землю. Редкий год проходил без того, чтобы в семействе его не оказалось приращения, и бедный, но честный майор не сетовал, подобно другим голякам, на судьбу свою, а, напротив того, каждый раз искренно благодарил Создателя своего милостивого за видимое благоволение к его дому.

Петр Кузьмич не довольствовался когортой собственных ребят и поэтому брал к себе на воспитание еще ребят посторонних. В последнем случае он избегал только брать их от таких родителей, которые, отдавая младенца в чужие руки, все-таки желают сами следить за воспитанием и заботливо навещают время от времени плод своего рождения. Он, напротив, подыскивал везде, где мог, бесшабашных матерей такого рода, которые, произведя на свет младенца, ищут только случая, как бы от него поскорее отделаться раз навсегда. В Петербурге на этот сорт матерей никогда нет особенного недостатка, и потому воспитанники составляли чистый клад для предприимчивого майора.

Ребенок, принесенный однажды под гостеприимную кровлю Спицы, становился уже его полной собственностью, которою он

---

[1] Равенство, братство и свобода *(искаж. фр.)*.

мог располагать по своему произволу. Петр Кузьмич не пренебрегал и новорожденными, но более старался подыскивать себе младенцев уже годовалых или около этого возраста, и таким образом у него воспитывалось постоянно до десятка, а иногда и более младенцев. Вместе со своей супругой он сортировал их с большой тщательностью, отбирал здоровых от нездоровых и в особенности красивых от некрасивых, ибо подобного разбора требовала самая профессия майора и майорши.

Каждое утро, в начале седьмого часа, перед ранними обеднями, прихожая майора Спицы начинала наполняться разным бабьем в обтрепанных нищенских лохмотьях.

Петр Кузьмич выходил к ним с видом ротного Юпитера и хрипло-веселым голосом приветствовал сбродную братию:

— Здорово, ребята!

— Много лет здравствовать! — ответствовал хор бабенок.

— Что, небось, за товаром приперли?

— Вестимое дело! Инак пошто к тебе пойдешь, коли не за товарцем. Отпусти-ка младенцев-ту!

— Можно, ребята, можно. Ей! Домна Родивоновна! — кричал он через дверь своей супруге. — Готовы ли детки?

— В минуту будут готовы! Сею секунтою! Вот только молоком попоить, — ответствовал из детской комнаты резкий голос его благоверной сожительницы.

— Пётра Кузьмич! — надоедливо-нищенским, просительским тоном приступала обыкновенно к нему в это время какая-нибудь бабенка. — Нельзя ли мне уж язвленничка отпустить нониче, а то у всех, что за прошлые разы давал, лицо-то больно чистое, а на чистом лице, сам знаешь, много ли наконючишь!.. Вот Слюняевы-то бабы, из Малковского переулка, как потравили ребят, так не в пример больше теперь выручают; а у вас лица на младенцах чистые, так нам-то оно, супротив малковских, и не вольготно выходит.

— Ну вот! Как же! Стану я для твоего рыла младенцев портить!.. Мне каждый младенец и потом еще, на подростках пригодится! — хорохорился Петр Кузьмич, передразнивая просительницу.

— Да ты мне дай которого с сыпцою, чтобы, значит, сыпца ему личико пупырьем пообсыпала. Нечто у тебя нет в золотухе-то? Поди, чай, вдосталь!

— А хотя и есть, да не про вашу честь, — огрызался майор. — Ты, поди-ка, все за тот же двугривенник норовишь золотушного взять, а я за двугривенник не уступлю. Давай тридцать копеек прокату, ну, так и быть, отпущу подходящего!

— Эва-на тебе, уж и тридцать! Ты, голова, говори дело, а не жми!.. Ведь уж мы у тебя завсягдышние съемщики, уступки-то им можно было сделать: а то, на-кося вон, тридцать ломишь! Ну где же тебе тридцать?.. Самим, почесть, ничего на хлебушки сиротские не останется... А ты не жми — ты говори толком.

— Чего тебе толком? По товару и цена! Всякий товар в своей цене стоит. Хочешь гладкого, бери, как и всегда, по таксе — ни спуску, ни надбавки с двадцати копеек не будет; а за пупырчатого — вре-ешь!

— Да я б те, пожалуй, и тридцать дала, кабы горлодера был, а то ведь вон онаменесь с Феклушки тоже, небось, два пятиалтынника слупил да еще сам Христом-Богом божился, что и сыпной, и горлодера хороший, а его за всю обедню и голосу ничуть было. Хоть бы раз тебе крикнул! То и знай, что, в грудь уткнувшись, дрыхнет себе, да и баста!

— Чего дрыхнет? Ведь я ж говорил тогда Феклушке, чтоб она его пощипывала маленько, а не то — нет-нет да легонько булавкой ткни — так загорланит, что пречудесно!

— Не-ет, ефто все не то! — оппонировала бабенка. — Где там еще булавкой али щипком! Нашей сестре впору тут только руку протягивать. Пока ты его ткнешь, а подаянная копейка, гляди, и мимо ладошек пропорхнула! Нам это дело не рука. Нам надо, чтобы младенец сам по себе орал. Поди, чай, не об четырех руках, а об двух ходим... Так что ж, говори, что ль, цену по-Божески! Четвертак — уж куда ни шло — дам, а то и младенца не надо!

Таким образом каждое утро в прихожей майора происходили торги и переторжки, повторяясь в течение многих уже лет все с одними и теми же вариациями. Дело кончалось обыкновенно тем, что майор получал половину цены в задаток, а Домна Родивоновна выносила для каждой нанимательницы младенца за младенцем, тщательно обернутых в разное дырявое тряпье, причем неизменно следовал наказ беречь ребят, кормить их да покрепче закутывать, чтобы не простудились.

После вечерен нищенки опять появлялись в той же прихожей, сдавали с рук на руки свой живой товар и вручали за него остальную половину платы.

Так промышлял бедный, но честный майор по преимуществу с теми сбродными младенцами, которых удавалось ему подбирать к себе на воспитание. Своих собственных детей он не любил пускать на этот промысел, потому что был отец нежный и чадолюбивый. Эксплуатация этих последних начиналась не ранее как с трехлетнего возраста.

Я полагаю, что почти всем известно, что у многих из наших камелий проявляется иногда страстишка — казаться в публике «порядочными» женщинами. Многие из них очень любят проехаться по Невскому проспекту, пофигурировать летом в Павловске или на Елагинской стрелке, ведя за руку прелестно разодетого, как куклу, ребенка.

Дети, с которыми показываются обыкновенно такие камелии, всегда похожи на маленьких ангельчиков и, конечно, в силу такого сходства, отличаются большой миловидностью.

Спекуляция, производимая Петром Кузьмичом над собственными детьми, касалась именно этого чувства камелий, желающих казаться матерями.

Сам Петр Кузьмич в житейских потребностях своих был очень невзыскателен, не чувствовал ни малейшей потребности в излишней перемене своих костюмов и ограничивался старым халатиком, жениной кацавейкой да отставным военным сюртуком. Благоверная половина его точно так же в домашнем обиходе своем более походила на чумичку, хотя в шкафах ее и хранились весьма хорошие костюмы — про особенный случай. Но, будучи невзыскательными к своей собственной наружности, они очень заботились о наружности детей: мыли, чистили их, завивали волосы в мелкие букли и имели для них весьма большой и разнообразный выбор щегольских костюмчиков.

Приезжает, например, к Петру Кузьмичу какая-нибудь из камелий. Ее, конечно, принимают очень вежливо, «в зале», роль которой играла одна «чистая» комната из числа остальных семи, которые могли с полной справедливостью назваться грязными.

— Честь имею кланяться, сударыня, — начинал обыкновенно Петр Кузьмич, с ловкостью военного человека выходя к посетительнице. — Чем прикажете служить?

— Мне нужен ребенок, — поясняла камелия, хотя Петр Кузьмич и без этого пояснения отлично знал уже, чего ей нужно.

— Так-с... ребенок-с... Очень хорошо-с! — коротко кланялся майор. — А позвольте узнать, мужеского или женского пола?

— Я бы хотела мальчика.

— Так-с... мальчика... Очень хорошо-с... Можно и мальчика. А в каком возрасте желательно вам? Примерно, эдак, трех, четырех, пяти лет?

— Лет четырех, пожалуй.

— Очень хорошо-с. Имеется и такой. А позвольте узнать... насчет костюмчика? Вам в каком костюмчике желательно получить: в русском, в шотландском или *фантастик*?

— Это все равно... Впрочем, дайте, пожалуй, в шотландском.

— Очень хорошо-с. Можно и эдак... А на много ли времени потребуется?

— Что это?

— Ребеночек-с. На какие то есть часы: утром или вечером и на сколько времени?

— Да так... часов с шести вечера, до десяти... может быть, немного позже.

— Уж, стало быть, так, положим, до одиннадцати. Вероятно, по островам намерены кататься?

— Да, я на пуант поеду!

— Так-с. Этот пуант — самое отличное место!.. Э-э... что называется, *аристократик*. Мальчишечку-то уж потрудитесь вечером сами доставить.

— Хорошо, я завезу. А что это будет стоить?

— Недорого-с, очень недорого-с. Свою собственную цену беру.

— Однако какую же?

— Да всего только пять рублей, пять рублей серебром-с.

— Ой, что вы! Помилуйте! Как это недорого? Напротив, это ужасно дорого!

— Нет-с, как можно!.. Настоящая цена-с пять рублей. Да ведь вы подумайте, ведь я вам за пять-то рублей какого мальчика отпускаю! Прелесть что за мальчонка! Из себя-то выглядит таким амурчиком, да еще как в шотландском костюмчике, так просто — ангельчик! Кто ни встретит на улице, сейчас скажет: «Ах, какое прелестное дитя!» Однажды, я вам доложу, этого самого мальчонку отпущал я Луизе Федоровне, так им очень даже хорошие кавалеры изволили выразить, что дитя это, почитай, аристократического происхождения, и все в очень большом восторге от него остались, потому — мальчик бойкий-с и, можно сказать, даже остроумный. Так вот, извольте рассудить, какого я вам ребенка отпущаю. А не то, извольте лучше сами поглядеть — на выбор: какой понравится, такого и берите. Ей! Домна Родивоновна! — суетливо кричал он в дверь к своей супруге. — Сгоните-ка сюда нашу армию! Вот мадам на них полюбоваться желают!

И вслед за тем, торопливо удалившись из комнаты, Петр Кузьмич лично производил смотр детям: тому утрет нос, тому волосенки пригладит, третьему рубашонку обдернет, четвертому велит переменить чулки, а пятому наставительно промолвит, чтобы не глядел букой, исподлобья, а больше бы старался улыбаться; и вот минуты через две армия готова и выводится на смотр камелии под предводительством самого полководца-отца.

— Вот-с, мадам, извольте поглядеть сами, какие малюточки! Как на подбор! Истинно могу сказать, как на подбор! Ну, поросята, по ранжиру стройся! Справа — девочки, слева — мальчики! — шутливо-начальственным тоном обращался он к когорте детей. — Выбирайте, мадам! Тут и блондины, и брюнеты, и шантреты, и всякое есть. Товар лицом отпущаю, чтобы вы никакого сумнения против меня не имели.

Сударыня беглым взором осматривает когорту и останавливается на подходящем для себя мальчике.

— Так этого самого прикажете?.. Очень хорошо-с. Я вам доложу — отменный мальчик! Лицом в грязь не ударит, ни себя, ни вас не сконфузит. Хоть с генеральскими детьми поводиться, так и тем на ногу себе наступить не позволит, потому я первым делом наблюдаю, чтобы в моих детях эта благородная амбиция была; как сам я, сударыня, моему императору майор, в штаб-офицерском ранге числюсь, так уж и желаю вполне, чтобы мои дети достоинство родительского звания соблюдали. В этом уж вы, мадам, будьте благонадежны.

— Ей! Вы! Поросячья армия! Марш по зимним квартирам! — вскрикивал майор на свою когорту, которая опрометью бросалась из комнаты. — А ты, миленький, — примолвил он, гладя по головке избранного ребенка, — ступай к мамаше, скажи, пускай она тебя умоет и причешет. Ты с госпожою кататься поедешь. Да смотри, будь умница. Госпожа тебе конфетку даст, бомбошку купит. Ну, беги же скорей!.. Домна Родивоновна! — следовал непосредственно за сим обычный возглас в дверь к супруге. — Снарядите Мишу поскорее! Достаньте шотландский костюм в полном приборе да вышлите-ка мне его сюда — может, госпожа пожелает предварительно поглядеть на него... И вообще, представьте некоторый ассортимент, потому ежели неравно другое что им понравится, так чтобы можно было выбор сделать.

Камелия осматривала костюмы, делала выбор, но в конце концов все-таки оставалась при своем убеждении, что пять рублей за два, за три часа катанья — цена слишком несообразная.

— Ведь вы же гораздо дешевле отпускали, — настаивала она перед майором, — моя подруга одна в прошлое лето от вас постоянно за три целковых получала, а нынче вдруг пять.

— Ах, сударыня, верьте истинному Богу! — убедительно божился Петр Кузьмич. — Как перед Ним, так и перед вами, по всей правде, как честный офицер говорю вам, меньше этой цены никак невозможно! Точно-с, отпущал я прежде когда-то и по три рубля, да времена-то другие пришли, извольте-ка сами рассудить. Во-первых, сделать такой разнообразный ассортимент костюмчиков — пошить-то их чего-нибудь да стоит! Опять же каждый костюмчик своевременно ремонту требует. Ребенок носит его, ну а костюмчик трется, пачкается, в ветхость приходит, необходимо нужен ремонт. А бельецо-с? А сапожонки? А чулочки? Все это, мадам, примите-ка в расчет, чего оно стоит! Да вот-с тоже, доложу вам, на прошлой неделе таким же манером, как вы вот, приезжает ко мне Берта Ивановна и требует мальчонку. Колиньку, изволили заметить, белокуренький такой, с краю стоял? Брала ребенка вечером на два часа, с семи до девяти-с, а заместо того представила в пятом часу утра. Костюмчик-то был легонький; на островах мальчонку и продуло, так что даже простуду схватил. Да кроме того, повезли они его с кавалерами своими к Излеру... А те за ужином возьми мне мальчонку да и обкорми, да пьяным напои-с!.. Приехал домой — животик болит, сам на ногах не держится и целую неделю в постельке пролежал. Доктора пришлось приглашать да лекарство выписывать из аптеки, а доктору-то за визит заплати, и лекарства тоже ведь даром не отпущают. Так вот-с, изволите рассудить, во что это мне стало! Как честный офицер, говорю вам, ей-Богу-с, больше десяти рублей самому обошлося! Один только убыток! Чем этаким-то неблагодарным манером поступать, так лучше мне и никакой платы не надо. Черта ли мне в их пяти рублях! Я ведь также, сударыня, отец, и сердце родительское имею. Мне своего ребенка жаль, у меня о своем ребенке тоже ведь сердце болит и скорбеет! Так вот, в этаком расчете, извольте-ко принять в соображение, могу ли я вам дешевле пяти рублей отпустить!

После этих аргументов камелия по большей части сдавалась на условия майора и вручала ему деньги вперед, без чего майор никогда не отдавал напрокат *своего* ребенка, заботливо прося при этом поберечь мальчонку, в случае холода — укутывать в плед, а у Излера за ужином не обкармливать, а тем паче — вином не опаивать.

— А быть может, сударыня, кроме того, не пожелаете ли иметь при себе и благородную пожилую особу? — любезно предлагал майор своей нанимательнице. — Если угодно, так я могу вам доставить очень солидную и даже очень комильфотную даму, с которой нигде не стыдно вам показаться. Она может и тетеньку, и маменьку вам заменить, и все ж таки с благородной пожилой особой гораздо приличнее.

Иногда камелия соглашалась и на последнее предложение. Тогда Петр Кузьмич приказывал своей Домне Родивоновне поскорее мыться и чесаться. Через полчаса его достойная половина из чумички преображалась в очень нарядную, «благородную, пожилую особу» и в этом виде сопровождала камелию куда лишь той было угодно.

Сбродные воспитанники майора большей частью умирали, не достигнув пяти-шестилетнего возраста. Оно и не мудрено, если принять в соображение ежедневное пребывание их на руках у нищенок под дождем и ветром, под зимней стужей и осенней сырой слякотью. Но майор не печалился много об этом, ибо вполне был уверен, что на его пай всегда найдется достаточное количество новых, при небольшом только старании и хлопотах с его стороны, а иногда даже и без оных. И таковая уверенность майора постоянно оправдывалась. Когда же оставшиеся в живых его сбродные воспитанники, закалившись в такой суровой спартанской школе первоначального воспитания, достигали восьми- или девятилетнего возраста, майор уже находил неудобным отдавать их напрокат нищим или камелиям (своих собственных он нищим никогда не отдавал, из сбродных же ездили с камелиями только наиболее красивые). К этому времени для них имелась в запасе уже новая профессия. Он отпускал их гулять по городу, преимущественно в районе Гостиного двора, с какою-нибудь дестью почтовой бумаги и пачкой конвертов, либо с карандашами и перьями на руках, либо с грошовыми книжечками духовно-нравственного содержания, и внушал этим питомцам, чтобы они как можно назойливее предлагали свой товар прилично одетым прохожим. Хотя выручка с такого промысла и не могла назваться прибыльною, тем не менее с помощью ее содержание этих детей почти ничего не стоило майору, который иногда, буде наклюнется подходящий случай, небезвыгодно перепродавал воспитанников своих и бродячим комедиантам, а те ломали им члены и суставы, препарируя из них очень ловких уличных акробатов.

Все это так творилось относительно мальчиков и тех из девочек, которые не отличались особенною миловидностью. Хорошеньких ожидала иная участь. Майор отдавал их в пансион, где находились они наряду с его собственными дочерьми до шестнадцатилетнего возраста.

И сам майор, и его супруга Домна Родивоновна недаром-таки питала дружелюбные чувства к соседке своей, Сашеньке-матушке. С помощью этой свахи им иногда отлично удавалось продавать своих хорошеньких воспитанниц разным любителям человеческой свеженины и даже устраивать их дальнейшую судьбу, определяя иногда на небезвыгодное содержание к какому-нибудь купцу или солидному старичку-селадону.

В последнем случае они совершенно искренно и притом даже с гордостью почитали себя истинными благодетелями проданной девушки и внушали ей, что она обязана это чувствовать и денно-нощно благодарить их в сердце своем.

Мы уже сказали, что Петр Кузьмич был отец нежный и чадолюбивый. Поэтому собственных своих дочерей он отнюдь не готовил к подобной же карьере и всегда мечтал выдать их замуж «самым честным образом». Одна только старшая его дочка пошла по пути воспитанниц; но родитель ее с величайшим сердечным сокрушением потому лишь решился на такой шаг, что предложение со стороны покупателя казалось чересчур уж выгодным для того, чтобы можно было его отринуть.

Таким-то вот образом эта ловкая, своеобразная профессия, которую мы со всей откровенностью раскрыли перед читателем, помогла ему в течение двадцати лет составить очень и очень-таки кругленький капиталец. Майор составил его с благою, даже «благородною» целью. Он готовил приданое к замужеству Спицам женского пола и некоторое посмертное наследие Спицам мужского пола, потому что, опять-таки повторяем, был отец, в полном смысле слова, нежный и чадолюбивый.

XV

ГОЛЬ, ШМОЛЬ, НОЛЬ И К°

Из числа семи комнат майорской квартиры три отдавались под жильцов. Эти жильцы в общей сложности своей и составляли именно то, что Петр Кузьмич весьма характерно окрестил своеобразным названием «Голь, Шмоль, Ноль и К°».

Две комнаты ходили *углами*, и так как майор Спица постоянно весьма заботился о нравственности, то и жильцов своих делил на две половины: мужскую и женскую. Впрочем, будет гораздо вернее, если мы скажем, что он только *старался* делить, неуклонно признавая благотворность такого разделения в принципе. На практике же случалось иногда и так, что вдруг, например, в мужской комнате оказывается свободным один угол, тогда как в женской все сполна занято, а тут, как нарочно, подвертывается нанимательница — не упускать же ее ради отвлеченного принципа! И в этом случае майор очень охотно предлагал ей занять свободный мужской угол, убеждая, что его жильцы-мужчины — народ вообще очень смирный, скромный и богобоязненный, а для пущего удобства обещал приладить ширмочки. Охотницы на такое предложение иногда наклевывались, а иногда и нет. В первом случае выигрывал майорский карман, во втором — майорская нравственность.

В тот момент, в который застает Петра Кузьмича последовательное течение нашего рассказа, козлища — мужчины — были совершенно отделены от овец — женщин. Мы хотим показать читателю и тех и других, тем более что между козлищами он отыщет двух своих старых знакомцев.

В одном углу нам встречается здесь капитан Закурдайло — «по рождению благородный человек», по убеждениям «киник», а рядом с ним — желтоволосый старичонко, с неподвижными рыбьими глазами, «отпетый, да не похороненный», Пахом Борисович Пряхин. При старости лет своих достойный родитель Сашеньки-матушки возжелал находиться близ своей достойной дочери. В свою собственную квартиру она его не пустила — «потому папенька очень часто в неделикатном виде бывает». Но Пахом Борисович был очень рад и скромному уголку по соседству с нею, ибо здесь для него все-таки гораздо более, чем живучи в другой какой улице, было возможно выпрашивать у нее гривеннички на баньку и парить кишочки чайком грешным.

Остальные два угла занимались личностями, игравшими пассивную и как бы адъютантскую роль при Закурдайле и Пряхине. То были: какой-то вихлявый, прогоревший мещанинишко, некогда торговавший на ларе под Толкучим, да расстрига-дьякон, который сам себе, в виде собственного девиза, давал аттестацию такого рода: «Всегда трезв до дня поднесеньева». А так как поднесеньевы дни случались у него едва ли не ежесуточно, то расстрига, естественно, всегда обретался во образе пьянственном.

Вообще, на четырех квадратных саженях этой комнаты сошелся все народ теплый, козыри одной засаленной колоды.

Капитан Закурдайло имел никогда не покидавшее его свойство вносить повсюду свой собственный цвет и запах. Можно сказать, он давал инициативу и колорит всему почтенному сборищу четырех углов. Запах табаку и какой-то затхлой кислятины неисходно царствовал в воздухе этой комнаты. На полу, на столе, на подоконниках, на кроватях, на стульях — словом, везде и повсюду была изобильно рассыпана табачная зола. Кое-где стояли рядышком распитые осьмушки, косушки, полуштофы и пивные бутылки. Черепок с ваксой и сапожной щеткой валялся обок с глубокою тарелкой, в которой благоухала кислая капуста, принесенная из мелочной лавочки ради поводочных закусок. Офицерская шинель поверх грязной и рваной сорочки да шестиструнная гитара оставались и теперь, как в оны дни, неизменными спутниками жизни капитана-киника, а на Пахоме Борисовиче Пряхине зрелась и доселе все та же коричневая камлотовая шинелишка да котиковая шапчонка, в которых он уже более пятнадцати лет совершал свои ежедневные прогулки около съезжих домов, для строчения просьб и кляуз, наемного свидетельства во чью бы то ни было пользу и взятия кого бы то ни было на свои поруки.

Все четверо обитателей этой комнаты сплотились в одно нераздельное целое. Они составили себе общую ассоциацию ради довольно курьезного промысла. Капитан Закурдайло продал или, лучше сказать, прожил домишко в Колтовской, доставшийся ему в наследство после смерти старухи Поветиной, и пропил его вскоре по получении. Обладание им он почитал излишним комфортом и суетой, ибо все еще питал блаженное намерение идти в монахи; но дело выходило как-то так, что намерение это изо дня в день откладывалось в длинный ящик. В одном из кабаков сошелся он с отпетым, да не похороненным Пряхиным, и тот, видя в капитане как нельзя более подходящего для себя человека, предложил ему совместное действование в одном небезвыгодном промысле. Вообще, Пахом Борисович, надо отдать ему полную справедливость, отличался большим остроумием насчет изобретения промыслов невинных, но выгодных.

Случилось так, что на второй или третий день их знакомства встретились они в кабаке, носившем, ради приличия, название «водочного магазина», где, в их присутствии, была побита и с позором изгнана в три шеи какая-то небритая личность в чиновничьем вицмундире.

— А?.. Каково вам это покажется?! Благородного человека бьют, благородного человека изгоняют! — прискорбно помахивая головою, обратился Пряхин к Закурдайле. — Боже мой, Боже мой!.. Благородного человека обижают, и благородный человек за себя вступиться не может!

— Ну, нет-с, атанде[1], Липранди! Меня бы не обидели! — многозначительно передвинув плечами, возразил капитан, причем не без самодовольствия отвернул обшлаг рукава и убедительно показал свой массивный жилистый кулак. — Не хотят ли чего посла-

---

[1] Подождите *(фр.)*.

ще, хотя бы вот этого? Пускай-ка бы сунулись! *Жевузанпри, месью, жевузанпри! Муа — сан пер э сан пюдер! Жевузанпри-с!..*[1] Пожалуйте!

— Да-с, вы человек с физикой, — согласился Пряхин, — вам оно легко. А я, например, человек с механикой, хотя телесного сложения сызмальства лишен, однако, доложу вам, эта самая механика, дважды в моей жизни, очень много меня выручила. Учинил мне, этта, изволите видеть, некоторый дворянин неприятное касательство, то есть в рожу-с... а я, не будь глуп, тотчас же свидетелей — благо, под рукой свидетели-то случились — да в квартал его! Ну, и рад-радехонек дворянчик-то был, что красненькой отделался. А в другой раз при таковом же казусе даже и три синенькие слупил. Это все можно-с, надо только механику знать! — с авторитетно-дошлой и бывалой хитрецой закончил отпетый, да не похороненный.

Капитану Закурдайле очень понравилась механика его знакомца, так что, выразив ему полное свое одобрение, он даже присовокупил, что и сам бы не прочь при случае воспользоваться ею.

— А за чем же дело стало? — находчиво подхватил старичок. — Я вам доложу-с, у меня на этот счет отменная идея проектирована! Можно бы этак составить маленькое общество, человека в три-четыре, не более, да и ходить себе в своей компании по разным публичным местам, на гулянья, в театр и прочее. При случае, ловким манером, как бы этак невзначай, затеять историйку можно: даму благородную толкнуть, что ли, или на мозоль кому наступить, или плюнуть на благородную персону: плевал, дескать, в сторону, а плевок по нечаянности попал в неподобное место, якобы то есть ветром отнесло. Всеконечно, при таком казусе амбициозный человек свою обидчивость покажет, а ты не уступай. Слово за слово, слово за слово — ну и хвать тебя в рожу! Это очень часто бывает, и притом очень легко-с. Вот и история. А тут сейчас и благородные свидетели, из своих-то, подвернутся: так и так, мол, сами видели, как ни за что ни про что бедного благородного человека оскорбили. Тому бы, примерно сказать, гулять хочется в веселой публике, а тут его, заместо того, в квартал потащат, за бесчестие, по закону, должен будет штраф платить, а не то на мировую полюбовной сделкой пойдет. Тем или иным путем, для компании все-таки выгода; и дивиденд в законном разделе, потому — что такое рожа? Я вас спрашиваю: что такое есть рожа? В сущности, пустяк-с. Дорога честь, а не рожа! В законе установлен штраф за что? «За бес-чес-ти-е-с». Стало быть, коли рожу бьют, то закон определяет плату за честь, а не за рожу, ибо рожа сама по себе — тьфу! А по чести-то и деньги у тебя в кармане! Так-то-с!

Проект отпетого, да не похороненного как раз пришелся по

---

[1] Прошу вас, сударь, прошу вас! Я — смело и без церемоний! Прошу вас! *(фр.)*

сердцу капитану Закурдайло. Он с энтузиазмом одобрил его мысль и предложил себя в члены будущей ассоциации, так что благодаря его энергии счастливая мысль Пахома Борисовича была приведена в исполнение скорее даже, чем тот предполагал. Подходящих членов подобрать было не трудно. Борисыч представил вихлястого мещанинишку, а Закурдайло — расстригу-дьякона, с которым возжался еще и прежде, ибо оба они любили порхать по кабакам и увеселять кабацкую публику концертным пением. Капитан тянул баритона, а расстрига спускал октаву, и кабацкая публика находила, что дуэты их выходят весьма чувствительны.

Общество сформировалось и открыло круг своей деятельности. Ни одно загородное гуляние, ни одна иллюминация, ни один парад гвардейских войск и праздничный выход из церкви не проходили для него даром. Кто-нибудь из четырех членов непременно изловчался подставить под вескую руку свою физиономию, трое привязывались в качестве свидетелей и затевали неприятную историю, по большей части кончавшуюся мировой сделкой, в результате которой оказывалась синенькая или красненькая бумажка с неизбежным пьянственным загулом.

Почти невероятно, чтобы мог существовать такой странный способ добывания денег, а между тем он существует, и капитан Закурдайло чуть ли не до наших дней является почтенным представителем этого промысла.

— Плюнут тебе в рожу — ну что ж такое! Эка беда! Далеко ли за платком сходить? Вынь да оботрись, и вся недолга! Рожа — тьфу! Своя ведь она, не купленная, а штраф за бесчестие, это — *жевузанпри!* Это нечто существенное-с! *Же сюи аншанте шак фуа*[1], когда мне, эдак, заедут в рождественскую часть. Ты только, друг любезный, влепи мне эдакое произведение немецкой булочной, то есть, по-православному, по-нашему, плюху-с, а уж там — *же се муа мэм*[2], как внушать тебе достодолжное почтение к капитанскому рангу!

Такова была мораль капитана Закурдайлы, и все члены ассоциации разделяли ее безусловно.

Вторую комнату, как мы уже сказали, занимали женщины. Там обитала какая-то старушенция, из породы салопниц, промышлявшая насчет христарадных подаяний по церковным папертям и ходившая в первых числах каждого месяца к какой-то благодетельнице получать свою скудную пенсию. Между жильцами майорской квартиры существовало прочное убеждение, что старушенция не так бедна, как прикидывается, и что в сберегательной кассе у нее лежит не одна-таки сотняга.

---

[1] Прошу вас!.. Всякий раз я в восторге *(фр.)*.

[2] Я знаю сам *(фр.)*.

Второю жилицею состояла пожилая вдова-чиновница, которая делала папиросные гильзы и клеила аптечные коробочки, доставляя себе этим занятием убогий угол и дневное пропитание.

Обе старухи вечно ворчали и ссорились друг с дружкой, словно бы все не могли поделить чего-то меж собой, но на такой разлад никто не обращал внимания, так как распри их прекращались сами собой ровно два раза в сутки. И та и другая страстно любили пить кофе, и сколь бы ни ретива была их ссора, перед кофеем непременно наступал мир. Они любили почему-то пить его непременно вместе. Но чуть лишь оказывался распитым усладительный напиток — воркотня и ругань ни с того ни с сего поднимались снова, для того чтобы нестерпимо надоедать третьей злосчастной обитательнице этой трущобы.

То была молодая девушка, лет двадцати трех, очень бедная и очень скромная швея. Она была замечательно некрасива собою — причина, по которой до сих пор еще не нашлось у нее ни одного обожателя. Но швея знала свой недостаток и нисколько не претендовала на отсутствие поклонников. Она работала почти с утра до ночи и с ночи до утра, билась как рыба об лед и добывала себе скудные гроши, лишь бы только заплатить за угол да быть сытой и кое-как одетой; на большее она уже не рассчитывала да и мечтать не хотела. Непосильная работа изжелтила ее лицо, а бессонные ночи наложили на него глубокие, темные подглазья. То было существование, достойное всякой жалости, которому и молодость не в молодость, и жизнь не в жизнь давалась. Ни звонкого смеху, ни веселой улыбки, ни беззаботной песни, ни светлой затаенной мечты — ничего не было у этой девушки. Взамен этих скудных благ, которые красят собою каждую молодость, судьба уделила на ее долю только одно усердное корпенье над работой, да и работа, вдобавок, оказывалась подчас-таки шибко неблагодарной. Она была белошвейкой и брала заказы из магазинов, где за каждую штуку платили ей от тридцати до семидесяти пяти копеек. Иные из швеек кое-как, с грехом пополам, откапливают себе помаленьку часть заработка, мечтая со временем составить капиталишко в две-три сотни рублишек, чтобы выйти с ними замуж за какого-нибудь писарька или лакея, но Ксёша (ее звали Ксёша) и этого не делала. Не было у нее ни брата, ни родни, ни доброй подруги, и только в каком-то уездном городишке проживала старуха мать с семейством мал мала меньше, для которой работница-дочка ежемесячно посылала весь остаток своего скудного заработка. Чувствовала ли она себя несчастной или нет — про то никто не ведал, так как никто никогда не слыхал от нее ни малейшей жалобы на свою недолю. Это было существо доброе, сосредоточенно-замкнутое в самом себе и вполне одинокое. Ее скорее бы можно было назвать рабочей машиной, чем двадцатитрехлетней девушкой.

Таков был комплект женской берлоги.

Четвертый угол оставался незанятым и гостеприимно ждал себе новую жилицу.

Третью комнату занимал старик немец с двумя дочерьми. Она была меньше двух остальных и ходила за десять рублей в месяц. Ситцевая занавеска делила ее на две половины. В задней помещались две девушки с убогим хламом своих юбок, платьишек и подбитых ветром бурнусишек, а в передней, за бумажными ширмами, ютилась кровать старика отца. Тут царствовали немецкая чистота и порядок, представляя самый разительный контраст с двумя только что описанными берлогами, но... гнетущая бедность и, словно ржа, разъедающая нищета выглядывали из каждого угла этой комнаты несмотря на всю ее аккуратность, чистоту и опрятность. У одной стены помещались разбитые древние клавикорды, на которых в отличном порядке громоздились тетради исписанной нотной бумаги, а обок с клавикордами, вдоль ситцевой занавески, прислонился маленький диванчик со столом, покрытым чистой салфеткой. На стене висели скрипка да какая-то старая немецкая гравюра духовного содержания и литографированные портреты Моцарта, Бетховена и Глюка; а на стене противоположной, близ окна, где стоял маленький рабочий столик с письменными принадлежностями, красовалась под стеклом очень тщательно, с каллиграфическим искусством выведенная надпись: «Ora et labora»[1]. Каллиграфическое произведение это было вставлено в рамочку, оклеенную золотым бордюром, который позволял предполагать, что эта рамочка, ровно как и каллиграфия, суть произведения рук самого хозяина этой чистенькой комнатки. На окне, за кисейными занавесками, стоял горшок пахучего герания, а над ним висела простенькая клетка с голосистой канарейкой.

Таков был внешний вид скромной комнаты, в которой, как мы сказали уже, помещались трое обитателей. Глава населяющего ее семейства назывался Герман Типпнер. Это был высокий, худощавый немец, с лицом бесконечно честным и благочестивым. Реденькая борода и такие же усы да вьющиеся назад волосы давали ему наружность артиста былых времен. Осунувшаяся фигура его всегда казалась несколько согнутой, как бы подавшейся вперед от непосильной ноши, и, Бог весть, согнули ли его так лета или многолетнее горе. Он был человек очень тихий и кроткий. Старческий голос его дышал задушевною мягкостью, и в выразительных глазах светилась доброта неизмеримая и грусть бесконечная, особенно в те минуты, когда он разговаривал со своими дочерьми.

---

[1] «Молись и трудись» *(лат.)*.

Герман Типпнер вдовел уже лет тринадцать, и в течение этого времени, каждый год, в день смерти своей доброй жены неизменно посещал ее одинокую могилу, приютившуюся с белым крестом под двумя тощими березками на немецком Смоленском кладбище. На этой могиле старик просиживал по нескольку часов, погруженный в глубокую, благочестивую задумчивость да в воспоминания о прошлом, которые, вероятно, были для него самыми светлыми и грустно-отрадными. Все счастье и радость его жизни заключались в двух дочерях. Старшую, восемнадцатилетнюю девушку, гибкую и томную блондинку, вполне немецкую красавицу, звали Луизой, а младшая, четырнадцатилетняя Христина, была еще почти ребенок, но ребенок с искрой, которая особенно ярко сверкала в ее живых карих глазках, и это сверкание сопровождалось всегда игриво-грациозной ухваткой движений, напоминавших молодую кошечку. Старик не чаял души в обеих. Старшая напоминала Герману Типпнеру его самого в былые юные годы, а в младшую, казалось, перевоплотилась душа ее покойной матери. Христина еще до сих пор ходила по соседству в маленькую немецкую школу, и старик с большой тщательностью наблюдал за успехами ее учения.

Луиза зарабатывала кой-какие скудные деньжонки переписыванием нот и немецких рукописей, которые иногда добывал для нее приходский пастор.

Если бы можно было кому, в прямом и самом лучшем смысле, дать имя *хороших девушек*, то это именно дочерям Германа Типпнера. По крайней мере сам Герман Типпнер думал не иначе как таким образом. Он ревниво заботился сначала об их воспитании, об их учении, а впоследствии о том, чтобы сделать из них хороших и честных людей.

— Ваша мать была добрая и честная женщина, — не однажды говаривал им старик, лаская у своей груди и ту и другую, — она любила и вас, и меня, да и весь Божий мир она любила, всех людей любила... Ни о ком я не слыхал от нее дурного слова... Она умела любить и прощать. Будьте и вы, мои детки, такие, как она. Я хочу, чтобы вы были добрыми и честными.

Действительно, мысль сделать из обеих девушек добрых и честных женщин была его заветною мечтою, его любимою надеждою. Одно только смущало старика: чувствовал он, что годы берут свое, что дряхлость и слабость не дремлют и ведут за собою скорую смерть. И порою обдавало его холодным ужасом при мысли, что после этой неумолимой смерти его дети останутся одни-одинешеньки на всем белом свете, без родной души, без доброго совета, без средств и поддержек на жизненном распутии. В такие минуты старик начинал молиться, и смутная надежда на что-то хорошее, вместе с теплой верой в то, что Бог не попустит их свернуться с честного пути, опять на несколько времени живительно поселялась в его сердце.

Жизнь Германа Типпнера могла назваться разбитой. От колыбельных до последних дней своих он пресмыкался в бедности. Был у него тут же, в Петербурге, один близкий и очень богатый родственник, негоциант, обладавший на Васильевском острове огромным домом и даже носивший с Германом одну и ту же фамилию; но богатый не хотел знать бедного, именно потому, что тот беден, а Герман Типпнер был настолько горд и самолюбив, что никогда не позволял себе обратиться к нему за помощью. Все надежды на судьбу дочерей после своей смерти возлагал он на пастора, на имя которого приготовил даже посмертное письмо, где высказывал молящую надежду на то, что Луиза и Христина не будут покинуты и что пастор, во имя христианского милосердия, пристроит их к какому-нибудь месту, к какому-нибудь честному труду и занятию.

Мы сказали, что жизнь этого старика могла назваться разбитой, и разбила ее не одна только неисходная бедность. Он был музыкант и страстно, до обожания, любил свое искусство, которому посвятил себя чуть ли не с детства и занимался им усидчиво, добросовестно, как только может заниматься истый немец; но злая мачеха-судьба и тут стала ему поперек дороги. Чуть что не самоучкой овладел он двумя инструментами — фортепиано и скрипкою, основательно прошел всю музыкальную теорию, контрапункт и генерал-бас, когда на восемнадцатом году от роду впервые посетило его творческое вдохновение. Он написал сонату, обработал ее отчетливо до последней степени и, не чуя под собою ног от восторга, понес свое детище к музыкальному издателю. Музыкальный издатель принял его холодно, почти даже сухо, заметив, что первые труды молодых композиторов почти всегда ни к черту не годятся, и обещал как-нибудь на досуге просмотреть его работу, а самому композитору наказал понаведаться недели через три за ответом.

Изо дня в день нетерпеливо ждал Герман окончания назначенного срока и ровно через три недели предстал пред своим судьею. Судья напрямик объявил, что пьеса плоха до последней крайности, что в ней видна только мелкая кропотливость и нет ни на грош того, что зовется вдохновением, талантом, и в заключение посоветовал призаняться лучше каким-нибудь другим, более полезным делом, чем нанизывать ноты подобного вздору.

Разочарование было ужасное. Юный немец, еле волоча ноги, поплелся домой с глухим рыданием в груди, путаницей в голове и отчаянием в сердце. Мечты и надежды его впервые были разбиты. Но прошла неделя, прошла другая — и отчаяние не одолело его до конца. Молодость и вера в свои силы взяли-таки свое. Надежда опять вернулась к нему — и Типпнер принялся работать над собою еще пуще прежнего.

Кой-как перебиваясь ничтожными уроками да фортепианным бренчанием на чиновничьих вечеринках, просуществовал он три года, а сам в это время все работал да работал, изучая творения великих композиторов и часто подавляя в себе свое собственное вдохновение.

Наконец-таки натура не выдержала, и Герман Типпнер стал снова творить. Но и второе его детище постигла та же самая участь. У двух-трех издателей он встретил полный отказ. Посоветоваться было не с кем. Сам он по натуре своей был настолько робок и скромен, что не дерзнул ни разу явиться за покровительством к какой-нибудь из местных музыкальных знаменитостей, а присяжных издателей самолюбие его не позволяло ему считать истинными ценителями.

Продолжая жить с помощью уроков и вечериночного таперства, он все-таки писал, когда чувствовал прилив вдохновения, и занимался этим делом упорно, настойчиво, отстраняя от себя всякую возможность сомнения в своем таланте и силах. Писал он сонаты и оперетты, для которых сам сочинял слова, создал даже три оратории и несколько месс; пробовал себя и на польках, и на кадрилях; выходили из-под пера его и ретивые мазурки и фантастические вальсы. Но — увы! — всему этому никогда не суждено было увидеть свет Божий. Напечатать все-таки не удавалось ни одной вещицы, и груда музыкальных произведений Германа Типпнера, в отличном порядке, спокойно лежала себе на его рабочей этажерке, доставляя ему время от времени самое невинное удовольствие пересматривать тетрадь за тетрадью и считать их от opus I — чуть ли не до бесконечности.

Так это дело продолжалось и до сих пор. Герман Типпнер втайне был озлоблен против всех без исключения музыкальных издателей, в глубине души своей считал себя непризнанным талантом, и такое его убеждение чуть ли не было действительно справедливым. Он настойчиво продолжал веровать в силу своего таланта и время от времени все творил и творил, потому что в этом творчестве была его нравственная жизнь, его духовная потребность. Уже давно отказался он от мысли поведать свету плоды своего гения. Надежда славы казалась приманчивой только до тех пор, пока в груди кипела молодость и жажда жизни. Но отлетело и то и другое, а с этим отлетом угасло и желание известности. Теперь уже Герман Типпнер творил для себя — и только для себя одного. Ему не нужно было ни похвал, ни одобрений, ибо, в сущности, надо было только как-нибудь изливать боль своего сердца.

Это был поэт в душе — поэт по всей своей натуре. Часто, бывало, под вечер, проснувшись от послеобеденного сна, когда на дворе давно уже сгущались сумерки, а фрейлен Луиза из экономии не зажигала свечу, Герман Типпнер снимал со стены свою скрипку и, усевшись в уголок диванчика, начинал фантазировать. Струны под его смычком то ныли и плакали скорбно, то разражались рокотанием страсти и переливами игривого смеха, то дрожали вздохом бесконечной грусти, и любви, и неги, и разливались в тоске беспредельной, как степь туманная, и глубокой, как море, то, наконец, звучали какими-то, если можно так выразиться, готическо-мистическими святыми аккордами религиозного гимна.

Две девушки, затаив дыхание и уютно прижавшись друг к дружке, чутким сердцем ловили эти звуки, сидя тоже в каком-нибудь уголочке.

А сумерки всё гуще и темнее заглядывали в окна и разливали таинственный мрак по комнате... И нужды нет старику, что за стеной идет перебранка двух старух жиличек, а с другой стороны раздается детский визг и песни пьяного Закурдайлы.

Он играл себе, погруженный в полное и отрадное самозабвение, играл, пока игралось, пока душа его просила звуков, пока она досыта не упивалась ими.

Тогда старик с глубоким вздохом оставлял свою скрипку и вешал ее на обычное место. Луиза зажигала свечку, внезапный свет которой, после густых потемок, неприятно резал глаза, как будто возвращая их к печальной действительности из только что покинутого мира грез и фантазий. Старик торопливо натягивал свой старенький потертый сюртук, тихо целовал в лоб своих дочерей и уходил из дому какой-то грустный, отчасти смущенный и словно бы недовольный чем-то.

И так уже в течение нескольких лет уходил он каждый вечер — уходил даже и тогда, когда чувствовал себя несколько нездоровым, и никакие просьбы дочерей не могли удержать его дома. Он перемогался, насколько хватало сил, и все-таки шел куда-то, возвращаясь домой уже к пяти часам утра, и каждый раз приносил в кармане пятьдесят копеек серебром, которые поутру вручались Лизе на дневные расходы по хозяйству.

Иногда приносил он и несколько больше, даже около рубля, но никогда не меньше полтинника. Куда именно исчезает старик каждый вечер и где проводит большую половину ночи — того никто не ведал: он от всех скрывал это очень тщательно, а от дочерей своих даже более, чем от кого-либо; и если делались ему когда вопросы насчет этих исчезновений, он, по возможности кратче, старался отделаться немногословным объяснением, что ходит, мол, играть на фортепиано по разным вечеринкам. Но многие весьма основательно сомневались в справедливости такого объяснения и, строя разные догадки, иногда попадали и на действительно верные предположения.

Музыкальные уроки, которые давал Типпнер, еще и в молодости его не отличались изобилием, а под старость и вовсе прекратились, так как в Петербурге фортепианными учителями и без Германа Типпнера хоть огород городи; да и на вечериночное таперство развелось очень много конкурентов, которые были моложе и, стало быть, несравненно выносливее его. Гоняться за тем и другим стало уже старику не под силу. Пришлось оставить и учительство, и хождение по вечеринкам. Надо было подумать о чем-нибудь более прочном, вроде постоянного места, что давало бы известные, определенные средства к жизни. Старик долго искал и наконец нашел подходящее.

С этих-то пор и начались его ежевечерние исчезновения.

Он порядился с одною толстою содержательницей одного веселого дома в Фонарном переулке, за пятьдесят копеек в ночь, бренчать кадрили, польки и вальсы ради увеселения ее многочисленных посетителей. Таким образом, у него было пятнадцать рублей в месяц верного обеспечения. Но при плате двух третей этой суммы за квартиру, конечно, остальные пять рублей оказывались далеко не достаточными на все прочие житейские потребности. Герман Типпнер и тут ухитрился. В начале каждого вечера, садясь за инструмент в зале веселого дома, он клал на развернутый нотный лист несколько серебряной мелочи, а иногда даже и рублевую бумажку — словно бы эти деньги положили ему посетители за его труды. Маленькая хитрость часто приносила удовлетворительные результаты, потому что иные поддавались на эту невинную удочку, и тогда к следующему утру в кармане старика тапера оказывалось несколькими копейками больше положенной платы. Его дочери могли рассчитывать на лишнее блюдо за обедом.

Он исполнял свою обязанность усердно и добросовестно, потому что ничего не умел исполнять иначе. Пятьдесят копеек еженощно доставались ему усталостью, отеком мускулов рук и ломотой пальцев, доходившей под утро почти до онемения! Но старик помнил, что он зарабатывает кусок хлеба для дочерей, и старался уверить себя, что это все ничего, что это ему дело привычное. А старость и дряхлость брали-таки свое, год от году больше: играть в течение восьми-девяти часов, играть ночью становилось уже куда как трудно! Но Герман Типпнер вспоминал дочерей, покойно спящих теперь за старенькой ситцевой занавеской, и — бодрился.

Его любили почти все молодые обитательницы веселого дома, потому что он был такой тихий, кроткий и ласковый с ними и такой добрый, что никогда не отказывал им сыграть то, что его просили. Да и Герман Типпнер тоже любил их. В антрактах между бренчанием кадрилей и полек, когда сидел он, бывало, за инструментом, откинувшись на спинку своего стула, и глядел на мелькавших перед ним разряженных девушек, в глазах его светилось столько тихой грусти, столько доброго, христианского сострадания и сочувствия к ним, что этот взгляд порою не мог остаться незамечен и непонят ими. Если кто-нибудь из посетителей грубо обращался с какою-нибудь девушкой, Герман Типпнер, сдерживая в себе закипавшее негодование, с твердой смелостью подходил к нему и, стараясь не обидеть, но тем не менее открыто и решительно заявлял, что обижать бедную девушку нехорошо, нечестно, что у нее нет тут ни отца, ни брата и вступиться за нее некому. Такое донкихотство старика тапера большей частью встречало в отпор себе обидные дерзости и насмешки, за которые он платил одним только гордо-презрительным взглядом, и шел на свое место, ибо, в силу условия с толстой хозяйкой, лишен был права заводить какие бы то ни было неприятные истории с посетителями, за что уже и получал от нее неоднократные выговоры; но все-таки никак порою не мог воздержаться от своих донкихотских порывов, потому что натура его непереносно возмущалась всяким оскорблением, наносимым всякому беззащитному существу, а тем более женщине, и одна только боязнь лишиться верного куска хлеба для своих дочерей заставляла его безмолвствовать на дерзости и оскорбления, наносимые ему лично. Обитательницы веселого дома никогда не потешались над ним и не делали ему неприятностей: он умел себя поставить с ними так, что они его любили и даже несколько уважали. Но какою острой тоской ущемлялось его сердце каждый раз, когда в веселом доме появлялась какая-нибудь новая, молодая и еще свежая пансионерка! «Боже мой, Боже мой! — занывала тогда его душа. — Что, если... если и мои дочери... После моей смерти... нужда, молодость, неопытность, голод... Что, если и они!» Из глаз его готовы были течь горькие слезы, а тут надо было разыгрывать веселые канканы да польки.

XVI

ВСЕ УГЛЫ ЗАНЯТЫ

Мы сказали уже, что в женской берлоге майора Спицы один угол, остававшийся свободным, ждал новой жилицы.

Когда после скандала, случившегося в убежище кающихся грешниц, Маша очутилась опять на воле, с тридцатью рублями в кармане, она более светлыми глазами взглянула на свет Божий. Тридцать рублей были для нее теперь очень большие деньги.

— Ты куда думаешь? — спросила ее приютская товарка, разделявшая с нею в данную минуту одинаковую участь.

— А, право, не знаю. Все это так неожиданно... не сообразила пока еще, — пожала плечами Маша. — Думаю работать... Комнату или угол какой надо будет отыскать.

— Хе-хе! Толкуй про ольховую дудку — я тебе буду говорить про березовую! — нагло усмехнулась ее товарка. — Думаешь, так-то и проживешь одной работой?

— Как не прожить? — возразила Маша. — Много ли одной-то мне надо?

— Ни много ни мало, а есть-пить захочешь, тело грешное прикрышки какой попросит. А какая работа твоя будет?

— Мало ли какая! Шить стану...

— А еще что?

— Ну, вот, шить... Чего ж еще больше?

— Эх, кума, в Саксонии ты, видно, не бывала. Все-то оно ладно сложено, да не про нас писано. Не бойсь, брат, вдобавок к работе и Невского пришпекту прихватить придется — это уж не без того!

— Ну что, ворона, ты каркаешь! — поморщилась на нее девушка. — По-твоему уж честно и прожить нельзя?

— Э, девушка, что и честь, коли нечего есть. Честью сыта не будешь.

— Честью не буду, а работой буду.

— Какова работа. Работа работе рознь. А впрочем, что ж, я ничего. Поди попытайся!

— И попытаюсь.

— Ну а куда ж ты теперь-то?

— Да, говорю тебе, не знаю еще!

— Вот то-то оно и есть! Хочешь, пойдем вместе, поищем заодно фатеру? А не то сведу-ка я тебя лучше к одной знакомой моей, Пряхиной, Александре Пахомовне. Она тебе все что хочешь — и фатеру, и работу отыщет. Ну, конешное дело, придется поблагодарить ее рублишкой, другим, а то она все это может, говорю тебе.

— Пожалуй, я не прочь, — подумав, согласилась Маша.

Этот разговор происходил в надворном флигеле Савелия Никаноровича, почти тотчас после того, как обе спасавшиеся девушки получили на руки положенную им сумму. Не медля почти ни минуты, собрались они и отправились в Среднюю Мещанскую.

Сашенька-матушка встретила обеих довольно радушно. Одна была ей уже старая знакомка, другая же оказалась настолько молода и хороша собою, что ловкая агентша генеральши фон Шпильце ради собственных дальновидных целей и не позволила бы себе сделать ей иной прием, высшая вежливость которого заключалась в том, что она не пожалела даже заварить для них кофе.

Раза два или три удалось Маше подметить пристально пытливые взгляды, которые время от времени кидала на нее Александра Пахомовна.

— Что это, гляжу я на вас, и все-то мне сдается, словно бы я вас когда-то видела, — сказала она наконец своей новой знакомке.

— Хм!.. Может быть, — усмехнулась Маша.

— Нет, право, словно бы видела где-то... Лицо ваше очинно мне знакомо... Да постой-ка, постойте! — приложив руку ко лбу, стала припоминать Сашенька-матушка. — Чуть ли я не у генеральши вас видела... Генеральшу фон Шпильце знаете?

Маша вспыхнула и даже невольно как-то сконфузилась.

— Да, знаю, — процедила она сквозь зубы.

— Ну, так и есть! Она вас молодому князю Шадурскому сосватала — так ли я говорю?

Маша потупилась и не знала, что отвечать.

— Ах, молодая барышня, какие вы конфузливые!.. А вы со мной по простоте — я человек открытый. Ну да вот точно: чем больше гляжу на вас, тем больше вспоминаю. Ведь сосватала она вас? Чего скрывать-то! Ведь правда?

— Да, к несчастью, правда, — с глубоким вздохом сожаления прошептала девушка.

— Фью-т! — нагло присвистнула агентша. — Есть о чем сокрушаться! Чего тут? Не один, так другой, не другой, так третий! Было бы болото, а черти найдутся, пословица-то говорится.

Маше стало неловко, отчасти даже скверно, и вообще как-то не по себе после этих бесцеремонных слов.

— Мне не надо ни одного, ни другого, ни третьего, — промолвила она, безразлично глядя в сторону. — Довольно!.. Будет уже с меня бродить этой дорогой!

— Вишь ты, в честности соблюдать себя желает! — с благодушной издевкой подцыкнула, мигнув на нее, бывшая товарка. — Хочет белье там да платья, что ли, шить, да с того, слышь ты, и жить себе думает. Ха-ха-ха!.. Вот простота-то простецкая! Слышь ты, с этого и жить, с работы-то!

Александра Пахомовна пристально посмотрела на Машу испытующим взглядом, по которому можно было заметить, что в голове ее возникают различные планы и соображения.

— Что ж! — медленно проговорила она, зажигая в зубах папироску. — И это дело хорошее. Коли есть добрая воля — зачем не жить? Я даже, с своей стороны, очинно этим довольна, а коли хотите, могу и работу приискать вам. У меня есть знакомство в разных хороших домах: у полковницы Потлажан, например, у полковницы Крючкиной — вот сиклитарша Цыхина тоже, муж в сенате служит, — все очинно благородные дамы, и от них даже очинно хорошие заказы бывают.

— Да, вот это другое дело, — согласилась Маша, — и если вы мне в *этом* поможете, скажу вам большое спасибо.

Сашенька-матушка обещала помочь непременно и действительно с большой охотой поусердствовала обеим. Одну пристроила к ее прежним, доприютским занятиям, а другую, за неимением угла у себя самой, поместила напротив, дверь в дверь, в женскую берлогу майора Спицы, где и заняла Маша единственный свободный уголок.

У нее не было ни мебели, ни кровати, ни тюфяка, ни подушки, но предупредительный майор поспешил заявить, что ничего этого не требуется, так как у него можно получить квартиру со столом и постелью, за что, конечно, взимается особая, хотя очень скромная плата.

— Пять рубликов вы мне заплатите за уголок, — высчитывал он по пальцам своей новой жилице, — три рублика пойдут за кроватку с тюфяком и подушкой, да семь рубликов на харчи. Горячее, уж конечно, ваше, мои только обеды и фрыштыки[1]. Итого, значит, пятнадцать рубликов. Деньги, конечно, вперед, за каждый месяц — уж у меня, извините, такое правило. Но это, доложу вам, дешевле пареной репы-с! — коротко поклонясь, объяснил он в заключение.

Маша, по обыкновению своей кроткой, податливой натуры, и тут не заспорила! Да, впрочем, в самом деле, и спорить было не о чем.

Майор благодаря Сашеньке-матушке взял с новой жилицы безобидную цену, что, впрочем, произошло по особой причине, так как Сашенька-матушка, прежде чем рекомендовать ее в жилицы, не преминула забежать на минуту в майоровскую спальню и там секретно пошушукаться о чем-то с обоими супругами.

И вот зажила Маша в обществе двух ворчливых старух да работящей швейки.

XVII

ШВЕЯ

Александра Пахомовна Пряхина явилась непрошеной, но очень усердной благодетельницей и заботницей для молодой девушки. Она так заботилась о всех ее нуждах и даже старалась доставить ей кое-какие удовольствия, что Маша решительно не знала, что и подумать, мирясь на том отрадном убеждении, что вот, мол, есть еще на свете истинно добрые, бескорыстно хорошие души. Дня не проходило без того, чтобы не забежала Пахомовна к Маше с приглашением покалякать за чашкой кофе, и во время этих кофейных каляканий она мало-помалу вступила в роль какой-то протектрисы над нею, так что Маша после первых двух недель почти и сама не заметила, как, по гибкости своей натуры, совершенно поддалась этому непрошеному протекторству и влиянию. Александра Пахомовна каким-то зорким оком всегда почему-то умела очень предупредительно угадывать все ее нужды и потребности. Заметила она, что на плечах у Маши всего только и есть одно платьишко, да одна смена белья, да еще плохонький бурнусик с поношенным ковровым платком, и очень любезно предложила справить ей все необходимые вещи на собственный счет, с тем что деньги будут отданы, когда она доставит ей обещанную работу.

Но дни проходили за днями, а работа все как-то не наклевывалась. Ни полковница Потлажан, ни секретарша Цыхина не представляли заказов, на которые была так щедра в своих посулах Сашенька-матушка. Впрочем, она ободряла девушку, поддерживая в ней надежду на скорое получение работы.

---

[1] Завтраки *(нем.)*.

Маша не любила ходить неряхой, а Пряхина все посулы свои насчет полковницы и секретарши умела всегда облечь такою правдоподобностью и очевидным вероятием, что молодая девушка не находила никаких причин отказаться от одолжений своей новой патронессы. Появились на ней и два-три новых платьица, и несколько перемен белья, и скромная, но хорошенькая шляпка, с нарядными полусапожками, словом, Маша стала одета, «как и все» — чистенько и очень прилично. Это ее немножко занимало, как и каждую молодую девушку, тем более что, справляя себе все эти вещи, она надеялась заплатить за них своею трудовою копейкою. Сашенька-матушка, надо отдать ей полную справедливость, умела очень ловко обморочить ее надеждою будущих заказов и собственно своей добротой.

Она даже и в театр раза два сводила ее с собою, сводила, конечно, не в литерную ложу, как некогда генеральша фон Шпильце, а в балкон — попроще и подешевле. И это несколько развлекло бедную девушку от всех ее тяжелых дум и ощущений, которые слишком тяжеловесною массою непосильно налегали на нее уже несколько месяцев сряду. Ей просто хотелось отдохнуть, забыться, развлечься немножко, стряхнуть с себя груз, наваленный жизнью, и рассеять кошмар, давивший грудь и голову. Это была просто необходимая нравственная потребность нравственно усталого человека, и она, словно опиумом одурманенная, под влиянием Александры Пахомовны да по призыву своей молодости, поддалась беззаветно этому нравственному влечению к покою и рассеянию, не подозревая, что тут-то для нее и готовится новая паутина.

Почти и не заметила она, как и куда ушли у нее по мелочам остальные пятнадцать рублей, и ушли очень скоро. Менее чем в месяц денег не осталось ни копейки, а тут надо опять за квартиру платить. Сашенька-матушка очень любезно предложила ей занять пока у себя. Маша согласилась и сквиталась таким образом с майором Спицей, а работы все нет да нет, и Сашенька-матушка знай себе остается при прежних разнообразных посулах.

Наконец такое поведение этой патронессы несколько озадачило Машу.

«Тут что-нибудь да не так», — подумала она и решилась искать себе занятий из другого источника.

Подходящим источником в этом случае показалась ей молчаливая швейка Ксёша, к которой она и обратилась с просьбой, не возьмется ли та порекомендовать ее в какой-нибудь магазин для швейного дела.

— Ну уж, право, не знаю, как вам сказать, — нахмурив брови, ответила Ксёша на ее вопрос, — я сама рада-радехонька, коли и себе-то достану лишнюю работишку; верьте Богу, и на себя-то выручки, почесть, ни на эстолько вот не хватает. А впрочем, может быть, поспрошаю у кого-нибудь, авось и отыщется.

Результат с первых же слов обещал быть мало надежным, а в душу Маши меж тем стали закрадываться разные черные думы, которые еще усилились в ней, после того как Александра Пахомовна позвала ее однажды на чашку кофе, да промеж постороннего разговора стала вдруг мяться, говорить о трудных временах, о стесненном своем положении, и намекать на то, что все люди, мол, смертные и мало ли что может случиться; что, кроме смерти, и неблагодарность в людях большая бывает, так что забывают они даже и то хорошее, что им сделано в трудные минуты.

Маша сначала не поняла, куда именно она клонит, зато тем неожиданней поразило ее внезапное заключение Пахомовны, к которому разом перешла она после всех этих прелюдий. А заключение состояло в том, что подала она Маше маленький счетец забранным у нее деньгам на вещи и квартиру, по которому девушка оказалась ей должна девяносто шесть рублей и сколько-то копеек. Машу прошиб холодный пот от этой ужасной цифры; однако, признавая справедливость Сашенькиной претензии, она беспрекословно выдала ей на себя расписку, в которую та не забыла включить и достодолжные порядочные проценты.

По неопытности, Маша и не заметила даже, что в расписке не был обозначен срок платежа, что давало Пряхиной возможность самым законнейшим образом требовать с нее уплаты в каждый час, когда лишь той заблагорассудится.

Но в это самое время судьба, словно бы издеваясь над несчастной девушкой, дозволила мелькнуть перед нею слабому лучу надежды на возможность мало-мальски сносного исхода, и этот луч мелькнул и исчез.

Ксёша дала ей случайную работу.

Маша, при своем круглом безденежье, рада-радехонька была и тем двум-трем рублишкам, которые благодаря работе перешли на ее долю. Молчаливой швее удалось откуда-то взять очень большой заказ, но одна она никак не могла с ним управиться и потому приняла в помощницы свою угольную соседку, платя ей уже от себя. Однако на беду той и другой, почти при самом начале этой работы Ксёшу постигло величайшее несчастье. Сколь ничтожной ни покажется иным причина, породившая его, тем не менее оно было несчастием величайшим и, к сожалению, не особенно редким между подобными ей труженицами.

По нечаянности, во время шитья заколола она себе иголкой большой палец правой руки. Наутро сделалась на пальце опухоль, которая к следующему вечеру усилилась, вместе с болью, так что уже лишила швею всякой возможности работать. Прошло еще двое суток, а опухоль не спадает. Ксёша стала лечиться кой-какими домашними средствами, но средства эти не помогли: палец оставался все в том же положении — ни лучше, ни хуже.

Швейное дело было не особенно привычным занятием для

Маши, потому работа и не могла поспевать у нее с такой быстротой, с какой выходила из-под золотых рук Ксёши. Заказчик, видя, что белье его не поспело к сроку, явился лично в Спицыну берлогу, раскричался и разбранился, не желая слушать никаких резонов, заплатил деньги за то, что уже было сделано, а остальное взял недошитым и недокроенным назад.

Из этой ничтожной платы более двух третей досталось на долю Маши.

Ксёша увидела наконец ясно, что если болезнь пальца будет продолжаться таким образом, то в самое короткое время ей придется остаться без дела и, стало быть, без хлеба. Не видя никакого облегчения своей опухоли, она решилась отправиться в больницу.

В больницу, однако, ее не приняли, сказав, что болезнь ее слишком ничтожна. Она пошла в другую и получила тот же самый ответ. С озлобленной горечью вернулась она домой и почти на последние деньги принесла с собою из мелочной лавочки стакан уксусу да выпросила у Пахома Борисовича большую щепоть нюхательного табаку. Смешав одно с другим, Ксёша залпом проглотила стакан и, едва успев проговорить: «Теперь примут, теперь уже не откажут!» — закашлялась убийственным, удушающим кашлем. Почти немедленно открылся у нее припадок сильной рвоты, а через час полицейский подчасок поневоле уже привез и сдал в больницу почти бесчувственную девушку.

Маша чувствовала себя много обязанной этой девушке и потому часто навещала ее в больнице, убедив даже принять от нее взаймы половину той суммы, которая пришлась на ее долю за шитье белья. Но Ксёше не суждено было возвратить ей долг. У нее открылась скоротечная чахотка, и через два с половиной месяца судьба покончила над нею свою трагическую развязку.

От случайного укола пальца сделалась ногтоеда, которую врачи-филантропы не сочли такой серьезной болезнью, чтобы ради ее уделить какой-нибудь швее свободную койку в больничном помещении, не подозревая того, что в этой койке для нее заключается вопрос хлеба, то есть, другими словами, вопрос жизни или смерти. Не приняли из-за пустой болезни — она хватила стакан уксусу с табаком и получила чахотку. Тогда ее поместили в филантропическую больницу, для того чтобы свезти оттуда на Волковское кладбище.

Сколь ни мелок и ни ничтожен сам по себе этот факт в ряду более крупных житейских явлений, трагическая сторона его от этого не становится менее ужасной. А это именно *факт*, который мы передали кратко, потому что и без больших подробностей для каждого ясна его возмущающая безотрадность.

Но Маше не довелось уже видеть смерть и похороны своей угольной соседки, так как ее самое в это время постигла уже судьба не более отрадного свойства.

XVIII

ЗА РУБИКОН

Едва лишь успел истечь для нее второй месяц житья в Спицыной берлоге, как Домна Родионовна, купно со своим супругом, потребовала немедленно платы за третий. Маша отдала им свои последние четыре рубля и Христом-Богом просила подождать сколько-нибудь остальные одиннадцать. Спицы скорчили кислые гримасы и, ссылаясь на тяжелые свои обстоятельства, согласились — уж так и быть! — отсрочить ей на одну недельку.

Сашенька-матушка в это время, казалось, чаще прежнего стала забегать к своим соседям и дольше шушукаться с ними, по секрету, в их спальне.

В одну из таких забежек Домна Родионовна кликнула туда же и Машу. Недельная отсрочка к этому времени уже прошла. Какой-то чуткий удар в сердце — почти предчувствие — подало Маше весть о том, что в этом призыве заключается для нее нечто роковое.

— С вами, миленькая моя, Александра Пахомовна говорить желают, — начала ей Домна Родионовна, — они имеют для вас в виду очень лестное предложение.

Маша инстинктивно почувствовала, к чему клонит это начало. Она внутренно крепилась, оправилась и решилась устойчиво ждать, что будет дальше...

— Да что ж, — подхватила Пахомовна, пуская вверх колечки табачного дыма, — Машенька очинно хорошо и сама знает, что я к ней завсегда с самым душевным моим расположением... Слава Тебе Господи, даже и деньгами вспомоществование оказывала. Ни рубашонки, ни платьица на хребте не было, все сама ей справила, по доброте своей, да по христианству, потому — девушка она хорошая, и как я ее понимаю, так она даже завсегда благодарность ко мне за все добро мое чувствует.

— Нда-с! — прищелкнул языком и подмигнул глазом майор, потирая свои загребистые руки. — Чем по углам-то жить, так лучше в атласах да в бархатах погуливать! Разными деликатесами будете питаться да амбре свое соблюдать. Вы вот там сидите себе, а за вас добрые люди распинаются, хлопочут, да вот и прекрасное дельце вам устроили: карася на удочку поймали, а вам теперь только взять да с удочки снять, да на сковородке изжарить, да в малиновый ротик снесть. Ха-ха-ха!.. Так-то-с, жиличка моя милая, так-то-с!.. Вы вот там и не знаете, а мы вам женишка подыскали.

— Как женишка? — удивленно откликнулась Маша.

— Ну, хоть и не совсем женишка, а знаете... эдак... вроде того. Тех же щей, да жиже влей, чтобы гуще вышло. Хе-хе!.. Понимаете ли эту аллегорию али не понимаете?

— До аллегорий я не охотница, — улыбнулась девушка, — говорите ясней.

— Что ты, мать моя, сиротой-то казанской прикидываешься! — вступилась Сашенька-матушка. — Уж, кажется, и то жуют да в рот кладут, а она, вишь ты, невинность целомудренная, и проглотить не сумеет! Ну, да что там толковать! Расскажу тебе прямо: хочешь идти на содержание? Отменного купца тебе подыскала. Уж так только для тебя его и приберегла, по любви моей, значит, чтобы ласку ты мою не забывала.

Маша побледнела и досадливо сжала свои ровные зубы.

— Что ж молчишь-то? Аль с радости и языка лишилась? Говори, желаешь или нет, — мазнула ее сваха пальцем под подбородок.

— Нет, уж попробовала я раз этого содержания, — сдержанно и тихо ответила Маша. — Будет с меня! Да и что я вам? Какой с меня вам толк? У вас ведь, Александра Пахомовна, и другая на мое место найдется, а меня уж оставьте, мне и так хорошо.

— Что фордыбачишь-то! Ну что фордыбачишь, говорю тебе! Смех просто слушать! Хорошо ей! Ну что тут хорошего? Хозяева вон Христа ради только на фатере держат да из жалости кормят еще пока, а они ведь не богачи какие, им всякая копейка в счет. Ну, покормят да и перестанут: что ж даром-то держать тебя! А как с квартиры сгонят, куда сунешься?

— Найду куда! Свет не без добрых людей! — махнула рукой девушка.

— Да, поди-ка поищи их нынче, добрых-то! Вот тебе добрые люди! — указала Пахомовна на Спиц и на себя. — Дают тебе добрый совет, а ты нос фуфыришь. Ну скажи мне на милость, к лицу ли тебе эдакие финты финтить? Что ты, в сам-деле, генеральская дочка, что ли? Такая же мещанка, как и прочие. Я вот хоша и чиновничья дочь, а все же в свое время не гнушалась. Ума в тебе, Машка, нету! Правильно тебе говорю, что рассудка ни на капельку.

— Ну уж какой есть, да свой, — буркнула сквозь зубы девушка, похмуро насупив брови.

— Фу-ты, ну-ты, ножки гнуты!.. Скажите пожалуйста, какая листократка! Так-то оно и видно, что свой, на чужой-то счет живучи, дармоедкой непрошеной.

— Что ж вы меня моим углом попрекаете? — гордо вспыхнула девушка. — Я, пожалуй, и очищу его, если потребуют.

— Те-те-те! «Очищу»... Нет, ты сперва деньги уплати за него, а потом очищай-ка.

— Продам что ни на есть, а все-таки заплачу, — возразила Маша.

— Что ж ты продашь-то?.. Ну что продавать тебе? Платьишки да юбчонки твои — так и те-то на мои деньги справила. Ты думаешь, я так тебе и прощу? Нет, девка, у меня ведь расписка твоя; встребую все, до единой копейки встребую! Нешто мне упускать свое? Я человек неимущий!

— Заработаю — отдам; ваши деньги не пропадут за мною.

— Чем заработать?.. Ну что блажные слова по пустякам тараторить! Где ты заработаешь?..

— В Рабочий дом пойду...

— Ха-ха-ха! Скажите пожалуйста!.. Да нет, куда тебе в Рабочий — тебе, при твоем рассудке, в пору бы только в желтый сесть! Слышьте, люди добрые, в Рабочий-то дом!.. Три года будет работать, да и то не выработает, а я жди. Нет, адье[1], мусье. Слава Богу, своего ума еще не потеряла.

— Все, что вы изволите насчет Рабочего дома думать, — вмешался Петр Кузьмич, — так это одна химера-с, и больше ничего. В Рабочий дом, по нонешнему времени, впору только за наказание принимать, а не то что охотников, и для штрафованных иной раз места недостает. Это уж мне досконально известно.

— Да чего вы, в самом деле, — ввернула словцо Домна Родионовна. — И почище нас, да живут содержанками и еще Господа Бога славословят. Иная бьется как рыба об лед, ищет пристроиться, да найти-то не может, а вам сама фортуна в руки ползет, а вы на попятный! Это уж не резонт! Да вот, к примеру сказать, моя же собственная дочка — не хуже вас будет, на всю стать образованная барышня, и по-французски может, потому как в пансионе обучалась, и папенька ейный — вы сами знаете — майор, в штаб-офицерском ранге состоит, а вот живет же себе, слава Богу, на содержании и не конфузится!

— Нет, уж кажется, лучше с мосту да в воду, чем на такую-то жизнь! — закачав головою, закрыла глаза свои Маша, словно бы от внутреннего ужаса, который вызвало в ней одно лишь представление предполагаемой жизни.

— Что-о! — прищурилась на нее Пахомовна. — С моста да в воду?.. Топиться?.. Нет, девка, погоди! Эдаких поступков честные люди не делают. Ты сначала долг мне заплати, а потом, пожалуй, топись себе хоть с Литейного, хоть с Дворцового, а не то и на Николаевский поди. Печалиться не станем, коли ты есть дура такая.

Долго еще убеждали они Машу и лаской, и угрозой, но ничего не могли поделать. Честная натура ее устояла на этот раз против угроз и против обольщений. Она все еще ждала себе какого-нибудь исхода. С этой минуты ее оскорбляло и возмущало все в людях, начиная с их «честного» предложения и того тона, которым они говорили с нею, и кончая их взглядами — мало того: кончая самой необходимостью дышать с ними одним воздухом, а это именно была необходимость самая печальная. Это было рабство, из-под которого в данный момент не было никаких сил вырваться. Она задолжала по горло и считала себя вконец уже отданной в их руки. Но все-таки душа рвалась к освобождению. Хуже всего в ее положении было то, что решительно ни к какой работе, кроме шитья, да разве

---

[1] Прощайте *(фр.)*.

еще службы в качестве горничной девушки, она сама не сознавала себя способной.

Пошла опять беготня по магазинам, и на первый день беготня неудачная.

Обратилась к дворнику, не знает ли тот какого-нибудь места в горничные. Оказалось, что знает. Маша радостно встрепенулась, ободренная душой, и пошла по его указанию. Место оказалось только что за час перед нею уже занятым. Судьба и жизнь словно бы нарочно ставили ей на каждом шагу капканы да барьеры. Эти неудачи начали уже озлоблять ее, и чем больше их накоплялось, тем сильнее шло озлобление. Наконец, слава Богу, в одном из магазинов была найдена работа. Маша попросила в задаток денег, но ей отказали. Работа была спешная, которую велено кончить в двое суток, а как ее кончишь, коли и свечи-то не на что купить, не говоря уже о нитке да иголке. Она снесла к ростовщику одно из своих платьев и получила пять целковых, из которых три отдала Спицам, а на два купила себе материалу.

Но какую бурю подняла против нее Александра Пахомовна, когда узнала, что та осмелилась заложить платье, пошитое на ее, Пахомовны, деньги! Без дальних церемоний, она отняла у нее все остальные вещи, доказывая очень крикливо, что и по самому закону государскому они должны принадлежать ей, потому что деньги за них не заплачены.

Сашенька-матушка нашла себя вправе даже зачесть эти вещи в счет процентов, следуемых ей с Маши.

Долго девушка выносила все это молча, почти с нечеловеческим терпением, а душа ее меж тем все более и более переполнялась злобой, и это уж не была какая-нибудь определенная злоба на ту или другую личность — нет, в этом чувстве соединилось теперь для нее озлобление *на все*: и на людей, и на судьбу, и на жизнь, да даже самое-то себя не выключала она из этого общего разряда.

Заказ тем не менее был готов к назначенному сроку. Маша получила два рубля и обещание новой работы — через неделю. Комплект мастериц в магазине был уже полон, так что содержательница его должна была отказать Маше в приеме ее на свои хлеба для постоянной работы. Она могла давать ей только работу экстренную, в случае изобильного скопления заказов, да и то отдавала на свой страх, потому что личность Маши была ей вполне неизвестна. Возможность получения постоянного места мелькала для нее одной только надеждою в будущем, а настоящее между тем становилось все сквернее и сквернее. Спицы настоятельно требовали платы, а так как Маша не могла удовлетворить их требование, то они принялись за стеснительные меры, из которых одна состояла в том, что ей не дали обедать. Девушка чуть ли не на последний гривенник купила в лавке хлеба да ветчины, и кое-как, с грехом пополам, оказалась сытой. А назавтра опять-таки нет обеда, да уж и денег нет. Попыталась сходить в магазин и попросить там сколько-нибудь в счет будущей работы. Содержательница отказала, выразив полную готовность платить ей немедленно по исполнении заказа, но никогда вперед, что радикально нарушало бы раз навсегда принятое ею правило. Когда же Маша рассказала свое милое положение, модистка, сжалившись, ущедрилась рублевой бумажкой. Эти деньги девушка рассчитывала и продержать возможно большее время; но когда увидела Домна Родионовна, что она опять принесла себе хлеба с ветчиной, Маше немедленно же была выведена ею длинная история, основной смысл которой заключался в том, что небось на жранье добываешь денег, а платить за квартиру нет, и девушка, лишь бы покончить поскорее эту новую неприятность, решилась отдать пока ей в счет пятьдесят копеек, что составляло после покупки съестных припасов больше половины оставшейся у нее суммы.

Прошла неделя, а новой работы она не получила. Модистка сказала, что надо будет обождать еще денька два или три, и эти-то два-три денька вконец уже порешили судьбу Маши.

Снова просить в счет будущей работы она не решалась. Удержало ее от этого какое-то странное самолюбие, за которое она сама горько пеняла себе, называя его глупым и неуместным; а все-таки хотя и пеняла, да не попросила, несмотря на то, что денег уже не было ни гроша. Пришлось проголодать целый день. Под вечер накинула на себя платок и вышла на улицу. Горько и больно стало ей при сознании о необходимости протянуть теперь руку за христарадным подаянием. Но вот идет навстречу благодушного и солидного вида почтенный старичок, и, кажись, из достаточных.

— Христа ради, — остановила его Маша тихим и сильно дрожащим голосом.

Тот вгляделся изумленным взором в ее наружность, и в особенности в ее пригожее личико.

— Хе-хе-хе!.. Нет, это штучки, это не то!.. Хочешь, пойдем со мною? Гостиница вон, напротив. Я — человек щедрый, не прочь помочь хорошенькой...

Маша плюнула и пошла от него. Она быстро взбежала по лестнице в свою конуру. Больше уж ей не хотелось просить милостыню. А дома ожидал новый сюрприз. Домна Родионовна сняла тюфяк с ее кровати, сказав, что ей самой он теперь понадобился. Маша не возражала и улеглась на голые доски, заложив руки под голову. Отчаяние и злость душили ее, но на ресницах не показалась ни одна облегчающая слезинка. «Утопиться или вниз головой броситься с лестницы?» — опять пришла ей старая, знакомая мысль; но, вспомнив, что на ней лежит еще долг этой ненавистной Пряхиной, которую как там ни презирай, а деньги все-таки надо отдать, потому что брала их и обещала честным словом возвратить при первой возможности. «Пока не будешь квит со всеми — решать с собою нечестно, — сказала сама себе Маша, — да и вопрос, что еще подлее: убить себя или продать себя?»

«Одно другого стоит», — отвечал ей рассудок.

Угольные соседки ее уже давно легли на покой и сладко захрапели на своих кроватях. За стеною тоже раздавался могучим дуэтом богатырский храп Закурдайлы и носовой присвист расстриги-дьякона, а из детской доносился писк проснувшегося ребенка.

Маша не спала. Сон далеко забежал и запрятался от нее в эту длинную ночь. Она лежала навзничь на голых досках своей кровати и злобно смотрела в темноту.

«Господи! Если б уж не проснуться больше на завтрашнее утро! Если бы лечь да и покончить вот так-то навеки! Если бы смерть пришла!»

«Ха-ха! — злобно усмехнулась она сама с собою. — То-то бы всполошились хозяева! То-то проклинать бы стали мое мертвое тело! Ишь, ведь, подлая, скажут, жила — не платила, и издохла как собака, хлопот да расходов наделавши. Поди-ка теперь, тягайся с нею да хорони на свой счет».

«Ах, когда бы не встать, когда бы не проснуться больше!» — сорвался у нее вздох какого-то страстного, порывистого искания смерти, но смерти своей, невольной, естественной.

Смерть не приходила; не приходил и сон, а на дворе уже брезжило утро, и желудок начинало спазматически поводить от голоду.

Когда же наконец проснулись две-три соседки и по всей квартире началось утреннее движение, Маша вскочила со своих досок, вся истомленная и разбитая до страшной ломоты во всех членах, и спешно пошла к Александре Пахомовне.

— Я согласна, — сказала она ей с какой-то злобной решимостью, — вы хотели меня пристроить, ну, вот я вам вся, как есть. Берите меня, пристраивайте, куда хотите!

— Да вот как же! Так *он* тебя и стал дожидаться! Поди, чай, другую уже нашел! Ведь вашей сестрой здесь хоть поле засевай! — с не меньшей злобой возразила Пахомовна. — Было бы не привередничать тогда, как предлагала, а теперь, мать моя, уже поздно. И близок локоть, да не укусишь! Я-то дура, в том моем расчете на тебя, даже наверное обещала ему, и честное слово дала, а вышло, что надула. Что ж теперь пришла ко мне, когда он из-за тебя, из-за паскуды, изругал меня что ни есть самыми последними словами, которыми не подобает, да в три шеи вытолкал из своей фатеры! Теперь мне и глаз к нему показать нельзя. Куда мне тебя теперь пристраивать? Нешто в публичный дом? Одно только и осталось!

— Ну, в публичный так в публичный! Я и на это согласна... Мне все равно теперь! — с угрюмым отчаянием решительно махнула рукою Маша.

— Да ты это не врешь? — подозрительно смерила ее глазами Пряхина. — Ты, может, это в надсмешку надо мной?

— Не вру... Говорю тебе — согласна! — отрывисто молвила девушка глухим, надсаженным голосом.

Сашенька-матушка ласково усмехнулась. Если бы скверный паук мог улыбаться, то, наверное, он улыбался бы только этой улыбкой в тот момент, когда накидывается на давно поджидаемую и вконец уже опутанную мушку.

— И давно бы так! — фамильярно хлопнула она по плечу Машу. — Молодец девка! Что дело, то дело! По крайности, будешь жить во всяких роскошах, да и мои девяносто шесть рублей не пропадут.

— О, уж их-то я прежде всего отдам! — презрительно скосила на нее девушка свои взоры.

— Да ты, дура, не злись и не гляди так-то на меня. Мне на твою-то злость ровно что наплевать, — нагло подставила ей свою рожу Пахомовна. — Да и денег-то не торопись отдавать. Не бойся, не с тебя получу, хозяйка заплатит. Ты вот, подлая, хоть и злишься, а я ведь, ей-Богу, — добродетель, а не баба! Все думаешь только, как бы какое добро человеку сделать, а человек, гляди, за это добро укусить тебя норовит. Видно, на том только свете и дождешься правды да награды!.. Ну да что толковать задаром! Хочешь, что ли, кофейку? Так садись пей со мною, а дело твое обварганю сегодня же.

XIX

ЦАРЬ ОТ МИРА СЕГО

Есть в мире царь — незримый, неслышимый, но чувствуемый, царь грозный, как едва ли был грозен кто из владык земных. Царь этот стар; годы его считают не десятками и не сотнями, годы его — тысячелетия. Он столь же стар, сколь старо то, что зовут цивилизацией человеческою. Есть предание, что народился он в ту самую ночь, как люди, дотоле дикие, выйдя из лесов своих, сошлись все вкупе и положили краеугольный камень первого человеческого города. Рост этого дитяти подвигался вперед соразмерно с тем, как двигалась вперед и первая цивилизация от первых своих зародышей. Чем больше укреплялась и усиливалась она, тем равномерно росла крепость, и мощь, и злоба этого дитяти. И с тех пор чем дряхлее становился мир, чем древнее и совершеннее цивилизация, тем злее этот грозный владыко, тем лютее и грознее простирает над миром он свою власть, яко тать в нощи приходящую. Он злой, тиранический деспот, и трудно у него укрыться и спастись. Годы только усиливают его злобную грозу и лютость. Царство его — от мира сего, и пределу царства несть конца. Оно — весь мир, вся вселенная. И если есть еще где-нибудь на земном шаре не завоеванные им уголки, то это разве там, на полюсах, где вечная смерть да стужа — стужа да море, море да снег, где жизнь сказывается только в грохоте холодных волн да в ужасающем треске ломающихся ледяных громад, которые ежечасно меняют свои грандиозные фантастические образы. Словом, незавоеванные углы лежат только там, где царствует другой, еще более древний владыко мира — царица Смерть, куда не ступила еще доселе нога человеческая и куда ей невозможно ступить, зане́ — то свыше положенный предел, его же не перейдеши. Это тот самый царь, про которого поведало людям откровение патмосского Заточника.

«И стал я на песке морском, — говорит Заточник, — и увидел выходящего из моря зверя с седмью головами и десятью рогами; на рогах его было десять диадем, а на головах его имена богохульные. И был он подобен барсу; ноги у него как ноги у медведя, а пасть его как пасть у льва; и дал ему дракон (дьявол) силу свою и престол свой и власть великую. И дивилась вся земля, следя за зверем, и поклонилась дракону, который дал власть зверю, и поклонились зверю, говоря: кто подобен зверю сему и кто может сразиться с ним? И даны были ему уста, говорящие гордо и богохульно. И дано было ему вести войну со святыми и победить их. И дана была ему власть над всяким коленом, и народом, и языком, и племенем. И поклонятся ему все, на земле живущие, которых имена не написаны в книге жизни у агнца, закланного от создания мира».

Чертоги свои ставит царь по всем городам мира, но паче всего облюбил он самые обширные гнезда цивилизации человеческой, к которым, как к главным центрам, со всех концов стремятся многолюдные толпы искателей хлеба, жизни, приключений. Центры эти зовут большими городами, и на них-то с особой силой давит проклятый гнет руки этого грозного владыки.

...Будет ли конец его царствию — неведомо. Та же самая цивилизация ведет с ним вековую упорную борьбу, а меж тем порфира грозного царя все-таки всевластно простирается над миром. Эта порфира соткана из гнойной язвы и ужасных болезней. Царь этот — деспот коварный, который умеет быть то мелким и темным, то грандиозным и блестящим, стремясь на весь мир накинуть петлю своего рабства. И эта петля захлестнулась уже крепко. Он гибок, как змей, и льстив, как змей же, соблазнивший праматерь Еву. Девятнадцать веков тому назад, когда тирания его дошла уже до последних пределов, против него составлен был великий заговор — разразилась великая революция. Эта революция была христианство. Оно свергло его с престола, но не свело на эшафот. Царь остался жив, и снова исподволь вступил в борьбу за свое могущество, и снова захватил всю силу и власть свою, и престол свой, и власть великую, и снова дано ему было вести войну со святыми и победить их, и снова дано ему господствовать над всяким коленом, и народом, и языком, и племенем; и опять поклонились ему все, на земле живущие. Он горд и надменен и гнусно пресмыкающ в одно и то же время. Он подл и мерзок, как сама мерзость запустения. Его царственные прерогативы — порок, преступление и рабство — рабство самое мелкое, но чуть ли не самое подлое и ужасное из всех рабств, когда-либо существовавших на земле. Это слизкость жабы, ненасытная прожорливость гиены и акулы, смрад вонючего трупа, который смердит еще отвратительнее оттого, что часто бывает обильно спрыснут благоухающею амброю. Его дети — Болезнь и Нечестие. Иуда тоже был его порождением, и сам он — сын ужасной матери, отец его — Дьявол, мать — Нищета. Имя ему — *Разврат.*

XX

ПАНИХИДА ПО ПРЕЖНЕМУ ИМЕНИ

Сашенька-матушка живо обварганила дело Маши, так что утро после следующего дня застало девушку уже в новом положении, в маленькой комнатке об одном окне, под красной шторой. Комната отделялась тонкою перегородкою от другой, подобной же, и достаточно будет описать одну из них, чтобы познакомиться со всеми.

Вдоль стены прислонилась широкая кровать, которая заняла собою более половины этой тесноватой горенки. Против кровати, по другой стороне, — простой комодик, а на комодике — еще более простой, нехитрой работы туалет с небольшим зеркалом, и если прибавить к этому два плетеных стула, то меблировка комнаты будет уже вполне описана, так что мы можем смело перейти к изображению эстетической части ее убранства.

Тут встречают нас какие-нибудь серенькие, дешевые обои, с дешевенькими литографиями по стенам. Эти литографии стоят того, чтобы несколько остановить на них внимание, так как они составляют общую и характерную принадлежность каждой почти подобной комнатки в Петербурге. Литографии непременно раскрашены и представляют два сорта сюжетов — игривые и сентиментальные, с сильным, однако, преобладанием последнего элемента. К игривым сюжетам относятся, во-первых, изображения каких-нибудь бесцеремонно обнаженных женщин, с надписью: «Купанье — Das Frauenbad», во-вторых, изображения парижских красавиц, в будуарной обстановке, с известной всем стереотипной надписью: «Les Lionnes de Paris»[1].

Вторая категория картинок, отличающихся сентиментальным и даже идиллически-сентиментальным характером, постоянно изображает какой-нибудь нежный поцелуй напудренного и по-бараньи улыбающегося кавалера с напудренной, розовой и тоже улыба-

[1] «Парижские львицы» *(фр.)*.

ющейся по-овечьи дамой, поцелуй непременно под сению древес меж розовых кустов; или же видите вы ослино-грустного кавалера с грустной дамой, пожимающих друг другу руки и о чем-то очень тоскующих. В первом случае надпись гласит: «Весеннее утро — Frühlings morgen»; во втором: «Осенний вечер — Herbstabend». Засим, как бы ни варьировались все картинки и изображения, украшающие стенки подобных каморок, они в общем характере своем непременно будут подходить к двум означенным категориям.

После украшений настеночных следуют украшения туалетные: скромная баночка помады с надписью: «Lubin à Paris» и еще более скромный флакончик дешевых духов, картинка, отлепленная с конфектной бумажки, да засиженная мухами старая бонбоньерка, коленкоровый розан в горшочке, купленный под вербами, да какая-нибудь фотографическая карточка заветного друга сердца. Этим другом обыкновенно является либо стереотипная личность, сильно смахивающая на галантного купеческого молодца-приказчика, либо какой-нибудь господчик в армейской униформе с эполетами. Если бы вздумалось кому, в разговорчивый час да под добрую руку, порасспросить любую из обладательниц таких портретиков, какую, мол, роль играла изображенная на них личность в ее жизни, тот непременно услышал бы пошловато-сентиментальную историю с очень обыденным концом. И все эти истории, которые можно услышать целыми тысячами (только пожелай!), как два близнеца, как две бубновые двойки походят одна на другую, словно все они пригнаны по одной мерке, сколочены на одной и той же колодке. Если к пошловато-сентиментальной истории примешивается элемент романтический, то, в большей части случаев, неизменным героем является личность в армейской униформе, и — сколько мог заметить наблюдавший автор — в Петербурге эту роль разыгрывают казацкие юнкера. Не знаю, насколько оно справедливо, по крайней мере обладательницы подобных портретов почему-то указывают на этот род воинства. Романический элемент пошловато-сентиментальной истории обыкновенно весьма немногосложен и заключается в том, что прежде жила, мол, «при своих родителях», а душка офицер сманил «от родителев», увез в Петербург и «оказался изменщиком», то есть бросил. Если же история романическим элементом не отличается, то в ней всегда фигурирует купец. Купец и тетенька-продавщица. Особы немецкого и еврейского происхождения по большей части, никаких подобных приключений не рассказывают, так что истории эти составляют почти исключительную и, уж во всяком случае, никак не отъемлемую принадлежность особ происхождения российского; особы же еврейские и немецкие просто-напросто объявляют, что их привезла какая-нибудь мадам хозяйка aus Riga или aus Reval[1].

---

[1] Из Риги или из Ревеля *(нем.)*.

Итак, Маша сделалась обитательницей только что описанной каморки.

Теперь она была уже сыта и казалась спокойною. Непримиримая злоба ее как-то утихомирилась и забилась куда-то далеко, в самый сокровенный уголок сердца, где и спряталась, но не заснула, а только сделалась невидимой. Но тем-то еще сильнее стала теперь она сосать и разрушительно подтачивать грудь молодой девушки.

Проснулась Маша рано, когда еще никто не просыпался в этом доме.

Был час девятый утра.

Она старалась не думать о своем положении, да ей и не хотелось думать. Со вчерашнего дня она считала свой жизненный путь уже пройденным, карьеру конченой и как бы справила сама по себе панихиду. Исход из этого положения ей уже не был виден. Да и на что тут исход, если душой ее овладело полное равнодушие и к себе, и к жизни — равнодушие, впрочем, смешанное в самой затаенной глубине своей с беспощадной озлобленностью на весь мир Божий. Она боролась до последней возможности, боролась сильно и много, и когда увидела, что борьба окончательно невозможна, — ей уже ничего больше не оставалось, как только сознать себя побежденной и покориться своей участи.

В десятом часу утра зашевелились людские существа по разным углам этого дома. Послышались резкие, крикливые и заспанно-осипшие голоса. В одном конце раздавался глухой кашель, в другом — напев «фолишонов». Веселый дом просыпался.

Вскоре мимо Машиной двери протопали торопливо-тяжелые шаги кухарки, сопровождавшиеся дребезжанием блюдечек и чашек, а минут десять спустя Машу кликнули в залу пить кофе.

Там на первом месте восседала толстая хозяйка, которую все обитательницы веселого дома звали не иначе как «тетенькой» или «мадамой», а напротив ее, с другого конца, помещалась не менее толстая ключница-экономка, и эту последнюю, с не меньшим почтением, именовали Каролиной Ивановной.

Маша застала уже в сборе почти всех обитательниц веселого дома. Это были женщины только что с постели, встрепанные, нечесаные, с пухом в волосах, с припухло-заспанными глазами, иные с отекшими лицами, желтые, бледные от истощения, с полустершимися пятнами вчерашних белил и румян, иные в юбках и кофтах, иные без кофт, и ни одной почти в платье. Крепкий запах цикорного кофею мешался с дымом папирос и сигарных окурков. Те же самые звуки «фолишона», резких голосов и какой-то перебранки, которые слышала Маша из своей комнаты, раздавались теперь в зале, в той же силе и в том же самом направлении.

Маша оглядела комнату, оклеенную ярко-красными обоями крупного рисунка, из тех, какие специально приготовляются для трактирных заведений. В простенках висели зеркала, а на окнах — тяжелые подзоры с кисейными занавесками и зеленые коленкоровые шторы, ярко расписанные букетами цветов и изображениями каких-то пейзажей. С потолка спускалась ламповая люстра. Вдоль стен расположились кожаные измятые диваны и такие же стулья, а в одном конце протянулся длинный рояль. Складной обеденный стол вносился сюда только по утрам для кофе да в три часа для общего большого кормления, после чего опять запрятывался в темный чуланчик.

Вся эта обстановка произвела на Машу какое-то брезгливое впечатление, которого она не замечала в себе даже и в Малиннике, даже и в ночлежной Вяземского дома, быть может оттого, что обстановка тех мест являлась для нее чем-то выходящим вон из ряду, чем-то ужасающим и потому поразительным, а здесь, напротив того, все было так обыденно, так пошло, что, по всей справедливости, только и могло вызвать одно лишь это чувство брезгливости.

«Ничего! Свыкнется, слюбится», — горько улыбнулась про себя девушка, как вдруг в ту самую минуту к ней обратилась толстая хозяйка.

— Как тебя зовут? Марьей, кажется? — вопросительно прищурилась она на новую свою пансионерку.

Та утвердительно кивнула ей головой.

— Хм... Надо будет переменить имя.

— Зачем? Для чего? — удивилась Маша.

— Так, уж обыкновение такое. Это везде так: Марья — нехорошее имя, мужицкое.

— Да у нас уже есть одна Маша, — подхватила экономка, — двум нерезонно быть в одном доме. Мы и то уж не Машей, а Мери ее называем. Все как-то лучше выходит.

— Какое же мне имя, я, право, не знаю! — пожала плечами девушка.

— Надо выбрать какое ни на есть из иностранных, — предложила хозяйка. — Вот, например, Кунигунда очень хорошее имя. Я и сама когда-то Кунигундой была... Розалия тоже недурное... Маргарита... А уж лучше всех Мальвина или Виктория. Которое хочешь? — спросила она Машу.

— Какое назначите, мне все равно, — опять пожала та плечами.

— Да ты по-французски умеешь? — вмешалась экономка. — Parlez vous français? — спросила она с сильным немецким акцентом.

— Учили когда-то... говорить могу, пожалуй.

— Ну, так надо будет за француженку выдавать, — посоветовалась Каролина с мадамой.

— Das ist wahr; so hab'ich mir's gedacht[1], — согласилась ма-

---

[1] Это правда; я так и думала *(нем.)*.

дам. — Так вот и прекрасно, — снова обратилась она к Маше, — ты будешь называться Мальвиной. При гостях старайся все больше по-французски... Нравится тебе это имя?

— Пожалуй, — равнодушно отвечала девушка и с горечью подумала: «Вот и от самой себя пришлось отречься... Даже и имя-то старое похоронить... Ну, прощай, Маша, вечная тебе память».

XXI

ВЕСЕЛЫЙ ДОМ

Да не смущается читатель в своем чувстве благопристойности оттого, что автор введет его теперь в дом отверженных и падших, который на официальном языке называется домом терпимости.

Не ради одного лишь удовольствия показывать бесцельно-цинические картины водил я тебя, мой читатель, по разным вертепам человеческой нищеты и порока. Удовольствия в этом, полагаю, нет нимало; и не особенно приятна обязанность писателя, взявшего на себя роль путеводителя по всем этим трущобам. Быть может, я и не взялся бы за нее, если бы не побуждала к тому некоторая надежда на долю возможной пользы, которую, по-настоящему, должно бы принести обществу более близкое знакомство с его собственными сокрытыми язвами и злокачественными наростами. Иначе это было бы никуда не ведущее, бесцельное искусство для искусства.

Но, взявшись однажды за дело, хотелось бы показать его так, как сам воочию видел и понял, и показать в наготе, наиболее возможной.

Нужды нет, что изображение это цинично. Да странно было бы, если б кто-либо вздумал претендовать на приличное изящество такого изображения. Надо помнить одно, это — гангрена нашего общества; а вид гангреновой язвы не может быть привлекателен и эстетичен. Но кто ж не согласится, что если заражен какой-либо член организма и если нужно лечить его, ради пользы общего здоровья, то прежде чем помогать и лечить, необходимо распознать род болезни, ознакомиться с самым видом и характером ее? Мы не беремся врачевать: это уже вне наших сил, и средств, и возможностей. Обстоятельства дали нам только возможность узнать некоторые из язв общественного организма, и единственно лишь в силу высказанных побуждений решились мы раскрыть и показать их тем, которые не видели и не ведали, или напомнить о них тем, которые хотя и видели и ведали, но равнодушно шли себе мимо. Это — почти главная цель нашего романа. Иначе незачем было бы и писать его.

В длинном ряде эпизодов нашего повествования проходило перед глазами читателя много лиц из известного легиона «отверженных» и «несчастных». Тут были: и вор, и мошенник, и преступник, заключенный в тюрьме, и труженик-работник, и пролетарий-нищий — словом, длинная галерея «голодных и холодных».

Теперь я введу тебя, читатель, в вертеп «падших».

Вглядись поближе, попристальней в этих женщин, ознакомься, насколько возможно, с условиями их существования, с их социальным положением в ряду всех остальных слоев общества.

Тогда узнаешь ты, где именно коренится у нас самое ужасное, беспощадное и растлевающее рабство, доводящее женщину до полного уничтожения личности во всех ее человеческих правах и проявлениях, до полного оскотинения, которое уже граничит почти с идиотством. Это рабство хотя и не освящено законом, но существует *из-под ночи*, в темноте, отданное частному произволу, в руки грязных эксплуататоров живого человеческого мяса.

В отношении падшей женщины самый закон становится в какое-то двусмысленное положение: официально он не утверждает разврата, но допускает, *терпит его*, в смысле неизбежного зла, уступая существенно необходимым требованиям огромных масс населения. Утвердить закон его не может, во имя охраняемого им принципа общественной нравственности. Искоренить его точно так же не может, ибо патентованный разврат, как мы сказали, есть необходимое зло больших центров человеческой жизни и деятельности — зло самой цивилизации, в ее современном положении. Плоха и некрепка *семья* — и потому разврат велик и силен. Когда-нибудь, со временем, оно изменится. Это ненормальность, это болезнь, и потому это *должно* измениться, а пока закон все-таки стоит в каком-то обоюдоостром и двусмысленном положении относительно падших, не давая разврату своей санкции, чего, повторяем, он и не может дать, но допуская и исподволь, из-под руки регулируя его. Регуляция, случается, часто не достигает цели, остается бессильной, не прошибая темного произвола эксплуататоров, творящегося в келейной темноте гнусных притонов; и от этого в жизни падшей женщины, в ее ничем не обеспеченном, не гарантированном существовании, происходит нестерпимый разлад и тысячи неурядиц, результатом которых является животненное рабство, как нравственное, так и физическое, во всех почти условиях ее социального положения. Еще и еще раз повторяем: это *должно* кончиться, во имя прав личности, во имя души и свободы, во имя человека, созданного по образу и подобию Божьему.

— У тебя только и есть эти два платьишка? — отнеслась хозяйка к Маше, приказав показать ей весь ее наличный гардероб.

— Только и есть, — подтвердила девушка.

— Ну, этого нельзя! Мои барышни чисто ходят и против других такие щеголихи, что нигде не стыдно. Надо и тебе сделать такой же гардероб.

— Не из чего пока, — усмехнулась Маша.

— Не твоя забота: сама сделаю все, что надо.

И через два дня после этого она вручила Маше дорогое шелковое и еще более дорогое бархатное платье, бархатный бурнус и золотые сережки.

До появления этих предметов и сама мадам, и экономка обращались с нею очень кротко и дружелюбно; они словно гладили ее по головке и ласково, исподволь заманивали в свои загребистые когти. Та доверчиво поддавалась. Но манера и тон обращения изменились тотчас же, как только хозяйке удалось получить от нее формальную расписку в четырех сотнях рублей, потраченных на покупку нарядов. В документ этот был, кроме того, вписан и прежний Машин долг Александре Пахомовне. Это — обыкновенная система всех подобных мадам и тетенек, чтобы сразу закабалить к себе в полное крепостничество каждую новую и еще неопытную пансионерку. Они почти всегда поставляют условием sine qua non[1] приобретение разного тряпья — «чтобы в людях не стыдно было» непременно навязываются делать на свой счет и потом за каждую вещь выставляют тройные цены. Если девушка не хочет подписать расписку, акулы-тетеньки стараются выманить у нее согласие на подпись лаской и разными масляными обещаниями, убеждая, что и все, мол, так делают, что ей не стать быть хуже других и что самый долг ровно ничего не значит, потому что отдавать его придется исподволь, по маленьким частям, хоть в течение нескольких лет. Девушка соглашается — и тогда уже она в капкане. В тех же редких случаях, когда эта метода не удается, ее принуждают к подписи насилием. Жаловаться, хотя бы и было кому, в большей части случаев оказывается совершенно бесполезным, ибо у тетеньки с разными подходящими господами давным-давно заведены, что называется, свои печки-лавочки, на основании шибко действующей пословицы «рука руку моет». Авторитет тетеньки в глазах этих господ неизмеримо выше и важнее авторитета племянницы. Тетенька может обвинить ее прямо в неповиновении, в дерзости, в своеволии — и вследствие такого голословного обвинения, часто подтверждаемого холопкой-ключницей и некоторыми из таких же холопок-племянниц, которые находят выгодным подслуживаться тетеньке, обвиненная без дальних рассуждений попадает прямо-таки в Рабочий дом, а в прежнее, хотя и очень недавнее еще время в придачу к Рабочему дому шли, бывало, и розги.

Только с 1861 года положение подобных женщин сделалось чуточку сноснее. Но сносность эта отчасти гарантирована им только в принципе; de facto же царствует по-прежнему все тот же произвол тетенек.

С первых часов пребывания в веселом доме Маша стала приглядываться к окружающей ее жизни, и в особенности к тем не-

---

[1] Непременное, обязательное *(фр.)*.

счастным, с которыми от этих пор приходилось ей делить одинаковую участь.

Между последними довольно ярко выдавались две категории.

К первой принадлежали существа, уже несколько лет вступившие на эту дорогу и потому утратившие все, что мы привыкли разуметь под понятием *женщина*. Это самки какой-то идиотической породы животных, самки забитые, заплеванные, и — даже не развратные. Их нельзя назвать развратными, потому что тот характер, которым проявляется в них этот элемент, носит на себе нечто цинически-скотское, идиотски-безличное и апатически-гадкое. Это не разврат, а ремесло, подчас даже само себя не сознающее. Женщины названной категории — существа вполне безличные, бесхарактерные, лишенные всякой самостоятельности, всякой личной воли и всякого понимания какой-нибудь иной стороны жизни, кроме узкой своей профессии, да и ту-то они не понимают, ибо смотрят на себя (то есть опять-таки смотрят настолько, насколько они способны смотреть) как на вещи, от первого дня своего рождения предназначенные самою природою к отправлению известного промысла. Они не в состоянии даже и представить себе, могло ли бы существовать для них в мире какое-нибудь иное назначение, кроме жизни под покровительством тетеньки, иной закон, кроме ее безграничного произвола, так что кажется сомнительным даже, чувствуют ли они какой-нибудь гнет этих тетенек или же ровно ничего не чувствуют, кроме инстинктов сна да аппетита. Мутная среда, в которой они вращаются, кажется им вполне естественной, нормальной и словно как раз для них по мерке созданной.

Вот что вырабатывает из женщин несколько лет жизни в веселом доме.

Это абсолютное скотское рабство — единственный логический продукт тех социальных условий, которыми окована жизнь падшей женщины в когтях акулы-тетеньки. Тут уже не ищите ничего человеческого и бросьте всякую химерическую надежду на возможность поворота к иному пути, на возврат к лучшему.

Но если женщины этой категории, возмущая в вас все человеческие струны сердца, возбуждают одно только сожаление к себе, то вторая категория необходимо вызывает и сострадание и сочувствие.

Странное дело — однако же несомненным фактом является то обстоятельство, что к этой второй категории принадлежат исключительно девушки происхождения русского. Несмотря на весь цинизм своего бытия, на всю глубокую грязь своего падения, они еще не утратили в душе своей нескольких искорок чего-то человеческого, даже чего-то женственного. Эта человечность и женственность проявляется у них именно в способности *любить*. Хотя это чувство высказывается вполне своеобразно, но пока оно не угасло в душе, надежда на возврат к лучшему еще не потеряна. Они, точно так же как и первые, по большей части — существа слабые, бесхарактерные, но добрые какой-то беззаветною, детскою добротою. В натуре их есть нечто собачье. Попробуй посторонний человек обидеть такую женщину словом или делом, она сумеет отгрызнуться или подымет такой гам и вой на весь дом, что хоть святых выноси. Тут будет вволю и злости, и слез, и ругани. Но пусть самым оскорбительным образом обидит ее тот, кого она любит и кого называет своим *душенькой*, — она перенесет все, даже самые жестокие побои, и перенесет с безропотной покорностью привязчивой собаки. Для *душеньки* в ее душе существует одно только чувство, одно побуждение, которое мы называем *всепрощение.* У каждой почти девушки этой последней категории неизбежно есть свой собственный душенька. К самому роду своей жизни относится она почти индифферентно, понимая его как ремесло, иногда очень тяжелое и печальное, которому, отдавшись однажды, уже надо покоряться всегда, ибо оно дает возможность к существованию, и, стало быть, ничего тут больше не поделаешь. Эти женщины умеют как-то отделить в себе внутреннюю, нравственную сторону своей женственности от внешнего рода жизни. Зачастую встречаешь в них странную двойственность; в одном и том же существе соединяются женщина в хорошем смысле этого слова и публичная развратница. Шесть дней в неделю ведет она свой подневольно-разгульный образ жизни, питаясь нравственно и мечтая о тех пяти-шести часах дня седьмого, которые останутся в ее полном распоряжении и которые она не замедлит отдать своему душеньке. Каждая женщина известного промысла на несколько часов пользуется правом безотчетной отлучки один раз в неделю из дома своей содержательницы. Это составляет для нее истинный праздник, потому что тут ощущается хотя ничтожный, хотя обманчивый призрак воли и самостоятельности. Посидеть в квартире у душеньки, напиться с ним чаю или проехаться на пароходе на какое-нибудь загородное гулянье средней руки — это истинное наслаждение для такой девушки. Она забирает с собой все скудные деньжонки, которые успела сколотить в течение недели, чтобы отдать их в полное распоряжение друга своего сердца; между тем в роль такого друга зачастую попадает большой руки негодяй, который обращает беззаветное чувство девушки в предмет постоянной эксплуатации. Иногда он систематически обирает у нее еженедельно все ее скудные гроши, и та отдает их безропотно, даже бывает рада, что могла сделать приятное своему душеньке; а если случится иной раз, что она не принесет почему-нибудь денег, душенька, без дальних церемоний, возьмет да и прибьет ее и вытурит от себя в шею. Девушка огорчена, обижена, девушка плачет, а через несколько дней, глядишь, просит грамотную подругу написать письмо «своему злодею», в котором выпрашивает у него прощения, и в следующие свободные часы опять-таки является к нему, но только уже не иначе как с деньгами в кармане. Чем объясните вы себе такое поведение, как не самою настоятельною потребностью любви, потребностью хорошего человеческого чувства, которое само по себе составляет потребность хорошей женской натуры? И эта любовь, при всей странной своеобразности, есть любовь довольно-таки сильная, способная доходить до жертвы последним куском и последней копейкой, до полного самоотвержения. Кто знает этих жалких, но хороших женщин, тот знает очень хорошо, что мы отнюдь не впадаем в идеализацию, говоря о них таким образом. Но среда мало-помалу заедает их вконец. Человеческие стороны сердца год от году притупляются все больше и больше, и вот, глядишь, через несколько лет девушка, когда-то добрая и любящая, перерождается в бессмысленное, забитое животное. Но можно сказать вполне утвердительно, что ни для той, ни для другой категории разврат сам по себе никогда не является целью; он только средство — для одних к веселой, беззаботной жизни и к полнейшему апатичному безделью; для других же — горький кусок хлеба, ибо часто, продавая себя, девушка поддерживает существование целой семьи, кормит какую-нибудь разбитую параличом старуху мать или отца или воспитывает малолетних сестер да братьев. Но мало кто из посторонних людей знает про это, так как ни одна из них не любит признаваться в причинах, побудивших ее ступить на тяжелое поприще. Они все как будто стыдятся признания в гнусной бедности своего семейства, и если уж выставляют какую-нибудь причину падения, то скорее решаются наклепать на самих себя, говоря, что так им лучше живется, чем сказать горькую правду.

Маша молчала, не высказываясь никому про то, что творится внутри ее сердца, а между тем жизнь в этой среде с каждым днем все более давила на нее своим гнетом. Ей сделалась противна каждая минута их общего существования. Каждое утро она с какою-то тоскою, доходящею до тошноты, томилась ожиданием этой противной, безобразной ночи, когда необходимо будет выставить себя напоказ. Но если ночь казалась страшной, то день был просто противно-гадок. Эти постоянно бродящие перед глазами растрепанные, немытые, полуодетые фигуры, с какой-то истасканной истомой и апатией во всех своих движениях, с бессмысленными глазами и с такою же вечно бессмысленною, вечно циническою, наглою речью; это собачье валянье их по всем диванам и кроватям с папиросным окурком в зубах, междоусобная брань да ругань да счеты под аккомпанемент громкой протяжной зевоты и какой-нибудь пошлой песенки, — все это казалось ей столь противным, что просто на свет глядеть не хотелось. Неисходная, тупая тоска и гнетущая скука в течение целого дня неподвижно стояли, казалось, в самом воздухе веселого дома. Ни одного живого движения, ни одного живого слова. Одна только пошлость безмерная да истощение гнилой апатии. Это не жизнь, а прозябание, в котором нет ни *вчера*, ни *сегодня*, ни *завтра*, нет никаких интересов, никаких надежд и радостей — словом, ничего, так-таки решительно *ничего* нет, кроме названной уже апатии да пошлости с давящею над ними безмерною пустотою. Безобразный, полусонный день и безобразная, бессонная ночь среди цинических оргий. Существование этих женщин казалось Маше похожим на существование околевающих полусонных мух, вяло ползающих осенью между стеклами двойной рамы. И эта скучная жизнь порою разнообразилась только какою-нибудь тиранической выходкой деспотки-тетеньки, которая всегда находила себя вправе приступать к собственноручной расправе с неугодившей ей девушкой посредством пощечины или ухвата. Тогда подымался в доме визг и вой — и голос тетеньки, словно кряканье целого утиного стада, всевластно проносился из конца в конец по всем комнатам. Экономка состояла при ней главною наушницей, и довольно было шепнуть ей какую-нибудь сплетню про какое-нибудь неосторожно сказанное, резкое слово насчет тетеньки, чтобы тетенька пустила в ход свои руки, безнаказанно колотя этих несчастных по щекам и, в виде особого наказания, выдерживая виновную по нескольку часов под замком в темном, холодном чуланчике. И такое поведение казалось настолько законным и естественным, и настолько все к нему успели уже привыкнуть, что тетенька решительно ни с чьей стороны не встречала себе даже малейшего протеста. Это было совершенно в порядке вещей, потому что «так везде водится».

Одна только Маша, по непривычке к новости своего положения, испытав однажды на себе тяжесть хозяйкиной руки, вздумала было ответить ей тем же и поплатилась жестоко за свой невоздержный порыв. Тетенька, вместе с экономкою, избили ее в четыре руки, и когда девушка хотела бежать от них, то была удержана силой. Ей представили собственную ее расписку в четырехстах рублях: «заплати — и хоть на все четыре стороны!» Три четверти зарабатываемых ею денег тетенька по праву брала себе; остальною четвертью Маша уплачивала свой долг; но акула умела каким-то ловким манером подводить итоги так, что та всегда оставалась ей должна не менее первоначальной суммы. И Маша наконец поняла, что эта злосчастная расписка есть несокрушимый узаконенный акт ее вечного рабства, кабала на ее личность. Она поняла наконец, что отсюда уже не вырвешься, что исхода нет никакого — и... на всех и все махнула рукой.

У нее еще раньше этого времени начала побаливать грудь; но девушка не обращала на это никакого внимания, пока наконец, после одной бессонной ночи, откашлянувшись в платок, заметила на нем алые следы свежей крови.

— А!.. чахотка! Наконец-то!.. Слава тебе, Господи! — с радостью перекрестилась она. Это была ее первая и самая искренняя радость в веселом доме.

Она решилась скрывать и молчать о своей болезни.

XXII
ПРОМЕЖ ЧЕТЫРЕХ ГЛАЗ

В тот вечер, когда толстая хозяйка в первый раз самолично вывела разодетую и декольтированную Машу в освещенную залу, где уже блыкались из угла в угол столь же декольтированные и разодетые обитательницы веселого дома, девушка неожиданно смутилась и страшно сконфузилась.

Глаза ее нечаянно встретились вдруг с другими глазами, тихими и честными, которые грустно и кротко смотрели на нее из-за рояльного пюпитра.

И вдруг в этих старческих глазах сверкнуло изумление, как словно бы они признали в только что введенной девушке нечто знакомое.

Это были глаза Германа Типпнера.

— Ach! Armes Kind! Und du auch hier!.. Noch ein neuer Tod![1] — с крушащею болью в сердце прошептал старик, не сводя изумленных глаз со смущенно поникшей Машиной головки.

Они оба тотчас же узнали друг друга.

Маше было стыдно перед стариком — старику неловко перед Машей.

Она чутко домекнулась, что это грустно-изумленное выражение во взгляде тапера относится именно к ней; а тот, в свою очередь, точно так же понял, что конфузливое смущение девушки отчасти вызвано неожиданною встречею с его глазами! Поэтому оба они в течение целого вечера старались как-то не замечать друг друга.

И тотчас же мягкую душу Типпнера начали разбирать разные смущающие сомнения — как бы, мол, через болтовню этой Маши не дошел от кого-нибудь до его дочерей слух о том, что он, Типпнер, зарабатывает им кусок хлеба ремеслом тапера в веселом доме. Он это так тщательно скрывал, так сердечно хотелось ему, чтобы дочери никогда не узнали о самом поприще его ремесла. Потом стали смущать и еще более горькие думы, когда вспомнилось, что эта самая Маша жила в Спицыном углу такою скромною, честною девушкой. Он знал, как упорно и настойчиво искала она себе работы, как целые ночи проводила над шитьем заказанного белья, как,

---

[1] Ах, бедное дитя! И ты тоже здесь!.. Еще одна новая гибель! *(нем.)*

не далее нескольких суток до этого вечера, отказалась от выгодного предложения Сашеньки-матушки (Домна Родионовна обо всем болтала вслух в своей квартире, не стесняясь ничьим присутствием), и где же вдруг очутилась эта самая Маша!.. И промелькнули в голове старика два яркие образа его собственных дочерей, промелькнули, разодетые и декольтированные точно так же, как и эта Маша, и в этой самой освещенной зале, и он, как дикая лошадь, тряхнул своею седокудрою гривой, словно хотел отогнать эту черную, непрошеную мысль, которая железным молотком стиснула его сердце.

«Это все соседка!.. Alles diese Priachina! Das ist alles ihr Werk»[1], — безошибочно угадал старик, невольно как-то ощущая в душе омерзение и презрительную ненависть к этой женщине.

И с тех пор каждый вечер и каждую ночь встречался он с Машей в этой зале; но ни тот ни другая не решались подойти друг к другу и перекинуться словом. Обоим казалось оно почему-то неловким, хотя Маша и понимала каким-то инстинктом, что если кто и может во всем веселом доме отнестись к ней на сколько-нибудь сочувственно, то разве один только тапер Герман Типпнер. Оно так и было в сущности, а между тем оба продолжали чуждаться друг друга, как будто два совершенно посторонних, незнакомых человека.

XXIII

ЛИСЬИ РЕЧИ, ДА ВОЛЧЬИ ЗУБЫ

Спустя два-три месяца стали замечать обитатели веселого дома, что старому таперу день ото дня становится не по себе, что кряхтит старик и силится перемочь какой-то недуг, донимающий его дряхлое тело. И как-то странно, в самом деле, было видеть эту высокую, худощавую фигуру, с бледным, болезненным лицом, среди залы веселого дома, за рояльным пюпитром. Теперь уже, в минуты антрактов, старик не откидывался на спинку стула и не глядел, сложив на груди руки, своим добрым и грустно-тихим взором на мелькавшие перед его глазами пары. Теперь он как-то ежился и корчился от лихорадочной дрожи, которую старался по возможности скрыть перед посторонними глазами, и в изнеможении опускал на грудь свою голову с бессильно закрытыми веками. На этом лице были написаны болезнь и внутреннее страдание. Когда подходили к нему с изъявлением желания польки или кадрили, старик, очнувшись от забытья, болезненно вздрагивал и худощаво-длинными, дрожащими и холодными пальцами начинал разыгрывать веселый танец.

---

[1] Все эта Пряхина! Это все ее дело *(нем.)*.

А под утро придет, бывало, Типпнер домой и, боясь скрипнуть дверью, чтобы не разбудить дочерей, на цыпочках прокрадывается в свою комнату. Тихо разденется себе и ляжет, и лихорадочно дрогнет под тощенькой байкой, задерживая невольно вырывавшиеся стоны, лишь бы не потревожить сна девушек, и, главное, лишь бы не догадались они о его болезни.

Но недуг отца не скрылся от проницательных взглядов дочерей. Луиза ясно видела, что с ним в последнее время творится что-то нехорошее, и наконец убедила его своими неотступными просьбами сходить вместе с нею к доктору за советом. Доктор спросил о роде его жизни. Луиза не скрывала, что он очень мало имеет сна и покоя, уходя каждую ночь играть на фортепиано, причем старик поспешил добавить: «То есть на балы и на вечеринки к чиновникам». Сын эскулапа нашел, что болезнь его является именно следствием такого рода жизни, и, назначив какое-то лекарство, предписал главнейшим образом покой и правильную жизнь, советуя хоть на время оставить игру на вечеринках.

— Ну, это он врет! — с неудовольствием пробурчал старик, выйдя с дочерью из докторской квартиры, — преувеличивает все! Es ist noch nicht so schlimm[1]. Просто простудился немножко... Это пройдет, а бессонные ночи мне в привычку! Nicht das ist die Ursache![2]

И в тот же самый вечер, несмотря на слезную просьбу дочерей, он снова ушел в веселый дом, потому что иначе на завтрашний день пришлось бы сидеть без дров и без обеда.

Герман Типпнер в глубине души своей вполне соглашался с доктором, но видел всю трагически роковую невозможность исполнить данное ему предписание, ибо в его промысле на первый план выступал все тот же проклятый вопрос хлеба для трех голодных желудков.

В этот вечер Луиза, тщательно укутав шею старика гарусным шарфом, с горькими слезами на глазах, проводила его до двери.

Сашенька-матушка, сидевшая в это время у Домны Родионовны, заметила слезы девушки.

— Мамзель Луиза, о чем вы это? — участливо загородила она ей дорогу, ставши в дверях, когда та возвращалась из кухни в свою комнату.

— Ах, уж не спрашивайте! — утирая глаза, кручинно проговорила девушка. — Опять ушел вот!.. Доктор запретил... совсем болен ведь... Ни слезы, ни просьбы не удержали!..

Пряхина, с сожалением поцмокав языком, сочувственно покачала головою.

— Да скажите вы мне на милость, куда же это он все ходит-

---

[1] Дело еще не так скверно *(нем.)*.

[2] Не в этом причина! *(нем.)*

то? — спросила она. — Ведь каждый вечер в аккурат не бывает дома.

— Играет, деньги зарабатывает. Да, Господи! Я бы... я не знаю, на что бы решилась, лишь бы только избавить его от этого! — с сильным душевным порывом прорыдала Луиза. — Ведь у меня все сердце за него выболело!.. Ведь он никаких резонов слушать не хочет!

— Ну полно, милая вы моя, не плачьте! — нежно дотронулась до ее плеча Пахомовна. — Слезами горю не поможешь, а надо бы и в сам-деле взяться за ум вам да подумать хорошенько, нельзя ли старичку облегчение какое сделать? Ведь и в самом деле, дряхлый он человек, и без того не сегодня завтра, гляди, помрет, а эдакая жисть ничего что окромя одной болезни не прибавит. Вам бы, голубушка, как есть вы хорошая дочка, понежить да похолить его старость, а то что и в сам-деле мается, мается бедняк, словно батрак какой. Ведь он — родитель очень до вас нежный и человек-то взаправду хороший. Пожалеть-то его дочерям бы и Бог велел.

Эти речи тысячью острых булавок кололи сердце молодой девушки. Она чувствовала правдивый укор в словах Пахомовны, которая только, казалось, будто брешет себе словно невзначай, по простоте да по доброте сердечной, сдуру.

Девушка села на стул и продолжала тихо плакать.

— Послушайте, — опять-таки дотронулась до ее плеча Сашенька-матушка, — нечего плакать-то задаром! Пойдемте-ка лучше ко мне, я вас чайком попою, да потолкуем-ка. Авось вдвоем что-нибудь и придумаем! Право, так! Уж положитесь на меня — я человек хороший и одну только жалость к вам чувствую. Я ведь все понимаю, каково оно вам легко. Я хоть и посторонний человек, а у меня, знаете ли, вчуже сердце болит, так вам-то оно и подавно.

Удрученная своей печалью, девушка поддалась на эту лисью доброту и сочувствие и пошла пить чай к Пахомовне.

Долго говорила Сашенька-матушка на эту самую тему, и чем дольше лился поток ее сочувственных речей, тем больше терзали эти речи сердце Луизы.

— Боже мой, да что же делать тут? — воскликнула она наконец, кручинно заломав свои пальцы. — Если бы я только могла помочь, спасти его?.. Я вот переписываю и ноты, и рукописи, да все это так ничтожно. Много ли заработаешь на этом! А тут есть ведь нечего! Если бы кто-нибудь помог мне найти такую работу, которая дала бы хоть тридцать рублей в месяц — о, Господи! — да я была бы самая счастливая на свете! Милая, голубушка, Александра Пахомовна, — стремительно бросилась она к Сашеньке-матушке, — присоветуйте, помогите мне — вы такая добрая!

— Ах, мамзель Луиза, об этом деле толковать — так уж надо толковать прямо! Что тут попусту отводить глаза себе в сторону!

Как уж ты там отводи не отводи, а дело дрянь выходит. Ты больше отводишь, а оно себе все хуже да хуже. Так ли я говорю?

Та со вздохом печально покачала головой, чувствуя горькую истину последнего замечания.

— Шутка ли сказать, найти работу на тридцать рублей! — продолжала меж тем Пахомовна. — Таких работ у нас здесь, почесть, и не водится. Знаю ведь уж я свет-то этот анафемский, знаю отлично, слава те Господи, поблыкалась вдосталь по миру — всего-то нагляделась да наглоталась вволю! Так уж в этом вы мне, голубушка, поверьте; морочить вас задаром не стану, а как собственно любя вас да жалеючи, так и говорю вам по правде по истинной. Бывала я и в генеральских, и в графских даже домах, и доподлинно могу вам доложить — никогда вы такой подходящей работы не отыщете. Да и какая работа! Шить станете — ну, при особливой удаче, пятнадцать-двадцать целковых, подлинно, нашьешь себе в месяц. В гувернантки пойти — так даже очинно благородные девицы и генеральские дочки даже по десяти да по пятнадцати рублей на месяц ходят, а окромя этого и работы нет никакой.

Развивая далее эту тему и уснащая ее убедительно поучительными примерами, Сашенька-матушка систематически довела несчастную Луизу до сознания полной безысходности своего положения. Достичь этого было тем более легко, что девушка и без того уже находилась в экзальтированно-горестном состоянии, которое помогло ей с большей живостью и впечатлительностью принимать все слова и доводы ее собеседницы.

— Уж скольких-то я этих благородных девиц знавала, — вспоминая, качала головою Александра Пахомовна, — вот что в гувернантках-то живут. У которой сестренки да братишки сидят на шее, у которой отец — пьянчужка несообразный, у которой семейство благородное в нищете содержится. Бьется, бьется она, бедняга, как рыба об лед, и все, гляди, из-под беды выбиться не может... Ну, побьется таково-то да и махнет рукою: «Была не была! Пропадай, мол, моя молодость! Что, мол, тут соблюдать себя, коли жрать нечего!» Да так-то вот и не одна через эфто самое на содержание попадет, а иная и совсем потаскушкой становится.

— Господи, да что ж это такое! — всплеснув руками, откинулась на спинку дивана девушка.

— А то, моя милая, что нужда скачет, нужда пляшет, нужда песенки поет. Да и что ж тут такое? Диви бы не соблюла она себя из-за роскошев каких, диви бы из-за того только, чтобы в бархатах шататься — ну, тогда бы оно точно, что и от Бога грех, и от людей стыдно. А коли ты из нужды пошла на экое дело, чтобы семейству своему помочь, так это, милая девушка, скажу я тебе, даже доброе дело, потому и в законе так сказано, что помогать неимущим одна суть добродетель. В этом дурного нет, это и Бог простит, да и люди не осудят. Да нечем тут и соблюдать себя, коли уж говорить по правде! Ну, добро, была бы ты богачиха да листократка какая, графская или княжеская, что ли, там дочка, тогда другой резонт, нашей сестре помышлять об эфтим — одна только лишняя обуза. Чем даром-то в девках сидеть да молодость свою губить занапрасно, так лучше же капитал какой ни на есть предоставить себе да и семейству помощь оказать. А подвернется хороший человек, коли ежели полюбит, так и без того возьмет. По-настоящему-то нам, голякам, и думать об эфтаких роскошах не к рылу.

Резоны Сашеньки-матушки постепенно делали свое дело. Исподволь, почти незаметно для самой себя поддавалась им Луиза, ибо аргумент насущного хлеба есть самый убедительный из всех аргументов в мире. В два-три часа подобных разговоров Сашеньке-матушке удалось наконец очень ловко поддеть неопытную девушку на особую удочку, у которой роль червячка играло чувство любви и самопожертвования ради больного и дряхлого отца, чтобы доставить ему надежное средство к облегчению трудных и болезненных дней его старости.

«Мне нечем больше помочь ему, — думала Луиза, — у меня ничего нет, кроме моей молодости. Он поймет меня, он простит меня — я вымолю себе прощение!»

И... экзальтированная девушка сдалась; мало того: Сашенька-матушка подвела дело так, что она сама даже просила помочь ей в этом деле. Та, наперед затруднительно помявшись да поломавшись — что как, мол, я, да могу ли я, да вы, мол, пожалуй, пенять на меня станете, — изъявила наконец великодушное согласие к содействию в деле. Эта акула давно уже помышляла об этой добыче и только выслеживала, с какой стороны вернее схватить ее зубами. А зубы ее уже не первый месяц точились на молодую, красивую Луизу. Она предвидела, что тут можно сорвать порядочный кушик в пользу собственного кармана, и потому выслеживала, наблюдала ее исподволь, долго и незаметно, пока не убедилась, что поддеть эту девушку можно только на одну лишь известную удочку. После этого Сашенька-матушка решилась выждать удобного, подходящего случая, чтобы Луиза клюнула ловко подставленного ей червячка — и случай, к затаенной и великой радости Сашеньки, представился именно в этот вечер.

XXIV

ЛОТЕРЕЯ НЕВИННОСТИ

В веселых домах петербургских происходит иногда торжество совсем особого рода. Бывает оно совершенно случайно, однажды в несколько лет, так как случаи, подающие к нему повод, выдаются весьма редко и почитаются вполне исключительными. Тем не менее самое торжество сохраняется в преданиях веселых домов, и в подходящих казусах оно из преданий всецело переносится в действительность. Словно о каком-то празднике, мечтают о таких торжествах акулы-тетушки и их верные фактотумы Сашеньки-матушки. «Сюжет» подобного торжества составляет молодая непорочная девушка. Особы, подобные Сашеньке-матушке, хотя и не играют в торжестве непосредственной, видной всем и каждому роли, тем не менее они пользуются, наряду с тетеньками, значительной долей плодов его, ибо сквозь их руки идет доставка самого «сюжета» и главного материала, фигурирующего на первом плане такого праздника.

Едва лишь удастся тетеньке захватить в свои лапы девушку, она приступает к самодеятельной фабрикации особого рода билетиков. Занумерованные билетики имеют назначение служить входной маркой на торжественный праздник. Недели за две, а иногда за три до вожделенного дня тетенька вместе с экономкой старается распихать возможно большее количество марок наиболее близким знакомым из своих привычных посетителей. Эти, в свою очередь, совершенно доброхотно помогают ей, навязывая полученные билеты разным своим приятелям, а те своим и т. д. Все это производится, конечно, негласным и конфиденциальным порядком. Главнейшим же образом тетенька всегда старается действовать самолично, ибо в этом заключается ее прямой интерес, так как входные марки раздаются не безвозмездно: для каждой из них, по усмотрению тетеньки, назначается особая цена, смотря по средствам получателя, от десяти до двадцати пяти рублей серебром, причем тетенька, конечно, прилагает все свои старания для того, чтобы выторговать себе возможно большую сумму. И ни одна из старожилок этой категории не запомнит еще случая, чтобы оказался недостаток в любителях подобных лотерей.

Молодую девушку, которую предназначили играть на подобном торжестве роль жертвы, тщательно скрывают от всех посторонних глаз и зачастую не дозволяют даже никакого сообщения с будущими ее товарками. Совершенно изолированная от них, она живет в особой квартире тетеньки, под личным ее присмотром. Во всех похотях ей стараются угодить самым предупредительным образом, нашивают разного нарядного тряпья, дарят золотые безделушки и коробки конфет, отнюдь не давая раздуматься над своим положением, из боязни выпустить из рук столь драгоценную добычу. В эти приготовительные дни предупредительная, нежная ласковость тетеньки в отношении будущей дебютантки несравнима ни с чем. Три родные матери, слитые воедино, казалось, не могли бы быть лучше и любовнее. Девушку постоянно держат в каком-то чаду и рассеивают всеми способами, лишь бы не давать ей грустить и задумываться. Тысячи самых разнообразных, ловких аргументов и убеждений пускаются в ход для того, чтобы укрепить ее в однажды уже принятом решении, которое зачастую со стороны девушки было не более как взбалмошным сумасбродством, горячкой минутного увлечения или минутной, необдуманной ветреностью. Будущая веселая жизнь изображается ей в самых привлекательных, ярко-золотистых и розово-радужных красках, а лотерейные билетики меж тем в это самое время все больше и успешнее распускаются исподволь по рукам любителей.

Но вот билеты сполна уже распроданы, день назначен, и тетеньке остается только обдумать один уже последний, но самый ловкий пассаж. Ей надобно во что бы то ни стало выманить у молодой девушки формальную расписку, которая с двойным, если даже не с тройным избытком гарантирует деньги, потраченные на ее наряды. Коль скоро документ подписан и девушка признала свой долг — мертвая петля уже затянута.

К такому-то вот торжеству готовились в известном уже нам веселом доме.

С десяти часов вечера освещенная зала начала наполняться любителями.

Явился и Герман Типпнер — по обыкновению, с черного хода. Ключница Каролина поспешила выбежать к нему навстречу с приказанием от хозяйки не показываться до времени в зале, а обождать, пока позовут, в ее, Каролининой комнате. Это было сделано из предосторожности, на всякий случай, дабы тапер, неожиданно увидев здесь свою еще невинную дочь, не вздумал учинить скандал, который, пожалуй, мог бы расстроить планы тетушки, заставив ее раздать обратно полученные уже деньги, если бы розыгрыш не состоялся. Взять же на этот вечер где-нибудь другого тапера она не заблагорассудила, потому что новому пришлось бы заплатить сравнительно большую сумму, а тетеньки-акулы, особенно немецкой расы, все вообще отличаются самою скаредною бережливостью: «Лишь бы лотерею-то разыграть да выигрыш предоставить, — думала содержательница веселого дома, — а там пускай его подымет какой угодно скандал, дело-то будет уже сделано — прошлого не вернешь, да если и по закону тягаться, так ничего не возьмет, потому — рука руку моет».

Таким образом, необходимая предосторожность была исполнена. Герман Типпнер, никогда не принимавший участия в интересах веселого дома, еще с неделю назад слышал, что здесь готовится известного рода праздник, но, по обыкновению, с прискорбием подумав про себя об участи еще одной новой жертвы, въяве не подал, что называется, ни гласа, ни воздыхания, так как считал это делом, до него лично вовсе не относящимся. Поэтому и теперь, встретя извещение Каролины Ивановны, он безусловно подчинился ее решению, полагая, что, верно, это почему-нибудь так надо, и не задал себе труда подумать — почему и для чего именно надо?

Дней за пять до этого рокового вечера Луиза первый раз в жизни обманула его, сказав, что отправляется в Кронштадт, погостить к своей тетке. Герман Типпнер поверил ей безусловно, так как в Кронштадте действительно обитала сестра его покойной жены, у которой иногда гащивали его дочери.

Все это время девушка находилась под непосредственным влиянием Александры Пахомовны, которая неустанно продолжала оплетать ее самым ловким образом, поддерживая в ней экзальтированное состояние. По ее-то наущению Луиза и на обман решилась; но вместо Кронштадта очутилась она у тетеньки из Фонарного переулка. Эта сулила ей золотые горы в весьма близком будущем, а та мечтала про себя лишь о том, что с помощью тетенькиных золотых гор наконец-то, слава Богу, покончатся все нищенские лишения, недостатки и печали ее семейства.

Пока собирались знатные гости, в спальной комнате самой тетеньки происходила грустная сцена...

Две нарядные девушки, из числа будущих товарок Луизы, одевали ее, словно невесту к венцу. Тут же торчала и сама тетенька вместе с Александрой Пахомовной, которая, сжигая папироску за папироской, не переставала утешать и ободрять смущенную девушку.

Луизе было лихорадочно жутко.

Ее наряжали в белое кисейное платье и прикалывали к чересчур открытому лифу живую белую розу, а в душе ее в это время боролись и страх, и стыд, и сомнение, и смутная дума о темном будущем. Но все эти тревожные ощущения смолкали перед твердой решимостью принести себя в жертву ради блага отца и сестры Христины.

«Пускай уж я буду такая! — думала девушка. — Зато, авось, ей помогу остаться честной... Лишь бы у меня были средства — она не пропадет, не дам погибнуть! Если мне не удалось, так пусть она будет чистым, хорошим утешением отцу».

И при этих думах на глаза ее навертывались слезы. А тетенька замечала на это, что плакать не годится: «Фуй!.. Глаза будут красны, все кавалеры скажут, что плакала. Это, мол, нехорошо, надо радоваться, а не плакать». Но при таких утешениях раздраженная девушка чувствовала только охоту нещадно вцепиться когтями в ее мясисто-толстую физиономию.

Раздался легкий стук в запертую дверь, и послышался голос ключницы, которая извещала, что скоро уже десять часов и гости почти все уже собрались.

— Ну, пора и отправляться! — с пошлой, самодовольной улыбкой вздохнула тетенька.

У смертельно побледневшей Луизы подкосились ноги.

— Воды!.. — послышался ее стонущий, страдающий шепот, вместе с которым в изнеможении бессильно опустилась она на стул, и из груди ее вырвалось короткое, порывисто сдержанное рыданье — вырвалось и заглохло... Через минуту не было и следов его.

Тетенька морщилась: ей не нравились эти сцены. Пахомовна утешала, говоря, что все, мол, это пустяки; хорошего, мол, дела нечего бояться, и советовала не мешать, а выходить скорее в залу и кончать все разом.

— Нет, постойте... Бога ради... оставьте меня одну... на одну только минуту! — с каким-то внезапным порывом обратилась к ним девушка. — Я сейчас... сейчас приду к вам!..

Хозяйка нахмурилась еще больше, но Пахомовна успокоительно мигнула ей глазом, и все вышли из комнаты, причем тетенька не преминула приставить глаз к щели неплотно затворенной двери, дабы наблюдать, что станет делать оставшаяся наедине девушка.

Луиза, после некоторого раздумчивого колебания подошла к окну, сквозь стекла которого виднелось темно-синее звездное небо, и, опустясь на колени, стала молиться. Молитва эта была непродолжительна, но после нее девушка вышла из комнаты уже совершенно спокойной и твердой поступью.

Через минуту в освещенную и многолюдную залу из дверей темного коридора выкатилась самодовольно торжествующая и даже отчасти горделивая фигура самой мадам-тетеньки, за которою две девушки ввели за руки белую Луизу. Ключница Каролина Ивановна замыкала своею особою это торжественное шествие.

По зале пронесся гул говора, восклицаний и замечаний весьма нецеремонного, цинического свойства.

Почувствовав себя среди этой толпы единственною точкою всеобщего любопытства, на которую в эту минуту было устремлено столько наглых и внимательных глаз, Луиза побледнела и смутилась почти до обморока. Ей захотелось умереть в эту минуту; захотелось вдруг мгновенно исчезнуть — не знать, не слышать, не видеть, не чувствовать ничего; захотелось, чтобы не было света этих проклятых ламп, которые озаряют ее лицо, ее обнаженные плечи, грудь и руки, ее великий стыд, позор и смущенье; чтобы вдруг объяла всех и вся непроницаемая тьма и глухота, чтобы либо она, либо все окружающее перестало вдруг существовать в то же самое мгновение.

Каролина принесла и поставила на стол две хрустальные вазы, наполненные свернутыми в трубочку билетиками. В одной лежали нумера, а в другой пустые белые бумажки, из которых на одной только написано было роковое ужасное слово.

Две девушки подвели Луизу к этому столу, а тетенька приказала ей вынимать из вазы с пустыми билетами одну за другой свернутые бумажки.

Луиза, почти ничего не помня и не понимая, безотчетно повиновалась ее словам и машинально опустила руку в хрустальную вазу.

— Nun ich will mal sehn, wehn Gott ihnen[1], — с безмерной пош-

---

[1] Ну-ка теперь я посмотрю, кого вам Бог пошлет! *(нем.)*

лостью улыбнулась Каролина, и, принимая из рук Луизы бумажку за бумажкой, сама в то же время вынимала билетики из другого сосуда и громко выкрикивала выходивший нумер.

В публике раздавались то веселые, то досадливые возгласы любителей: «Эх, спасовал!..», «Сорвался!..», «Не вывезла кривая, двадцать пять рублей даром пропали!» — и тому подобные восклицания, в общей сложности своей выражавшие обманутую надежду.

Смертельно бледная девушка продолжала меж тем трепещущими пальцами вынимать из вазы роковые билетики.

Ее заставили самое, своею собственной рукой вынимать свою темную судьбу, и в этих машинальных движениях руки было нечто трагически-зловещее, нечто общее с самоубийством или с собственноручным подписанием своего смертного приговора.

Эта зала была ее позорной площадью. Этот стол был ее эшафотом, а палач, еще неведомый ни ей, ни самому себе, стоял в окружающей толпе, которая весело смеялась и среди цинично остроумных шуточек с живейшим любопытством следила за исходом интересной лотереи.

Чем меньше оставалось в вазе билетов, тем бледней становилась Луиза. Белая роза ходуном ходила на ее открытой груди, которая туго, тяжело вздымалась и опускалась бессильно и медленно, словно бы ее нестерпимо давил какой-то странный, железный гнет. На гладком лбу ее проступили редкие капли холодного пота.

Билетов становилось все меньше и меньше, и с каждой вновь открытой бумажкой, с каждым выкриком нового нумера, на душе Луизы все жутче да жутче, и словно бы какие-то острые клещи впивались в ее сердце, тянуче крутя его и вырывая вон из груди вместе с какой-то нудящей до тошноты тоскою ожидания. Рука трепетала все сильней и сильней. Последняя роковая минута подходила все ближе и ближе, с каждым вновь вынимаемым билетом.

— Номер сорок восьмой. Acht und vierzig! — выкрикнул голос Каролины.

Луиза развернула билет и с легким, глухо задыхающимся в груди криком, вся помертвелая, бессильно опустила руку, державшую развернутый билетик.

Вот когда наконец наступила она, эта роковая минута!

Экономка проворно выдернула из ее пальцев бумажку и, широко улыбаясь, торжественно и громко провозгласила на всю залу:

— Der kalte Fisch!

— Koschere Nekeuve! — подхватила по-еврейски стоявшая вблизи девушка[1].

---

[1] На техническом языке здешних известного рода женщин метафорическое название «Der kalte Fisch» (холодная рыбица) означает невинную девушку. Вместе с этим названием равносильно господствует и другое — еврейское, совершенно равнозначное первому: «Koschere Nekeuve», которое они не совсем-то верно переводят словами «постная девица».

XXV
ЖЕРТВА ВЕЧЕРНЯЯ

— Моя! — в ответ на Каролинин возглас раздался каким-то животненно-жадным и радостным звуком голос плотного купеческого сынка, который, с побагровевшими щеками и сияющим взором, прокрался вперед сквозь толпу, высоко держа над головой свою марку.

— Браво! браво! — общим взрывом пронеслось в публике, среди смеха и рукоплесканий.

— Молодец! Вот так молодец! Ай да малина! — азартно дополнили несколько голосов ни к селу ни к городу.

— Экая завидная штука! Досадно, черт возьми! — почмокивали языками и подмигивали глазами иные из окружающих.

— Ну, брат Пашка, спрыски с тебя, спрыски! — надсаживались из толпы вслед счастливцу его приятели, отчаянно размахивая руками.

— Честь имеем поздравить! Же ву фелисит, мосье![1] — любезно и не без почтительности сделали ему книксен мадам с экономкой.

Пашка с апраксинской ловкостью подскочил к Луизе и хлопнул ее по плечу.

— Стал быть, мой куш?! — произнес он, окидывая вокруг всю залу вопросительным и в тоже время победоносным взором, и, словно купленную лошадь, стал разглядывать свой выигрыш во всех его статьях и достоинствах. — Ишь ты, сударь мой, — говорил он, хватая за талию ничего не понимавшую и словно бы вконец остолбеневшую девушку, — породистая дама, бельфамистого сложения, одним словом, почтеннейший мой, формулезная женщина.

— Какой масти? — кричал ему из толпы голос приятеля.

— Буланой, — откликнулся неизвестный остроумец.

— Жаль, что не вороная! Вороная ходче... Пашка, подлец, говорю, спрыски с тебя! Заказывай шинпанского!

— Могите! — хлопнул ладонью по столу сияющий Пашка. — Мадам! Прикажите хлопушку пустить! Пущай наши молодцы угощаются!

— Хлопушу? — возразил приятель. — Нет, брат Пашка, врешь! Ты шестерик поставь. Полдюжины хлопуш на первый случай, чтоб на всю ивановскую проздравление было!

— Что ж, можно и шестерик, — развернулся Пашка, — при такой моей радости, согласен!.. Мадам, предоставьте молодцам нашим шестерик хлопуш, пойла, значит, эфтого самого. А вы, деликатес девица, милости просим со мною!

И он, захватив под руку Луизу, не повел, а почти потащил ее за собою из комнаты.

---

1 Я вас поздравляю, сударь! *(фр.)*

В темном коридоре успел только мелькнуть белый шлейф ее кисейного платья и исчез за дверью.

После этого ключница выпустила старого тапера из его заключения.

Полубольной, уселся он за рояль, и в шумном зале раздались веселые звуки фолишонного кадриля. Составились веселые пары, и поднялась пыль столбом от неистового топанья и отвратительно безобразных кривляний.

Около часу спустя из темного коридора раздался разгульный голос Пашки.

— Гей! Мадам! Шимпанского! Ставь две дюжины хлопуш! Запирай дверь, никого не пускай! За свой счет всю публику, значит, угощаем! Пущай все поют да поздравляют жениха с невестой!

Ящик с двумя дюжинами бутылок не заставил долго дожидать себя; стаканы налиты, и большая часть публики не отказалась от дарового угощения.

— Идут! идут! — махала руками экономка, вбегая в залу; и обратилась к таперу: — Живей марш играй! Einen feierlichen Zeremonialmarsch![1]

— *Мит грос шкандаль!*[2] — подхватил голос неизвестного остроумца.

— Встречайте, господа, встречайте! Gratulieren sie doch das Paar![3] — в каком-то экстазе, размахивая лапами, обратилась Каролина к почтеннейшей публике.

И вот под громкие звуки торжественного марша откормленной утицей выкатилась в залу сама мадам-тетенька, с расплесканным стаканом шампанского в торжественно поднятой руке, а за нею гоголем выступал разгулявшийся Пашка, волоча под руку сгорающую от стыда и до болезненности истомленную девушку.

— Уррра-а! Браво! — громким, дружным криком пронеслось по зале.

Пашка раскланивался с комической важностью, не выпуская из-под руки своей живой приз.

А звуки фортепиано меж тем не умолкали.

Отец, не ведая сам, что творит, торжественным маршем встречал и приветствовал позор своей дочери.

Но вдруг эти громкие звуки неожиданно порвались на половине такта и умолкли.

Взоры тапера нечаянно упали на приволоченную девушку.

Это был удар молнии. Он оглушил и ослепил его. Старик не

---

[1] Торжественный церемониальный марш! *(нем.)*

[2] С большим скандалом! *(нем.)*

[3] Поздравляйте же чету! *(нем.)*

верил глазам своим — но нет, это не сон, это все въяве совершается, это точно она стоит — она, его Луиза, его дочь родная.

При неожиданном перерыве звуков все головы с невольным любопытством обратились в сторону тапера. Все видели, как мгновенно искривилось его лицо каким-то страшным, конвульсивным движением, как с онемело раскрытым ртом и расширившимися неподвижными глазами медленно поднялся он со стула, как протянул он по направлению к девушке свою изможденную, трепетную руку, как силился вымолвить какое-то слово — и вдруг, словно безжизненный труп, без чувств грохнулся затылком об пол.

Раздался отчаянный женский вопль, и в то же мгновение, вырвавшись из лап своего обладателя, Луиза бросилась к отцу и поникла на грудь его.

Почтеннейшая публика никак не ожидала такого оборота обстоятельств. Более благоразумные и более трусливые, предвидя скверную историю с полицейским вмешательством, торопились взяться за шапки и поскорее ретировались из веселого дома. Более любопытные и более пьяные, столпившись вокруг бесчувственного старика и бесчувственной девушки, решились ждать конца курьезной истории.

— В больницу!.. Скорее в больницу его!.. Вон отсюда!.. Дворников, дворников зовите!.. — метались из угла в угол экономка с тетенькой.

Явились дворники и потащили старика из залы.

Очнувшаяся девушка встрепенулась и, быстро вскочив с колен, в беспамятстве погналась вслед за ними.

Но ее вовремя успели схватить сильные руки экономки.

— Пустите!.. Пустите меня!.. Отец мой!.. Боже!.. Господи!.. Пустите, говорю! — вопила и металась она в беспамятстве, стремительно вырываясь из лап Каролины, на помощь которой подоспела и сама тетенька.

Двум против одной бороться было не трудно, и Луизу насильно увлекли во внутренние комнаты, откуда еще мучительнее, еще отчаяннее раздавались ее безумные крики. Наконец, вне себя от ярости, она стала кусаться и царапать их ногтями.

— Ach! du gemeines Thier![1] — гневно вскричала тетенька. — Ты драться еще!.. Кусаться! Da hast du, da hast du![2]

И вслед за этим отчетливо раздались хлесткие звуки нескольких полновесных пощечин.

Расписка Луизы лежала уже в кармане тетеньки, и потому ей незачем было прикидываться теперь кроткой и нежной. Она ступила в свои настоящие, законные права над личностью закабаленной девушки.

---

[1] Ах ты, подлое животное! *(нем.)*

[2] Вот тебе, вот тебе! *(нем.)*

— Жертва!.. Вот она — жертва вечерняя!.. — пьяно промычал неизвестный остроумец, нахлобучивая на глаза помятую в суматохе шляпу и — руки в карманы — шатаясь пошел из веселого дома.

XXVI

ФОТОГРАФИЧЕСКАЯ КАРТОЧКА

— Боже мой, да это она... она! — изумленно прошептала княжна Анна, склонившись над роскошным альбомом своего брата и пристально вглядываясь в фотографическую акварельную карточку замечательно красивой женщины. — Брат, поди сюда! Бога ради, кто это такая?

— Баронесса фон Деринг, — ответил Каллаш, мельком взглянув на карточку. — Чем она тебя заинтересовала?

— Странное, почти невозможное сходство! — пожала плечами сестра. — Я вот и через двадцать лет как будто сейчас вижу эти черты, эти глаза и брови... Да нет, неужели бывают на свете такие двойники? Ты знаешь, на кого она похожа?

— А Бог ее знает... Сама на себя, полагаю.

— Нет, у нее был или есть двойник, это я знаю наверное. Ты помнишь у нашей матери мою горничную, Наташу?

— Наташу? — проговорил граф и, словно припоминая, сдвинул свои брови.

— Да, горничную Наташу. Такая высокая белолицая девушка... Густая каштановая коса у нее была — прелесть, что за коса!.. И вот точно такое же гордое выражение губ... Глаза проницательные и умные... Эти сросшиеся брови... Да, одним словом, живой оригинал этой карточки!

— А-а! — медленно и тихо проговорил граф, проводя по лбу ладонью. — Точно, теперь я вспомнил. Кажись, ведь она исчезла куда-то, совсем неожиданно?

И он нагнулся над карточкой баронессы.

— А ведь точно: ты права. Как смотрю теперь да припоминаю — действительно, большое сходство!

— Да ты вглядись поближе! — с одушевлением настаивала сестра. — Это совсем живая Наташа! Конечно, тут она гораздо зрелее, женщина в полной силе. Сколько лет теперь этой баронессе?

— Да лет под сорок будет. Но этого почти совсем незаметно, и на лицо ты никак не дашь ей более тридцати двух.

— Ну вот! И той как раз было бы под сорок.

— Лета-то одинаковые, — согласился Чечевинский.

— Да!.. — грустно вздохнула Анна. — Вот двадцать два года прошло с тех пор, а встреться она мне лицом к лицу, я бы, кажется, сразу узнала. Да скажи мне, пожалуйста, кто она такая?

— Баронесса-то? А как бы тебе это сказать?.. Личность довольно темная. Скиталась лет двадцать за границей да два года здесь вот живет. В свете выдает себя за иностранку, а со мною не церемонится, и я знаю, что она отлично говорит по-русски. Для света она замужем, да только с мужем будто не живет, а живет с другом сердца и выдает его в обществе за своего родного брата. А в будущем даже небольшой скандальчик ожидает ее: беременна от нареченного братца; впрочем, теперь пока еще в самом начале.

— Кто же этот братец? — любопытно спросила княжна.

— А черт его знает! Тоже из темненьких, полячок какой-то. Да вот Серж Ковров его хорошо знает; он мне как-то даже историю их отчасти рассказывал: приехал сюда с фальшивым паспортом, под именем Владислава Карозича, а настоящее имя — Казимир Бодлевский.

— Казимир... Бодлевский... — прищуря глаза, припоминала Чечевинская. — Да не был ли он когда-то литографом или гравером — что-то вроде этого?

— Помнится, сказывал Ковров, что был. Он и теперь отлично гравирует.

— Был? Ну, так это так и есть! — быстрым движением поднялась Анна с места. — Это она... Это Наташа! Мне она еще в то время сказывала, что у нее есть жених, польский шляхтич Бодлевский... И звали его, как помнится, Казимиром. Она у меня часто, бывало, по секрету к нему отпрашивалась; говорила, что он работает в какой-то литографии, и все упрашивала, чтобы я уговаривала мать отпустить ее на волю и выдать за него замуж.

Этим нечаянным открытием сказалось для графа весьма многое. Обстоятельства, до сих пор казавшиеся мелкими и ничтожными, вдруг получили теперь в его глазах особенный смысл и свет, который почти безошибочно позволил угадать главную *суть* истины. Теперь припомнил граф все, что некогда было рассказано ему Ковровым о первом знакомстве его с Бодлевским в то время, как он застал молодого шляхтича в «квартире» знаменитых «Ершей», среди плутовской компании, снабдившей его двумя фальшивыми видами — мужским и женским; вспомнил, что Наташа исчезла как раз перед смертью старой Чечевинской, вспомнил и про то, как, воротясь с кладбища после похорон старухи, он жестоко обманулся в своих ожиданиях, найдя в ее заветной шкатулке сумму, значительно меньшую против той цифры, какую сам всегда предполагал, по некоторым основаниям, и перед ним, почти с полной вероятностью, предстало соображение, что внезапное исчезновение горничной было сопряжено с кражей денег его матери и особенно сестриных именных билетов и что все это было не что иное, как дело рук Наташи и ее любовника.

«Ничего! Авось и эти соображения пригодятся к делу, — успокоительно подумал Каллаш, обдумывая свои будущие намерения и планы. — Попытаем, пощупаем — авось окажется, что и правда! Надо только половчее да поосторожнее держать себя, а там уж все в моих руках, chère madame la baronne[1]. Мы из вас совьем себе веревочку».

XXVII

ВОЛЬНАЯ ПТАШКА НАЧИНАЕТ ПЕТЬ ПОД ЧУЖУЮ ДУДКУ

— Madame la baronne von Döring! — почтительно доложил графу его француз-камердинер.

Брат с сестрой многозначительно переглянулись.

— Легка на помине, — улыбнулся Каллаш.

— Если она — я по голосу узнаю, — прошептала Анна. — Остаться мне или уйти?

— Пока оставайся — сцена будет любопытная. Faites entrez![2] — кивнул он лакею.

Через минуту послышались в смежной комнате быстрые, легкие шаги и свистящий шорох шелкового платья.

— Здравствуйте, граф!.. Я к вам на минуту... Нарочно поспешила заехать. Сама, *сама* заехала — оцените-ка это! Владиславу некогда, а дело экстренное, хотелось скорей уведомить!.. Ну-с, мы можем все себя поздравить: судьба и счастье решительно за нас! — скороговоркой пролепетала баронесса фон Деринг, быстро влетая в кабинет графа.

— В чем дело? Что за новости? — пошел ей навстречу хозяин.

— Вы знаете, у Шадурских нет более долга! Сын этого покойного ростовщика — как его?.. Морденко, что ли, так, кажется? Помните, который тогда скупил все их векселя? Так вот, его-то сын теперь возвратил княгине все документы, на сто двадцать пять тысяч. Она сама сказала об этом моему Владиславу. Кредит их снова поднялся, и, надеюсь, вы понимаете, что это для нас самая горячая минута. Боже сохрани упустить ее! Надо придумать план, как бы лучше воспользоваться.

Баронесса вдруг осеклась на половине фразы и сильно смутилась, заметив присутствие посторонней женщины.

— Виноват!.. Я не предупредил вас, — с легкой улыбкой, пожав плечами, поклонился граф Каллаш. — *Княжна Анна Яковлевна Чечевинская,* — отчетливо и внятно продолжал он, указывая рукою на безобразную Чуху. — Вы, баронесса, теперь, конечно, никак бы не узнали ее, не правда ли?

---

[1] Дорогая баронесса *(фр.)*.

[2] Впустите! *(фр.)*

— Зато я сразу узнала Наташу, — не спуская с нее глаз, спокойно сказала Анна.

Баронесса мгновенно сделалась белее полотна и слабеющей рукою поспешила ухватиться за спинку тяжелого кресла.

Каллаш с величайшей предупредительностью поспешил помочь ей усесться.

— Ты, Наташа, не ожидала меня встретить? — спокойно и даже ласково подошла к ней Анна.

— Я вас не знаю... Кто вы такая? — с усиленным напряжением почти прошептала баронесса, застигнутая совершенно врасплох.

— Мудреного нет: я так изменилась, — сказала Анна. — А вот ты все такая же, как прежде, почти никакой перемены!

Наташа мало-помалу начинала приходить в себя.

— Я вас не понимаю, — холодно сдвинула она свои брови.

— Зато я тебя хорошо поняла.

— Позвольте, княжна, — перебил ее Каллаш, — доверьте мне объясниться с баронессой: мы с нею более близко знакомы, а вас пока, извините, я попрошу на время удалиться из комнаты.

И он почтительно проводил сестру до массивной дубовой двери, которая плотно захлопнулась за ней.

— Что это значит? — с негодованием поднялась баронесса, сверкнув на графа своими серыми глазами из-под сдвинутых широких бровей.

— Случай! — не без иронии, пожав плечами, улыбнулся Каллаш.

— Что за случай? Говорите ясней!

— Бывшая барышня узнала свою бывшую горничную — и только.

— Каким образом находится у вас эта женщина? Кто она такая?

— Я уж вам сказал: княжна Анна Яковлевна Чечевинская. А каким образом она у меня находится, это тоже случай, и довольно курьезный.

— Это не может быть! — воскликнула баронесса.

— Отчего же не может? И мертвые, говорят, иногда воскресают из гроба, а княжна еще пока жива! Да скажите, пожалуйста, отчего же не могло бы быть, например, хоть так вот: горничная княжны Анны Чечевинской, Наташа, бросила ее на произвол судьбы у повивальной бабки, воспользовавшись доверием и болезнью старой княгини Чечевинской для того, чтобы с помощью своего любовника, Казимира Бодлевского, выкрасть из ее шкатулки деньги и билеты — заметьте, баронесса — именные билеты княжны Анны. Разве не могло быть также, что этот самый литограф Бодлевский добыл в «Ершах» фальшивые паспорта для себя и для своей любовницы да и бежал вместе с нею за границу, и разве эта самая горничная, двадцать лет спустя, не могла вернуться в Россию под именем баронессы фон Деринг? Мудреного в этом, согласитесь сами, нет ничего. Зачем скрываться? Мне ведь все известно!

— Что же из этого следует? — с надменной презрительностью усмехнулась она.

— Следовать может *многое*, — многозначительно, но спокойно молвил ей Каллаш, — *покамест* следует только то, что мне *все*, повторяю вам, все известно.

— Где же факты? — спросила баронесса.

— Факты? Гм!.. — усмехнулся Николай Чечевинский. — Если потребуются, найдутся, пожалуй, и факты. Поверьте, милая баронесса, что, не имея в руках юридически доказательных фактов, я не стал бы с вами и говорить об этом.

Каллаш прилгнул, но прилгнул правдоподобно до последней степени.

Баронесса снова смутилась и побледнела.

— Где же эти факты? Дайте мне их в руки, — проговорила наконец она после долгого молчания.

— О!.. Это уже слишком!.. Сумейте взять их сами, — снова усмехнулся граф своею прежнею улыбкою. — Ведь факты обыкновенно предъявляет обвиненному суд; а с вас, право, достаточно и того, что вы знаете теперь о существовании этих фактов, знаете, что они у меня. Хотите — верьте, хотите — нет: я ни уверять, ни разуверять вас не стану.

— Это значит, что я у вас в руках? — проговорила она медленно, подняв на него проницательные взоры.

— Да, это значит, что вы у меня в руках, — уверенно и спокойно ответствовал граф Каллаш.

— Но вы забываете, что сами вы — то же, что и я, что и мой любовник.

— То есть, вы хотите сказать, что я такой же мошенник, как и вы с Бодлевским? Ну что ж, вы правы: мы все одного поля ягоды — кроме нее! (Он указал по направлению к дубовой двери.) Она — честная и благодаря многим несчастная женщина; а мы... мы все негодяи, и я первый из их числа, в этом вы совершенно правы. Хотите, чтобы я был у вас в руках, постарайтесь найти против меня уличающие факты: тогда мы сквитаемся!

— Вы, стало быть, становитесь моим врагом?

— Я?.. Напротив, я ваш союзник, и самый верный, самый надежный союзник! Нам нет выгоды быть врагами. Поверьте мне, баронесса! (Слово «баронесса» он произнес теперь с какою-то чуть заметною ироническою ноткою в голосе.) Поверьте мне — я вам говорю это совершенно искренно и прямо: я — ваш союзник, да и цели наши почти общие; значит, скрываться вам передо мною нечего: вы видите, что я знаю все; да и живая улика налицо: сама княжна Чечевинская. Но даю вам слово, что ни вам, ни Казимиру Бодлевскому она не сделает зла, да и вы сами должны хорошо знать это. Скажите, ведь она любила вас? Ведь она была всегда очень хорошей и доброй девушкой?

— Нда, — согласилась баронесса. — По правде сказать, мне было несколько жаль тогда поступить с нею таким образом.

— Вы знаете, конечно, и то, что ее любовник был Дмитрий Платонович Шадурский?

— Да, и это я знала, — подтвердила Наташа.

— Ну, так знайте же и то, что он гнусно поступил с нею. Ей и до сих пор хочется мстить ему. Клянусь вам, мне стало бесконечно жаль ее, когда услышал я весь этот рассказ. Он возмутил всю мою душу! Из сочувствия, из сострадания я сам не прочь помочь ей в мести. Помогите и вы! Вам оно легче даже, чем мне. Вы ведь тоже когда-то были неправы перед нею. Хотите теперь искупить прошлое? Давайте действовать вместе! Оно тем более кстати, что результаты нашего содействия могут быть для нас весьма выгодны. Ведь вы сами же говорите, что дела Шадурских поправились.

— Хм... Великодушие из расчета! — насмешливо усмехнулась Наташа.

— Рыба ищет, где глубже, человек — где лучше! — невозмутимо сказал Каллаш. — Да ведь и мы с вами не годимся в герои героической поэмы... Бескорыстие и прочее — все это хорошо в романах, а в практической жизни мы оказываем помощь ближнему только тогда, когда можем через это оказать ее самим себе. Такова моя философская мораль, и иной я не понимаю.

— Однако где вы нашли эту женщину? И с какой стати принимаете вы в ней такое участие? — не слушая его, перебила баронесса.

— Отыскал я ее в одном из самых гнусных притонов Сенной площади, а принимаю участие... Как вам сказать? Да просто потому, что жаль ее стало. Ведь нашел-то я ее пьяной, безобразной, голодной, оборванной, ну и вытащил из омута. Но, повторяю вам, главное дело не в ней; она тут вещь почти посторонняя. А хочется вам знать, зачем она у меня? Ну, это каприз мой, и только! Я ведь вообще склонен к эксцентрическим выходкам, а это показалось мне довольно курьезным. Вот вам и объяснение!

Но баронесса не приняла за чистую монету слов своего собеседника, хотя и показала с виду, что верит ему вполне. Душу ее терзали разные сомнения. Неприятнее всего было сознание, что какой-то слепой случай отдал ее прошлое в руки графу, и хуже всего в этом сознании являлась неизвестность — насколько именно она, баронесса, находится в его руках. Граф никогда не отличался особенной симпатией к Бодлевскому, хотя они и принадлежали к одной шайке, и эта тайная неприязнь начинала теперь беспокоить Наташу. Она ясно поняла, что необходимость поневоле заставляет ее быть в ладах с этим человеком, и даже отчасти подчиняться его воле, пока не измышлен какой-нибудь исход, который помог бы ей сделать графа вполне для нее безопасным.

— Так вы говорите, что дело Шадурских поправилось? — весело начал граф, закурив сигару. — Точно ли это правда? Откуда вы знаете?

— Из самого достоверного источника. Повторяю вам, *сама* объявила Владиславу сегодня утром.

— А вы его не ревнуете к ней? — усмехнулся Каллаш.

— Ревновать к денежной шкатулке?

— Ну а он вас не приревнует к старому Шадурскому?

Наташа только засмеялась в ответ.

— Ну а к молодому?

— Владислав так практичен, что не станет ревновать меня к кому бы то ни было.

— Скажите, вы его сильно любите?

— Любила когда-то.

— Ну а теперь?

— Теперь... теперь мы выгодны друг другу.

— Однако ведь вы — беременны от него.

— А вам что за дело?

— Дело вы увидите после. Верно уж есть дело, коли спрашиваю.

— Ну, положим, хоть и так! Печальный случай, и только.

— А как давно вы беременны?

— В самом начале... Да откуда вы это знаете! — с нетерпеливой досадой подернув бровями, промолвила баронесса.

— Ваш же Владислав поспешил сообщить отрадную новость, — усмехнулся Каллаш. — Он очень досадует, да оно и понятно, потому — в самом деле — для наших компанейских операций ваше критическое положение не совсем-то удобно. Придется ведь вам уехать месяца через два, а тут, как нарочно, в это время самые горячие дела подоспеют. И ведь это как хотите, а в некотором роде скандал, беременность-то ваша!

— То есть как скандал?

— Как? Очень просто! По пословице — шила в мешке не утаишь. Ведь Карозич слывет в обществе под именем вашего родного брата. А как вы полагаете, кого станут называть вашим любовником? Ведь уж и теперь кое-где смутно поговаривают, что это — сомнительный братец, а когда будущий фрукт окажется налицо, тогда вам придется только кланяться и благодарить за поздравления, тогда никого не разуверишь.

Баронесса задумалась.

— Нечего делать, придется уехать, — проговорила она как бы сама с собою.

— Отъезд ваш испортит дела компании, — возразил Каллаш.

— Да... Ну, что ж с этим делать?

— Что делать? Извлечь посильную выгоду из своего критического положения.

— То есть как же это? Я не понимаю...

— Очень просто. Ведь у будущего ребенка должен быть какой-нибудь отец, а старик Шадурский до сих пор продолжает безнадежно таять перед вами. Что вам стоит уверить старого самолюбивого дурака в чем бы то ни было, в чем только пожелаете? Вам оно будет так же легко, как мне пустить дым из этой сигары. Ребенка заставим усыновить и дать ему княжеское имя. Представьте, ваш сын вдруг — князь Шадурский!.. Ха-ха-ха!.. Не правда ли, звучно? А денег-то, денег-то сколько! Можно будет устроить так, что старый дурень все состояние свое запишет на вас да на ребенка.

— Вы опять говорите вздор, — перебила баронесса. — Во-первых, княгиня Шадурская еще здравствует на свете, а во-вторых, ни она, ни ее сын никогда не позволят усыновить постороннего ребенка...

— Что касается до сына, — перебил в свою очередь граф, — то в этом положитесь на меня: я уж его обработаю так, что не пикнет. А что касается до матушки, то ее сиятельство может весьма легко и скончаться.

— Ну, она, кажется, еще не думает кончаться.

— Тем хуже для нее, потому что, по Писанию, «не ведаете ни дня, ни часу». Не думает, но может. Хотите пари?

— Полноте, граф, мне некогда шутить! Я к вам заехала за делом.

— Да и я не шучу, а говорю наисерьезнейшим образом! Обоих Шадурских надобно обработать — ну и обработаем! Сынка предоставьте мне, а сами берите батюшку. Дележка выйдет полюбовная и безобидная. А насчет будущего усыновления, поверьте, я возьмусь обделать...

— В расчете на будущую смерть княгини? — с улыбкой шутливой недоверчивости легко отнеслась к его словам баронесса.

— Именно, в этом самом расчете, — серьезно подтвердил Каллаш.

— Все это прекрасно, — продолжала она с прежней легкостью, — но вы, мой милый граф, забыли одно маленькое обстоятельство.

— Какое это?

— А то именно, что в жизни и смерти, говорят, будто один только Бог волен.

— Да, что касается до жизни, я с вами не спорю, но в смерти кроме Бога бывает иногда волен и доктор Катцель. Неужели вы забыли общего приятеля?

Баронесса посмотрела на него долго, пристально и очень серьезно.

— Нда... это, пожалуй, похоже на дело... — медленно проговорила она, не спуская с него взора... Но все-таки я в этом не вижу еще мести князю Шадурскому, — продолжала она с чуть заметной хитростью, помолчав с минуту, — а ведь вы, кажется, намеревались помогать в мщении княжне Чечевинской?

— О, что касается до этого, то вы уже не беспокойтесь! — легко и небрежно махнул рукою граф Каллаш. — Она свое еще успеет взять! Вы, например, моя милая баронесса, поможете ей в этом мщении хотя бы тем, что оберете как липку Шадурского, а уж тогда настанет и ее очередь! Там уж пойдет ее личное дело, и до нас с вами оно не касается. А проект ведь хороший и обещает большую выгоду! Не правда ли?

— Согласна! — с довольной улыбкой кивнула головой Наташа.

— И действовать тоже согласны? — многозначительно и пытливо прищурился на нее Чечевинский.

— И действовать согласна!

— Ну и прекрасно! Так по рукам, моя баронесса?

— По рукам, мой граф! А пока — прощайте, да не забудьте: завтрашний вечер у меня игра; будем обрабатывать обоих Шадурских.

Николай Чечевинский многозначительно пожал ей руку, низко поклонился и проводил до передней.

XXVIII

РЫЦАРИ ЗЕЛЕНОГО ПОЛЯ

Знакома ли тебе, мой читатель, драгоценная коллекция шулеров петербургских, которые между собою называются «повелителями капризной фортуны на зеленом поле», в чем легко можно заметить некоторую претензию на восточную изобразительность и цветистость языка? Если ты петербуржец, то нет ничего мудреного, что в свое время пришлось и тебе побывать у них в переделке. Быть может, однако, фортуна оказалась настолько к тебе милостива, что не попустила тебя достичь до очищения и карман твой остался цел, здрав и невредим посреди раскинутых ему сетей. В таком случае ты, вероятно, не однажды слышал имена всех этих Ковровых, Польшевских, Бодлевских, Ружницких, Арлувских, Лицкевичей, Матасевичей, Мазур-Мазуркевичей, Яйцынов, Июльковых, Гундарополо, Вихры-Нарви, Савастиновых, Щедрых, Гребешковых и иных. Боже мой, что за почтенная и разнообразная коллекция! Субъекты, ее составляющие, не всегда бывают знакомы между собою. Но это не мешает какому-нибудь Польшевскому совершенно неожиданно явиться, например, хоть к незнакомому ему Яйцыну и с онику сообщить ему, что проведал-де он, Польшевский, о прибытии в Петербург какого там ни на есть денежного человека — так не угодно ли, мол, вам *обработать* его вместе со мною? «Вы будете *делать*, я *подставлю*, а барыши пополам». И Яйцын охотно протягивает руку согласия незнакомому с ним Польшевскому, и затем обоюдно болванят приезжего.

Разделяются шулера петербургские на несколько компаний, которые по преимуществу подвизаются на поприще разных клубов. Ружницкий с братиею отмежевал себе клуб купеческий. Батманов с Эчканом — английский. Щедрый предпочитает «благорошку», а Яйцына «с кобельками» найдете вы в «молодцовском». Они же ежелетно шатаются и «на минерашках». Каждая из таких партий непременно имеет своего коновода и воротилу. Каждый коновод избирает себе в качестве неизменного адъютанта какого-нибудь второстепенного шулерка, который бегает при нем верным и признательным кобельком, отличаясь нюхом гончей ищейки. Первые являются Кречинскими, вторые — Расплюевыми.

Если, при несчастном обороте дел, произойдет потасовка и благородное шулерское тело почувствует прикосновение тяжелых шандалов, то Кречинские всегда почти находят благовидный предлог увернуться из-под расправы и подставить бока своих верных Расплюевых.

Расплюевы нашего времени не всегда бывают грязнецами. Они очень часто одеваются у Шармера и Жорже (разумей, в кредит), имеют «порядочные привычки», стараются покрасивее устроить свою физиономию, дабы через то попасть на содержание к какой-нибудь поблекшей Мессалине наших дней, и поэтому, в случае кой-каких следов шандалобития, не раскрывают, с похвальной откровенностью, сущую истину насчет бокса образованной нации и просвещенных мореплавателей, а оправдываются тем, что дрались, мол, на дуэли «за окорбление чести».

Коновод иногда *спускает* своих кобельков, то есть делает заговор с каким-нибудь из шулеров посторонних, а тот и обыгрывает кобелька, в случае если у него завелась лишняя копейка. Это у них называется «спустить». Здесь идет в ход и *волосок*, и *скользок*, и иные хитроумные фокусы.

Не все шулера занимаются специально картами. Поле их действий весьма обширно и разнообразно. Иные специально посвятили себя фабрикации карточных колод, крапов, скользков, волосков на потребу шулерскую, за что получают скромное, но приличное вознаграждение. Иные подводят под шулеров, и для этого рыщут по Петербургу, ищучи подходящих болванчиков, пижонов, и стараются заводить самое обширное знакомство. Иные дают под игру приличное помещение с необходимой представительной обстановкой, для чего держат отличную квартиру и отличного повара. Мечут же карты, передергивают и всякие иные фокусы употребляют только главные и самые искусные престидижитаторы, которые поэтому специально называются «дергачами».

Большинство шулеров, как петербургских, так и вообще российских, суть поляки. Формируются они преимущественно из отставных офицеров кавалерийских, что, впрочем, совершенно понятно, если вспомнить ремонтерскую жизнь и похождения на наших ярмарках, где зачастую, спустив шулерам казенные деньги, ремонтер, во избежание солдатской шапки, сам становится шулером, то есть на первый раз подводчиком, присоединяясь к членам облупившей его компании, которая в этих случаях всегда почти оказывает великодушный прием такому неофиту. Поэтому большинство рыцарей зеленого поля, при всей своей щеголевато-партикулярной внешности, сохраняет какую-то отставную военную складку; да, даже большая часть и из тех-то, которые никогда не бывали в военной службе, не шагая далее чина коллежского регистратора или находясь в еще более почетном звании недорослей из дворян, при случае импровизированно именуют себя кавказскими капитанами и поручиками.

Однако нельзя сказать, чтобы наши шулера, отдаваясь карточному делу, пренебрегали другими отраслями темной промышленности. В подходящих случаях они не откажутся ни от какого уголовного дела, начиная с подлогов и фальшивых векселей и кончая даже убийством, лишь бы оно было искусно обставлено и безопасно исполнено. Большая часть из них, при ярой наклонности к комфортабельной, широкой и донжуанской жизни, по натуре своей — мелкие трусы, которые не пойдут открытой силой на открытый грабеж, как часто ходит голодный голяк: но зато более безопасным и более тонким воровством-мошенничеством занимаются они очень выгодно и с великим для себя удовольствием.

Если в голодном воре и грубом разбойнике пробуждается иногда человеческая совесть, то едва ли что-нибудь подобное шевельнется в душе мошенника элегантного. Правда, попадаются и между ними иногда блестящие исключения, но эти исключения весьма нечастые, которые поэтому не могут идти в общую характеристику целой фаланги воришек и воров «благородных». Какой-нибудь член Малинника и обитатель дома Вяземского делает преступление потому, что ему жрать нечего, элегантный же денди из шулерской компании производит тысячу преступных пакостей и мерзостей для того, чтобы быть в избранном обществе, одеваться у Шармера, есть у Дюссо и Донона, иметь кресло в балете и французском театре, кататься на рысаках и содержать роскошную любовницу, на которую он разоряется и которая часто вертит им, как ей угодно — на все стороны, и держит в руках словно тряпку, награждая иногда, в минуты женского каприза и раздражения, даже и полновесными пощечинами.

Первых, то есть членов Малинника и обитателей дома Вяземского, в прежние времена бывало, пороли плетьми, уродовали «клеймовыми тройцами», гноили в острогах и ссылали на поселение да в каторги сибирские. Вторые же и до наших дней счастливо благоденствуют среди «порядочного» общества, и целая масса «порядочных» людей не стыдится с удовольствием пожимать им руки, даже иногда чуть что не гордится таким милым знакомством, хотя очень хорошо знает, что такой-то Польшевский, Бодлевский или армяшка Вихры-Нарви — отъявленный негодяй, мошенник, шулер и, в довершение всего, камелия во фраке.

Многие удивляются, какими судьбами шулера умеют составлять себе обширный и необыкновенно разнообразный круг знакомства. Переберите вы коллекцию визитных карточек на столе любого из рыцарей зеленого поля, и внимание ваше непременно будет остановлено на этом обилии имен очень известных по всем сферам общественной жизни и деятельности. Тут и купец-негоциант, и веский бюрократ-чиновник, и артист, и аферист, но более всего кинутся вам в глаза титулованные фамилии разных аристократов, аристократиков, генералов и генераликов, и вообще имена люда, более или менее крупного. Эти карточки нарочно раскидываются на самом видном месте кабинета или гостиной, для того чтобы нет-нет да и привлечь на них внимание новичка посетителя: вишь, мол, какие с ним все тузы, да важные, да известные личности знакомства водят! Это делается, конечно, для пускания пыли в глаза. Каждый шулер имеет особенную способность знакомиться со всем и каждым; достаточно ему встретиться раза два в обществе с каким-нибудь титулованным господином и быть ему хоть случайно отрекомендованным, для того чтобы карточка последнего невзначай очутилась с загнутым уголком на столе рыцаря. Он ее добудет какими ни на есть судьбами: или через лакея, или сам украдет при случае, хоть бы в том самом доме, где был представлен титулованной особе. Шулера необыкновенно падки до всяких известностей и знаменитостей, но вящую слабость их сердца составляют именно знакомства титулованные, ибо каждый шулер стремится явить себя человеком, принадлежащим если не к высшему, то по крайней мере к комильфотно-порядочному кругу общества. Да им иначе и невозможно, потому что обыгрывать по мелочи каких-нибудь щелкоперов — игра даже и свеч-то не будет стоить; а тут ведь дело бьет на почтенные и круглые куши. Впрочем, бывалый петербуржец не особенно-то часто попадается на шулерскую удочку, потому что в Петербурге слухом земля полнится, и вся эта честная братия более или менее известна каждому, если не в лицо, то понаслышке. Оттого-то братия и охотится по преимуществу за людьми приезжими, у которых деньга в кармане позвякивает.

Как свести знакомство с приезжим? Вот вопрос, который необходимо становится на первом плане у каждого шулера.

Ради этой цели каждая шулерская компания непременно держит на жаловании своих собственных агентов между прислугою всех, без исключения, лучших отелей города. Агент всегда сумеет вовремя предупредить своих патронов насчет дичинки нового прилета. Если, например, приезжий вздумает послать себе за билетом в театр, посланный непременно возьмет два кресла рядом, из коих одно немедленно же передаст по назначению — в руки какого-нибудь из членов компании, а другое вручает приезжему постояльцу. Случайное соседство по месту в театре служит уже совершенно достаточным предлогом для того, чтобы завязать знакомство, и коль скоро оно сделано, за дальнейшим остановки не будет.

Таков наиболее употребительный прием для схождения с дичинкой, и особенным искусством отличается на сем поприще шулер Польшевский.

Этот полячок с Волыни был сначала мальчиком в цирюльне, а потом лакеем у некоего актера Вольского, причем и сам он подвизался иногда на сцене в бессловесных ролях, пока не нашел возможности жениться для того, чтобы обобрать и, обобравши, бросить свою супругу, ради некоей купчихи, которая, в свою очередь, ради него, обобрала и бросила своего мужа, удрав с ним, Польшевским, в Петербург. Тут, конечно, постигла ее участь весьма печальная, но... зато полячок с Волыни пошел, что называется, в ход и в гору.

Долгое время бегал он кобельком в ролях Расплюева, пока наконец фортуна решилась вполне уже повернуть к нему свои прелести, так что в данную минуту вы его можете встретить в отличном экипаже, на отличных рысаках, в костюме, вышедшем из мастерской Жорже или Шармера, с полновесным бумажником в кармане и — увы! — со следами еще более полновесных пощечин на физиономии.

Этот барин — пролаза в полном смысле слова — приобрел отличную сноровку подхода к людям, умея польстить всем и каждому и зная, где нужно прикинуться гордым дворянином, а где уничиженно *падаць до ног.* Вооруженный своею истинно меднолобою наглостью, он постоянно завербовывал множество дичины для своих патронов. Не стесняясь, звонил у дверей всех лиц, о которых лишь удавалось ему прослышать, что они имеют деньги и ведут большую игру, и приемы его в этом случае отличались большим разнообразием: то явится вдруг под видом богатого пана-помещика, у которого имеется здесь в Сенате процесс, то в виде богатого же пана, занятого коммерческими операциями, и таким-то вот образом, не будучи слишком разборчив в тоне оказанного ему приема, умел он втереться всюду и втереться везде, где только это было нужно, по соображениям его патрона.

С помощью подобных Польшевских шулера вообще сводят очень многие из своих обширных знакомств, и коль скоро знакомство с дичинкой сделано, выступает у них на сцену второй вопрос — вопрос хотя и столь же важный, но уже менее трудный: какими судьбами и на какую именно удочку поддеть предстоящую жертву.

Для этой цели компания весьма тонко и зорко следит за психическим настроением и склонностями атакуемого. Если заметит она в нем человека, склонного к серьезным практическим целям и занятиям, — на сцену тотчас же вступают весьма ловкие финансисты, умные прожектеры, члены разных акционерных обществ и компаний, которые так или иначе сумеют в подходящую минуту обрабатывать ловкое дело. Является ли дичинка тем, что называется Сердечкиным, — на сцену действия немедленно же вступают прекрасные, умные, ловкие женщины, которые еще хитрее всяких аферистов и прожектеров сумеют оболванить милого пижона. Поэтому каждая шулерская компания непременно старается завербовать в число своих членов одну, двух, а иногда и трех подходящих женщин. Если же новоприезжий питает сердечную слабость к хорошему обществу и к титулованным именам, то кто-нибудь из членов шулерской компании, отличающийся изящной обстановкой своей квартиры, задает обед или вечер и непременно постарается созвать на него возможно большее число своих комильфотных и титулованных знакомцев, которые и не подозревают, что обречены играть здесь роль болванов и чучел ради приманки тщеславного самолюбия. Буде же их почему-либо налицо не окажется, то в таком случае и титулованные визитные карточки иногда не без успеха делают свое дело.

Таким образом, весь круг общества, собирающегося в шулерском доме, делится на три категории. К первой принадлежат *дельцы*, то есть сам хозяин и его компанейские подручники, ко второй — *обстановка*, которую составляют люди, хотя и не играющие в карты, но благодаря своей известности или светскому положению могущие отличнейшим образом служить мошенническим целям, часто даже и не подозревая об этом. Кто составляет третью категорию, полагаем, угадать не трудно. Это именно *дичинка*, составляющая собою главную цель и предмет заветнейших мечтаний, забот и желаний шулерствующей братии.

XXIX

ИНТИМНЫЙ ВЕЧЕР БАРОНЕССЫ

Баронесса фон Деринг каждую среду задавала soirées intimes[1]. Она не любила соперниц, и потому дамы на эти вечера не приглашались. Интимный кружок баронессы составляли члены индустриальной компании и те пижоны из мира бюрократии, финансов и аристократии, на которых компания устремила свои виды. Впрочем, неоднократно случалось, что число посетителей этих интимных вечеров доходило человек до пятидесяти, а иногда и больше.

---

[1] Интимные вечера *(фр.)*.

Баронесса страстно любила азартную игру и всегда с увлечением подходила к зеленому полю. Но так как это делалось гласно, воочию всех присутствующих, то последние не могли не замечать, что счастье решительно отворачивается от баронессы. На поприще зеленого поля ей никогда почти не везло; зато везло либо Коврову, либо Каллашу, либо Карозичу, с тем, однако, маленьким оттенком, что последнему реже и менее первых двух.

Таким образом, каждую среду известная сумма переходила из кармана баронессы в бумажник которого-нибудь сочлена, затем чтобы на другое утро снова возвратиться по прежней принадлежности. Такое поведение вызывалось особою хитроватою уловкой, которая била на тот расчет, что *дичинка* и *обстановка*, посещавшие интимные вечера баронессы и зачастую приплачивавшие за эти посещения из собственного кармана, отклонялись от возможности явного подозрения в том, что дом прелестной баронессы — не более не менее как элегантная шулерская трущоба. Все считали ее женщиной — прежде всего, конечно, безусловно прелестной, потом — независимой и богатой, далее — немножко эксцентричной и оригинальной и наконец уже — пылкой, страстной и способной к увлечению сильными ощущениями. Целым рядом подобных качеств весьма удобно объяснялась и страсть к игре, от которой баронесса не отставала, несмотря на явное и постоянное несчастие в картах. Члены ее компании действовали по заранее составленному и строго обдуманному плану. Они далеко не каждый раз пускали в ход замысловато-тайные пружины и махинации своего специального искусства. Если не представлялось охоты на слишком крупную дичь, игра шла чисто и честно. При этом компания могла быть в убытке тысяч около двух, иногда трех, но такой убыток не составлял для нее никакой важности и никакого почти ущерба, так как жертвы маленького компанейского проигрыша всегда сторицею вознаграждались при большой облаве на красного зверя. Случалось иногда, что этот искусный маневр честной и чистой игры длился недель до пяти, до шести сряду, так что «мелкота», выигравшая компанейские деньги, благодаря ему постоянно оставалась в полном убеждении, что она играет в доме честном и порядочном, и, естественным образом, распространяла такое убеждение по всему городу. Зато когда подвертывался наконец красный зверь, компания пускала в ход все свои силы, всю ловкость темного искусства — и несколько часов вознаграждали ее с величайшим избытком за целый месяц безукоризненно честного поведения на зеленом поле.

Наступал час двенадцатый ночи.

Квартира баронессы была ярко освещена, но за спущенными толстыми драпри с улицы не видать было этого света, хотя у подъезда и стояло несколько экипажей.

Рядом с изящной гостиной помещалась не менее изящно отделанная комната, предназначенная специально для игры и потому носившая у членов компании специальное название комнаты *инфернальной.* Там помещался большой стол, обтянутый зеленым сукном, а посредине стола навалена куча ассигнаций, из которых каждая была перегнута пополам, вверх рубашкой, чтобы ни на секунду невозможно было затрудниться в определении ее стоимости. По бокам этой кучки возвышались две грудки золота, перед которыми восседал Сергей Антонович Ковров и с хладнокровием истинного джентльмена отчетливо метал банк.

Какое гомерическое, юпитеровское спокойствие разлито во всех чертах его лица! Что за милая беспечная самоуверенность, что за благородная невозмутимость в его улыбке, в его взорах! Какая грация, какое изящество во всей позе и в особенности в руке, мечущей карты! Руки Сергея Антоновича поистине достойны изумления. Они почти постоянно обтянуты у него свежими перчатками, которые снимаются в экстренных случаях, когда надобно обедать, или написать какую-нибудь записку, или сесть за карты. Да зато же и нежность этих рук доходит до женственности, зато и осязание в кончиках пальцев развито до изумительной степени, так что едва ли сравнится с ним осязание любого из слепорожденных. Эти пальцы ловкие, гибкие, проворные, каждое движение которых облечено тою неуловимою, плавною и спокойною грацией, которая всегда почти служит необходимым признаком дергача высшей школы. Эти пальцы украшены множеством колец, на которых сверкают бриллианты и иные драгоценные камни. И недаром щеголяет ими Сергей Антонович! Этот искристый блеск и это радужное сверкание особенно ярко мечутся в глаза окружающим понтерам. В то время как восседает Сергей Антонович на кресле банкомета, они, что называется, отводят глаза, ибо необыкновенно удачно маскируют те движения, которые, по расчетам банкомета, непременно должны быть маскированы; они почти невольно отвлекают внимание от пальцев, коля и режа зрачки своим искристым блеском, а этого-то только и нужно Сергею Антоновичу!

Вокруг стола толпилось человек тридцать понтеров. Иные из них сидели, но большая часть играла стоя, с непокойным лицом, лихорадочно горящими взорами и неровным, тяжелым дыханием. Одни были бледны, другие багровы, и все с напряжением страсти следили за выпадающими картами. Было, впрочем, несколько и таких, которые вполне владели собою, отличаясь невозмутимым хладнокровием и слегка отшучиваясь при выигрыше, равно как и при проигрыше. Но такие счастливые натуры всегда составляют меньшинство за каждою крупною игрою.

В инфернальной комнате царствовала тишина. Разговоров совсем почти не было; только иногда слышалось какое-нибудь замечание, шепотом или вполголоса обращенное соседом к соседу, и раздавался короткий, сухой высвист сброшенной карты, да шелест ассигнаций, да звон червонцев, совершающих круговое движение по столу — из банка к понтерам и от понтеров обратно в банк.

В этот вечер обрабатывались оба князя Шадурские, и в особенности юная отрасль сего дома, то есть князь Владимир. Оба они сидели против Сержа Коврова, а между ними помещалась баронесса фон Деринг, которая понтировала заодно с ними, в одной общей доле. Князь-гамен таял, как масло на сковороде, и, старчески трясясь, облизывался, словно маленький песик в виду лакомого кусочка; а князь-кавалерист сидел с пылающим лицом и такими же взорами. Оба увлекались в одно и то же время игрой и баронессой.

Ловкая Наташа подвергла их самой страшной пытке, какая только может существовать во время азартной игры для человека, не снабженного от природы рыбьей кровью и невозмутимо холодной натурой. Кровь била в голову и юноше, и старцу; оба не помнили, что творят, не различали даже выпадающих карт и спускали куш за кушем.

Наташа пустила в ход самое беспощадное и малоцеремонное кокетство. Время от времени она исподволь и незаметно для остальных метала то на того, то на другого раздражительно-соблазняющие взоры, полные хмельной страсти, истомы и неги. Маленькая ножка ее то и дело касалась под столом соседней ноги то батюшки, то сына, а рука порою, как будто невзначай, скользила по колену того или другого, сталкивалась там с другою, соседнею рукою и встречала ее нервным пожатием. Баронесса казалась экзальтированной, как никогда еще. Оба Шадурские находили ее упоительно-прекрасной, не подозревая, что та пускает в ход одну из обычных проделок хорошеньких шулерих, доставляющих себе, с помощью этих средств, самые верные и иногда самые обильные выгоды. Делается это обыкновенно в расчете на то, что каждый из понтеров занят в это время по преимуществу самим собою и собственными картами, причем, конечно, некогда уже обращать ему внимание на тайные, подстольные проделки хорошенькой шулерихи, которая, разумеется, ведет их, по долговременной опытной привычке, с необыкновенно искусной ловкостью, и уж наверное сумеет скрыть свои маневры не только от всех посторонних, но даже и от двух своих соседей, дабы левому и в голову не могло прийти, что подобная же проделка совершается с правым.

В Петербурге, полагаю, очень многим известно, как в зимний сезон 1864 года на точно такую же удочку попался некоторый князь, имени которого назвать здесь нет никакой необходимости. Шулер, принадлежащий по положению своему чуть что не к сливкам нашего высшего общества, один на один, у себя в доме, обыграл этого князя в то время, как молодая и прекрасная подручница, жена его, с необыкновенною ловкостью помогала своему благоверному, пуская в ход маневры баронессы фон Деринг.

Граф Каллаш с трудом оттащил от игорного стола маленького доктора Катцеля, который, подперев обоими кулаками свои налившиеся кровью виски, лихорадочно следил за игрою.

— Дело, друг мой доктор, дело, — говорил граф, увлекая его из инфернальной комнаты в гостиную, где на ту пору ни души не было, — надо толковать серьезно и решительно. Поэтому вот вам отличная сигара — рекомендую! — начал он, усевшись рядом с доктором в одном из самых уютных углов комнаты, на самом уютном пате. — Не знаете ли вы, кто доктор княгини Шадурской?

— Знаю только, что не я лечу ее, — пожал плечами Катцель.

— Ну, так надо, чтобы лечили. Вы должны занять у нее место постоянного домашнего доктора.

— Если меня пригласят — отчего же.

— Вас пригласят наверное; это уж обделает Карозич. Но... только вы должны будете лечить *в другую сторону*.

— То есть? — усмехнулся Катцель притворно-недоумевающим вопросом.

— То есть врачи обыкновенно лечат затем, чтобы люди выздоравливали и жили, а вы должны будете лечить так, чтобы пациентка исподволь хворала и умерла.

— А, понимаю, — многозначительно процедил сквозь зубы Катцель. — А для чего это нужно?

— Для общих выгод нашей компании.

— А мое вознаграждение?

— Обыкновенная доля в общем барыше.

— Этого мало. Вы слишком эгоисты, господа. В вас нет ни совести, ни справедливости, ни человеколюбия. Вы задумываете дело и безопасно пожинаете богатые плоды его, а я — чернорабочий, я должен искусно осуществить вашу идею, должен употребить мои способности, мой труд, мои научные знания. Я становился отравителем, убийцей, рискуя за это каторжной работой и вечной потерей моего доброго имени, и вы хотите после всего этого, чтобы я, наряду со всеми вами, воспользовался только обычной долей дележки... Да за какого же дурака вы меня считаете? Мне эта обычная доля и без того бы досталась.

Каллаш спокойно выслушал всю эту тираду, которая была высказана с необыкновенным энтузиазмом, хотя и тише чем вполголоса, и, взяв руку доктора, улыбнулся ему своею невозмутимо-спокойною улыбкою.

— Я люблю вас, доктор, за вашу прямую откровенность... — начал он.

— Нет, милый друг, тут не откровенность, а деньги, — перебил Катцель, — не было бы денег, не было б и откровенности.

— Да я не спорю... Сколько вы хотите? Давайте торговаться, — согласился Каллаш.

— Условия весьма скромные. Кроме обычной доли, десять процентов с общего барыша. Половина вперед, до начала дела.

— Вы знаете, что у нас нет теперь таких средств. Половину дать вам мы не можем, — горячо вступился Каллаш.

— Ну, буду еще раз великодушным! Давайте треть вперед!

— Доктор, вы поступаете не по-товарищески...

— Зато «по-человечески», — иронизировал Катцель.

— Да ведь трети невозможно отделить нам, потому что еще неизвестна сумма выгоды, — убеждал его собеседник.

— Тогда предоставьте мне самому назначить ее. Нет у вас денег — и это ничего! Пусть каждый из вас даст мне вексель — одним словом, верное обеспечение, и я к вашим услугам. Вы в этом деле барчуки, а я батрак. Шансы, господа, неравные.

— Это мы вам сделаем, — успокоительно удостоверил его наконец Каллаш.

— Сделаете — ну, значит, и я вам тоже сделаю *это*, — закончил доктор, и оба удалились из комнаты, вполне довольные друг другом.

Ужинали на маленьких отдельных столиках. Баронесса подала руку старику Шадурскому и повела его к столу, на котором стояло только два прибора.

Дмитрий Платонович остался в сильном проигрыше, но этот материальный ущерб был теперь трын-трава ему! Он всецело находился под обаянием баронессы и ее недавних подстольных руко- и ногопожатий! За все время его неизменного поклонничества этой прелестной женщине она сегодня впервые только простерла до такой степени свою ласковость к старому селадону. Князь продолжал безмерно таять и победоносно восторгался в глубине души своей, что наконец-то его неизменная страсть, обаяние его души и наружности произвели на неприступную баронессу свое воздействие. В памяти расслабленного гамена были еще живы и очень ярки те победы, которые он одерживал в прежние времена и на которые считал себя способным даже и теперь. Он был искренно убежден, что остается все прежним, все таким же добрым, красивым и победоносным Шадурским. Самолюбие никак не допускало мысли о старчестве и льстило себя полной уверенностью, что он может одерживать блестящие победы.

— Я пью за вашу руку и... за вашу ножку, — чокнувшись с баронессой, проговорил он вполголоса, с многозначительной расстановкой, намекая этою фразою на давишние подстольные эволюции.

— Повеса! — кокетливо и мило прищурилась в ответ ему хозяйка.

— С вами кто не сделается повесой! — захлебнулся расслабленный князь, словно бы обливая лицо своей собеседницы старческим маслицем своих сладострастно посоловелых глаз.

Несколько времени длилось молчание. Шадурский любовался своей собеседницей. Наташа чувствовала это и беспрепятственно позволяла.

— Послушайте, князь, — начала она наконец без дальних обиняков, — свободны вы завтрашний вечер?

— Как и всегда, — поспешил удостоверить князь с любезной покорностью, пригнув несколько свою голову в знак того, что он готов отдаться в полное распоряжение своей очаровательницы.

— Хотите провести его со мною? — весело предложила баронесса и даже многозначительно и не без пикантности прищурилась на князя.

Того словно бы огорошил такой неожиданный и быстрый оборот дела, так что, вконец уже захлебываясь, он только и мог произнесть:

— Вместе... вечер...

— Да, вдвоем, — пояснила баронесса, — я хочу этого — слышите ли, *хочу!*

— Ce que femme veut, Dieu le veut[1], — с истинно джентльменской покорностью склонился Шадурский.

— Будьте в девять часов... Вас встретит моя камеристка, а я уж буду ждать, — заключила она полушутя, полусерьезно, так что трудно бы было догадаться, что это такое: назначение ли делового свиданья, или просто милый каприз женщины, и притом доброй, хорошей знакомой, или же, наконец, многообещающий призыв сердца?

Расслабленный гамен несокрушимо был уверен в последнем. И следующий вечер действительно доказал ему, что он не ошибся.

Баронесса ловко-таки умела притворяться. Да и трудно ли было провести старика, поглупевшего от лет и распутства.

XXX

ПАУКИ И МУХИ

Казимиру Бодлевскому очень понравился смелый план графа Каллаша. Все более блекнущая княгиня Шадурская была для него тяжелым бременем, которое он сносил терпеливо и покорно потому лишь, что время это искупало себя весьма хорошим денежным вознаграждением. Но как ни хорошо оно было, а все же перспектива почти наверняка и притом вконец обобрать старого дурня, изба-

---

[1] Чего желает женщина, того желает Бог *(фр.)*.

вясь притом от тяжелой обязанности старушечьего друга, казалась весьма приятной и сильно заманчивой.

«Стоит ли вытягивать по мелочам, если можно вытянуть сразу и окончательно», — совершенно справедливо мыслил сам с собою Бодлевский. Ревновать Наташу к кому бы то ни было — он и в помышлении никогда не имел, предпочитая гораздо лучше, как практик, пользоваться при случае сочными плодами ее благосклонности к посторонним лицам. Он знал по неоднократному опыту, что Наташа умеет вести эти дела ловко, тайно, так что никогда не допускала своих эротических проделок до скандальной огласки, и потому был совершенно спокоен, смотрел на это дело, как говорится, глазами философа, рассуждая так, что мы, дескать, любим друг друга, а обоюдные измены наши не суть измены, потому что оба мы знаем про них, а главное — потому, что эти измены, кроме обоюдной пользы и удовольствия, ничего нам не приносят.

Если бы Наташа бросила его совершенно, избрав себе иного друга сердца, с которым бы стала делиться плодами своих темных, но прибыльных похождений, тогда другое дело! Тогда Бодлевский почел бы это полнейшей и гнуснейшей изменой с ее стороны. Наташа, в сущности, являлась глубоко правою, когда говорила, что они просто полезны друг другу, и больше ничего. Это были скорее два темных товарища, два компаньона, чем любовник с любовницей; последнее же, в силу привычки и старых отношений, шло только в придачу к первому. И при всем этом Бодлевский очень утешался тем курьезным обстоятельством, что вдруг его будущий сын или будущая дочка окажутся особами титулованными, с громким княжеским именем Шадурских.

Наташа постоянно являлась необходимейшим членом ковровской ассоциации. Это было золото, а не сообщница. Все члены очень хорошо понимали, что ее неуместная беременность, хотя бы и косвенным образом, однако же значительно может повредить прогрессивно успешному ходу их шулерских операций. Главное достоинство Наташи как члена ассоциации заключалось в том, что, будучи женщиной все-таки недурно и независимо поставленной в свете, она доселе пользовалась безукоризненной репутацией. Относились о ней только как о женщине немножко эксцентричной, немножко вольнодумной, стоящей выше некоторых светских предрассудков, но никого не могли приписать ей в явные любовники. И вот такое-то положение, в связи с той обаятельностью, которою всегда так изящно умела окружать себя эта женщина, служило для компании самым надежным ручательством в успешных действиях Наташи в пользу общую. Все без исключения относились к ней как к женщине в высшей степени порядочной, уважали ее и ухаживали за нею, считая за великое удовольствие угодить ее прихотям и, при случае, проиграть весьма изрядный кушик. Но с дальнейшей беременностью этот правильный ход компанейских дел должен нарушиться, так как баронессе необходимо нужно будет на время удалиться из общества, а удаление ее повлечет за собою непременный ущерб в барышах и выгодах материальных. Ввиду таких соображений граф Каллаш и предложил компании свой остроумный проект насчет семейства Шадурских. Это ловкое дело, если только оно удастся, с избытком вознаградит всю компанию за несколько убыточных месяцев, которые пройдут в отсутствии баронессы. И компания, и сам Бодлевский апробировали мысль своего сочлена, найдя ее хотя и смелою, и даже дерзкою, но, в сущности, отменно прибыльною.

Согласие было получено, а к этому только и стремился Николай Чечевинский для своих собственных, затаенных целей.

Княгиня Татьяна Львовна Шадурская страдала нервами уже не первый десяток лет. Часто бывала она застигаема врасплох мучительными мигренями, от которых ее лечили и не вылечивали.

В одну из подходящих минут Бодлевский посоветовал ей переменить доктора и порекомендовал Herr Катцеля, про медицинскую деятельность которого за границей рассказывал он теперь чуть не чудеса.

Княгиня, безусловно верившая в друга своего сердца, почти без малейших колебаний согласилась на его предложение, и маленький Катцель занял место ее домашнего доктора. Прежнему было отказано под первым попавшимся и довольно немудрым предлогом, вроде предстоящей в скором времени поездки за границу.

Herr Катцель исподволь, осторожно приступил к лечению «в другую сторону». С первого же осмотра своей новой пациентки он решительно объявил, что здешний климат наверное убьет ее, что он, зная немножко свои силы и свою науку, надеется непременно вылечить ее, и только поэтому счел нужным высказать, что болезнь ее несколько серьезнее, чем предполагалось доселе. Он советовал ехать на юг, в Швейцарию, прожить там года два не выезжая и правильно корреспондировать ему оттуда о ходе болезни и лечения, наблюдение за которыми обещал препоручить своему хорошему другу и товарищу, находящемуся там на месте.

Прошло не более месяца, как принялся он за свое лечение, а княгиня уже стала незаметно хиреть, слабеть и разрушаться. Катцель настаивал на одном — ехать как можно скорее за границу. Татьяна Львовна собралась довольно скоро и отправилась в сопровождении своего эскулапа, который непременно хотел лично проводить ее до самой границы.

Уехала Татьяна Львовна печальная от временной разлуки с Карозичем, который дал слово прибыть к ней непременно через дватри месяца.

На прощание, в Варшаве, доктор Катцель успел наконец, после нескольких подготовительных медикаментов, дать ей один маленький прием такого лекарства, которое уже неизбежно вливало с собою в организм княгини постепенно-медленную, но верную смерть, и эта смерть должна была последовать, по расчетам доктора, месяца через два, не более.

А в это самое время обоих Шадурских — старца и юношу — незаметно, однако же прочно опутывала со всех сторон паутина честной компании.

Старец ходил совсем без ума от баронессы и весь подчинился ее воле. Не находилось той жертвы, которую бы он не в состоянии был принести ей, не было того нелепого каприза, которого он не постарался бы тотчас исполнить, с предупредительностью впервые очарованного юноши. Расслабленный гамен, с зачатками разжижения мозга, ныл и таял, и гадко дрожал у ее ног, и был влюблен до непозволительности. Он забыл и всех и вся, и в грязновато-сластолюбивом умишке своем помышлял о том, как бы лишний раз добиться Наташиной благосклонности, перед которой — увы! — почти постоянно пасовала его старчески фальшивая возбужденность.

Однажды наконец баронесса, с притворно-восторженными слезами на глазах, сообщила ему, что она готовится быть матерью и что он — ее милый, ее прекрасный, ее возлюбленный — отец этого будущего ребенка.

Князь чуть не прыгал от восторга, нюнил, и слюнявил, и падал перед нею на колени, с которых не без труда подымался с помощью Наташи, и то и дело несчетными поцелуями покрывал ее ручки. Сознание, что он еще мужчина и даже вполне может быть отцом, какою-то петушиною гордостью питало его самолюбие. Князь чуть с ума не сходил и по секрету хвастался подчас своим старым приятелям, которые втихомолку беспощадно над ним посмеивались.

Князь Николай Чечевинский все это видел, за всем следил издали и наслаждался... Судьба, казалось, как нельзя более содействовала ему в его тайных, никому не ведомых намерениях.

«Итак, со старым — идет как по рельсам! — решил он однажды сам собою, — теперь остается только получше спустить молодого».

И он принялся за подготовку рельсов для этого последнего спуска.

XXXI

ПРОЕКТ ОБЩЕСТВА ПЕТЕРБУРГСКИХ ЗОЛОТОПРОМЫШЛЕННИКОВ

Гениальный проект предстоящего спуска вполне уже созрел в изобретательной голове Николая Чечевинского. Нужен был только надежный и ловкий помощник, а кто же мог быть надежнее и ловчее, как не Сергей Антонович Ковров? И вот мы застаем теперь этих двух друзей в великолепном кабинете первого, с глазу на глаз между собою, за хрустальными рюмками тонкого рейнвейна, с сигарами в зубах, после только что конченного завтрака.

Предметом разговора были Шадурские, которые вообще, со времени внезапной поправки их обстоятельств, представляли собою для всей ковровской компании необыкновенно богатый сюжет, необходимо требовавший достойной обработки.

— Брать на карты — c'est trop misère, et surtout c'est si banal[1], — говорил граф Каллаш, — способ слишком обыденный, да и скучный. По правде сказать, мне эти карты давным-давно уж надоели! Да и притом, время — капитал, а с какой стати убивать несколько недель, а может, и месяцев на то, что весьма легко обделать в несколько дней?

Ковров безусловно соглашался с таковым взглядом на дело, только в виде возражения поставил вопрос: если не карты, то как и на что же еще можно взять?

— А вот в том-то и дело, как и на что! — одушевился Каллаш. — Я об этом думал немало и, кажется, выдумал нечто положительное. Проблема вот в чем: надо изобрести такую штуку, чтобы сам сатана пришел в недоумение да только руками развел, чтобы весь ад улыбнулся нам и сделал кникс с воздушным поцелуем. Да чего там ад! Ад — пустяки, а чтобы весь ареопаг высших членов лондонской «Семьи» просил бы у нас чести быть почетными членами этого почтенного общества. Вот что надобно!

— Задача недурная, — лениво процедил Ковров, сжимая в зубах сигару, — но слишком широко задумана.

— Это еще не все! — остановил его граф. — Ты выслушай! Задача моя требует вот чего: надо изобрести кунтштик, который соединял бы в себе два драгоценных достоинства: первое — быструю и огромную выгоду, а второе — полнейшую безопасность.

— Ну! Условия довольно трудно выполнимые, — сомнительно заметил Серж.

— Оно так кажется, да ведь и смелые мысли не валяются на улице, а приходят вдохновением. Это то, что называется «дар небес», мой друг.

— А у тебя было такое вдохновение? — улыбнулся Сергей Антонович, с немножко ироническим оттенком приятельского скептицизма.

— А у меня было такое вдохновение! — впадая в его тон, ответил импровизированный венгерец.

— И твоя муза...

— По счету десятая, — наперебой подхватил граф. — И зовут ее Индустрия.

---

[1] Это слишком мелко, а главное — это так банально *(фр.)*.

— Это общая наша муза.

— А моя в особенности. Но дело не в ней, а в ее пророческих вещаниях...

— Ну, любезный граф, ты, пожалуйста, без высокого слога! Рейнвейн, как видно, заводит тебя в туманную Германию. Говори-ка проще. В чем дело?

— А дело в том, что надо основать Компанию петербургских золотопромышленников и найти золотые прииски даже и там, где почва геологическим свойством вовсе неспособна производить золото; надо сделать ее производительною. Вот задача! Российские законы, под страхом уголовного суда и наказания, строжайше запрещают гражданам Российской империи, а также и иностранцам, куплю и продажу благородных металлов в первобытном и, так сказать, сыром виде, то есть в слитках, в самородках и в песке. Если бы, например, ты у меня купил золото шлиховое, в невозделанном виде, то есть попросту золотой песок, то мы, по закону, оба подверглись бы приятной прогулке в страны зауральские, и нам предоставили бы удовольствие на месте добывать собственноручно благородные металлы. Оно, конечно, дело полезное, но для нас-то не совсем удобное...

— Комфорту мало, — заметил Сергей Антонович, шутливо скорчив кислую гримасу.

— Ну вот, в том-то и сила! Добровольных охотников на такое удовольствие не отыщешь, а на этой-то оси и вертится весь мой проект, вся золотоносная система. Предварительно надо тебе знать, что золотой песок в массе своей нисколько не отличается хотя бы от медного припоя: по виду припой совсем похож на зерна золотого песку. Ну и представь себе теперь, что мы тайным образом продаем, под видом золотого песку, чистейший медный припой, а у нас охотно его покупают, потому что мы будем продавать десятью или двенадцатью процентами дешевле против казенной стоимости. Покупщик, конечно, не замедлит убедиться, что его великолепнейшим образом надули. Но, спрашивается, пойдет ли он жаловаться и доказывать на нас, зная, что и ему, вместе с нами, за эту покупку неминуемо предстоит Владимирская дорога?

— Сам себе кто же враг? — согласился Серж, начавший теперь уже с живейшим вниманием прислушиваться к словам своего собеседника. — Только как же ты надувать-то будешь?

— А об этом узнаешь своевременно. Главное в том, что проблема разрешена самым положительным образом: быстрый барыш и полная безопасность. Мы с тобою, кажется, недурные сердцеведы, и потому можем быть вполне уверены, что покупщиков на этот товар всегда будет довольно, и для первого раза я предлагаю тебе сделать опыт на молодом князе Шадурском. А каким образом поддеть его на такую штуку, уж это мое дело — потом сообщу. Но как тебе нравится самая мысль моего проекта?

— Остроумно! — с веселым энтузиазмом истинного увлечения пожал ему руку Ковров.

— За правду спасибо! — чокнулся с ним Каллаш. — Остроумно — это лучшая похвала, которую я мог от тебя ждать. Выпьем же за благоденствие моего проекта!

XXXII

РЫБА ИДЕТ В ВЕРШУ

Дня через три после этого разговора князь Владимир Дмитриевич Шадурский обедал у Сергея Антоновича Коврова.

Еще сегодня утром получил он записку от последнего, в которой бравый Серж, жалуясь на приключившееся ему нездоровье, просил князя приехать к нему поболтать за обедом.

Князь исполнил эту просьбу и, явившись к назначенному времени, застал у него одного графа Каллаша.

Между прочею болтовнею мимоходом сообщил он, что вчерашнего дня получено у них в доме письмо от княгини Татьяны Львовны, в котором та извещает, что здоровье ее становится все плоше и что поэтому чуть ли не придется ему ехать к ней в Швейцарию.

При последнем сообщении Каллаш мельком и почти незаметно, но весьма многозначительно переглянулся с Ковровым.

Перебегая с предмета на предмет, разговор серьезно установился наконец на тугих временах относительно русских финансов. Сергей Антонович, по его выражению, «доходил до корня», жалуясь «на первичную причину зла» и очень либерально сваливая всю вину на правительство, которое будто бы не дает никакого ходу нашей золотопромышленности, стесняя до последней степени этот важнейший промысел, налагая на промышленников весьма трудные обязательства относительно свободной торговли добываемым металлом и подвергая исключительный сбыт его в казну тысяче таких формальностей, которые необходимо служат источником разных злоупотреблений.

— Да вот вам, на что уж лучше! У меня и факт под рукою, — скрепил он в заключение все свои аргументации. — Есть тут у меня знакомый человек, один из доверенных приказчиков по золотопромышленной части (при этом Сергей Антонович назвал фамилию одного из известнейших наших золотопромышленников). Он теперь в Петербурге. Ну-с, и вот несколько дней тому назад является вдруг ко мне и как будто озабоченный чем-то. А у меня, еще в прежнее время, разные делишки с ним бывали. И что ж бы вы думали! — делает мне вдруг предложение, по секрету, конечно: не помогу ли я сбыть ему золотой песок? А надо вам знать, что эти поверенные и приказчики ежегодно провозят в Россию по нескольку пудов золотого песку, добытого... ну, уж известно!.. — обыкновенным *приказчичьим* способом, и сбывают его контрабандным образом в частные руки. Для покупателя дело оно необыкновенно выгодное, потому что тут вы приобретаете по цене, несравненно более дешевой против правительственной нормы. Поэтому охотников находится много. Да чего же вам лучше! Несколько первых ювелиров (при этом опять названы три-четыре известные фирмы) никогда не пренебрегают такой контрабандой, а в прошлое лето один банкирский дом в Берлине приобрел через здешнего агента своего даже до двух с половиной пудов золота. Так вот теперь-то этот самый приказчик, знакомый-то мой, и ищет случая сбыть свой товарец. А провезти-то ему удалось, как говорит, около пуда, если не больше. Я вам привожу это как пример, как факт тех последствий, которые необходимо вытекают из стеснительной системы нашего правительства.

Шадурский вообще мало смыслил в серьезных делах, а в финансовых операциях и тем более оставался круглым невеждою. Поэтому Сергею Антоновичу было весьма легко и удобно, напустив на себя известный тон солидной серьезности делового человека, морочить его такими вздорными речами. Князь, из приличия и для собственного достоинства подлаживаясь под его тон, тоже делал серьезную физиономию и, как бы разделяя вполне мнение своего собеседника, поддакивал ему самым солидным образом. Однако во всем этом разговоре он очень хорошо усвоил себе то понятие, что при случае можно приобрести золото гораздо дешевле и, стало быть, выгоднее, чем продает его государственный банк. А Коврову с Каллашем того-то и нужно было, главнейшим образом, чтобы юный князек, на первый раз, приобрел себе именно эти сведения.

— Сам я, конечно, этими делами не занимаюсь, — отчасти небрежно продолжал Ковров, — и потому не мог дать этому барину никогда дельного совета. Но если бы кому-нибудь, например, пришлось ехать за границу, тот смело бы мог рискнуть на такую операцию, потому что она дала бы весьма и весьма хорошие барыши.

— То есть как же это? — спросил Шадурский.

— А очень просто. Вы покупаете товар здесь, на месте, как я уже сказал, гораздо ниже казенной нормы. Стало быть, на первом же шагу делаете уже очень выгодный оборот. Затем вы уезжаете вместе с товаром за границу, а там, чуть только поднялся курс на золото, вы в первом же банкирском доме свободно можете сбыть по соответственной цене, и я таки знаю пример, что поверенный банкирского дома (в этом месте опять последовало упоминание известного в Петербурге имени) полтора года тому назад зашиб себе этим самым способом славную копейку! Да вот как: купил он песку на сорок тысяч, а через полтора месяца сбыл его в Гамбурге за шестьдесят. Как хотите, но пятьдесят процентов на капитал в полтора месяца, оно чего-нибудь да стоит!

— Ах, черт возьми! Да это в самом деле превыгодный оборот! — с живостью вскочил с своего места Шадурский. — Вот бы мне кстати! Я б его отлично спустил в Женеве или в Париже, — домолвил он шутливым тоном.

— А что ж вы думаете? Конечно! — подхватил Сергей Антонович, в противоположность ему, самым серьезным образом. — Вы ли, другой ли кто — во всяком случае, остались бы в большом барыше. Потому этому барину нужно ехать обратно в Сибирь, заживаться некогда, обычный покупщик его в отсутствии, к незнакомому человеку с таким предложением обратиться не совсем безопасно, так что ему, бедняге, приходится теперь хоть назад вести свое золото. Да он рад-радехонек будет сбыть его даже несколькими процентами ниже обычной контрабандной цены. Я готов держать какое угодно пари, что покупатель остался бы в выигрыше верных пятидесяти процентов — и вы заметьте — в какой-нибудь месяц, а много два! Если бы мне лишние деньги да подходящий случай — такой, как теперь, — божусь вам, господа, непременно соблазнился бы, нарочно бы даже отправился за границу для сбыта!

— Дело очевидное, — вполне согласился Каллаш.

— Еще б тебе не очевидное! Редкое дело! Никакая операция в настоящее время не может дать больше. Золото стоит по курсу довольно высоко, да есть в виду шансы, что подымется еще выше, стало быть, расчет верный, только бы деньги, говорю тебе, а купить-то — купил бы непременно!

— А что вы думаете — ведь в самом деле соблазнительно?! — вопросительно остановился перед ним Шадурский, скрестя на груди свои руки.

Этой фразой он как будто вызывал Коврова на поощрительный ответ, потому что в голове его взбудоражилась уже мысль о приобретении контрабандного товара. Князек понимал, что это дело весьма *выгодное*, а от выгоды он чувствовал себя никогда не прочь, и по примерной вихлявости своих нравственных принципов даже вовсе не задумался над тем, насколько будет честно подобное приобретение. Да он даже и не понимал, что бы могло быть в нем предосудительного. В голове его засел еще с детства втолкованный, весьма узкий и ограниченный кодекс нравственных понятий о честности. Князь, например, знал, что не отдать карточный долг — нечестно, украсть платок из кармана — нечестно, убить человека из-за угла — тоже нечестно; но взять, например, взаймы и не отдать — отчасти дозволительно, оклеветать мужа в глазах жены, за которой ухаживаешь, — совсем позволительно, равно как и пустить на ветер имя женщины, выставив ее, при случае, своею или чужою любовницей, сынтриговать иногда по службе против приятеля и дружески подставить ему ногу при случае — тоже считалось делом допустимым, ибо могло быть оправдано разными обстоятельствами. Что же касается до купли контрабандного товара, то в этом юный князь не видел ни малейшей предосудительности, потому что ведь приходилось же ему покупать контрабандные сигары и провозить с собою из-за границы, ради тогдашнего модно-либерального шика, контрабандные издания русской заграничной печати. А матушка его однажды даже самолично сыграла роль контрабанды, протащив через таможню целый ворох брюссельских кружев, тщательно обмотанных вокруг ее собственного тела. Стало быть, нравственное чувство князя не находило со своей стороны никаких возражений против покупки золотого песку, тем паче что эту последнюю покупку можно почти тотчас же сбыть с огромной выгодой, а заманчивость выгоды сильно-таки в эту минуту подмывала рискнуть на приобретение запретного товара.

— Нда, в самом деле, очень и очень-таки соблазнительно! — продолжал он, стоя в прежней позе перед Сергеем Антоновичем и не сводя с него того же вопросительного взгляда.

— Еще бы нет! — с улыбкой подмигивая глазом, прицмокнул Ковров. — Горячее дело, кабы только деньги!

— А я бы не прочь, ей-Богу, не прочь! — удостоверил Шадурский. — Познакомьте меня с этим приказчиком.

— Вас-то?.. М-м... пожалуй, — как бы нехотя, небрежно замялся Ковров. — Если хотите — отчего же... Ради наших добрых отношений, я не прочь доставить вам случай увидаться с ним, а там уж делайте сами: он при вас произведет пробу, вы увидите достоинство золота — стало быть, дело будет начистоту. Только предупреждаю вас: во-первых, если хотите купить, то покупайте скорее, потому что долго ему ждать некогда — он и то уж, говорю вам, сильно зажился в Петербурге, а во-вторых, держите это в большом секрете, потому что неосторожным словом вы можете повредить ему, да и в случае покупки тоже помалчивайте, а иначе и вам могут быть неприятности.

— Ну, уж это само собой разумеется! Дело понятное, — согласился Владимир Дмитриевич. — Деньги у меня теперь могут быть скоро, поездка за границу на носу: не сегодня завтра, пожалуй, уеду, поэтому неблагоразумно было бы упустить такой прекрасный случай. Итак, по рукам? — протянул он свою ладонь Коврову.

— То есть в чем это по рукам? — приостановился осторожный Сергей Антонович. — Я ведь здесь человек посторонний, и согласитесь, cher prince[1], никак не могу дать вам слова за моего знакомого.

— Да я не об этом, — возразил Шадурский, — я только прошу вас, познакомьте меня с ним, одним словом, сведите нас, ну, и того... шепните ему при случае, что я не прочь приобресть его песок. Вы сделаете мне большое одолжение.

---

[1] Дорогой князь (*фр.*).

— О, это одолжение совсем иного рода! Это я всегда могу, тем более что мы с вами такие добрые и хорошие знакомые. Отчего ж и не сделать для вас таких пустяков! Что касается рекомендации, можете смело на нее рассчитывать.

И они приятельски пожали друг другу руки.

— Ха-ха-ха! Сам лезет в вершу! — самодовольно потирая руки, хохотал Сергей Антонович по уходе Шадурского. — Согласись, любезный граф, что у меня есть-таки дипломатические способности?

— Кто же в них отказывал Сергею Антоновичу Коврову! — весело и, по-видимому, совершенно искренно польстил ему Каллаш.

— Но я не думал, чтоб он так скоро поддался.

— А я, напротив, был почти уверен. Ведь это перепел, который на дудочку сам лезет в сети. Во всяком случае, кажется, можно себя поздравить, — заключил граф, который — себе на уме — еще заранее решил не принимать почти ни малейшего участия в известном разговоре Коврова с князем и держаться все время совсем посторонним и ни к чему не причастным человеком. Такое поведение он признавал необходимо нужным для своих собственных тайных расчетов и целей.

XXXIII

ЗОЛОТОЙ ПЕСОК

И Каллаш, и Ковров были слишком осторожны для того, чтобы принять непосредственное личное участие в самой сделке с золотым песком. По общему правилу мошенников высшей школы, Кречинские всегда должны оставаться в стороне, не сходя с пьедестала своей безукоризненности, а дело вместо них обязаны варганить Расплюевы.

Одним из Расплюевых, состоящих при Серже Коврове, был некто пан Эскрокевич — личность темная, наружно грязноватенькая и потому допускавшаяся к благородному Сержу не иначе как с черного хода, через кухню, да и то в такое лишь время, когда в квартире не было никого постороннего.

Эскрокевич был деляга на все руки и особенно отличался на поприще фокусов. Часы, табакерки, портсигары, серебряные ложки, даже большие бронзовые пресс-папье получали вдруг способность исчезать невесть куда под его руками и вслед за тем столь же мгновенно, невесть откуда, появляться на прежнем месте. Эта столь драгоценная в темном деле способность была приобретена паном Эскрокевичем еще в юные годы, когда разъезжал он по польским ярмаркам и потешал в балаганах почтеннейшую публику жраньем горящей смолы и испусканием из утробы своей целого вороха лент и бумажек.

Пан Эскрокевич был неизменный золотой человек и в том еще

отношении, что мог принимать на себя какие угодно роли, преображаться в какую угодно личность, меняя, соответственно, и самый характер, и тон, и манеры, причем у него высказывалась большая актерская способность.

Ему-то и предстояло сыграть теперь роль сибирского приказчика.

Прошло не более двух суток со времени последней беседы.

Князь Шадурский только что успел проснуться поутру, как человек доложил ему, что его дожидается какой-то господин Вальяжников.

Князь набросил халат и вышел в гостиную, где перед ним предстала довольно презентабельная, хотя и весьма пестро одетая фигура пана Эскрокевича.

— Позвольте иметь честь представиться, — начал он, раскланиваясь с князем. — Иван Иванович Вальяжников. Сергей Антонович, господин Ковров, были столь любезны, что сообщили мне об известном вашем намерении... этта! насчет песочку. Так ежели ваше сиятельство не раздумали, я с удовольствием готов продать вам.

— А, очень приятно! — весело улыбнулся Шадурский и указал на кресло.

— Чтобы не мешкать по-пустому, — продолжал Эскрокевич, — позвольте мне просить вас к себе. Я стою в гостинице; там вы можете видеть товар; сделайте пробу, и, коли понравится, я буду очень счастлив, если успею угодить вашему сиятельству.

Князь Владимир немедленно же оделся, приказал заложить карету и отправился вместе с импровизированным Вальяжниковым.

Приехали к одной из довольно скверненьких гостиниц и вошли в довольно скверненький нумер.

— Вот-с и моя убогая хата! Ведь я здесь, так сказать, на походе... Покорнейше прошу садиться! — егозил перед Шадурским пан Эскрокевич. — Не теряя драгоценного времени, быть может, ваше сиятельство, желаете полюбопытствовать на мой товар? Так вот-с, я охотно могу показать вам.

И он вытащил из-под кровати большой чемодан, внутри которого помещалось штук до пяти разной величины полотняных мешочков, туго наполненных и крепко завязанных.

— Вот-с, это все он и есть — он самый-с, наш сибирский песочек, — любезно улыбаясь и полукланяясь, жестом руки указывал Эскрокевич на чемодан, словно бы рекомендуя его Шадурскому.

— Не угодно ли вашему сиятельству самолично выбрать любой из этих мешков и сделать пробу? Я нарочно предлагаю вам это, чтобы вы были в полной безопасности насчет дела. Лучше всего, коли сами увидите, что дело чистое, без всякой фальши. Любой выбирайте.

Шадурский выбрал один из мешочков, и когда пан Эскрокевич

развязал его, глазам юного князя представилась масса мелких металлических зерен, на которую он взирал не без внутреннего удовольствия.

— Как же вы будете делать пробу? — спросил он. — Ведь тут ни паяльной трубки, ни пробирных брусочков нет.

— О, будьте покойны, ваше сиятельство! Все, что потребуется, — все найдется! И трубочки паяльные, и азотная кислотка-с, да даже децимальные весы — так и те не забыты, потому наше дело такое, что неравно подыщется покупатель, так чтобы лишних людей не беспокоить и в дело не посвящать, мы завсегда уже имеем при себе все необходимые предметы. Вот только угольков-то нету... Ну, да все равно, сейчас прикажу принести.

И, высунувшись в дверь, он отдал коридорному приказание, а тот через минуту уже принес на тарелке три-четыре угля.

— Вот и прекрасно! Теперь, стало быть, все готово, — потирая ладони, возгласил по уходе человека пан Эскрокевич и для пущей предосторожности замкнул на ключ двери.

— Берите любой уголек, ваше сиятельство, а впрочем, чтобы не пачкать вам пальчики, позвольте-ка, лучше я сам возьму, а вы насыпьте на него щепотку песку, — лебезил он перед князем. — Уж вы извините, что я заставляю вас все это самолично проделать, потому оно, поверьте, не от какого-нибудь невежества с моей стороны, а, собственно, не для чего иного, как чтобы ваше сиятельство были вполне благонадежны, что здесь никакого подвоха и быть не может.

Говоря это, он достал все необходимые приборы и зажег свечу.

Пошла в ход паяльная трубка. Вальяжников производил опыт, а Шадурский внимательно следил за каждым его движением.

Уголь накалился добела; песок расплавился и исчез, а на месте его, когда жар несколько остынул и когда импровизированный химик поднес уголек Шадурскому, Владимир Дмитриевич увидел маленький королек золота, засевший в легкой трещине, которую весьма легко мог дать уголь во время накаливания.

— Снимите, ваше сиятельство, этот королек-с и положите его, для пущей сохранности, в свой бумажник, — говорил Эскрокевич, — пожалуй, хоть в бумажку заверните; да и мешочек-то с золотом держите при себе, чтобы в вас уж никакого сумления не было, потому я этого никак не желаю.

Шадурский охотно исполнил и это последнее предложение.

— Теперь, ваше сиятельство, я бы желал, чтобы вы опять же таки самолично изволили выбрать второй мешочек: мы тем же самым порядком сделаем еще два-три опыта.

Князь и на это согласился.

Эскрокевич подал ему новый уголек для насыпки песку и опять принялся за паяльную трубку. И опять исчез медный припой, а в трещине появился новый королек золота.

— Ну-с, полагаю, и этих двух опытов будет довольно. Как вы на этот счет изволите думать, ваше сиятельство? — вопросил мнимый Вальяжников.

— Да чего там еще? Дело очевидное, — согласился князь.

— А коли очевидное, так мы его сейчас сделаем еще очевиднее. Вот-с вам и пробирный брусочек, а вот вам и азотная кислота. На брусочке попытайте-ка эти два королька, так сказать, практически, а азотной кислотой химически. А коли хотите и пуще того убедиться, так мы сделаем вот что... Какое именно количество золота угодно вам приобрести?

— Да чем больше, тем лучше. Я готов хоть все эти мешки купить.

— Очинно вами благодарен, потому — это для меня самое подходящее, — слегка поклонился Эскрокевич, — и как ежели есть на то ваша готовность, то я уж покорнейше попрошу вас: каждый мешочек взять, посмотреть и, завязамши самолично, припечатать собственною вашего сиятельства печатью. Потом вы возьмите один королек, и мы вместе отправимся к лучшему из столичных ювелиров. Пусть он нам определит достоинство этого золота, тогда дело будет в аккурате: и для вас, и для меня безобидно, потому — без всякой фальши и безо всякого сумления.

Князь был очарован честностью и открытым образом действий Вальяжникова.

Поехали к одному из известнейших ювелиров. Этот при них же сделал опыт и объявил, что золото химически чисто, без всякой примеси, стало быть, высшего достоинства.

По возвращении в гостиницу пан Эскрокевич свесил мешки, в которых оказалось пуд и восемь фунтов. Три фунта пошли на скидку за вес самих мешков и, таким образом, чистого золота, по этому расчету, должно было оставаться пуд и пять фунтов.

— Почем же вы хотите за фунт? — спросил его Шадурский.

— Цена безобидная, ваше сиятельство, — пожал плечами сибиряк, — потому как я продаю из одной только моей крайности, что безотменно нужно уезжать в Сибирь — очинно уж зажился здесь, в Питере, — а не сбымши этого товара никак невозможно уехать. Полагаю, казенная цена вам небезызвестна? А я согласен хотя на двести рублев с фунта. Меньше этого ни одной копейкой не могу — и то ведь чуть не на сто рублей скидки даю!

— Ну хорошо! — согласился Шадурский. — Стало быть... это... — прищурился и замямлил он, соображая, — по двести рублей фунт... пуд и пять фунтов...

— Это придется ровно девять тысяч, ваше сиятельство. Так-таки ровнехонько девять, — предупредительно подхватил Эскрокевич.

Князь, не затягивая дела, выдал ассигновку и, захватив чемодан с заветными мешками, отправился вместе с сибирским приказчиком в дом своего батюшки, где Полиевкт Харлампиевич Хлебонасущенский, уступая настоятельным требованиям князя Владимира, хотя и неохотно, однако же немедленно выдал девять тысяч, в получении которых тут же и расписался красноярский мещанин Иван Иванов, сын Вальяжников.

Князь был в восторге от своей покупки; впрочем, исключая Коврова, никому не проболтался о ней ни единым словом.

Сергей Антонович дал ему добрый дружеский совет, не делая лишних проволочек и мешкотни, уезжать поскорее за границу, так как, по биржевым сведениям, курс на золото в данную минуту стоит довольно высоко, и, стало быть, упустить благоприятный случай для выгоднейшего сбыта было бы в высшей степени непрактично.

Князь действительно немедля взял заграничный паспорт, упрятал понадежнее да посекретнее свое приобретение и благополучно отправился за границу, объявив, что уезжает к матери, здоровье которой необходимо требует его присутствия.

Чечевинский, Ковров и Эскрокевич полюбовно разделили между собою столь легко приобретенные деньги. Успех нового предприятия, на первый раз, оказался блистательным, потому все трое чувствовали себя необыкновенно в духе, и Сергей Антонович с величайшим удовольствием отдал полную справедливость отменному остроумию и научным сведениям своего друга, графа Каллаша.

Вся штука состояла в том, что медный припой, весьма походящий своим наружным видом на золотой песок, от сильного накаливания с помощью паяльной трубки разлагается на цинк и медь. Цинк сгорает вполне, а медь совершенно чернеет и потому скрывается на угле. В самом же угле предварительно врезывается простым перочинным ножичком небольшое углубление, имеющее вид трещины, куда вкладывается королек чистого золота, поверхность которого, приходящаяся не более как пол-линии ниже общей поверхности самой трещины, затирается угольным порошком, смешанным с воском.

Поэтому, стало быть, «химику», производящему опыт, остается только хорошенько изучить заранее вид самого угля и особенно то место, где находится трещина, для того чтобы безошибочно выбрать его между десятком других углей и чтобы в конце концов опыт дал блистательные результаты.

На первый случай пан Эскрокевич приуготовил все четыре угля, принесенные коридорным слугою. Он нарочно избрал временным местом своего пребывания одну из очень хорошо знакомых ему темных гостиниц, в связи с хозяином которой и прежде еще обделывал теплые делишки. Само собою разумеется, что коридорный был ему «свой человек», которому заранее сдались на руки отменно сфабрикованные угли.

Таким образом было основано знаменитое и до наших дней Общество петербургских золотопромышленников, которые, с легкой руки князя Владимира Дмитриевича Шадурского, производили, да и доселе еще производят свои золотопромышленные операции, с величайшим успехом расширяя круг своей деятельности не только на провинции, но даже и на иностранные государства.

XXXIV

ДВЕ НЕПРИЯТНОСТИ И ОДНО УТЕШЕНИЕ

Не прошло и трех недель с отъезда князя Владимира, как старый гамен был поражен ужасною вестью, случайно вычитанною им из одной французской газеты, где во всеобщее сведение публиковалось, что один путешественник, некто князь Владимир Шадурский, пойман на весьма некрасивой мошеннической проделке, которая заключалась в том, что он предложил одному банкирскому дому купить у него целый пуд золотого песку, оказавшегося, по немедленному расследованию, простым припоем. «Хотя из обстоятельств следственного дела, — извещала эта газета, — кажется, можно прийти к заключению, что и Шадурский был жертвою ловкого обмана — так по крайней мере сам он показывает, — однако же намерение его сделать в свою очередь продажу, воспрещаемую законом, ясно показывает в нем мошеннический, недобросовестный образ действий. В настоящее время князь арестован и вскоре имеет быть подвергнут суду присяжных».

Известие это в первую минуту нанесло князю сильный удар, и только одна нежная ласка да теплые заботы и утешения баронессы фон Деринг заставили его забыть в ее объятиях всю горечь этого скверного обстоятельства.

День ото дня старик все более и более подпадал под обаятельную власть этой женщины. Он решительно становился слаб рассудком вследствие странной, ненормальной страсти, которую иногда мы можем воочию наблюдать как печальное явление в весьма многих старцах нашего времени. Он утратил всю самостоятельность своей личной воли, смотрел на все глазами баронессы, думал ее мыслями, говорил ее словами, только, разумеется, это были не те слова и мысли, которые составляли настоящую, внутренно-сокровенную *суть* этой женщины. И если внимание и ласки ее так удачно помогли князю забыть впечатление, произведенное на него заграничным бесчестием родного сына, то благодаря этим самым ласкам и своей старческой влюбленности внезапная телеграмма, возвещавшая смерть княгини Татьяны Львовны, была встречена им почти равнодушно. В душе его уже давным-давно не оставалось ни искорки чувства к этой женщине, что, впрочем, читатель отлично мог уже видеть из самого начала нашего повествования, и поэтому ее смерть могла только изумить его как совсем неожиданное событие. На совместное сожительство в течение долгих лет побуждал их один только долг светских приличий. Поэтому и теперь, ради тех же самых приличий, старый князь облекся в траур, то есть заменил свои модные галстуки и панталоны черным цветом и надел печальный креп на пуховую шляпу.

Полиевкт Харлампиевич немедленно по получении телеграммы был отправлен им за границу — хоронить покойную княгиню. Он должен был привезти в Петербург ее тело, и, две недели спустя, гроб Татьяны Львовны с надлежащею помпой был встречен на пристани парохода и предан земле на кладбище Александро-Невской лавры, где целая группа изящных памятников возвещала прохожим о месте упокоения князей Шадурских прежних, восходящих поколений. Князь держал себя на этих похоронах вполне прилично, то есть был умеренно грустен, и в тот же вечер инкогнито отправился утешать эту умеренную грусть в интимной будуарной беседе с баронессой фон Деринг.

Между тем вскоре пришло новое известие и о том, что князь Владимир Шадурский, за намерение совершить мошеннически незаконную продажу, приговорен судом к известной пене и тюремному заключению на несколько месяцев.

Блистательная карьера юного кавалериста была испорчена: его исключили из службы.

Но... все то же неизменно теплое участие баронессы опять-таки помогло старому князю легко перенести и эту последнюю неприятность. Под влиянием своего чувства он становился все более и более эгоистом, так что теперь его уже не трогало ничто, исключая того, что непосредственно касалось баронессы и его собственной страсти. Он сделался даже как-то нравственно неряшлив относительно суда и мнений того избранного общества, которому подчинялся всю свою жизнь, и в своем старческом ослеплении ничего не знал, ничего не видел и не слышал, что творилось вокруг него, не замечая, сколько странных улыбок и заочных осуждений вызывает его непозволительное по годам поведение. Теперь ему действительно все стало трын-трава, лишь бы только она — несравненная баронесса — не переставала ворковать ему ласковые речи, метать на него порою страстные взоры и хотя немножко, хотя изредка снисходительно дарить своею драгоценною ласкою.

А между тем дела его день ото дня приходили все в большее расстройство. Он не считал и не замечал, сколько денег, потраченных на драгоценные подарки и отданных как бы заимообразно, переходили из его княжеской конторской кассы в карманы очаровательной акулы.

Компания благоденствовала и ликовала, глядя на эти полновесные результаты, которые приносила ей ловкая интрига Наташи. А Полиевкт Харлампиевич Хлебонасущенский, с своей стороны усматривая, что «светило невозвратно уже склоняется к своему закату, нисходит, так сказать, от зенита к надиру», тоже не желал упускать благоприятного случая и «неупустительно» наполнял свои собственные карманы остатками княжеского благосостояния.

А время шло да шло себе и незаметно привело баронессу фон Деринг к шестому месяцу ее беременности.

Далее уже невозможно было маскироваться. Никакой корсет и кринолин не в состоянии уже были скрывать сущности дела, и поэтому благоразумие требовало своевременной ретирады из Петербурга. Для света — баронесса объявила свой отъезд, и Владислав Карозич, в качестве ее родного брата, при случае заявлял всем и каждому, что сестра его уже уехала на время за границу.

Между тем баронесса не уезжала. Для виду она перешла только на другую квартиру, нанятую и меблированную князем, и решилась до конца своей болезни жить совершенной затворницей, никуда не показывалась из своего обиталища и, ради моциону, выезжала только по вечерам, да и то большею частью в закрытом экипаже.

Теперь уже расслабленный гамен торчал у нее чуть-что не целыми днями, и Наташа поневоле должна была благосклонно выносить его присутствие, ибо в это-то самое время и намеревалась вконец уже обобрать своего пламенного поклонника.

XXXV

НЕОЖИДАННОЕ ОБЪЯСНЕНИЕ И ЕЩЕ БОЛЕЕ НЕОЖИДАННЫЙ ДЛЯ ГАМЕНА ИСХОД ЕГО

Баронесса родила мальчика. Старый князь пришел было немножко в недоумение от некоторой преждевременности родов, но совокупные усилия акушерки, доктора Катцеля и отчасти самой роженицы с полным успехом убедили его наконец, что преждевременные роды — явление довольно обыкновенное и в данном случае вызвались, во-первых, нравственным потрясением, во-вторых, простудою. Нравственное потрясение, как уверила его баронесса, заключалось в неожиданном письме ее мужа, где он извещал о намерении своем приехать в Петербург, — стало быть, можно судить, какое впечатление долженствовало вызвать это обстоятельство в ней, женщине столь сильно увлеченной другим, столь много любящей этого другого. Вторая же причина, которая, в связи с нравственным потрясением, вызвала преждевременные роды — по объяснению доктора и акушерки, — была не что иное, как простая простуда ног: баронесса неосторожно вздумала пройтись пешком вечером, в сырую и ветреную погоду. Князь бесконечно и очень горько упрекал себя перед нею за оплошность, за то, что не досмотрел и допустил ее, даже и «в свое отсутствие», сделать такую неосторожность. Утешился он только тогда, когда Herr Катцель уверил его, что родильница вне всякой опасности и ребенок, не доношенный без малого три недели, точно так же совершенно здрав и невредим и подает самые положительные надежды на дальнейшую прочность своего здоровья.

Чему хочется верить, тому веришь так охотно! И потому Дмитрий Платонович Шадурский убедился вполне опытными доводами врача и акушерки, а убедившись однажды, он уже просто купался в восторге от гордого сознания, что не только может быть отцом, но и *есть* уже отец на самом деле. Он приготовил в подарок дорогую, изящную шкатулку, в которой баронесса должна была найти двадцать пять тысяч банковыми билетами. Князь дарил ей это для ребенка, и хотя Хлебонасущенский сильно-таки крякнул, когда получил внезапное требование на такую сумму, тем не менее выдал ее, безнадежно махнув рукою: «Несись, мол, утлая ладья, куда бросает тебя рок; скоро от тебя и щеп не останется, а мне все равно: я уже в мирной пристани и благоразумно подберу твои остатки!»

На другой день после родов старому князю доложили, что его необходимо желает видеть по делу граф Николай Каллаш.

Шадурский приказал просить его в свой кабинет.

Венгерский магнат вошел с весьма серьезным, озабоченным видом, который ясно изобличал, что привело его сюда дело важного свойства.

— Я приехал к вашему сиятельству, — начал он джентльменски-официальным тоном, — по поручению моего близкого друга, брата баронессы фон Деринг, господина Карозича, который дал мне полномочие для объяснения с вами.

Старый гамен сильно-таки смутился от такого непредвиденного начала и растерянно объявил, что он готов выслушать.

— Ваше сиятельство, конечно, должны предвидеть, что нам предстоит разговор вполне откровенный, — продолжал почти тем же тоном Каллаш после своего приступа. — Господину Карозичу вполне сделались известны отношения ваши к его сестре. Он догадывался о них еще гораздо ранее, но... я полагаю, вы оцените то чувство деликатности, которое заставило его молчать до сих пор, когда уже появились полные последствия ваших отношений.

Князь Шадурский, молча и сидя, слегка нагнулся корпусом в коротком полупоклоне.

— Господин Карозич желал бы знать ваши намерения относительно этого ребенка, — продолжал граф. — В какие отношения намерены вы стать к нему?

— То есть... как в какие отношения? — возразил гамен, не вполне еще оправясь от своего смущения. — Я готов сделать все, что могу...

— Мне остается только от лица господина Карозича искренно благодарить вас за такую готовность, но господин Карозич, конечно, пожелает знать более определенным образом, в чем именно оно заключается?

Старый князь замялся. Он не знал и не сообразил еще, что ему ответить на столь положительный вопрос.

— Я... я, право, не знаю, как вам это сказать... Я обдумаю, — затруднительно пожал он плечами.

— В таком случае обдумаем вместе. Ум — хорошо, два — лучше, говорит ваша русская пословица.

— Я уже кое-что сделал, — мало-помалу оправлялся Шадурский, — это, конечно, немного... что мог, в первую минуту... но я сделаю гораздо больше.

— То есть что же именно? Ваше сиятельство должны извинить меня за такие настойчивые вопросы, но вы понимаете...

— О, да, конечно! — подхватил гамен. — Я охотно готов объяснить вам!.. Долг отца... я это понимаю... и потому... на первый раз я уже обеспечил участь моего ребенка двадцатью пятью тысячами рублей.

— Хм... Это, конечно, так, но... — раздумчиво замялся Каллаш, — но... не находите ли вы, что подобного рода отношение к ребенку любимой женщины будет весьма оскорбительно для его матери? Это можно очень удобно и даже с большим для себя достоинством сделать для какой-нибудь танцовщицы, для содержанки; но не думаю, чтобы можно было с тем же достоинством поступить таким образом относительно баронессы фон Деринг. Баронесса не содержанка; баронесса полюбила вас искренно и без расчета... Да, Боже мой! Кому же лучше и знать про это, как не вам самим!

— О, да, да!.. О, да!.. Я знаю, знаю!.. — залепетал князь, снова приходя в свою масляную восторженность.

— Вам известно светское положение баронессы, стало быть, вы можете оценить и ту жертву, которую она приносила для вас, поддавшись и своему, и вашему увлечению.

Эти слова мягким елеем ложились на ловеласовское самолюбие старца; они ласкали его ухо и льстили тщеславной гордости; князь осязательно мог убедиться теперь, что не только он сам, но и другие считают его романтическим героем-победителем неприступного сердца прекрасной светской женщины.

— Вам известно, что она замужем, — продолжал граф, — и до связи с вами светская молва ни на кого не могла указать как на ее любовника, поведение ее было безукоризненно, и тем серьезнее должны быть теперь ваши обязательства относительно вашего ребенка.

— Но что же мне сделать? Научите меня — я заранее на все согласен для этой женщины! — воскликнул Шадурский, протянув гостю обе руки, как бы в знак полной своей готовности. — Я теперь вдовец, я готов начать бракоразводное дело и... даже жениться на ней! Я на все готов!

— О, конечно, это было бы самое лучшее, что только могли бы вы сделать, но... к сожалению, баронесса католичка, ее муж тоже католик, а вы знаете, как у них трудно даются разводы! Да и потом, согласится ли еще барон? Это вопрос! А я сильно сомневаюсь в его согласии... Напротив, сколько мне известно от Карозича, он, кажется, хочет давно приехать к жене, в Россию.

— Я слыхал... слыхал уже об этом! Что же делать, в таком случае? — пожимал плечами Шадурский. — Я, право, теряюсь... все это так затруднительно...

— Хотите вы знать заветное желание баронессы? — решительно поднялся граф Каллаш. — Сама она едва ли когда решится высказать вам это, но я знаю, что исполнением ее желания вы навеки привязали бы к себе сердце женщины. Хотите, говорю, знать его? Баронесса фон Деринг желает, чтобы сын князя Шадурского носил имя своего отца и пользовался всеми правами законного сына.

Старый гамен, в недоумении, только и мог сделать, что выпучить на графа глаза свои.

— Если вам дорого самое сердечное желание любимой женщины, — с серьезным достоинством, горячо и благородно говорил Каллаш, — если вы оценили ее бескорыстную любовь и все те жертвы, которые она принесла для вас, вы усыновите законным путем вашего сына. Она ведь для себя ничего не хочет от вас, кроме теплого чувства, — она просит об этом для вашего же собственного ребенка! Будьте же, князь, великодушны! Будьте благородны относительно этой чудной женщины.

— О, всегда и во всем! — горячо воскликнул Шадурский с неподдельным увлечением. — Я так счастлив... Она дала мне столько блаженных минут... Уверьте и ее, и ее брата, что я все, все готов сделать! Я так люблю ее!.. Ах, если бы вы знали, что это за чувство — любовь! Если бы вы знали!..

Николай Чечевинский усиленно хмурил брови и кусал свои губы, чтобы не прыснуть смехом в лицо расслабленному ловеласу.

Действительно, безобразно влюбленный, чувственный старичонко был крайне жалок и крайне смешон в эту минуту.

— Но, скажите, — продолжал он, раздумавшись сам с собой, — каким же образом это сделать — насчет усыновления? Ведь я вдовец; покойная княгиня умерла уже несколько месяцев, а ребенок только что родился... Мой сын Владимир, наконец, будет протестовать против этого. Как тут быть мне? Научите меня, мой добрый граф!.. Я теряюсь... Я тут исхода не вижу.

— Исход есть, и очень удачный исход! — уверенно возразил ему

Чечевинский. — Если вы захотите довериться мне, я, уважая в вас ваше чувство и уважая баронессу, найду исход и помогу вам в этом деле!

Шадурский с горячей благодарностью пожал ему обе руки.

— Лет пять тому назад, в Варшаве, известная графиня Лайдомирская нашлась в точно таком же положении, — говорил ему меж тем граф Каллаш, — и любовник усыновил ее ребенка.

— Но как же? — нетерпеливо прервал его Дмитрий Платонович.

— Он женился.

— На ком? На Лайдомирской же?

— Нет, она была уже замужем. Он женился на первой попавшейся умирающей женщине. Венчание происходило у ее смертного одра, и через трое суток она умерла, а дело об усыновлении пошло законным путем, и ребенка усыновили.

— На первой попавшейся женщине... — в великом раздумье и, словно бы сам с собою, медленно молвил Шадурский.

— Да, на первой попавшейся и — главное заметьте — *на умирающей женщине,* — многозначительно пояснил ему граф Каллаш.

— На умирающей... — все в том же недоумелом раздумье продолжал Дмитрий Платонович.

— Да, и не иначе как *только на умирающей*, на безнадежно больной, которая непременно умерла бы через несколько суток. Тогда вы будете иметь полное законное право ходатайствовать об усыновлении; вы, конечно, покажете при этом, что ребенок — от вашей новой законной жены; свидетели, в случае надобности, тоже найдутся.

— Да, да... разумеется... разумеется... от новой законной... и свидетели тоже, — говорил князь под наплывом все того же раздумья.

— Она умрет, и вы снова будете свободны, — разжевывал ему Каллаш.

— Да, да... умрет, а я свободен... Это так, это хорошо... Я буду свободен.

— Итак, если вы согласны, то положитесь во всем на меня: я берусь устроить вам это дело: вы не будете знать почти никаких хлопот при этом. Теперь, князь, я жду только вашего решения.

Шадурский словно бы очнулся.

— Решения? — проговорил он, подымаясь с места. — Да... я почти согласен... Но вот... хочу только увидеть мою баронессу... Я вам дам сегодня же решительный ответ... Я вам так благодарен, так благодарен за ваше участие. Я только увижусь с нею... Сегодня вечером в восемь часов я жду вас — мы переговорим окончательно.

«Эге, да ты, гусь, не так еще глуп, как о тебе привыкли думать!» — с внутренней сокровенной улыбкой подумал про себя Николай Чечевинский и откланялся князю, совершенно покойный и довольный собою, ибо знал и был уверен, что ничто так не подвинет старого гамена решиться, очертя голову, на предложенное ему сумасбродство, как один час интимной беседы с Наташей, которая стояла слишком заинтересованной участницей этой комедии, понимая ее, впрочем, исключительно только в смысле необыкновенно выгодной и оригинальной плутовской проделки.

XXXVI

СВАДЬБА СТАРОГО КНЯЗЯ

Ровно в восемь часов вечера Николай Чечевинский получил полное согласие князя. Расслабленный гамен чуть не хныкал перед ним от преизбытка душевного, рассказывая, как *она* встретила предложение об усыновлении «нашего» ребенка, какие слезы благодарности и восторга заблистали при этом на ее глазах, как она его любит и прочее, что уже венгерский граф имел случай выслушать сегодняшним утром.

— Я весь в вашей власти. Делайте, устраивайте — я на все согласен. Она, она этого желает — ну и достаточно! — говорил Шадурский, мышиным жеребчиком расхаживая по комнате. — Только не иначе как на умирающей, не иначе! — прибавлял он торопливо и озабоченно. — Хорошо, если бы можно было найти une pauvre personne de la noblesse...[1] Вы понимаете, хоть и умрет, а все же... mésalliance...[2] Лучше, когда бы бедную дворянку...

— Будьте покойны, князь, мы с Карозичем постараемся сделать для вас именно то, что вы так желаете, — удостоверил его Чечевинский.

— Но где же достать такую точно женщину, какая нам нужна?

— Положитесь на меня: я сумею добыть себе надежных людей, которые выищут. Сам, наконец, буду осторожно пытать у наших филантропок — им ведь известны многие из таких несчастных, а это, поверьте, самый кратчайший путь для наших поисков.

— Но... согласится ли больная венчаться накануне смерти?

«Ты положительно бываешь порою менее глуп, чем думают!» — снова подумал про него Каллаш и вслух поспешил успокоить гамена насчет его последнего сомнения.

— Если мы ее семейству, ее родным предложим приличное вознаграждение, тысячи в три или пять, — сказал он, — то поверьте, кроме полного согласия, ничего не встретим!

— Да, да... это так... это справедливо, — согласился гамен в заключение.

---

[1] Бедную женщину дворянского звания *(фр.)*.

[2] Неравный брак *(фр.)*.

...Прошло еще три дня, которые он почти сподряд проводил у баронессы, а та неуклонно вела свою мастерскую агитацию, продолжая поддерживать в нем это старчески-экзальтированное состояние и не давая раздумываться над самим собою и своим решением, потому что она порою все-таки несколько опасалась, чтобы маленькая капля рассудка не взяла как-нибудь верх над внушенным извне сумасбродством. Но до рассудка и до раздумья ли было князю, когда он видел перед собою обаявшую его женщину, старчески любуясь роскошью ее форм и слушая мастерские уверенья в ее чувстве, тая под ее ласковым взглядом и от любовного пожатия руки, — мог ли он тут думать о чем-нибудь, кроме безусловного угождения малейшему ее капризу! Старцы вообще дорого платятся за свою чувственно-любовную блажь — это их общая доля.

Каждое утро являлся теперь он к ней с каким-нибудь драгоценным колье, диадемой или браслетами, и каждая из этих безделиц стоила по нескольку сотен, а за колье дано было даже две тысячи. Баронесса встречала его приношения мило-укоризненным взглядом и не хотела принимать их, говоря, что ей ничего, ничего, кроме любви и дружбы, не надо; но князь очень любезно заставлял ее примерять привезенную вещь, говоря, что это все — его свадебные подарки. И баронесса уступала его неотступным мольбам и настояниям. Она решилась до тех пор держать его у себя на привязи, пока не выжмет из него последнего сока.

На утро четвертого дня явился к нему Каллаш.

— Ну, все уже готово! — возвестил он даже несколько торжественным тоном. — Священник и свидетели ждут вас. Едемте немедля!

Князь торопливо облекся в черный фрак и белый галстук и отправился вместе с графом, в его карете.

— А деньги?.. Я забыл деньги — ведь надо будет, вероятно, заплатить обещанное вознаграждение родным? — спохватился он на дороге.

— Не беспокойтесь: все уже сделано, и обошлось дешевле, чем мы предполагали, — возразил Чечевинский. — Мы с вами сочтемся потом, после венчания.

Князь успокоился и от души благодарил своего путника за такое теплое, дружеское участие.

Приехали на Пески, в Дегтярную улицу, и экипаж вкатился во двор убогого деревянного домишки. В этом домишке нанимал мезонин известный уже читателю пан Эскрокевич, в квартире которого и поместилась со вчерашнего дня умирающая невеста.

Поднялись по узкой и темноватой лестнице. Навстречу вышел хозяин и встретил их молчаливым поклоном, с печально-скромным выражением лица, каковое и подобало такому экстраординарному обстоятельству.

В низенькой, косоватой комнате с узеньким оконцем стояла кровать, а подле нее высокое старое кресло и столик с лекарственными склянками. Опрятная бедность выглядывала из каждого угла и сказывалась в этих голых, выбеленных стенах, в этих трех кривоногих стульчиках. На кровати, лицом к стене, лежала покрытая одеялом женщина, из-под которого по временам тяжело раздавался ее глухой, болезненный кашель, каждый раз сопровождаемый двумя-тремя короткими и сдержанно-тихими стонами.

В этой комнате приезжие застали Сергея Антоновича Коврова, еще каких-то двух господ, незнакомых Шадурскому, и священника с причетником. Все уже было готово к венчанию, не исключая и церковной записи.

При входе Шадурского все встали и отдали молчаливый поклон. Вообще в этой комнате царствовало то уныло-тяжелое молчание, какое всегда бывает при одре умирающего. Вся обстановка предстоящей сцены походила скорее на готовящийся обряд соборования и чтения отходной над тяжко больным человеком, чем на светлое венчание.

— Мешкать некогда: она очень плоха, — шепнул Каллаш Дмитрию Платоновичу.

Четыре свидетеля, между которыми находились и две незнакомые Шадурскому личности, расписались в книге.

Больную, окончательно слабую женщину осторожно подняли с постели и, обложив подушками, усадили в высокое кресло.

Старый князь стал подле нее с правой стороны — и начался обряд венчания.

Очень естественное и понятное любопытство подстрекало жениха заглянуть в лицо невесты, но голова ее все время была так низко и бессильно опущена на грудь, что ему удалось только подметить, будто новая его супруга, кажись, стара и почти безобразна.

«Впрочем, быть может, это от болезни», — подумал гамен и затем, вполне безучастно, почти машинально, без малейшей мысли, без малейшего чувства относился ко всему дальнейшему обряду. Голову его вдруг посетил наплыв такой ко всему равнодушной, безразличной пустоты, что князь почти не понимал, что именно с ним и вокруг него совершается. По крайней мере он не старался дать себе в этом ни малейшего отчета и только желал, как бы все поскорее кончилось, чтобы поскорее уехать к баронессе.

Священник, сняв ризу, обернулся к повенчанным и тихо сказал:

— Поздравляю. Слыхал, что детки есть? — обратился он уже в частности к обвенчанному Шадурскому.

— Да, есть, — коротко ответил смешавшийся князь.

— Для детей-то и женились, чтобы имя дать, — в полушепоте пояснил батюшке Сергей Антонович.

— Что ж, дело похвальное... похвальное!.. Доброе дело никогда не поздно, — вздохнул батюшка и, пожелав князю всякого благополучия, скромно откланялся и удалился вместе с причетником.

Новобрачную с той же осторожностью опять перенесли в постель и покрыли одеялом.

— Ну, теперь нам здесь больше нечего делать, — нагнулся граф к уху Шадурского и тихо вышел с ним из комнаты.

XXXVII

ВСЕ, ЧТО НАКИПЕЛО В ДВАДЦАТЬ ТРИ ГОДА

На другой день после своей странной свадьбы князь Шадурский сидел за туалетным столом, в отличнейшем расположении духа. Он только что получил от баронессы фон Деринг раздушенную записочку, в которой та приказывала ему немедленно приехать, потому что ей без него скучно. Князь успел уже выполоскать рот и вставить четыре великолепных поддельных зуба. Домашний куафер подвил ему скудные остатки волос. Достаточное количество пудры и легкий румянец лежали уже на княжеской физиономии, и брови, из которых только что был выдернут седой и как-то вкось торчащий волосок, отлично подвелись в струнку, скрепленные особого рода краскою, которую создало, именно ради этой потребы, остроумие парижских куаферов.

Часовая стрелка показывала четверть второго. Князь был почти уже готов, то есть достаточно сфабрикован и раскрашен. Он размышлял теперь над предметом весьма важного и глубокомысленного свойства: ум его работал над решением вопроса, какого бы цвета лучше выбрать себе галстух, причем его сиятельство успел сменить их штуки четыре, не будучи ни одним доволен. Вдруг в уборную его явился лакей с видом крайне растерянным и с выражением полнейшего недоумения на своей барско-лакейской физиономии.

Князь увидел его в зеркале и, не оборачивая к нему головы, а только глядя на отражение его фигуры, нетерпеливо спросил, с оттенком нервного раздражения в голосе:

— Зачем ты, братец, приходишь, когда тебя не спрашивают? Что тебе тут надобно?

Его сиятельство не терпел, чтобы кто-нибудь, кроме камердинера, присутствовал при его туалете и становился, таким образом, свидетелем реставраций.

— Ваше сиятельство... — смущенно доложил почтительный лакей, — вас изволит спрашивать... дама.

— Дама? Какая дама?.. Кто? от кого?.. зачем?..

Лакей затруднительно отмалчивался.

— Какая дама, я тебя спрашиваю? Ты узнал ее имя?

— Так точно, ваше сиятельство.

— Так что же ты молчишь?

— Швейцар сказывал доложить вашему сиятельству, что вас изволит спрашивать... княгиня Шадурская.

Положение князя в эту минуту только и можно сравнить с таким эксцентричным казусом, как если бы вдруг на человека совсем неожиданно и моментально нахлопнули большой и темный колпак, вроде того, как мы накрываем горящую свечу медным гасильником. Он так и остался на месте, пришибленный, озадаченный, и, подобно свече, погашенный неожиданными словами собственного лакея. В голове его вертелись, кружились и смутно мелькали какие-то жуткие мысли, относившиеся к этому обстоятельству.

«Княгиня Шадурская?.. Кто такая княгиня Шадурская?.. Свадьба... умирающая женщина... Кто такая эта умирающая женщина?.. Безобразная, старая... Женат... сам не знаю на ком... Вчера умирающая, сегодня вдруг здесь... Что это такое?.. Боже мой, что это такое?.. Что со мной делается?.. Не понимаю, ровно ничего не понимаю!!»

И точно, рассудок князя решительно отказался теперь понимать все случившееся.

Не успел еще он дать определительный ответ — принять ли, отказать ли, как дверь его уборной неожиданно отворилась, и в комнату вошла незнакомая женщина в сопровождении графа Каллаша.

Шадурский почти машинально привстал с кресла.

Камердинер сам по себе догадался удалиться и оказал этим немалую услугу своему барину, потому что при нем положение барина было бы еще конфузнее и неловче.

— Что вам угодно, сударыня? — невнятно пробормотал гамен.

Это была единственная фраза, на которую нашелся он в данную минуту.

Женщина странно усмехнулась.

— Мне угодно объясниться с моим мужем, князем Дмитрием Платоновичем Шадурским, — произнесла она твердым и спокойным голосом.

— Но... но... я ведь женился на умирающей?.. — с видом недоумевающего вопроса и даже несколько обиженно повернул он голову к стоявшему у дверей графу.

— Да, вчера я могла быть умирающей, — подхватила женщина в ответ на его обращение, — но сегодня я воскресла. Воскресила меня свадьба с вашим сиятельством. Вы вчера не успели или не хотели поздравить меня с этим счастием. Сегодня я поздравлю нас обоих.

— Но я, право, не понимаю, почему вы здесь? Что вам от меня угодно?

Смущенный князь бормотал первые попавшиеся фразы, какие попали на язык. Это было обыкновенное его положение в самые экстренные, критические минуты жизни.

— Отвечу на все ваши три вопроса, — усмехнулась женщина. — Почему я здесь? Полагаю, по праву законной вашей супруги. Зачем я здесь? Для необходимых объяснений с вашим сиятельством; а что мне угодно, это вы узнаете очень скоро, через несколько минут.

— Но я вас не знаю совсем!

— Неужели?.. — многозначительно протянула она все с тою же саркастически-странною улыбкою, едва сдерживая в себе судорожно-нервический смех. — Зато я вас хорошо знаю! Жаль, если память изменила вам. Но вглядитесь в меня попристальнее: быть может, вы узнаете старую свою знакомую.

— Какую знакомую?.. Никаких у меня нет таких знакомых... Я не понимаю, что все это значит.

— Не беспокойтесь, ваше сиятельство, поймете скорее, чем вам кажется. Повторяю вам, вглядитесь в меня попристальнее. Я не верю, чтоб вы не узнали свою старую и слишком короткую знакомую.

— Не знаю, — сухо пожал он плечами.

— Вспомните свое время, за двадцать три года назад. Вспомните-ка тысяча восемьсот тридцать восьмой год, и тогда, быть может, узнаете и поймете!

— Не знаю-с, — повторил он с прежним отрицательным пожатием плеч, — не знаю и не помню!.. И что это за мистификация!..

— Еще раз жалею вашу память. Впрочем, что тут долго толковать! Перед вами стоит женщина... ci devant[1] княжна Анна Чечевинская. Полагаю, этим все для вас сказано.

Князя словно обухом шибануло по лбу. Он так и опрокинулся на спинку своего кресла, пристально и прямо уставя смущенный и недоумевающий взгляд в лицо стоявшей перед ним женщины.

— Что ж, вы все-таки не узнаете меня? Впрочем, оно несколько и мудрено узнать-то. Ведь двадцать три года недаром прошли... для меня по крайней мере.

— Я полагаю... вы извините меня... Но я полагаю, что третье лицо (он вскинул глаза на Каллаша) будет совершенно лишним при нашем объяснении.

— О, нет! — быстро и энергично подхватила Анна. — Напротив, я хочу, я требую, чтобы именно при этом объяснении было постороннее лицо. Я слишком хорошо знаю ваше сиятельство, для того чтобы чувствовать необходимость в третьем лице при объяснении с вами. Я знаю, что лишний свидетель ваших слов и поступков будет слишком тяжел для вас, но именно поэтому-то я и привела его, поэтому-то он и необходим мне.

Князь потупил голову и не возразил ни слова.

Положение его было из рук вон мерзко. И в самом деле, быть неожиданно застигнутым подобным скандалом в ту самую минуту,

---

[1] Бывшая *(фр.)*.

когда с таким наслаждением и розовыми мечтами примеряешь розовый галстух, — должно быть, очень тяжело для человека. Князь просто желал сгинуть, перестать *быть* в эту минуту.

— Итак, сведем теперь наши старые счеты, — продолжала Анна, не спуская с него своих беспощадно-презрительных и убийственно-холодных глаз, в которых светилась какая-то ледяная ненависть. — Я начну немного издалека. Первым счастьем моей бескорыстной любви я была вам обязана, моим первым и последним ребенком тоже; моим падением и позором, проклятием матери, всеобщим презрением — тоже. Благодарю вас за это, князь Дмитрий Платонович! Вы поступили честно и великодушно, опозоривши девушку, перед которой было потрачено вами столько клятв и уверений. Вы испугались сделанной вами мерзости, вы струсили, благородный рыцарь без страха и упрека! Но в этом я вас не виню. В этом я сама виновата: у меня были глаза и рассудок, я должна была видеть, *что* вы такое. Я проглядела — ну и наказана... Но вот чего никогда не прощу я вам: понадеясь на вашу порядочность, я подкинула к вам нашу дочь. Я была уверена, что вы оставите ее расти в вашем доме. Вы этого не захотели. Вы скрыли куда-то моего несчастного ребенка. И когда я, понявши вас, хотела взять его обратно, мне его не отдали. Я писала несколько писем, умоляла вас, ползала на коленях перед вашей женою и... мне все-таки не сказали, где мой ребенок; меня выгнали из этого дома, как паршивую собаку. Я не претендую на это: вы бы могли, пожалуй, даже и выгнать меня, но не иначе как отдав мне прежде моего ребенка. Вы этого не сделали, вы предпочли скрыть, украсть от матери ее родное дитя, не знаю для каких целей — быть может, все из той же похвальной трусости, и этим самым вы погубили меня уже окончательно. Когда ваша супруга, менявшая своих любовников, словно старые перчатки, разыграла предо мною роль целомудренной римской матроны, когда она с убийственным бессердечием выгнала меня из этого самого дома, вы знаете ли, князь, *что* было со мною! Научившись презирать и ненавидеть вас и ваше общество, которое стало моим судьею, не имея на это никакого права, и втоптало меня в грязь, я захотела отомстить за себя: уж коли позор, так позор широкий, полный! По-моему, так! И я захотела сделать свой позор публичным, гласным, так, чтобы на меня весь город пальцами указывал; я захотела сделаться живым скандалом этого общества... Знаете ли, чем я сделалась? Не шокируйтесь: я сейчас оскорблю ваш деликатный слух очень циническим словом. Я сделалась публичной девкой. Княжна Анна Чечевинская — публичная девка! Ха-ха-ха-ха! Не правда ли, громко? Этим я вам обязана. Благодарю вас за это! Но этого мало: я стала пьяницей; я целыми косушками научилась дуть скверную водку, меня не однажды полиция подбирала пьяную на панели, меня содержательницы мои по щекам лупили: от «напитку», видите ли, отучали, и за то благодарю вас тоже!

Мало того: в несколько лет я дошла до Сенной площади. Я продавалась по три копейки. Моими потребителями были пьяные солдаты, грязные нищие, воры и мошенники и вся подобная сволочь. Я сама сделалась сволочью! Благодарю вас за это! Взгляните на меня: та ли я, что была прежде? Сохранилась ли хоть единая черта? А ведь и я тоже была когда-то хороша собою!.. Да, хороша! Вы сами говорили мне это, вы сами клялись мне в этом!.. А теперь!.. Теперь-то!.. Теперь я Чуха! Не правда ли, очень гармоническое имя? Чуха! Меня и по сей день вся Сенная знает под этой кличкой. Да вы полюбуйтесь на меня, ваше сиятельство! Полюбуйтесь! Болезнь изъела мои ноздри, цинга скрошила зубы, плешь на голове расползлась... А что я вытерпела голоду да холоду, что перенесла всяческих унижений и побоев, пощечин и кулаков! О, если бы только могли это знать мои высокие судьи! Если бы только могли они представить себе это! Благодарю, благодарю вас за все, за все благодарю вас, князь Дмитрий Платонович!

Анна умолкла на минуту, чтобы сдержать свое порывистое волнение.

— А ведь если бы мне отдали мою дочь, — с глубоко скорбным вздохом тихо заговорила она снова, и в голосе ее задрожали горькие, мучительные слезы, — о, если бы она была в то время со мною, клянусь вам, я бы не пала так низко! Я бы все позабыла, все простила бы вам! Я осталась бы честной женщиной! Способны ли вы понять это слово — *честная женщина*? Нет, надо быть Чухою, надо пройти все то, что я прошла, для того чтобы постичь да почувствовать его значение. Ева пожалела о рае, когда уже в него ей не было доступа. Будь у меня дочь, я бы тогда стала работать, в поденщицы пошла бы, но, повторяю вам, осталась бы честной женщиной: я стала бы жить для нее. У меня ее не было — я стала жить для мщения. И спасибо Господу Богу! Он помог мне достичь моей цели. Вот вам, ваше сиятельство, моя задушевная исповедь!

Червяк, раздавленный и растертый ногою, — вот положение старого князя, в каком он почувствовал себя после слов своей новой супруги.

— И вы думаете, я давно была публичной женщиной? — продолжала она с каким-то равнодушием во взгляде и улыбке. — Нет, князь, почти что вчера. Я и сегодня такая. Я и не переставала быть такою — все та же самая Чуха с Сенной площади. Я вышла за вас замуж — зачем бы вы думали? Затем, чтобы только отомстить вам? Напрасно. Игра слишком мелка, даже и свеч-то не стоило бы! Я не отрицаю: и месть отчасти входила в мои расчеты. Ведь приятно наказать подобного рыцаря за свой позор и бесчестие, наказать хоть тем, что увидеть его женатым на опозоренной. И знайте, ваше сиятельство, я сегодня опять уйду на Сенную, но уйду уже с именем вашей жены. Теперь уже не Чуха, а княгиня Анна Яковлевна Шадурская будет торговать собою для разных воров и нищих, будет валяться пьяная по панелям, и когда меня городовые станут отводить в часть, я буду орать на всю улицу: «Не троньте княгиню Шадурскую!» Когда меня в арестантской сибирке будут спрашивать, кто я такая, я буду отвечать: «Законная супруга его сиятельства князя Дмитрия Платоновича Шадурского». Я буду волочить теперь по грязи это самое имя, неприкосновенностью которого вы так дорожили когда-то. Вспомните-ка, в тридцать восьмом году из-за чего вы виляли передо мною? Из-за чего бросили меня на произвол судьбы? Из-за чего так щепетильно отстраняли от себя всякую возможность подозрения в том, что вы мой любовник? Из-за чего все, как не из-за одной трусости, чтобы на ваше почтенное имя не легло маленькое пятнышко! Вы трусили потому, что не знали, *как* отнесется к вам мнение вашего света, признает ли за вами репутацию благородного донжуана, или назовет подлецом. Вы оставляете себе на долю всякую подлость, всякую мерзость, лишь бы только все было шито да крыто, лишь бы в глазах общества ваше имя осталось неприкосновенным, лишь бы не сделаться вам предметом толков. Ну так знайте же: отныне я постараюсь сделать вашу фамилию именно этим предметом. Вы обо мне услышите в весьма скором времени!

Шадурский, бледный, как тот полотняный платок, что нервически крутил он между пальцами, сидел, обессиленно погрузясь в свое кресло и не смея поднять глаза на эту женщину, которая из его жертвы стала теперь его судьей и палачом. Он словно выслушивал свой смертный приговор. Но после заключительных слов княгини Анны глаза его медленно поднялись на нее с каким-то пришибленным, униженно-молящим выражением и трепещущими губами смутно прошептал он:

— Это уже слишком... это жестоко.

— Га! Вы опять трусите! — усмехнулась она ему самой сухой, бессердечной улыбкой. — А сделать то, что вы со мною сделали, отнять у матери последнюю радость, последнее утешение ее жизни, украсть мою дочь — это не слишком? Это, по-вашему, не жестоко? Попробуйте-ка у суки отнять ее щенка: она вас цапнет за руку. Ну вот и я вас цапнула! Я долго ждала этого и наконец дождалась. Вы испугались? Вам больно?.. Ну что ж, хотите — пойдем на сделку! Я вам задам теперь только один вопрос, но уже решительный и последний. Отвечайте мне, не кривя душою: где моя дочь? Если вы не желаете, чтобы я везде и повсюду позорила ваше громкое имя, так вы мне скажите, где она и что с нею. Вы либо отдадите мне ее живую, либо укажете ее могилу. Это для вас единственное средство избавиться от позора. В противном случае сегодня же, через какие-нибудь полчаса я буду валяться пьяная на улице, подле вашего дома. Хотите? Из этого самого окна вы можете увидеть тогда, как княгиня Шадурская, ваша жена, станет потешать толпу своим «развращенным видом» и как заберет ее полиция. Клянусь вам моею дочерью, живою или мертвою, что я не задумаюсь исполнить это! Итак, ваше сиятельство, где моя дочь?

Князь молчал, не подымая глаз.

Анна меж тем ожидала ответа, которым он медлил, и каждая секунда такого молчания отражалась на лице матери — тоской, и страхом, и безнадежностью. В глубине души своей она опасалась, чтобы ответ его не был отрицательным, опасалась того, что он, пожалуй, и сам не знает теперь, где ее дочь.

Оно так и было.

После минуты тяжелой, молчаливой нерешительности, Шадурский наконец отрицательно покачал головою и пожал плечами.

— Не знаю... Ничего не могу вам ответить... Мне и самому неизвестно — ни где она, ни что с ней, — пробормотал он, все еще не смея поднять свои взоры.

Анну словно ветром слегка шатнуло в сторону, так что она поспешила ухватиться рукою за спинку тяжелого кресла.

Казалось, этими последними словами были убиты и похоронены все ее надежды.

Сизиф с таким неимоверным трудом и усилием докатил свой громадный камень почти уже до самой вершины горы, и камень вдруг, одним мгновением, скатился в пропасть, скатился на самом рубеже полного торжества и спокойного, счастливого отдыха.

На бледную, убитую Анну почти моментально наплыло непросветною тучею безысходно угрюмое отчаяние.

— Но вы ведь должны же знать, как именно распорядились вы с этой девочкой двадцать три года назад? — послышался за нею голос графа Каллаша. — Вы должны знать, куда девали ее, в чьи руки была она отдана?

Анна встрепенулась и как будто воскресла. В ее взорах снова загорелись нетерпеливое ожидание и надежда.

— Я сделал все, что мог, по совести! — ответил Шадурский. — Я отдал ее одной моей знакомой, отдал и деньги на ее воспитание, несколько тысяч...

— Назовите имя этой знакомой. Здесь ли она? Жива ли она? — почти перебила его Анна.

— Да, она здесь... Генеральша фон Шпильце.

— Фон Шпильце? — подхватил Каллаш. — Я ее знаю! От нее добьемся толку! Было ли ей известно, что эта девочка — ваша дочь?

— Нет, я это скрыл. Я выдал ее за неизвестного подкидыша.

— И после этого вы ни разу не поинтересовались узнать о судьбе ее?

— Я... я вскоре уехал тогда за границу, на долгое время.

— Ну а потом, по возвращении?

Князь ничего не ответил.

— То есть, говоря по правде, — продолжал Николай Чечевинский, — вы, отдавая этого ребенка именно в руки известной фон Шпильце, обеспечили его несколькими тысячами, вероятно, затем, чтобы потом уж и не знать, и никогда не слыхать о нем ни слова.

— Я считал мою обязанность исполненной, — уклончиво заметил Шадурский.

— Стало быть, мое предположение справедливо?

Тот, вместо словесного ответа, только головою поник, как бы в знак печального, но полного согласия.

— Ну так вот что, — решительно приступила к нему княгиня Анна, — вы должны сейчас же, вместе с нами, ехать к этой фон Шпильце, и во что бы то ни стало потребуйте от нее отчета. Она должна сказать нам, где моя дочь.

Князь сидел, погруженный в какие-то размышления, и ни единым жестом не выразил ни согласия, ни отрицания.

— Вы слышали, князь, мое последнее слово? — возвысила голос Анна. — Выбирайте между одним из двух: либо я исполню свою угрозу, либо вы поедете со мной и добьетесь мне положительного ответа. Угодно вам ехать или не угодно?

— Да, да, я поеду, — словно приходя в себя, поспешил ответить Шадурский и торопливо поднялся с места.

XXXVIII

ЧУХА ДОВЕДАЛАСЬ, КТО ЕЕ ДОЧЬ

Достопочтенная генеральша принимала какой-то секретный доклад своей агентши Пряхиной, когда доложили ей, что ее изволят спрашивать старый князь Шадурский и граф Каллаш и что вместе с ними приехала какая-то старуха.

Генеральша сначала хотела было выслушать доклад Сашеньки-матушки и для этого приказала лакею просить своих посетителей немного обождать; но тотчас же сообразила, что такой экстраординарный визит, вероятно, имеет какую-нибудь важную цель, и потому, прервав доклад Пряхиной и велев ей дожидаться, сама немедленно вышла к посетителям.

Старый гамен все еще был настолько растерян и расстроен, что не знал, как приступить к делу и с чего начать разговор со своей старинной приятельницей.

На подмогу к нему выступил Николай Чечевинский.

— Двадцать три года тому, — начал он, по обыкновению, на французском языке, ибо в обществе, в качестве истого иностранца, не изъяснялся иначе, — двадцать три года назад князь поручил вам пристроить в надежные руки девочку-подкидыша. Теперь некоторые обстоятельства побуждают его узнать, кому именно была она отдана. Надеюсь, вы можете сообщить это.

Генеральша, по-видимому, никак не ожидала, что совокупный

визит этих трех особ сделан ей для того, чтобы предложить подобный вопрос. Но, озадачившись не более как на минутку, она тотчас же совершенно овладела собою и заговорила вполне покойно и самоуверенно.

— Ах, как же, как же! Я помнийт гарашо cette petite fille Maschinka![1] Она у меня била в добры руки, in einer guten und frommen Familie[2].

— Вы будете столь любезны указать нам это семейство, — предложил Чечевинский.

— Oh, s'il vous plaît, monsieur! На Петербургски сторона, auf Koltowskoy, bei einem tschinownik, Peter Semionitsch Powietin[3].

— Она и теперь там находится? — спросила Анна.

— Oh, non, madame[4], то я еще в позапрошлой зиме забрала ее. Pendant quelque temps elle était ici, avec moi[5].

— А теперь она где? — с видимым нетерпением продолжала расспрашивать Анна.

Генеральша замялась. По всему заметно было, что на последний вопрос ей трудно дать ответ прямого и положительного свойства.

— Я, право, не знай, — решительно пожала она плечами. — Maschinka уже взрослы девиц, schon, majorenne, ich hab'nicht für sie zu verantworten[6].

Последняя фраза показалась Анне чем-то зловещим.

— Но все-таки вы можете знать, где именно она находится и что с нею? — вмешался граф Каллаш. — И поверьте, что вас, во всяком случае, сумеют поблагодарить за ваши заботы о воспитании этого ребенка.

— О, да, да! Вы можете рассчитывать, — подхватил расслабленный гамен, — да, даже и я... Я непременно буду благодарить вас... Ведь вы меня знаете, моя милая Амалия Потаповна.

— Oh! Ми стары знакоми! — улыбнулась генеральша и на несколько времени замолкла, отдавшись каким-то сомнениям.

В это мгновение в ней происходила борьба между природной, неодолимой алчностью к деньгам, которые, в виде благодарности, были ей только что посулены, и между неловкостью сообщить о том, как постаралась она пристроить эту девочку в любовницы его же собственному сыну — «хоть и подкидыш, а все-таки немножко неловко — для сына-то». А по правде-то говоря, генеральша только

---

[1] Эту девочку Машеньку *(фр.)*.

[2] В хорошей и набожной семье *(нем.)*.

[3] О, пожалуйста, сударь! На Петербургской стороне, на Колтовской, у чиновника Петра Семеновича Поветина *(фр., нем.)*.

[4] О, нет, мадам *(фр.)*.

[5] Некоторое время она была здесь, со мной *(фр.)*.

[6] Она уже совершеннолетняя, и я за нее не ответственна *(нем.)*.

для того и воспитывала эту девушку так заботливо, чтобы, при случае, повыгоднее продать ее кому-нибудь на содержание. Первым случаем для этого подвернулся Владимир Шадурский — стало быть, что же мешало тут генеральше соблюсти свою выгоду?

Но много и много раз доводилось ей в жизни отменно выпутываться из положений несравненно более худших, выходя совсем сухой из воды, и потому, в данном случае, она недолго колебалась. Естественная жадность победила маленькую неловкость.

— Вы, кажется, бероте участие в моя Машинька? — с любезной, заискивающей улыбкой обратилась она к Анне. — Peut-être, madame, vous êtes une parente?[1]

— Нет, но видите ли, в чем дело, — вмешался Чечевинский, предупреждая ответ сестры, — мать этой девушки уже умерла пять месяцев тому назад. Она почти все эти двадцать лет прожила за границею, там и скончалась. Моя родственница (он указал на Анну) была к ней очень близка. Покойница за несколько дней до смерти призналась ей, что у нее осталась в России дочь, подкинутая князю Шадурскому. Она взяла с нее клятву отыскать эту девочку и оставила ей даже некоторый капитал, часть которого нарочно отложила для того, чтобы вознаградить тех, кто принимал участие в воспитании девочки. Моя родственница недавно приехала в Россию, за тем чтобы исполнить данное обещание.

Фон Шпильце опять пришла в некоторое замешательство.

— Sans doute, c'est une noble personne, la mère de cette fille?[2] — спросила она разом и Каллаша, и Анну, поведя на обоих глазами.

— Да, но это, впрочем, постороннее, — заметил венгерский граф.

Амалия Потаповна вздохнула, пожав плечами.

Положение ее было затруднительно. Не хотелось упустить возможности получения предвидимых денег, и вместе с тем она не знала, что сталось с Машей после того, как та разошлась с Шадурским. Она подыскивала в уме своем, как бы не упустить своей выгоды и в то же время половчее выпутаться из затруднительного положения.

Совместить и то и другое было весьма нелегко, если даже не невозможно.

Генеральша подумала, раскинула умом и так и этак, но видит, что дело не выгорает.

— C'est bien dommage, cher comte, mais!..[3] (Она снова вздохнула и пожала плечами.) Ich selbst weiss ja nicht, was aus ihr geworden ist[4]. Я утеряла ее из моих видов.

---

[1] Может быть, сударыня, вы ее родственница? *(фр.)*

[2] Несомненно, она благородная особа, мать этой девочки? *(фр.)*

[3] Очень жаль, дорогой граф, но!.. *(фр.)*

[4] Я ведь сама не знаю, что с ней сталось *(нем.)*

— Но ведь вы же сами сказали, что она несколько времени жила у вас, — возразила Анна.

Генеральша с внутренним сожалением сообразила теперь, что слишком поторопилась дать им кой-какие положительные сведения. Она крепко досадовала на самое себя, но сделанного уже не было возможности поправить.

— Да, Машинька жила при меня, — с оттенком какого-то прискорбного сожаления потирала она свои руки, — но я не могу отвечать за нее, она уж взросла... у наш век такое своевольстви...

— Стало быть, она, вероятно, ушла от вас? — спросил Николай Чечевинский.

— Helàs! mon cher comte![1] — покорственно разведя руками, вздохнула фон Шпильце.

— Куда же именно? К кому?..

— О! Тут целый историй!.. C'est une occasion... ganz romanhaft!..[2] Я ж ничего, ничего не примечаль, всэ было встроено мимо моей Person[3]. Ich selber hab's zu spät erfahren[4]. Она имела авантуры... До меня ездил князь Шадурский... votre fils, mon prince[5], — в скобках обратилась она к гамену. — Elle a été amoureuse... comme une chatte! Aber ich habe nicht bemerk[6]. Как они там сделались — не знай, только авантура та была скончона на том, что она избежала од мене и жила с князем pendant quelques mois comme une femme entretenue[7]. Потом он ее бросил — et voilà tout![8] Больше я ничего не знай.

Эти слова произвели какое-то громовое действие на Шадурского и Анну.

Тот впервые почувствовал, что судьба как будто начинает карать его за что-то. Его дочь — любовница его сына! Сколько ни был он склонен в душе относиться легко и небрежно ко многим вещам, которые для честного человека составляют нечто вроде святыни, однако же душа его отказалась переварить это последнее обстоятельство. Оно потрясло и возмутило ее всю до глубины. Но против кого именно возмутился князь — в том он не дал себе отчета. Правдивее всего было возмутиться против самого себя.

Но если *он* почувствовал себя несчастным, то Анна была чуть ли не вдесятеро несчастливее его. У нее в эту минуту подкосились ноги, и, вся бледная, почти вконец обессиленная, опрокинулась она на спинку своего кресла.

Этими словами для нее все уже было сказано. Они совершенно

---

[1] Увы! мой дорогой граф! *(фр.)*

[2] Это случай... совершенно романический *(фр., нем.)*.

[3] Особа *(нем.)*.

[4] Я сама узнала об этом слишком поздно *(нем.)*.

[5] Ваш сын, князь... *(фр.)*.

[6] Она была влюблена... как кошка! Но я ничего не замечала *(фр., нем.)*.

[7] В продолжение нескольких месяцев как содержанка *(фр.)*.

[8] Вот и все! *(фр.)*

случайно озарили ей то, чего доселе никак не мог предположить ее рассудок. Имя «Машенька», неоднократно упомянутое генеральшей, и факт, что эта Машенька была любовницей князя Владимира Шадурского, в один миг напомнили ей встречу в перекусочном подвале, потом встречу над прорубью, от которой оттащила она молодую девушку, и столкновение с вором Летучим в Малиннике, и целые сутки, проведенные вместе в ночлежной Вяземского дома, где эта девушка рассказала ей всю свою историю. Все это словно каким-то ярким, чудодейственным и всепроникающим светом мгновенно озарилось теперь перед глазами матери.

«Так это была моя дочь!» — словно молния, пронзила роковая мысль взбудораженный мозг Анны.

В глазах ее зарябило, затуманилось, на грудь налегло что-то тяжелое и мутящее, голова и руки бессильно опустились, и Анна упала без чувств.

Поднялась суматоха.

Озадаченная и перепуганная генеральша заметалась во все стороны, то кричала людей, воды, спирту, то вдруг кидалась к колокольчику и начинала вызванивать свою прислугу.

Люди не замедлили сбежаться, и пока две генеральские горничные ухаживали вместе с Каллашем за бесчувственной Анной, в комнату осторожно быстрой походочкой влетела Сашенька-матушка, воспользовавшись минутой общей суматохи.

Ловкая агентка, подобно своей высокой патронессе, имела претензию знать по возможности наибольшее число фактов и деяний, творящихся на белом свете. Это, между прочим, была одна из промышленных отраслей ее существования, и в силу такой претензии, Сашенька-матушка не упускала ни одного удобного случая, чтобы, оставшись при подходящих обстоятельствах наедине, не приложить к замочной скважине своего уха или глаза.

Так точно было поступлено и в данную минуту, во время всего объяснения ее патронессы.

На цыпочках подойдя к двери смежной комнаты, в которой до приезда трех нежданных посетителей происходила ее секретная аудиенция с генеральшей, Сашенька-матушка пустила в дело сперва глаз, а потом и ухо. Она из чистой, но не всегда бескорыстной любви к искусству прошпионила весь разговор своей патронессы.

— Ваше превосходительство!.. А ваше превосходительство!.. — шепотом отзывала она ее в сторону. — Потрудитесь на два словечка... на два словечка.

Амалия Потаповна сердито махнула ей рукою: не до тебя, мол, убирайся!

— Ах, ваше превосходительство, очинно нужное... По ихнему же делу, — мотнула она головой на группу, суетившуюся вокруг Анны, — только два словечка, ваше превосходительство, а что в большом антиреси — так уж наверное будете, то есть в пребольшущем антиреси!

Генеральша поддалась на эти заманчивые слова и торопливо отошла с Сашенькой в другой конец комнаты.

— Мне доподлинно известно, где и как находится эта самая девица, — торопливым тоном заговорила Пряхина, — потому как сколько разов у вас ее видемши, очинно хорошо запомнила я всю ее физиономию даже. И опять же после всего эфтого она моих рук не минула, потому как я самолично пристроила ее к своему месту, так уж вы, ваше превосходительство, сполна положитесь на меня. Я то есть сполна могу ее предоставить, коли они посулят вам хорошую награду. А уж вы, сударыня, при такой моей верности, свою-то слугу, конечно, не забудете, и коли будет ваша милость такая положить на мою долю сотняжки две, так уж я все это дело просто в один секунд могу вам исполнить.

Генеральша так хорошо знала свою агентшу, что ни на минуту не усомнилась в безусловной верности ее заявлений.

Между тем Анну привели в чувство, но прошло еще несколько минут, пока она могла вполне опомниться и прийти в себя.

— Теперь я знаю всю! Всю правду! Не так, как вы ее рассказываете, но так, как она была, — пересиливая свою слабость, обратилась она к генеральше таким тоном, в котором ясно прозвучали и ненависть, и презрение. — Вы меня не обманете! Вы сами подставили, сами продали ее!

— Фуй!.. Madame, за кого вы меня бероте?.. Мой муж генерал был... je suis une noble personne, madame!..[1] Я не могу заниматься на такой дела! — с оскорбленным достоинством возвысила голос фон Шпильце. — Aber ich fühle mich nicht beleidig[2] потому, ви теперь в таком положений; ich vergeb's ihnen gerne[3]. Я прошу выслушайт мене! Я могу отшинь, отшинь помогать вам на это дело! Avant tout calmez-vous, madame, calmez-vous[4]. Я имею одна Person, которы знайт, ou est a present cette Machinca[5]. Она может всэ открывайт вам, всэ открывайт.

Луч надежды снова пробился в омраченную душу Анны. Она с жадным вниманием прислушивалась к словам Амалии Потаповны.

— Кто это знает? Где эта особа? Говорите скорее! — нетерпеливо перебила она генеральшу. — Если вы знаете, зачем же вы не говорили мне раньше? К чему вы отнекивались?

— Bitte, nur kein Verhör, Madame, nur kein Verhör![6] — заметила генеральша, с соблюдением полного достоинства своей личности. —

---

[1] Я благородная особа, сударыня!.. *(фр.)*

[2] Я не чувствую себя оскорбленной *(нем.)*

[3] Я охотно вас прощаю! *(нем.)*

[4] Прежде всего успокойтесь, сударыня, успокойтесь *(фр.)*.

[5] Где в настоящее время эта Машенька *(фр.)*.

[6] Прошу только без допроса, мадам, только без допроса! *(нем.)*

Если я говору, alors... das ist richtig[1]. Хотийт — вэрьте, хотийт — ньет!

— Бога ради! — порывисто заговорила Анна. — Я всем пожертвую, я отдам все, что могу, только найдите вы мне ее.

— Ça dépend, madame, ça dépend... от эта Person. Elle vous offrira avec grand plaisir en cette affaire[2], если вы заплатит ей гароши деньга.

— Вы не лжете? — серьезно спросил ее Каллаш.

— Sans glossiereté, monsieur! Sie vegessen, dass ich eine Dame bin[3], — оскорбилась Амалия Потаповна, — я завсегда говорийт правда, je ne suis pas une menteuse, monsieur! Jamais, jamais de ma vie![4]

— Ну хорошо, — перебил ее Каллаш, — тысяча извинений, тысяча извинений вам, только поскорее к делу! Вы можете определить сумму, какую нужно будет дать этой особе?

— Tausend Rubel[5], — довольно быстро и самым определенным образом положила фон Шпильце.

— Хм... Это похоже немножко на грабеж, — с усмешкой проворчал себе под нос венгерский граф и настоятельным, почти повелевающим тоном обратился к Шадурскому, который чуть не совсем ошалел от такого странного сцепления всех этих обстоятельств, разыгравшихся над ним в течение двух-трех суток.

— Вы слышали, князь, слова генеральши? Вы поняли их?

Гамен утвердительно кивнул головою.

— Стало быть, вы заплатите ей требуемые деньги. Потрудитесь приготовить их.

— Ich glaube doch, das ist eher die Sache dieser Dame[6], — жестом руки указала фон Шпильце на Анну, как бы вступаясь за своего старинного приятеля.

— Ну, я полагаю, вам все равно, с кого бы ни получать деньги, лишь бы только получать их, — сухо и безапелляционно возразил ей Каллаш, который, надо отдать ему справедливость, отменно понимал, с кем имеет дело, ибо для ее превосходительства вся суть действительно заключалась только в том, чтобы каким ни на есть путем зашибить лишнюю деньгу, ради которой исключительно и работала она на многообразных и многотрудных поприщах своего житейского коловращения.

— Ну? Eh bien, cela m'est égal![7] — бесцеремонно, с совсем уже

---

[1] Значит... это верно *(нем.)*

[2] Это зависит, сударыня, это зависит... от этой особы. Она поможет вам с удовольствием в этом деле *(фр.)*.

[3] Без грубостей, сударь! Вы забываете, что я дама *(фр., нем.)*.

[4] Я не лгунья, сударь! Никогда, никогда в жизни! *(фр.)*

[5] Тысячу рублей *(нем.)*.

[6] Я думаю, что это скорее дело этой дамы *(нем.)*.

[7] Ну что же, мне это безразлично! *(фр.)*

открытой наглостью порешила она, махнув рукою. — Если ви хотийт, вот мои кондиции! Ich habe schon gesagt[1].

— Итак, князь, потрудитесь приготовить тысячу рублей, чтобы не оттягивать надолго этого дела, — снова обратился Чечевинский к гамену. — Вы, мадам Шпильце, к какому времени можете устроить это? Срок, по возможности, назначайте нам короче.

— М-м... Дня два, — помяла губами генеральша. — А впрочем, je vous donnerai ma réponse peut-être aujourd'hui[2]; я буду прислать до вас эту Person.

— Стало быть, князь, вы потрудитесь распорядиться, чтобы к сегодняшнему вечеру были готовы деньги, *непременно* к сегодняшнему! — порешил Николай Чечевинский, и вскоре затем все трое удалились, вполне обнадеженные Амалией Потаповной.

Ни Каллаш с нею, ни она взаимно не церемонились: оба вполне знали один другого, *что такое* каждый из них, и оба могли отлично разуметь друг друга. А из этого разумения, вследствие многократных житейских опытов, само собою вытекало и последующее, которое заключалось в том, что в межобоюдных сношениях с людьми подобного закала откровенная, циничная наглость скорее и ближе всего приводит к положительным результатам.

XXXIX

ПОСЛЕДНЕЕ БРЕВНО ДОЛОЙ С ДОРОГИ

В тот же день вечером, часу в двенадцатом, у дверей графа Каллаша раздался робкий звонок.

— Вас спрашивает та женщина, которую вы видели у генеральши фон Шпильце, — доложил ему камердинер.

— Ага! Наконец-то! — вскочил с места Каллаш. — Зовите ее сюда! Зовите скорее!

Анна в нетерпении пошла к ней навстречу.

Вошла Сашенька-матушка, с обычною своею неконфузностью, и подала Чечевинскому свернутую записочку Амалии Потаповны, в которой та извещала на сквернейшем и ломаном французском диалекте, что буде графу, вместе с князем Шадурским, угодно заплатить подательнице этого письма условленное вознаграждение, то подательница немедленно же может указать местопребывание отыскиваемой девушки.

Граф велел Пахомовне дожидаться и немедленно поскакал к Шадурскому.

Не прошло и часа, как он торопливо успел уже вернуться назад, добыв от старого гамена банковый билет в тысячу рублей серебром. Собственных своих денег граф не хотел затрачивать без самой пос-

---

[1] Я уже сказала *(нем.)*.

[2] Я дам вам ответ, может быть, сегодня *(фр.)*.

ледней необходимости. «Если можешь воспользоваться чужим, то для чего жертвовать своим собственным?» — это было его постоянным и неизменным девизом, который он, наряду со всеми членами своей компании, применял ко всем подходящим случаям жизни.

— Деньги со мною — вот они! — показал он билет Сашеньке-матушке. — Но ты получишь их не раньше, как покажешь мне эту девушку.

— Извините-с, сударь, одначе ж, при всем моем желании, я этого никак не могу! — церемонно приседая, откланивалась ему Пряхина. — А ежели вы мне дадите в задаток хоть половину, я готова с великим моим удовольствием, потому как вы увидите при деле всю мою верность, так даже, я так полагаю, что и свыше этих денег, может быть, еще в знак вознаграждения что-нибудь положите мне — вот какие мои мысли!

Чечевинский не стал разговаривать и из собственного бумажника отсчитал ей пятьсот рублей мелкими ассигнациями.

У Сашеньки-матушки разжигались и разбегались глаза при виде столь полновесных пачек.

— Я, милостивый государь, — снова заговорила она, — очинно, значит, желаю отличиться перед вами и хотела бы лучше всего показать вам эту самую девицу у себя на фатере, потому как фатера моя вполне благородная; одначе ж никак в том не успела, для того что девица эта, извольте видеть, очинно теперь занемогши, так что даже с постели не встает. А вы уж извините меня, как ежели, при всем вашем благородстве, придется вам проехать со мной в ее место, хотя это очинно даже большая низкость и, как я понимаю, так для благородного человека, можно сказать, даже конфузно и грязно это самое место.

— Где же она находится? — в нетерпеливом волнении спросила Анна.

— Она, сударыня, изволите видеть, — с мягкосердечной улыбкой немножко замялась Сашенька-матушка, — она у своей мадамы живет, в таком, значит, доме, что, можно сказать, самый непотребный; и так как при ее болезни очинно трудна она, так уж если желательно вам видеть, нам нужно будет проехать к этой самой мадаме. Уж вы меня на том извините, а только иначе никак невозможно.

Анна мигом накинула на себя бурнус и шляпку, и все втроем отправились по указанию Сашеньки-матушки.

XL

ЧАХОТКА

Мы покинули Машу в одну из самых тяжелых минут ее жизни, которая, однако, при новом ее положении в веселом доме, чуть ли не показалась ей самою отрадною и давно желанною. Это именно была та минута, когда, отхаркнув комок алой крови, она ясно увидела, что в груди ее поселилась смертельная болезнь, и обрадовалась ей как желанному и единственному исходу.

В ту ночь, как стояла она над прорубью посреди Фонтанки, у нее не хватило решимости добровольно лишить себя жизни, несмотря на все страстное желание покончить с собою. Удерживал от этого страх греха и естественный инстинкт самосохранения. Тем не менее она хотела смерти, лишь бы эта смерть пришла сама собою, не насильственно.

Закравшаяся к ней чахотка служила прямым и надежным путем к этой цели.

Вот почему обрадовалась Маша, вот почему решила молчать про свое открытие, скрывать до последней возможности свою болезнь, часто подавляя в себе невольно прорывавшийся, сухой, подозрительный кашель.

«Теперь уже недолго, — нередко думала она, оставаясь наедине сама с собою, в своей маленькой клетушке. — В мои годы чахотка не тянется долго. Того и гляди, как раз задушит! Только... лишь бы не подметили, лишь бы не стали лечить, а то, пожалуй, еще на год лишний, если не на два задержат. Два года таких мучений, такой жизни — нет, это уже слишком! Невмоготу! Уж больно устала я... Ах, когда бы скорее *она* кончала со мною!..»

И этот сердечный порыв, это искание смерти было в ней вполне искренно, потому что жизнь противела и с каждым днем становилась не под силу все больше и больше. Эти ночные оргии с каждым днем все больше и быстрее подтачивали ее жизненные силы.

Чахотка — странная, капризная болезнь. Молодая женщина, к которой закралась она в грудь, часто начинает даже хорошеть какою-то странною, болезненно обаятельною красотою. Этот яркий, пятнистый румянец, эти глаза, лихорадочно горящие каким-то жемчужным блеском, это воспаленное и порою словно окрыленное страстью дыхание заставляли привычных посетителей веселого дома обращать на Машу предпочтительное внимание, которое все ближе и ближе сводило ее к могиле.

Теперь она действительно была хороша собою, но не так, как прежде. Года полтора назад она вся дышала прелестью и благоуханием первой молодости. Если позволено мне будет употребить старое сравнение, я смело сказал бы, что тогда это был первый весенний цветок, на который пала первая весенняя роса всею своей живительной, созидающей свежестью. В то время она еще развивалась в чистую, прелестную девушку. Теперь же это была *женщина*, вдосталь хлебнувшая от жизненной чаши, познавшая и сласть, и горечь ее, женщина больная, увядающая, но прекрасная — и прекрасная-то не чем иным, как только этим обаянием болезни и увядания.

Это было обаяние молодой смерти.

Если вам когда-нибудь приходилось видеть молодых чахоточных женщин, вы не могли не подметить в них какой-то особенной прелести, которая чарует вас, мучительно больно хватая за сердце. Вы любуетесь ею, как последнею пышною астрою, оставшеюся на последней из поблеклых и убитых осенним морозом куртин вашего сада. Все вокруг нее увяло, все умерло. Она одна еще только живет последними днями своей жизни и медленно осыпается, медленно умирает. Она одна только напоминает нам минувшую прелесть роскошного лета, и вы знаете, что пройдет еще несколько дней — и ее не станет. Но от этого самого сознания последний цветок, оставшийся на вашей куртине, становится вам еще милее, так что хочется любоваться и любоваться на него, и беречь, и холить его. Но вы знаете, что все напрасно, что эта песня спета, что эта жизнь вконец надорвана и только доживает свои последние вспышки. Смерть уже идет неотразимо, беспощадно, и эта самая смерть подходила к Маше быстрыми и верными шагами.

А Маша меж тем молчала.

И ключница Каролина, и сама мадам-тетка замечали, что с нею делается нечто неладное; и они знали, что именно делается, потому что им уже неоднократно доводилось наблюдать подобную же болезнь, во всем ее развитии, на многих из своих закабаленных девушек; но ни та ни другая не обращали докторского внимания на Машину чахотку, и даже были рады молчанию девушки. Она представляла для них слишком выгодный товар, на который все еще продолжался непрерывный запрос потребителей. До того времени, пока придется по необходимости лишиться этого товара, им хотелось выжать из Маши, в пользу собственного кармана, последние капли ее молодости и силы, чтобы бросить ее потом, как ненужную, истасканную тряпку.

И они достигли своей цели.

XLI

ПЕРЕД КОНЦОМ

Маша почувствовала себя вдруг очень слабой. Болезнь как будто нарочно соразмеряла и замедляла шаги свои для того, чтобы сильнее и уже окончательно пристукнуть ее сразу.

Накануне того, когда ей стало совсем уж плохо, она вынесла целую бурю, которою разразилась над нею тетенька за неповиновение ее воле. В последнее время Маша сделалась очень раздражительна и даже зла. Повинуясь действию своего нервного каприза, а может быть и по чувству чрезмерной болезненной слабости, она в течение целого вечера ни разу не захотела продаться и на все предложения отвечала сухим и резким отказом. Каролина не замедлила донести об этом тетеньке. Тетенька увидела в таком капризе пансионерки явный ущерб своему карману и потому, призвав к себе

Машу, с криком стала требовать от нее немедленного исполнения прямых обязанностей и грозить, в противном случае, взысканием по векселю и Рабочим домом.

Маша в ответ желчно предоставила ей полное право на то и другое — хоть сию же минуту.

Это казалось тетеньке уж слишком. Такую дерзость она не могла простить и потому пустила в ход обычные пощечины.

Взбешенная девушка, с пеною у рта, кинулась на свою мучительницу, от которой через минуту ее оттащили уже в бесчувственном состоянии.

Эта гнусная история ускорила развязку болезни.

У Маши в таком количестве хлынула горлом кровь, что наутро в рукомойной плошке стояло ее по крайней мере чашки с четыре, если не больше. Девушка почти инстинктивно почувствовала, что приходит конец. Ей уже трудно было подняться с постели; однако, пересилив себя, дотащилась она кое-как до двери и замкнула ее на задвижку. Ей не хотелось, чтобы кто-нибудь мог войти в ее комнату, и в особенности Каролина или мадам-тетенька. В это мгновение, более чем когда-либо, сделался ей ненавистно противен вид всех этих физиономий. Хотелось, пока еще есть сознание, оставаться одной совершенно, умереть никем не видимой и не слышимой, подобно собаке, которая, чуя смерть, забивается в самый удаленный и темный угол какого-нибудь заднего двора или подвала.

Каролина раза два приходила и стучала в двери. Маша отвечала, что у нее сильно болит голова, и просила, чтобы ее оставили в покое. Звали ее к «фрыштыку» и к обеду, но ни к тому, ни к другому она не вышла, отговариваясь все тою же головною болью.

Тетенька и Каролина решили, что это не что иное, как все тот же каприз и прямое следствие вчерашнего происшествия, и потому положили пока до времени оставить ее в покое.

— Не хочет жрать — и не надо! Проголодается — умнее будет.

Таково было их решение, которым они, и сами того не ведая, как нельзя более угодили умирающей.

Порою судорожный кашель до удушья подступал к ее горлу. Несколько платков и полотенец были уже сильно перепачканы кровью.

«Какая алая, — думала про себя Маша с каким-то удивленным любопытством, широко устремляя горящие глаза на эти кровавые пятна. — Как много ее сегодня!.. Это недаром, это хорошо! Чем больше ее выходит, тем все меньше во мне жизни остается. Это хорошо, стало быть, уже очень недолго».

И в сердце у нее не шевельнулось ни малейшей грусти, ни малейшего сожаления при мысли об удалении от этой жизни. В нем жила одна только безотносительная горечь ко всем и всему на свете. Она не радовалась теперь своей наступающей смерти, а встречала ее просто и равнодушно. Такое отношение к собственной близкой кончине нельзя даже назвать спокойным. Спокойствие может быть только там, где есть примирение. Здесь же была одна только озлобленная горечь, и потому ожидание смерти облеклось у Маши полным и холодным равнодушием. Порою, без всякой мысли, без всякого определенного чувства, блуждала она глазами по стенам своей комнаты, и с этих стен как-то розово-глупо глядели на нее роскошные литографии, изображавшие Frühlingsmorgen и Herbstsabende[1]; то вдруг с туалета совался в глаза вербный коленкоровый розан, полинялый и запыленный, и не было во всей этой комнате ни одного предмета, ни единой вещицы, которая хотя бы сколько-нибудь утешила взоры и сердце, напомня хоть одну светлую минуту из прошлого. Все вокруг было так мрачно, грязно, пошло и подло. До слуха умирающей бессвязно доносились из смежных комнат звуки обычной перебранки, обычные разговоры, возгласы и куплетцы. Мимо двери по коридору шмыгали и топали разные шаги... Веселый дом жил своей обычной дневной жизнью, не чая, что в одной из его каморок в эти самые минуты совершается борьба молодой жизни с безвременной смертью.

Порою Маша впадала в какое-то опьяненное забытье. Грудь ее горела летучим огнем, словно внутри ее пробегали раскаленные змейки. Голова тяжелела и словно вся чугуном наливалась. Тогда сами собою замыкались веки, и наплывало на нее лихорадочное забытье, которое длилось то несколько минут, то более часу.

Очнулась Маша из такого забытья, раскрыла свои большие глаза и смутно повела ими по комнате. На дворе уже начинало смеркаться. Тусклый полумрак обливал собою стены, сливая в нечто неопределенное все окружающие предметы. Все было тихо, грустно, тоскливо, все дышало полным, всеми покинутым, всеми забытым и безысходным одиночеством.

Девушка попыталась приподняться — не тут-то было. Дело становилось совсем уж плохо. Сил больше не было.

Она прислушалась: за тонкой перегородкой, под самым ухом, будто что-то копошится. Слышен какой-то шепот двух голосов, звук поцелуя. Ей как будто и не хочется слышать того, что там, за стеною, но, ослабелая, лежит она совершенно неподвижно и все-таки невольно, нехотя слышит. Там — жизнь в полном разгаре, со всей ее пошлостью и циническим наслаждением, а здесь — человек тихо кончается, и одно от другого отделяет лишь тонкая, дюймовая доска перегородки.

А сумеречная мгла все темнее, все гуще затопляет комнату; и с этою темнотою как будто еще явственнее становятся застеночные звуки, шорох, и поцелуи... Но вот через несколько времени захлопнулась совсем соседняя дверь, шелестнули крахмальные юбки,

---

[1] Весеннее утро и осенний вечер *(нем.)*.

чьи-то удаляющиеся шаги раздались по коридору, и снова все наглухо умолкло за стеной.

Очевидно, там никого больше не было.

— Эй! Сударыня! Что же ты лежишь-то и голоса не даешь? — раздался вдруг, вместе со стуком в Машину дверь, хрипливо-резкий голос тетеньки. — Все девушки давным-давно здесь одеты, в залу повыходили, а ты прохлаждаешься! Скажите, пожалуйста, какая королева нидерландская! Вставай-ка!

Маша не отвечала.

Нетерпеливый стук тетеньки раздался сильнее.

— А! Ты еще комедию играть у меня!.. Отворяй скорее!

Маша опять не откликнулась.

Тетенька сильными ударами стала потрясать тонкую дверь и кликнула к себе на помощь Каролину.

Плохо привинченная задвижка поддалась и отскочила.

Но каково было изумление и испуг этих двух особ, когда они увидели кровавые платки и полотенца и белую плошку, в которой плавали сукровица и черные, свернувшиеся печёнки.

— Shneller nach dem Arzt!.. Nach dem Arzt![1] — засуетилась мадам, кидаясь в разные стороны — то к двери, то из дверей, и к Маше, и к Каролине.

С первого переполоха, при виде крови, ей показалось даже, будто девушка зарезалась. Но тут, уже убедившись, что она еще и жива, и непорезана, тетенька заодно уж излила на нее весь поток своей досады за тот испуг и беспокойство, которое причинило ей внезапное предположение о резании.

Тем не менее относительно тетеньки дело выходило неладное. Она предвидела, что к ней непременно прицепятся: как, мол, запустила до такой степени болезнь своей пансионерки, не сделав о том надлежащего заявления, а какое тут заявление, коли Маша чуть не до последней минуты доставляла ей значительные выгоды! И поэтому, в виде прицепки, тетенька уже рассчитывала, что, гляди, рублей двадцать пять или тридцать, коли не больше, непременно ухнут куда следует из ее толстого кармана. Все эти сетующие, досадливые соображения высказывались вслух и как бы в непосредственный укор пансионерке.

Маша слушала и словно не слыхала; по крайней мере впечатление тетенькиных слов ни единым движением не отражалось на ее лице.

— В больницу отправить поскорее! — порешила меж тем тетенька. — Еще околеет — поди возись тут с нею! На три дня убытков наделает! Mädchen, lauf eine schnell nach dem Iswostschik![2] Да

---

[1] Скорее за врачом!.. За врачом! *(нем.)*

[2] Девушка, беги скорее за извозчиком! *(нем.)*

дворника позвать — пусть свезет в больницу. Ступайте сюда! Помогите мне одеть ее!

И она уже насильно подняла Машу с подушек и с помощью двух девушек стала натягивать на нее капот да окутывать платком голову, как вдруг прибежала кухарка и объявила, что ее спрашивает Александра Пахомовна Пряхина, которая ждет ее в квартире «по самоважнейшему делу», чтобы шли, мол, не медля ни одной секунды.

Пахомовна явилась сюда ради известных уже читателю сделок насчет Маши.

Выслушав ее предложение, тетенька вконец уже растерялась и раздосадовалась.

— Ach, mein Geld! Mein Geld! Du mein grosser Gott! Was fange ich jetzt an?[1] Четыреста рублей пропадать должны!

Хотя Пахомовна не менее самой тетеньки опешила перед известием о тяжкой болезни Маши, однако же не растерялась. В минуту шевельнув мозгами, она нашлась, как обернуться в этом положении, да заодно уже придумала утешение и для огорченной тетеньки. Она сообщила, что господа, которые принимают в Маше такое близкое участие, — люди весьма богатые, и коли, мол, приступить к ним с убедительными просьбами, так они не постоят за платежом. Затем Пахомовна поразмыслила, что теперь лучше всего будет взять карету и перевезти больную к себе на квартиру. Этим пассажем она рассчитывала сделать более приличным первое свидание Маши, совершенно справедливо находя не совсем удобным и уместным представить ее в недрах веселого дома как его патентованную обитательницу.

Тетенька, по старой дружбе, ничего не возразила на ее предложение, и даже сама распорядилась послать за каретой, в том расчете, что «коли умрет, так хоть не у меня на квартире». Но, к счастью для умирающей, явился доктор, которого благодаря тоже счастливой случайности нашли на ту пору дома.

Оказывать какую ни на есть помощь было уже поздно; разве только оставалось дать ей умереть спокойно. Поэтому отвозить ее в больницу или к Пахомовне он запретил наотрез, объявив, что больная может умереть на дороге, даже не доехав до места, потому что беспокойство от тряской езды и резкая перемена воздуха, пожалуй, довершат дело чахотки.

Пахомовна — хочешь не хочешь — решилась про себя на последнее средство, лишь бы только не выпустить из рук того вознаграждения, которое она выговорила себе у генеральши, и сломя голову поскакала на извозчике к своей патронессе, а оттуда, с ее запиской, к графу Каллашу.

---

[1] Ах, мои деньги! Мои деньги! Великий Боже! Что же мне теперь делать? *(нем.)*

А тетенька меж тем, не стесняясь присутствием умирающей, громко изливала перед доктором свои горькие сетования на то, что вся эта болезнь приключилась так внезапно и что теперь, в случае смерти, придется нарушить весь ход обычной жизни веселого дома, а это грозит убытками — так уж нельзя ли поэтому хоть как-нибудь сбыть девушку, лишь бы только с рук долой.

Тот запретил безусловно, и злосчастная тетенька с сердечным сокрушением принуждена была наконец подчиниться его воле.

Маша тихонько повернула к нему лицо и тем хриплым, надсаженным голосом, который образуется у чахоточных в последнем градусе болезни, прошептала с умоляющим видом:

— Священника!.. Не оставьте... не откажите. Вас они не посмеют не послушать... Прикажите им послать за священником!

И доктор настоял, чтобы желание умирающей немедленно было исполнено.

XLII

ИСПОВЕДЬ

Веселый дом по всей справедливости мог носить эпитет «веселого», ибо в нем помещались три веселые мадамы-тетеньки, которые содержали три веселые квартиры, и в каждой из этих квартир еженощно раздавались звуки клавикорд, буйные возгласы, и топот, и шарканье нескольких десятков ног, отплясывавших польки да канканы. Одна из веселых квартир, этажом выше, помещалась над другою. В верхней шла буйная оргия, в нижней досадливо ворчала да ругалась хозяйка да умирала Маша.

Священник, приведенный к ней через задний, черный ход, сидел над ее изголовьем.

Дверь заперта. Кроме умирающей да исповедника, в комнате никого нет. Свеча озаряет благоговейно потухающее, синевато-бледное лицо девушки и, сбоку над ним, как лунь седую бороду и мягкие пряди серебрящихся старческих волос. Тихий и добрый полушепот раздается над ухом больной, а наверху в это самое время сквозь потолок слышен гам и топот — возня идет какая-то, пляс кружится, лает разбитое, дребезжащее фортепиано, и под аккомпанемент этих диких, смешанных звуков, Маша в последний раз перед смертью раскрывает перед кротким, благодушным стариком всю свою наболелую, многоскорбную душу...

— Я грешница... грешница, — хрипло шепчет она, тяжело переводя дух почти после каждого слова, — я озлоблена на все, на всех... Я два раза топиться хотела... Когда узнала, что у меня чахотка, я обрадовалась... и скрывала болезнь... нарочно убивала себя жизнью, развратом, чтобы скорее покончить... терпеть у меня сил не хватило... Я роптала, я проклинала... Умереть мне хотелось... поскорее умереть... Вот, умираю теперь... Горько... тяжело... Так ненавистно мне все это!.. Так зла я на все, и теперь вот зла... Трудно, нехорошо ведь это, умереть с таким чувством, а что же делать! Нет у меня другого!.. Батюшка!.. Батюшка! Если можно... если еще есть возможность, успокойте мою душу... хоть в смертный час... хоть на несколько минут, но... примирите меня с жизнью — она мерзка, все еще ненавистна мне она!.. Что мне делать?.. Что мне делать?.. Это ведь грех — умирать в такой злобе!..

На ресницах ее заискрились крупные слезы и тихо, капля за каплей, покатились по глубоко запавшим щекам, которые горели теперь пятнистым, ярким румянцем.

— Дитя мое, — с глубоким вздохом, минуту спустя послышался в ответ ей сострадающий, сочувствующий голос старца, — не с жизнью — я помирю тебя с тобою... помирю тебя с Богом, а с жизнью... поздно, да и не к чему уж мириться!.. Пусть мирится с ней живущий — тому эта сделка нужна еще, а тебе... твоя жизнь прожита! Не мириться, нет, но простить... Если можешь, то прости ей! Прости все зло и горе, которое она дала тебе и... будем думать и говорить о Боге.

И теплая, кроткая беседа их длилась еще несколько времени, и когда наконец старик, в последний раз благословя умирающую, удалился из ее комнаты, на успокоенном лице ее светилась уже ясно-тихая, кротко-покорная улыбка, которая вся была — всепрощение.

XLIII

СМЕРТЬ МАШИ

Не прошло и получаса по уходе священника, как Маша ясно расслышала шорох платьев, шелест шагов и шепотливые голоса за своей дверью.

Через минуту дверь эта тихо приотворилась, и в комнату осторожно вошла старуха, которая, затаив дыхание и сдерживая внутреннее волнение, остановилась подле умирающей, устремивши на нее тревожно-внимательные взоры.

Девушка быстро и широко раскрыла глаза, изумленно вскинув их на вошедшую.

Она была удивлена неожиданным появлением незнакомой женщины и несколько времени все так пристально вглядывалась в черты ее...

Ни та, ни другая в первую минуту не подали голоса.

— Чуха! — вскрикнула наконец Маша, тщетно делая усилие приподняться на локте.

Та вздрогнула при звуке голоса, который произнес это имя.

Если в душе Анны и могли еще до последней минуты колошиться какие-нибудь сомнения, то слово «Чуха», произнесенное умирающей, сразу разоблачило несчастной матери, что ее дочь — именно та самая девушка, которую она некогда оттащила от проруби.

Но как изменились ее черты! Смерть уже начала накладывать на них свою печать. И однако, вглядевшись в это изможденное страданием лицо, Анна узнала прежнюю Машу.

— Чуха! — уже гораздо слабее повторила девушка, не сводя изумленных глаз со старухи.

— Маша... Маша... дочь моя!

Это были единственные слова, которые могла произнести Анна, задыхаясь от волнения и подступающих слез. Она склонилась над дочерью и, обняв ее плечи, покрывала поцелуями все лицо ее.

— Дочь моя, дочь... Маша... милая... Наконец-то я нашла тебя... Ведь я тебе мать... родная мать, — шептала она, прерывая слова свои нежными, тихими поцелуями.

— Мать!.. Моя мать! — воскликнула девушка, и вдруг поднялась и села на постели, обняв руками шею старухи.

В эту минуту у нее вдруг появилась энергия, жизнь и какие-то напряженные силы. Последняя яркая вспышка погасающей лампады.

— Мать моя! — говорила она, пожирая восторженно-радостными глазами лицо Анны. — Так ты моя мать?.. О, для чего же так поздно?.. Зачем теперь, а не тогда?.. А ведь мы сердцем чуяли друг друга!.. Любили, не знаючи... Помнишь?

— Помню, помню, дитя мое... все помню! — как-то жутко шептала Анна, и в звуках ее голоса слышалась радость, отравленная какою-то жгучею горечью отчаяния.

— Где ж отец мой?.. Кто мой отец? — внезапно спросила девушка.

Старуха не ответила.

— Матушка! Я спрашиваю про отца моего!..

Та продолжала молчать и только головою поникла, мрачно и злобно сведя свои брови.

Маша еще раз пристально взглянула на нее и уж более не повторила вопроса. Руки ее ослабели, тихо упали с плеч матери, и она вдруг опрокинулась на подушки, почти мгновенно возвратясь к прежнему бессилию.

Это молчание сказало ей все.

В памяти живо и ярко воскресли те слова Чухи, которые сказала она ей в Вяземской ночлежной про старого князя Шадурского, про то, как от нее родную дочку скрыли, про то, как поступил с нею этот Шадурский. Маше вдруг захотелось ничего бы не знать, потому что воспоминание невольно нарисовало ей при этом образ ее собственного любовника, который был законным сыном ее незаконного отца.

Это сознание повеяло ужасом на бедную девушку.

Чистая, светлая радость внезапного открытия родной матери мгновенно была омрачена открытием родного отца.

Проклятая жизнь и тут отравила ей чуть ли не единственную светлую, хорошую минуту.

— Матушка, матушка! — смутно прошептала она. — Какие мы с тобой несчастные!.. За что?.. За что все это?

Это было последнее потрясение, последнее сильное чувство, последний и самый тяжкий удар, которого не мог уже выдержать переломленный, исковерканный болезнью организм девушки. С этой самой минуты смерть шла на нее уже быстрыми, рассчитанными шагами. Больная сильно мучилась. В груди ее что-то хрипело с каким-то высвистом, про который народ говорит, что «певуны поют», — хрипело и переливалось каким-то глухим клокотанием. Приступы удушливого кашля становились все чаще и сильнее. Порой начинала она метаться и стонать от жгучей боли в груди, порой впадала в тяжкое, лихорадочное забытье и через несколько минут вздрагивала, очнувшись, и приходила в себя, и все более слабеющим голосом, с такою тяжкой мольбой простирала к матери свои худощавые руки:

— Матушка!.. Матушка!.. Где ты, милая моя?.. Где ты?

— Я здесь, здесь, — внятно отвечала ей Анна, у которой сердце раздиралось и обливалось кровью при виде этих предсмертных мучений.

— Где ты?.. Я плохо вижу тебя... В глазах темно становится...

— Здесь я, дитя мое, вот, над тобою!.. Я держу твои руки — разве ты не слышишь?

— Слышу... теперь чувствую... Будь здесь... не отходи от меня.

И, прижав к себе руку матери, она через минуту впадала в новое забытье. И, несколько времени спустя, опять широко раскрывались ее потухающие глаза, и опять, вместе с грудными певунами, слышался нежный молящий шепот:

— Матушка!.. Милая!.. Будь со мною... ближе... ближе ко мне... Целуй меня, ласкай меня... обними меня, родная моя... Так обними, чтоб я чувствовала... Крепче, больше... Поцелуй еще!.. Еще раз!.. Ты любишь меня?.. Любишь?..

Анна сжимала ее в своих объятиях и покрывала тихими, долгими поцелуями все лицо ее, на которое капали горючие крупные слезы.

Маша вдруг вздрогнула и, проворным движением, цепко схватила руку старухи.

— Матушка... мне холодно... пальцы коченеют... холодеют ноги, руки... Согрей меня!.. Это *она*... Да, это *она!*.. Это смерть моя идет... О, Господи!.. Пощади! Удержи ее, Боже мой!.. Матушка! Теперь ты со мною — мне бы жить хотелось...

И она горько, горько заплакала — в последний раз своей жизни, с которою теперь стало вдруг так мучительно тяжко расстаться.

— Матушка!.. Пока еще я помню себя — благослови меня... Простись со мною... Обмануться нельзя — я чувствую, что уж недолго... Перекрести меня!..

Анна благоговейно стала осенять ее крестным знамением и тихо шептала молитву...

— Молись... громче молись... внятней, чтобы я слышала... Дай мне твою руку... — прошептала умирающая — и это уж были ее последние слова. Она крепко, почти с судорожным движением прижала хладеющими пальцами материнскую руку к своей груди и, не отпуская ее, впала через минуту в беспамятство.

Началась предсмертная агония.

Хрипящая грудь вздымалась высоко под тяжелым и нервно-медленным дыханием, словно силилась вдохнуть в себя побольше воздуха. По временам по всему телу на мгновение пробегало какое-то судорожное трепетанье. По временам широко раскрывались глаза, но это уж были глаза почти безжизненные, тупые, в которых не светилось ни малейшего отблеска мысли или страдания, и вскоре зрачки их совсем остановились, получа тот неприятный, отталкивающий взгляд, который бывает у мертвеца. Одна только грудь чуть заметно колебалась еще под трудным дыханием, и коченеющая рука все еще крепко держала прижатую к груди руку Анны. И Анна чувствовала, как эти тонкие, длинные пальцы постепенно цепенеют и холодеют — все больше, больше и больше.

Над городом пронесся густой гул первого благовеста к заутрене. На широкой двуспальной кровати, которая была немою свидетельницей стольких развратных ночей веселого дома, в эту ночь лежал теперь вытянувшийся, холодный труп «развратной» девушки.

А рядом с нею, за тонкой перегородкой, в соседней комнатке злобствовала и плакалась на свою печальную судьбу мадам-тетенька и раздавались оттуда ее недовольные, нюнящие возгласы.

— Da bin ich num um meine vier hundert Rubel gebracht![1] Шутка сказать! Кто же мне теперь долг за нее заплатит?.. Я-то за что терплю тут!.. Сколько убытков теперь... Никогда шкандалу такого не бывало, чтобы в моем доме девушка вдруг померла... Говорила ведь, что надо в больницу отправить!.. Тягайся теперь с полицией!.. Oh, du mein grosser Gott![2]

Николай Чечевинский, все время ожидавший в одной из соседних комнат, утешил великое горе тетеньки обещанием уплаты по векселю. Тетенька успокоилась и принялась хлопотать по части обмывания и первых приготовлений к выносу покойницы в залу.

---

[1] Вот я и лишилась теперь своих четырехсот рублей! *(нем.)*

[2] О, великий Боже! *(нем.)*

Все обитательницы веселого дома, без цели, с тупым полуиспуганным недоумением, слонялись из угла в угол по всем комнатам, какие-то растерянные, ошеломленные, пришибленные этой внезапной смертью своей товарки, а наверху все еще раздавались веселые звуки разбитых клавикорд, и потолок дрожал от неистового топанья и кутерьмы забубенного канкана.

XLIV

ПОТЕШНЫЕ ПРОВОДЫ

Как-то страшно и пугливо озирались обитательницы веселого дома на свою парадную пунцовую залу, посреди которой на черном катафалке стоял белый глазетовый гроб. В комнатах пахло ладаном — запах еще более странный среди веселого дома. Эти стены, где раздавалось столько хохоту, цинических куплетцев и возгласов, столько гаму и топанья неистовых танцев, оглашались теперь тихим, тягучим голосом псаломщика; вместо люстры горели три высокие восковые свечи, и зрелище этой суровой смерти, столь исключительное для веселого дома, поражало и даже как будто пугало его обитательниц. Они старались не показываться в залу, а если уж необходимость заставляла проходить мимо, то они проходили торопливыми шагами, боясь бросить мимолетный взгляд на свою мертвую товарку и стараясь поскорее удалиться из комнаты. Быть может, для многих из них, у которых не совсем еще закоченели человеческая мысль и сердце, эта нежданная смерть, свершившаяся, что называется, у всех на глазах, послужила печальным и суровым поучением. Быть может, не одну из них заставила она оглянуться на прошлое и с ужасом подумать о будущем.

Княгиня Анна почти ни на минуту не покидала своей мертвой дочки. Ей не удалось похолить ее живую, поэтому она холила ее мертвую. Сама так гладко расчесала ей шелковистые волосы, сама нарядила в белое кисейное платье и убрала гирляндою живых цветов. Она как будто любовалась на этот милый и дорогой ее сердцу труп, любовалась с колючею жуткостью глубокого, неисходного горя.

Часто всходила она на катафалк за тем, чтобы поправить покров или получше уложить какую-нибудь складку одежды, и каждый раз надолго припадала губами к холодному челу, на которое, капля за каплей, упадали ее горячие слезы.

Тетенька слезно просила не оставлять долго покойницу в недрах веселого дома, потому что странное присутствие здесь мертвого тела, нарушая весь ход веселой жизни, сильно-таки било ее по карману. И точно: вечером то и дело раздавался у входной двери с «васистдасом» громкий звонок за звонком, и случайные посетители, которых сегодня отказались впустить, оставались до крайности удивлены этим, не свойственным месту, запахом ладана и озадаченно уходили прочь. Мысль о том, что тут лежит покойница, которую многие из них физически близко знавали, производила неприятное, скверное впечатление. Всесторонне сообразительная тетенька опасалась, что оно может, пожалуй, на время отвадить от ее приюта некоторых из привычных посетителей.

Два раза в день приходил священник петь панихиду, и стены пунцовой залы оглашались заунывными звуками, которые были слышны чуть ли не целому дому и повергали тетеньку в неописуемое смущение и досаду, все по поводу тех же самых опасений, ради чего она снова приступала к Анне с просьбами не задерживать у нее в квартире покойника.

Чуха с Сенной площади более чем кто-либо могла понять всю своеобразную основательность ее резонов. Поэтому через двое неполных суток часу в десятом утра покойница была вывезена на кладбище.

Странное и даже вполне курьезное зрелище представлял этот погребальный кортеж глазам прохожего люда. За траурными дрогами, которым предшествовали четыре факельщика с весьма комически нахлобученными шляпами, шла одна только Анна, ничего не видя и не слыша вокруг себя, вся погруженная в свое неисходное, глухое горе. Подле ее никого не было: Николай Чечевинский уехал вперед на кладбище распорядиться насчет похорон.

За Анной тянулся ряд извозчичьих дрожек, и на каждых дрожках восседало по паре веселых девиц — прежних товарок покойницы. Одна из них ради столь экстренного случая даже напилась пьяна и поэтому находилась в умильном расположении духа. Тщетно, для равновесия, поддерживала ее за талию подруга, уговаривая все время не скандалить и сидеть смирно; хмельная девушка не слушала и, задрав ноги на крылья извозчичьей пролетки, знай себе размахивает руками да обращается к прохожим с какими-то бессвязными возгласами, улыбками и замечаниями. То вдруг принималась она плакать и поминать добрым словом покойницу, которую всегда, мол, любила, потому хорошая была девушка; то вдруг начинала распевать в честь ее похоронный марш, но спьяну это ей никак не удавалось, и марш похоронный выходил все более похожим на марш персидский. Как уж там она ни бьется, как ни старается, чтобы вышел похоронный, а он, подлец, словно нарочно и как-то невольно, сам собою все на персидский сбивается, и хмельная девушка очень сердилась на это не зависящее от нее обстоятельство.

Ряд этих провожающих парочек замыкался дрожками, на которых во всю ширину одиноко восседала бухлою квашнею сама мадам-тетенька.

Прохожие на минуту останавливались, с удивлением оглядывая такой странный кортеж, и у многих из них эти курьезные проводы невольно вызывали веселую улыбку.

В кладбищенской церкви поставили Машу в одном из боковых приделов, на особом катафалке. Рядом стояло еще несколько покойников, которые дожидались отпевания по окончании обедни.

XLV

«ИДЕЖЕ НЕСТЬ БОЛЕЗНЬ, НИ ПЕЧАЛЬ, НИ ВОЗДЫХАНИЕ»

Однообразно и грустно протекала жизнь Вересова. Почти все, что любил и о чем так мечтал он, было разбито. Но страшнее всего казалось то последнее убеждение, что женщина, которую он так восторженно, любовно называл своей матерью, в сущности оказалась только ловкою интриганкой, разыгравшей с ним плутовскую комедию. И рассудок, и сердце его отказывались верить, чтобы мать могла быть способна на такой поступок. Видя себя столь нагло обманутым и вспоминая пророческое слово умирающего отца, молодой человек почти ни на минуту не переставал тревожиться в глубине своей совести. Ему все казалось, что он чует над собой холодный гнет отцовского проклятия, что это проклятие всегда в нем и при нем, нигде не разлучно, вечно присуще ему, что оно живет даже в самой атмосфере, охватывающей его тело, и, о чем бы ни думал он, что бы ни делал он, куда бы ни пошел, это роковое «будь проклят!» словно адская свинцово-мрачная туча всегда и везде неотступно плывет над его головою. Эта мысль и это чувство стали в нем наконец полною манией. Впрочем, ему почему-то верилось, что душа его успокоится, но только тогда, когда он найдет себе единственное утешение, оставшееся для него в жизни. Этим утешением была мысль — и даже не мысль, а скорее одна только туманно-прозрачная поэтическая мечта о голодной и холодной белокурой девушке, которая молилась и плакала в сумрачном храме, которая провела с ним студеную ночь в покинутой барке, накормила его на свои последние гроши и вырвала его в Малиннике из увесистых лап Летучего. Этот святой образ, словно тонкий луч далекой звезды, один только доходил до его сердца, пробиваясь сквозь мрачную тучу тяготеющей над ним мысли о проклятии. Вся окружающая жизнь давила его, и он искал везде и повсюду своего единственного утешения, искал тем упорнее и жаднее, что слишком уж устал жить, слишком избит был жизнью и слишком много, наконец, вся душа его алкала хоть какого-нибудь покоя.

Раз навсегда задавшись идеей, что он не вправе пользоваться наследственным состоянием, которое нажито на счет людских слез да нищеты. Вересов отказывал самому себе почти во всем необходимом и по-прежнему продолжал существовать чуть ли не круглым нищим. По-прежнему кошелек его всегда был открыт для каждого голяка, для каждого доброго, честного дела. В этих случаях он сыпал деньгами не жалеючи, и это опять-таки была потребность его души: после каждой такой щедрой жертвы он чувствовал, что там, внутри его, становится как будто легче и светлее.

Две комнаты, отведенные и роскошно убранные для Маши, которая должна была вступить в них полною хозяйкою, продолжали пополняться разными украшениями и всевозможными атрибутами роскоши и комфорта. По-прежнему не дерзал он даже и подумать, чтобы когда-нибудь мог своекорыстно вступить с нею в какие бы то ни было отношения, исключая честной и вполне братской дружбы. Он как был, так и остался на всю жизнь неисправимым идеалистом.

Поэтому поиски его за Машей почти непрерывно продолжались по всему городу. Но как было найти ее, не ведая, ни кто она, ни что она, ни как ее имя, и зная положительно только одно, что это — существо голодное, бесприютное, доведенное нуждою даже до барочных ночлегов. Искал он ее везде и повсюду, неоднократно возвращаясь в темный мир Сенной; шатался и по Малиннику, и Клоповнику, и по Вяземскому дому, и по всевозможным вертепам пьянства и разврата, наполняющим окраины этой площади. Ни надежда, ни энергия не покидали его в этих поисках. Но — увы! — поиски всегда кончались не только без успеха, но даже без легкого призрака надежды на него. С кем ни заводил он разговора, никто не ведал про ту девушку, даже никто не понимал, чего именно добивается Вересов. Вздумал было разыскать Чуху, прозвище которой точно так же не ведал, хотя выразительно-безобразная физиономия ее с нескольких мгновений навсегда и глубоко врезалась в его память; но и Чухи уже не было в трущобном мире. Княжна Анна в это время тайно и почти безвыходно проживала у своего брата, Николая Чечевинского.

И все-таки надежда не покидала Вересова, зачастую достигая даже до полной наивности: чуть ли не каждый раз, выходя на улицу, он ждал, что авось либо судьба приведет его наконец к случайной встрече с желанной девушкой. Поэтому зачастую он зорко оглядывал почти каждую встречную женщину, и нередко казалось ему, как будто вон там, впереди, всего лишь в нескольких шагах, мелькает нечто вроде знакомого образа, и он ускорял шаги, почти бежал вдогонку — для того чтобы, подойдя ближе, тотчас же разочароваться... Сколько ни смотрел, сколько ни разыскивал Вересов, пока еще ни в одной женщине не признал он ни своей безобразной старухи, ни своей белокурой девушки.

А неотступная мысль об отцовском проклятии меж тем все

больше и больше тяготела над его рассудком. Порою казалось ему даже, будто оно-то самое, это проклятие, и ложится бревном поперек каждого шага его жизни, будто оно-то и препятствует ему отыскать в жизни действительной девушку, взлелеянную его грезами, потому что смысл этого проклятия не хочет и не позволяет, чтобы он когда-нибудь и где-нибудь нашел наконец себе какое бы то ни было утешение и забвение.

И вот среди подобного состояния души Вересов стал находить себе одно только малое утешение в том, чтобы посещать как можно чаще могилу своего отца, служить по нем литии да панихиды да вынимать заупокойные частицы. Он был всегда очень религиозен, а теперь это настроение возросло в нем даже до чего-то мистически-суеверного. Он поставил себе в непременный долг раза два в неделю посещать могилу отца. Знакомых у него почти не было, развлечений — тоже никаких, кроме книг да лепной скульптурной работы. И те люди, которым хоть сколько-нибудь доводилось соприкасаться с ним в жизни, пришли наконец к заключению, что он как будто не совсем-то в своем рассудке, и называли его меланхоликом, каковым Вересов и был на самом деле.

Добрая судьба, однако ж, не захотела быть к нему совсем уж безжалостной. Она все же позволила найти наконец то, на что потрачено было столько долгих и тщетных исканий. Он увидел зараз и Чуху, и Машу.

Вернувшись с могилы отца в кладбищенскую церковь, прислонился он к одному уголку в боковом притворе, ожидая конца общего отпевания, чтобы заказать себе отдельную панихиду.

В это время глаза его случайно упали на княгиню Анну, которая безмолвно и неподвижно, словно немая статуя, стояла у гробового изголовья своей дочери.

Вересов так хорошо помнил эти черты, что узнал их сразу.

Он подступил к гробу и заглянул в лицо покойницы. Измененное болезнью и смертью, оно все-таки сохранило еще отпечаток чего-то прежнего, знакомого. Впрочем, Вересов не столько узнал, сколько угадал инстинктом свою желанную девушку. Он долго смотрел в это мертвое лицо и наконец благоговейно, до земли поклонился гробу.

«Что ж? О чем горевать? Надеялся недаром — все ж таки нашел я тебя, — подумал он с какою-то удрученно-бессильною горечью. — Теперь не к одному, а к двум покойникам стану ходить в гости. И то утешение!»

Когда вынесли Машу из церкви на могилу, Вересов робко последовал за провожавшими и глядел издали, как опустили ее в землю, как зарывали гроб, как мало-помалу удалились оттуда люди, как после всех ушла убитая старуха, которую поддерживал под руку красивый светский барин, и когда уже скрылась из виду эта последняя пара, он тихо подошел к могиле и, кручинно подпершись руками, присел на свежую земляную насыпь.

Теперь, под землею, всеми покинутая, эта девушка была уже полною его собственностью. Он беспрепятственно мог сидеть на ее могиле и думать о ней свою горькую думу.

С этих пор часто, почти ежедневно, стал Иван Вересов приходить к ней в гости. Он жил какою-то своеобразною, совсем особенною жизнью, которую создали ему фантазия и суеверное чувство. На могиле часто казалось ему, будто слышит он Машу в этом шепоте весенних листьев, будто чует в теплом солнечном луче ее теплое дыхание, в шорохе зеленой травы — шелест ее легкой походки, а дуновение ветра — это было веяние ее воздушных крыльев, как будто она реяла над своею могилой и, кружась и играя, носилась вокруг него легкою тенью. И часто бедняку чудилось, будто въяве он видит ее призрак, который вот-вот сейчас мелькнул за смежными кустами и скрылся там вон, в отдалении, за группой плакучих берез. И Вересов был убежден, и верил чистосердечно и глубоко, что она *есть*, что она существует и присутствует с ним неразлучно и нераздельно, рука об руку, как с другом и братом, и витает подле него светлым призраком, который на земле только и доступен одному лишь его провидящему взору. Это было почти уже полное сумасшествие, но тихое, кроткое и такое грустно-отрадное, что минуты подобных грез стали наконец для Вересова желанными и лучшими минутами из всей его жизни.

Часто на этой могиле встречался он с Анной, но каждый раз робко и торопливо поднимался с места и шел себе бродить по кладбищу, как только завидит, бывало, ее приближающуюся фигуру. И бродил он таким образом все время, пока та оставалась у дочери, выслеживая издали, скоро ли она уйдет, и чуть лишь Анна удалялась, бедняк опять возвращался на свое место.

Та, наконец, не могла не заметить этого странного гостя своей покойницы. Она видела его бесконечно грустное, симпатичное лицо, а женский инстинкт подсказал ей в нем не злого человека. Еще не зная, кто он таков, Анна уже втайне расположилась к нему сердцем за эту, пока непонятную для нее, верность одной и той же могиле. И захотелось ей наконец узнать и допытаться, что это за человек, и зачем с таким постоянством и так грустно сидит он всегда на этом месте, почтительно удаляясь при ее появлении, и какое именно побуждение приводит его сюда почти ежедневно.

Однажды он до того уже погрузился в свои грезы, что и не заметил, как подошла к нему княгиня Анна, и только тогда очнулся и пришел в себя, когда та дотронулась тихо до его плеча.

Они заговорили. Ни той, ни другому нечего было скрываться друг перед другом, потому что оба слишком были просты и честны и на душе у обоих лежала одна и та же любовь, тяготело одно и то же горе. Слово за слово, их откровенный разговор мало-помалу дошел наконец до того, что оба открыли друг другу, какие чувства и побуждения сводят их на этой могиле. Вересов, между прочим, упомянул Анне и про известную сцену в Малиннике, и после этого рассказа Чуха вспомнила и признала его. Общая кручина по общей потере обоюдно слила их души в одну доверчивую теплую струю и с первого же раза сделала добрыми друзьями.

С тех пор каждый день проводили они вместе по нескольку часов на кладбище.

Но однажды, посетив могилу своей дочери, княгиня Анна не нашла там Вересова. Удивленная таким обстоятельством, — потому что молодой человек постоянно являлся раньше ее, — она на этот раз напрасно прождала своего нового друга. Он не явился. По возвращении же домой к своему брату старуха несказанно была поражена, прочтя письмо, полученное в ее отсутствие.

«В государственном банке, — говорилось в этом письме, — на ваше имя положено двадцать пять тысяч серебром. Простите мне мой самовольный поступок и во имя вашей покойной дочери не откажитесь от этих денег. Я желаю, чтобы вы поставили над нею хороший памятник и сами наняли себе дом недалеко от кладбища (это всегда было и вашим желанием), чтобы чаще быть с нею. Эта сумма обеспечит вас до конца жизни. Не покидайте могилы вашей дочери, навещайте ее чаще и чаще и молитесь как за нее, так и за вашего покойного друга

Ивана Вересова».

А через сутки полицейская газета в «Дневнике приключений» заявила, что такой-то части, такого-то квартала, в доме под номером таким-то, в ночь на такое-то число сего месяца застрелился санкт-петербургский мещанин Иван Осипов Вересов.

Все достояние отца своего, за несколько дней до смерти, он разделил по разным благотворительным учреждениям и большую часть пожертвовал на школы да на детские приюты. Мебель и все вещи двух Машиных комнат были распроданы, а вырученная сумма пошла, как и прочие деньги, на доброе дело. Сам же он умер таким голым нищим, каким прожил и всю свою жизнь, так что полиция должна была хоронить его на казенный счет.

На седьмой версте от Петербурга, близ Царскосельской железной дороги, находится одно странное кладбище, которое официально называется «показанным местом».

На этом «показанном месте» зарывают дохлую падаль и хоронят самоубийц. Богатые баре часто погребают тут и своих любимых коней и собак. Над бренными останками некоторых из последних вы можете видеть даже мавзолеи с приличными эпитафиями. Над самоубийцами же мавзолеев не полагается. Один только скромный бугорок земляной насыпи, без креста и камня, безмолвно свидетельствует вам о чем-то зарытом тут — может быть, о человеке, а может, и о какой-нибудь дохлятине.

Для исторической полноты мы могли бы прибавить, что некогда на этом самом «показанном месте» была погребена дивная левретка Лесли, любимая собачка покойной княгини Татьяны Львовны Шадурской, по которой она долго плакала и которой воздвигла даже приличный мавзолей. А в нескольких саженях от этого самого мавзолея плешивый бугорок скрыл под собою простреленное тело ее сына, Ивана Вересова. Над ним никто не поставил мавзолея и никто не заплакал, потому что никому не было дела ни до его жизни, ни до его смерти. Одна только безобразная Чуха с благодарностью вспоминала имя раба Божия Иоанна и в теплой молитве просила Господа о безмятежном упокоении души его там, идеже несть болезнь, ни печаль, ни воздыхание, но жизнь бесконечная.

XLVI

КАК ИНОГДА МОЖНО ЛОВКО ПОЛЬЗОВАТЬСЯ СОВРЕМЕННЫМИ ОБСТОЯТЕЛЬСТВАМИ

1861 год был уже на исходе. Последние месяцы его ознаменовались студенческими беспорядками. Почти одновременно с ними в разных местах нашего обширного отечества проявилась тайная революционная пропаганда. Во всех кружках, во всех гостиных только и толковали об этой пропаганде. На устах у всех и каждого то и дело вертелись слова «Великоросс», «Молодая Россия»... Время казалось тревожным. Все напряженно ожидали чего-то. Чего именно? Едва ли бы кто мог определить положительным словом. Сделано было несколько обысков и арестов, которые повторялись довольно часто.

Но что подумает мой читатель, если скажу, что фактом этих арестов очень ловко задумал воспользоваться наш старый знакомый, Иван Иванович Зеленьков? Он составил себе подходящую компанию из пяти членов, в числе которых находился и другой наш знакомец, Лука Летучий. Мысль Ивана Ивановича оказалась довольно остроумна и как нельзя более приноровлена ко времени. В чем заключалась его хитрая выдумка — читатель увидит из нижеследующего рассказа.

Приехал в Петербург некто господин Белкин, молодой и довольно богатый помещик одной из наших средних, сердцевинных губерний. Человек он был достаточный, женился месяца два тому назад и вознамерился весело провести с молодой женой зимний сезон в Петербурге. Хотя этот год был для помещиков одним из самых притужных, тем не менее Белкину хотелось пожить в полное свое удовольствие, потому что деньга у него на сей раз водилась: кроме своего собственного состояния пришелся ему и за женою довольно круглый кушик. В Петербурге давно он не бывал, от столичных порядков успел поотвыкнуть, а меж тем смутное тогдашнее время и его занимало точно так же, как всех и каждого; к тому же он порою не прочь был изобразить из себя либерального проприетера и любил «отдавать справедливость» «Колоколу».

По приезде в Петербург подыскал он себе очень приличную квартиру, которая на время передавалась со всею мебелью, по случаю отъезда за границу настоящих хозяев. Белкин устроился себе очень комфортабельно, завел хорошего повара, приличного лакея с белым галстухом и филейными перчатками, подрядил помесячно приличный экипаж, абонировался на ложу в итальянской опере и зажил со своею супругою «в полное свое удовольствие».

Однажды, возвратясь с нею из театра, господин Белкин по-английски накушался чаю и отошел к своему мирному, безмятежному сну, вполне довольный

...сам собой,
Своим обедом и женой.

Вдруг часу в третьем ночи у парадной двери его квартиры раздается громкий звонок. Господин Белкин даже и сквозь сон-то не слышал его, потому что започивал уж очень крепко и сладостно. Однако вскоре после этого звонка в спальную прокралась горничная и тихо разбудила его, объявляя с испуганным и каким-то растерянным видом, что в зале дожидаются его какие-то военные господа, чуть не полицейские, которые требовали, чтобы он немедленно был разбужен и поднят с постели.

Екнуло-таки сердчишко у господина Белкина. Хотя никаких таких дел и провинностей за собою он не чувствовал, но время было смутное, обыски и аресты довольно часты — чем черт не шутит, — и «как знать, чего не знаешь!.. Может быть, и ты, друг любезный, мог показаться чем-нибудь подозрительным, а может быть, на тебя кто-нибудь из старых провинциальных врагов ловкий доносец сумел состряпать...» Жутко вспомнилось тут господину Белкину и свое собственное модно-красивое либеральничанье, и это — черт бы его драл! — «отдавание справедливости» «Колоколу». Вспомнилось, что на днях даже некто показывал ему, в одной очень порядочной гостиной, затасканный листок «Великоросса», который он прочел тут же собственными глазами и даже пустился по поводу его в очень либеральное суждение, кое в чем не соглашаясь и кое-что одобряя.

Струсил сердечный в эту критическую минуту, струсил от шиворота до пяток, и ох как пожалел о своем красивом либерализме, и тысячу раз послал ко всем чертям все эти «Колокола», «Великороссы» и прочее, и прочее.

Весь бледный, растерянный, лихорадочно щелкая зубами барабанную дробь, торопливо напялил он на себя халат и на цыпочках вышел из спальной, в страхе, как бы еще не потревожить спящую подругу счастливых дней своих.

Скверно, черт возьми! Совсем-таки скверно! В зале перед ним воочию предстали четыре голубых мундира.

У господина Белкина душа окончательно переселилась в пятки.

— Вы господин Белкин? — очень вежливо отнесся к нему один из голубых мундиров.

Если бы мой читатель был на месте сего счастливого, но в данную минуту злосчастного помещика, то в вопросившем субъекте он наверное узнал бы Ивана Ивановича Зеленькова; но господин Белкин в то время не имел еще удовольствия знать его и поэтому очень смущенно, трепеща и заикаясь, произнес:

— Так точно... к вашим услугам...

— Извините-с, — продолжал допросчик, — такая неприятная обязанность... Но что же делать? Долг службы повелевает! Мы имеем предписание произвести у вас обыск.

— И насчет того... вопросных, значит, пунктов, — угрюмо пробасил Летучий.

— Да-с, — подхватил Иван Иванович, — и насчет вопросных пунктов. Вы, то есть, изволите видеть, письменно объясните мне, кто вы таковы и ваше звание, состояние и прочее. Опять же насчет исповеди и святого причащения... все это как водится. Ну, и чем занимаетесь, и зачем в Петербург пожаловали, и какие ваши знакомства.

Господин Зеленьков говорил бойко и развязно. Он чувствовал себя в своей сфере, потому что в этом отношении уже давно была приобретена им некоторая практическая сноровка, так как во время óно доводилось иногда ему, в качестве сыщика, присутствовать при подобных казусах. В другую пору он, быть может, и посомнился бы взять на себя такую рискованную роль, но тут оно было ко времени, и поэтому-то Зеленьков совершенно справедливо умозаключил, что казус, который во всякое другое время мог бы показаться вполне экстраординарным, теперь, при исключительных обстоятельствах минуты, на много и много уже должен потерять характер экстраординарности, становясь как бы временно обыденным. Расчет был верен, обыски и аресты были еще новою новинкой, так что на иного могли, пожалуй, нагнать немалую панику. Белкин — человек новоприезжий, всех формальных порядков не знающий, стало быть, обработать его можно отличнейшим образом.

Так и случилось.

Выслушав заявление господина Зеленькова, сердцевинный помещик вконец уже упал духом.

«Святители мои!.. Господи, Боже праведный! — жутко подумалось ему. — Чуть ли не лежит там где-то в письменном столе какой-то завалящий нумеришко «Колокола»!.. Помяни, Господи, царя Давида и всю кротость его! Пропала теперь моя головушка!..»

— Вы, пожалуйста, успокойтесь. Мы никакой неприятности вам не сделаем, — предупредительно ухаживал за ним господин Зеленьков, отмыкая ключиком довольно красивый портфель, в котором очень удобно помещалась у него вся походная канцелярия. Тут же были наготове и бумага, и маленькая чернильница с пружинкой, и карандаши, и стальные перья, так что господину Белкину даже не нужно было беспокоить себя и несколькими шагами, чтобы пройти в кабинет для употребления в дело собственной письменной принадлежности.

Иван Иванович, не выходя из залы, очень любезно разложил перед ним на столе портфель, обмакнул в чернила перо и, вместе с чистым листом бумаги, подал его господину Белкину.

— Вы должны будете письменно дать свои показания, — пояснил он, садясь рядом. — Время ночное; всеконечно, со сна потревожили?! Это уж как водится, а нам вовсе нежелательно долго задерживать вас. Вы этого никак не думайте-с. Так уж для того, чтобы дело короче было и поскорей бы нам с вами, значит, кончить, вы уж потрудитесь вот им (он указал на Летучего) вручить ключи от вашего бюра-с и от письменного столика, а буде есть какие шкатулки с письменными документами, так и от шкатулок тоже.

Господин Белкин направился в кабинет за ключами и чувствовал, как на ходу подгибаются у него колени.

Через минуту он положил ключи перед Зеленьковым.

— Ну-с, теперь все очень прекрасно, — молвил Иван Иванович, указывая ему место рядом с собою. — Не угодно ли вам отписываться, а вы, господин поручик (начальственный взгляд на Летучего), извольте получить ключи и отправьтесь вместе с господином прапорщиком в ихний кабинет, да кончайте поскорей, чтобы не тревожить долго господина Белкина. Мы уж и то — извините! — любезно обратился он к последнему, — собственно, по долгу службы нашей, очень невежливы к вам... потревожили ночью... Ну, да что ж делать! Вина не наша... Извольте писать.

И господин Белкин нетвердою рукою стал отписываться на разные вопросы Ивана Ивановича Зеленькова. Он изложил уже, кто он таков, и сколько ему лет от роду, и какого вероисповедания, и бывает ли на исповеди и у святого причащения, женат или холост, и кто такова жена его, и есть ли за ним или за женою недвижимая собственность, и какие у него средства к жизни, и чем он занимается, и каков круг его знакомства, и, наконец, какие мысли насчет политики держит. Иван Иванович предлагал вопрос за вопросом весьма пунктуально, под нумером первым, вторым и т. д., а господин Белкин очень обстоятельно объяснил на бумаге все, что требовалось. Только относительно последнего пункта не преминул заявить себя большим и примерно благонамеренным патриотом.

А сердчишко его между тем екает да екает, и в голове все вертится жуткая мысль о том, что забился там где-то в каком-то ящике этот проклятый нумеришко «Колокола», и что вот-вот сейчас они его отыщут и вытащат на свет Божий, и скажут, мол: «А!.. Земляника! А подать сюда Землянику!» И уже мерещится господину Белкину, что везут его, раба Божьего, за широкую Неву реку, и что наслаждается он прелюдиями старинных курантов у Петра и Павла... И запало ему на мысль в эту критическую минуту — как ни на есть умилостивить официальное сердце господина офицера, преклонить его на жалость к молодости и неопытности и ради сего сдобрить это официальное сердце некоторым бальзамным елеем.

«Авось поддастся!.. Авось возьмет! — нашептывает ему свое собственное екающее сердчишко. — Авось помилует меня мой ангел-хранитель! Рискну-ка!»

И точно: взял — да и рискнул.

— Господин капитан, — робко и смущенно заговорил он очень жалостливым тоном, — позвольте поговорить с вами откровенно, по простоте, не как с капитаном, а как человек с человеком.

— Слушаю-с, — опустив глаза, коротко поклонился Иван Иванович.

— Я один сын у матери, — продолжал злосчастный помещик, чая разжалобить вежливого, но все-таки сурового капитана, — она у меня больная старушка... Это ее убьет... Жену мою тоже убьет... Я всего только третий месяц женат, жизнью еще не успел насладиться, молод и неопытен — что делать! А ведь у меня может еще быть семейство... Я могу еще долг гражданина исполнить и быть полезным моему отечеству... Я даже скажу вам — между нами, уже готовлюсь быть отцом семейства. И вдруг такое печальное обстоятельство.

— Помилуйте, что же тут печального? — успокоительно возразил Зеленьков. — С кем этого не бывает? Да даже у меня самого может быть обыск... Ну и очень рад! Сделайте одолжение! Пожалуйста! Все мы, так сказать, под Богом ходим, поэтому печали тут никакой нет, если совершенно чисты. Чист я перед Богом и начальством — стало быть, чего же опасаться? И у вас еще к тому же, может быть, не окажется ровно ничего подозрительного.

«Да! Толкуй — не окажется! — думал про себя сердцевинный помещик. — Нет, уж что ни говори, а найдут, голубчики, непременно найдут, не то что в письменном столе — со дна моря достанут! Того и гляди, сейчас вот вынесут да спросят: а это что у вас такое? Как, мол, зачем и почему? Что тогда ты будешь отвечать им, как объявят тебе: извольте одеваться, вы, мол, арестованы... Уж лучше рискнуть поскорее!»

Господин Белкин, растерявшийся до потери сообразительности, пришел к заключению, что делать больше нечего, как только покаяться и сказать всю правду. Авось поддастся на елей его сердце!

— Я уже с вами буду говорить, как с отцом духовным! — с покаянным вздохом начал он снова. — Вот видите ли... не помню я хорошенько, а, кажись, есть где-то у меня заваляющий нумеришко «Колокола». Не помню, кто-то из приятелей принес да оставил; и все я хотел сжечь его, все хотел сжечь, да как-то некогда было, позабывал все.

Иван Иванович при этом извещении скорчил очень строгую и даже сурово-карательную физиономию.

— Ну-с? — многозначительно процедил он сквозь зубы.

— Вы сами, господин капитан, может быть, имеете семейство, — жалостливо покачивал головою помещик, — войдите в мое положение! Вы сами, может быть, и сын, и отец, и, может быть, когда-нибудь тоже увлекались духом времени... Не поставьте мне в вину этого паршивого нумеришка! Я не сочувствую, ей-Богу, не сочувствую! Я вас буду *благодарить* за это! (Слово «благодарить» было подчеркнуто многозначительным ударением.) Позвольте мне вам предложить что-нибудь на память от себя... Это, конечно, между нами. Сколько вам угодно? Говорите, не стесняясь.

Иван Иванович тотчас же почел своим священным долгом благородно оскорбиться и осуроветь еще пуще прежнего.

— Что? — шевельнул он бровями. — Что вы изволили выразить? Взятки?.. Да знаете ли, что я вас за это упеку, куда Макар телят не гонял?.. Нет-с, милостивый государь, мы взяток не берем, потому наша служба паче всего благородства требует! И как вы смели сказать мне это?

— Извините-с, Бога ради, извините-с! — ловил его за руку умоляющий помещик.

Теперь уже из пяток душа его переселилась в кончики ножных пальцев.

— Простите меня, господин капитан! Видит Бог, я не желал оскорбить... Я, собственно, по молодости и по неопытности, по доброте сердечной...

Умоляет его таким образом господин Белкин, а сам думает: «Ну, любезный друг, вконец пропало твое дело! Теперь уже баста! Наслушаешься вдосталь концертов, что разыгрывают старые куранты!..»

— Да-с, это нехорошо, нехорошо, милостивый государь, — внушительно замечал меж тем Иван Иванович, — в другое время я бы вас за это, знаете ли, как?.. Но только, собственно, по вашей молодости прощаю вам в первый раз. А то бы я — ни-ни... Боже вас сохрани, избавь и помилуй!

— Готово!.. Все уже сделано! — раздался голос Летучего, который вместе с мнимым прапорщиком показался в зале, неся в руках какие-то письма и бумажонки.

— Это мы возьмем с собою, — пояснил Иван Иванович, пряча их в портфель, — а когда надобность минет, вы все сполна получите обратно.

И вслед за этим все поднялись с мест.

— Не смеем больше беспокоить, — с прежней любезностью поклонился Зеленьков, — очень жаль, что потревожили. Покорнейше прошу уж извинить нас на этом. Но, впрочем, вы будьте вполне покойны, потому, я так полагаю, что важного тут ничего и быть не может — одна только, значит, формальность. Все это токмо для одной безопасности делается. Прощайте, милостивый государь, прощайте, — говорил он, ретируясь к двери, — желаю вам покойной ночи и приятных сновидений.

И через минуту всех этих господ уже не было в квартире.

Господин Белкин вернулся в залу да так и остался на месте, словно столбняк на него нашел. В голове творился какой-то сумбур. Скверные мысли ползли одна за другой, и Бог весть сколько бы времени простоял он в таком положении, если бы вдруг на пороге не показалась горничная.

— Барин! А где же часы-то ваши! Вечером, помнится, в кабинете на столе вы их оставили, а теперь их нет.

— Как нет? Что ты врешь, дура!

— Извольте сами посмотреть. Я весь стол оглядела... и перстня тоже нету!

Господин Белкин направился в кабинет, глянул на стол: точно, ни часов, ни золотого перстня не оказывается.

«Что за притча! — подумалось ему. — Куда бы могли они запропаститься?» А сам очень хорошо помнит, что с вечера оставил их на этом самом, обычном для них месте. «Уж не сунули ль эти господа, по нечаянности, в ящик?..»

Хвать — ан в ящике не оказывается ни этих вещей, ни серебряного портсигара, который тоже наверно туда был положен.

Он — к бюро, посмотреть, целы ли деньги...

— Господи, да что же это такое!

На восемь тысяч банковых билетов как не бывало! Даже какая-то мелочь лежала, так и ту забрали.

— Телохранители вы наши! — в слезном отчаянии всплеснул руками господин Белкин. — Эй! Люди! Живее! Фрак, белье! Одеваться!.. Извозчика!.. Ряди к обер-полициймейстеру!

И через час уже весь анекдот этот был сообщен им дежурному чиновнику в обер-полициймейстерской канцелярии.

Тотчас же началось следствие и розыски по горячим следам.

Прежде всего хватились за дворника и прислугу. Дворник обязан был знать, что никакой обыск без присутствия местной полицейской власти не может быть допущен, и хотя отбояривался незнанием да почтительным страхом, внушенным-де офицерами, однако же ему не так-то легко поверили. Посадили раба Божьего в секретную да еще присовокупили при этом, что найдутся ли, нет ли мошенники, а он во всяком случае в ответе, потому — дворник старый и на местах живалый, стало быть, не может отговариваться незнанием постановлений, прямо касающихся до его обязанностей.

Видит дворник, что одному за все дело претерпеть придется, а за что тут терпеть одному, коли работали все вместе? Его, что называется, захороводили в дело, посулили чуть ли не половину добычи, он же им и подробные сведения о Белкине сообщил, да он же теперь и отдуваться за всех должен, тогда как остальные гуляют себе на воле и пользуются обильными плодами его подвода.

«Нет, ребята, шалите! Попридержись маненько, — решил с досады дворник да при первом же допросе и брякнул всю правду. — Уж коли терпеть, так всем заодно, не чем одному-то задаром!»

И таким образом добрались до главного воротилы остроумного обыска. Иван Иванович Зеленьков, который только что успел обзавестись приятными брючками, форсистыми фрачками и шикозным «пальтом», должен был — увы! — очутиться в Литовском замке, под судом и следствием. Улики все были против него, потому что при обыске в его квартире оказалась часть известных по нумерам билетов Белкина и полный жандармский костюм с эполетами капитанского ранга. Часть билетов с таким же костюмом отыскалась и в месте жительства возлюбленной Луки Летучего. Белкин на очной ставке сразу признал и того, и другого. Как тут ни запирайся, а против таких очевидных улик ничего не поделаешь — и судебное решение не могло оттянуться в долгий ящик.

Иван Иванович предвидел эту неизбежную близость. Трусливое сердчишко его сжималось от страха и трепета. Напуганная фантазия, как и в оно время, стала ярко разрисовывать ему торжественную прогулку на фортунке к Смольному затылком, с эффективным спектаклем на эшафоте, и почти ни одной ночи не проходило без того, чтобы несчастному Зеленькову не пригрезился страшный Кирюшка, который растягивает на кобыле его тело белое, привязывает крепкими ремнями руки-ноги его, примеряет на руке плеть ременную, и свистко поигрывает ею в воздухе, разминая свою палачовскую руку да все приноравливаясь к жгутищу, чтобы оно ловчее пробирало. И слышит Иван Иванович, как собачий сын Кирюшка молодцевато прошелся по эшафоту и зычным покриком подает ему весть: «Берегись! Ожгу!» И замирает, и рвется на части слабое сердчишко Ивана Иваныча, и в ужасе просыпается он, и начинает креститься на все стороны и молить Бога отвести от его спины эту беду неминучую.

Совсем исхудал даже бедняга от своей кручинной, занозистой

думы. Не страшит его нимало самый процесс прогулки на Конную площадь, ни всенародная выставка на черном эшафоте, на позор всему люду доброму, а пуще всего страшит эта проклятая плеть ременная, и от нее-то думает увернуться Иван Иванович.

А в тюрьме уже носятся положительные сведения, что, может, всего-то через несколько месяцев по всей России отменят навеки наказание телесное, так что уже ни за какую провинность, ниже за самое святотатство с душегубством, не станут полосовать плетьми спину человеческую. И ждут не дождутся арестанты этого благодатного времени, и молят Бога, чтобы поскорее принес им государский указ этот праздник светлый.

В тюрьме необыкновенно быстро распространяются все новости административные и законодательные; все, что хоть сколько-нибудь касается арестанта, его жизни и его судьбы, с величайшим участием и живым интересом принимается и комментируется за этими каменными стенами. Это их насущные и сердечные вопросы. Несколько месяцев, если даже не гораздо более года, которые предшествовали обнародованию указа об отмене телесных наказаний, были в среде заключенников самым горячим временем. Тут их интересовала каждая малейшая новость, касавшаяся до этого указа и долетавшая к ним при посредстве чрезрешеточных тюремных свиданий. Почти каждая неделя приносила им нечто новое, и эти отрадные слухи все более и более облекались в достоверность несомненно грядущего факта.

Ивану Ивановичу только и мечталось о том, как бы дотянуть свое тюремное пребывание до этого благодатного времени, как бы отсрочить судебный приговор до обнародования указа. Средство было в его руках, и средство это представляло общую и обычную систему всех уголовных арестантов, которою они пользовались в прежние времена, дабы отсрочить себе страшное наказание. Система эта известна. Чуть увидит, бывало, арестант, что дело его приходит к концу и что, стало быть, наступает страшный день расправы, он шел и открывал про себя какое-нибудь новое, еще не известное властям преступление, часто даже взводя голый поклеп на собственную свою голову. По этому новому, добровольному открытию возникало новое следствие, и старое решение откладывалось для того, чтобы последовать потом уже по совокупности преступлений. Кончалось новое следствие, арестант объявлял себя виновным в третьем преступлении и наводил на его следы. После третьего следовало четвертое, и так далее — дело затягивалось на несколько лет, а когда уже больше нечего было открыть, ни клепать на себя, арестант решался тут же, в тюрьме, на какой-нибудь уголовный поступок, вроде того, чтобы взять да поранить ножом или зашибить до смерти ни в чем не повинного товарища, броситься на приставника, или норовит сорвать эполеты офицеру, оскорбить смотрителя, или вообще сделать что-нибудь такое, за что опять подвергли бы его новому суду и следствию. На такие насильственные преступления и поклепы на собственную личность побуждало единственно лишь чувство страха перед Кирюшкиной плетью.

Иван Иванович Зеленьков ждал указа как манны небесной. Для избежания плетей и для оттяжки времени ему оставалось одно только средство: в постепенном порядке объявлять о прежних своих преступлениях. Так он и делал и дошел наконец до самого главного, которое заключалось в участии по делу Бероева, то есть, собственно, в том, каким способом он опутал этого последнего через подброску на печь известных вещей и документов. В прямых интересах Ивана Ивановича было как можно более запутать и осложнить свое дело, приплетя к нему возможно большее количество прикосновенного народа. Чем сложнее будет следствие, тем дольше проволочится время, а там — даст Бог — и вожделенный указ подоспеет. Он заявил чистосердечно, что, по наущению Александры Пахомовны Пряхиной, вместе с коею он, Зеленьков, состоял тайным агентом у генеральши фон Шпильце, вызван был он, во-первых, на задушение дворника Селифана Ковалева, во-вторых, на тайную подброску в квартиру Бероева литографского камня, пакета с какими-то не известными ему бумагами и двух полных экземпляров заграничной газеты «Колокол» за первое полугодие 1859 года; причем присовокупил, что Пряхина все наущения и подстрекательства свои делала по приказанию самой генеральши фон Шпильце, о чем тогда же ему и объявила.

Показание это было так важно, что невозможно было оставить его без внимания, тем более что неповинная жертва этих темных происков все еще томилась в крепостном каземате. Показание Зеленькова немедленно же было объявлено тем, кому о том ведать надлежало, и вслед за этим закипело новое и самое горячее следствие.

Прежде всего нужно было схватиться за Сашеньку-матушку.

XLVII

ЗА ТУ И ЗА ДРУГУЮ

Тапер Герман Типпнер около четырех месяцев провалялся в больнице, и за все это время его в особенности смущало и озадачивало то, что ни одна из дочерей ни разу не пришла навестить его. Старик мучился неизвестностью, что сталось с ними, какая судьба постигла обеих в эти четыре месяца его отсутствия. Наконец кое-как его подняли на ноги и выпустили на свет Божий.

Он вышел из-под больничного крова с твердой решимостью и надеждой — во что бы то ни стало вырвать Луизу из когтей тетеньки. Но вместе с этой надеждой, пока шел он домой, сердце его еще пуще прежнего засосала все та же мучительная неизвестность о судьбе дочерей, и особенно младшей, Христины. Герман Типпнер мало рассчитывал на христиански бескорыстное милосердие Спиц, отлично зная, что они не станут даром кормить и держать на квартире лишнего человека. Тем не менее, пока еще судьба этой девочки оставалась ему неизвестна, он лучше бы хотел верить, что майорская чета воспользовалась всем его наличным имуществом взамен куска хлеба да полутороаршинного пространства на постельную подстилку в каком-нибудь углу для его Христины.

Но каков же был удар ему, когда, вернувшись в знакомую квартиру, он не нашел там второй своей дочери!

Самая комната была уже занята новыми жильцами.

И нужно же было, чтобы на ту самую пору Домна Родионовна ругательски разругалась с Сашенькой-матушкой из-за каких-то углей для самовара! Подобные пассажи случались нередко между этими двумя достойнымй особами. Но как быстро и коротко зачиналась ссора, так скоро наступало и примирение. По прошествии каких-нибудь двух-трех суток, при первой задушевной встрече на лестнице или в мелочной лавочке, старые приятельницы прощали друг дружке обоюдные обиды и запивали свое примирение кофеишком грешным. Тем не менее, пока продолжался разрыв, не было той пакости и мерзости, которую одна про другую постыдились бы разгласить самым пространным образом, причем одна другой непременно старалась поусердствовать так, чтобы и нёбу, и загривку жарко было.

Когда Герман Типпнер, взволнованный мучительным страхом ожидания и неизвестности, задал Домне Родионовне решительный вопрос, куда девалась его дочь Христина, майорша брякнула ему сразу, что Пряхина перетащила ее к себе — потому, не поважать же им задаром лишний рот у себя на квартире — и что недель около четырех девушка проживала у нее, пока наконец однажды Сашенька-матушка не напоила ее допьяна и в этом виде свела ее с одним временно приезжим евреем-купцом, с которого сорвала-таки порядочный кушик, отнесенный ею в сберегательную кассу.

— Даром что сама свиньею живет, а у самой, поди-ка, порядком-таки накоплено! — завистливо-злобственно заключила майорша свое обличительное повествование.

Потом добавила она, что девушка очень много и долго плакала, не знала, как показаться на глаза старику отцу, и что еврей-купец, которому она очень понравилась, чуть ли не насильно увез ее с собой в Динабург.

Ни слова не сказал на это Герман Типпнер, только судорожно сжал кулаки свои. В старом сердце его словно что-то порвалось в эту минуту, в голове мгновенно родилась и созрела непреклонная, решительная мысль. Об одном только спросил он у Домны Родионовны, и спросил по-видимому совершенно спокойно: куда девала она его вещи? Та отвечала, что все они вынесены на чердак, потому что надо было очистить под новых жильцов комнату. Герман Типпнер спросил у нее чердачный ключ и немедленно отправился к своему домашнему скарбу. Там, между разной рухляди, отыскал он небольшой топорик с железным топорищем, очень удобный для колотья сахару, и, схоронив его за голенище, тотчас же спустился вниз и постучался в дверь Пахомовны.

Отворив очень спокойно, та вдруг отступила в сильном смущении, совсем неожиданно увидя перед собою фигуру старого тапера.

— Мне нужно объясниться с вами, — сказал он, прямо проходя из передней в комнату.

Сашенька-матушка поневоле последовала за ним.

Герман Типпнер осмотрелся и сел на стул, подле самой двери, имея в виду, в случае чего-нибудь, преградить ей всякий путь к отступлению.

— Что вам угодно? Я вас, почитай что, не знаю и с вами никаких делов не хочу иметь! — заговорила Пряхина, быстро оправляясь от своего смущения и принимая обычный наглый тон.

— А вот сейчас, сейчас... подождите, — отвечал ей Типпнер совершенно просто и по-видимому с невозмутимым спокойствием полез к себе в голенище.

Вдруг он быстро поднялся со своего места.

В старческих взорах его засверкала ненавистная злоба, и в то же самое мгновение топор сверкнул в воздухе над головой Пахомовны.

— Это за Луизу!.. Это за Христину!.. — проскрипел он спершимся от злобы голосом, нанеся ей последовательно, один за другим, два сильных удара в голову.

По второму удару Пряхина рухнулась на пол.

Из двух глубоких ран, раздробивших череп, хлынула кровь.

На топоре остались частицы мозга.

Герман Типпнер швырнул топор в угол и, выйдя из ее квартиры, постучался у Спицыной двери.

Ему отворили.

— Зовите дворника! — первым словом объявил истерически задыхавшийся Типпнер и в изнеможении опрокинулся на первый попавшийся стул. — Пусть ведут меня в часть... в тюрьму... я убил ее...

— Как?.. Кто? Кого? Что такое? — ошеломленно поднялся вдруг гам в майорской квартире.

— Ее... волчиху... чтобы не резала больше ягнят!.. — проговорил Герман с каким-то трепетно-странным сверканием в глазах и дрожью в голосе, которые обличали если не помешательство, то сильнейшее нервное потрясение.

XLVIII

РЕЗУЛЬТАТЫ ПРИЗНАНИЙ ЗЕЛЕНЬКОВА

Следствие по важному показанию, данному на себя Зеленьковым, встретило на первом же шагу огромное препятствие. Когда судебный следователь вызвал к себе по месту жительства Александру Пряхину, местная полиция отнеслась, что почти накануне вызова она убита мещанином Германом Типпнером. Зеленьков, очевидно, не мог ни предвидеть, ни знать заранее этого убийства, ибо, судя по времени, показание его было дано еще при жизни покойницы.

Оставалось приняться за добродетельную генеральшу. Но тут, при первом же допросе и очном своде ее с Зеленьковым, для следователя опять возник довольно важный камень преткновения. Амалия Потаповна показала, что никогда и ни по какому делу, ни в какие личные или посредственные сношения с Зеленьковым она не входила и все свидетельство его противу себя считает изветом.

Зеленьков, как ни вертелся, однако ж не мог противопоставить ей никаких юридических доказательств противного, потому что действительно в непосредственные личные отношения с генеральшей он не вступал. Доверенным посредником ее во всех делишках являлась Пряхина, ныне уже покойница. Стало быть, ни более точного подтверждения, ни окончательного отрицания показаний Ивана Ивановича ждать уже было неоткуда. Оставался один только шаткий пункт, на котором следователи думали поймать в ловушку хитроумную генеральшу. Но... на то она и была хитроумной, чтобы не попадаться ни в какие ловушки. А капкан для нее устроен был следующим образом.

К следствию был позван, втайне от генеральши, вездесущий и всеведущий Дранг, у которого спросили, на основании каких фактов сделал он известное заявление о Бероеве, последствием которого явился обыск и арест последнего.

Эмилий Люцианович, нимало не смутясь, ответствовал, что сведения о Бероеве были переданы ему, для известного сообщения, непосредственно самою генеральшею фон Шпильце.

После этого ему немедленно дали очную ставку с Амалией Потаповной, которая, даже не задумавшись, признала полную справедливость показания вездесущего.

— А вы каким образом могли знать, что Бероев член тайного общества и что у него на квартире находятся известные и достаточно уличающие его предметы? — внезапно обратился к ней следователь, думая врасплох накрыть на этом Амалию Потаповну.

Та с полным спокойствием и уверенностью ответствовала, что ей донесла об этом та же самая покойная Пряхина, с давнишних пор состоявшая при ней, частным образом, секретной агентшей. Какими же судьбами это дело известно было Пряхиной, она, Шпильце, не знает и никогда ее об этом не спрашивала; причем еще присовокупила, что, весьма может быть, покойница, передавая ей сведения о Бероеве, имела при этом какие-нибудь собственные расчеты, и если действовала совместно с Зеленьковым из каких-нибудь своекорыстных видов и целей, то в этом случае злоупотребила только ее именем, без ее генеральского ведома, не имея на таковое злоупотребление ни малейшего права. А в чем именно заключались поводы, цели и расчеты Пряхиной, ей совершенно неизвестно, однако же полагает, что тут, вероятно, имелось в виду какое-нибудь своекорыстие.

Подняли для пересмотра сданное в архив дело Бероевой, из коего, после всестороннего отречения генеральши, следователи могли предположить только какое-нибудь отношение между Пряхиной и молодым князем Шадурским, который, быть может, непосредственно мог влиять подкупом на действия и поступки Александры Пахомовны.

Но и в этом случае они встретили новый камень преткновения. Бероева, как оказалось по справкам, умерла. Юного Шадурского не было в России. В то время он находился за границею, под судом, за умышленную продажу фальшивого золота.

Решение, последовавшее по делу, возникшему из добровольного показания Зеленькова, при посредстве некоторых достаточно сильных происков и подмазок со стороны генеральши, состоялось в следующем роде: на Ивана Ивановича как на главного и добровольно сознавшегося виновника падала самая тяжелая доля законной кары; засим, по причине смерти главной сообщницы его, Пряхиной, все дело признано лишенным безусловной юридической доказательности, а посему вышереченную генеральшу Амалию фон Шпильце надлежало от суда и следствия освободить, оставя, впрочем, в сильном подозрении.

Таким образом, этой достопочтенной особе удалось-таки увильнуть от длинной Владимирской дороги.

Единственный, но самый отрадный результат, который дало это дело, заключался в том, что полная невинность Бероева обнаружилась сама собою, после чего он был немедленно, с величайшими извинениями, освобожден из-под ареста.

XLIX

СОН НАЯВУ

Едва грудь Бероева вздохнула воздухом воли, он, земли не чуя под собою, тотчас же пустился в Литовский замок узнать, что сталось с его женою.

В тюремной канцелярии навели по книгам справки и объявили ему, что, после произнесения над нею публичного приговора на

Конной площади, она скоропостижно скончалась и похоронена у Митрофания.

Он побелел, как смерть, и, зашатавшись, опрокинулся без чувств на подоконник, близ которого стоял в ту минуту.

Невеселое приветствие подготовила ему свобода для первой встречи с нею.

Несколько холодных вспрысков в лицо возвратили ему сознание; несколько глотков воды помогли если не успокоиться, то по крайней мере хоть сколько-нибудь сдержать себя внешним образом.

Узнав, в каком разряде обыкновенно погребают арестантов, он тотчас побрел на кладбище.

Хотелось отыскать могилу жены, и не верилось в возможность этой находки.

В кармане его было всего-навсего пять-шесть рублишек — единственные и последние деньги, оставшиеся от казематного заключения.

Нанял он плохого ваньку и притащился к Митрофанию.

Один из могильщиков за гривенник начайного посула провел его в последний разряд кладбища.

— Если бы мне мог кто-нибудь указать тут могилу, — молвил ему Бероев, — не вспомнишь ли ты или кто-нибудь из твоих товарищей... арестантка... Бероева... в прошлом августе месяце...

— Да эфто все там, в кладбищенской конторе, значит, в книге прописано, — пояснил ему могильщик, — только где ж его теперь узнаешь!

— Я бы дорого вам заплатил за то... Я бы ничего не пожалел, если только возможно!

— Нет, сударь, эфто дело нужно оставить! — безнадежно махнул тот рукою. — С прошлого августа, говорите вы, а ноне у Бога-то май стоит; стал быть, почесть, десять месяцев минуло, а с тех-то пор сколько их тут захоронено — сила! Тут ведь не токма что одного тюремного, а и всякого, значит, покойника спущают, который из потрошеных, больше все в общую кладут, гроб подле гроба. Где же тут его отыщешь! Кабы еще крест — ну, тут иное дело, а то, говорите, креста-то нету?

— И креста нету... — понуро вымолвил убитый Бероев.

— Ну, значит, и шабаш тому делу! — заключил могильщик. — Тут где-нибудь она, — мотнул он окрест головою, — а эфтих самых местах должно ей находиться, а больше и искать нечего.

— Ну, и за то, брат, спасибо! На вот тебе! — сунул ему в руку Бероев условленный посул. — Можешь уйти теперь... а я один останусь.

Могильщик слегка приподнял с головы картуз и удалился, вполне довольный своей «наводкой».

Бероев остался один меж убогих крестов и могильных холмиков.

На душе у него был мрак беспросветный, мрак не отчаяния, не горя, но мрак апатии, пригнетенной, придушенной горем. Однако минутами грудь его схватывали тяжелые приливы какой-то рыдающей, судорожной злобы: он хотел лететь и тотчас же, своими руками передушить виновников мученичества его жены, с волчьей лютостью перегрызть им глотки — всем до единого; насладиться музыкой их отчаянных воплей, их предсмертной хрипотой; налюбоваться всласть, до неудержимого хохота, их подлым страхом и ужасом перед этим алкающим волком, конвульсивной пляской и дерганьем их мускулов и физиономий, когда начнет их сводить и корчить предсмертная судорога под его впившимися в их гнусное тело когтями и зубами. Он хотел мстить, мстить и мстить.

Но это чувство налетало только мгновениями. Сколько ни велика была его сила, однако же оно не могло затмить тех двух чистых и светлых головок, кудрявый, улыбающийся образ которых непрестанно жил в его сердце, рисовался в его воображении; это злобное чувство не могло заглушить воспоминания о тех детски горьких, рыдающих воплях, о том голосе, каким были сказаны слова: «Папа! Голубчик, не уходи от нас, останься с нами!» — последние слова, слышанные им из двух детских уст, в ту страшную ночь, когда его взяли...

И порыв рыдающей злобы смолкал перед порывом рыдающей любви. Он твердо начинал сознавать, что надо жить для них, для этих двух сирот, лишенных матери, надо вырастить их, сделать честными людьми, передать им честное имя.

И буря в нем утихала, снова уступая место пришибленной апатии.

И тихо начал он бродить между могилами, кидая окрест себя смутные взгляды, словно искал, и сам не зная, чего именно ищет.

«Тут где-нибудь она! В эфтих самых местах должно ей находиться», — как будто все еще доселе раздавались в его ушах слова могильщика.

«Да, где-нибудь тут! — думал Бероев. — Может быть, вон она... может быть, я на ней стою теперь... Слышишь ли ты меня, моя Юлия?..»

И он продолжал бродить по указанному пространству, останавливаясь над бескрестными бугорками и плешинами, и в душе его поселилась странная мысль и странное убеждение, которым он поддался с отрадной, утешительной безотчетностью. Ему казалось, будто внутренний голос, инстинкт, предчувствие непременно укажет ему могилу жены. Он почти полупомешанно хотел этого — и не находил.

«Тут где-нибудь она... в эфтих самых местах должно ей находиться». — «Да, в этих местах... Но неужели же это утешение?.. Неужели же так-таки уж навеки она для меня потеряна? Тут где-нибудь... Тут... Ну, все равно! Пусть будет вот хоть эта!» — странно решил он сам с собою, остановясь подле одной бескрестной, одинокой могилы.

И тихо опустился он перед ней на колени и повергся ниц на могильную насыпь, усталый, разбитый, истерзанный, жарко обнимая ее руками и безумно целуя землю, которая впивала в себя его мучительные слезы.

Душа изныла, истосковалась и нестерпимо запросила хоть какого-нибудь облегчающего исхода.

Бероев нашел его в порыве этих слез, объятий и поцелуев, которыми наделял он чью-то одинокую, безвестную могилу. Болезненно настроенная фантазия подсказала ему, что под этой насыпью лежит его жена, и он восторженно, безотчетно поверил голосу фантазии: ему так жадно хотелось хоть чему-нибудь верить.

Долго длился этот порыв, и когда наконец весь он вырыдался, наступило тихое, благодатное успокоение.

Бероев полуприлег на траву, сложив на край могилы свою удрученную голову, и глубоко задумался.

Весеннее солнце било в него теплыми, радостно трепетавшими лучами. В сочной, наливающейся зеленой жизнью траве будто слышался шепот и шорох какой-то: там суетливо копошилось, бегало, ползало, летало, прыгало и цеплялось за тончайшие былинки многое множество разной мошки, жучков, паучков и всего этого насекомого люда, который живет и дышит, пока его греет солнечный луч. По зеленому полю желтели махровые, росисто-свежие головки одуванчиков, над которыми носилось тонкое жужжание, реяли золотистые пчелы. Из рощи порою тянуло смолистым запахом молодой, изжелта-светло-зеленой березы; то вдруг пахнет откуда-то, с легким попутным ветерком, миндальным ароматом цветущей рябины. В воздухе пахнет землею — тем несколько прелым, сыроватым запахом, который издает по весне земля, набирающаяся могучей жизненной силы. И стояла в этом воздухе какая-то звучащая, весенняя тишина. С огородов доносились женские голоса и заливчатая песня, а в кладбищенской роще переливалась звонкая перекличка иволги, зябликов, пеночек и малиновок.

Хорошо было на кладбище. Казалось, будто каждая могила улыбается и шепчет что-то белому свету про свою жизнь подземную — словно и там, под нею, тоже весна наступила. Бероев совсем отдался своим грезистым думам и мечтаниям. Вспомнилась ему жена, которая улыбалась и ему, и детям своими тихими и добрыми, честными глазами; вспомнились и кудрявые головки детей, и то светлое время, когда они только что начинали щебетать свои детские, несмолкаемые речи, а слабый язык никак еще не мог справиться со словом и лепетал такие потешные созвучия. Вспомнились ему тут все эти особенные слова их собственного сочинения, которыми окрестили они разные предметы своей детской жизни. И стало жутко и отрадно на сердце от всех этих воспоминаний... Все это было так мирно, так хорошо, и все это минуло уже безвозвратно... Тихие и добрые глаза сомкнулись навеки; голодный червь уже давным-давно повыглодал их — теперь на их месте зияют там, под землею, две костяные впадины, и этим впадинам никогда, никогда не улыбнуться тою светлою, честною, безгранично любящею улыбкою, какою улыбались некогда глаза до обожания любимой женщины.

В этих грезах, глубоко ушедших в душу, Бероев и не заметил, как подступил вечер.

Ярко-румяное солнце стояло уже низко над землею и кидало полосы золотисто-розового света по кладбищу, вдоль которого потянулись длинные тени крестов, казавшихся теперь тоже какими-то розоватыми. С высей теплого неба долетали еще на землю последние рассыпчатые трели жаворонков, допевавших свои предвечерние песни. Все другие птицы почти совсем уже умолкли; зато в роще защелкал где-то соловей, и это было робкое еще начало бойких ночных переливов; в воздухе как будто гуще, чем днем, запахли белесоватые кисти цветков рябины.

Бероев встал и потянулся. На душе его было теперь грустно и тихо. Он огляделся вокруг и, до земли поклонившись могиле — словно бы прощался с нею, — встал и побрел себе по тропинке.

Он уже шел по одной из тех аллей, что прорезывают кладбищенскую рощу, как вдруг на лице его заиграл испуг и недоумение, которое отлилось и застыло наконец в выражении панического ужаса.

Он попятился несколько шагов и остановился как вкопанный, не имея ни сил, ни воли, чтобы двинуться дальше, и не будучи в состоянии оторвать глаз своих от поразившего его предмета.

В нескольких саженях перед ним, лицом к лицу, шла женщина в очень скромном, простеньком платье темного цвета. Большой платок покрывал ее голову и спускался на плечи. Яркие лучи золотистого заката, дробясь между стволами дерев, зеленью ветвей и намогильными памятниками, сетью переплетались и путались на дорожке и обливали светом спокойное и грустное лицо женщины, шедшей навстречу Бероеву.

«Боже мой!.. Боже, да что ж это? — сверкнуло в голове его. — Или мне чудится... сплю я или с ума схожу!.. Она! Она... Но этого быть не может!»

Женщина случайно подняла голову и, заметя его пораженную ужасом фигуру, остановилась и взглянула ему в лицо. И вдруг словно лучезарная молния пробежала по ее чертам. Они оживились испугом и недоумением, но в тот же миг засверкал в них восторг радости и счастья.

Легкий крик вырвался из ее груди, и, простирая вперед свои руки, она стремительно пошла к Бероеву.

Тот опять попятился невольно и, в оледенелом ужасе, схватился за свою голову.

— Егор!.. Да ты ли это?.. Что с тобой?.. Не бойся! Я не призрак, я ведь жива!.. Ведь вот я же целую, я обнимаю тебя! Чувствуешь меня?.. Ведь это я! Я, твоя жена, твоя Юлия!.. Меня считают умершей, но я жива! Я с тобою!.. О, да опомнись же! Приди в себя!.. Мой милый! Счастье мое!..

Это были не слова, не звуки, но райский восторг, который ключом бил и рвался из мгновенно переполненной груди. Она трепетно обнимала и целовала его, а он, весь бледный, сраженный изумлением ужаса и убежденный, что с ним совершается нечто сверхъестественное, что рассудок покидает его, стоял и глядел истуканом, не дерзая прикоснуться к ней. Он видел и не верил, чувствовал прикосновение к себе и смутно думал, что это страшная галлюцинация.

— Боже! Пощади... пощади... спаси мой рассудок! — едва мог он наконец шевельнуть губами.

Но нет, это не призрак, не сон — видение не исчезает.

В ушах его раздается знакомый голос, на него восторженно глядят все те же добрые глаза, наполненные теперь слезами счастья. Он ощущает знакомое пожатие руки, знакомые поцелуи и объятия — нет, это не сон, это въявь она — как есть, милая его Юлия!

И он, как Фома неверный, ощупал лицо ее руками, и вдруг упал к ее ногам, вне себя обнимая ее колени, целуя руки и ноги и не будучи в состоянии вымолвить ни единого слова от этого опьяненно-окрыляющего наплыва какого-то дикого, необузданно-восторженного счастья.

L

ЧТО БЫЛО С БЕРОЕВОЙ

Давно мы покинули Юлию Николаевну Бероеву. Читатель доселе оставался в полном неведении, что сталось с нею после того, как доктор Катцель с уверенностью произнес над ее изголовьем отрадное слово: *спасена!*

И он действительно возвратил ей жизнь и мало-помалу с величайшей заботливостью восстановлял ее утраченные силы.

Хотя эта женщина и представляла теперь весьма интересный для него субъект в научном отношении, однако же всей тщательностью ухода, внимания и попечений была она обязана главным образом Сергею Антоновичу Коврову.

В этом человеке являлась какая-то странная, психически загадочная натура. Положительно можно сказать, что это был герой в своем, исключительном роде, и герой даже в хорошем смысле этого слова. Обожатель всякого риска, страстный поклонник сильных ощущений и женщин, для которых часто позабывал все на свете, Ковров был отъявленным мошенником, но отнюдь не негодяем. В том, что из него выработался мошенник, виновато было дурно направленное воспитание и привычка бодрствовать до повелевать, при отсутствии средств к тому и другому. Все это было у него в детстве, и всего этого он лишился со смертью отца, при первой юности. Надо было с бою взять себе от жизни и то и другое. Природа дала ему страстную жажду жизни, дала размашистую широкую натуру, пылкое сердце, гибкий ум и энергическую волю. Он на первых же порах проигрался и ради поправления обстоятельств, дабы избежать солдатской шапки, сам учинился шулером, а от шулерства к остальным родам мошенничества скачок уж очень и очень нетруден. Но, при всем своем дурном направлении, он какими-то непостижимыми судьбами успел сохранить в себе природную теплоту сердца и отзывчивость чувства.

Никогда не задумываясь обобрать ловким образом кого бы то ни было, он в то же время нередко способен был делиться чуть не последним рублем, если случалось проведать про действительно крайнюю нужду человека, даже мало ему знакомого. «Сам хлеб жуешь — и другим жевать давай», — говаривал он постоянно. Порывы этой доброты и какого-то своеобразного рыцарства налетали на него порою какими-то шквалами, и в минуту одного из подобных шквалов судьба случайно дозволила ему спасти Бероеву, которую отчасти он знавал и прежде. Ему вообразилось и вздумалось, что с этой самой минуты забота о дальнейшей судьбе спасенной им женщины должна лечь на него чем-то вроде нравственного долга, до тех пор, пока случаю угодно будет оставить ее на его попечении. И — надо отдать справедливость — он ни на шаг не отступил от этой добровольно взятой на себя обязанности. Вот и подите рассуждайте после этого, что такое душа иного мошенника! Мы нарочно сказали *иного*, разумея под этим, конечно, далеко не *каждого*; но... все-таки между субъектами этой темной породы встречаются иногда странные, загадочные натуры, вполне достойные стать интересной проблемой и для мыслителя, и для психолога, и вот одною-то из подобных, не легко разрешимых проблем является Сергей Антонович.

Бероева была спасена, хотя последовательное восстановление жизненных сил ее шло довольно туго и медленно. Доктор Катцель, однако же, недаром-таки дал Коврову свое слово приложить все старания, чтобы поднять ее на ноги. И точно, в течение нескольких недель все его время и внимание исключительно делились между пациенткой и фабрикой темных бумажек.

Прошло месяца четыре или около пяти. Юлия Николаевна совсем уже поправилась, и вместе с этим перед нею встал трудноразрешимый вопрос весьма странной сущности — вопрос, что делать, как жить и как быть ей далее? Решенная уголовная преступница, арестантка, отмеченная по тюремным книгам в числе умерших, в данную минуту она была круглое ничто. Показаться в прежнее общество невозможно, да и не к чему: необходимость и чувство самосохранения требовали возможно большего скрывательства и тщательного инкогнито. Ей даже казалось риском появиться на городских улицах. Подать весть родным в Москву — трудно да и небезопасно. А между тем надо же создать себе какое-нибудь положение в жизни, надо *быть чем-нибудь*, коль скоро ты уже есть жив человек, а чем именно быть ей, она не знала, да и не могла и не умела сама по себе создать или даже представить для себя какое ни на есть определенное положение. Действительная жизнь, поставившая перед нею этот неизбежный, роковой вопрос, требовала так или иначе, теперь или потом разрешения заданной задачи, а как разрешить ее? Бероева стала в тупик среди обуявших ее сомнений.

Доктора Катцеля она боялась и не доверяла ему. Будучи несколько благодарна за возвращение ее к жизни, в душе она все-таки не могла забыть, что некогда этот же самый Катцель служил пособником генеральши фон Шпильце, что и он, вместе с тою, был одним из ее губителей. Один только Ковров успел снискать себе ее доверие и симпатию. Ей казалось, что с ним можно быть откровенной, и поэтому только одному ему она решилась передать свои сомнения, прося присоветовать и решить за нее — как ей быть и что делать. Еще с первых дней ее спасения Ковров принес положительные сведения, что Егор Бероев жив и здоров и что его заключение не может продолжаться долго. Первое было действительно точным известием, которое разными путями удалось добыть ему; второе же присочинил сам Сергей Антонович, ради того, чтобы поддержать надежду, бодрость и нравственные силы Юлии Николаевны. И это действительно немного оживляло ее. Главная суть обмана заключалась в том, что он пробуждал в ней желание *жить*, выздоравливать, поправляться. При одном подходящем случае, когда Ковров должен был на несколько дней уехать в Москву, он привез ей оттуда известие о детях, находившихся у тетки. Осторожный Серж не поехал к ней лично, но успел стороною, кстати и как бы невзначай, вызнать и выспросить все, что ему было нужно. Юлия Николаевна узнала через него, что оба ребенка ее живы и здоровы и ходят в школу, что им хорошо у тетки, которая заботится о них, как мать родная, и все грустит по мнимой покойнице. Ковров сумел утешить больную женщину, подняв ее энергию и возбудив в ней желание жить, потому что успел поселить в ней надежду на сносное окончание всех печальных обстоятельств ее жизни.

А время шло меж тем, и Юлия Николаевна мало-помалу поправилась. Чем крепче и здоровей становилась она, тем более поселялась в ее любящем сердце тоска по мужу и детям. Казалось, будто это несносное время разлуки тянется с мучительною медленностью и никогда не кончится. Ковров продолжал поддерживать в ней энергию и надежду, привозя время от времени кой-какие известия о муже. Из разных источников удалось ему узнать некоторые сведения о его деле, и эти сведения поселили в нем маленькую надежду на благополучный исход для ареста. Надежда, смутная в нем самом, была передана им Юлии Николаевне в самых положительных красках несомненной достоверности; он знал, что не чем иным, как только этою искусно выдержанною ложью могла быть поддержана и освещена ее бодрость и энергия. Действуя таким образом, он подчинялся своему почти безотчетному желанию спасти и воскресить во что бы то ни стало эту женщину.

— Ведь не поведут же вашего мужа на виселицу! — не однажды говорил он Бероевой. — Ведь жив-то он останется во всяком случае! Ну, положим, при самом крайнем, печальном исходе, сошлют его — у вас есть дети, вы заберете их с собою и через несколько времени приедете к нему. Я это вам устрою, снабжу вас таким хорошим паспортом, что никакая управа благочиния в целом мире не усомнится в его подлинности. Будете вы называться какой-нибудь Марьей Карповой и жить в качестве няньки при детях — все это еще, слава Богу, возможно! И проживете все вместе до конца жизни. Что ж делать? Из самого худшего надо выбирать менее худшее. А я берусь устроить все это и даю вам в том мое честное слово. Видите ли, Юлия Николаевна, — прибавлял он при этом, — я хотя и мошенник, то есть отъявленный мошенник, а все же немножко честный человек и сердца немножко имею — так вы меня и понимайте, моя милая!

И каждый раз после подобного разговора надежда оживала в сердце Бероевой.

Когда же настало для нее роковое время сомнений и когда она передала их Коврову, прося совета и поддержки, Ковров отвечал, что ничего нельзя предпринять, пока не решено дело ее мужа, и что по окончании этого дела будут найдены средства, каким образом соединить ее разрозненное семейство, а до этого времени — нечего делать — надо ждать терпеливо и смирнехонько, втайне проживать в загородной избе хлыстовки Устиньи Самсоновны. Бероева подчинилась его решению. Она знала, что такое Ковров и его компания. Не узнать этого было невозможно, проживая на самой фабрике темных бумажек. В прежнее время Юлия Николаевна, быть может, отвернулась бы от людей этого сорта; теперь же... теперь в этих мошенниках она видела своих спасителей и единственных людей, которые отнеслись к ней сочувственно, по-человечески, после того как слепой суд несправедливо покарал ее. Собственное несчастье и особенно жизнь тюремной заключенницы Литовского замка принесли ей ту пользу, что заставили на деле, воочию узнать, *что такое* падший человек, и научили смотреть на него более снисходительно, глубже вглядываться в неуловимо-тайные изгибы его души, чем это делается обыкновенно всеми нами среди эгоистической обстановки нашей собственной жизни. Ближайшее соприкосновение с тюремными заключенницами показало ей, что человек, называемый преступником, не всегда бывает безусловно дурным, негодным человеком. А она к тому же была еще ожесточена: люди, официально слывущие под именем честных и добропорядочных, пользующиеся всем покровительством закона и данными им привилегиями, сделали столько черного зла и ей, и ее мужу! И это ожесточенное состояние, да еще при испытанном убеждении, что безукоризненно честный, неповинный человек все-таки не избавлен иногда от публичного прикования к позорному столбу, поневоле заставило ее мягче и человечнее относиться к патентованному мошеннику, в котором она увидела столько явного и бескорыстного сочувствия к себе. Она сознавала в себе женщину честную, пострадавшую ни за что ни про что, и понимала, что в теперешнем ее положении надо либо навеки отказаться от детей и мужа и тотчас же умереть, либо самой вступить в мошенническую сделку — принять фальшивый паспорт, чтобы скоротать остаток жизни под чужим именем, вместе со своим семейством. Выдать себя законной власти — значит, необходимо надо выдать головою и тех людей, которые бескорыстно спасли ее, а могла ль она сделать это по совести, могла ль заплатить изменой и неблагодарностью тем, у кого встретила столько теплого сочувствия? И сердце, и рассудок, и, наконец, самая необходимость — все говорило ей, что надо становиться на их сторону, а иначе ничего не поделаешь, если хочешь остаться честной и чистой перед собственной совестью. Кабы еще можно было сознавать за собою хоть какую-нибудь действительную вину перед законом, а то и этого не было! Относительно мира ее преследователей у нее осталось одно только ожесточение да сознание неправо нанесенного ей оскорбления и бесчестья. После всего этого что же еще оставалось ей делать? Положение странное, натянутое и почти невозможное, а между тем оно есть, оно чувствуется ею теперь на каждом шагу ее жизни, и кто же, по совести, виноват-то в нем?

Среди таких дум, и чувств, и сомнений протекала печальная жизнь Бероевой. Она нигде не показывалась и только перед вечером выходила иногда подышать свежим воздухом. Любимым местом ее уединенных прогулок сделалось соседнее кладбище. Оно по крайней мере гармонировало с ее тяжелым и грустным настроением. И вот весною, когда прошло уже почти десять месяцев подобной жизни в огородной избе хлыстовской матушки, Бероева неожиданно встретилась с мужем.

Что это было за свидание и что перечувствовалось ими, того передать невозможно. Да такие сцены и не описываются: они могут иногда только переживаться людьми, могут, пожалуй, до некоторой степени, хотя и очень слабо, вообразиться посторонним человеком, но описать их как следует едва ли сможет перо простого рассказчика, тем более что автор и не мастер изображать яркие минуты беспредельного человеческого счастья. Его удел — сколько самому ему кажется — изображение человеческого горя, нищеты и страдания: такие стороны жизни изображать не в пример легче, быть может, оттого, что они чаще встречаются в действительности и что к ним успешнее можно приглядеться.

Миновали минуты первого безумного восторга встречи. Бероев, под руку с женою, повернул назад в глубь кладбища и пошел по тропинке. Хотелось вволю наговориться наедине друг с другом, наглядеться вдосталь на милые, заветные черты. А эти черты ох как изменились!.. У обоих легли по лицу глубокие, резкие морщины — след неисходного страданья, и в волосах заметно-таки серебрились седоватые нити. Теперь едва ли бы кто сказал, взглянув на Бероеву, что это была поразительная красавица: несчастье да горе все унесли с собою!.. Но мужу ее все-таки были милы и дороги эти ненаглядные черты, эта кроткая улыбка, эти глаза, в которых теперь светилось столько любви и счастья. Одна минута вознаградила обоих за долгие месяцы мучений.

Они медленно шли между могилами, облитые румяным закатом. По лицу скользили легкие тени ветвей и листьев. Сочная высокая трава хлесталась по ногам, и оба были так счастливы, так довольны этим полным, безлюдным уединением, где никто не обращал на них внимания, где некому да и незачем было ни подглядывать, ни подслушивать... Бероева рассказывала мужу историю своих страданий и жизни в хлыстовской избе, на попечении Коврова.

— Что ж мы будем делать теперь? Как быть нам, куда деваться — решай! — говорила она, вся отдаваясь на его волю своими доверчивыми глазами.

Тот на минуту серьезно задумался.

— Бежать отсюда! Скорее бежать, куда ни попало, и бежать навсегда, навеки! — вымолвил он наконец с какой-то нервической злобой. — Здесь нет нам свободного места! Здесь ни жить, ни дышать невозможно!

— Бежать... — задумчиво повторила Бероева. — Но как, куда бежать-то?

— Туда, где уж нас не достанут и не узнают, — в Америку, в

Соединенные Штаты! Заберем детей, распродадим последние крохи, сгоношим сколько возможно деньжонок. Ковров, ты говоришь, добудет тебе вид на чужое имя, и — вон из России!.. Там мы не пропадем! Там нужны рабочие силы, а у меня — слава тебе Господи! — пока еще есть и голова, и руки! Проживем как-нибудь и... почем знать, может, еще и нам с тобою улыбнется какое-нибудь счастье. Ведь мы же вот счастливы хоть в эту минуту, а там с нами дети будут, там уж никто никогда не разлучит нас!.. Только скорее, как можно скорее вон отсюда!

Это было его последнее решение, и, не медля ни единого дня, Бероев деятельно стал хлопотать об отъезде.

LI

ПОЛЮБОВНЫЙ РАСЧЕТ

Все обстоятельства, последовавшие за женитьбой старого Шадурского, сбили его с последнего толку и произвели на голову такое сильное впечатление, что вихлявый гамен не выдержал и сошел с ума.

Родственники со стороны покойной княгини приняли его на свое попечение и вступились за скудные остатки огромного некогда состояния: на эти остатки наложена была опека, и золотое руно баронессы фон Деринг перестало существовать для ее всепоглощающего кармана.

Граф Каллаш меж тем потребовал выдачи ему условленной в начале всего дела половины из общей суммы барыша, а сумма эта оказалась настолько значительна, что ни Бодлевский, ни баронесса, в руках которой она находилась, не чувствовали ни малейшего желания делиться таким жирным кушем, предпочитая оставить его исключительно на свой собственный пай. Поэтому они положили между собою просто-напросто *спустить* любезного компаньона, и когда тот потребовал причитающихся ему денег, баронесса приняла крайне удивленный вид и возразила, что даже не понимает, о каких деньгах говорит он.

— О тех, которые вы должны заплатить мне по условию, — пояснил Каллаш.

— А разве мы с вами заключали какое-нибудь условие? У вас есть документы?

— У меня *иные* документы есть, — многозначительно подтвердил граф, — только не знаю, насколько они будут *вам* приятны.

— Ну, полно, cher comte[1]! Что за счеты! Ведь вы очень хорошо сами знаете, что у меня лишней копейки нет.

---

[1] Дорогой граф! *(фр.)*

— А сколько вы перетянули у Шадурского за последнее время?

— Я?! У Шадурского?.. Я вас не понимаю! Что я перетянула? О чем вы говорите? Ей-ей, вы изумляете меня, я не понимаю даже, в чем дело! Полноте, граф, что за шутки!.. Мистификации хороши только в маскараде.

— Ну, так я вас заставлю снять маску! — тихо, но крайне многозначительно заметил Николай Чечевинский.

— Меня?! Маску?.. Ха-ха-ха!.. Вы становитесь забавны!

— Пожалуй, и на это согласен. Отчего же вам и надо мной не позабавиться немножко? Только не мешает помнить иногда, что rira bien, qui rira le dernier[1]. Я вот тоже намерен забавляться... Я, например, пущу в ход по всему городу историю о литографском ученике Казимире Бодлевском и его любовнице, то есть о горничной княжны Чечевинской, Наталье Павловой, историю о билетах, украденных этой горничной, Натальей, из шкатулки старой княгини Чечевинской, а если понадобится — у меня, может, и доказательства некоторые найдутся, да и сама княжна Чечевинская жива еще. Вы, баронесса, помните — несколько месяцев назад — вашу встречу у меня на квартире с княжною Анной? Теперь пока прощайте, — сухо поклонился он, — наши разговоры кончены; впрочем, вы скоро услышите, *как* стану я забавляться.

Озадаченная баронесса не успела еще возразить ему ни слова, как тот уже быстро и решительно удалился из комнаты. Через минуту в передней за ним громко захлопнулась выходная дверь...

Баронесса домекнулась теперь, что, повернув дело столь круто, она осталась в проигрыше. Бодлевский от злости и досадливого опасения кусал себе губы. Эта чета видела ясно, что она в руках графа Каллаша и — «кто его знает, может, у него и есть какие доказательства, — мыслил каждый из них. — Во всяком случае, имя будет скомпрометировано в обществе, а там, пожалуй, и власть доберется».

И той, и другому было непереносно положение такой зависимости от человека, который — как знать! — быть может, имеет в руках данные погубить обоих. Положим, что и самого его можно в то же самое время сгубить перед законом, да им-то двум легче ли от этого? Они-то все-таки сами не останутся правы. Застращать его — ничем не застращаешь, потому голова такого сорта, что, в случае надобности, не призадумается сама себе свернуть шею, а уж так или иначе на своем поставит.

Для баронессы и Бодлевского было решено теперь только одно: во что бы то ни стало выпутаться из этого положения, выйти изпод зависимости сильного противника.

А как это исполнить?

---

[1] Смеется тот, кто смеется последним *(фр. посл.)*.

Бодлевский долго ходил по комнате, закусывая губы, и обдумывал какой-то план решительного свойства.

— Надо сделать так, — говорил он, остановясь на минуту перед баронессой, — чтобы раз навсегда избавиться от этого барина... Он действительно не безопасен, а предосторожность и предусмотрительность никогда не мешают... Надо избавиться!.. Приготовь деньги, Наташа, нужно отдать ему.

— Как!.. Отдать деньги! — всплеснула руками баронесса. — Да разве это избавит нас от зависимости?.. Разве мы можем быть покойны?.. Ведь это только до первого нового случая, до первой кости!..

— Которая будет и последнею! — прервал Бодлевский. — Положим, деньги мы ему отдадим сегодня, но разве это значит, что мы их совсем, навсегда отдаем ему? Ничуть не бывало: они сегодня же опять будут у меня в кармане! Посоветуемся-ка хорошенько! — с дружеской лаской дотронулся он до ее плеча, уютно помещаясь у ее ног на развалисто-покатой кушетке.

Результатом этого совета была маленькая записочка на имя Каллаша.

«Любезный граф, — говорилось в ней, — я сделала сегодня относительно вас непростительную глупость. Стыжусь за нее и желаю как можно скорее примириться с вами. Мы всегда были добрыми друзьями; поэтому забудем маленькую размолвку, тем более что обоюдный мир для нас гораздо выгоднее ссоры. Приезжайте сегодня вечером получить следуемые вам деньги и миролюбиво протянуть руку душевно преданной вам

фон Д.».

Каллаш приехал около десяти часов вечера и из рук в руки получил от Бодлевского полновесную пачку векселей и процентных бумаг — все, что причиталось, по общим соображениям, на его долю. Баронесса была очень любезна и оставила его пить чай. О давешней размолвке не было и помину, и взаимные отношения повидимому отличались всегдашнею ненатянутостью. Бодлевский все строил планы и предположения, на кого бы теперь им повести совокупные атаки, и весело передавал графу разные смелые проекты. Граф тоже был очень весел и доволен — во-первых, полновесной пачкой, которую ощущал теперь в своем кармане, а во-вторых, тем, что вся эта размолвка окончилась так скоро и миролюбиво. Он с видимым удовольствием покуривал себе сигару, запивая ее, время от времени, глотками душистого чая. Веселая болтовня шла очень оживленно, не прерываясь ни на минуту. По какому-то поводу вдруг заговорили о клубах.

— Ах, кстати! — подхватил при этом Бодлевский. — Я, кажется, нынешним летом буду членом яхт-клуба! Рекомендую новое поприще! Они пусть упражняются себе на воде, а мы будем на зеленом поле: впрочем, для виду, я себе тоже хорошенькую шлюпку завел: по случаю недавно досталась очень дешево. Хотите, когда-нибудь отправимся, поглядим ее? — как бы мимоходом предложил он Каллашу. — Она у меня недалеко — тут же на Фонтанке, у Симеона, на садке держится.

— Ах, вот и прекрасно! Вечер такой чудный, тепло, хорошо! — подала голос баронесса, распахивая окно. — Что дома-то сидеть!.. Поедемте и в самом деле кататься!.. Мне от твоих слов вдруг пришла фантазия проехаться в лодке; заодно и шлюпку попробуем. Хотите, граф? — любезно предложила она Каллашу.

Тот согласился немедленно, признав фантазию баронессы отличной выдумкой, и вскоре все втроем отправились гулянкой к Симеоновскому мосту.

LII

ПОДЗЕМНЫЕ КАНАЛЫ В ПЕТЕРБУРГЕ

Над городом только что стала белая весенняя ночь. Половина неба охвачена была отблеском заката и серебристым пурпуром отражалась в гладкой, неподвижной Неве, по которой там и сям мелькали ялики и шныряли легкие пароходы. В воздухе не чуть было ни малейшего ветерка, так что вымпела висели без малейшего движения, а гул городской езды, вместе с топотом копыт о дощатую настилку мостов, отчетливо разносился по глади широкой реки. В синей высоте прорезался из-за дымчатого облачка бледно-золотистый серп месяца и слегка заискрил своим блеском длинный столб вдоль водного пространства. Откуда-то с зеленеющих островов доносились урывками звуки духовой музыки. Воздух дышал млеющим теплом и какою-то весенней чуткостью.

Шлюпка Бодлевского вышла из Фонтанки и плыла вдоль по течению Большой Невы, к Николаевскому мосту.

Пан Казимир справлялся за гребца и, полушутя, легко напирал на весла; Наташа, в круглой соломенной гарибальдинке, которая необыкновенно шла к ее выразительно-смелой физиономии, сидела на руле, а граф Каллаш помещался подле нее и лениво курил сигару.

— Славная ночь становится! — тихо проговорил он, как бы сам с собою, закидывая голову на синее небо. — Поехать бы теперь на взморье, на тоню, да так и промаяться до рассвета... Ей-Богу, хорошо!

— Поэзия! — с легкой иронией улыбнулся Бодлевский.

— А что ж, вы станете доказывать, что ее нет? Ведь вот теперь бы, в этот час, по середине Невы — Господи, да разве это не хорошо?

— Хм... конечно, поэзия, да еще с особенным петербургским запахом, — в том же тоне возражал пан Казимир, не показывая ни малой наклонности к сентиментальным мечтаниям.

— Да! И в Петербурге есть она, — продолжал Каллаш, не смущаясь прозаическим настроением своего оппонента. — Помню я, еще чуть ли не с детства, одни стихи... И мне они невольно приходят на мысль, каждый раз вот в подобные ночи... Так вот и вылился в них весь этот город! Баронесса, — мягко заглянул он вдруг в лицо своей соседки, — не будете ли вы почутче да поотзывчивее этого тюленя? Я сегодня — и сам не знаю — совсем в особенном настроении. Все ваша фантазия виновата: зачем кататься поехали. Спойте нам песню! У вас ведь славный контральто.

— Не до песен, мой милый граф, не расположена я сегодня, — шутливо ответила Наташа, мельком бросив исподлобья на пана Казимира какой-то многозначительный и только им обоим понятный взгляд. — Говорите лучше ваши стихи, я стану слушать.

— Стихи... Да, это, говорю вам, хорошие, больные стихи; и, должно быть, они сложились в точно такую же белую ночь... Хотите — слушайте! — согласился он и, помолчав с минуту, как бы припоминая строфы, начал задумчиво и тихо:

Да, я люблю его, громадный, гордый град,
Но не за то, за что другие;
Не здания его, не пышный блеск палат
И не граниты вековые
Я в нем люблю... о нет! скорбящею душой
Я прозреваю в нем иное —
Его страдание под ледяной корой,
Его страдание больное.
Пусть почву шаткую он заковал в гранит
И защитил ее от моря,
И пусть сурово он в самом себе таит
Волненье радости и горя,
И пусть его река к стопам его несет
И роскоши, и неги дани, —
На них отпечатлен тяжелый след забот,
Людского пота и страданий.

— Недурно! — равнодушно процедила сквозь зубы баронесса, следя за всеми движениями лица увлекающегося графа и в то же время исподволь да исподтишка переметываясь взглядом с паном Казимиром.

— «Недурно»! — с легкой досадой возразил ей Каллаш. — «Недурно»! Да разве это настоящее слово? Разве может быть *только* недурно то, что далось слезами, и болью, и желчью?.. Эх, баронесса!.. Да нет, вы послушайте!

И он снова начал декламировать, и его стихам отвечали равномерные взмахи весел, с которых звонко летели серебристые брызги, а лодка шла да шла себе далее, вдоль по течению, и приближалась уже к Николаевскому мосту.

Бодлевский оглянулся назад и незаметно мигнул Наташе.

Та слегка повернула руль и направила ход как раз под крайнюю арку моста, с которой впадает он в Благовещенскую улицу.

А граф меж тем, ничего не замечая, досказывал свое любимое стихотворение:

И пусть горят светло огни его палат,
Пусть слышны в них веселья звуки:
Обман, один обман! Они не заглушат
Безумно страшных стонов муки!
Страдания одни привык я подмечать
В окне ль с богатою гардиной
Иль в темном уголку — везде его печать.
Страданье — уровень единый!
И в те часы, когда на город гордый мой
Ложится ночь без тьмы и тени,
Когда прозрачно все — мелькает предо мной
Рой отвратительных видений...
Пусть ночь ясна как день, пусть тихо все вокруг,
Пусть все прозрачно и спокойно:
В покое том затих на время злой недуг,
И то — прозрачность язвы гнойной.

— Вы кончили? — слегка, но очень грациозно зевнув, равнодушно спросила баронесса и при этом улыбнулась, чтобы немножко смаслить ему впечатление зевоты.

— Кончил! — коротко ответил граф и не без маленькой досады швырнул в воду окурок потухшей сигары.

— Чьи это стихи?

— Аполлона Григорьева.

— Vraiment, c'est joli![1] — опять улыбнулась баронесса. — А вы любите, граф, маленькие сильные ощущения? — спросила она внезапно.

— Я люблю всякие, но предпочитаю большие, крупные.

— Ну, я вам сейчас доставлю маленькое, хотя на меня оно всегда действует с некоторой силой. Вы же, кстати, настроены сегодня так поэтически: а то, что я вам покажу — celà va être bien fantastique[2].

— Что же это такое? — в свою очередь равнодушно спросил Каллаш.

— А вот сейчас увидите. Вы знаете, что в Петербурге есть подземные тоннели?

— В Петербурге? — с недоверчивым удивлением переспросил граф.

— Да, в Петербурге! Целые подземные каналы, наполненные водой, и по ним свободно могут ходить лодки — я сама прогулива-

---

[1] В самом деле, это красиво! *(фр.)*

[2] Это будет очень фантастично *(фр.)*.

лась там несколько раз. Не правда ли, это пахнет чем-то новым, совсем не петербургским.

— Нда... признаюсь, я, кроме пассажного тоннеля, не подозревал здесь никаких, — улыбнулся заинтересованный Каллаш. — Да где ж это они? Покажите, пожалуйста!

— А вот в нескольких саженях — сейчас подъедем.

Шлюпка вступила под крайний, ближайший к набережной мостовой пролет, где было уже гораздо сумрачнее, чем на реке, и тут-то налево, в гранитной набережной разглядел Каллаш полукруглую арку, совершенно скрытую снаружи под мостовым спуском. Там, в глубине под нею, было темно и глухо.

— Вы не боитесь? — с задирчиво-вызывающей интонацией улыбнулась Наташа.

— Если прикажете, буду бояться, — отшутился граф.

— Хотите проехаться?

— С удовольствием.

— Только это ведь небезопасно: там, говорят перевозчики, очень часто скрываются невские пираты.

— В таком случае мы выдержим с ними морское сражение. Это крайне интересно!

— Интересно? — мило-кокетливо протянула баронесса. — Да вы, я вижу совсем не трус-таки.

— Немножко нет.

— Табань, Казимир! Заворачивай в арку.

И шлюпка круто врезалась в воду канала.

Это было устье тоннеля. Проходя под Благовещенской улицей, он начинается как раз против Конногвардейского бульвара, под тем углом Крюкова канала, обок с которым находятся известные Пушкинские бани. Другой подземный водяной путь берет начало свое от этого же места и проходит под самым Конногвардейским бульваром, пересекая Сенатскую площадь и вливаясь, как говорят, в открытый канал внутри Адмиралтейства. Одна ветвь, довольно, впрочем, узкая, отделяется от него под углом Адмиралтейского бульвара и идет под ним параллельно фасаду здания Синода и Сената, вливаясь в Неву близ бывшего Исаакиевского моста.

Трех наших путников объяла совершенная тьма. На другом конце канала, вдали чуть-чуть светлелась только, в виде мутно-туманного пятна, выходная арка на Крюков канал. Все вокруг было тихо и глухо. Вода слегка плескалась в каменные бока подземного свода и как-то особенно мелодически падала звонкими, сбегающими каплями с поднятых и неработающих весел. Зато там, над головою, на поверхности земли — словно грохот, шум свирепой бури раздавался, словно клокотала там сильнейшая гроза. Еще за две, за три минуты на середине реки все было так тихо и покойно, а здесь, едва лишь успела шлюпка въехать под эти мрачные своды, как вдруг зарокотали глухие, но грозные и непрерывные раскаты грома, так что казалось, будто самые своды тоннеля содрогаются от этих раскатов.

— Черт возьми, да это в самом деле недурно! — воскликнул граф с видимым удовольствием. — И встреча с пиратами хороша при такой обстановке! Только жаль, что ни зги не видно.

— Зажгите спичку. У вас есть с собой? — предложила баронесса.

— Есть маленький запасец, и еще восковые вдобавок.

Граф добыл огня, и подземелье озарилось слабым красноватым светом.

Это был крытый полукруглым сводом канал, широкий настолько, что одна лодка свободно могла держаться посередине, с распущенными веслами. Черная, беспросветная вода была тиха и чуть-чуть журчала около киля в носовой части да слабо плескалась и била в каменные стенки. Над головою тянулся широкий свод, с которого сахаристо-белыми сосульками торчали книзу хрупкие сталактиты. Местами с этого свода пообрывались кирпичи вследствие беспрестанного сотрясения почвы, колеблемой ездою экипажей. И порою, когда гул громовых раскатов становился особенно резок, раздаваясь непосредственно над головою, вдруг откуда-нибудь обрывался кусок известки или кирпича и шумно булькал в тихую, черную воду. Местами вдруг, то справа, то слева, попадались выложенные кирпичом подземные коридоры, вышиною почти в средний рост человека; но там было темно и мглисто, так что видно было только, как уходят они куда-то вдаль, а что там в них такое — разглядеть из-под этой мглы уже не было возможности. Это были сточные проводы. Ночные бабочки, мохнатые бомбиксы, мотыльки, длинноногие комарики и мелкая мошка крутились и вились вокруг наших путников, привлеченные внезапным светом восковой спички. Летучая мышь, откуда ни возьмись, тревожно черкнула крылом своим в воздухе, мимо трех голов, и пропала где-то там, назади, в темном пространстве.

Освещая себе таким образом подземный путь, шлюпка дошла почти до половины тоннеля.

Одна из спичек догорела до конца. Каллаш выбросил ее в воду и стал вынимать из коробочки новую.

В это самое мгновение он почувствовал, как что-то сильно треснуло его по голове, и едва успел вскрикнуть — раздался новый удар, поваливший его без чувств на днище лодки.

Пан Казимир с необыкновенною быстротою и ловкостью хватил его два раза веслом по темени.

— Где деньги?.. Расстегивай его!.. Вынимай живее бумаги... Они в кармане! — взволнованным шепотом приказывал он баронессе, и та не заставила повторить себе приказания.

Мигом рванув с застежек легкое пальто графа, запустила она руку в боковой карман его сюртука и проворно вытащила оттуда полновесную пачку.

— Здесь!.. Нашла уже! — в минуту последовал ее отклик.

— Теперь за борт его!.. Перетянись левее, а то лодка неравно опрокинется.

И Казимир Бодлевский перевесил за борт сначала голову и туловище графа, а потом его ноги — и тело в то же мгновение грузно и глухо бухнулось в воду.

Все это было совершено в непроницаемой тьме подземного канала.

— Теперь на весла — и живее вон отсюда!

И лодка быстро стала удаляться от места преступления.

Холод воды вмиг охватил все члены графа и заставил его очнуться. Инстинктивно, из чувства самосохранения, взмахнул он по воде руками и поплыл.

Впереди был слышен плеск удалявшихся весел.

Он попытался крикнуть, но слабый голос глухо ударился в подземные своды и замер. Одно только эхо отдало его в другом конце тоннеля каким-то неясно-диким отзвуком.

Не понимая, что с ним случилось, он продолжал призывать к себе на помощь и что есть силы работал руками и ногами, стараясь доплыть до лодки, но плеск весел слышался все тише и дальше...

А платье Каллаша меж тем все больше и больше напитывалось водою. Он чувствовал, что с каждым мгновением увеличивается на нем тяжесть одежды, как эта тяжесть начинает тянуть его ко дну и как — что ни взмах, то больше слабеют физические силы.

По лицу его текло что-то теплое и липкое; голова трещала от боли; из раскроенной раны струилась кровь.

Он попытался крикнуть еще один, последний раз, голосом предсмертной, отчаянной мольбы.

Никто не слыхал его под землею.

Шум весел уже затих — шлюпка благополучно выбралась из канала.

Каллаш остался один.

А над головой его меж тем гремели гулкие громовые раскаты... Там кипела своеобычная жизнь; над ним проезжали люди, и никто из них не ведал, что в двух-трех саженях под землею, в этом самом месте, человек борется с мучительной, страшной смертью.

Инстинктивно старался он держаться к краю канала, ближе к стене — и вот наконец почувствовал ее рукою. С величайшим трудом стал нащупывать, нельзя ли за что ухватиться. Вдруг — о радость! — под ладонь попался узенький выступ кирпича.

Кое-как зацепившись за него пальцами, Каллаш напрягал свои последние силы, чтобы удержаться несколько времени в таком положении: ему необходим был хотя самый короткий отдых.

А платье с каждой секундой все более бухнет от воды и тянет ко дну.

Что тут делать?

Чем дольше станешь держаться на пальцах за выступ камня, тем больше затяжелеет одежда. Эту тяжесть особенно чувствовали ноги — вода, заливавшаяся в сапоги, словно свинцовыми гирями пригнетала их книзу.

Оставаться в таком положении невозможно ни одной секунды долее: судорога сводит напряженные пальцы. Надо собрать последнюю энергию, последние силы и во что бы то ни стало доплыть до первого бокового коридора; там, авось, можно будет стать на ноги.

И он поплыл с новой решимостью, стараясь время от времени нащупывать стену, не попадется ли там под руку угол сточного провода.

Слава Богу — наконец-то он и попался! Теперь уж есть надежда на спасенье.

Граф уперся руками в ту и другую сторону узкого коридора и кое-как, с неимоверными усилиями выкарабкивался из воды, почувствовав наконец под собою почву.

«Кажись, у меня кровь», — мелькнула ему первая мысль, и, приложив руку к голове, он убедился в справедливости своего предположения; прикосновение пальцем произвело жгучую, бередящую боль раны.

Тотчас же достал он из кармана носовой платок и крепко перевязал им голову.

Отдохнув минут пять, весь больной, изнеможенно-разбитый и все более ослабевая от потери крови и нестерпимой боли, побрел он ощупью в глубь коридора, меся ногами илкую, зловонную массу всякой нечисти, скопившейся в сточной трубе.

И казалось ему, будто уже долго бредет он там, чуть не задыхаясь от недостатка свежего воздуха, как вдруг впереди едва-едва посветлело. Этот странный свет, очевидно, проникал сюда сверху.

Каллаш поднял голову и разглядел над собою пять небольших дыр, просверленных в гранитной плите для того, чтобы через них протекали сюда уличные стоки.

Сквозь эти дыры увидел он бледно-золотистый серп месяца, высоко-высоко стоящий в небе, и клочья дымчатых облачков, которые плавно плыли в синеве, где одиноко, разрозненно мигали скудным светом две-три маленькие звездочки. Из этих пяти дыр тянуло надземным воздухом, который освежил слабеющего графа.

Он прислушался: на улице время от времени громыхают извозчичьи дрожки, и голоса слышны, и чьи-то шаги раздаются — то, может быть, дворник из ближнего дома, а может, запоздалый прохожий.

«Неужели же они не услышат и не подадут помощи? Неужели отсюда не долетит к ним мой голос?»

И он громко крикнул вверх из своей вонючей норы; но там все было обычно тихо и спокойно. Он крикнул еще и еще — и все напрасно! Никто не слышит, никто не обращает ни малейшего внимания, да и придет ли кому в голову, что человек гибнет под землею, в сточной трубе, и отчаянно взывает оттуда о помощи?

И долго еще в этом люке ждал Николай Чечевинский своего спасения, напрасно крича во всю грудь, насколько хватало мочи; силы его слабели все более, и голос поэтому, естественно, не мог быть особенно громок. Как ни кричал он, его никто не услышал на улице, так что он наконец потерял всякую надежду дождаться спасения этим путем. Приходилось рассчитывать не на людей, а исключительно на крепость собственных мускулов, на энергию собственной воли, и он пошел в обратное странствие.

Мокрая одежда прилипала к телу, и ее холодная сырость вызывала лихорадочно-болезненный озноб. Спотыкаясь чуть не на каждом шагу и почти поминутно увязая в илкой массе, несчастный уже еле передвигал ноги. Зловоние мутило и не давало дышать. Сквозь платок просачивалась кровь из раны, а голова адски трещала.

Кое-как прошел он почти весь сточный провод и успел сообразить, что до тоннеля уже недалеко.

«Платье надо бросить; все, что ни на есть на себе, — все надо здесь оставить; а то опять, гляди, потянет ко дну», — пришло ему на мысль основательное соображение, и он стал раздеваться донага. И здесь-то вот, с возвратом полного сознания, для него уже не осталось ни малейших сомнений в том, что Бодлевский с Наташей ограбили его самым предательским образом. Но о деньгах не жалел граф Каллаш: ему теперь впору было выручать только собственную шкуру.

Продолжая таким образом свой медленный путь по темному коридору, он наконец неожиданно оступился и ухнул головою в воду тоннеля.

Опять пошла работа руками и ногами.

Впереди тускло светился выход, но до него далеко еще, а силы все меньше да меньше.

Однако граф напрягает последнюю мощь своих мускулов и все-таки плывет дальше. Это светящееся пятно выходной арки служит ему благодатным, спасительным маяком: ничего не видя в окружающих потемках, он держит путь прямехонько на этот свет, и вот-вот уже близко — спасение почти в руках, еще несколько усиленных взмахов — и конец всем бедствиям!

Граф напряг все оставшиеся силы, взмахнул руками раз, взмахнул другой и третий, но на четвертом снова стал ослабевать, на пятом еще более, а на шестой уже его не хватило...

Руки окоченели и отказывались двигаться. Повязка с головы соскочила — из раны ручьем хлынула горячая кровь; в глазах помутилось, и он в отчаянии бросил гресть руками и ногами. Тяжесть собственного тела потянула его ко дну в каких-нибудь двух саженях от выходной арки.

На тихой поверхности черной воды тоннеля забулькали пузыри, и... после них уже не было на свете ни малейших следов венгерского графа.

Ужасная смерть его навеки осталась тайной подземного канала.

LIII

ТОЧНО ЛИ КОЕМУЖДО ВОЗДАЛОСЬ ПО ДЕЛАМ ЕГО

Скоро конец моему роману. Я прощаюсь со всеми моими героями. Столько времени жил я с ними одною жизнью; они стали мне близки как нечто свое, родное. Я любил заглядывать в их души и подмечать там все сокровенные движения и все тайные пружины их поступков, честных и бесчестных, добрых и злых. Придется ли мне встретиться с ними еще когда-нибудь в жизни или на страницах какой-нибудь новой моей повести — не знаю. Быть может — да, быть может — нет. Но все же, расставаясь с ними, я не хочу оставить их без внимания и о некоторых скажу читателю последнее слово.

Казимир Бодлевский, вместе с баронессой фон Деринг, недолго пожил в России. После расправы с графом Каллашем случилась с ним одна маленькая история, которая имела для этого рыжебородого джентльмена весьма печальные последствия.

В одном из клубов его поймали на мошеннической карточной проделке, торжественно дали по физиономии и торжественно навсегда исключили из общества. Оставаться в Петербурге было уже невозможно. Скандал сделался слишком громок и заставил говорить о себе во всех кружках, так что Бодлевскому никуда и глаз показать невозможно было. Золотая жатва минула безвозвратно. Куда деваться и что делать — задался роковой вопрос.

В Польше начинались первые волнения последнего восстания.

— Туда, в Варшаву! — решил пан Казимир вместе со своей любовницей. — Там мы найдем еще работу. Там-то теперь и ловить рыбу в мутной воде!

И через несколько дней оба они скрылись из Петербурга.

Катцель тоже удрал вслед за Бодлевским, тайком захватив с собою и большую часть фабрики темных бумажек: камни, краски, гравировальные доски — все это исчезло вместе с маленьким докором. Серж Ковров остался один; ассоциация расстроилась, но, к сожалению, я не могу ничего поведать читателю о дальнейшей судьбе капитана Сержа, так как он и до наших дней еще живет и действует в Петербурге на своем избранном поприще, и чем он кончит — мне пока еще неизвестно. Быть может, успокоится на лаврах и заживет мирным гражданином; быть может, пойдет по Владимирке колонизировать страны сибирские. В последнем случае я буду очень сожалеть о нем, потому что мне нравятся минутно рыцарские, добрые порывы души его.

О заграничной проделке князя Владимира Шадурского молва большого света забыла весьма скоро. Под шумом разных событий, незаметно вернулся он в Россию в весьма плохих обстоятельствах. Батюшка его страдал окончательно уже разжижением мозга, которое разрешилось сумасшествием. Он умер недавно, и смерть его ни на кого не произвела особенного впечатления.

Единственная отрасль его почтенной фамилии, князь Владимир Шадурский, в настоящее время наслаждается полным благоденствием. И этому благоденствию помогло одно маленькое обстоятельство.

Дочь золотопромышленника Шиншеева Дарья Давыдовна, девица весьма некрасивая собою, какими-то судьбами оказалась вдруг в положении такого рода, которое требует немедленного прикрытия законным браком. Скандалезная хроника темно повествовала, будто виновником этого положения был граф Каллаш и будто у Дарьи Давыдовны исчезли вдруг куда-то какие-то фамильные брильянты на очень изрядную сумму. Но это были темные слухи, не имевшие никаких положительных оснований, которые поддерживались некоторое время в обществе благодаря внезапному исчезновению графа. В наличности же оставалось одно только критическое положение некрасивой девицы.

Князь Шадурский, который по возвращении в Россию нашел свой финансовый кредит в крайне плачевном состоянии, великодушно предложил руку и сердце дочери господина Шиншеева, и она осчастливила его согласием.

Теперь оба они наслаждаются жизнью, ни в чем не стесняя один другого. У каждого есть в доме своя особая половина, где они беспрепятственно могут принимать своих друзей, не вмешиваясь в дела друг друга и только соблюдая при этом весь декорум светских приличий.

Князь Владимир сделался теперь записным любителем балета и спорта. Он держит у себя на содержании шесть пар отличнейших лошадей и пару таких же танцовщиц. Жизнь его протекает в полном довольствии самим собою и своей судьбою.

Мы не сомневаемся, что со временем он достигнет почтенной и всеми уважаемой старости и будет иметь счастье узреть законных продолжателей своего родословного древа.

Более сказать нам о нем нечего.

Почтенная генеральша Амалия Потаповна фон Шпильце опочила от дел своих. Она закрыла свою индустрию, весьма довольная полновесными плодами многолетних и многообразных трудов. Ест и спит непомерно много, а жиреет еще больше прежнего. Теперь, впрочем, она сделалась очень нравственна, и на словах преследует всякий порок самым жестоким и безусловным осуждением, совершенно искренно почитая себя особой сердца благородного, помыслов возвышенных и нравственности безукоризненной, с коими будто и весь век свой прожила неизменно.

Полиевкт Харлампиевич Хлебонасущенский тоже успокоился на лаврах, достигнув желанного идеала. Есть у него в Петербурге два каменных домика, с которых получает он скромный доходец, есть и кругленький капиталец в сто тридцать тысяч, обращенный им в билеты первого внутреннего пятипроцентного займа.

За домом и хозяйством его присматривает средних лет пухленькая экономка, которая знает, что «очень не забыта им в духовном завещании».

Но, наслаждаясь вполне жизнью, Полиевкт Харлампиевич остался верен всем своим старым привычкам и вкусам.

Он носит все тот же синий фрак с металлическими пуговками, все так же приглаживает наперед свои прилизанные височки, все так же сладостно улыбается, чувствуя в себе мужа, покойного духом и совестью, и по-прежнему разъезжает по городу в своих широких докторских дрожках, на паре бойких рыженьких шведочек. Он — большой патриот и охотник поговорить о величии России и о том, что русские француза и всякого супостата всегда шапками закидать могут; любит по-прежнему слушать почтамтских певчих и замечать на клиросе отдельные и приятно выдающиеся голоса, игнорирует современное направление общества и литературы, и очень сожалеет о том, что не продолжается покойная «Северная пчелка».

Но венец всех заветных желаний его вознесется над ним в тот день, когда он будет выбаллотирован наконец в члены благородного собрания, в коем давно уже записан кандидатом. И это обстоятельство, вероятно, не замедлит случиться, ибо Полиевкт Харлампиевич — человек почтенный, рангом солидный, регалией и беспорочием службы в отличие превознесенный, в преферанс «по маленькой» играющий, христианин добрый и своему отечеству патриот благонамеренный.

Старая Чуха грустно доживает свой безвестный, одинокий век неподалеку от одного из городских кладбищ. Каждый день перед мраморным памятником Маши, в известные часы дня, виднеется коленопреклоненная фигура молящейся старухи, одетой очень скромно, всегда в одно и то же неизменно черное платье. Могила огорожена решеткой, в черте которой находится еще одно свободное место, и на этом месте, не сегодня завтра, уляжется на вечный покой дряхлая и немощная княгиня Анна.

Итак, читатель, вот тебе судьба некоторых моих героев. Но точно ли коемуждо воздалось по делам его — об этом доскажет тебе следующая глава.

LIV

НА ВЛАДИМИРКУ

Сумерки. Седые тучи, гонимые сильным северным ветром, сплошь захлобучили весеннее небо. В отсырелом воздухе неприятная резкость. Мелкий холодный дождь перепадает полосами.

На станции Николаевской железной дороги заметно некоторое движение — то готовится поезд к отбытию. Локомотив передвигается с рельсов на рельсы, тяжело пышет густыми клубами белого дыма и словно какое-то чудовище смотрит издали своими двумя передними фонарями, которые в тусклой мгле дождливых сумерек светят, будто два огненных глаза.

На широком станционном дворе заслышался лязг многочисленных цепей, и показалась длинная партия ссыльных, окруженных со всех сторон штыками.

Позади скрипели телеги с пожитками арестантов; на телегах, приткнувшись кое-как и куда попало, сидели пересыльные женщины, дети и хворые.

Здесь было начало того пути, который предстояло им отверстать до всепоглощающей матери Сибири.

В этих мрачных фигурах, с нахлобученными на голову неуклюжими шапками, под серыми арестантскими армяками с желтым бубновым тузом на спине, ты, мой читатель, узнал бы многих из своих знакомых, с которыми свел я тебя в моем длинном рассказе.

Вот, например, старый жиган Дрожин. Веселый и довольный собою, на шестом десятке, приступает он теперь к третьему пеш... ходно-кандальному путешествию за бугры уральские, за тай... бирскую, за степь бурятскую да за яблоновые бугры ... города Нерчинскова.

— Нам это ровно что ничего ... ворит он товарищу, сни... рение Господу Б... оно меня по вс... годарствую! М... Владимирку ... благополучи... К старым ...

полтора, коли Бог грехам потерпит, удеру, опять удеру беспременно, потому никак не может душа моя без эфтого — вот тебе как перед истинным!

Тут же, рядом с ним, Фаликов и Сизой, и сказочник Кузьма Облако, а вон виднеется за ними высокая, скромносановитая фигура Акима Рамзи. Вся пересыльная партия единогласно выбрала его своим артельным старостой.

Вон и Иван Иванович Зеленьков — увы! — расставшийся со своими брючками, фрачками и жилеточками. Он совсем смалодушествовал, упал духом, глядит уныло и трогательно, и даже чуть не плачет, как подумает, — придется пешедралом да еще в железных браслетах отмахать такой длинный конец.

— Хоша бы на подводу посадили... Этак ведь совсем человеку ног лишиться надобно! — грустно вздыхает он про себя, подлаживая к поясу ножные кандалы, чтобы меньше терлись об щиколотки.

Старый Герман Типпнер несравненно более Ивана Ивановича имел бы прав попечалиться на трудность предстоящего путешествия, потому что его старые ноги действительно слабы и, обремененные тяжелыми цепями, с трудом передвигались, еле-еле поспевая за прочими. Но старый тапер ни единым звуком не выразил своей жалобы, и ни единый взгляд его не сказал, что творилось в душе убийцы Сашеньки-матушки. Он, как всегда, был кроток, тих и покоен, и в этом спокойствии его понуро склоненной головы можно было ясно угадать грустную, но безропотную покорность своей доле.

Вот и Лука Летучий, скованный вместе с Фомкой-блаженным. А там, между бабьем, и Макридина лисья рожа виднеется.

— Все по злобе да по хуле людской за веру Господнию страсти безвинно приемлю, — поясняет она рядом стоящей товарке, с обычным своим вздохом всескорбящего сокрушения, — потому вера Божия в людиех оскудела; постный-то человек глаза, вишь, колет им, срамнецам скоромным. На постном-то человеке благодать почиет, а им, тиграм, это и завидно. Хулу на постного человека возв[illegible]ели, под претерпение поставили.

И много тут было еще всякого народа, осужденного на каторгу да на пос[illegible]ние «за разные прорухи и вины государские», и весь этот люд [illegible] провожала разношерстная толпа баб, мужиков и ребятишек. [illegible]оследней толпе все были родные и знакомые ссыльных: у [illegible] кого сын, у кого муж отправлялся. Всякому из них до[illegible]ть последний взгляд на близкого человека, сказать [illegible]сти в этой жизни.

Партия б[illegible]ной платформе под дождем и ветром. Иные [illegible]ли у груди кричащих ребятишек. Слышат[illegible] самый разнообразный, то вдруг смех да веселый возглас, то горькое рыданье с причитаньем, словно тут в одно время и свадьбу справляют, и покойника отпевают.

Унтер-офицер делает расчет арестантам, отделяя по известному числу людей для каждого вагона.

Раздался первый звонок.

Аким Рамзя снял свою шапку и зычным голосом выкрикнул на всю партию:

— Молитесь!

Все умолкло в одно мгновенье. Головы обнажились. У лбов и плеч замелькали руки, творящие крестное знамение. Кто молился стоя, кто клал земные поклоны. И в этой торжественной тишине раздавался один только резкий лязг цепей, которые бренчали при каждом движении молящейся руки.

Казалось, это не люди, а цепи молились.

И вот снова раздался голос партионного старосты:

— Кому с кем — прощайтесь да марш по вагонам! Не задерживай, братцы, не задерживай! Поживее!

И снова еще тревожнее пошел гул многоречивого говора, возгласов и слезливых всхлипываний бабья. И там и здесь дрожали женские рыданья, и громко детский плач раздавался.

— Ну, Матрешь, не плачь! Ты мне только дочурку-то выходи... Прощай, Матрешь, прощай, голубка! — слышался в толпе надсаженный голос какого-то арестантика, который нарочно хотел придать ему веселую напряженность.

— Прощайте, поштенные! — весело размахивал свободной лапищей Фомка-блаженный. — До свиданья, други и братия! Авось, даст Бог, опять как-нибудь повидаемся, а не то и за бугром встренемся! Да это что! Мы не робеем: опять пожалуем собирать на построение косушки да на шкалика сооружение... Гей! Лука Летучий — человек кипучий, валим, что ли, в вагон! Важнец-штука, эта чугунная кобыла! — ткнул он локтем в локоть своего кандального соседа.

— Эх-ма! — свистнул Летучий и, досадливо сплюнув сквозь зубы слюну, лихо запел себе:

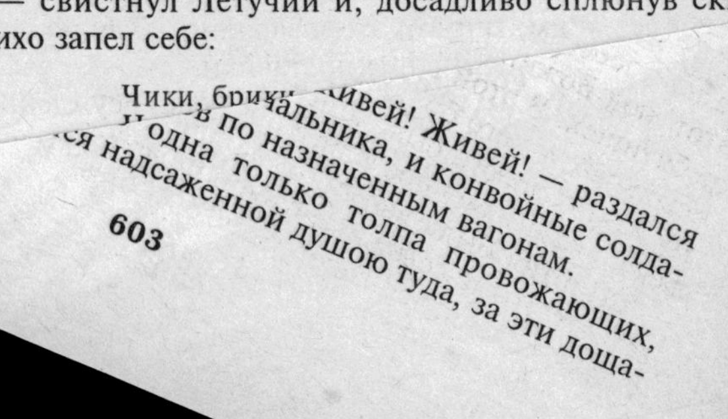
Чики, бри... живей! Живей! — раздался
...начальника, и конвойные солда-
...по назначенным вагонам.
...одна только толпа провожающих,
...ся надсаженной душою туда, за эти доща-

тые стенки вагона, которые, словно гроб, навеки сокрыли теперь за собою тех, кто был родственно дорог и мил сердцам этих матерей и жен, сестер и братьев, остающихся в этой безмолвной толпе.

Третий звонок.

Машина пронзительно свистнула, вагоны дернулись с места, затем локомотив тяжело ухнул одним клубом густого пара — и поезд тронулся.

В толпе провожающих опять раздалось рыданье, молитвы и причитающие возгласы. Несколько десятков рук поднялось в воздухе, крестя и благословляя идущих в далекое странствование.

А там, в вагонах, едва лишь тронулась машина, раздалась забубенная, залихватская арестантская песня.

— Гей, запевало! Облачко! Валяй! Про бычка валяй! — весело скомандовал Дрожин.

И Кузьма Облако, приложив ладонь к уху, затянул тоненькой, дрожащей и разливчатой фистулою:

Не по промыслам заводы завели,
По загуменью бычка провели.

И вслед за этим весь хор подхватил нестройными голосами:

На бычке-то не бычачья шерсть —
На бычке-то зеленой кафтан,
Оболочка шелковая,
Рукавички барановые —
За них денежки недаденые.
Ай, жги! жги! жги!
Поджигай! Поджигай!
За них денежки недаденые!
Мы поедем во Китай-город гулять,
Мы закупим да на рубль шелку.
Да совьем-то веревочку —
Не тонку-малу оборочку.
Мяснички наши похаживают,
На бычка-бычка поглядывают:
Уж что ж это за бычатинка,
Молодая коровятинка —
Не печется, не жарится,
Только шкурка подымается.
Ай, жги! жги! жги!
Поджигай! Поджигай!
...шкурка подымается.

— Валя... ...рассучий кот, так, чтоб все нутро выворачивало... — ободрительно кричал Дрожин в каком-то о... ...жденном звуками этой песни, в которой п... ...ое участие. Хоть и нестройно выходил... ...из сердца, щемящего тоской и зло... ...ось в какую-то забубенно лиху...

чтобы затопить в ней каторжное горе, и оно поневоле топилось в каторжной песне.

И снова раздался ухарский фальцет Кузьмы Облако:

Где не взялся тут Кирюшкин-брат[1],
Он схватил ли требушинки шмат —
Завязали бычку руки назад,
Положили по-над лавкой лежать.
Уж вы люди, вы люди мои, да
Вы людишки незадачливые —
Ах, зачем вам было сказывати,
Разговоры разговаривати!
Ай, жги! жги! жги!
Поджигай! Поджигай!
Разговоры разговаривати!

Таким-то первым приветом будущие каторжники встречали свою темную будущность.

LV

В МОРЕ

В Финском заливе нырял по волнам большой пассажирский пароход. Он шел за границу. В небе играло теплое весеннее утро, борясь солнечными лучами с целым стадом волнистых облаков, которые с ночи сплошною массою налегли над морем и не успели еще рассеяться.

На горизонте, в белесоватом тумане, едва голубела узкая и далеко протянувшаяся полоска берега.

То была Россия.

Бероев по направлению к ней протянул свою руку.

— Видишь?.. — тихо сказал он жене. — Смотри на нее, в последний раз смотри... Прощайся с нею — ведь уж мы ее больше никогда, никогда не увидим.

И с этой мыслью сердце его болезненно сжалось и защемило. Он долго еще смотрел на эту исчезающую полоску, пока наконец она совсем не растаяла в легком морском тумане.

У ног его, на корме, играли и весело возились между собою двое ребятишек, неумолчно щебеча какие-то свои ребячьи речи. Жена сидела подле, облокотясь на борт парохода, и глядела все в то же пространство, где недавно исчезла голубевшая полоска.

Выглянуло солнышко и ярко заиграло на снастях, на палубе, на лицах, окрасило золотистым отливом густые клубы облачно-белого пароходного дыма, прихотливо-извивчато заискрилось на изломах

[1] Палач.

зеленоватых волн и ярким серебром сверкнуло, при взмахе, на крыльях двух-трех морских чаек, заботливо реявших над водою.

Бероев любовно заглянул в лицо своей жены. Оно было тихо и грустно-задумчиво; а глаза все еще внимательно устремлялись в ту же самую даль, и будто силились еще, в последний раз, уловить утонувший за горизонтом берег покинутой родины, которая дала этой женщине столько великого горя и разлучаться с которою — разлучаться навеки — было все-таки невольно мучительно жалко.

На глазах ее жемчужились две крупные слезы.

Бероев взял ее руку и, глядя в эти глаза, тихо и долго сжимал ее добрым, родным пожатием.

На душе у обоих пронеслось какое-то облачко — жуткое сожаление о покинутой родине, светлая надежда на будущее...

Оба вздохнули о чем-то, оба улыбнулись друг другу, и в этом взгляде их светился теперь отблеск покоя и мира, в этой улыбке сказалось тихое счастье.

СОДЕРЖАНИЕ

огорожена решеткой, в черте которой находится еще одно свободное место, и на этом месте, не сегодня завтра, уляжется на вечный покой дряхлая и немощная княгиня Анна.

Итак, читатель, вот тебе судьба некоторых моих героев. Но точно ли коемуждо воздалось по делам его — об этом доскажет тебе следующая глава.

LIV

НА ВЛАДИМИРКУ

Сумерки. Седые тучи, гонимые сильным северным ветром, сплошь захлобучили весеннее небо. В отсырелом воздухе неприятная резкость. Мелкий холодный дождь перепадает полосами.

На станции Николаевской железной дороги заметно некоторое движение — то готовится поезд к отбытию. Локомотив передвигается с рельсов на рельсы, тяжело пышет густыми клубами белого дыма и словно какое-то чудовище смотрит издали своими двумя передними фонарями, которые в тусклой мгле дождливых сумерек светят, будто два огненных глаза.

На широком станционном дворе заслышался лязг многочисленных цепей, и показалась длинная партия ссыльных, окруженных со всех сторон штыками.

Позади скрипели телеги с пожитками арестантов; на телегах, приткнувшись кое-как и куда попало, сидели пересыльные женщины, дети и хворые.

Здесь было начало того пути, который предстояло им отверстать до всепоглощающей матери Сибири.

В этих мрачных фигурах, с нахлобученными на голову неуклюжими шапками, под серыми арестантскими армяками с желтым бубновым тузом на спине, ты, мой читатель, узнал бы многих из своих знакомых, с которыми свел я тебя в моем длинном рассказе.

Вот, например, старый жиган Дрожин. Веселый и довольный собою, на шестом десятке, приступает он теперь к третьему пешеходно-кандальному путешествию за бугры уральские, за тайгу сибирскую, за степь бурятскую да за яблоновые бугры — вплоть до города Нерчинскова.

— Нам это ровно что ничего, одно слово — на здоровье! — говорит он товарищу, снимая шапку и крестясь на небо. — Благодарение Господу Богу, и начальству нашему милостивому! Рассудило оно меня по всей правиле, и я оченно доволен. Много на том благодарствую! Малые дети потешались, значит, сдали Дрожина на Владимирку — ну и пущай! Дай им, Господи, всякого здоровья и благополучия! Истинно, друг любезный, говорю тебе это! Я рад. К старым знакомым на побывку сбегаю... А только годка через полтора, коли Бог грехам потерпит, удеру, опять удеру беспременно, потому никак не может душа моя без эфтого — вот тебе как перед истинным!

Тут же, рядом с ним, Фаликов и Сизой, и сказочник Кузьма Облако, а вон виднеется за ними высокая, скромносановитая фигура Акима Рамзи. Вся пересыльная партия единогласно выбрала его своим артельным старостой.

Вон и Иван Иванович Зеленьков — увы! — расставшийся со своими брючками, фрачками и жилеточками. Он совсем смалодушествовал, упал духом, глядит уныло и трогательно, и даже чуть не плачет, как подумает, — придется пешедралом да еще в железных браслетах отмахать такой длинный конец.

— Хоша бы на подводу посадили... Этак ведь совсем человеку ног лишиться надобно! — грустно вздыхает он про себя, подлаживая к поясу ножные кандалы, чтобы меньше терлись об щиколотки.

Старый Герман Типпнер несравненно более Ивана Ивановича имел бы прав попечалиться на трудность предстоящего путешествия, потому что его старые ноги действительно слабы и, обремененные тяжелыми цепями, с трудом передвигались, еле-еле поспевая за прочими. Но старый тапер ни единым звуком не выразил своей жалобы, и ни единый взгляд его не сказал, что творилось в душе убийцы Сашеньки-матушки. Он, как всегда, был кроток, тих и покоен, и в этом спокойствии его понуро склоненной головы можно было ясно угадать грустную, но безропотную покорность своей доле.

Вот и Лука Летучий, скованный вместе с Фомкой-блаженным. А там, между бабьем, и Макридина лисья рожа виднеется.

— Все по злобе да по хуле людской за веру Господнию страсти безвинно приемлю, — поясняет она рядом стоящей товарке, с обычным своим вздохом всескорбящего сокрушения, — потому вера Божия в людиех оскудела; постный-то человек глаза, вишь, колет им, срамнецам скоромным. На постном-то человеке благодать почиет, а им, тиграм, это и завидно. Хулу на постного человека возвели, под претерпение поставили.

И много тут было еще всякого народа, осужденного на каторгу да на поселение «за разные прорухи и вины государские», и весь этот люд Божий провожала разношерстная толпа баб, мужиков и ребятишек. В этой последней толпе все были родные и знакомые ссыльных: у кого брат, у кого сын, у кого муж отправлялся. Всякому из них дорого было кинуть последний взгляд на близкого человека, сказать ему последнее прости в этой жизни.

Партия была вытянута на длинной платформе под дождем и ветром. Иные ссыльные бабенки баюкали у груди кричащих ребятишек. Слышался говор, многоречивый и самый разнообразный, то вдруг смех да веселый возглас, то горькое рыданье с причитаньем, словно тут в одно время и свадьбу справляют, и покойника отпевают.

Унтер-офицер делает расчет арестантам, отделяя по известному числу людей для каждого вагона.

Раздался первый звонок.

Аким Рамзя снял свою шапку и зычным голосом выкрикнул на всю партию:

— Молитесь!

Все умолкло в одно мгновенье. Головы обнажились. У лбов и плеч замелькали руки, творящие крестное знамение. Кто молился стоя, кто клал земные поклоны. И в этой торжественной тишине раздавался один только резкий лязг цепей, которые бренчали при каждом движении молящейся руки.

Казалось, это не люди, а цепи молились.

И вот снова раздался голос партионного старосты:

— Кому с кем — прощайтесь да марш по вагонам! Не задерживай, братцы, не задерживай! Поживее!

И снова еще тревожнее пошел гул многоречивого говора, возгласов и слезливых всхлипываний бабья. И там и здесь дрожали женские рыданья, и громко детский плач раздавался.

— Ну, Матрешь, не плачь! Ты мне только дочурку-то выходи... Прощай, Матрешь, прощай, голубка! — слышался в толпе надсаженный голос какого-то арестантика, который нарочно хотел придать ему веселую напряженность.

— Прощайте, поштенные! — весело размахивал свободной лапищей Фомка-блаженный. — До свиданья, други и братия! Авось, даст Бог, опять как-нибудь повидаемся, а не то и за бугром встренемся! Да это что! Мы не робеем: опять пожалуем собирать на построение косушки да на шкалика сооружение... Гей! Лука Летучий — человек кипучий, валим, что ли, в вагон! Важнец-штука, эта чугунная кобыла! — ткнул он локтем в локоть своего кандального соседа.

— Эх-ма! — свистнул Летучий и, досадливо сплюнув сквозь зубы слюну, лихо запел себе:

Чики, брики, так и быть!
Наших девок не забыть!
Живы будем — не забудем,
А помрем — с собой возьмем.

Ударил второй звонок.

— Эй! На места! На места садись! Живей! Живей! — раздался командирский голос партионного начальника, и конвойные солдаты принялись загонять арестантов по назначенным вагонам.

На платформе осталась одна только толпа провожающих, грустная, немая и рвущаяся надсаженной душою туда, за эти дощатые стенки вагона, которые, словно гроб, навеки сокрыли теперь за собою тех, кто был родственно дорог и мил сердцам этих матерей и жен, сестер и братьев, остающихся в этой безмолвной толпе.

Третий звонок.

Машина пронзительно свистнула, вагоны дернулись с места, затем локомотив тяжело ухнул одним клубом густого пара — и поезд тронулся.

В толпе провожающих опять раздалось рыданье, молитвы и причитающие возгласы. Несколько десятков рук поднялось в воздухе, крестя и благословляя идущих в далекое странствование.

А там, в вагонах, едва лишь тронулась машина, раздалась забубенная, залихватская арестантская песня.

— Гей, запевало! Облачко! Валяй! Про бычка валяй! — весело скомандовал Дрожин.

И Кузьма Облако, приложив ладонь к уху, затянул тоненькой, дрожащей и разливчатой фистулою:

> Не по промыслам заводы завели,
> По загуменью бычка провели.

И вслед за этим весь хор подхватил нестройными голосами:

> На бычке-то не бычачья шерсть —
> На бычке-то зеленой кафтан,
> Оболочка шелковая,
> Рукавички барановые —
> За них денежки недаденые.
> Ай, жги! жги! жги!
> Поджигай! Поджигай!
> За них денежки недаденые!
> Мы поедем во Китай-город гулять,
> Мы закупим да на рубль шелку.
> Да совьем-то веревочку —
> Не тонку-малу оборочку.
> Мяснички наши похаживают,
> На бычка-бычка поглядывают:
> Уж что ж это за бычатинка,
> Молодая коровятинка —
> Не печется, не жарится,
> Только шкурка подымается.
> Ай, жги! жги! жги!
> Поджигай! Поджигай!
> Только шкурка подымается.

— Валяй, Облачко! Валяй, рассучий кот, так, чтоб все нутро выворачивало! Чтобы перцем жгло! — ободрительно кричал Дрожин в каком-то своеобразном экстазе, возбужденном звуками этой песни, в которой почти целый вагон принимал живое участие. Хоть и нестройно выходило, да зато звуки вырывались прямо из сердца, щемящего тоской и злобой, которое от этого завыванья бросалось в какую-то забубенно лихую, жуткую отчаянность. Не было водки,